令和07年

Network Specialist Examination

ネットワークスペシャリスト 合格教本

岡嶋 裕史 著

技術評論社

はじめに

ネットワークスペシャリスト試験は、オンライン技術者試験（昭和63年）、ネットワークスペシャリスト試験（平成6年）、テクニカルエンジニア（ネットワーク）試験（平成13年）の系譜に連なるネットワークカテゴリ最高峰の資格試験です。

資格を取得する目的の1つに、自分の力量を客観的に証明し、正当に評価されたいという理由があります。そうであれば、受験する資格は慎重に選択する必要があります。資格試験の位置づけは世の中で相場が決まっており、どれだけの難関資格であろうと知名度の低い資格であれば自分の欲する評価は得られないでしょう。他者評価など気にしない資格マニアでなければ、できるだけコストパフォーマンスのよい（支払った努力に見合うだけの見返りが得られる）資格を取得するべきです。試験対策というのは、お金もかかりますし、肉体的・精神的にも消耗します。投資は優良な資格に集中させるのが賢明なキャリア戦略といえます。

かといって、資格バブルの一時期に見られたような「楽に取れた割には評価の高い」資格は淘汰の波間に消え、もうありません。現在は、適切な自己研鑽を行った人だけが取得できる真っ当な資格が、きちんと評価される枠組みが整いました。その意味において、ネットワークスペシャリストは手堅い選択です。そもそもIT系資格の中で唯一の国家資格であり、高いステータス性を誇る情報処理技術者試験ですが、その中でもネットワークスペシャリストは難関資格として高名です。ベンダ資格にまで視野を広げても、CCIEなどのラボ試験を除いて最難関の資格であるといえるでしょう。

それだけに、資格取得後の特典は多種多彩です。多くの企業が一時金や資格手当を用意していますし、弁理士試験などの国家試験で試験科目の一部免除が受けられます。また、学生の場合は資格取得による単位の認定や、入学試験時における優遇制度を設けている学校があります。

もちろんこれだけの評価が得られる資格ですから、合格のハードルは高く、対策の道のりは長いですが、やりがいのある行程です。

その最初のステップに本書が役立てば、これに勝る喜びはありません。

令和6年8月　岡嶋 裕史

目 次

4.12 Web関連のプロトコル 281

4.13 その他のアプリケーション層プロトコル 296

章末問題 302

第5章 信頼性向上

5.1 信頼性設計 314

5.2 耐障害設計及び性能管理 316

5.3 バックアップ 322

5.4 ストレージ関連技術 326

5.5 ネットワーク管理技術 333

第6章 セキュリティ

第Ⅱ部　長文問題演習 － 午後Ⅰ・午後Ⅱ問題対策 －

午後Ⅰ問題の対策

午後Ⅱ問題の対策

本書の構成

本書の第Ⅰ部は、テーマ別に解説を読み進めながら、章末問題で試験の過去問題に挑戦していただき、実際の試験でどのように出題されているのかをイメージしながら学習することができます。ネットワークスペシャリスト試験以外からも、厳選して掲載していますので、ぜひチャレンジしてみてください。

第Ⅱ部は、長文読解・筆記解答となる午後問題の対策を、実際の過去問題を用いて解説します。限られた時間の中で確実に答案を作成できるよう、問題文を読む際の着目点や勘所、解答の際のポイントなど、試験で着実に正答できるように丁寧に解説していきます。

側注には、本文の理解を助ける情報をアイコン分けして数多く掲載しています。

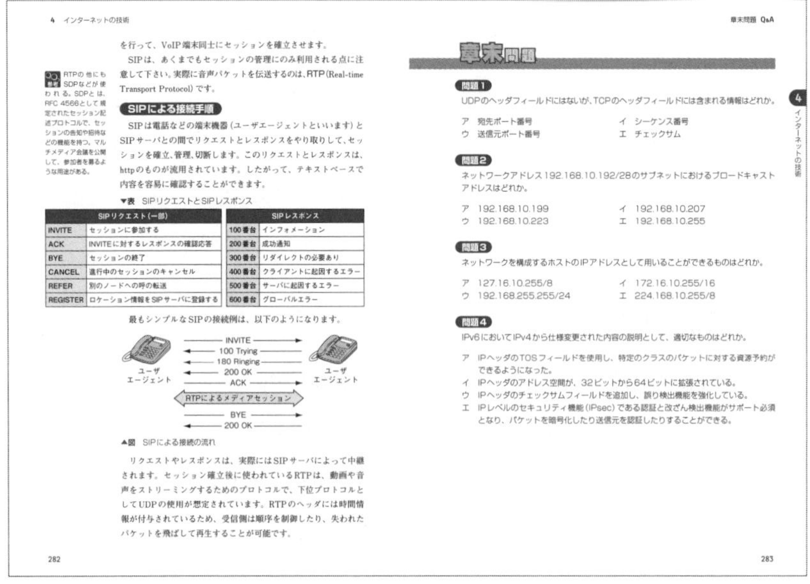

4　インターネットの技術

を行って、VoIP端末同士にセッションを確立させます。

SIPは、あくまでもセッションの管理にのみ利用される点に注意して下さい。実際に音声パケットを伝送するのは、RTP(Real-time Transport Protocol)です。

参考　RTPの他にもSDPなどが使われる。SDPとは、RFC 4566として規定されたセッション記述プロトコルで、セッションの告知や招待などの機能を持つ。マルチメディア会議を公開して、参加者を募るような用途がある。

SIPによる接続手順

SIPは電話などの端末機器(ユーザエージェントといいます)とSIPサーバとの間でリクエストとレスポンスをやり取りして、セッションを確立、管理、切断します。このリクエストとレスポンスは、httpのものが流用されています。したがって、テキストベースで内容を容易に確認することができます。

▼表　SIPリクエストとSIPレスポンス

SIPリクエスト(一部)		SIPレスポンス	
INVITE	セッションに参加する	100番台	インフォメーション
ACK	INVITEに対するレスポンスの確認応答	200番台	成功通知
BYE	セッションの終了	300番台	リダイレクトの必要あり
CANCEL	進行中のセッションのキャンセル	400番台	クライアントに起因するエラー
REFER	別のノードへの呼の転送	500番台	サーバに起因するエラー
REGISTER	ロケーション情報をSIPサーバに登録する	600番台	グローバルエラー

最もシンプルなSIPの接続例は、以下のようになります。

▲図　SIPによる接続の流れ

リクエストやレスポンスは、実際にはSIPサーバによって中継されます。セッション確立後に使われているRTPは、動画や音声をストリーミングするためのプロトコルで、下位プロトコルとしてUDPの使用が想定されています。RTPのヘッダには時間情報が付与されているため、受信側は順序を制御したり、失われたパケットを飛ばして再生することが可能です。

282

章末問題 Q&A

章末問題

問題1

UDPのヘッダフィールドにはないが、TCPのヘッダフィールドには含まれる情報はどれか。

ア　宛先ポート番号　　イ　シーケンス番号
ウ　送信元ポート番号　　エ　チェックサム

問題2

ネットワークアドレス192.168.10.192/28のサブネットにおけるブロードキャストアドレスはどれか。

ア　192.168.10.199　　イ　192.168.10.207
ウ　192.168.10.223　　エ　192.168.10.255

問題3

ネットワークを構成するホストのIPアドレスとして用いることができるものはどれか。

ア　127.16.10.255/8　　イ　172.16.10.255/16
ウ　192.168.255.255/24　　エ　224.168.10.255/8

問題4

IPv6においてIPv4から仕様変更された内容の説明として、適切なものはどれか。

ア　IPヘッダのTOSフィールドを使用し、特定のクラスのパケットに対する資源予約ができるようになった。
イ　IPヘッダのアドレス空間が、32ビットから64ビットに拡張されている。
ウ　IPヘッダのチェックサムフィールドを追加し、誤り検出機能を強化している。
エ　IPレベルのセキュリティ機能(IPsec)である認証と改ざん検出機能がサポート必須となり、パケットを暗号化したり送信元を認証したりすることができる。

4　インターネットの技術

283

▲図　本書の紙面

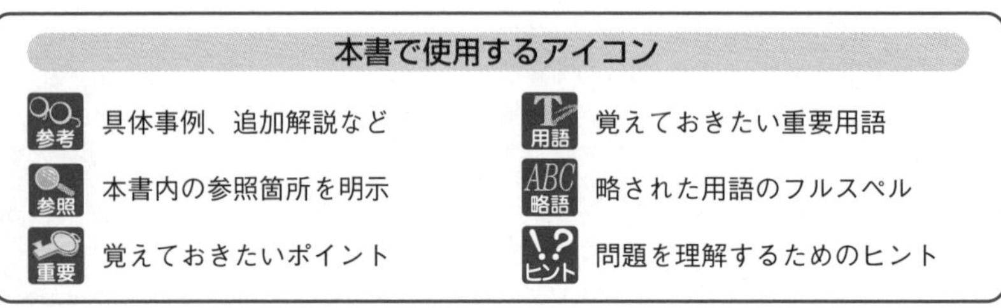

受験の手引き

ネットワークスペシャリスト試験の位置づけ

ネットワークスペシャリスト試験とは、情報処理関連業務に関するスキルを問う各種の試験制度のうち、唯一の国家試験である情報処理技術者試験の一分野です。情報処理技術者試験は能力の分野とレベルでいくつかの試験に細分化されていますが、ネットワーク分野について行われる試験がネットワークスペシャリスト試験というわけです。

情報処理技術者試験は平成21年春に制度改定が行われ、ベンダ側、ユーザ側といった分類の廃止や、試験分野の整理統合が行われました。他の国家試験に比べればまだ試験区分が多いものの、全体としてかなりすっきりした印象になったといえます。

また、共通キャリア・スキルフレームワークに準拠したことで、今まで比較的分かりにくいとされていた、資格のレベル感もはっきりしました。共通キャリア・スキルフレームワークはレベル1（最低限求められる基礎知識）～レベル7（世界に通用するハイエンドプレイヤー）に分けられていますが、情報処理技術者試験は区分によってレベル1～レベル4に対応することになりました（レベル5以上は筆記試験による判定に馴染まないため、業務経験で判定されます）。

ネットワークスペシャリスト試験はこのうちのレベル4（プロフェッショナル）に該当します。もとから合格者への評価が高い試験でしたが、名実ともに国内最高峰のネットワーク関連試験と認定されました。長年、出題委員の負担の大きさが俎上に載せられており、過去問題の流用は高い確率で行われています。特に午前問題において、過去問題への取り組みは極めて有効です。

合格率は引き続き10%台程度で推移すると見られ、決して取得の容易な資格ではありませんが、合格者が得られるレピュテーションは非常に大きいといえます。

試験実施日

ネットワークスペシャリスト試験は、年1回（4月第3日曜日）実施されます。

令和元年までは10月（秋期）実施でしたが、新型コロナウイルス感染症対応の一環で令和02年度は実施されず、令和03年以降は4月（春期）実施に変更となりました。

出題形式と試験時間

ネットワークスペシャリスト試験は、午前Ⅰと午前Ⅱ、午後Ⅰと午後Ⅱの試験区分に分れます。

	午前Ⅰ	午前Ⅱ	午後Ⅰ	午後Ⅱ
試験時間	9：30～10：20 (50分)	10：50～11：30 (40分)	12：30～14：00 (90分)	14：30～16：30 (120分)
出題形式	多肢選択式 (四肢択一) 高度試験共通問題	多肢選択式 (四肢択一)	記述式	記述式
出題数と必要解答数	30問出題／ 30問解答	25問出題／ 25問解答	3問出題／2問解答	2問出題／1問解答

● 午前試験

午前Ⅰでは各高度試験の共通問題が出題され、午前Ⅱではその区分の専門知識が試されます。試験対策をする際には、どうしても専門知識を優先して習得することになりがちですが、午前Ⅰの点数で不合格になってしまわないように気をつける必要があります。

具体的には、専門分野で高得点を取り、少し記憶があやふやになった基礎知識の得点をカバーするといったテクニックが使えないので(午前Ⅰで満点の60%を基準に足切りがあるため)、共通分野もしっかり復習することが求められます。目安としては、応用情報技術者の午前問題が7～8割解ければ問題ないでしょう(午前Ⅰは、応用情報の午前試験のサブセットです)。

● 午後試験

午後Ⅰ試験は、3問中2問を解答させる形式で、必ず答えなければならない問題の割合が高いため、苦手分野を作らないことが重要です。

午後Ⅱ試験は、2問中1問を解答させる形式です。ここでは非常に長い文章が提示されるため、普段から長めの文章に触れる機会を作っておきましょう。解答テクニックとして、設問文と設問に関係のある箇所の問題文しか読まない方法もありますが、問題文そのものにヒントが多い構成なので、情報処理試験ではおすすめできません。

基本的にはシナリオ問題なので、問題文の流れに沿って設問が置かれていきます。この配置は易→難の順番になっていますが、最初の問題を誤ると後続の問題をどんどん落としてしまうのが、シナリオ問題の怖さです。1問目から気を抜かずに取りかかりましょう。

合格基準点と多段階選抜方式

ネットワークスペシャリスト試験の午前Ⅰ・Ⅱ、午後Ⅰ・Ⅱ試験には、それぞれ基準点が設けられています。基準点はそれぞれ100点満点中の60%となっており、各試験で基準点に達しない場合は、以降の試験の採点が行われずに不合格となります。例えば、午前Ⅰが基準点に達しない場合は、午前Ⅱ・午後Ⅰ・午後Ⅱの採点が行われず不合格になります。

免除制度

高度試験共通の知識を問う午前Ⅰ試験では、以下の1～3の条件のいずれかを満たしていれば、その後2年間の受験が免除されます。

条件1：応用情報技術者試験に合格する
条件2：いずれかの高度試験または情報処理安全確保支援士試験に合格する
条件3：いずれかの高度試験または情報処理安全確保支援士試験の午前Ⅰ試験で基準点以上の成績を得る

なお、高度試験とは、以下の8つの試験を指します。

ITストラテジスト試験
システムアーキテクト試験
プロジェクトマネージャ試験
ITサービスマネージャ試験
システム監査技術者試験
ネットワークスペシャリスト試験
データベーススペシャリスト試験
エンベデッドシステムスペシャリスト試験

※ネットワークスペシャリスト試験を含む、高度試験の午前Ⅰ試験の基準点は、いずれも満点の60%です。

問合せ先

独立行政法人 情報処理推進機構（IPA）
デジタル人材センター 国家資格・試験部
〒113-8663
東京都文京区本駒込2-28-8
文京グリーンコートセンターオフィス15階
TEL：03-5978-7536
ホームページ：https://www.ipa.go.jp/shiken/

試験の出題範囲

● 午前Ⅰ・午前Ⅱ試験

<table>
<tr><th>分野</th><th>大分類</th><th>中分類</th><th>午前Ⅰ</th><th>午前Ⅱ</th></tr>
<tr><td rowspan="13">テクノロジ系</td><td rowspan="2">基礎理論</td><td>基礎理論</td><td rowspan="10">○3</td><td></td></tr>
<tr><td>アルゴリズムとプログラミング</td><td></td></tr>
<tr><td rowspan="4">コンピュータシステム</td><td>コンピュータ構成要素</td><td>○3</td></tr>
<tr><td>システム構成要素</td><td>○3</td></tr>
<tr><td>ソフトウェア</td><td></td></tr>
<tr><td>ハードウェア</td><td></td></tr>
<tr><td rowspan="5">技術要素</td><td>ヒューマンインタフェース</td><td></td></tr>
<tr><td>マルチメディア</td><td></td></tr>
<tr><td>データベース</td><td></td></tr>
<tr><td>ネットワーク</td><td>◎4</td></tr>
<tr><td>セキュリティ</td><td>◎3</td><td>◎4</td></tr>
<tr><td rowspan="2">開発技術</td><td>システム開発技術</td><td rowspan="12">○3</td><td>○3</td></tr>
<tr><td>ソフトウェア開発管理技術</td><td>○3</td></tr>
<tr><td rowspan="3">マネジメント系</td><td>プロジェクトマネジメント</td><td>プロジェクトマネジメント</td><td></td></tr>
<tr><td rowspan="2">サービスマネジメント</td><td>サービスマネジメント</td><td></td></tr>
<tr><td>システム監査</td><td></td></tr>
<tr><td rowspan="7">ストラテジ系</td><td rowspan="2">システム戦略</td><td>システム戦略</td><td></td></tr>
<tr><td>システム企画</td><td></td></tr>
<tr><td rowspan="3">経営戦略</td><td>経営戦略マネジメント</td><td></td></tr>
<tr><td>技術戦略マネジメント</td><td></td></tr>
<tr><td>ビジネスインダストリ</td><td></td></tr>
<tr><td rowspan="2">企業と法務</td><td>企業活動</td><td></td></tr>
<tr><td>法務</td><td></td></tr>
</table>

※○は出題範囲であることを、◎は出題範囲のうちの重点分野であることを表します。
※3、4は技術レベルを表し、4が最も高度で、4は3を包含します。

● 午後Ⅰ・午後Ⅱ試験

1　ネットワークシステムの企画・要件定義・設計・構築に関すること
ネットワークシステムの要求分析、論理設計、物理設計、信頼性設計、性能設計、セキュリティ設計、アドレス設計、運用設計、インプリメンテーション、テスト、移行、評価(性能、信頼性、品質、経済性ほか)、改善提案　など

2　ネットワークシステムの運用・保守に関すること
ネットワーク監視、バックアップ、リカバリ、構成管理、セキュリティ管理　など

3　ネットワーク技術に関すること
ネットワークシステムの構成技術、トラフィック制御に関する技術、待ち行列理論、セキュリティ技術、信頼性設計、符号化・データ伝送技術、ネットワーク仮想化技術、無線LAN技術　など

4　ネットワークサービス活用に関すること
市場で実現している、又は実現しつつある各種ネットワークサービスの利用技術、評価技術及び現行システムからの移行技術　など

5　ネットワークアプリケーション技術に関すること
電子メール、ファイル転送、Web技術、コンテンツ配信、IoT/M2M　など

6　ネットワーク関連法規・標準に関すること
ネットワーク関連法規、ネットワークに関する国内・国際標準及びその他規格　など

第 I 部
知識のまとめ
－午前Ⅱ、午後Ⅰ・Ⅱ問題対策－

午前問題の傾向＆対策

午前Ⅰ 30問、午前Ⅱ 25問、多肢選択式による解答

午前試験問題の出題範囲

午前問題は午前Ⅰ・午前Ⅱに分かれ、午前Ⅰは各高度試験共通問題が30問、午前Ⅱはネットワークスペシャリストの専門に特化した問題が25問、出題されます（出題範囲はP18を参照）。

午前Ⅰ試験の出題範囲は、応用情報技術者試験の午前問題と同じで出題範囲が広いため、本格的な学習には応用情報技術者試験用の学習書による対策をおすすめします。

●午前Ⅰ（高度試験共通）

ジャンル（IPAの大分類による）	03年	04年		05年	06年	
	秋試験の出題数	春試験の出題数	秋試験の出題数	春試験の出題数	秋試験の出題数	春試験の出題数
1 基礎理論	3	4	4	3	3	3
2 コンピュータシステム	4	3	4	4	4	4
3 技術要素	8	8	7	8	7	9
4 開発技術	2	2	2	2	3	1
5 プロジェクトマネジメント	2	2	2	2	3	2
6 サービスマネジメント	3	3	3	3	2	3
7 システム戦略	3	3	3	3	2	2
8 経営戦略	5	3	2	3	4	3
9 企業と法務	0	2	3	2	2	3

●午前Ⅱ（ネットワークスペシャリスト）

ジャンル（IPAの中分類による）	30年	01年	03年	04年	05年	06年
	出題数	出題数	出題数	出題数	出題数	出題数
ネットワーク	15	15	15	15	15	15
セキュリティ	6	6	6	6	6	6
コンピュータ構成要素	1	1	1	1	1	1
システム構成要素	1	1	1	1	1	1
システム開発技術	1	1	1	1	1	1
ソフトウェア開発管理技術	1	1	1	1	1	1

合格へのキーポイント

○インターネットプロトコル関連、セキュリティ系の出題は高め安定。過去問の焼き直しが多いので得点源にしたい。十分な対策を取っておこう。
○意外に足をすくわれるのが、前提となるネットワーク分野以外の基礎知識。忘れているもの、あやふやなものは早めに対策しておこう。

NOTE「午後問題の傾向＆対策」は448ページ

第1章
ネットワークの基礎知識と情報技術

この章では、ネットワークの理解を深めていくに際して、前提となる知識をおさらいします。下位の試験区分を受験した際に習得済みの方も多いと思いますが、復習のつもりでざっと眺めてみて下さい。ネットワークスペシャリスト試験は試験範囲が広くて深く、その対策は長丁場になりますが、きちんとした基礎知識を修めておくと後半で息切れしません。

特に、プロトコルがなぜ階層化されているのか、回線交換とパケット交換の違い、コネクション型通信、コネクションレス型通信の違いについては、学習範囲全般にわたって関連してきます。

直接出題対象となる技術をしっかり理解するための土台となる重要な概念ですので、ここでマスターしてしまいましょう。章末問題と合わせて得点力を増大させてください。足切りに引っかからない安定した力をつけましょう。

1.1 プロトコル

1.1.1 プロトコルとは

プロトコルは、ネットワークを勉強していく際の、最重要用語の一つです。よく、葬式は一人でできるが、結婚は相手がいないとムリといわれますが、ネットワークは後者に属しています。すなわち、相手がいないと始まりません。

相手がいて情報のやり取りをする場合、必ずなんらかの取り決めがなされています。これは、コンピュータのネットワークに限らず、人間同士のやり取りでも全く同じです。この本が日本語で書かれているのは、日本語が読める読者を想定しているからですし、文字の大きさが8.5ポイントなのは、読みやすさと情報量のバランスを取った結果です。

こうした取り決めのことを、**プロトコル**と呼んでいます。日本語に訳す必要があるときは、「規約」としておけばOKです。

ネットワークのプロトコルは明示的

どんな情報のやり取りにもプロトコルがありますが、ふだんそれと意識していないのは、人間が頭がよくてアドリブが利くからです。

私たちは、「今日は日本語が母語の人たちが多いから日本語で会話をしようか、隣で工事をしているから声の大きさは80デシベルくらいでいってみよう」などと、いちいち取り決めをしないでいきなり会話を始めます。

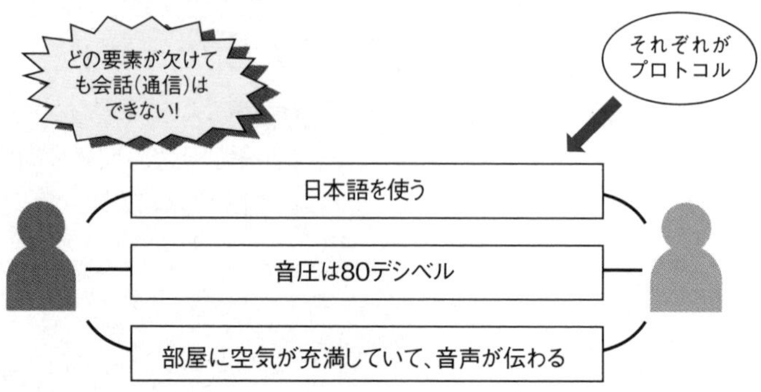

▲図　会話上の規約

これはひとえに、各人がそれぞれ状況をよくみて、TPOに応じたコミュニケーションをできる能力をもっているからです。「この状況だと、声の大きさはこのくらい」と、その場で適切な判断を下せるわけです。ところが、パソコンや各種通信機器はそんなに頭がよくありません。状況を見て、通信の取り決めをその場で考える、などという芸当はできないわけです。そのため、コンピュータ用に作られた各種プロトコルの細目は膨大な量になります。

- どのタイミングで話しかければいいのか
- どのくらいの大きさでしゃべるのか
- 何語を使うのか
- 相手に無視されたらどうすればいいのか

等々、とにかく情報のやり取りにまつわるあらゆる心配事を事前に取り決めておく必要があるのです。

実は私たちも、似たような経験を子どもの頃にしています。

幼稚園の教室に「相手の目を見て話しましょう」「大きな声ではっきりと話しましょう」などと書いてありますが、あれは会話のプロトコルです。視線で通信相手を特定し、伝送ミスを抑制するために大きな、はっきりとした声で伝送を行うことを取り決めています。幼稚園児は、まだこうしたことを自分で判断することが難しいため、大人同士では暗黙の了解にしてしまいがちな会話のプロトコルを明文化して、貼ってあるのです。

また、あまりにも文化や年齢が違う人同士の会話では、プロトコルを事前に決めた方がよいケースもあるでしょう。どうしてもプロトコルがかみ合わない場合は、ゲートウェイ（通訳）を間に挟むのもアリです。

参照 ゲートウェイ➡P141

ネットワークの勉強は、かなりの部分、プロトコルの勉強です。

公務員の世界が法律で動いているように、ネットワークはプロトコルで動いています。公務員が法律を根拠にしか動けない／動いてはいけないように、すべてのネットワーク機器はプロトコルにしたがって動きます。この本にもたくさんのプロトコルが出てきますが、プロトコルを知るとネットワークが分かります。がんばっていきましょう！

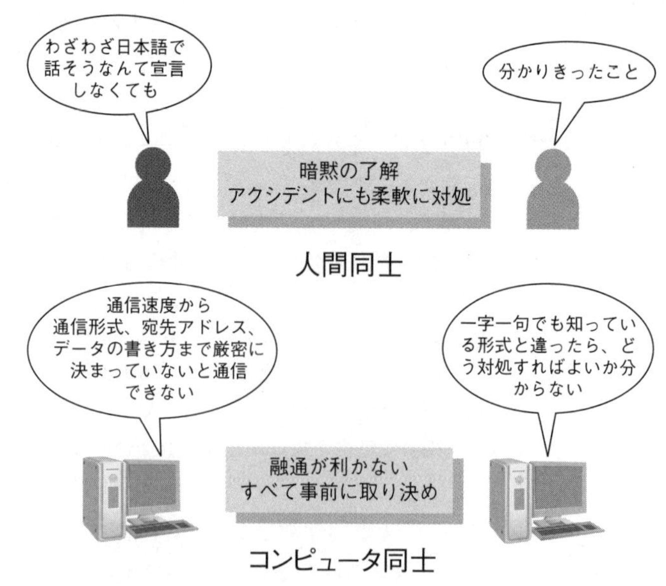

▲図　人間とコンピュータでの会話の違い

1.1.2　プロトコルの標準化

プロトコルは、どのような形の通信であれ必要になるので、基本的には誰が作ってもかまいません。従来はプロトコルを策定する主体は主にベンダでした。ベンダは、自社通信機器用の**独自プロトコル**を多く制定しました。この場合、ある通信機器は他ベンダの通信機器と通信できませんが、むしろ自社製品による囲い込みを狙っていたので都合がよかったのです。

用語　独自プロトコル　ベンダによる自社開発のプロトコル。IPX/SPX（ノベル社）、NetBEUI（マイクロソフト社）、AppleTalk（アップル社）、などが代表例。

ネットワークシステムが普及して、利便性を向上させてくると相互接続性が重要になりました。標準化されたプロトコルを採用した機器であれば、他社ベンダや他国の通信機器であっても相互に接続することが可能です。

標準化を推進する機関としては、IETF、ISO、ITU-T、IEEE、NISTなどがあります。現在、ネットワークで標準的に利用されているTCP/IPもIETFが中心となって標準化が進められています。

参考 プロトコルによっては、詳細が詰め切れていないものもあり、細目をベンダが独自に解釈している場合がある。その場合、解釈の異なる機器同士は接続できないことがある。また、プロトコルに記載された事項をすべて満たすと製品は標準的な性能になりがちで、ピーキーな性能を必要とする専用システムには向かない場合がある。

こうした機関で策定される標準規格は、元々ベンダで開発された独自プロトコルがデファクトスタンダードとして定着し、標準化されたものも多くあります。最近では、ベンダが新たな規格を作成する際、最初から標準化機関と協力するケースも目立ちます。

標準化を推進する機関等

- IETF …Internet Engineering Task Forceの略。RFCという規格文書を発行する。
- RFC …Request For Commentsの略。IETFが発行する規格文書のこと（提案の形をとる）。
- ISO ……International Organization for Standardizationの略。国際標準化機構のこと。
- ITU ……International Telecommunications Unionの略。国際電気通信連合。下部組織にITU-Tがある。
- ITU-T（ITU-TS） …ITU Telecommunication sectorの略。ITUで電気通信技術の標準化を担当する部門である。
- IEEE …Institute of Electrical and Electronic Engineersの略。米国電気電子学会のこと。
- NIST …National Institute of Standards and Technologyの略。米国標準技術局のこと。

1.2 OSI基本参照モデル

1.2.1 階層化

OSI基本参照モデルは、ISOが定めた標準モデルです。各プロトコルが実現する機能を7つのグループに分けて整理したことが特徴です。

各グループはより基本的な機能（下位、と表現します）から、より応用的な機能（上位、と表現します）へと上下関係がつけられ、階層化されています。

上位層	第7層	アプリケーション層	……	ゲートウェイ
	第6層	プレゼンテーション層		
	第5層	セション層		
下位層	第4層	トランスポート層		
	第3層	ネットワーク層	……	ルータ
	第2層	データリンク層	……	ブリッジ
	第1層	物理層	……	リピータ

▲図　OSI基本参照モデル

7階層は、第1層（一番基本的な層）～第4層と、第5層～第7層（一番応用的な層）にざっくりと二分することができ、前者を下位層、後者を上位層と呼ぶこともあります。下位層は通信そのものを制御し、上位層は通信でやり取りされるデータの形などを規定します。

上図の右側は、その階層のプロトコルに対応する通信機器を表しています。プロトコルが階層化されることで、「ネットワーク層の新機能を使いたいので、ルータを交換しよう」とやることができます。全体が1つのプロトコルで作られた巨大なシステムだったら、「ケーブルをメタルから光に変えたいので、システム全取っ替えね」となりかねません。

1.2.2 7つの階層

物理層

機器と機器とを「物理的につなぐ」ことに関してルールを定める層です。したがって、ケーブルの口金の形はどうだとか、そこを流れる電流の電気的な性質はどうか、無線通信であれば周波数はどうしたといった話になります。

データリンク層

「同じネットワーク内」にいる通信機器とのやり取りに関してルールを定める層です。ここで定められる有名なプロトコルとしては、**イーサネット**や**MACアドレス**などがあります。

ネットワーク層

「異なるネットワーク」とのやり取りに関してルールを定める層です。異なるネットワーク間でやり取りを行い、相手が世界中のどこにいても通信できる環境を整えます。代表的なプロトコルに**IP**（インターネット・プロトコル）があります。

参考 IPの「インターネット」は、ネットワーク間を繋げるプロトコルの意味。

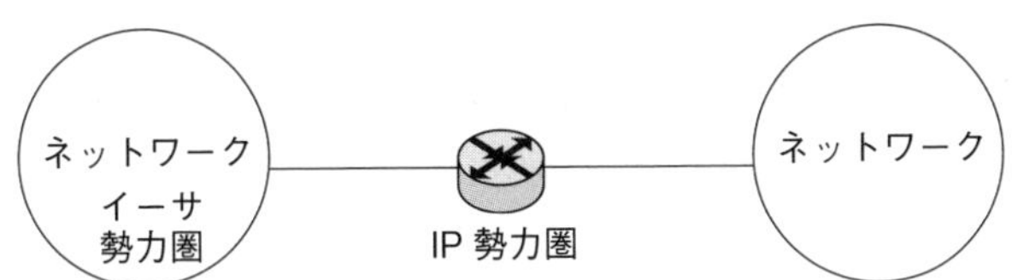

▲図　ネットワーク間の取り決め

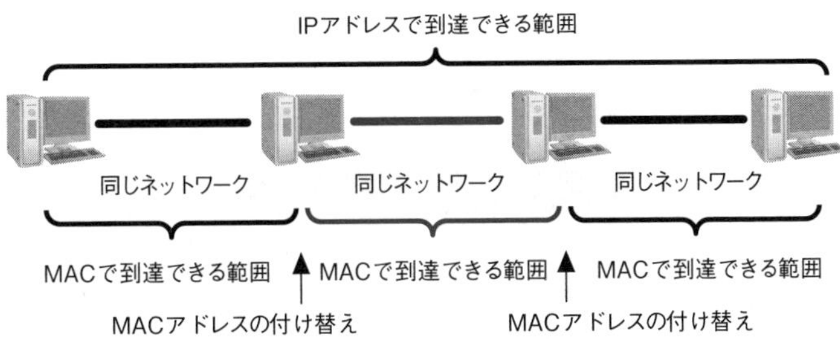

▲図　データリンク層とネットワーク層の違い

もちろん、IP以外にもネットワーク層のプロトコルはいろいろあって、IP以外の方法でもネットワーク間の通信は可能です。

トランスポート層

「データの品質管理」に関してルールを定める層です。伝送エラーの検出や再送、送信データ量の調整を行います。と、教科書的に書くとそうなのですが、実はもう一つ大事な役目があって、どのソフトからどのソフトへ宛てた通信かを特定します。今どきのコンピュータは複数のソフトが起動しているのが普通ですが、ネットワーク層までの機能では、「あるパソコンからあるパソコンへ」しか通信を届けられないため、目的地のパソコンの中でどのソフトに渡せばいいのか困ってしまうのです。トランスポート層のプロトコルは、ポート番号と呼ばれる番号でこれを管理します。この層で有名なプロトコルには、TCPとUDPがあります。

セション層

「最終的な通信の目的にあわせた送受信管理」のルールを定める層です。情報処理技術者試験ではあまり出題されません。コネクション確立やデータ転送のタイミング管理などが主な仕事です。半二重通信（送信と受信を切り替えながら行う）や全二重通信（同時に送受信を行う）の区分などもセション層で定義します。

プレゼンテーション層

「データの表現形式」について取り決める層です。電気的、物理的なデータ伝送は下位層によって行われますが、送受信されたデータが圧縮されているのか、文字コードは何が使われているのかという情報がないと伝送されたデータを利用できません。こうした特性をデータ送信の部分と切り離して定義することにより、新しいデータ形式が現れても通信機器に影響を及ぼさずに対応することができます。

アプリケーション層

「アプリケーションソフトがやり取りする情報」について取り決める層です。OSI基本参照モデルの最上位に位置する層で、やり取りされる情報の構造や手順などが定められます。メールの規定を行っているSMTPや、Webアクセスの規定を行っているHTTPなど、それぞれのアプリケーションに特化したプロトコルとなります。アプリケーションプロトコルは、メールボックスの管理など最もユーザに近い部分を担当します。

物理層からアプリケーション層まで、いろいろなプロトコルを組み上げて、1つの通信システムを構築していきますが、プロトコル同士の相性というのはやはりあります。「ネットワーク層がこのプロトコルだったら、トランスポート層はこのプロトコルにしておくとトラブルが少ないぞ」とか「同じ団体が作ったプロトコル」はセットで使われることが多く、このセットのことを**プロトコルスイート**と呼んでいます。情報処理試験でよく問われるのは、IPを中心に組まれた**TCP/IPプロトコルスイート**です。

参照 TCP/IPプロトコルスイート ➡P41

1.2.3 エンティティとサービス

OSI基本参照モデルでは、それぞれの階層のことを**N層**と呼び、N層に存在する通信機器などの実体のことを**エンティティ**と呼びます。N層に属するエンティティ同士が相互に通信するための取り決めが**プロトコル**です。

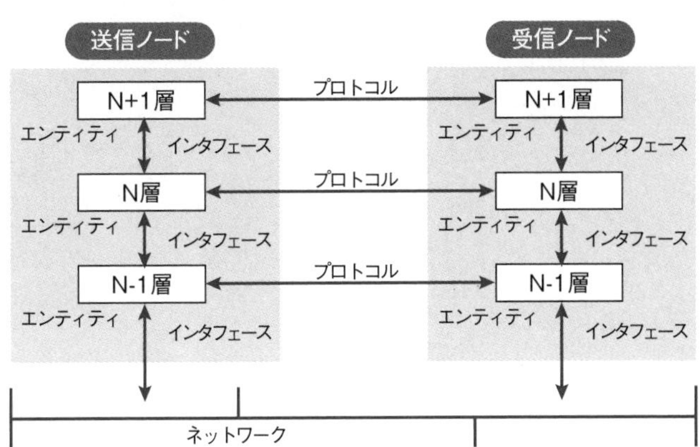

▲図 プロトコル、エンティティ、インタフェース

OSI基本参照モデルでは、上位に位置する層が下位に位置する層を利用しながら通信を行います。そこで、異なる階層間のエンティティ同士が通信する窓口(**インタフェース**)が必要になります。OSI基本参照モデルでは下位層がこれを提供し、この機能のことを**サービス**と呼びます。

1.2.4　コネクション

例えば、TCPはそれ自身では一貫した通信を行えないため、下位プロトコルとしてIPを利用する。

N+1層のエンティティは、他のN+1層のエンティティと通信を行うために、N層のサービスを利用します。これをN層のコネクションを利用したN+1層同士の通信といいます。

N+1層がN層に対してサービス要求を行い、N層のエンティティ同士がプロトコルを介して通信するわけです。

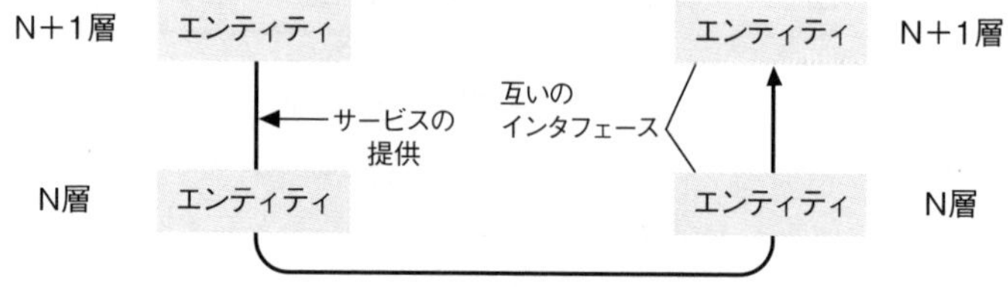

▲図　N層のコネクションを利用したN+1層同士の通信

参考　下位プロトコルを指定するプロトコルもある。例えば、HTTPはTCPを使うが、DNSではUDPを使うなど。

COLUMN

要求される下位プロトコル

プロトコルごとに通信特性が異なるため、要求される下位プロトコルはそれに沿ったものとなります。信頼性が求められるSMTPやHTTPではTCPが、速度が求められるストリーミング系のプロトコルではUDPが選択されるのが典型的です。

また、FTPファミリではTCPを使うFTPとUDPを使うTFTPの2系統が存在します。TFTP（Trivial File Transfer Protocol）は、コンシューマ向けではあまり見かけませんが、ルータのOS配信などで利用されています。信頼性は劣りますが、FTPと比較して非常に高速な転送が可能です。

1.3 ネットワークの種類

わたしたちの身の回りには膨大なネットワークが存在するため、いろいろなやり方でネットワークを分類する方法が考えられています。ぱっと考えても、LANとWAN、回線交換とパケット交換などの分類をふだんから使っているはずです。

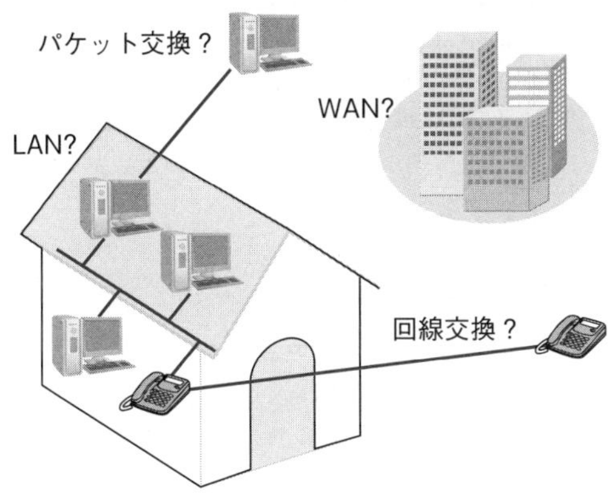

▲図 身近にあるさまざまなネットワーク

どれも1つのネットワークをある切り口で見たものです。ですから、自分が使っているネットワークがLANであり、パケット交換であったりします。この点は誤解しやすいので、しっかり理解しておきましょう。

1.3.1 LANとWAN

 LAN➡Local Area Network

 WAN➡Wide Area Network

LANは構内など比較的近距離の通信をカバーする通信技術です。それに対して、WANは遠距離で通信事業者の回線を介してノード間やLAN間を結ぶ通信技術になります。

以前は、LANとWANには利用技術などで明確な差異があったのですが、近年ではあまり差がなくなりました。イーサネットはLANの技術、ATMはWANの技術、といった具合です。しかし、相互の技術の発展、たとえば広域イーサネットが、両者の境界を曖昧にしています。広域イーサネットでは、従来100m程度のオーダでしか構築できなかったイーサネットを、数百km離れた場所にも敷設します。また、無線LANを使えば、公道をまたぐようなLANを組むことも可能になりました。

そのため、LANとWANの違いを問うような問題は少なくなりました。出題された場合は、通信事業者が介在してサービスを提供しているかどうかを判断の目安にしてください。

1.3.2　コネクション型通信とコネクションレス型通信

コネクション型通信

コネクション型通信は、データ伝送を行うに先立って、通信相手が有効な状態で機能しており伝送データも届く状態にあることを確認する方式です。

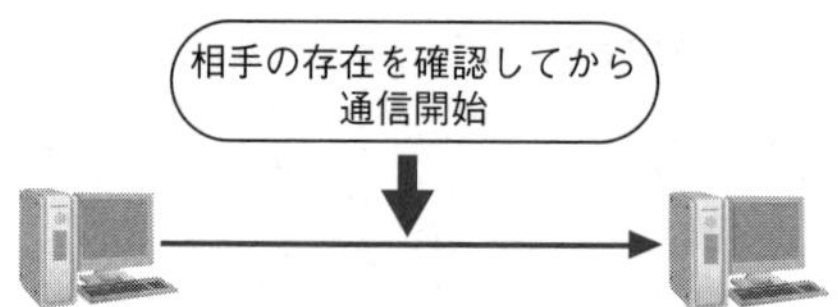

▲図　コネクション型通信

この方式は、安定性の高い通信を行うことが可能です。ただし、コネクションを確立するための確認手順などを踏まなければデータ伝送ができないため、通信に関わるオーバヘッドは増加します。

実装例として、TCP、フレームリレー、電話(通話サービス)などがあります。

コネクションレス型通信

コネクションレス型通信は、データ伝送を行う際に、相手ノードの確認や伝送路の確保を行わずにすぐにデータを伝送し始める通信方式です。リアルタイム通信などに向いていますが、通信の送達性は保証されないため、データの授受を確認したい場合は、別の手段を用意する必要があります。

実装例としては、IPやUDPなどがあります。

1.3.3 回線交換とパケット交換

回線交換

電話が典型例です。キーワードは「占有」で、通信に先立ってPBXなどの交換機が送信者と受信者の電話機を接続し、回線を確保します。通話している間、その回線には2人きりの世界が構築されます。

この接続方法から類推できるように、回線交換は通信品質がいいのが特徴です。また、セキュリティも比較的良好です。

一方で、たとえ回線を少ししか使っていない状態でも、二者間で回線を占有するため、回線の使用効率が低くなることがあります。従量料金が設定されることが多いため、長時間に渡る通信では通信費がかさむことがあります。

参考 2024年1月にNTT（東日本および西日本）が公衆交換電話網（PSTN）をIP網に移行したため、日本の電話網もほぼパケット交換に移行している。

パケット交換

インターネットが典型例です。伝送するデータを**パケット**（小包）と呼ばれる単位に区切って、各パケットに伝送情報（ヘッダ：宛先などを記述する）を添付して送信します。

●パケット多重

最大の特徴は、1本の回線を複数の端末でシェアできることです。パケットは断続的に送信されるため、ある端末が多数のパケットを送信中でも、他の端末もその合間にパケットを送信することができます。これは**パケット多重**と呼ばれる、回線の使用効率を上げる手法の一つです。

●耐障害性

ネットワークにはパケット交換機が設置され、送られてきたパケットは蓄積されたのち次のパケット交換機に向けて伝送されていきます。この伝送はネットワークの状況を見て行われるため、混んでいるとき、障害が発生しているときなどは、パケットを蓄積したまま待ったり、迂回ルートをとることも可能です（**耐障害性**）。回線交換にはない利点といえます。

●異機種間接続

　また、パケット交換では、**異機種間接続**が容易です。回線交換の場合、端末同士が直接回線で結ばれるため、端末が同じプロトコルを使うことが前提になります。しかし、パケット交換ではパケット交換機が一度蓄積を行うため、ここで回線速度やプロトコルを変換することができます。

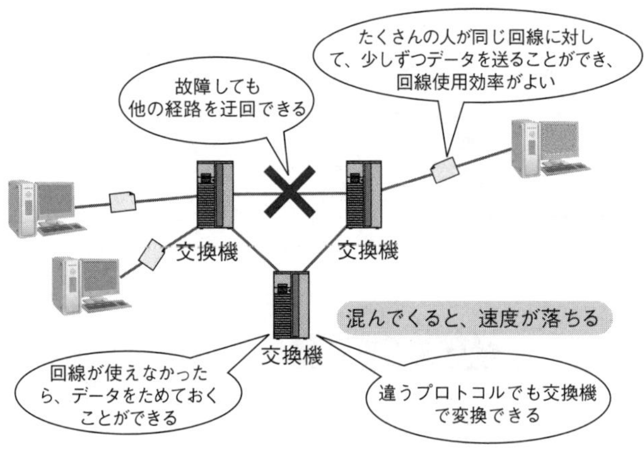

▲図　パケット通信の特徴

長所

- 障害に強い
- 多種の端末を比較的容易に接続できる
- 少量のデータを少しずつ伝送する用途でコスト効率がよい

短所

- 伝送の遅延が大きい
- リアルタイム通信や、バースト通信などには不向き
- セキュリティの水準を維持するのにコストがかかる

1.4 集中処理と分散処理

1.4.1 集中処理

コンピュータの処理形態は、時代とともに変遷しています。最初に登場したのが**集中処理システム**で、中央のメインフレームに、最低限の表示能力や接続能力を持つダム端末が処理を依頼する形式です。

通信プロトコルもメインフレームがすべてを制御するのが一般的です。情報資産を一元管理する点で効率的ですが、情報システム部門の管理比率が大きいため、各ユーザ部署からの要望がすぐには反映されないなどシステムの柔軟性に問題がありました。

用語 集中処理
メインフレームは専用室で管理され、電源事故やセキュリティ事故などに強靱だが、端末の機能が上がってくると、その処理能力が無駄になるというデメリットを持つ。

1.4.2 分散処理

端末の能力が向上し、また業務の流動化からシステムの更改が頻繁になってくると集中処理型の柔軟性のなさが問題になります。

そこで、システムの管理権限をユーザ部門に大幅に委譲し、システムの開発(EUD：End User Development)や運用／管理(EUC：End User Computing)を行うようになりました。これが、**分散処理システム**です。GUIなどの登場により、開発や運用に必要なスキルが低下したことも、この傾向を後押ししました。

分散処理システムは、情報資源が個別部署や支社などに配置され、それらがネットワークで接続されている形態です。構造変化に柔軟に対応しやすいメリットがありますが、全体を協調させるためのコストは大きいといえます。

用語 EAI
Enterprise Application Integrationの略。分散システムでは部署ごとにアプリケーションが散在するようになり、全体効率が落ちる場合がある。有機的に企業内のシステムを連携させることで業務効率をあげるのがEAIである。

ピアツーピア型

ピアツーピア型は、コンピュータ同士が完全に対等に通信を行うモデルです。この場合、コンピュータは自分が行いたい処理については、自分で行えるだけの資源を持っていなくてはなりません。

▲図 ピアツーピア型

クライアントサーバ型

クライアントサーバ型は、簡単な処理についてはクライアントが実行し、そこでは手に余る処理や、情報を一元化すべき処理についてサーバを使う形式です。メインフレームが全社的な統括を行うのに対して、サーバは部門ごとに置かれることが多いので、比較的部門の事情を考慮したシステムにしやすい特徴があります。

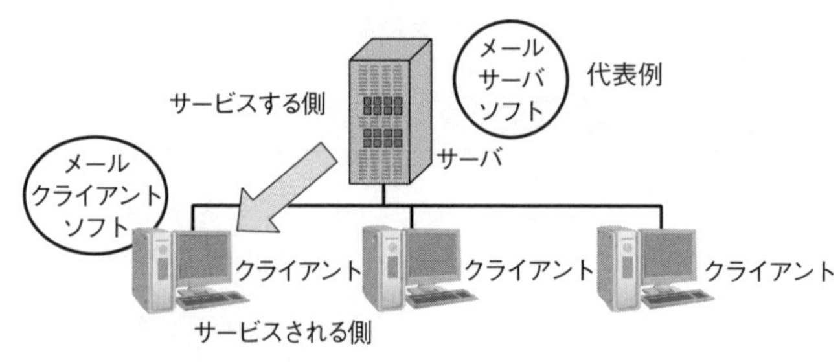

▲図 クライアントサーバ型

参考 運用スタッフが必ずしも専任でなかったり、スキルが十分でなかったりする場合があり、可用性やセキュリティで問題が生じる場合がある。また、一般の事務オフィスにシステム資源が分散されるため、電源管理や情報漏えい管理の負担が増大する。

一時期は、集中処理をすべてクライアントサーバ型に置き換えようという動きもありましたが、分散モデルは情報が端末に分散されるため、情報漏えいが起きやすいなどの脆弱性が指摘されており、セキュリティなどの面からメインフレームを見直し、業務にあったシステムを選択するライトサイジングが提唱されています。

●ファットクライアント

クライアント側も相当仕事を受け持つ形式。クライアント側で多くのプログラムが稼働し、データもクライアントに保存される。ネットワークの速度が遅い環境でも快適に動作する。また、ネットワークが切断されても処理を続行することが可能。一方で、データ同期の問題や、クライアント側にデータが残ることによる情報漏えいのリスクなどが残る。クライアントの処理の比重が高いため、マシンにもそれなりの性能が求められる。

●シンクライアント

クライアント側では最低限の仕事しかしない形式。必要なプロセスのほとんどをサーバ側で実行し、データもサーバ側に保管される。データの一元化や、サーバにデータが集中していることによるセキュリティの高さが特徴(モバイル型のクライアントを紛失しても、クライアント内にはデータが保存されていない)。クライアントマシンの性能も低く抑えられる。クライアントとサーバが恒常的に通信しながら協調動作するのが前提であるため、通信量は大きくなる。ネットワークの帯域幅がシステムの性能に影響を及ぼすことも多く、ネットワーク切断時に動作が続行できなくなることもある。

1.4.3 クライアントサーバシステム

参考 Webを閲覧するしくみも、サーバ(Webサーバ)とクライアント(Webブラウザ)が同じネットワークにこそいないが、クライアントサーバシステムといえる。

クライアントサーバシステム

単純クライアントサーバモデルでは、クライアントとサーバの2層構造で処理が分割されます。この場合、サーバ内では業務を行うプロセスとそのデータを保存するプロセスが同時に動いていますが、1つのサーバは1つの機能に特化した方がメンテナンスがしやすく、性能も向上するといえます。

3層クライアントサーバシステム

クライアントサーバシステムのうち、業務ロジックとデータの保存を分離したのが**3層クライアントサーバシステム**です。

参考 3層クライアントサーバシステムは、Webサーバやグループウェアサーバなど各種のサーバシステムで採用されている。

業務の流動性が高まっており、業務ロジックは短期的に変更が加えられることが多くなっています。一方で保存しているデータは不変のものも多く、業務ロジックが変更されるたびにデータの形式等も変更されてしまうのは好ましくありません。異なる業務ロジックからそのデータを呼び出せないなど、データが運用しにくくなるばかりか、不具合が発生する確率も高くなってしまうからです。

用語 **グループウェアサーバ**
スケジュール管理や協調文書作成、遠隔会議、施設予約などチーム作業の生産性を向上させる機能を持つ。

業務ロジックとデータを分けてしまえば、業務ロジックの柔軟性とデータの運用性、堅牢性を同時に実現できます。

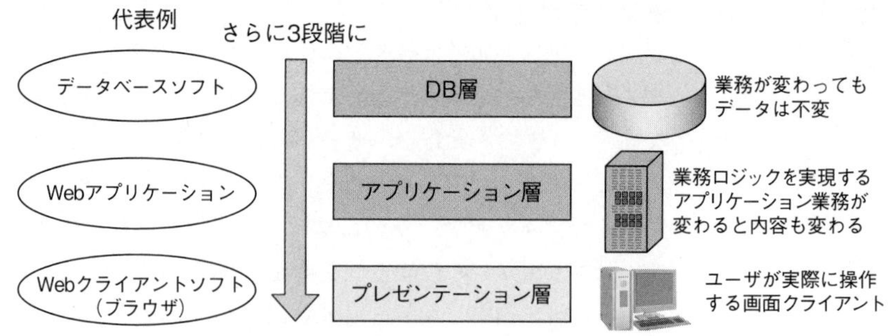

▲図　3階層クライアントサーバモデル

参考　LAMPは、3層でWebアプリケーションを構築するための組合せである。Linux（OS）＋Apache（Webサーバ）＋PHP/Perl/Python（アプリケーション実行環境）でアプリケーション層を、MySQLでデータベース層を形成する。

Webアプリケーションを使う場合、プレゼンテーション層はクライアントマシンのブラウザが担うことになります。OSに依存しないため、多くのデバイスでアプリケーションを利用することができます。アプリケーション層はWebサーバ（Webアプリケーション）が該当します。

なお、アプリケーション層のことをファンクション層、ビジネスロジック層などという場合もあります。いずれの名称にしても、同じ内容を表しています。

1.5 インターネット技術

インターネットはIPによって接続されたネットワーク網です。データリンク層のプロトコルがネットワーク内の通信を担い、ネットワークとネットワークの間の通信をネットワーク層のプロトコルが担います。

データリンク層、ネットワーク層ともに各種のプロトコルがありますが、イーサネットとIPが圧倒的なシェアを持っています。

インターネットの意味

本来の意味から言えば、ネットワーク間接続の部分だけがインターネット（inter-net）のはずですが、ネットワーク間接続を繰り返して世界中が結ばれた結果、その総体をインターネット（the Internet）と呼ぶようになりました。

たとえ技術としてIPが使われていたとしても、企業内に閉じたIP網は閉域IP網と呼ばれ、インターネットとは区別するので注意が必要です。

1.5.1 IPアドレスとドメイン名

どんな通信プロトコルでも、アドレスはその通信方式の方向性を示します。IPで使われるアドレスは**IPアドレス**といって、32ビットの2進数（IPv4）もしくは128ビットの2進数（IPv6）で表されます。これがIP網で有効な唯一のアドレスです。

IPアドレス

IPアドレスは、電話番号の「市外局番／市内局番／加入者番号」のように「ネットワークアドレス部／サブネットワークアドレス部／ホストアドレス部」に分けられ、いかにも広域通信手段のアドレスといった趣きです。エリアを示す情報がないと、広域通信は行いにくいからです。

ドメイン名

IPアドレスは通信機器にとって最適化された情報であるため、「192.168.0.1」のような人間にとってはとても読みにくい無機質な数列です。そのため、運用しやすいよう**ドメイン名**と呼ばれる別名をつけて運用します。「www.gihyo.co.jp」といった表記がそれです。

ドメイン名により人間の可読性は高まりますが、IP網はこれを処理できないため、Webブラウザなどにドメイン名が入力されたときは**DNSサーバ**がIPアドレスに変換することで通信を行っています。

1.5.2 ルーティング

IP網においてネットワークとネットワークを結ぶ機器は**ルータ**です。事実上、インターネットとはルータによって接続され、構成されたネットワーク網だと言えるでしょう。

ルータの役割は、ネットワーク間の通信を中継することと、遮断することです。ネットワーク内で完結する通信は隣のネットワークに流さないことで、通信の混雑を緩和できます。

ネットワークをまたぐ必要のある通信は中継をしますが、複雑なメッシュ状に組まれたネットワークでは、中継先候補となるネットワークはたくさん存在します。このとき、少しでも最終目的地に近いネットワークに対して中継を行うことで、通信を迅速に届けるわけです。

コマンド プロンプト

```
Microsoft Windows [Version 10.0.18362.418]
(c) 2019 Microsoft Corporation. All rights reserved.

C:¥Users¥info>tracert www.yahoo.co.jp

edge12.g.yimg.jp [182.22.25.252] へのルートをトレースしています
経由するホップ数は最大 30 です:

  1     2 ms    <1 ms    <1 ms  ap50c4dd3ebff8 [192.168.0.1]
  2     1 ms     1 ms     1 ms  172.16.64.1
  3     6 ms     2 ms     1 ms  203x114x27x233.ap203.ftth.arteria-hikari.net [203.114.27.233]
  4    17 ms     5 ms     2 ms  210.79.10.33
  5     2 ms     1 ms     1 ms  210.79.10.1
  6     2 ms     1 ms     1 ms  61.122.121.209
  7     3 ms     2 ms     2 ms  58x159x240x18.ap58.ftth.ucom.ne.jp [58.159.240.18]
  8    12 ms     3 ms     3 ms  ae0.peer3.nihonbashi.vectant.ne.jp [163.139.128.190]
  9     5 ms     4 ms     8 ms  163.139.78.26
 10     3 ms     2 ms     2 ms  202.93.74.54
 11     3 ms     2 ms     2 ms  182.22.25.252

トレースを完了しました。

C:¥Users¥info>
```

▲図　手元のPCからyahooまで何個のルータを中継するか

次にどのルータに通信を中継（**ルーティング**）するかは、ルータが採用している経路計算アルゴリズム（ルーティングプロトコル）によって異なりますが、最終目的地までに経由するルータの数や回線の太さ（高速性）などが考慮されます。

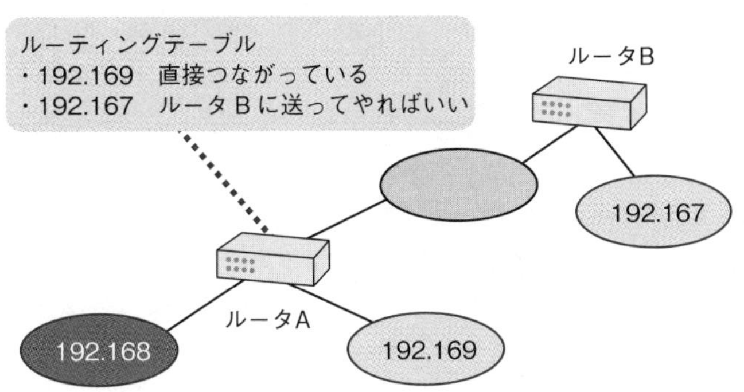

▲**図**　ルーティングテーブルを参照しながら中継する

IPは蓄積交換型のネットワークであるため、たとえば最短と思われた経路が故障などにより不通になったら、経路の再計算が行われ（最初は遠回りだった経路に）パケットを再送することができます。

1.5.3　TCP/IP

TCP/IPプロトコルスイート

テキストなどでよく「インターネットの標準プロトコルはTCP/IP」と書かれます。これは単にTCPとIPがセットになっているというだけではなく、もうちょっと広い範囲で「よく一緒に使うプロトコル群」を示しています。「群」であることを明示したい場合は、**TCP/IPプロトコルスイート**、インターネットプロトコルスイートと書くこともあります。

TCPはトランスポート層、IPはネットワーク層のプロトコルですから、他の階層のプロトコルも利用しないと通信システムを構築できません。そのとき、同じ設計思想のもとで作られた相性のよいプロトコルが集まったものがプロトコルスイートです。

▼表　TCP/IPプロトコルスイート

層(レイヤー)	主なプロトコル
アプリケーション層	HTTP、SMTP、POP、DNS、DHCP、SNMP、NTPなど
トランスポート層	TCP、UDP、RSVPなど
インターネット層	IP、IPsec、ICMP、IGMPなど
リンク層	イーサネット、IEEE 802.11シリーズ、ARP、PPPなど

個々のプロトコルの説明は後続の章で行いますが、TCP/IPの特徴として各レイヤの切り方がOSI基本参照モデルと異なる点を覚えておきましょう。

OSI基本参照モデルでは通信システムを7つの階層に分けていましたが、TCP/IPでは4階層です。そのため、OSI基本参照モデルに当てはめると、1つのプロトコルが複数の階層にマッピングされることがあります。

アプリケーション層
プレゼンテーション層
セション層
トランスポート層
ネットワーク層
データリンク層
物理層
OSI基本参照モデル

アプリケーション層
トランスポート層
インターネット層
ネットワーク
インタフェース層
TCP/IPのモデル

HTTP　SMTP
DNS　DHCP
FTP　SNMP
POP　Telnet
TCP　UDP
IP　ICMP
ARP　RARP
イーサネット
実装例

▲図　OSI基本参照モデルとの比較

1.6 仮想化の技術とクラウド

1.6.1 仮想化

仮想化とは、情報資源の抽象度を高めて、利便性を増すことです。サーバを例にとって考えてみましょう。サーバに接続するとき、本来であればIPアドレスを使ってサーバという資源を指定します。

192.168.0.1

この場合、IPアドレスとサーバの関係は1対1です。このサーバが故障したらアクセスはできなくなります。そこで、2台目のサーバを追加します。

192.168.0.1　192.168.0.2

これなら1台が故障しても、アクセスを継続することができます。しかしこのままでは、利用者は2つのIPアドレスを認識して使い分ける必要があり、それは面倒です。そこで、www.hogehoge.comというFQDNを割り当てて、利用者にはこのアドレスでアクセスしてもらいます。DNSは混雑状況や故障状況に応じて、192.168.0.1に解決したり、192.168.0.2に解決したりすることで、利用者に2台のサーバがあることを意識させずにサービスを継続することができます。可用性の出題でよくあるシナリオですが、これは一種の仮想化といえます。

仮想化は運用性や可用性を向上する手段として注目されており、出題も増えています。出題ポイントとなる用語をまとめましたので、関連付けて覚えてしまいましょう。

1.6.2 サーバ仮想化

複数の物理マシンをまとめて、1台の仮想マシンとして扱ったり、逆に1台の物理マシン上に複数の仮想マシンを展開することができます。いずれも管理の手間を省いて、柔軟に運用することが目的です。

また、可用性の向上にも寄与します。複数の物理マシンで1台の仮想マシンを構成している場合、物理マシンの1台が壊れても、他の物理マシンが機能していれば、仮想マシンの運用を維持することができます。

他にも、ソフトウェア開発において、複数のOSでテストする必要がある場合、OSの数だけ物理マシンを用意しなくても、複数の仮想マシンを用意してそれぞれに別のOSをインストールすることで簡単にテスト環境を構築できるなどのメリットがあります。

- ゲストOS……仮想マシン上で実行するOS
- ホストOS……物理マシン上で実行するOS

ホストOS上に仮想マシンを展開し、仮想マシンでゲストOSが動くという関係です。したがって、ゲストOSが動いているときは必ずホストOSも動いている必要があります。

また、ホストOSを介さない**ハイパーバイザ型**というサーバ仮想化の方法もあり、過去に出題実績があります。ハイパーバイザ型では、ハードウェアの上で直接、仮想化ソフトが動きます。

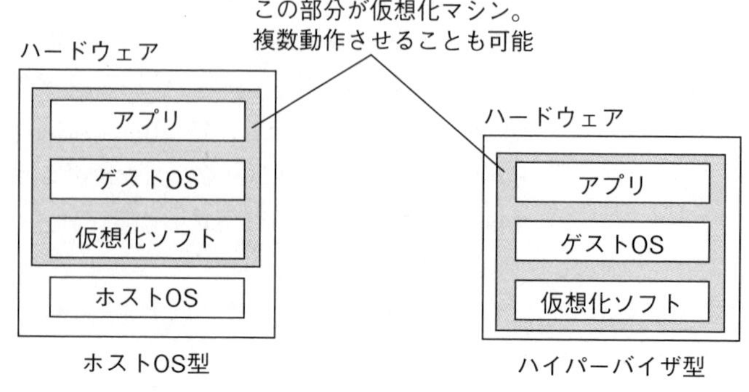

▲図　ホストOS型とハイパーバイザ型

ホストOS型はお手軽なのが特徴で、一般的に使われているWindowsサーバなどを使って構築することができます。仮想化ソフトは通常のソフトと同列に動作します。上図の例でも、仮想化ソフトと並行して通常のソフトが実行されているかもしれません。

一方のハイパーバイザ型はハードウェア上に直接仮想化ソフトを展開するため、汎用性はありませんが、ホストOSの分のオーバヘッドがありませんので、効率的に仮想マシンを動作させることができます。

1.6.3 ネットワーク仮想化

管理の効率化・簡便化や、運用の柔軟性向上のために各種の仮想化技術が洗練されているのは、この章で紹介しているとおりです。ネットワークもこのトレンドの影響を受けています。ネットワークこそは、管理者にとって是非仮想化したい要素であることは間違いありません。組織構成や組織運用の変化に伴って、ネットワークの構成が変更されるのは日常茶飯事になっています。そのたびにケーブル類の抜き差しや引き回し、ルータやスイッチの設定変更が発生するのは面倒ですし、ミスのもとでもあります。本試験で登場するいくつかのネットワーク仮想化技術を見ていきましょう。

SDN

ネットワーク構成は物理的な機器（スイッチやルータ）によって行われますが、それをハードウェアから切り離して、ソフトウェアでコントロールできるようにしたものが**SDN**（Software-Defined Networking）です。スイッチやルータにだってソフトウェアがインストールされていて、それで通信制御できるじゃないかと思われるかもしれませんが、個別に設定や運用を行うのではなく、全体最適を達成するのだと考えてください。

参考 SDN技術をWANに適用したものを**SD-WAN**という。たとえば、通常はインターネットを利用しつつ、遅延が気になり始めたら閉域IP網にパケットを逃がすといった柔軟な運用がしやすくなる。

たとえば、VPNはある意味で物理的なネットワーク構成を離れて、ソフトウェア的に別のネットワークを構築する技術でした。しかし、VPNのことをSDNとは呼びません。それは、SDNが動的なネットワーク構成の変更（混んでいたら経路を素早く変更するなど）や、同一ネットワーク内の通信機器の最大効率の達成を目標にしているからです。VPNは仮想ネットワークではあるのですが、あまり動的にネットワーク構成を変えるような技術ではありませんし、仮想化するのはあくまでもネットワークの一部分です。

OpenFlow

SDNを組むための技術としてデファクトになっているのが**OpenFlow**です。OpenFlowの基本的な考え方は管理機能と伝送機能の分離です。従来型のスイッチやルータはこの管理機能と伝送機能が1つの筐体に組み込まれていました。

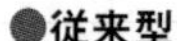

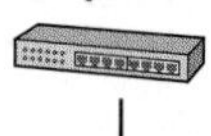

▲図 OpenFlowの特徴

OpenFlow対応機器では、管理機能に特化したOpenFlowコントローラと伝送機能に特化したOpenFlowスイッチにこれを分離します。両者はOpenFlowチャネルによって結ばれ、OpenFlowプロトコルでコントローラがスイッチを制御します。ネットワーク管理者はOpenFlowコントローラにアクセスするだけで全体の管理をすることが可能です。

コントローラがスイッチを管理するために、各スイッチにDatapath IDと呼ばれる64ビットの識別子を与えることを覚えておきましょう。OpenFlowチャネルは物理的にはイーサネットでいいのですが、データ伝送とは別にTCPやTLSでコネクションを張ります。

OpenFlowでは「フロー」という概念が重要です。これは同じ伝送条件を持つ通信のことです。ルータのルーティングテーブルのように、各OpenFlowスイッチはフローテーブルを持ち、受信したパケットをフローテーブルの定義にしたがって伝送します。この、フローテーブルに書かれた1つ1つの伝送条件とその条件を満たした場合の伝送処理のことをフローエントリといいます。

フローテーブルに記載がないような通信の場合、スイッチはコントローラに問い合わせをします。すると、コントローラは新しいフローエントリを作成し、フローテーブルに書き込みます。

コントローラは物理的なネットワーク構成を変更しなくても、フローテーブルを書き換えることで、ソフトウェア的にネットワーク構成を変更することができるわけです。コントローラがフローを一元管理することで、単機のルータがルーティングを行うよりも全体最適化された通信を実現しやすくなります。

NFV

ルータやスイッチは専用機器として実装されますが、それゆえに使い勝手が悪かったり、急な故障時に調達が面倒だったりします。そこで、汎用的なサーバ上に仮想的なルータ、仮想的なスイッチ、仮想的なファイアウォールを構築するのが**NFV**(Network Function Virtualization)です。ネットワーク機器(ネットワーク機能)の仮想化です。省スペース化や運用・保守効率の向上が見込めます。

1.6.4 VDI

VDI (Virtual Desktop Infrastructure：**デスクトップ仮想化**)とは、クライアントPC(ここではデスクトップと呼んでいる)を仮想化して、管理性やセキュリティを向上させる手法です。具体的には、サーバを用意してサーバ上に仮想クライアント(仮想デスクトップ)を展開します。利用者は手元のマシンからサーバに接続して、デスクトップ環境を利用します。

VDIの利点

VDIの利点として、手元のマシンをシンクライアント化して低スペックのマシンでも運用できることが挙げられます。また、クライアント環境がサーバ側に集約されているため、管理者の立場からいえば管理作業が楽になります。1000台のクライアントマシンのバージョン管理、プロファイル管理をするのは大仕事ですが、それがサーバ上に集約されていれば、アップデート、メンテナンスが非常にやりやすくなります。利用者の立場では、必ずしも同じマシンを使わなくても、統一したデスクトップ環境が使えるメリットがあります。セキュリティポリシの組み方にもよりますが、会社のノートPC、自宅のノートPC、宿泊したホテルのデスクトップPCといったマシンの別を意識することなく、同じデスクトップを利用できるわけです。

他の手法によるシンクライアント同様、データがサーバ側に集約されているので、紛失や盗難時の情報漏えいを抑止する効果もあります。

VDIの弱点

欠点や留意点も、一般的なシンクライアントと同じです。仮想デスクトップを展開しているサーバと接続できることが運用の前提になるので、ネットワーク帯域が確保できなかったり、ネットワークが切断された状態では運用が制限されたり、データの同期に問題が生じる可能性があります。

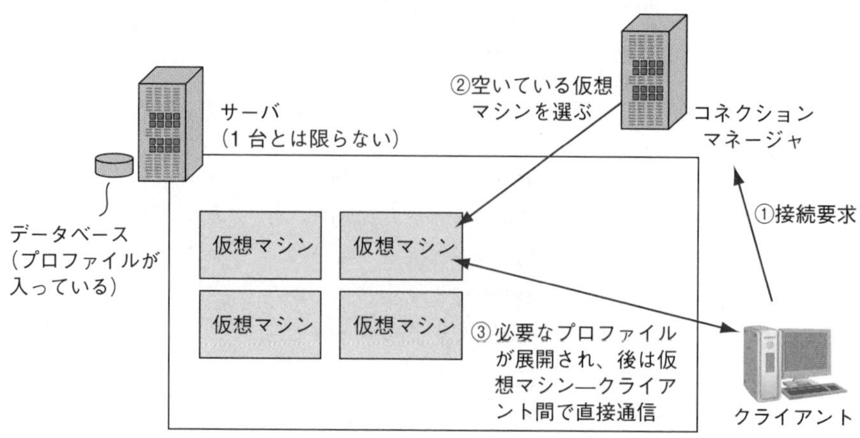

▲図　VDI環境例

1.6.5　仮想化によるスケーラビリティ

仮想化の利点として、他にも**スケーラビリティ**を挙げることができます。サーバへの要求が増大したときには、サーバを拡張しなければなりませんが、スケールアップ（既存サーバにCPUやメモリを足す）にしろ、スケールアウト（新規サーバを追加する）にしろ時間がかかります。

仮想化されたサーバであれば、プールしてある余剰能力をすぐに仮想サーバに追加することができます。

スケールダウンすることも簡単なので、例えばピーク時がズレるサーバをいくつか抱えている状況であれば、資源に余剰ができたサーバAをスケールダウンさせて、逼迫してきたサーバBにその資源をまわすことができます。物理サーバだと、いくら余剰があってもその能力を他のサーバに貸し出すことは簡単にはできないため、より効率的な運用が可能です。

現在、もっとも大規模な仮想化技術が使われているのがクラウドです。世界各地からの不特定多数のアクセスに応えて、資源の割り当てや回収が、クラウド内で即時に行われています。

1.6.6 クラウドコンピューティング

単に**クラウド**と表記されることもあります。クラウドの本質は、サービスがどのサーバで実行されているのか分からない点にあります。単純にネットワーク越しの相手の資源を使うだけであれば、従来からあったクライアント／サーバ型と変わりがありません。

クライアント／サーバ型では、サーバを特定できるのに対して、クラウドでは自分が利用しているソフトウェアがクラウドのどのサーバで実行されているのかが分かりません。クラウドでは大量のサーバが各所に配置され、ネットワークで結合されています。ソフトウェアはその時点で最適と考えられるサーバに展開され、実行されます。こうすることで、**スケーラビリティ**（そのソフトに割り当てるサーバを増やしたり減らしたりすることが容易）を確保したり、コスト効率を上げることができるのです。

また、一般的に大規模なデータセンタをともなって運用するので、規模の経済が働いてサービスを低価格で提供できる可能性があります。

一方で、どこにデータやサービスが配置されているのかが分からないため、自社データに他国の法律が適用されてしまうリスクや、セキュリティのリスクなどを考慮しなければなりません。

クラウドサービスによっては、提供する機材のスペックをある程度指定できたり、利用するデータセンターの地域（リージョン）を選択できるようになっています。

パブリッククラウドとプライベートクラウド

自社インフラをクラウドとして構築することがあります。これを**プライベートクラウド**といいます。プライベートクラウドは、初期コストや機材の交換などの運用コストはかかりますが、利用者はクラウドとして柔軟に活用できます。

これに対して、一般的なクラウドサービスのことを**パブリッククラウド**と呼び分けることがあります。

1.6.7　キャッシュサーバとCDN

インターネットが社会インフラ化すると、事業者による動画配信など放送のような用途で利用されるケースが増えてきました。インターネットは通信のインフラですから、大量のトラフィックが同時に発生する使い方には向いていません。特に著名サイトへの投稿で小規模なサイトがバズり、そこへトラフィックが集中するフラッシュクラウド現象が発生すると、小規模なサイトではすぐに輻輳状態になることが知られていました。

こうした状況への対応として**キャッシュサーバ**が古くから使われていました。

キャッシュサーバ

動画（に限りませんが、頻繁に利用される巨大データ）のオリジナルは配信サーバに保存されています。これを多くのクライアントが参照すると、インターネット中を巨大データが駆け巡ることになります。そこで、クライアントからの通信要求をキャッシュサーバを介する形で行います。

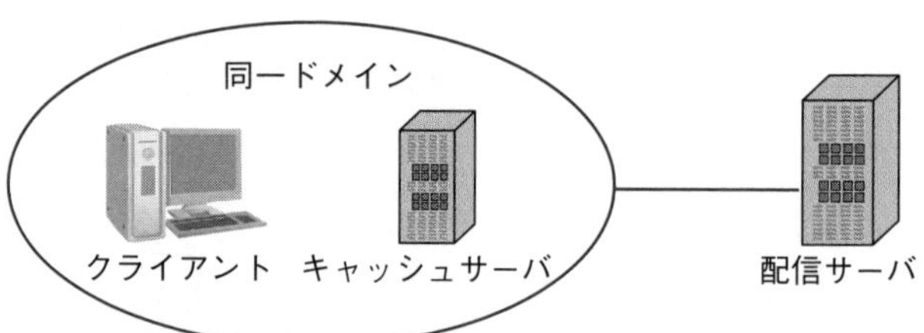

▲図　一般的なキャッシュサーバ

クライアントが要求したデータがキャッシュサーバにない場合は、オリジナルデータが保存されている配信サーバに要求を転送します。配信サーバはデータを返送してくれるので、キャッシュサーバはそれを保存（キャッシュ）するとともに、クライアントに転送します。

以降は、クライアントから同一データの要求があれば、キャッシュサーバ自身に保存されているデータを返送しますので、データを長い距離移動させるコストがかかりません。したがって、ネットワーク帯域を効率的に使うことができますし、クライアントへのレスポンスも速くなります。

一方で、配信サーバ側ではオリジナルデータが更新されている可能性を考慮する必要があります。キャッシュしたコピーには**生存時間**を設けるのが一般的です。

CDN

キャッシュサーバは優れた方法ですが、同一ドメイン内の工夫に留まるのも事実です。巨視的に見れば、配信サーバは多くのデータを長い距離にわたって伝送しています。

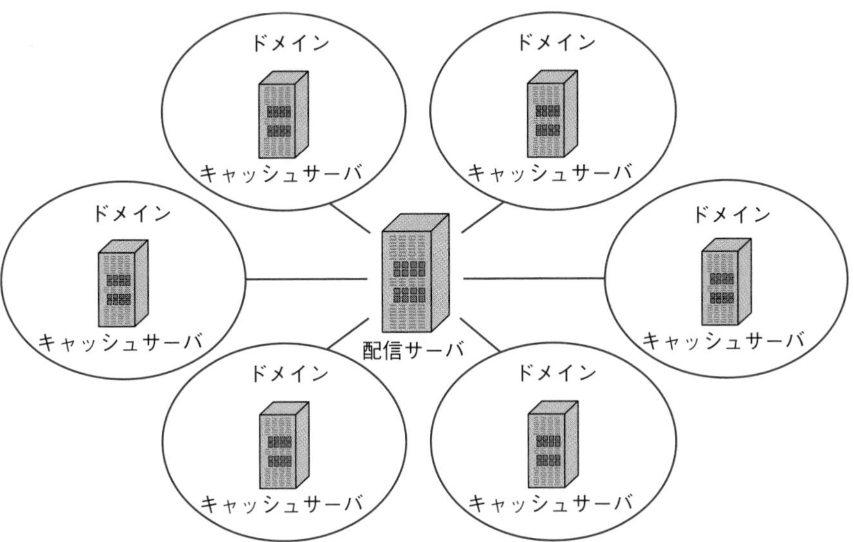

▲図　キャッシュサーバは各ドメインごとに設置する必要がある

その解決策として現れたのが**CDN**（コンテンツデリバリーネットワーク）です。キャッシュサーバをクライアントが属する各ドメインに任せるのではなく、オリジナルの配信サーバ、エッジサーバ（キャッシュサーバ）、DNSを一つのシステムとして提供します。

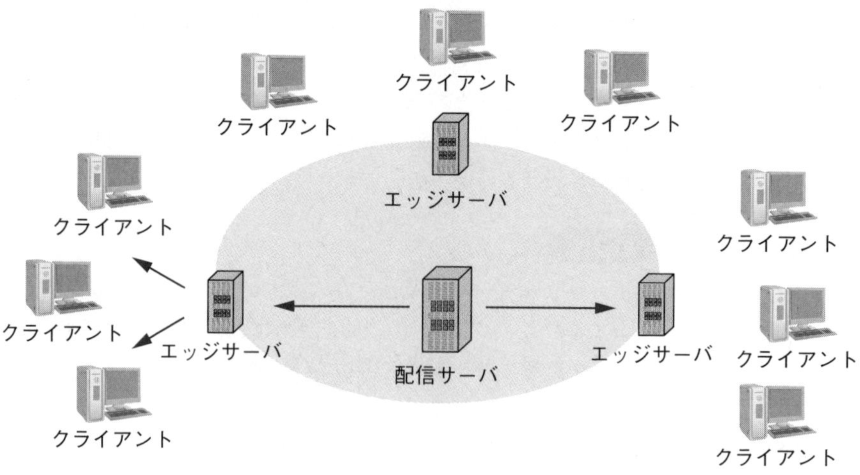

▲図 CDN

CDNを提供する企業は配信サーバに保存されているオリジナルデータのコピーを各地域のエッジサーバにコピーしておきます。クライアントから要求があると、CDNを構成するDNSはオリジナルサーバではなく、そのクライアントに最も近い位置にあるエッジサーバのIPアドレスを回答します。データの配信はエッジサーバからクライアントへと行われるので、巨大なデータが伝送される距離を短縮できます。

日本ではCloudflare、Amazon Cloudfrontなどが使われています。

CDNを構成するためには世界中に広帯域のネットワークとエッジサーバを配置する必要があります。

●DDoS攻撃の緩和

本試験において、CDNがDDoS攻撃を副次的に緩和する旨の出題がありました。たしかにその効果はあると考えられています。DDoS攻撃によるトラフィックがオリジナルサーバに集中するとひどい目にあいますが、それがエッジサーバへ分割されるなら1台あたりの負担は小さくなる理屈です。

DDoS攻撃 ➡P386

ただし、エッジサーバにキャッシュされていないデータが狙われると結局オリジナルサーバに攻撃が集中します。また、首尾よくエッジサーバへ攻撃が分割したとして、攻撃に対する返答が大きなトラフィックを生み、CDN利用料が高額になる可能性もあります。

●BGPanycast

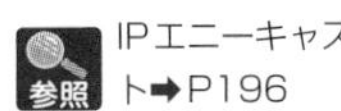
IPエニーキャスト➡P196

CDNで関連技術として出てくるのが**エニーキャスト**です。IPアドレスの基本は、「1つの通信インタフェースに1つの一意なアドレス付与」です。しかし、CDNのエッジサーバのような用途では、複数のエッジサーバに同じIPアドレス(エニーキャストアドレス)を与えておき、「どれでもいいのだが、クライアントに最も近いエッジサーバ」へアクセスを誘導すれば、アドレス管理も経路制御も楽になります。

BGP➡P251

このエニーキャストを行う際の最適経路をアナウンスするためにBGPが使われ、これを**BGPanycast**といいます。エニーキャスト用のASを立て、他のASと総合接続してルーティングします。

1.7 モノのインターネット

インターネットを介してモノとモノをつなぐニーズが高まっています。そのための技術や運用方法を確認しておきましょう。

IoT

代表的な用語は**IoT**（Internet of Things：モノのインターネット）です。今までもインターネットはサーバとかルータとか、モノをつないできたじゃないかと思うかもしれませんが、サーバやルータの背後には人間がいて、それらの設定や運用を行っていました。

IoTと明示的に言った場合は、条件に合致した機器を自動的に接続して、情報のやり取りを行うような使い方が想定されます。たとえば、サーバが何らかの情報を欲しいときに、その情報を取り扱っているセンサーを自動的に検索・接続して情報を取得するようなケースです。

または、従来はインターネットに接続することが想像されていなかったような機器（家電や自動車、住宅そのものなど）をインターネット接続することをIoTと表現しているドキュメントもあります。言葉自体の普及に伴って意味が広くなっているので、本試験では文脈に注意して読み進めましょう。

●エッジコンピューティング

エッジコンピューティングは、IoTと親和性が高い応答速度向上手法です。IoTでは莫大なトラフィックが発生することになりますが、それをすべてクラウドと接続すると輻輳や遅延のリスクを高めます。そこで、物理的な距離でも論理的な距離でも端末（IoT機器）に近い場所にエッジサーバを置き、端末から見た応答速度の向上を図ります。インターネットの基幹部分にトラフィックが流入しないので、ネットワーク全体のトラフィック総量の削減や最適化にも役立ちます。

M2M

M2M (Machine-to-Machine) も似た言葉です。これは、人が介在せずに機器同士が相互接続・情報交換することを指します。先に説明したIoTの前半の説明と同じに聞こえますが、たとえば、インターネットを介さない閉域通信で、機器と機器がつながって自動制御されている場合は、IoTではないけれどもM2Mには該当します。

1.7.1 IoT機器の通信プロトコル

膨大な量のIoT機器がネットワーク接続するようになると、通信の性質にも変化が生じます。IoT機器の特徴として、電力確保に不安があること、少量の通信を低頻度で行うことが上げられます。このニーズに応えるために、LoRaなどの**LPWA** (Low Power, Wide Area：低電力広範囲通信) 技術が進歩しています。

参照 LPWA ➡P157

通信プロトコルで出題実績があるのは**MQTT** (Message Queuing Telemetry Transport)、**MQTTS** (MQTT SSL) です。MQTTはIPネットワーク上で動作する軽量プロトコルで、1つ1つは小さいけれども量の多いパケットを、低遅延で伝送することに特化したつくりになっています。特徴はPublish/Subscribe型の配信形態をとることで、送信者 (パブリッシャー) は、ブローカーと呼ばれる中継者に配信を任せることができます。

1.8 AIの利活用

1.8.1 AIの定義

AIと呼ばれるシステムに明確な定義はありません。Artificial Intelligence（人工知能）ですから、そもそも知能とは何なのかもよく解明できていないのに、それを人工的に作ることは無理だろうという意見もあります。

もともと考えられていた人工知能はほとんどの分野で人の代わりが務まるような、知性はもちろん、意志や感情を持つ存在でした。今では汎用人工知能（AGI：Artificial General Intelligence）や「強いAI」と呼ばれるようになっていて、確かにこれはまだ実現していません。

では近年のブームでAIと呼ばれているものは何なのでしょうか？端的に言えば機能特化型のシステムで、従来型のシステムと成果物のクオリティや機械学習などによる学習の自動化で区別されるものです。強いAIとの対比で弱いAIと呼ばれることもあります。現在「AI」はマーケティングの言葉になっていて、旧態依然としたソフトウェアで成果物の質に特筆すべき点がなくても「AI」と呼んでいるケースもままあります。業務で採用する場合には、AIを自称するシステムにも注意が必要でしょう。

1.8.2 生成系AIの台頭

生成系AI、特に画像生成AIと言語AIは社会に流通するデータの総量の増大とディープラーニングの発展で、飛躍的にその能力を伸ばしました。言語AIを例にとると、WebやSNSなどの膨大な言語データを取得し、機械学習によってニューラルネットワークの言語モデルを構築します。このとき使われるのは教師なしモデルです。膨大なデータなので、いちいちラベルを付与して教師あり学習を行うのに向きません。

こうした学習の結果生み出されるモデルはあまりに大きいため、LLM（大規模言語モデル）と呼ばれています。これに対して事後学習を行い、問い合わせに対して的確な回答を生成できるようにしたり、公序良俗に反する回答を生成しないように**ファインチューニング**して世に送り出すわけです。

LLMは自然言語（人間が使う言語：英語や日本語など）でコマンドを入力することで操ります。このコマンドのことを**プロンプト**と呼びます。プロンプトが与えられるとLLMはそれへの回答を生成して、やはり自然言語で出力してきます。

なお、言語AIの登場で急にAIが賢くなったように感じられますが、言語という人の活動の中核を担う機能を扱っているから賢さを錯覚している側面もあります。まだ言語操作という単機能しか持たない弱いAIだという認識は必要です。

プロンプトエンジニアリング

生成系AIの技術はまだ発展途上です。どんなプロンプトを入力するかで、出力される情報の質が左右される度合いが大きいため、望みの出力を得るためにプロンプトの試行錯誤を繰り返す**プロンプトエンジニアリング**が隆盛しています。プロンプトエンジニアリング自体は一つのテクニックですが、本来はそのような試行錯誤なしに安定した出力が得られるのが望ましいといえます。

マルチモーダル

直近の発展の可能性としては、他の弱いAIも言語をインタフェースとしていますから、言語AIを中心にいくつかのAIを連携して多機能にする方向が考えられます。入力に際しても出力に際しても複数種類の情報を処理することができる**マルチモーダル**の開発も進んでいます。

1.8.3 AIの利活用で留意すべき点

順調に進歩しているAIですが、問題点もたくさんあります。

プライバシーの扱い

LLMの学習には膨大なデータが使われており、多くのプライバシーにかかわるデータも含まれていると考えられています。こうしたデータが直接出力されることがないようファインチューニングがなされるわけですが、完全に制御することは不可能です。

対策としては、LLMに対してプライバシーにかかわるデータを（プロンプトなどで）送信しないことが挙げられます。次のモデルを開発するときに使われる可能性を否定できないからです。ただ、ふだん使っているSNSのデータが学習に利用されるケースなど、エンドユーザでは制御しきれない要素も多々あることは覚えておくべきでしょう。

著作権の扱い

著作権についてはどうでしょうか。日本の著作権法では、「表現された思想又は感情の享受を目的としない場合には」「必要と認められる限度において」情報解析を目的とした著作物の利用はOKとなっています。したがって、生成系AIがいろいろな著作物を使って学習することに関しては、問題がないと考えられます。

しかし、生成するほうは話が別です。特に画像AIで問題が生じやすいと思われますが、ある著作物に対して類似性と依拠性が認められるなら、生成系AIが作った画像でも著作権の侵害が成立する可能性があります。

学習時に著作物を使うのはOKだし、生成系AIで作った画像には著作権が発生しないしで勘違いしがちな箇所なので、注意が必要です。

ハルシネーション

LLMにおけるハルシネーション（幻覚）も克服しなければならない問題です。それまで流暢に言葉をつむいでいたLLMが突然大嘘をつきはじめる現象のことです。LLMは尤度（もっともらしさ）を重視して文字列を生成するため、「データにない回答をもっともらしく作ってしまう」「データには存在しているのに、よりもっともらしい(でも間違いの)回答を作ってしまう」などのパターンがあります。

過学習と破滅的忘却

過学習とは、学習用のデータにはよく適合して、いい結果を出力するのだけれども、あまりにも学習用データに適合しすぎて、実際に運用したときの入力データからはいい回答を作れない現象です。さらには、新しい情報を学習したことによって古い情報をごそっと忘れてしまう**破滅的忘却**なども報告されています。

学習データによるバイアス

どんな情報システムでもそうですが、AIも容易にバイアス(偏向、偏り)を生んでしまいます。試験対策としては、偏ったデータから学ぶことによって偏ったアルゴリズムになってしまう「アルゴリズムのバイアス」(少数民族差別をするデータからは、少数民族差別を学ぶ等)、利用者が提供する情報やふるまいによって生じる「AI利用者の関与によるバイアス」を覚えておきましょう。

1.8.4 AIを理解するための取り組み

こうした状況下で安心してAIを活用していくために、各国、各団体が**説明可能AI**の開発やガイドライン作りに取り組んでいます。AIが出力する個々の回答に対する説明を局所説明、AIモデル全体のふるまいに対する説明を大局説明といいますが、どちらも難易度の高い技術的挑戦です。

用語 **説明可能AI** 出力の根拠を、人間が理解・納得できる形で示せるAI。説明可能性や解釈可能性が高いAIはXAI：Explainable AIという。

ただし、これらをある程度の水準で満たせないと、社会の中枢にAIを組み込むことに躊躇が生じるのも事実でしょう。G20で採択された「人間中心のAI社会原則」でも言及されていて、公平性、説明責任、透明性が求められています。

HITL

バイアスを発見・修正したり、生成AIを業務に適用するために、業務手順の中に人間を据えて、AIが生成した結果を評価するHITL(Human in the Loop)の導入が効果があると考えられています。

しかし、これを完全に実現するためにはAIの学習過程やパラメータの関係性などを理解しなければなりません。数十兆ともいわれるLLMのパラメータと、個々のパラメータ同士のリレーションなどを解きほぐし、その動作機序を説明することが本当に可能かどうか、疑問も持たれています。

AIサービスにおけるオプトアウト

AIを活用したサービスを提供している企業では、AIサービスのオプトアウトポリシーの運用が普及しています。顧客のデータがAIの学習に使われることがあるけれども、オプトアウトによって拒否できるというわけです。

1.8.5 AIを利用した攻撃への懸念

AIは社会に効率化や自動化、生活の高度化をもたらしますが、犯罪行為もこれらの恩恵を受けることに注意しなければなりません。

標的型攻撃やフィッシング、なりすましといった攻撃手法は古くから知られていますが、手間がかかる上に実行する人間に高い技術スキルや語学力、時間的拘束を要求します。ここにAIを適用することで、低コストでこれらの攻撃を行えるようになります。ポートスキャンなどの準備攻撃をAIに行わせたり、コードの解析をAIに指示することでソフトウェアの脆弱性を効率的に発見することもできます。

マルウェアの開発

また、近年のLLMはソースコードを生成することができるので、マルウェア開発の生産性向上が懸念されています。技術的スキルのない者がLLMによってマルウェアを作った事例もいくつもあります。LLMが完全にオリジナルなマルウェアを作ることができなくても、亜種（バリアント）を作ってくれるだけでマルウェア開発者は大助かりです。

敵対的サンプル

一見ノイズのようなデータ(**敵対的サンプル**;Adversarial Examples)をAIに入力することによって、AIの誤作動を引き起こす手法も定番です。道路や標識に敵対的サンプルのシールを貼ることで、自動運転車を混乱させた事例などがあります。

ディープフェイク

動画やリアルタイム配信の顔や体を差し替えて誰かになりすまし、デマを拡散したり、とんでもない契約を結んだり、ポルノ画像を生成するなどの**ディープフェイク**も根深い問題です。AIサービスの責任論やAIが生成した成果物に透かしを入れること、AIを含む製品はデザイン段階でAI倫理アセスメントを導入することなどが議論されていますが、決め手になる対策はありません。

プロンプトインジェクション

プロンプトを工夫することで、本来は出力できないはずの情報(公序良俗に反する回答や、秘匿事項に類する回答など)を出力させることを**プロンプトインジェクション**と呼びます。

章末問題

問題1

3層クライアントサーバシステムの説明のうち、適切なものはどれか。

ア　システムを機能的に、Webサーバ、ファイアウォール、クライアントの3階層に分けたシステムである。
イ　システムを機能的に、アプリケーション、通信、データベースの3階層に分けたシステムである。
ウ　システムを物理的に、メインフレーム、サーバ、クライアントの3階層に分けたシステムである。
エ　システムを論理的に、プレゼンテーション、ファンクション、データベースの3階層に分けたシステムである。

問題2

OSI基本参照モデルにおいて、"応用プロセス間での会話を構成し、同期をとり、また、データ交換を管理するために必要な手段を提供する"層はどれか。

ア　アプリケーション層　　イ　セション層
ウ　トランスポート層　　エ　プレゼンテーション層

問題3

IPネットワークのプロトコルのうち、OSI基本参照モデルのトランスポート層に位置するものはどれか。

ア　HTTP　　イ　ICMP　　ウ　SMTP　　エ　UDP

問題4

セション層の役割について、説明したものはどれか。

ア　同じネットワークに接続されたノード間での通信を提供する。
イ　異なるネットワークに属するノード間での通信を提供する。
ウ　コネクション確立のタイミング管理や、データ転送のタイミング管理を提供する。
エ　データの表現形式を管理する機能を提供する。

問題5

図のネットワークで、数字は2つの地点間で同時に使用できる論理回線の多重度を示している。X地点からY地点までには同時に最大幾つの論理回線を使用することができるか。

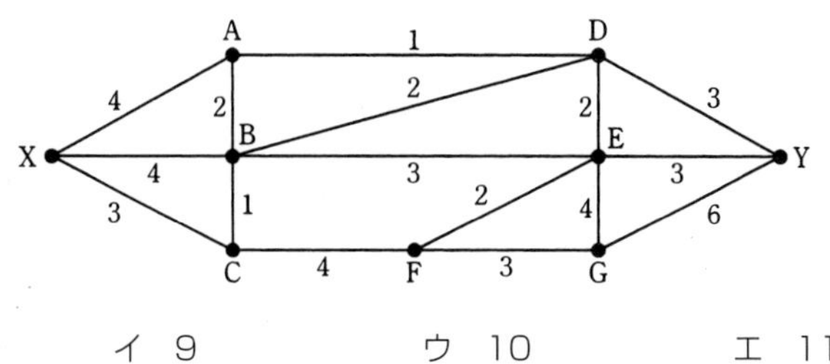

ア 8　　イ 9　　ウ 10　　エ 11

問題6

OpenFlowを使ったSDN (Software-Defined Networking)の説明として、適切なものはどれか。

ア 単一の物理サーバ内の仮想サーバ同士が，外部のネットワーク機器を経由せずに，物理サーバ内部のソフトウェアで実現された仮想スイッチを経由して，通信する方式
イ データを転送するネットワーク機器とは分離したソフトウェアによって，ネットワーク機器を集中的に制御，管理するアーキテクチャ
ウ プロトコルの文法を形式言語を使って厳密に定義する，ISOで標準化された通信プロトコルの規格
エ ルータやスイッチの機器内部で動作するソフトウェアを，オープンソースソフトウェア(OSS)で実現する方式

問題7

内部ネットワーク上のPCからインターネット上のWebサイトを参照するときは、DMZ上のVDI (Virtual Desktop Infrastructure)サーバにログインし、VDIサーバ上のWebブラウザを必ず利用するシステムを導入する。インターネット上のWebサイトから内部ネットワーク上のPCへのマルウェアの侵入、及びPCからインターネット上のWebサイトへのデータ流出を防止するのに効果がある条件はどれか。

ア PCとVDIサーバ間は、VDIの画面転送プロトコル及びファイル転送を利用する。
イ PCとVDIサーバ間は、VDIの画面転送プロトコルだけを利用する。
ウ VDIサーバが、プロキシサーバとしてHTTP通信を中継する。
エ VDIサーバが、プロキシサーバとしてVDIの画面転送プロトコルだけを中継する。

問題8

AIにおけるディープラーニングに関する記述として，最も適切なものはどれか。

ア　あるデータから結果を求める処理を，人間の脳神経回路のように多層の処理を重ねることによって，複雑な判断をできるようにする。
イ　大量のデータからまだ知られていない新たな規則や仮説を発見するために，想定値から大きく外れている例外事項を取り除きながら分析を繰り返す手法である。
ウ　多様なデータや大量のデータに対して，三段論法，統計的手法やパターン認識手法を組み合わせることによって，高度なデータ分析を行う手法である。
エ　知識がルールに従って表現されており，演繹（えき）手法を利用した推論によって有意な結論を導く手法である。

解 説

問題1

クライアントとサーバの2つに機能を分割していた一般的なクライアントサーバシステムに対して、**3層クライアントサーバシステム**は、「プレゼンテーション層」、「ファンクション層（ビジネスロジック層）」、「データベース層」の3つに機能を分解します。データはその構造が変わることがあまりなく、むしろ安定的に運用した方が好ましいので、ファンクション層から切り離されています。こうすることで、データ構造に影響を与えることなく素早く業務ロジックを変更することが可能です。

問題2

「応用プロセス間での“会話”」という表現に注目して下さい。セション層は一連の通信における1つのセッションを認識、管理する層ですが、TCP/IPの体系ではプレゼンテーション層とともにアプリケーション層に組み込まれてしまうため、あまり馴染みがないかもしれません。セション層を見分けるための一番のキーワードは「会話」なので、対応させて記憶して下さい。

問題3

ア　アプリケーション層に位置します。
イ　ネットワーク層に位置します。
ウ　アプリケーション層に位置します。
エ　正答です。TCPとともに、トランスポート層の代表的なプロトコルです。

問題4

ア　データリンク層についての説明です。
イ　ネットワーク層についての説明です。
ウ　正答です。
エ　プレゼンテーション層についての説明です。

問題5

これはX～AC、AC～F、F～DG、DG～Yの4つのゾーンに区切って考えていきます。

・X～ACゾーン：4＋4＋3＝11
・AC～Fゾーン：1＋2＋3＋4＝10
・F～DGゾーン：1＋2＋3＋2＋3＝11
・DG～Yゾーン：3＋3＋6＝12

AC～Fゾーンの多重度が低く、ボトルネックになりますから、X～Y間の最大利用可能論理回線数は10本です。

問題6

OpenFlowで難しい印象を持たせようとしていますが、実はSDNさえ理解していれば解答できるので惑わされないようにしてください。ルータやスイッチは実際にパケットを転送する部分と、それを制御する部分に分かれていますが、制御部をサーバにまとめてしまうことで運用が楽に（集中管理）なり、ネットワーク構成も物理的な構成にとらわれずに柔軟に変更することができます。SDNで使われる標準的な制御プロトコルがOpenFlowです。

問題7

PCとVDIサーバ、VDIサーバとインターネット上のWebサイトのやり取りが完全に別物になることがポイントで、安全を確保できます。したがって、VDIサーバがプロキシサーバとしてふるまって、中継をしてしまっては意味がありません。また、この構成でファイル転送を利用する必然性はありません。余分な機能を許可した分だけ、安全性が低下します。

問題8

データサイエンスやAIはシラバスへも特に追記されるなど、急速に注目を集めました。この傾向は継続すると思われる一方で、午後問題を作りにくいテーマではあるので、当面はこのような知識が問われるでしょう。誤答選択肢の部分もよく見ておいてください。

ア　正解です。脳神経回路でニューラルネットワークを連想しますが、「多層の処理」がキーワードになっていてディープラーニングだと特定できます。
イ　データマイニングの説明です。
ウ　これもデータマイニングの説明です。多様な～、大量の～あたりはビッグデータを意識させる書きぶりになっていますが、分析手法ですので仮にこれを問われても「ビッグデータ」と答えてはいけません。
エ　ルールベース型AIについての説明です。仮にこれが問われた場合、過去問を踏まえると、「エキスパートシステム」も正解になるでしょう。

解答

問題1　エ　　問題2　イ　　問題3　エ　　問題4　ウ　　問題5　ウ　　問題6　イ
問題7　イ　　問題8　ア

第2章
符号化と伝送

符号化と伝送について学習します。直接的には、サンプリングレートや画像圧縮規格、伝送手順、誤り制御などについて午前問題で問われることになるので、まずここを得点源にしたいところです。

しかし、この章の恐ろしいところは、他の技術への関連です。パリティのしくみは、通信プロトコルの実装はもちろんのこと、ストレージ技術にも関連してきますし、符号化の方法はあらゆるエンコーディング規格に絡んできます。

1～2章はネットワークスペシャリストの配点で大きな枠を占める花形技術の根元を支える項目が並んでいます。具体的な得点力になるまで時間がかかる分野ですが、やっただけの見返りはあるので、是非がんばって取り組んでください。特に誤り制御は、午後問題の前提知識としても定番の技術なので、確実に自分のものにしていただければと思います。

2.1 音声信号の符号化

自然界に存在する情報は、アナログの形で存在しています。それに対して、コンピュータはデジタルの形でなければ処理ができません。そこで、アナログ情報をデジタル情報に変換する符号化が重要になってきます。この節では、音声を符号化する方法について学んでいきましょう。

2.1.1 アナログとデジタル

用語 **連続量** 値を「これくらい」という形で表現する。アナログ時計の針などが連続量を表す。

離散量 値を「いくつ」という形で表現する。1や2は離散量となる。1と2の間にある値はどちらか近い方に含める。

アナログが**連続量**であるのに対して、デジタルは**離散量**です。デジタルという語はラテン語の指が語源で、指を使って表すことのできる数値という意味です。

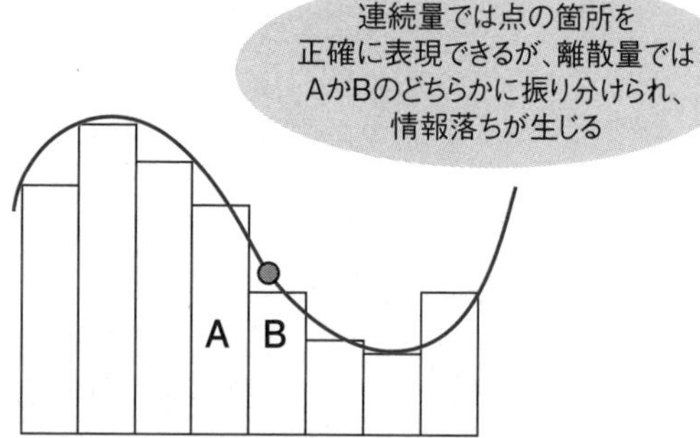

連続量では点の箇所を
正確に表現できるが、離散量では
AかBのどちらかに振り分けられ、
情報落ちが生じる
A
B

▲図 アナログ波形とデジタル変換

用語 **情報落ち** 「離散量を整数で表す」と決めた場合、1.5は表現できないので1か2に含めることになる。そのとき、0.5だけの微細なデータが失われることを情報落ちという。

アナログ情報をデジタル情報に変換する場合は、細かい時間ごとにある瞬間の値を計測してデータとします。したがって、アナログと比較した場合、**情報落ち**が発生します。符号化する際に失われる情報は、データのサンプリングを行う単位時間を短くしていくことで減少できますが、0になることはありません。

2.1.2 デジタル化のメリット

本来のアナログデータに対して情報落ちが発生してしまうデジタルデータを利用するのは、次の理由によります。

●ノイズに強い

データの種類にかかわらず、ネットワーク上でデータ伝送を行えば必ず何らかの干渉が入力され、データにノイズが混入します。アナログ信号からノイズだけを取り除いて原データを復元するのは困難ですが、デジタルデータは本質的に0と1のみによって構成されるので比較的復元が容易です。

MOS値（用語）通信品質を主観評価する代表的な方法。人が聞いて、品質を五段階で評価する。

R値（用語）通信品質を客観評価する代表的な方法。ノイズ、エコー、遅延などの指標から、品質を100点満点で評価する。

IP電話の品質クラス（用語）R値と遅延で三段階に分類する。

クラス	R値	遅延
A	80超	固定電話水準
B	70超	携帯電話水準
C	50超	それ以外

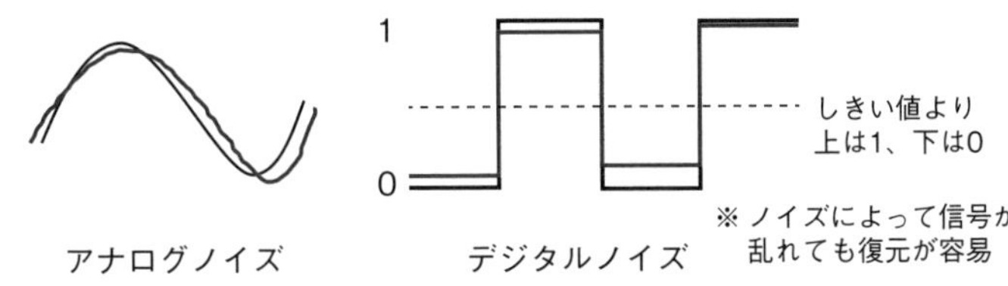

▲図 ノイズ比較

●データ量のコントロールができる

標本化、量子化の精度を変化させることで、データ量を制御することができます。高いクオリティでアナログデータを復元する場合は精度を高く、データ量の節約を優先する場合は精度を低く設定します。

アナログデータをデジタルデータへ符号化する場合、以下の手順を踏みます。

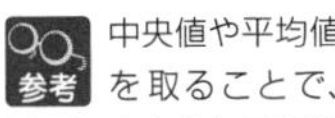
（参考）中央値や平均値を取ることで、原データと生じる誤差を**標本化ノイズ**という。

符号化の手順

①標本化

アナログ信号を単位時間ごとに区切る工程です。サンプリングともいいます。単位時間中のデータ変化の中央値や平均値によって標本値を決定します。単位時間を細かくすればデータの精度を上げられます。逆に大まかな間隔にすればデータ量を抑制できます。

②量子化

標本化によって得られた標本値を整数化する工程です。整数化することで失われた情報を量子化ノイズと呼びます。

③符号化

量子化した値を基にデジタルデータを作成します。

●コンピュータシステムとの相性

データに対して演算を行って成分抽出や補正を行うなどの処理が可能になります。また、デジタル化することによってIP網を使った伝送が行えるようになり、ネットワークの基本的なインフラを統一して運用することができます。

2.1.3 標本化

用語 標本化定理 アナログデータを正確にデジタルデータに変換する場合、元データが持っている周波数の**2倍**を超えたサンプリング周波数を用いなければならないという定理。

標本化を行う周期のことを、**サンプリング周波数**といいます。

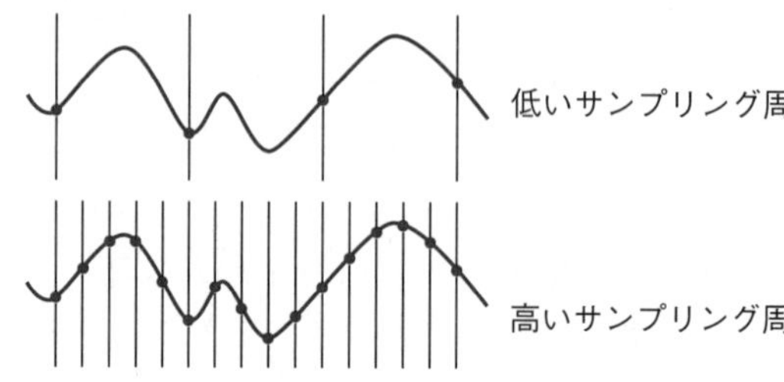

▲図 サンプリング周波数

サンプリング周波数を高くすると原データへの復元性が高まりますが、データ量は大きくなります。

用語 高周波成分 周波数の振幅の激しい部分。この場合は、急激にデータが変化する箇所。

サンプリング周波数を低くすると、特に急激にデータが変化した箇所（**高周波成分**）は復元できなくなり、データの精度が劣化します。しかし、データ量は小さくできます。

このことからも分かるように、標本化によって高周波成分が失われる可能性があります。元のデータを復元するためには、データに含まれる一番高い周波数の2倍の周波数でサンプリングを行う必要があります。

本試験では、サンプリング周期を求めさせる形で、標本化理論が理解できているかを問うてきます。例えば「0～20kHzのオーディオ信号をデジタル信号に変換する場合、必要なサンプリング周期は？」という問いです。まず、2倍の周波数が必要という知識を用いて40kHzを導いた後、1秒間を40kで割り0.000025＝25マイクロ秒を得ます。

2.1.4 量子化

量子化は、サンプリングした成分によってデータの値を決定します。

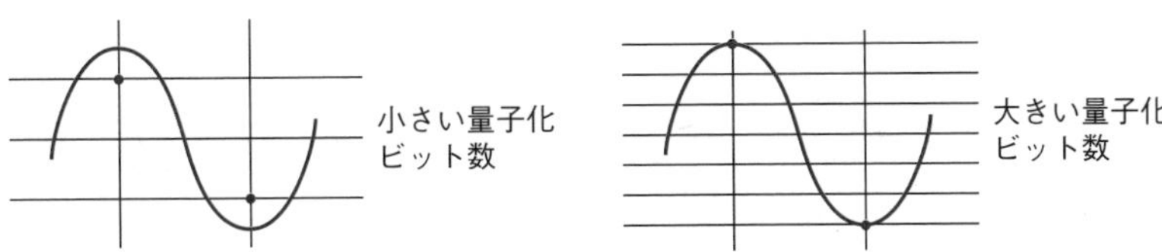

▲**図** 量子化ビット数

参考 量子化アルゴリズムによって四捨五入などいろいろな処理の仕方がある。

参考 電話では8ビット量子化を行い、256段階に音の高さを分ける。CDでは16ビット量子化を行い、65536段階に音の高さを分けている。

原データの波形をどれだけの精度で区切って数値化するかを**量子化ビット数**によって決定します。量子化ビット数が大きければ、切り上げ、切り下げの処理を行った際の誤差を小さくできます。量子化ビット数が小さいと、この誤差は大きくなります。ただし、量子化ビット数が大きいとデータ量は大きくなり、処理時間も増大します。このため量子化ビット数もサンプリング周波数と同様、用途によって精度とデータ量のバランスをとって決定します。

2.1.5 符号化

標本化と量子化によって得られた数値をデジタルデータとして割り付ける工程が**符号化**です。符号化には用途によって多くのアルゴリズムがあります。

波形符号化

波形符号化は、原データの波形を忠実に再現しようとする手法で、復元品質は向上しますがデータ量は大きくなります。伝送路をはじめとするシステム資源に余裕がある場合はこれを採用します。

●PCM

用語 **PCM** Pulse Code Modulationの略。パルス符号変調のこと。

PCMは、原データを符号化する最も基本的な方式です。標本化、量子化を行ったデータをそのまま符号に割り付けます。

したがって、PCMではデータを伝送するのに必要な回線容量(ビットレート)をサンプリング周波数と量子化ビット数の乗算で求めることができます。

CDでは44.1kHzで標本化を行い、量子化ビット数は16ビットです。

44.1kHz×16ビット＝705.6kビット／秒

から、CDに納められているデータをリアルタイムで伝送するためには、705.6kビットの回線容量が必要であることが分かります。

 PCMは、原データへの復元性が高いが、標本化、量子化したデータをそのまま符号化するため、特別な圧縮処理は行われず、データ量が大きくなる。

高いクオリティが要求される音楽用CDで利用されていることからも、復元性の高いアルゴリズムであることが分かりますが、音声品質の高度化がそのまま回線容量に反映されるため、超高品質データや帯域の狭い通信路で採用する場合は注意が必要です。

 ADPCM➡Adaptive Differential Pulse Code Modulation

ADPCMは、PHSが採用している。

●ADPCM

ADPCMは、PCMに改良を加えてデータ量を小さくした方式です。PCMでは量子化した値をそのまま絶対値として符号化していましたが、ADPCMは前データとの差分でこの値を表現します。前のデータとの差が小さい場合は、絶対値で表すよりも少ない桁数でデータを表現できます。

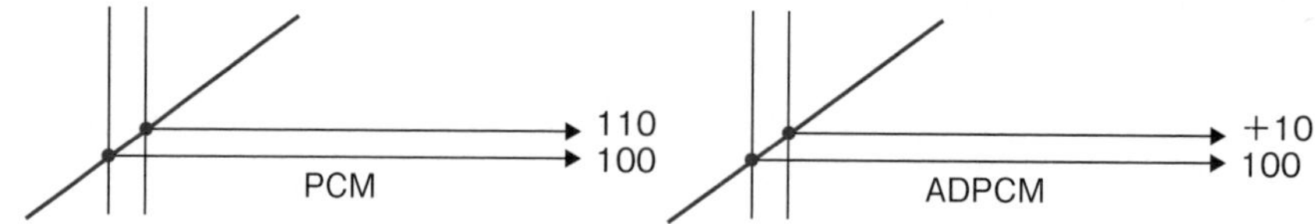

▲図 ADPCM

急激なデータの変化に弱く、ノイズを生じることがある。

ADPCMは、「音声などのアナログデータは連続して緩やかに変化することが多い」という経験則をもとに作られており、ビットレートを量子化ビット数の半分程度に抑えられます。ただし、データに急激な変化が発生した場合は表現しきれずに大きなノイズが生じます。

そのため、大きな変化が起こりそうなケースをサンプルによって予測し、量子化ビット数を減らすことでこれを回避します。ただし、瞬間的に量子化ビット数が落ちるので復元した音声に違和感が生じることがあります。

分析合成符号化

分析合成符号化は、あらかじめいくつかのデータパターンを用意し、原データに最も近いものを選択する手法です。データ量を非常に小さく抑えられますが、復元品質は劣ります。携帯電話など、通話帯域の小さい伝送路での利用が主流です。

●CELP

CELPは、携帯電話用に開発された符号化方式で、量子化して得られそうなパターンをあらかじめデータベースに登録し、実際に量子化したデータと比較して最も近いものを選択します。波形符号化と組み合わせているので、**ハイブリッド符号化**に分類されることもあります。

用語 コードブック パターンを登録したデータベースのことをコードブックという。

波形データではなくパターン番号のみを送信するため、データ量を最小化できます。しかし、原データを完全に再現することは不可能で、復元精度もPCMなどに比べて低くなります。狭帯域通信に向いていますが、ネットワーク資源が潤沢であれば採用する意味はあまりありません。また、パターン抽出処理には単純なPCMよりもCPUパワーが必要です。

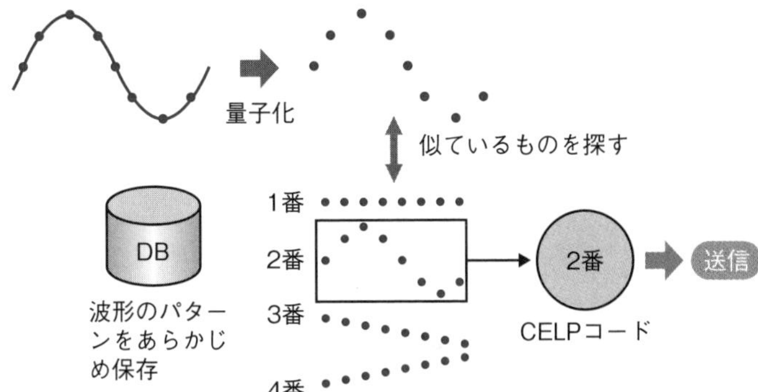

▲図 CELP

参考 パターン番号のみを送信するため、データ量を非常に小さくできるが、パターンマッチング処理にはCPUパワーが必要になる。

POINT PCM群およびCELP群の特徴

- PCM群（PCM、ADPCM、など）
  波形をそのまま伝えようとするグループ
- CELP群（ACELP、RCELP、MPEG-4 CELPなど）
  波形をパターン化して伝えようとするグループ

2.2 画像信号の符号化

2.2.1 画像符号化の基礎知識

画像データの符号化は、基本的に音声の場合と同じ処理を行います。

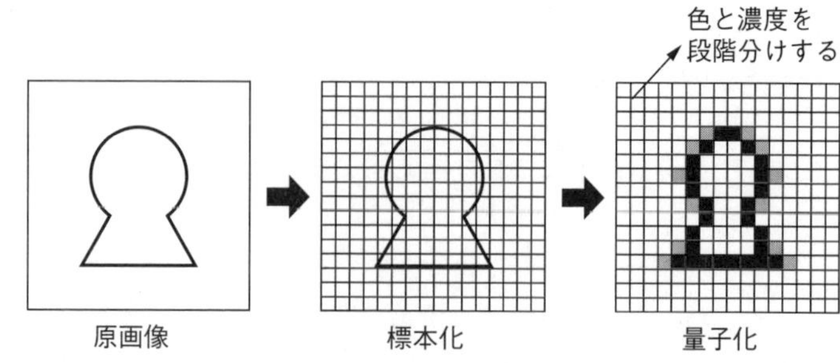

▲図　画像データのサンプリング

フルHD（用語）Full High Definition。画像サイズは1920×1080ピクセル。家庭用テレビでもお馴染みの規格。

（参考）256段階は8ビットで、R、G、Bの3色があるので、これを24ビットカラーと呼ぶ。

画像で重要になるのは、データ量の大きさです。

標準的な画像サイズである**フルHD**では、白黒の二値画像であっても2,073,600ビットの容量が必要です。これにR、G、Bの色をつけ、それぞれの輝度を256段階で表したとすれば6MB以上のデータになります。

動画では、こうした画像が1秒に数十枚必要になります。

2.2.2 画像データ圧縮の手法

予測符号化

静止画のある点を観測すると、隣接した点と色相や輝度が類似していることが多いことが分かっています。また、動画でもある一瞬と次の一瞬の間にはほとんど変化が見られません。そこで、「隣接した点」「次の一瞬」は現在の点と同じであるという予測のもとに、生じる変化を予測誤差として表します。予測誤差は現在のデータに対する差分として表せるため、必要なデータ量を抑制できます。

参考 変換符号化の具体例として、DCT変換、ウェーブレット変換がある。

変換符号化（直交変換）

変換符号化では、隣接する画素をペアにして直交座標上にプロットします。その後、座標軸を回転させて**エントロピ**が小さい値に変換します。

●エントロピ

平均情報量のことです。情報量はその事象が起こりにくい場合に増加し、起こりやすい場合に減少します。例えば、隣接画素同士が同じようなデータになりやすいということは予測しやすくエントロピを小さくできます。

不可逆符号化

不可逆符号化は、データ量を削減するためにデータを間引く手法です。不可逆符号化を行うと一般的にデータの精度は落ちますが、人間工学的に精度に敏感になる輝度変化のゆるやかな部分では比較的忠実に原データをトレースし、人間の知覚が敏感に反応しない部分ではデータを間引くなど、あまり違和感なくデータを間引く工夫がなされています。

動き補償予測

動き補償予測は、動画で行われる予測手法です。予測符号化を行っても動きの速い被写体が写っている動画では、予測誤差が大きくなって圧縮効率が低下します。そこで、動く物体が写っている画素をグループとして登録し、次の画像でその画素群がどこに移動しているかによって符号化を行います。

参考 **ハフマン符号化** 出現頻度の高いデータ列に短い符号を、出現頻度の低いデータ列には長い符号を割り当てることで、全体のデータ量を小さくする符号化技術。
ランレングス符号化 連続するデータの長さによって符号化を行う。同じ色で塗られた部分が連続する画像で効果を発揮する。
FAXなどで採用されている。

エントロピ符号化

エントロピ符号化は、出現頻度の高いデータに短い符号を与えることでデータ量を削減する手法です。

ビットの並び	出現頻度	割当てる符号
000	2位	10
001	3位	110
010	1位	0
011	4位	111

▲図　エントロピ符号化（ハフマン符号化）

どのような符号を付与すればデータ量を最小（**コンパクト符号化**）にできるかは、ハフマン理論によって得ることができます。

2.2.3　画像データ規格

JPEG

JPEGは、ISOとITU-Tが組織した画像規格策定委員会の名称で、委員会の名称がそのまま画像規格の名称になったものです。

JPEGでは、DCTとハフマン符号を用いて画像を圧縮します。高い圧縮率で写真を自然に復元できるという長所を持ちます。JPEGの特徴は不可逆変換になる点で、写真のようなデータには適していますが、画像に文字が含まれるような場合では、にじみ(ブロックノイズ)が生じます。

GIF

GIFは、可逆圧縮で文字やCGをきれいに再現できるのが特徴ですが、色数は256色までしか扱えません。Webでは黎明期から標準的な画像形式として利用されていましたが、圧縮アルゴリズムが特許権の問題に巻き込まれたため、PNGの開発と移行が進んだ経緯があります。現在は失効し、自由に利用することができます。

用語 **LZW** GIFで使用されている圧縮アルゴリズム。

PNG

PNGは、GIFやJPEGよりも新しい静止画の規格です。後発規格であるため、前世代の規格で使いにくかった点が改良されています。フルカラーが使える(GIFは256色まで)、可逆圧縮が可能(JPEGは不可逆圧縮)であること、などが本試験で狙われる事項です。

略語 PNG➡ Portable Network Graphics もしくは、PNG is Not GIF

2.2.4　動画・音楽配信データ規格

MPEG

ISOが組織した動画規格策定委員会の名称で、そのまま動画規格の名前として使われています。用途とビットレートに応じていくつかの規格が存在します。

▼表 MPEGの規格一覧

名称	ビットレート	用途
MPEG-1	1.5Mbps程度	CD-ROMなどのメディアに保存されることを想定した規格。規格は動画部分のMPEG-1ビデオ、音声部分のMPEG-1オーディオ、ビデオと音声の統合方法を定めたMPEG-1システムなどに分類されている。動画部分では、動きベクトル検出、動き補償などの技術で情報量を減らしている。
MPEG-2	数M～数十Mbps程度	ブルーレイなどの大容量メディアに保存したり、放送に用いることを想定した規格。MPEG-1よりも広い用途に適合させるため、プロファイルとレベルという概念を持ち、再生環境に合わせて最適な圧縮方法を選択できるようになっている。
MPEG-4	数十Kbps～	通信速度の低い狭帯域回線でも利用できることを重視した規格。低いビットレートの中で最大の品質を実現できるよう工夫されている。携帯電話やテレビ電話などで幅広く利用されている。モバイル環境で使いやすいよう、伝送エラーに対応する能力が強化されている。
MPEG-7		マルチメディア情報の属性を記述するために開発された標準規格。MPEG-7によって記述された属性情報を検索エンジンで検索することで、コンテンツの管理が容易になる。
MPEG-21		マルチメディア情報の著作権管理を行うための標準規格。

MP3とAAC

MP3➡MPEG Audio Layer-3

MP3は、もともとはMPEG-1で採用されていた音声圧縮方式です。その後、MP3規格のみを取り出し、音楽配信用データフォーマットとして広く普及しました。

AAC➡Advanced Audio Coding

後継規格として、より高音質・高圧縮を実現した**AAC**があり、こちらも音楽配信サービスなどでよく利用されています。

FLAC

ABC略語 FLAC➡Free Lossless Audio Codec

音質の劣化がない可逆圧縮形式のうち、特許等の縛りなく利用できるフォーマット（オープンフォーマット）として広く利用されているのが**FLAC**です。いわゆるハイレゾ音源などにもよく用いられます。

2.3 符号化したデータの伝送

2.3.1 同期

通信を行う場合は、送信側と受信側でタイミングを合わせる必要があります。これを**同期**と呼びます。同期が取れていない状況で通信を行うと互いに認識しているデータが異なるものになる可能性があります。

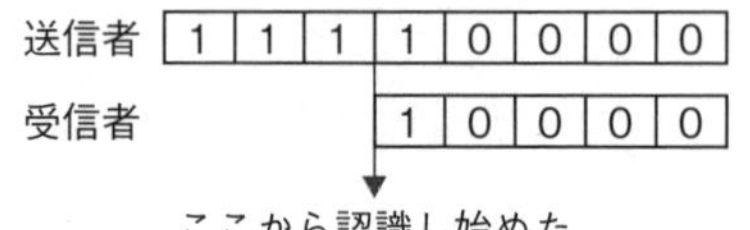

送信者が認識しているデータ　11110000 …
受信者が認識しているデータ　1000 …

▲図　同期ミスによるデータのずれ

同期の取り方は、**ビット同期**と**ブロック同期**の2種類に大別できます。

2.3.2 ビット同期

1ビットのデータを正確に認識するための方法で、伝送される波形のどの部分が1ビットに対応するのか規定します。送信側と受信側でビット位置を正しく認識するためにタイミングクロックを使うため、**クロック同期方式**とも呼ばれます。

用語 タイミングクロック
水晶発振器によってタイミングパルスを生成する。

同期方式

同期方式（連続同期方式）は、データ信号の中に、同期タイミングを取るための信号を混在させる方式です。

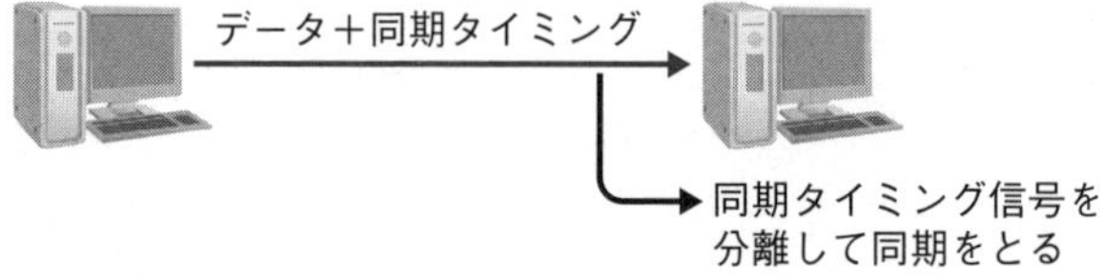

▲図　同期方式

受信側は同期タイミングデータから、波形のどの部分をデータとして抽出すればよいか判断します。データの形によっては同期タイミングを分離しにくいこともあり、その場合、同期タイミング用の信号線をデータ信号線と別に用意する手法もありますが、あまり利用されていません。

調歩同期方式

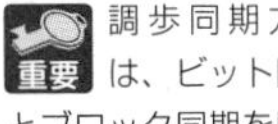
調歩同期方式は、ビット同期とブロック同期を同時にとる手順である。

調歩同期方式は、非同期方式とも呼ばれる通信方式で、7ビットか8ビットの固定長ブロックの前後にスタートビットとストップビットを付加して送信する方法です。1文字ごとに2ビットの情報を付加しなければならないのでオーバヘッドが大きく、大容量データの伝送には不向きです。

スタートビット	データ（7ビット or 8ビット）	ストップビット

▲図　調歩同期方式

調歩同期方式で通信する場合は、以下の設定を送受信側で合わせる必要があります。

- データブロックのサイズ（7ビットか8ビット）
- パリティの有無
- 伝送速度

受信側は、スタートビットを検出した後は、伝送速度にしたがってビット同期をとっていきます。したがって、送信側と受信側のタイマ精度にずれがあると同期がとれない可能性があります。

2.3.3　ブロック同期

ビット同期が確立できたビット列を、データとして意味のあるブロックとして認識するための同期です。**キャラクタ同期**と**フラグ同期**があります。

キャラクタ同期方式

参考 ASCIIコードでのSYNコード。SYNは特殊キャラクタとして扱われるため、コード体系ごとにコード番号が割り当てられる。

キャラクタ同期方式は、送信側が送信データの最初に**SYNコード**という同期をとるための特別なコードを連続して送信する方式です。同期方法が簡単で、ほとんどの通信機器が対応しています。

参考 10101010のように8ビット以外の区切れ目でも繰り返しが生じるパターンは、同期がとれないためSYNコードにすることができない。

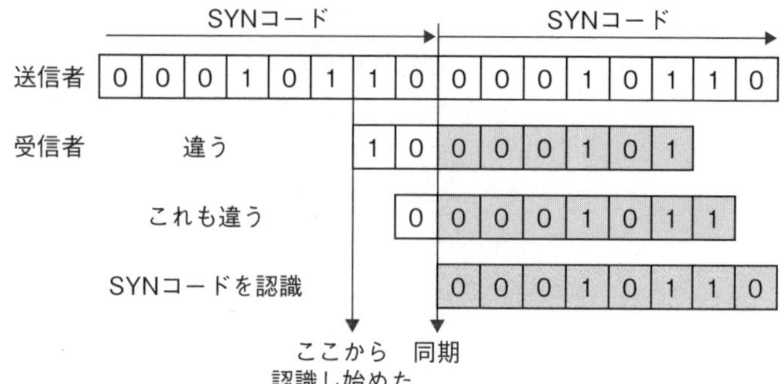

▲図　SYNコードの送信

SYNコードは、00010110からなる8ビットのビット列です。

受信側はSYNコードを認識してから、データの受信を開始します。どのビットから受信を始めたとしても、最悪のケースでも8回目にはSYNコードを正しく認識して同期をとることができます。8ビットで構成されるテキストデータを送信するのに便利です。

POINT キャラクタ同期方式の欠点

キャラクタ同期方式には、2つの欠点があります。

・SYNコードのパターンはデータとして送信できない
SYNコードと同じパターンはデータとして送信できません。送信側がデータとして送ったつもりでも、受信側はそれをSYNコードとして認識してしまうからです。したがって、SYNコードと同じビットが出現する可能性があるバイナリデータなどは変換してから送信します。

 参考 SYNコードと同じデータを送信する前に、特定コードを送信して後続のSYNコードをデータとして認識させる方法などがある。

・8ビット長のデータしか送信できない
8ビット長のデータ送信にしか対応していません。16ビットで構成される日本語や可変長のマルチメディアデータの送信は不可能です。多様なビット列を送信する用途には、フラグ同期方式を採用することが多くなります。

フラグ同期方式

参考 フラグ同期方式は柔軟な運用が可能で、データ伝送効率の高い同期制御方式である。

参考 フラグ間に挿入されるデータ長は任意であるため、送信データ全体に占めるオーバヘッドの割合を小さくできる。

フラグ同期方式では、送信したいデータの前後にフラグという特別なビット列を挿入して同期をとります。フラグと同じパターンが出てこなければよいので、送信するデータは何ビット単位の固まりであってもかまいません。

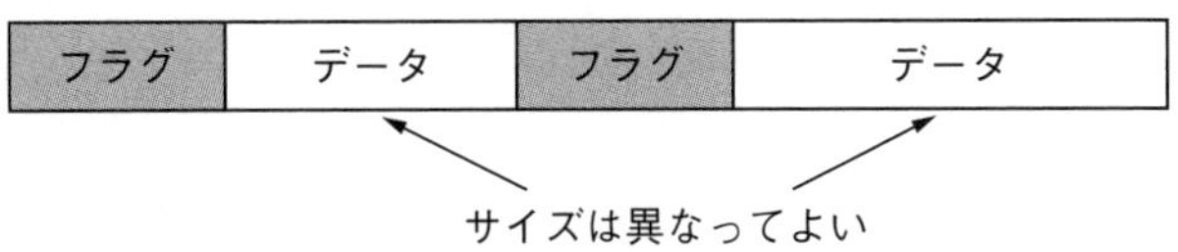

▲図　データへのフラグの挿入

フラグ同期方式で注意しなければならないのは、フラグと同じビット列がデータ中に出現しないようにすることです。そこで**ゼロインサーション**という処理を行います。フラグ同期方式では、01111110というパターンをフラグとして使用するので、データ中に1が5つ連続した場合は強制的に0を挿入します。

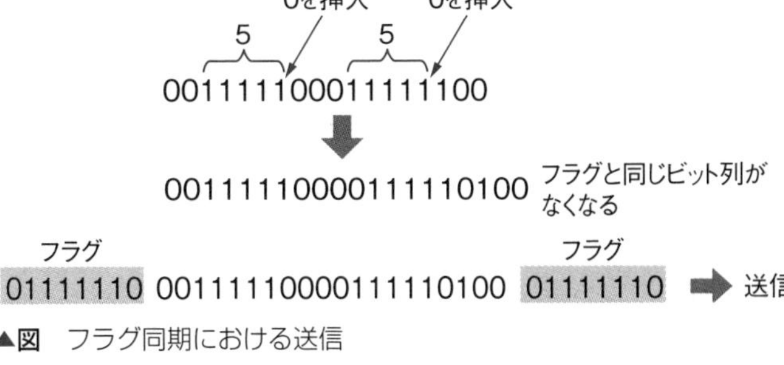

▲図　フラグ同期における送信

受信側では、データ中で1が5つ連続したら次に続く0を強制的に取り除きます。この処理によりフラグの固有性を確保します。

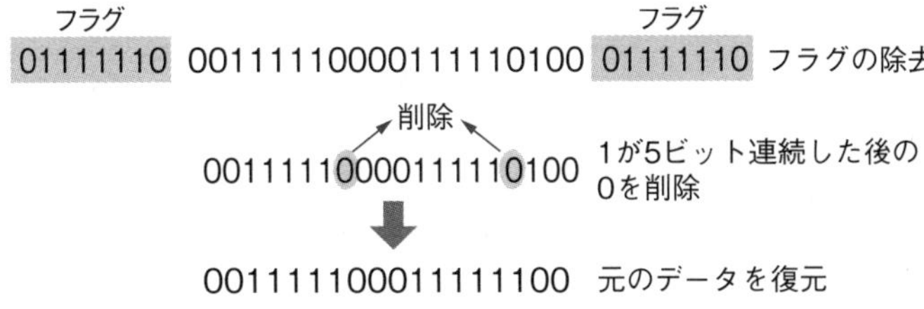

▲図　フラグ同期における受信

2.4 回線制御

2.4.1 回線制御装置の種類

アナログ回線に対して接続／制御を行う回線制御装置を**モデム**といいます。ネットワーク接続が普及した現在では目にする機会もなくなりましたが、古くはRS-232Cインタフェースを用いてパソコンなどの端末と接続し、デジタルデータをアナログ変換して伝送路に送信していました。

用語 RS-232C EIA（米国電子工業会）が策定したシリアルインタフェース規格で、PCと周辺機器を結ぶ用途に用いられる。TIA/EIA-232-Eとも呼ばれる。

モデムは、V.24に定められた制御手順で回線制御を行います。

参考 電話回線は占有型であるため、品質が安定しているが、利用料金が比較的高額となる。

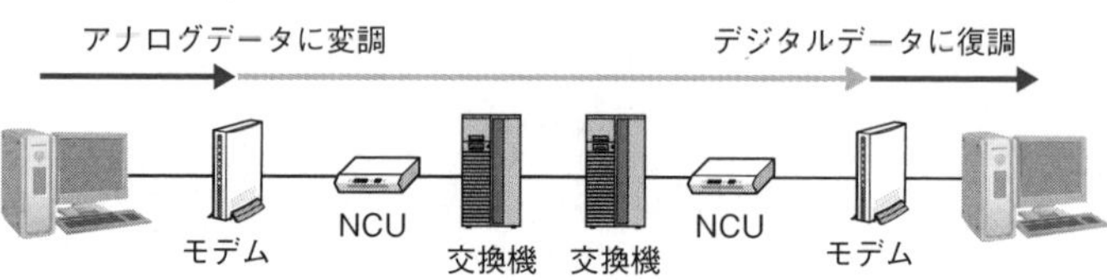

▲図 電話回線におけるデータ伝送モデル

上図中、モデムと交換機の間に接続されている装置を**NCU**と呼びます。これは、ダイヤリングなどを行い回線を制御するための装置です。従来はモデムとは別の装置として実装されていましたが、中期以降に開発されたモデム、特にコンシューマ向けのモデムに関しては、ほとんどの機種がこのNCUを内蔵しています。

用語 NCU Network Control Unitの略。網制御装置である。

2.4.2 変調方式

デジタルデータをアナログデータに変換する際には、搬送波と呼ばれる信号に変調を加えてデジタルデータの0と1に対応させます。変調の方法は、大まかに分けて3つあります。

振幅変調（ASK：Amplitude Shift Keying）

振幅の大きさによって、0と1を判別する変調方式です。大きい音か小さい音かという違いになります。

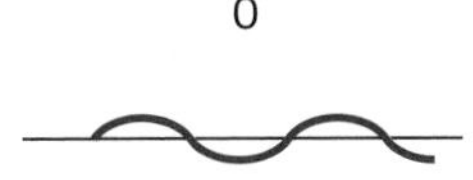

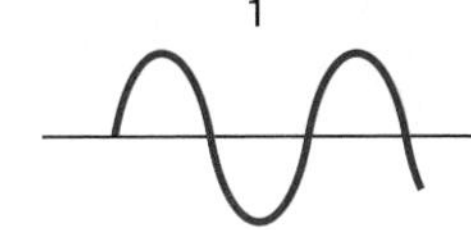

▲図　振幅変調

周波数変調（FSK：Frequency Shift Keying）

周波数の変化によって、0と1を判別する変調方式です。低い音か高い音かという違いになります。

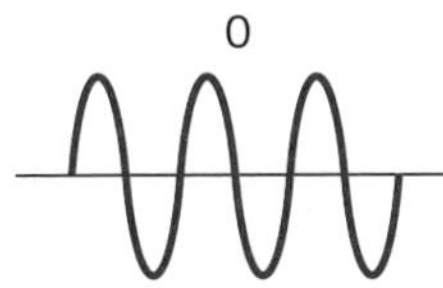

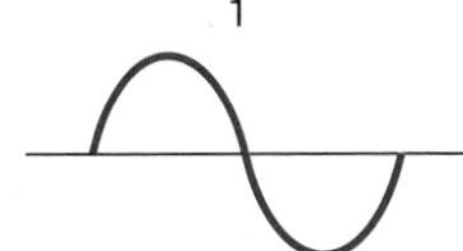

▲図　周波数変調

位相変調（PSK：Phase Shift Keying）

位相の変化によって、0と1を判別する変調方式です。

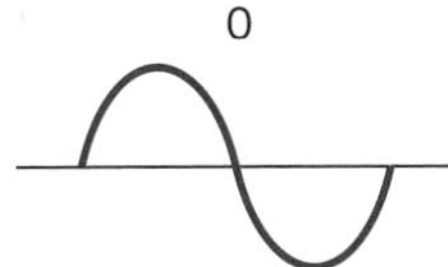

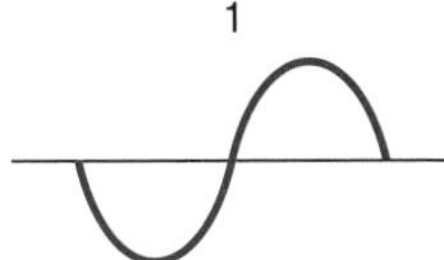

▲図　位相変調

実際にはこれらの変調方式を組み合わせて、さらに高速なデータ通信を行っています。振幅変調と位相変調を組み合わせた**直交振幅変調**（QAM）や、周波数の異なる複数の搬送波を同時に送信する**OFDM**などがあります。

OFDM

OFDM（Orthogonal Frequency-Division Multiplexing）は直交周波数分割多重方式のことで、周波数の異なる搬送波を使ってパケットを並列に送受信することで伝送効率を上げる技術です。変調速度を上げずにデータ通信を高速化できる特徴があります。

2.5　トラフィック理論

2.5.1　アーラン

参考　アーランという単位の名前は、トラフィック理論を体系化した研究者Erlangに由来している。

アーランとは呼量を表す単位です。アーランを理解するためには、呼について把握しておく必要があります。もし、呼量という用語に抵抗があれば、「呼量＝単位時間あたりの通話量」と変換して差し支えありません。

呼

呼とは、ネットワーク上に存在するサーバや通信機器に対する接続要求です。要求をする側の行為を**発呼**、要求される側への着信を**着呼**と呼びます。

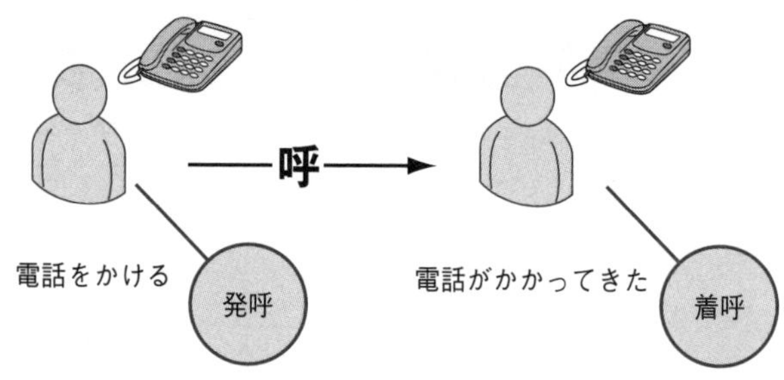

▲図　呼

例えば、2回電話がかかってきたら「呼が2個あった」というふうに数えられます。しかし、同じ2回の電話でも30秒の通話が2回の場合と、6時間の通話が2回の場合では、電話を使っている合計時間には大きな隔たりがあります。したがって、通話量は通話回数と通話時間を乗じて求めます。これを時間（カウントする期間）で割ったものが**呼量**です。

参考　基本的にはアーランの単位時間は1時間で考える。

POINT　呼量の公式

$$呼量 = \frac{呼数 \times 平均回線保留時間}{時間}$$

公式にすると用語が難しくなりますが、何回通話があって、その通話は平均でどのくらいの時間続いたのか、という意味です。

つまり、電話を使っていた総時間が分かるわけです。呼数は記録する期間を延ばせばいくらでも増えていくので、カウントする期間を定めます。

アーラン

呼量を表す単位がアーランです。ある回線で一定期間内に伝送できる最大量を1アーランとします。

T 用語 最繁時呼数 1日の中で最も呼数の多かった1時間における呼数。

最繁時呼量
最繁時呼数が得られた1時間における呼量。

電話機が1台あり、10分間に2回の電話がかかってきたとします。電話は1回目は2分、2回目は4分話して切れました。その場合の呼量は何アーランでしょうか。

難しくなるので単位時間は10分としましょう。通話時間の平均値(平均回線保留時間)は、3分です。すると、

$$呼量 = 2回 \times \frac{3分}{10分}$$

となり、呼量が0.6アーランであることが分かります。この電話の容量をフルに使う(=1アーラン)のは、10分間電話をかけ続けることですから、10分使った場合に1アーランとなるわけです。それに対して、1回あたり平均3分の電話が2回かかってきて、合計6分だけ電話を使いましたから、この場合の呼量は0.6アーランです。

2.5.2 呼損率

呼損率の意味

呼損率は、呼を損しているという表現から、電話を受け損なっているんだろうとイメージしておけば大丈夫です。「発呼したにも関わらず、話し中で着呼できない状態(=損失呼)」がどのくらいの確率で発生するかを表す数値が呼損率です。

呼損率が多ければ、重要な電話を取り損ねてしまうかもしれず、企業にとっては大損です。したがって、回線数を増やして呼損率を減らしたいのですが、あまり増やしすぎても無駄な回線が生じ、コスト高になってしまいます。

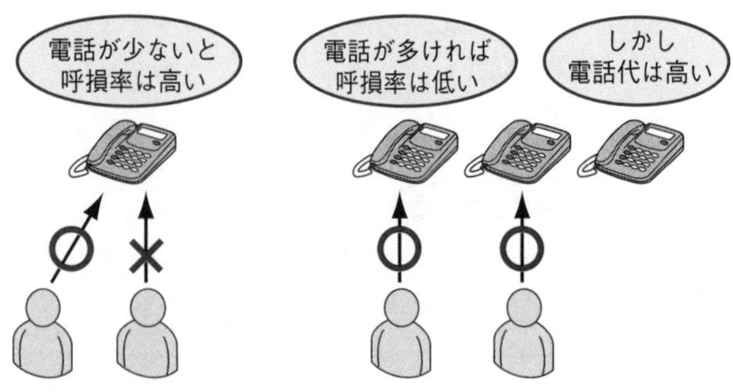

▲図 回線数と呼損率の関係

そのため、「呼損率を ～ 以下に抑える」という目標を作ってきちんとコントロールすることが求められるのです。ぎりぎりの回線で目標を達成できればいいので、呼損率の計算は非常に重要です。

アーランの損失式数表

呼損率を求めるには、**アーランのB式**を用います。

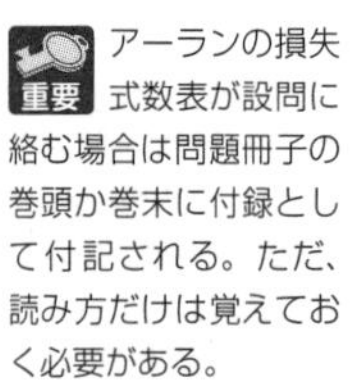

アーランの損失式数表が設問に絡む場合は問題冊子の巻頭か巻末に付録として付記される。ただ、読み方だけは覚えておく必要がある。

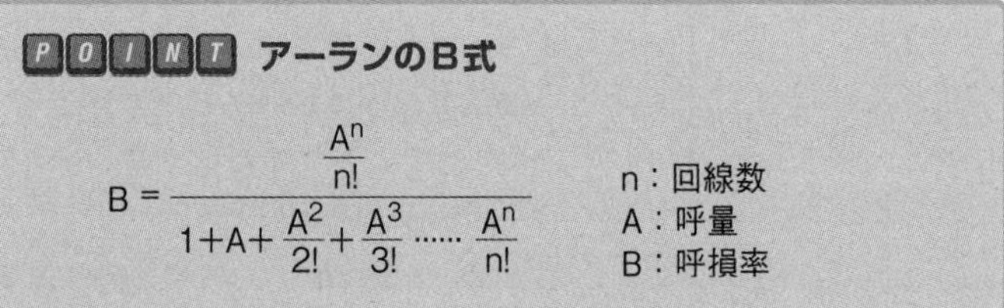

POINT アーランのB式

$$B = \frac{\frac{A^n}{n!}}{1+A+\frac{A^2}{2!}+\frac{A^3}{3!}\cdots\cdots\frac{A^n}{n!}}$$

n：回線数
A：呼量
B：呼損率

これは計算が複雑になるため、実際に解答を導かせるには、早見表を使うことがほとんどです。この早見表のことを**アーランの損失式数表**といいます。

▼表 損失式数表

呼損率 / 回線数	0.001	0.002	0.003	0.005	0.01	0.02	0.03	0.05	0.1
1	0.0010	0.0020	0.0030	0.005	0.0101	0.0204	0.0309	0.0526	0.111
2	0.0458	0.0653	0.0806	0.105	0.153	0.223	0.282	0.381	0.595
3	0.194	0.249	0.289	0.349	0.455	0.602	0.715	0.699	1.27
4	0.439	0.535	0.602	0.701	0.869	1.09	1.26	1.52	2.05
5	0.762	0.900	0.994	1.13	1.36	1.66	1.88	2.22	2.88
6	1.15	1.33	1.45	1.62	1.91	2.28	2.54	2.96	3.76
7	1.58	1.60	1.95	2.16	2.50	2.94	3.25	3.74	4.67

この表は縦軸が回線数、横軸が呼損率を表します。表中の数値は呼量です。読み方はまず、実現したい呼損率を横軸から見つけ出し、その列を上から順に読んでいきます。下に行くにつれて呼量が増えていきますから、システムの呼量を超えたところで行を左に進んで必要回線数を読み取ります。

回線数＼呼損率	0.001	0.002
1	0.0010	0.0020
2	0.0458	0.0653
3	0.194	0.249
4	0.439	0.535
(5)	0.762	0.900
6	1.15	1.33
7	1.58	1.60

▲図　損失式数表の読み方

例えば、呼量0.8のシステムで呼損率0.002を実現したい場合、上表の右側の列を読んでいきます。0.0020、0.0653と少しずつ呼量が増えていきますが、0.8を超えるのは0.900の地点です。そこで、0.900の行を左に進んでいくと、5とあり、5本の回線が必要であることが分かります。

ちなみに、呼損率0.001を実現する左の列では、0.8を超えるのは1.15の地点です。ここでは必要回線数は6であり、同じ呼量のシステムでも呼損率を低くするためには、より多くの回線が必要であることが分かります。

アーラン、待ち行列

アーラン、待ち行列などの計算はネットワーク試験の受験者にとって、1つの山場となる分野です。特に次で解説する待ち行列に関しては、ここで挫折する人も多く見受けられます。実際にそうした人たちの意見を聞くと「抽象的な概念で分かりにくい」という回答が多いようです。確かにイメージしにくい理論ですが、日常生活にも多くの行列が存在します。ファーストフードのカウンタで待ち行列が発生したら、イライラせずにケンドール記号を思い浮かべたり、待ち時間の期待値を計算したりしてみてください。

2.6 待ち行列理論

2.6.1 M/M/1モデル

参考 窓口を1個と仮定するM/M/1モデルに対して、複数の窓口のケースにも対応できるのが**M/M/sモデル**である。情報処理試験では、年々待ち行列理論の易化が進んでおり、M/M/sモデルについても出題数が減少。仮に出題されたとしても公式などが付記される。

呼量の計算では、電話をかけて相手がとってくれる（着呼）か、話し中（損失呼）の2つの状態しかないものとして計算をしていました。しかし、コンピュータ同士の通信や、コールセンタへの電話などでは、この他に「待たされる」という第3の状態があります。これも含めてシステムのスペックを考えていくのが**M/M/1モデル**です。

待ち行列

参考 待ち行列の出題率は以前に比べるとだいぶ低下した。

システムの総合的な性能を考える場合、通信時間や計算時間だけでなく、待ち時間も重要な指標になります。待ち時間を計算する場合は、どのように待たされるのかが確定していなければなりません。これを**待ち行列モデル**と呼びます。

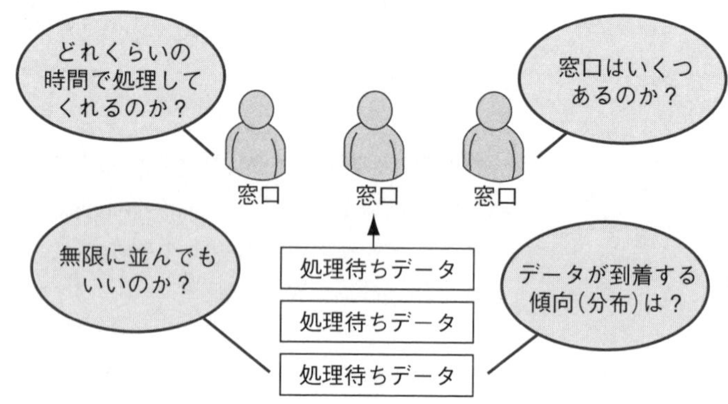

▲図　待ち行列理論

待ち行列モデルを作成するためには、多くのデータが必要です。そのデータを簡略化して表示するための記号が**ケンドール記号**です。

ケンドール記号

参考 ケンドールとはアーラン同様、待ち行列理論を体系化した人の名前。

待ち行列モデルに不可欠な、トランザクションが到着する時間間隔の分布や、サービス時間の分布、サービス窓口の数を簡単に示すのにケンドール記号を用います。

通信はばらばらに到着するし、通信に対するサービスも一定の時間で行えるとは限らない。その傾向を示すのが分布である。

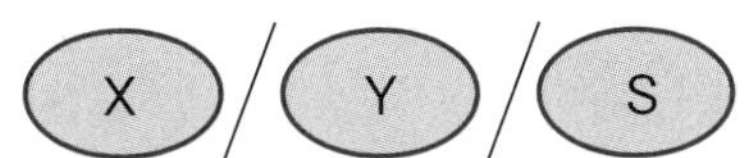

X＝到着分布　Y＝サービス分布　S＝窓口数
Sには窓口数をそのまま入れる。
X、Yには以下のような分布が入る。
・M … ポアソン分布または指数分布
・G … 一般分布
・D … 一定分布

▲図　ケンドール記号

このうち、待ち行列理論の基本になるのがM/M/1モデルです。これは、「到着傾向がポアソン分布、サービス時間が指数分布の窓口が1つある」と考えます。

2.6.2 待ち行列の計算に必要な要素

M/M/1モデルでシステムの応答時間を計算するために必要な要素を見ていきます。

この公式は覚えておく必要がある。平均サービス時間はまず間違いなく設問で与えられるので、平均待ち時間が計算できれば解答できる。

M/M/1モデルの公式

- **平均応答時間の公式**

  平均応答時間＝平均待ち時間＋平均サービス時間

- **平均待ち時間の公式**

  平均待ち時間＝$\dfrac{\rho}{1-\rho}\times Ts$

平均到着率(λ) $=\dfrac{1}{Ta}$

平均到着時間間隔(Ta) $=\dfrac{1}{\lambda}$

平均サービス量(μ) $=\dfrac{1}{Ts}$

平均サービス時間(Ts) $=\dfrac{1}{\mu}$

ρとは窓口利用率で、$\dfrac{平均到着率(\lambda)}{平均サービス量(\mu)}$によって求められます。$\dfrac{\rho}{1-\rho}$は待ち行列に何人ならんでいるかを表しています。そこに平均サービス時間(Ts)を乗じることによって、待たされる時間が分かります。したがって、平均応答時間を求める公式を書き下すと、

$$\frac{窓口利用率}{1-窓口利用率}\times 平均サービス時間 + 平均サービス時間$$

となります。平均サービス時間が2回出てくるので間違えないように注意が必要です。

2.7 誤り制御

ネットワークを通じてデータを伝送する場合、ノイズなどの要因により途中でデータが破損する場合があります。この破損を検出して再送を促したり、その場で回復するための処理が、**誤り制御**です。

2.7.1 誤り制御の種類

誤り制御の方法は、大きく2つに分けられます。

誤り制御の方法

① 誤り検出により再送を行う方法
② 誤り訂正により自己修復を行う方法

①は**パリティチェック**、**CRC**が該当します。また、②は**ハミング符号**が代表的です。

通信中にデータ誤りが発生した場合、自動的にそれを発見してくれるのが望ましいといえます。訂正まで行ってくれればさらに便利です。しかし、発見や訂正には冗長データと呼ばれる検査用のデータが必要で、それを計算するための時間も求められます。「訂正」>「発見」>「そのままの状態」の順で、計算時間や伝送データ量が大きくなるので、用途に合わせて使い分けることが重要です。

用語　冗長データ
誤り検出用データ、誤り訂正用データなど呼ぶ場合もある。冗長は一般的にマイナスイメージのある言葉だが、IT用語ではredundancyの訳として使われ、特に負のイメージは含意されないので注意が必要。

ARQ

ARQは、自動再送要求のことで、Automatic Repeat Request（オートマティックリピートリクエスト方式）の略です。誤りを検出したパケットを再送するよう要求することを指します。

FEC

FECは、誤り訂正のことで、Forward Error Correction（フォワードエラーコレクション方式）の略です。データの再送なしに、受信側が冗長データから正常なデータを復元します。

参考　ジッタ
jitter。アナログ通信が伝送中に歪み、デジタル変換するタイミングにずれが生じること。伝送誤りの原因の1つ。

2.7.2 パリティチェック

参考 機構が簡単でオーバヘッドが小さいが、バースト誤りなど、複数ビットの誤りが生じた場合に検出が不能となる。

最もシンプルな検査方法です。7ビットのデータを送信する場合、8ビット目に誤り検出用のパリティビットを付加してデータの整合性を検査します。

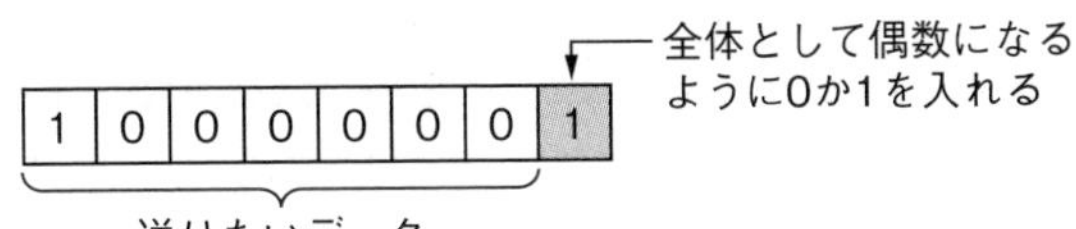

▲図 単純パリティチェック

用語 **ビット誤り率** Bit Error Rate。受信したデータ中にある誤りデータの比率のこと。

上図の場合では、8ビットのデータ全体を見たときに偶数になるようにパリティビットを挿入しています。これを**偶数パリティ**といいます。全体を奇数に調節する場合は、**奇数パリティ**と呼びます。同じビット列に対して偶数パリティと奇数パリティを用いた場合、冗長ビットは必ず反対のビットになります。

2.7.3 パリティチェックのバリエーション

垂直パリティ

垂直パリティは、キャラクタ単位でパリティチェックを行う方式です。7ビットのキャラクタコードに対して8ビット目を付加して冗長ビットとします(表のb8の行)。冗長ビットは偶数パリティでも奇数パリティでもかまいません。

	A	B	C	D	E	F	G	H	I	J
b8	1	0	1	0	1	1	1	1	1	0
b7	0	0	1	0	1	0	0	0	0	0
b6	1	1	0	0	1	1	0	0	1	0
b5	1	1	1	1	1	1	1	1	1	1
b4	0	1	1	1	1	0	0	1	0	0
b3	1	1	1	0	0	0	1	0	1	0
b2	0	0	1	0	1	1	1	1	0	1
b1	0	0	0	0	0	0	0	0	0	0

垂直パリティ 1の数を偶数個にする(偶数パリティの場合)

▲図 垂直パリティ(偶数パリティでの例)

水平パリティ

水平パリティは、伝送した文字列の最後にBCCと呼ばれる冗長文字を付加する形式です。つまり、ETBもしくはETXの後に

BCC➡ Block Check Character

BCCが付加されます。BCCのチェック対象になるのは、SOHまたはSTXの直後からETBまたはETXまでです。

垂直パリティとは逆に、水平方向に加算を行って冗長ビットを得ます。偶数パリティでも奇数パリティでもかまいません。

	A	B	C	D	E	F	G	H	ETX	BCC
b8	0	1	0	1	0	0	0	0	1	0
b7	0	0	1	0	1	0	0	0	0	1
b6	1	1	0	0	1	1	0	0	0	1
b5	1	1	1	1	1	1	1	1	0	1
b4	0	1	1	1	1	0	0	1	0	0
b3	1	1	1	0	0	0	1	0	0	1
b2	0	0	1	0	1	1	1	1	1	1
b1	0	0	0	0	0	0	0	0	1	0

b8は垂直パリティ（奇数パリティの場合）

BCC：水平パリティ（奇数パリティの場合）

▲図　水平パリティ（奇数パリティでの例）

群計数チェック方式

群計数チェック方式は、水平方向の1の数を加算し、その結果を2進数で表します。さらに、加算結果のうちの下2桁をCK1、CK2としてチェックビットにします。

次の図では、b8行にはA～Gまでで5個の1があります。5は2進数で表すと101ですので、下2桁を取ると01が得られ、これをCK1とCK2に代入します。この方式をとることで、偶数個ビットの誤りを検出することができます。

	A	B	C	D	E	F	G	CK1	CK2
b8	1	0	1	0	1	1	1	0	1
b7	0	0	1	0	1	0	0	1	0
b6	1	1	0	0	1	1	0	0	0
b5	1	1	1	1	1	1	1	1	1
b4	0	1	1	1	1	0	0	0	0
b3	1	1	1	0	0	0	1	0	0
b2	0	0	1	0	1	1	1	0	0
b1	0	0	0	0	0	0	0	0	0

b8：垂直パリティ（偶数パリティの場合）

CK1、CK2：群計数パリティ

▲図　群計数パリティ

2.7.4 CRC

CRC ➡ Cyclic Redundancy Check（巡回冗長検査）

T 用語 バースト誤り データが連続してエラーを起こす特性を指す。

送信するデータに**生成多項式**を適用して、誤り検出用の冗長データを添付する方式です。パリティチェックに対してさらに複雑な演算を行うことで、**バースト誤り**も検出できる点が特徴です。

① 送信データ

0 1 1 0 1 1 0
$x^6\ x^5\ x^4\ x^3\ x^2\ x^1\ x^0$
} 0110110は$x^5+x^4+x^2+x^1$で表せる
これをP(x)とする

② 送受信ノード間で、生成多項式を決める

例えば　x^6+x^2+1　　これをG(x)とする

③ G(x)の最高次を求める　⇒　x^6

④ P(x)にx^6を乗じ、Q(x)とする

展開すると　$Q(x) = P(x)\cdot x^6$
$= (x^5+x^4+x^2+x^1)\cdot x^6$
$= x^{11}+x^{10}+x^8+x^7$

⑤ Q(x)をG(x)で割る（モジュロ2）

モジュロ2
0±0 = 0
0±1 = 1
1±0 = 1
1±1 = 0

$$
\begin{array}{r}
x^5+x^4+x^2+1 \\
x^6+x^2+1\ \overline{)\,x^{11}+x^{10}+x^8+x^7} \\
\underline{x^{11}\qquad\quad +x^7+x^5} \\
x^{10}+x^8\qquad +x^5 \\
\underline{x^{10}\quad +x^6\quad +x^4} \\
x^8+x^6+x^5+x^4 \\
\underline{x^8+\qquad +x^4+x^2} \\
x^6+x^5\qquad +x^2 \\
\underline{x^6\qquad\quad +x^2+1} \\
x^5\qquad\quad +1
\end{array}
$$

⇓

0 1 0 0 0 0 1 } 余り

⑥ 余りをR(x)とし、CRC符号とする　⇒　FCSとして送信

⑦ 受信ノードは、$P(x)\cdot x^6+R(x)$をG(x)で除し、
余りによって伝送エラーを判断する　⇒　0なら正常受信

▲図　CRC演算

参考 右の図はモデル例だが、実際には検出精度を向上させるためにさらに複雑な生成多項式を使う。12次多項式のCRC-12、16次多項式のCRC-16などがあり、HDLC手順ではITU-T勧告V.41が利用されている。

ITU-T勧告V.41
$x^{16}+X^{12}+x^5+1$

CRCの演算負荷はパリティチェックよりも大きくなります。現在ではCRC処理用の専用チップを用いることでこれを解消しています。

2.7.5　ハミング符号

ハミング符号は、情報ビットに対して検査ビットを付加することで、2ビットまでの誤り検出と、1ビットの誤り自動訂正機能を持つ、誤り制御方式です。

> 参考　誤りビットの訂正を行えるように、4ビットの情報に対し3ビットの検査ビットを持たせるが、8ビットの情報に対しては4ビットの検査ビット、16ビットの情報に対しては5ビットの検査ビットが必要となる。

ハミング符号の一例として、$X_1X_2X_3X_4$からなる4ビットの情報に3ビットの検査ビット（冗長ビット）P_1、P_2、P_3を付加した、次のようなハミング符号を考えます。

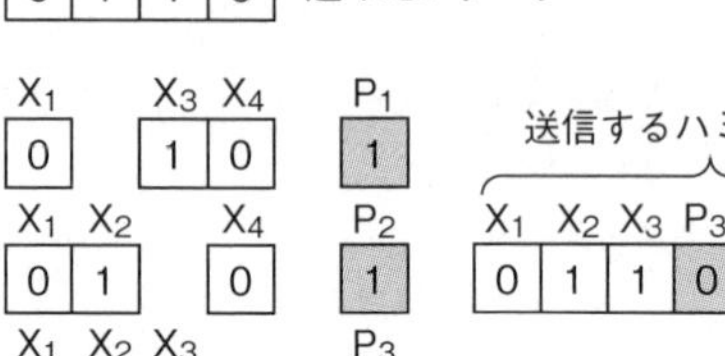

> 参考　⊕は排他的論理和演算を表す。なお、関数 mod（ ）を用いて検査ビットの値を決める方法もある。

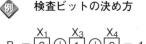

例　検査ビットの決め方

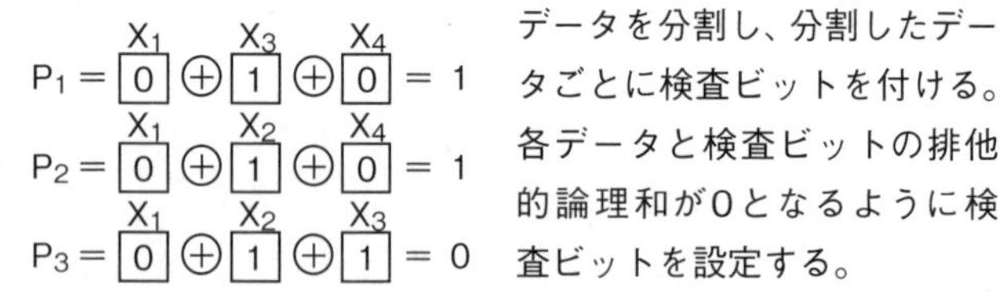

P1 = 0 ⊕ 1 ⊕ 0 = 1 (X1 X3 X4)
P2 = 0 ⊕ 1 ⊕ 0 = 1 (X1 X2 X4)
P3 = 0 ⊕ 1 ⊕ 1 = 0 (X1 X2 X3)
データを分割し、分割したデータごとに検査ビットを付ける。各データと検査ビットの排他的論理和が0となるように検査ビットを設定する。

このような方法で作成したハミング符号は、検査ビットの決め方通りに検査ビットが付けられているかどうかを確認することで、誤りの検出と訂正が可能です。

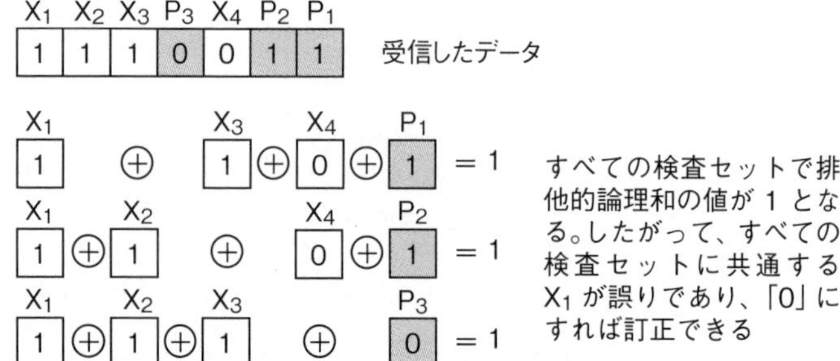

章末問題

問題1

IEEE 802.11a/g/n/acで用いられる多重化方式として、適切なものはどれか。

ア ASK　　イ BPSK　　ウ FSK　　エ OFDM

問題2

誤り検出方式であるCRCに関する記述のうち、適切なものはどれか。

ア 検査用データは、検査対象のデータを生成多項式で処理して得られる1ビットの値である。
イ 受信側では、付加されてきた検査用データで検査対象のデータを割り、余りがなければ送信が正しかったと判断する。
ウ 送信側では、生成多項式を使って検査対象のデータから検査用データを作り、これを検査対象のデータに付けて送信する。
エ 送信側と受信側では、異なる生成多項式が用いられる。

問題3

HDLC手順で用いられるフレーム中のフラグシーケンスの役割として、適切なものはどれか。

ア 受信確認を待たずに複数フレームの送信を可能にする。
イ フレームの開始と終了を示す。
ウ フレームの転送順序を制御する。
エ フレームの伝送誤りを検出する。

問題4

平均ビット誤り率が1×10^{-5}の回線を用いて、200,000バイトのデータを100バイトずつの電文に分けて送信する。送信電文のうち、誤りが発生する電文の個数は平均して幾つか。

ア 2　　イ 4　　ウ 8　　エ 16

問題5

IP電話の音声品質を表す指標のうち、ノイズ、エコー、遅延などから算出されるものはどれか。

ア MOS値　　イ R値　　ウ ジッタ　　エ パケット損失率

問題6

帯域4kHzの音声信号を8ビットでデジタル符号化し伝送する場合、標本化定理に従うと最低限必要とされる伝送速度は何kビット／秒か。

ア 8　　イ 16　　ウ 32　　エ 64

問題7

180台の電話機のトラフィックを調べたところ、電話機1台当たりの呼の発生頻度（発着呼の合計）は3分に1回、平均回線保留時間は80秒であった。このときの呼量は何アーランか。

ア 4　　イ 12　　ウ 45　　エ 80

問題8

ある金融機関のATM（現金自動預払機）が1台設置されている。平日の昼休み（12時からの1時間）には、このATMを毎日平均15人が1人当たり平均3分の操作時間で利用している。サービス待ちがM/M/1の待ち行列モデルに従うとすれば、この時間帯の平均待ち時間は何分か。

ア 3　　イ 6　　ウ 9　　エ 12

解説

問題1

IEEE 802.11a/g/n/acで用いられる多重化方式は**OFDM**です。OFDMは直交周波数分割多重といって、サブキャリアの周波数を干渉しないように重ね合わせることで限られた周波数帯域を有効に使う技術です。

ASKは電波の振幅を使ういちばんシンプルな変調方式、**FSK**は周波数で変調する方式、**PSK**は位相（電波の波の形）で変調する方式です。

問題2

CRCは、生成多項式を用いて誤り検出用のデータを作成し、これを送信データに付加して送信します。受信側では、受領したデータから同じ生成多項式によって演算を行い、送信されてきた誤り検出用データと比較して伝送エラーの有無を確認します。

ア　検査用のデータは、生成多項式に含まれる最高次数と同じビット量が必要です。
イ　生成多項式により演算を行います。
ウ　正しい。
エ　必ず同じ生成多項式を使います。

問題3

HDLC手順では、**フラグ同期方式**が採用されています。これは、フレームの開始と終端を表すために、**フラグシーケンス**と呼ばれる情報（01111110）を挿入するもので、任意のビットパターンを送信可能にするために（フラグシーケンスと混同しないために）、1が5つ以上連続するデータには強制的な0の挿入（受信側で消去）が行われます。

ア　スライディングウィンドウを用います。
イ　正答です。
ウ　フレーム内の順序番号を用います。
エ　CRCを用います。

問題4

指数部分を直すと、平均ビット誤り率が0.00001とわかります。1ビットに対して0.00001の確率で誤りが生じるわけです。それに対して電文は200,000バイトです。まず単位を合わせるためにビットに換算すると、200,000×8＝1,600,000ビットが導けます。ここに平均ビット誤り率を掛けると1,600,000×0.00001＝16となり、誤りが発生する電文の数は16と推定できます。

問題5

IP電話の音声品質でよく出てくるのがMOS値とR値です。**MOS値**は主観品質評価、つまり通話者がどう感じたかがベースになる指標です。**R値**は総合品質評価で、客観指標にも主観指標にも用いられています。選択肢ウのジッタや、エのパケット損失率は、R値の算出根拠になります。

問題6

標本化定理では、アナログデータをデジタルデータに変換する場合、元になるデータが持っている周波数の2倍以上のサンプリング周波数が必要とされています。

帯域4kHz×8ビット＝32kビット
→標本化定理により2倍
→64kビット／秒

問題7

呼量を求めさせる設問ですから「呼量＝呼数×平均回線保留時間÷単位時間」の公式を使えば正答を導くことができます。ただし、平均回線保留時間と単位時間の単位を合致させなければならない点には注意しましょう。3分に1回の呼がありますから、単位時間を3分＝180秒にしてみましょう。

1（呼数）×80秒（平均回線保留時間）÷180秒（単位時間）＝80／180

これにより、電話機1台あたり80／180アーランの呼量があることが分かります。電話機は180台あるので、これを180倍して、80アーランが正答です。

問題8

平均待ち時間の公式は、

$$\frac{\rho}{1-\rho} \times Ts$$

です（ρは窓口利用率、Tsは平均サービス時間）。

1時間に15人の人が3分ずつATMを操作するので、ATMが使われている割合（窓口利用率）は45分÷60分＝0.75です。75%の確率でATMが利用中であることが分かります。平均サービス時間は、問題文にあるとおり3分ですから、これらを公式に当てはめて、

$$\frac{\rho}{1-\rho} \times 3 = 3 \times 3 = 9$$

が得られます。

解答

問題1　エ　　問題2　ウ　　問題3　イ　　問題4　エ　　問題5　イ　　問題6　エ
問題7　エ　　問題8　ウ

第3章 LANとWAN

本章では、LANで使われる技術について、物理層からアプリケーション層までを通して学んでいきます。各個技術の習得だけでなく、全体像が頭の中に構築できると得点力がアップします。WANについては、足回りを中心に見ていきます。頻度から言えば、圧倒的にLANの出題が多いですが、午前問題の配点枠と午後問題の前提知識としての重要性を思えば手を抜くわけにはいきません。

ポイントになるのは、CSMA/CDやトークンパッシングなどのアクセス制御方式、ブロードキャストドメインとコリジョンドメインの違いです。

他では、スパニングツリーとVLANが対策上の盲点になりやすいので注意したいところです。無線LANは本試験で猛威を振るっています。ANYモードなどセキュリティに関わる項目が問われやすいので、重点的に学習しましょう。

3.1 LANとWAN

3.1.1 LANとWANの区別は？

LANとWANは、カバーするエリアの大きさでネットワークを分類する考え方です。LANは数百メートル単位、WANでは少なくとも数キロメートル単位のネットワークを組むイメージです。ただし、厳密に何メートルを超えたらWANというわけではなく、使われている技術、立地などから総合的に判断しているのが実情です。広大な敷地を持つ大企業の構内ネットを考えてみましょう。LANなのかWANなのかは、微妙な部分が残ります。間に公有地などがあっても、無線技術でLANが敷設できるケースもあります。

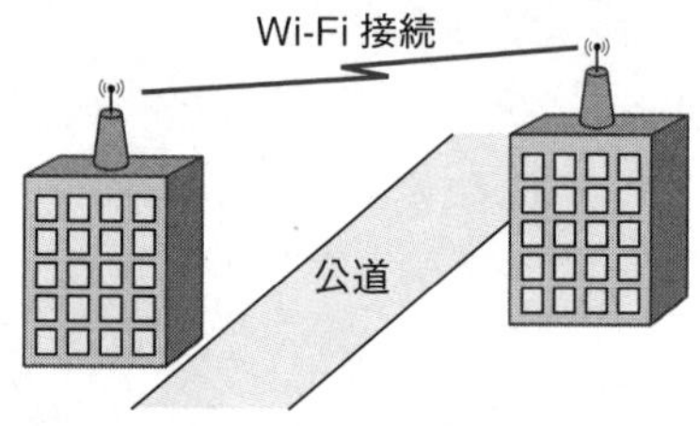

▲**図** 判断に迷うケース

通信事業者の存在

電気通信事業法（用語） 電気通信の健全な発達と国民の利便の確保を図るために制定された法律。自社通信インフラを用いたり、通信インフラを借りてサービスを行ったりする通信事業者について、登録方法や業務を定めている。電気通信事業者が取り扱う通信は、検閲が禁止され、通信の秘密の保護が規定されている。

試験でLANとWANを明確に区別せよ、という問題が出題されたら、確実な手がかりとして**通信事業者の存在**を確認しましょう。有線ケーブルを公道等に敷設するには申請が必要なので、ほとんどのケースで電気通信事業者が介在することになります。電気通信事業者の回線を借りて運用する場合、その部分はWANであると判断して差し支えありません。

3.2 物理層の規格

伝送媒体技術なので、情報処理技術者試験においてはほとんどの場合ケーブルの規格や配線の方法を理解しておけば対応できる。

物理層では、伝送媒体のプロトコルを定めます。ネットワークスペシャリストで主に問われるのは、データリンク層以上の部分なので、時間をかけすぎずに対策したいところです。ケーブルの規格が分かっていると得点源になるので、同軸、ツイストペア、光ファイバについて学んでいきましょう。物理層の通信機器であるリピータについても、最後に触れます。無線については上位層とも絡めた形での出題が多いので、後の節でまとめて解説します。

3.2.1 同軸ケーブル

同軸ケーブルは、中心になる銅線に比較的大口径のものを使用し、その周りを絶縁体と塩化ビニールの外皮で保護する構造のケーブルです。

初期のイーサネットでは同軸ケーブルを用いるのが主流で、それぞれ**10BASE5**、**10BASE2**と呼ばれます。最初の数字の10は伝送速度、BASEはベースバンド通信であることを表しています。最後の列は詳細情報ですが、数字の場合は伝送距離を表します。

現在ではほとんど使われていませんが、ここが各規格の出発点になっているので、前提知識として知っておいてください。

▼**表**　10BASE5と10BASE2の比較

名称	ケーブル	伝送距離	通信速度
10BASE5	同軸ケーブル（RG-11）	500m	10Mbps
10BASE2	同軸ケーブル（RG-58）	185m	10Mbps

3.2.2 ツイストペア

取り回しが簡単で敷設しやすいため普及している。ギガビット級通信に対応するなど高性能だが、ノイズに弱く信号減衰も高いため、有効ケーブル長は最大100m程度と短い。

ツイストペアの構造

ツイストペアケーブルは、4本の**より対線**からなっている銅線ケーブルです。規格によっては2本しか使わないもの、4本すべてを使うものがあり、出題対象になっています。

ツイストペアケーブルは、現在非常によく利用されているため、技術革新も速い速度で進んでいます。通信速度を100Mbpsにした

100BASE-TXや、1000Mbps（1Gbps）の**1000BASE-T**が有名です。以下、派生規格を表にまとめます。

▼表　ツイストペアケーブルの規格

通信規格	通信速度	ケーブルカテゴリ	使用するより対線	各より対線の役割
10BASE-T	10Mbps	カテゴリ3	2本	送信10Mbps／受信10Mbps
100BASE-TX	100Mbps	カテゴリ5	2本	送信100Mbps／受信100Mbps
1000BASE-T	1000Mbps	カテゴリ5e	4本	送受信250Mbps×4
1000BASE-TX	1000Mbps	カテゴリ6	4本	送信500Mbps×2／受信500Mbps×2
10GBASE-T	10Gbps	カテゴリ6A、7	4本	送受信2.50Gbps×4

ケーブルには下位互換性があるため、例えば、現時点で100BASE-TXを使う場合でも、カテゴリ6のケーブルを敷設しておけば、将来もっと速い規格へ移行する際に敷設し直しといった作業を省くことができます。

逆に、用途に対して力不足のケーブルを接続すると、通信できる可能性はありますが、満足な性能を発揮できません。

オートネゴシエーション

近年のイーサネット環境では、異なる速度規格が混在していることが多いといえます。**オートネゴシエーション**は、通信機器が互いの通信速度を自動検出し設定を同期させる機能を持ちます。オートネゴシエーションモードを解除し、手動設定することも可能です。

UTP、STP、FTP

STP➡Shielded Twisted Pair cable

UTP➡Unshielded Twisted Pair cable

FTP➡Foiled Twisted Pair cable

ツイストペアケーブルには、シールド処理された**STP**とシールド未処理の**UTP**があります。現在ほとんどがUTPケーブルですが、ノイズの多い環境などではSTPを利用するとスループットに改善が見られる場合があります。

STPは総称として使われていますが、ケーブル全体のシールドと、より対線ごとのシールドを分けて記載する方法もあります。その場合、Uがシールドなし、Sが編組シールド、Fがフォイルシールドを意味します。例えば「S/FTP」であれば、全体を編組シールド、より対線ごとにはフォイルシールドが施してあるケーブルです。

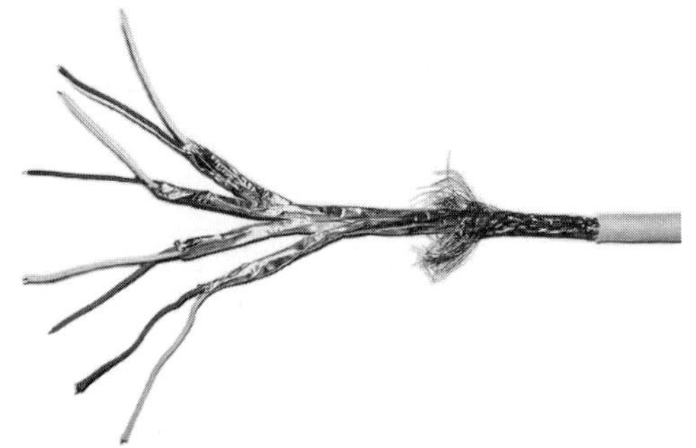

▲図 カテゴリ7のS/FTPケーブル

Auto MDI/MDI-X

DTE Data Terminal Equipmentの略。データ端末装置。

DCE Data Circuit Terminating Equipmentの略。回線終端装置。

イーサネットの通信機器にはDTEのようなMDIタイプのポートと、DCEのようなMDI-X（送信と受信が入れ替わった）のポートがあります。異種ポートの接続には**ストレートケーブル**を、同種ポートの接続には**クロスケーブル**を使うわけですが、ポートの判別やケーブルの使い分けは面倒であるため、通信環境を認識して適切な設定を自動で行う技術が普及し一般化しました。これが、Auto MDI/MDI-Xで、現在ではほとんどの機器が備えています。

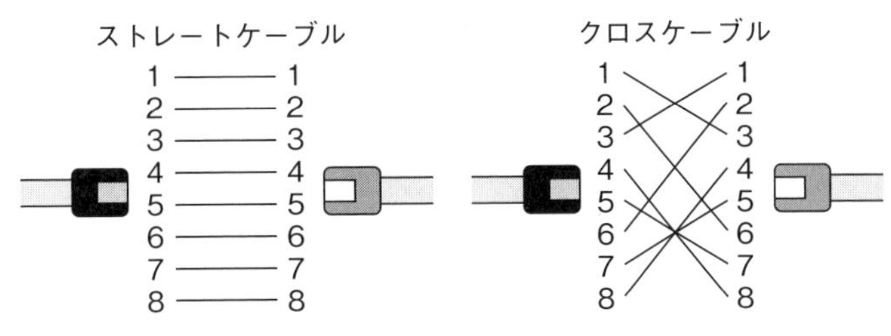

▲図 ケーブル結線図

3.2.3 光ファイバ

光ファイバ 伝送損失が少ない。また、伝送距離が長く、超高速である。ノイズに強く漏えいしないが、衝撃に弱く取り扱いが困難である。

光ファイバは、純度の高い石英ガラスを被覆して中に光を通すケーブルで、光通信に利用されます。伝送に光を利用するため、電磁波などの影響がなく、電磁ノイズの大きい環境下でもスループットが低下することがありません。電磁漏えいも原理的に起こらないので、セキュリティ上の利点もあります。

メタルケーブルに電流を流す従来のケーブリング技術が、減衰によって長距離伝送が行えず伝送エラーなどを引き起こすのに比較すると、非常に伝送距離が長く高い伝送品質を維持します。メタルケーブルが今後技術研究によって高速化する余地よりも、明らかに高いポテンシャルを持っています。

伝送媒体として理想的な要素をいくつも兼ね備えていますが、主素材が石英であるため、破損しやすく取り扱いが困難な欠点を持っています。また、小さく折り曲げることもできません。

光ファイバを使用したデータ伝送には、**シングルモード型**(SMF)と**マルチモード型**(MMF)があります。

シングルモード

参考　シングルモードで使われる光ファイバケーブルの仕様には、OS1、OS2がある。OS2の方が伝送速度が速く、遠距離通信が可能。

光ファイバのコア径を小さくする(10μm程度)ことで、光の通り道(モード)を1つにした形式です。長距離伝送、高速伝送が可能ですが、原料として石英を使うため、高価でケーブルの折り曲げにも弱いことや、メディアコンバータの価格が高いことが欠点です。

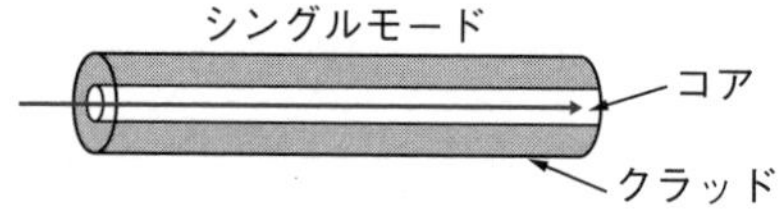

▲図　シングルモード

コアとクラッドは同じ石英ガラスですが、反射率が異なるためコアの中に光を閉じこめる性質があります。

マルチモード

参考　マルチモードで使われる光ファイバケーブルの仕様には、OM1 ～ OM5がある。数値が大きくなるほど広帯域で、高速な通信が可能。

光ファイバのコア径が大きい(50μm程度)タイプです。プラスチックを原料にできるため、安価で折り曲げに強いケーブルが作れます。一方でモードが複数になるため通信到達に時間差が生じ、長距離・大容量伝送には不向きです。

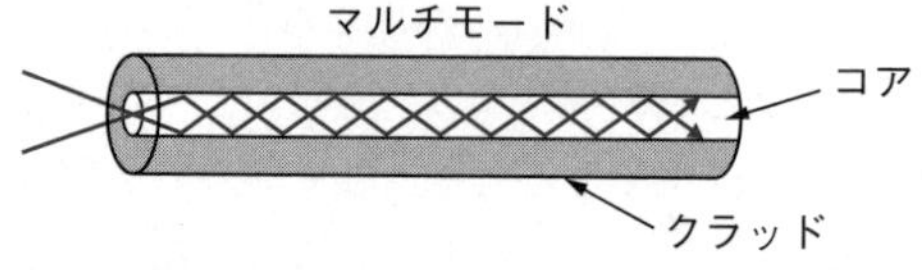

▲図　マルチモード

3.2.4　リピータ

リピータは、OSI基本参照モデルの第1層、物理層でネットワークを接続する通信機器です。IPアドレスやMACアドレスといったネットワーク上のアドレスを何も解釈せず、電流の増幅と信号整形のみを行う点が最大の特徴です。

それぞれの物理層規格では最大伝送距離が定められており、それ以上の距離を伝送しようとすると電流が減衰してデータが乱れたり読みとれなくなったりします。これを超えてケーブリングしたい場合は、間にリピータを設置して減衰した電流の増幅と整流を行わなくてはなりません。

参考　メタルケーブルから光ファイバのように媒体を変換できるリピータもある。しかし、これはあくまで単純な電気信号の置き換えを行うだけなので、ブリッジのように異なる通信速度のネットワークを接続することはできない。

段数制限

リピータを使用する際に最も注意しなくてはならないのは段数制限です。イーサネットでは、CSMA/CD方式でデータリンクの制御を行っていますが、あまりリピータを多段化させて使うと伝送の遅延が生じてうまくコリジョンを検出できなくなります。

そこで、10BASE-T、10BASE5、10BASE2規格では、リピータは最大4台、100BASE-TXでは2台までという制限がありました。

その後、ほとんどのネットワークでスイッチングハブが使われるようになったため（本試験でも同様）、段数制限を気にする必要はなくなりました。

リピータ→ハブ→スイッチングハブへの進化

リピータは電源の延長コードのようなものです。その後、電源コードが延長コードからマルチタップに進化したように、リピータも何台ものノードに接続できる**ハブ**（リピータハブ、マルチポートリピータ）に進化しました。

そのハブも、ブリッジをマルチポート化した**スイッチングハブ**の登場で、特殊な用途を除いて使われなくなっています。現在ではほとんどのネットワークでスイッチングハブが使われています。スイッチングハブはコリジョンドメインを最小化することで、同時並行通信数を増やせます。

参照　スイッチングハブ➡P127

3.3 ネットワークトポロジ

3.3.1 ネットワークトポロジ

ネットワーク、特にLANを構築する際には膨大な配線形態が考えられます。ネットワーク技術者は、その中から類似したもの、効率的なものをパターン化し、雛形として利用します。これを**ネットワークトポロジ**と呼びます。こうした雛形を利用することによって、ネットワーク設計を効率的かつ時間をかけずに行うことができます。

代表的なネットワークトポロジとして、次の4つが挙げられます。

バス型トポロジ

参考 バス型で利用される物理層規格は、10BASE-5と10BASE-2が代表的。

バス型は基幹となるケーブルを一本敷設し、そこから何本もの支線が延びるようにネットワークを構築する方式で、最も古典的なトポロジです。LANのデファクトスタンダードであるイーサネットも、当初はバス型を前提に設計されました。使い勝手が悪いので、今ではほとんど目にする機会がありませんが、物理的には別のトポロジでも、論理的なトポロジとしてバス型トポロジが用いられています。

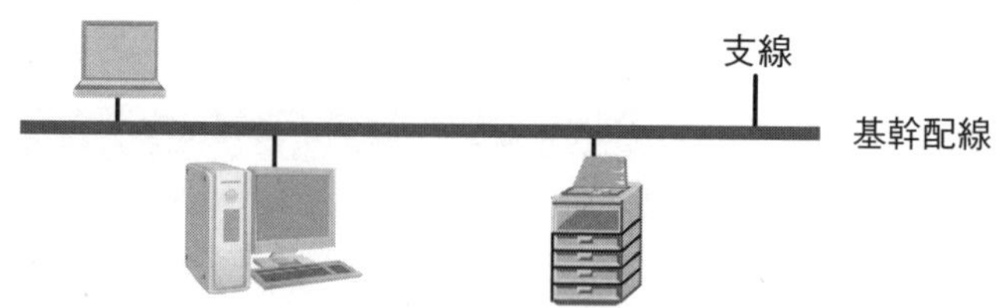

▲図　バス型トポロジの例

バス型は、基幹になる配線に末端のノードがぶらさがる形になるため、あるノードの故障が他のノードに波及しないというメリットがあります。しかし、ノードの通信中はそのノードが回線を占有するため、他のノードは通信が終了するまで待たなくてはなりません。

また、基幹配線を1本通してそれに支線をぶらさげるという構造上、ネットワーク構成の柔軟な変更は行いにくいのが欠点です。基幹ケーブル部分に障害がおこると、すべてのノードが通信不能になるため、高い信頼性を要求される業務では何らかの対策が必要です。

スター型トポロジ

参考 スター型で利用される物理層規格は、10BASE-Tを基本としている。現在ではイーサネットの高速化が続き、段数制限の変更などが行われているが、物理的なトポロジについては10BASE-Tから大きな変更はない。

ハブ＆スポーク型と呼ばれることもあるトポロジで、自転車の車輪のように、中央のハブから何本ものスポークが延びているように見える配線形態です。いま主流のトポロジです。現代的なLANはスイッチを階層構造にして、大きなネットワークを作ることがほとんどです。

スター型は、バス型の欠点であるネットワーク構成の硬直性を解消できます。ケーブル同士の関係は対等で、特に基幹配線のようなものはないので比較的柔軟にネットワークの再構築が行えます。そのためエンドユーザコンピューティングが進展し、業務プロセスの変更も頻繁に加えられる状況に適したトポロジだといえます。ただし、ハブが故障した場合は、そこに接続されているノードはすべて通信ができなくなるので注意が必要です。

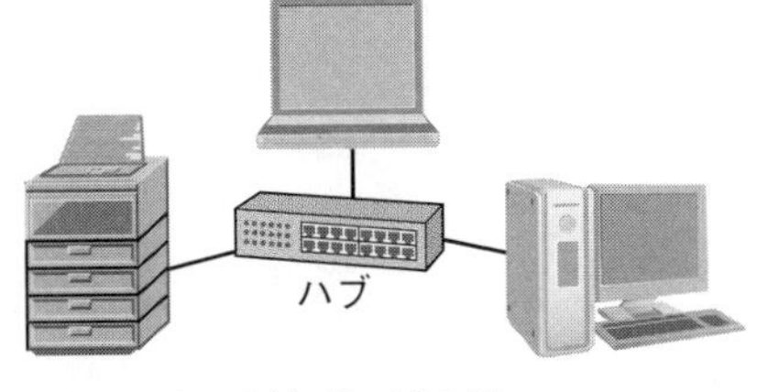

▲図　スター型トポロジの例

リング型トポロジ

参照 トークンパッシング➡P117

参考 リング型トポロジは、トークンパッシング方式を採用する場合、ネットワーク上における通信の衝突が発生しない長所を持つが、1つのノードが故障するとすべてのノードの通信が不能になる。

リング型は、**トークンパッシング方式**というネットワーク制御方法を採用するために考えられたトポロジです。ケーブルをリング状に配置し、その上にノードを載せていくイメージです。トークンパッシングともども、新しく採用されることはほとんどありません。

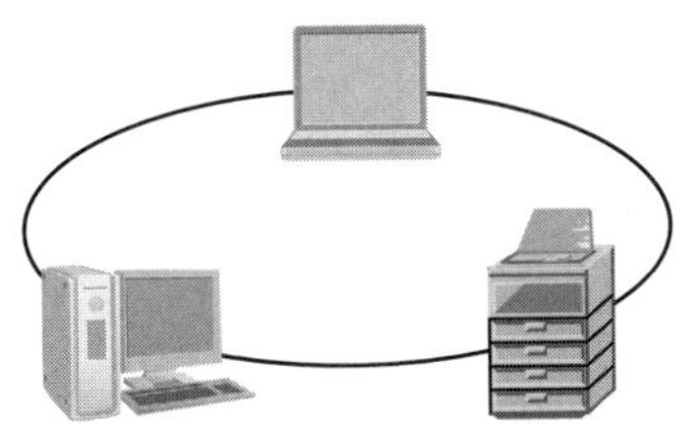

▲図　リング型トポロジの例

●コンセントレータ

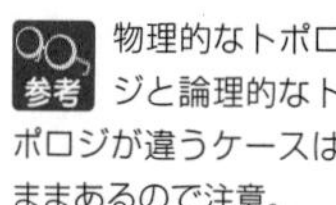

参考 物理的なトポロジと論理的なトポロジが違うケースはままあるので注意。

コンセントレータという、スター型トポロジにおけるハブのような機器を利用することによって、論理的なケーブルの構成はリング型であるにも関わらず、取り扱いはスター型のように行うことができます。

▲図　コンセントレータによる配線の工夫

メッシュ型トポロジ

参考 インターネットはメッシュ型のトポロジである。

メッシュ型は、すべてのノード間をケーブリングしたトポロジです。通信を行うノード同士で回線を占有する形になるため、通信の衝突が発生しません。そのため、安定したスループットを得ることができます。

また、ノードにパケットの中継機能や経路制御機能があれば、ある通信経路が故障などによりダウンしても迂回経路を取ることが可能になり、ネットワーク全体の可用性が向上します。

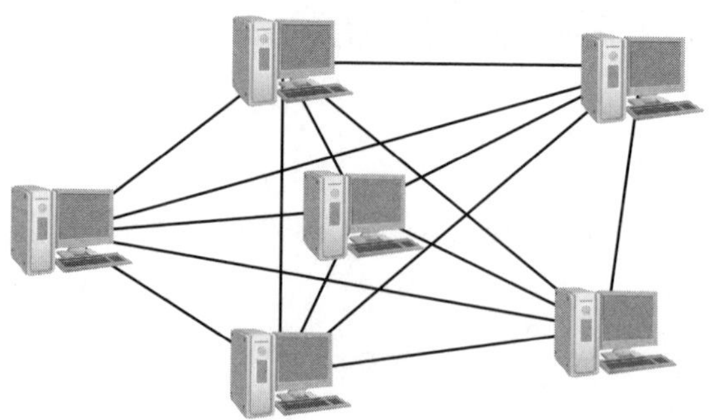

▲図　メッシュ型トポロジ

この図は、ネットワークに参加しているすべてのノードが互いを結んでいる**フルメッシュトポロジ**です。メッシュトポロジでは、必ずしもすべてのノード間が接続されている必要はありませんが、その場合は**パーシャルメッシュトポロジ**と呼称します。

他のトポロジと比較しても分かるように、ケーブリングが煩雑で敷設にも管理にも非常に手間がかかります。

通信機器の呼称について

ネットワーク分野のテキストやネットワーク構成図を眺めていると、ホスト、ノードといった名称がたびたび登場します。あまり意識しなくても、なんとなく「通信機器らしい」と理解できますが、それぞれ違いはあるのでしょうか？

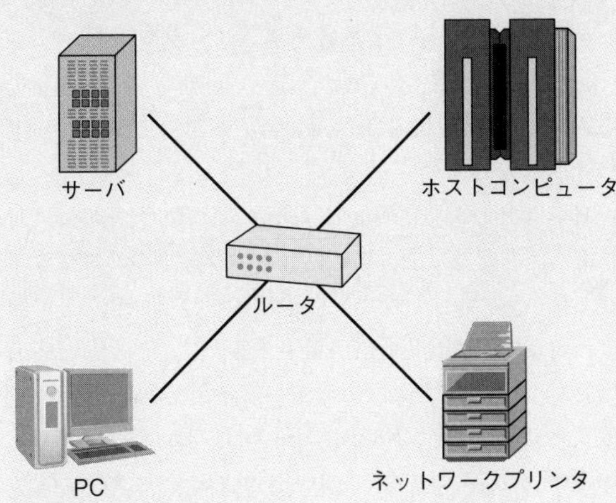

▲図　ネットワーク構成

TCP/IPの世界では、IPアドレスがふられて通信に参加できる機器のことをホストと呼ぶことが多いです。IPアドレスもネットワークアドレスとホストアドレスに分かれています。サーバやPCだけでなく、ルータやネットワークプリンタも通信を行うのでホストと考えることができます。

しかし、世の中では大型汎用機（メインフレーム）のこともホストコンピュータと呼びます。したがって、通信機器を表す呼称をホストとしてしまうと混乱する場合があります。そこでノードという呼び方があり、本書でもこちらを採用しています。ただし、ノードの場合、リピータなどIPアドレスを持たない機器も含まれることがあるので注意して下さい。

3.4 データリンク層の規格

メタルケーブルに電流を流してデータを送受する方式では、ある一瞬においてケーブル上には1つのデータしか存在できません。1本のケーブルに複数の電流を流した場合、互いに干渉してデータが破壊されるためです。これを回避するために様々な手法があります。データリンク層の代表的な規格と、その規格で使われている伝送制御方式について学んでいきましょう。

3.4.1 イーサネット

用語 **イーサネット** 相互接続性に優れており、普及率が高く技術革新も早いが、イーサネット内でも様々な規格があり事実上異なる技術体系であるため、それぞれの技術を熟知していないと思わぬトラブルを招くことがある。

重要 本試験ではイーサネット＝CSMA/CDという構図による出題が見られる。解答の際は問題の前提条件に注意。

イーサネットはIEEE 802.3として標準化されていますが、非常に普及した規格で現在も技術革新が続いています。

当初設計された10BASE5のようなイーサネットと現在の1000BASE-Tといった規格では、同じ名前が付いていても利用されている技術は異なります。

1000BASE-Tなどの新しい規格では送信と受信で別々のより対線を使う全二重通信を行うため、実際にはケーブル上でのコリジョンは発生しなくなっています。なお、旧規格におけるコリジョンは発生するため、通信機器は同時通信が発生するとコリジョンを検出したことにして、ジャム信号を接続されている各ノードに送信します。

また、光ファイバを使う1000BASE-Xは、既存のイーサネット機器と互換性がありませんし、10Gbpsイーサでは CSMA/CD方式が放棄されています。

このように、イーサネットは歴史も古く発展の経緯も複雑ですが、同じMACフレームフォーマットを利用することで、相互接続性を維持しています。

フレーム構成

イーサネットでは、IEEE 802.3によって伝送フレームの構成が定められています。

略語 FCS➡Frame Check Sequence

略語 IFG➡Inter Frame Gap

実際の運用では、FCSの後に12オクテットのIFGが挿入されます。IFGが挿入されることで、他のノードが通信しやすくなる効果があります。

PRE	SFD	DA	SA	LEN /TYPE	DATA	PAD	FCS
7バイト	1バイト	6バイト	6バイト	2バイト	可変	可変	4バイト

▲図　イーサネットのフレーム構成

▼表　イーサネットフレームの仕様

フレーム項目	説明
PRE（プリアンブル）	同期をとるために使われる同期信号。1と0が交互に7オクテット送信される。
SFD（フレーム開始デリミタ）	フレームの先頭であることを表すビット列。10101011を挿入する。
DA（宛先アドレス）	宛先アドレスをMACアドレスで記入する。
SA（送信元アドレス）	送信元アドレスをMACアドレスで記入する。
LEN/TYPE（長さ／タイプ）	後続のデータ部分の上位層プロトコルを識別するコード（IPv4は0x0800、IPv6は0x86ddなど）、もしくはデータ部分の長さを挿入する。
DATA（データ）	送信すべきデータを挿入するペイロード部分。イーサネットにおけるMTUが1500オクテットとなるのは、このペイロード部分の最大長が1500オクテットであるからである。
PAD（パディング）	イーサネットの最小フレームサイズは64オクテットであるが、ペイロード長が小さく、これに満たない場合は、DATA部のあとに空データをパディングする。
FCS（フレームチェックシーケンス）	CRCチェックを行い、伝送エラーによるビット誤りを検出するためのフィールド。CRCの対象になるのは、DA、SA、LEN/TYPE、DATA、PADである。

参照 MTU➡P189

PoE

PoE（Power over Ethernet）とは、機器への給電を、電力線ではなくイーサネットケーブルで行う技術です。ケーブルの集約は世界的な潮流で、ネットワークの敷設や運用を楽にしたり柔軟にする効果があります。データセンタなどでは、配線の省スペース効果も見込め、電源から離れた場所にも機器を設置しやすくなります。

情報処理技術者試験対策としてまず覚えておきたいのは、IEEE 802.3af規格です。給電能力は1つのポートに対して15.4Wと、決して大きくはありませんが、通信装置であればそれで十分なものも多く、実用に耐えうる能力です。

伝送路と電力路が同じ（1、2、3、6番ピンを使う：Alternative A）ものと、伝送路と電力路を分ける（4、5、7、8番ピンを使う：Alternative B）ものとがあり、ここも出題対象になりました。

参考 空いている2対を使った方がよさそうだが、空いている2対は芯線を入れていないケーブルがあるためどちらにも対応できるようにしている。

参考 受電側機器は、PD (Powered Device)。

100Mイーサではケーブル内にある4対の芯線のうち2対しか通信に使っていませんから、給電に同じ2対を使うパターンと、空いている2対を使うパターンがあるわけです。

給電管理は、**給電側機器**(**PSE**:Power Sourcing Equipment、例えばPoEに対応したスイッチなど)が行います。具体的には、PSEにケーブルを接続すると、PoE対応機器かがチェックされ、対応機器(PD)には給電が開始されます。給電に使用するイーサネットケーブルは、カテゴリ3以上である必要があります。

後継規格で、カテゴリ5e以上のイーサネットケーブルを使い、1ポートあたり30Wの給電能力をもつIEEE 802.3at (**PoE+**)、4対の芯線をすべて電力路としても利用することで90Wの給電能力をもつIEEE 802.3bt (**PoE++**) も出題されました。

CSMA/CD方式

ABC 略語 CSMA/CD➡Carrier Sense Multiple Access with Collision Detection

イーサネットで使われている伝送制御方式を**CSMA/CD方式**と呼びます。非常に有名な技術で、本試験でも頻出です。CSMA/CD方式は、ネットワーク上にデータが流れていないか確認(**CS**)し、現在誰もネットワークを利用していない状態であれば、誰でも送信してよい(**MA**)という考え方を基本としています。

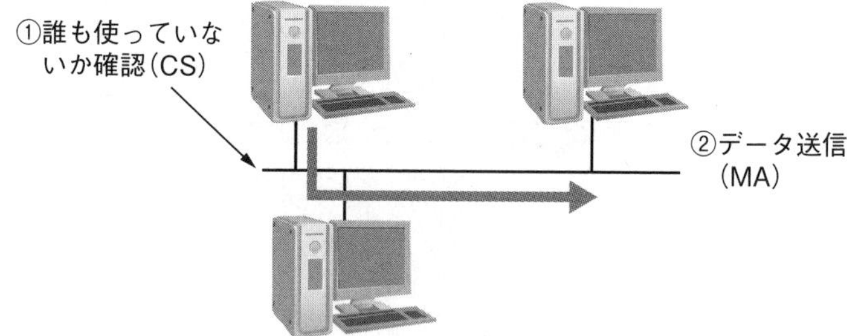

▲図 CS制御

参考 **CSMA/CA** Carrier Sense Multiple Access with Collision Avoidanceの略。無線LANで使われるアクセス制御方式。無線では衝突を検知できないため、待ち時間を多く取ったり、受信ノードからの確認応答(ACK)を待つなどの処理を行う。伝送効率が悪い。

非常に簡単で実効のある制御方式ですが、2台以上のノードがたまたま同じタイミングでCSを行い、データを送信してしまうケースが考えられます。CSMA/CD方式の特徴は、この場合はそれでよい、データを壊してしまおうという発想をしたことにあります。その代わり、データが壊れた場合はそれを検出して(**CD**)再送を行う手順が定められています。

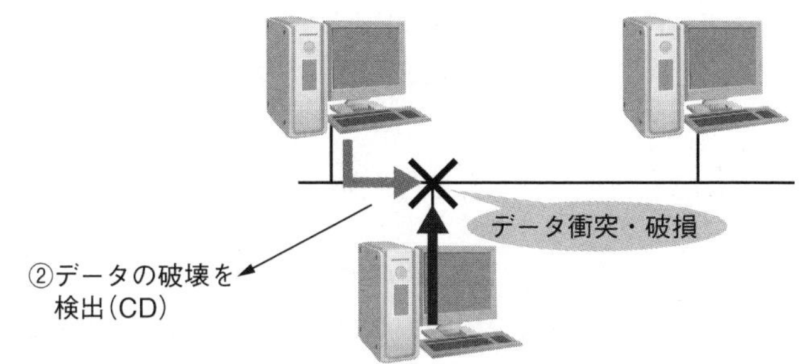

▲図 CD制御

データの破壊を検出したノードは一定の待ち時間をおいた後、同じデータを再送します。ここで同じ待ち時間を設定すると再び衝突する可能性が高いため、ノードの待ち時間はランダムになるよう規定されています。

3.4.2 ギガビットイーサネット

高速通信へのニーズは高まり続けています。伝送速度が1000Mbps(ビット/秒)=1Gbpsである通信規格は、**ギガビットイーサネット**(GbE)と呼ばれます。

1000BASE-T

1000BASE-Tはツイストペアケーブルを用いるギガビットイーサネット規格です。IEEE 802.3abで規格化されています。

これまでに普及していた10BASE-Tおよび100BASE-TXとは信号の互換性があり、機材が混在した環境でも利用できます。そのため既存環境から移行しやすく、ギガビットイーサネット規格の中ではもっとも普及しています。

同様にツイストペアケーブルを用いる1000BASE-TXという規格もありますが、こちらは100BASE-TXなどとの信号の互換性等がなく、ほとんど使われていません。

1000BASE-X

光ファイバを使って1000Mbpsの通信速度を実現するイーサネット技術を**1000BASE-X**と呼びます。IEEE 802.3zで規定され、スター型のトポロジで構成します。1000BASE-Xはさらに2つに分類できます。

●1000BASE-LX

1000BASE-LXは、波長1310nm（長波長）のレーザを用いる通信規格です。マルチモード光ファイバ（ケーブル長550m）とシングルモード光ファイバ（ケーブル長5000m）のいずれかを選択することができます。

主流は長距離の伝送ができるメリットがある**シングルモード光ファイバ**です。比較的高コストであるためキャリアなどが利用します。

●1000BASE-SX

1000BASE-SXは、波長850nm（短波長）のレーザを用いる通信規格です。利用できるのは、マルチモード光ファイバ（ケーブル長550m）に限られています。低コストが特徴ですが、伝送距離が限られているので、スター型のトポロジを使って、企業の構内接続における基幹部分などに利用します。

1000BASE-CX

1000BASE-CXは、ギガビットイーサネットで同軸ケーブルを用いる規格です。伝送距離は25mで屋内配線向けですが、1000BASE-Tが普及したためほとんど使われていません。

マルチギガビットイーサネット

1000BASEシリーズの通信速度を向上させる規格として現れました。すでに10GBASEシリーズや100GBASEシリーズがあるのに不思議な印象を受けますが、1000BASEシリーズがカテゴリ5eのケーブルで通信できるのに対して、10GBASEシリーズではカテゴリ6のケーブルが必要になります。

ケーブルの敷設しなおしを抑制しつつ、Wi-Fi 7や5Gで高速化した無線通信のボトルネックにならないよう、既存規格の高速化が求められたわけです。IEEE 802.3bzとして規格化され、カテゴリ5eのツイストペアケーブルで2.5Gbpsもしくは5Gbpsの通信を行うことができます。通信到達距離は他の規格同様100mで、PoEも利用可能です。

3.4.3 10ギガビットイーサネット

伝送速度が10Gbpsである通信規格の総称です。IEEE 802.3aeで規格化されています。10ギガビットイーサネットの特徴は、CSMA/CDが規格から削除されたことです。CSMA/CDはIEEE 802.3の中核技術でしたが、通信が高速化するほどにコリジョンの検出が困難になり、ギガビットイーサネットでは事実上CSMA/CDは使われていませんでした。LANからリピータを排除して、全二重通信をするのが効率的な高速化に寄与するからです。

10ギガビットイーサネットは、その伝送速度から光ファイバを中心に規格が策定されてきました。そのため、もともとはLANの規格だったにもかかわらず、長距離通信が可能になっています。次のようなカテゴリ分けがされています。

▼表 用途によるカテゴリ分け

カテゴリ	用途
10GBASE-W	WAN向け
10GBASE-R	LAN/MAN向け
10GBASE-X	回線を束ねて高速化したもの

▼表 伝送距離によるカテゴリ分け

カテゴリ	意味	伝送距離
10GBASE-Z	Extended	80kmまで
10GBASE-E		40kmまで
10GBASE-L	Long	10kmまで
10GBASE-S	Short	300mまで

10GBASE-SR

S（300mまで）かつR（LAN/MAN）ですから、構内通信を主用途とした規格です。マルチモード光ファイバを使って、波長850nm（短波長）のレーザを伝達する点が1000BASE-SXと同じなので、関連付けて覚えるとよいでしょう。

10GBASE-LR

L（10kmまで）かつR（LAN/MAN）なので、企業の拠点間接続やキャリアのネットワークでも採用されています。シングルモード光ファイバを使って、波長1310nm（長波長）のレーザを伝達する点が1000BASE-LXと類似しています。関連付けて覚えましょう。

10GBASE-ZR

IEEE 802.3aeに記載のない、ベンダの拡張規格です。長距離伝送に特徴があり、80kmまでの距離を結ぶことができます。シングルモード光ファイバで、波長1550nm（長波長）のレーザを送ります。

10GBASE-T

イーサネットの普及は常にツイストペアケーブルが使えるようになることで促進されてきました。10ギガビットイーサネットはその速度を考えれば光ファイバを用いるのが自然ですが、これまでに構築されてきた膨大なLANをリプレースしていくに際してはツイストペアケーブルを用いたネットワークの需要は将来まであり続けるでしょう。

10GBASE-TはIEEE 802.3anで標準化され、従来型のRJ-45コネクタが使えること、オートネゴシエーションで通信速度を自動設定できることが特徴になっています。これにより、既設のギガビットイーサネットを少しずつ10ギガビットイーサネットに置き換えていくこともできるようになっています。

ツイストペア1対あたりでは2.5Gbpsの伝送能力があり、これを4対使用することで10Gbpsの速度を実現します。ただし、この能力を発揮するためには、イーサネットケーブルがカテゴリ6Aまたはカテゴリ7であることが条件です。カテゴリ6でも通信できますが、ケーブル長は100mではなく、55mに制限されます。

既存のネットワークを更新する場合、イーサネットケーブルがカテゴリ6やカテゴリ5eであることも考えられます。そのために作られた規格がIEEE 802.3bzで、ケーブルを更新しなくても5Gbpsの速度を伝送することが可能です。

10GBASE-CX4

10GBASE-CX4は、10ギガビットイーサネット規格のうち同軸ケーブルを用いる規格です。伝送距離は15mと短いですが、必要機材が安価なこともあり、サーバルーム内の通信機器間の接続といった用途に用いられています。

3.4.4 100ギガビットイーサネット

リンクアグリゲーション ➡P129

100Gbps級の通信速度は、光ファイバケーブルを使っても、妥当なコスト内で実現するのがなかなか難しい技術でした。リンクアグリゲーションなどで対応することもできますが、ケーブル類が増えること、故障可能性箇所が増えることなどから、100Gbps規格の需要は根強くあります。

その登場の経緯から、規格が乱立しているので、全部丸暗記するのではなく、表記の読み方を覚えておきましょう。

・ 100GBASE-SR4　マルチモード
・ 100GBASE-LR4　シングルモード
・ 100GBASE-ER4　シングルモード

この場合、100Gはもちろん伝送速度です。その次は距離表記で、SR→LR→ERの順に運用する距離が長くなります。SRやLRのあとに付されている数値はレーン数です。この場合、4レーンで100Gbpsを実現しています。つまり1レーンの伝送速度は25Gbpsです。100GBASE-SR2であれば2レーンで100Gbpsですから、1レーンの伝送速度は50Gbpsになります。

3.4.5 その他の伝送制御方式

トークンパッシング

用語 **トークンリング** ネットワーク使用効率がよく、安定したスループットが見込めるが、比較的複雑な通信管理を行うためイーサネットなどと比較して対応通信機器が高価。敷設・変更・管理コストが高い。

イーサネットの躍進でほとんど使われなくなっていますが、トークンリングでは、**トークンパッシング**とよばれる伝送制御方式を使います。トークンパッシングは、ネットワーク上に**トークン**と呼ばれる送信権を巡回させ、それをつかまえたノードだけがデータ送信を行える制御方法です。

トークンが巡回してきてもノードが送信するデータを持っていなければ、そのノードは次のノードに対して空のトークン(**フリートークン**)をスルーします。

送信すべきデータが存在した場合は、トークンの後にデータを付加してネットワークに送信します。このとき、他のノードに対して「送信不可」を通知するために、トークンは**ビジートークン**と呼ばれる形式に付け替えられます。

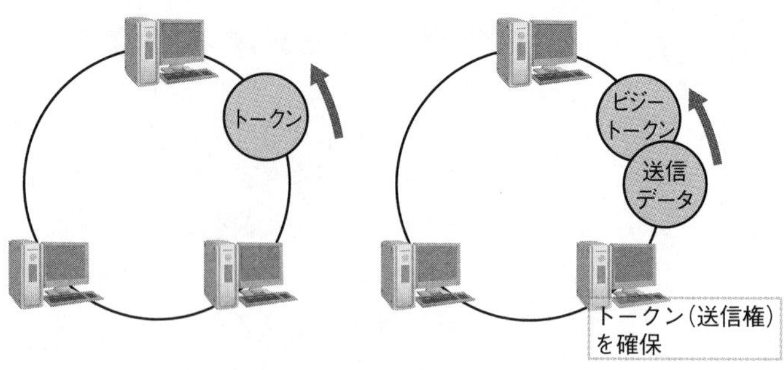

▲図　トークンの巡回と確保のイメージ

ビジートークンは、送信先ノードにデータを届けた後、1周して送信元ノードに帰ってきます。送信元ノードは宛先にデータが届いたことを確認して、トークンをもとのフリートークンに直し、次のノードに対して送信します（トークンのリリース）。衝突が発生しない一方、トークンの管理を行うための機構が各ノードに必要で高コストで、論理的なトポロジ構成がリング型に限定される制約があります。

FDDI

ABC 略語 FDDI➡Fiber Distributed Data Interface

FDDIは、伝送媒体として光ファイバを用い、高速伝送を行います。長い伝送距離や高い信頼性といった面でも優れています。もともと基幹ネットワークで使うことを想定しているため、通信リングを二重にする冗長化構成も標準です。

通常は1次リングを用いて通信を行いますが、1次リングに障害が発生した場合は2次リングを使った通信に切り替わります。もっとも、全体を二重構成にすると費用がかかるため、実装では一部を一重構成にする場合があります。

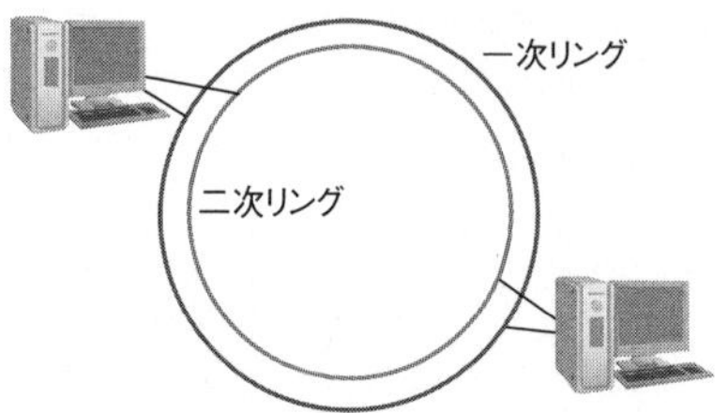

▲図　通信リングの二重化

TDMA

TDMA 用語 コネクション指向の通信を提供する技術。ネットワーク内に専用の制御装置が必要。

TDMAは、CSMA/CD、トークンパッシングと並ぶ主要なデータリンク制御技術です。データリンク制御技術とは、結局のところ1本の伝送路をそれぞれのノードが共有するモデルにおいて、送信時にいかにして衝突を避けるかに工夫を凝らすことです。TDMAでは、時間によって伝送路の使用権を区切ることでこれを実現しています。

TDMAの具体的な実装は、以下のようになります。

チャネル1	ケーブルの物理的容量
チャネル2	
チャネル3	
チャネル4	

▲図 時分割概念

ケーブルが持っている物理的な伝送容量(ワイヤスピード)をいくつかの論理的なチャネルに分割します。1つひとつのチャネルには伝送時間帯が割り当てられ、その時間内においてケーブルを占有することができます。

WDM 参考 Wavelength Division Multiplexingの略。波長分割多重のことで、光ファイバに波長の異なる光信号を流し、波長ごとに異なるデータを伝送することで多重化する。

TDM

- Time Division Multiplexing：時分割多重のこと。ネットワーク上にデータを送信する時間を割り当て(これをタイムスロットと呼ぶ)、タイムスロットごとに異なるデータを伝送することで多重化します。TDMを用いたアクセス制御がTDMAです。
- Time Division Multiplexer：時分割回線多重化装置のこと。TDMA制御装置のことです。

●TDMAの具体例

次の図では、PC AがPC Bと通信したい場合、PC Aは通信リクエストをTDMA制御装置に送信します(①)。TDMA制御装置はチャネルに空きがある場合、PC AとPC Bにチャネル番号を通知(②)して両者の間にコネクションを張ります(③)。

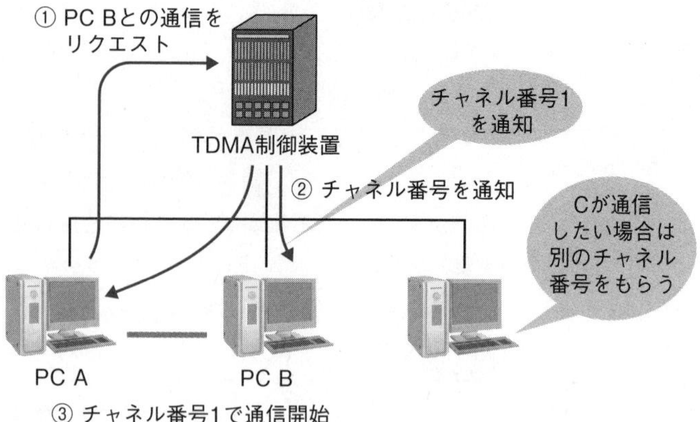

▲図 TDMA制御の流れ

TDMAの利点は、ノード同士に仮想チャネルのコネクションが張られ、コネクション指向の通信が行える点にあります。しかし、時分割を制御するための装置がネットワーク内に必要となります。

ATM

ABC略語 ATM➡Asynchronous Transfer Mode

ATMは、高速通信を行うことを主眼に設計されたデータリンク層プロトコルです。通常の通信機器は、多様なヘッダ情報やデータの構成に対応するため、複雑な計算を行う必要があります。そのため、中継処理はソフトウェアベースに頼りがちでした。

ATMではセル長を53オクテット（ヘッダ：5オクテット、データ：48オクテットのデータ）に固定することで処理を大幅に簡略化し、ハードウェアベースで効率的に処理します。

通信事業者のバックボーンを中心に利用されてきましたが、次第にIP-VPNや広域イーサネットに移行しつつあります。

3.5 データリンク層の接続機器

ネットワークスペシャリスト試験では、OSI基本参照モデルの各層で使われる通信機器について、正確に解答することが求められます。物理層レベルでネットワークを接続する機器としてリピータを学びましたが、ここではデータリンク層レベルで使用される機器、ブリッジ、スイッチングハブについて見ていきましょう。

3.5.1 ブリッジ

ブリッジは、コリジョンドメインを分割する通信機器です。**コリジョン**とは、CSMA/CDにおける通信の衝突です。コリジョンが発生した場合、検出して再送しなければなりませんが、ケーブル長やリピータの段数が制限を超えると検出できなくなります。したがって、適切な箇所にブリッジを配置することで、コリジョンドメインを分割するのです。

コリジョンドメイン

重要 コリジョンドメインとブロードキャストドメインの違いは本試験で問われるので、明確に区別しておく必要がある。

用語 **MACアドレステーブル**
学習したMACアドレスとポートの対応を記録しておく表。ブリッジがメモリに保持する。ノードの電源断や構成変更に対応するため学習内容には生存時間が設定されている。

コリジョンドメインとは、コリジョンを検出できる範囲のことを指します。ケーブルが長くなりすぎたり、リピータの段数が多くなりすぎると、コリジョンを検出できなくなります。そこで**ブリッジ**によってコリジョンドメインを分割し、正確にコリジョンを検出します。同時にブリッジは、MACアドレスによって通信を制御する役割を持っています。通信のたびに、あるMACアドレスを持つノードがどのポートに接続されているか学習し、次回に通信があったとき、余分なポートには通信を中継せずにトラフィックを抑制し、ネットワーク利用率を低下させます。

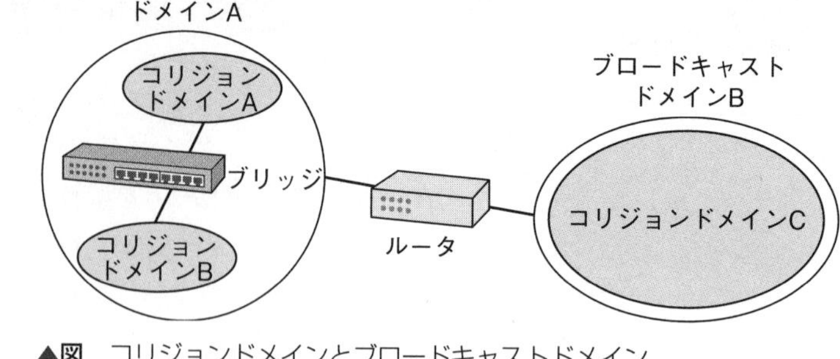

▲図　コリジョンドメインとブロードキャストドメイン

参考 ブロードキャストドメインをネットワークと呼ぶのと同様、コリジョンドメインをセグメントと呼ぶことがある。

参照 ブロードキャストドメイン
➡P130

コリジョンドメインとブロードキャストドメインの違いは、ブロードキャストドメインはIPによるローカルブロードキャストが届く範囲でルータによって分割するということです。

フィルタリング機能

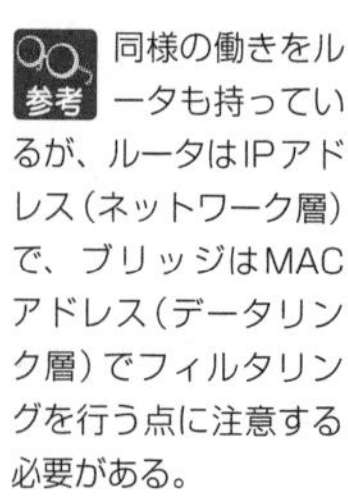

参考 同様の働きをルータも持っているが、ルータはIPアドレス（ネットワーク層）で、ブリッジはMACアドレス（データリンク層）でフィルタリングを行う点に注意する必要がある。

ブリッジは、ノードの通信によりMACアドレスを学習し、**フィルタリング**を行います。したがって、セグメント間の無駄な通信量を抑制することができます。

学習の手順

I　ノードAから送信

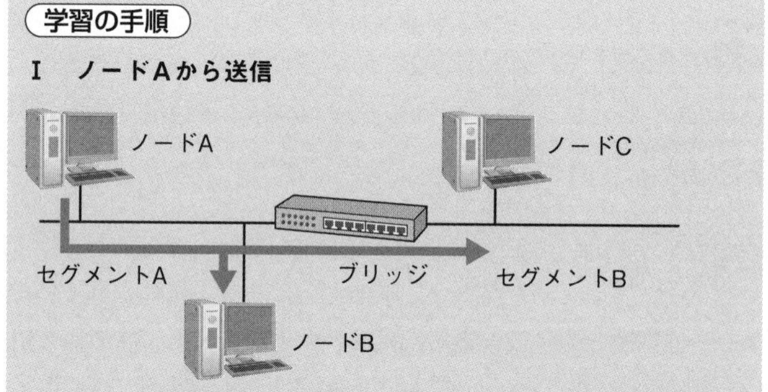

① ノードAがノードBにデータを送信します。同じセグメントに属しているので、この通信はブリッジにも届きます。
➡ ブリッジは、ノードAがセグメントAにあることを学習します。

② ブリッジはノードB宛ての通信を受け取りましたが、この時点ではノードBがセグメントA、Bどちらにあるのか判断できないため、ノードB宛ての通信をセグメントBにも転送します（フラッディング）。
➡ 無駄なトラフィックが発生します。

参照 フラッディング
➡P127

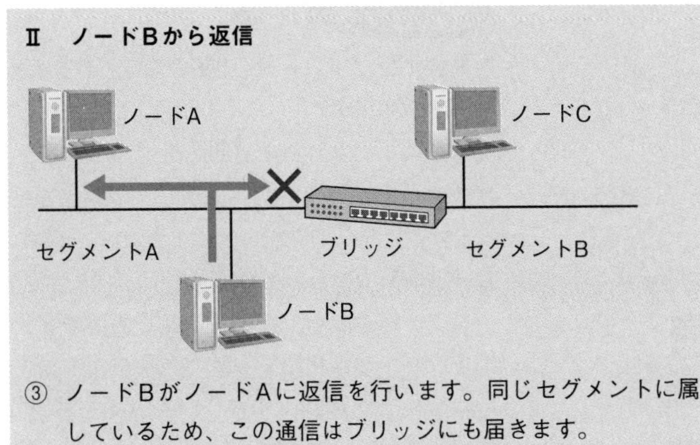
Ⅱ　ノードBから返信
ノードA
ノードC
セグメントA
ブリッジ
セグメントB
ノードB
③ ノードBがノードAに返信を行います。同じセグメントに属しているため、この通信はブリッジにも届きます。
➡ブリッジは、ノードBがセグメントAにあることを学習します。
④ ブリッジは、もうノードAやB宛ての通信をセグメントBに転送することはありません。

ループの検出

> 参考　ネットワーク構成により回避できればよいのだが、要件上不可能な場合や、冗長性を持たせるためあえてループ構成をとる場合もある。

ブリッジでセグメントを接続する際、それがループ構成になってしまうことがあります。

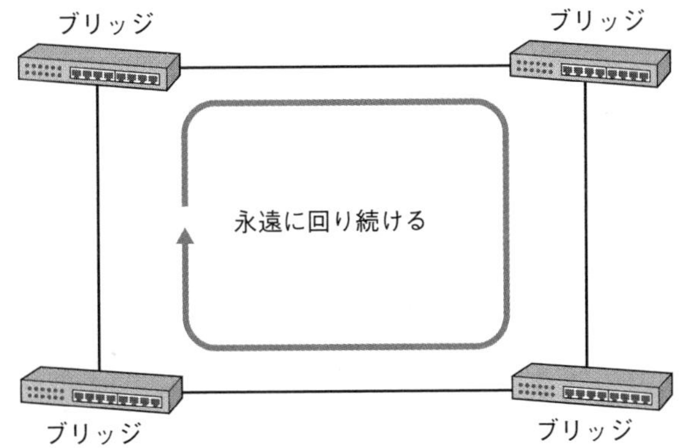
ブリッジ
ブリッジ
永遠に回り続ける
ブリッジ
ブリッジ

▲図　ループ構成のネットワーク

ループ構成をとるネットワークでは、通信を何らかの方法で制御しないと永遠にデータがループし続ける場合があります（**ブロードキャストストーム**）。こうした通信が増えるとネットワークの帯域が圧迫され、最悪の場合ダウンするので注意が必要です。

スパニングツリー

BPDU 用語 Bridge Protocol Data Unitの略。スパニングツリープロトコルにおいて、ブリッジ間で情報を交換するために送信されるhelloパケットのこと。

スパニングツリーは、**IEEE 802.1D**で定義されているループの解消方法です。

スパニングツリーに対応したブリッジは、一定の間隔で**BPDUパケット**を交換してネットワークの構造を把握します。そのために1つのブリッジをルートにしたツリー構造のマップを作るので、この名前がつけられています。

参考 スパニングツリープロトコルはSTPと略記されることも多い。

ツリー構造の中でループになる箇所を発見した場合は、重み付けを行い、通常利用するルートを決定します。もう一方のルートにはデータが流れなくなり、ループを解消することができます。単純な遮断ではなく重み付けを行うのは、障害などで通常のルートが利用できなくなった際に、普段データを流していないルートを利用するためです。

参考 これによりデータリンクレベルでの冗長性を確保する。

●ループの発生要因

次の図で、PC AがPC Bにフレームを送信する場合を考えます。

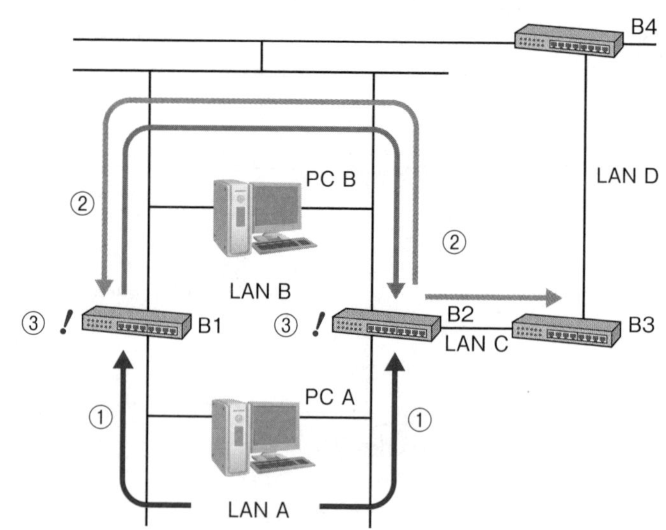

▲図 スパニングツリープロトコルの具体例

参考 このようにループはブリッジ側の問題で、受信ノードでは矛盾は生じない。

①LANはブリッジにより二重化されているので、PC Aが送信したフレームはB1とB2両方のブリッジが取得します。B1とB2のブリッジは、PC AがLAN Aにあることを学習します。

②一方で、PC Bがどこにあるかは不明のため、フレームをB1はLAN Bに、B2はLAN BとLAN Cに転送します。PC BはB1とB2から送信された同じフレームのコピーを重複して受信しますが、片方は破棄するので問題ありません。

③B1はB2からのフレームをLAN B側のインタフェースで受信して、PC AがLAN B側にいると学習します。同様にB2はB1からのフレームをLAN B側のインタフェースで受信して、PC AがLAN B側にいると学習します。しかし、PC Aからダイレクトに受信したフレームにより、B1とB2はLAN A側にPC Aがいると認識していたため、学習内容に矛盾が生じます。このような矛盾が原因でフレームの送信がループすることがあります。

●ツリー構造の作成

スパニングツリーアルゴリズムでは、ネットワークの中で起点となる**ルートブリッジ**を作成します。ルートブリッジは、ブリッジに与えられているブリッジIDの値の小さいものが選ばれます。ブリッジIDは、プライオリティ値＋MACアドレスであるため、まずプライオリティ値の小さいものが、プライオリティ値が同値である場合は、MACアドレスの小さいものが選択されることになります。

ネットワークに接続されている各ブリッジの、最小コストでルートブリッジに到達できるポートを**ルートポート**と呼びます。また、各セグメントがルートブリッジに到達するために用いるポートを**指定ポート**と呼びます。

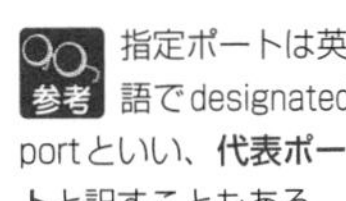
指定ポートは英語でdesignated portといい、**代表ポート**と訳すこともある。

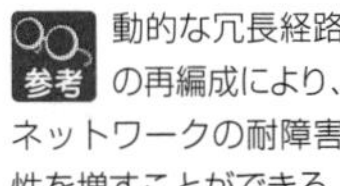
動的な冗長経路の再編成により、ネットワークの耐障害性を増すことができる。

ルートポートでも指定ポートでもないポートは、冗長なリンクを構成するポートであり、フレームループの原因となるため、通常運用時は**ブロッキングポート**（**非指定ポート**）としてブロックします。

ネットワークトポロジに変化や、何らかの障害が起こると、ツリーの再計算が行われます。この再計算は規定の待ち時間を含めると最大で50秒かかり、その間通信が不能になるため、計算手順を変更して収束を速くした**RSTP**（Rapid Spanning Tree Protocol）が普及しています。RSTPでは、ブロッキングポートに代わり、代替ポート（ルートポートの代替）とバックアップポート（指定ポートの代替）が設定されます。

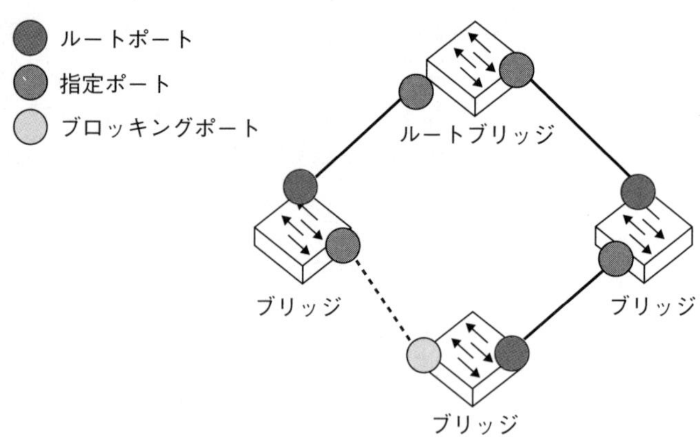

▲図 スパニングツリー構造

MSTP

ABC略語 MSTP➡Multiple Spanning Tree Protocol

MSTPは、VLAN環境での使用を考慮した規格です。STPやRSTPではVLANごとにスパニングツリーを形成し、経路計算を行う必要がありました。しかし、MSTPでは複数のVLANをインスタンスと呼ばれる単位にまとめる(インスタンスIDを付与する)ことができます。こうすることで、計算の負荷が軽くなるのが特徴です。

1つのスイッチは複数のインスタンスに所属することができ、インスタンス内での振る舞いはそのインスタンスにおけるブリッジプライオリティーで決まります。インスタンス内のルートブリッジを**リージョナルルート**と呼びます。

大規模なネットワークに対応させるために、リージョンという概念も導入されています。リージョンとは、いくつかのインスタンスをグループ化する機能です。あるリージョンから見ると、別のリージョンは単なるブリッジに見えるので、リージョンごとに管理者を立てて、それぞれに別のポリシで運用しても、ネットワーク全体に影響が及びません。

MSTPは当初、IEEE 802.1sとして規格化されていましたが、後にIEEE 802.1Q (VLANについて定めた規格) へと統合されました。

3.5.2 スイッチングハブ(L2スイッチ)

データリンク層で機能する通信機器で、代表的なのが**スイッチングハブ(L2スイッチ)**です。スイッチングハブではブリッジと同様、MACアドレスを解釈して通信制御を行っています。

スイッチングハブのしくみ

旧来のリピータハブでは、A→Dの通信がBにもCにも流れます。当然、同時にBやCが通信を行いたいと思っても不可能でした。

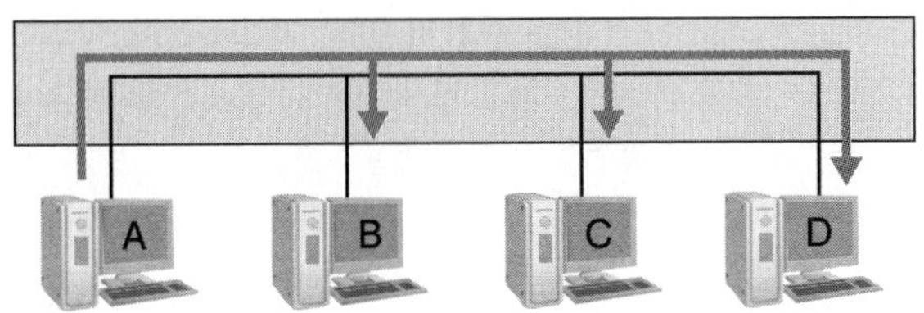

▲図 ハブの具体例

参考 物理パスをスイッチ内で分離することにより複数ノード間の同時通信が行える。よって、並行して複数の通信が行えるため、伝送効率が向上する。

スイッチングハブでは、内部でスイッチング処理を行うことにより、A→D、C→Bというように通信に必要な伝送路をそれぞれ確保します。

したがって、無駄な通信が他のノードに流れることはなく、並行して2つ以上の通信を行うことも可能です。

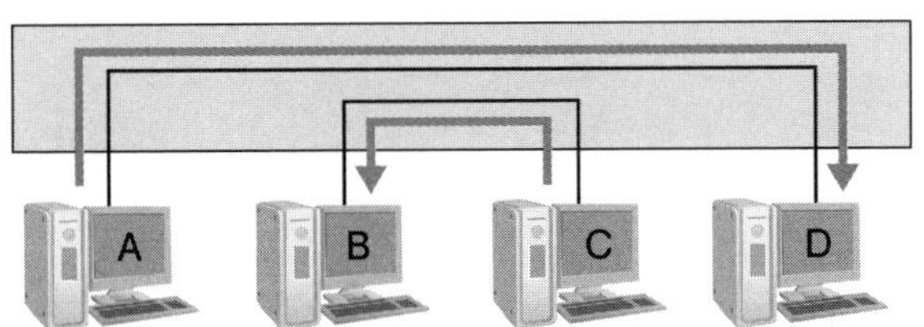

▲図 スイッチングハブの具体例

スイッチングを行うためには各ポートの先にあるノードのMACアドレスをスイッチングハブが認識していなくてはなりません。MACアドレスの学習はブリッジと同じ手順で行われます。学習前あるいは学習中でどのポートに宛先MACアドレスが存在するか分からない場合は、すべてのルートを接続してハブと同じ働きをします。これを**フラッディング**と呼びます。無駄な通信で

参考 フラッディングは一見ブロードキャストと同じように見えるかもしれませんが、そもそもはユニキャストを行おうとして、宛先ノードの位置がわからずに実行するものです。学習が済めばユニキャストになります。また、宛先でないノードに着信したフレームは棄てられます。これに対してブロードキャストはそのセグメントに所属する全ノード宛ての通信で、全ノードが受信します。

はありますが、宛先MACアドレスがどこにあるかを学習するためには必要な手順です。

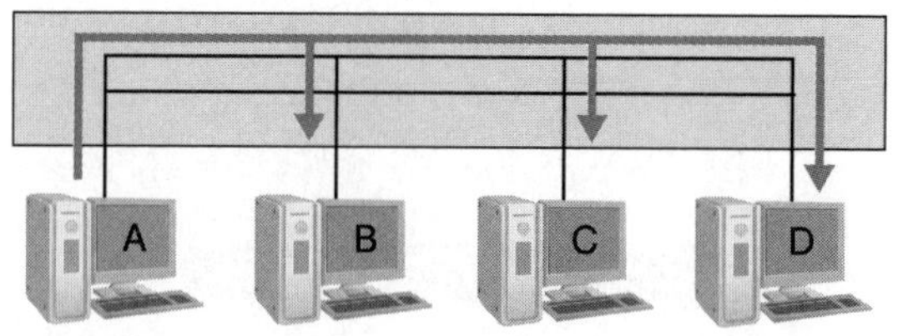

▲図　MACアドレスの学習前

一度、MACアドレスの学習が終了すると、該当する宛先のMACアドレスが存在しないポートはパージして、データを伝送しないようにします。これによって非通信ノードに無駄な通信が行われず、システム資源を節約することができます。また、スイッチで複数の物理パスを持つことで、ハブでは不可能だった複数ノード間の同時通信が行えます。

スイッチングハブの短所

単純に1対1の通信を行う場合は、オーバヘッド分だけハブよりスループットが低下する。また、プロトコルアナライザなど、すべてのノードのパケットをListenする必要のある機器は、スイッチのある環境下ではパケットの取得漏れが発生する。このような場合は、ポートミラーリングを行って対処する。

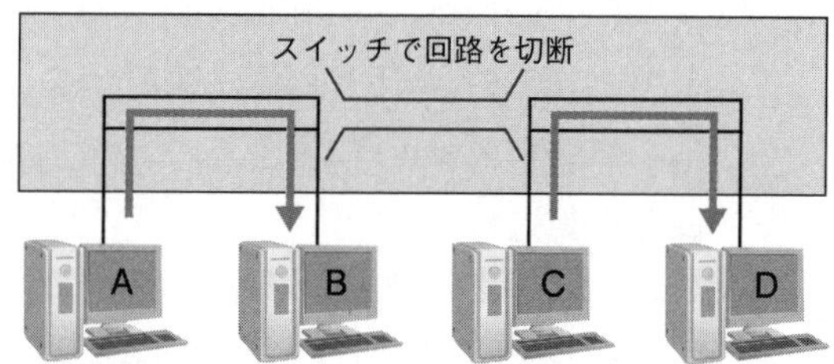

▲図　学習終了後

●ストア&フォワードスイッチ

転送フレームをすべてバッファに取り込み、FCSをチェックしてから転送処理を行うスイッチです。伝送エラーによって破壊されたフレームを転送しない利点がありますが、伝送遅延は大きくなります。

●カットスルースイッチ

転送フレームがすべてバッファリングできていなくても、MACアドレスを認識できた段階で転送処理を開始します。伝送遅延を小さくできる特性がありますが、フレームが壊れていても転送処理を行ってしまいます。

●BUMフレーム

BUMはBroadcast、Unknow Unicast、Multicastの略で、スイッ

チが例外的に複数のポートにフレームを中継する通信を一言で表したものです。Broadcastは受信したポート以外のすべてのポートにフレームを中継します。Unknow Unicastはユニキャスト通信ではあるものの、宛先を探るために、受信したポート以外のすべてのポートにフレームを中継します。Multicastはマルチキャスト MACアドレスを用いて行われます。スイッチはこれをフラッディングするわけです。

スタック接続
参考 複数のスイッチを1台として扱う技術。専用ポートでスイッチ間を結び、高性能化や冗長化を行う。アドレス等も一元化するので管理負担が小さい。

リンクアグリゲーション

2つのスイッチを複数の物理回線で結び、回線を束ねて高速化する技術です。IEEE 802.3adによって標準化されています。高速化だけでなく、1本の回線に障害が生じても、他の回線で通信を続行できるため、冗長性を向上させることもできます。

COLUMN

プロトコルアナライザ

ネットワークのトラブルシューティングに利用する機器に**プロトコルアナライザ**があります。プロトコルアナライザは、接続したネットワーク上を流れるすべてのパケットをキャプチャして解釈、表示する機能を持っています。

情報処理技術者試験では、プロトコルアナライザをネットワークのどの部分に接続すればよいか、という出題がされます。実業務でもトラブル時に新人SEがよく設置に行かされますが、ネットワーク構成を把握した上で設置しないと目的のパケットがキャプチャできません。

次の図のようなネットワーク構成で、端末が送信するすべてのパケットと端末に着信するすべてのパケットをキャプチャしたいとき、A、B、Cのどのポイントにプロトコルアナライザを設置すればよいでしょうか。

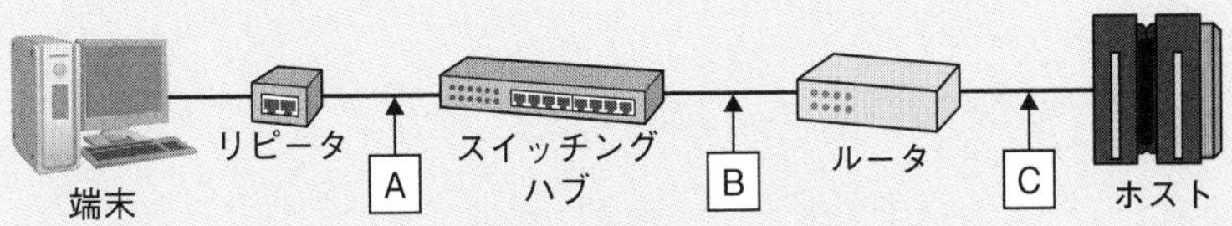

▲図 プロトコルアナライザを設置するポイントは？

A点は端末と同じコリジョンドメインに存在するため、端末が送受信するすべてのパケットをキャプチャできます。B点はスイッチングハブによりコリジョンドメインが分割されているため、パケットが破棄されている可能性があります。C点はルータによってブロードキャストドメインも分割されているため、端末のブロードキャストさえも拾えません。つまり、正解はAです。

3.6 ネットワーク層の接続機器

参考 意味のあるデータのやり取りをするためには、アプリケーション層まで整合させる必要があるが、こちらもIPの仲間であるHTTPやSMTPなどが普及している。

ネットワーク層のプロトコルは、異なるネットワーク同士の通信をサポートします。IPやIPXなどの種類がありますが、主流はインターネットの標準プロトコルであるIPです。IPを実装すれば設計思想が全く違うシステムとも通信を行うことができます。

現在では、IPはインターネットワーキングに欠かせないプロトコルとなりました。ネットワーク越しの通信が必要でない場合でも、他システムとの互換性や将来的な接続需要に備えてIPを採用するケースが増えています。

以降でIPについて学びます。まずネットワーク接続機器の観点から見ていきましょう。

3.6.1 ルータ

重要 ルータは、ネットワークを分割する単位であり、IPネットワークにおける最重要の通信機器である。

IPは、その名前のとおりインターネットワーキングをするために作られたプロトコルですから、ネットワークとネットワークを接続するための通信機器が必要になります。これが**ルータ**です。

ブロードキャストドメイン

参考 ブロードキャストはコリジョンドメインを越えて通信される。そのため、ブロードキャストトラフィックをコントロールしたい場合は、ブロードキャストドメインを分割する必要がある。

ネットワークは**ブロードキャストドメイン**と同義で、IPブロードキャストが到達する範囲です。ルータはブロードキャストドメインを分割する装置であると認識してもよいでしょう。

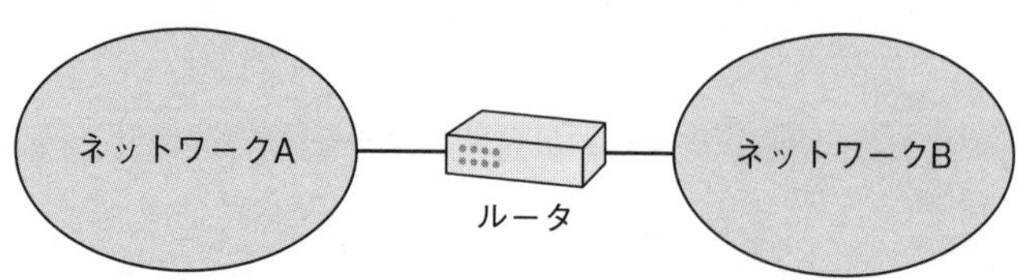

▲図　ルータがネットワークを分ける

ルータはIPアドレスを参照して、宛先が内部ネットか外部ネットかを判断し、宛先が他ネット宛てである場合のみ通信を転送します。この機能により、トラフィックを抑制しているのです。

ネットワークの大きさを適正なサイズに保つ

参考 ルータの長所は次のとおりである。
トラフィック管理
ブロードキャストドメインを分割してトラフィックを適切なレベルに維持することができる。
セキュリティ管理
IPアドレスを解釈してフィルタリング操作を行えるため、特定IPノードからのパケットをローカルネットワーク内に転送しない、などの動作を行える。

ネットワークには、構成されているケーブルやプロトコルによって適切な参加ノード数があります。ノード数が増加するとネットワークの帯域を圧迫しますし、自分に関係のない通信を受信する機会が増え、ノード自身のシステム資源も圧迫されます。

次の図で、ネットワーク内のパケットの流れを示します。

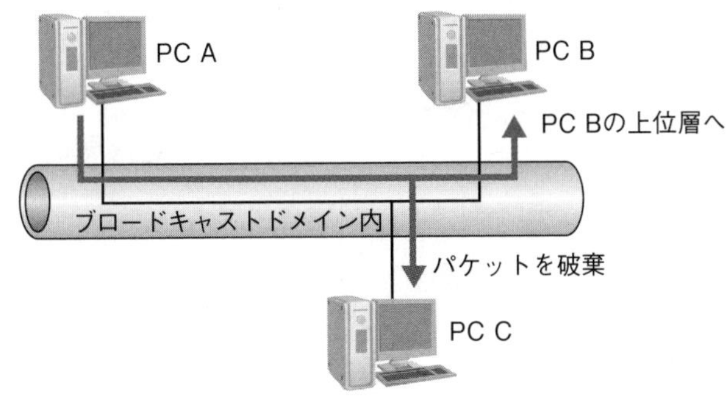

▲図　PC AからPC B宛ての通信なのに、PC Cも受信してしまう

IPヘッダ ➡P191

この図では、PC AからPC B宛ての通信にもかかわらず関係のないPC Cもパケットを受信しています。PC Bは、IPヘッダの宛先IPアドレスから自分宛てであることが分かるので上位層へパケットを渡します。PC Cは、自分宛てではないためパケットを破棄します。

破棄回数が増えるとPC CのCPU資源、I/O資源も浪費されるので、ネットワークを分割してトラフィックを抑制します。その結節点に配置するのがルータです。余計な通信を外部に漏らさないようにするので、セキュリティの視点からも有益です。

経路制御

現実には、ルータは3個以上のネットワークを結んでいる場合がありますし、その先にもさらに別のネットワークが存在します。そのため、単に通す・通さないの制御だけでなく、宛先ネットワークまでの距離と方向を知って最適な経路に通信を送り出す必要があります。これが**経路制御**です。

経路制御を図示すると、次のようになります。

ネットワークAは接続されていないから、直接は送れない。しかし、ルータBは接続されているから、とりあえずルータBに転送。
ルータB
ネットワークA
ルータA
ノードA
ルータC
ネットワークAに送信

▲図 ルータによる経路制御

ノードAはネットワークAに参加していないので、直接通信することはできません。ノードAは、他ネットワークへの接点であるルータAに転送を依頼します。

ノードAから見て直近のルータAのことを**デフォルトゲートウェイ**といいます。ノードAが自分と直接接続していない相手と通信する際は、すべてデフォルトゲートウェイを中継することになります。

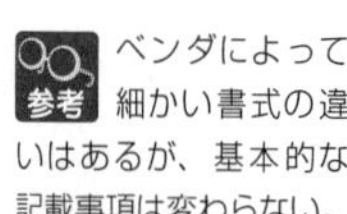

参考 ベンダによって細かい書式の違いはあるが、基本的な記載事項は変わらない。

ルータAもまたネットワークAと直接結ばれていません。しかし、ルータAは近隣ルータのうちルータBがネットワークAに接続されていることを知っているので、通信をルータBに転送します。

この一連の作業を、経路制御（ルーティング）とよびます。ルーティングについては、「4.9 ルーティング技術」で詳しく説明します。

本試験の中でのルータ

●ファイアウォールとしての運用

ルータはネットワークとネットワークを中継する機器ですが、本試験の中ではむしろパケット転送の許可／不許可を制御するフィルタや遮断器の役どころで登場します。この点をよく理解しておくと、「このルータではどの通信が中継されないだろう」という得点ポイントに目が届くようになります。

参照 パケットフィルタリング型ファイアウォール ➡P402

「パケットフィルタリング型ファイアウォール」が試験範囲にありますが、この役割をルータが担うことがあります。その場合、フィルタリングの条件としてポート番号を使うこともあり、「ルータはネットワーク層の機器」という説明と矛盾が生じます。

本試験でそうした出題に当たってもあまり悩まないようにしてください。実際の製品を反映しているということです。

●フィルタリングルールの適用

ルータはファイアウォールとしての性質を持ちますから、その文脈で出題があると、フィルタリングルールなども問われます。これはファイアウォールと同様に、複数並んでいるルールが上から順番に適用されると考えてください。したがって、最終行には「すべて拒否」を入れておくのがセオリーです。

VRRP

ルータを冗長化させるプロトコルで、本試験でもよく出題されます。ルータはIPネットワークを構築する根幹機器ですから、ここがストップしないように対策するのはネットワークを維持する上で極めて重要です。

ABC略語 VRRP➡Virtual Router Redundancy Protocol

VRRPでは複数のルータを用意して接続し、本番稼働させるルータを**マスタルータ**、予備のルータを**バックアップルータ**として設定します。マスタルータもバックアップルータもそれぞれのIPアドレスを持ちますが、それとは別に仮想IPアドレスを設定し、利用者にはこの仮想IPアドレスに通信させます。そのため、利用者からはルータが1台しかないように見えています。こうすることで、マスタルータに障害が発生した場合でも、スムーズにバックアップルータに通信を引き継ぐことが可能になっています。利用者はいまマスタルータと通信しているのか、バックアップルータと通信しているのかを意識する必要はありません。

マスタルータとバックアップルータは、**VRRPアドバタイズメント**と呼ばれるパケットを定期的に交換していて、これが得られなくなると他のルータに障害が起こったと判定し、バックアップルータをマスタルータに昇格させるなどの措置がとられます。

複数あるバックアップルータのうち、どれがマスタルータに昇格するのかは、それぞれのルータにあらかじめ設定された優先度（プライオリティ値）で決定します（優先度が大きいルータがマスタルータになります）。

3.6.2 L3スイッチ

L3スイッチは、ルータと同様、ネットワーク層のプロトコルを解釈して通信制御を行う装置です。大きな相違点は、ルータが多種多様なプロトコルに対応してソフトウェアで転送処理を行うのに対して、L3スイッチでは対応するプロトコルを限定し、専用ハードウェアを用いる点です。

L3スイッチは、通信制御に特化したハードを利用するため、高い処理能力を有します。小さなパケットを大量にやり取りするようなオーバヘッドの大きい通信には、L3スイッチの方が向いているといえます。

通信機器に対しての処理能力向上のニーズは強く、ルータもハードウェアに依存する割合を高めています。現状においてルータとL3スイッチの違いは、インターネットやWANといった外部ネットワークとの境界に置かれるか、構内に置かれるかといった用途の違いでしかはかれないかもしれません。

しかし、情報処理技術者試験の本試験では、結局のところ出題者がどう考えているかが重要なので、どのような問われ方をしても解答できるように、過去からの技術遷移の流れもおさえておくと万全です。

▲図 L3スイッチ (写真提供：プラネックスコミュニケーションズ株式会社)

パケットロスの抑制

パケットの転送処理に時間がかかる場合、その間にも新しいパケットが着信するのでバッファが圧迫されます。それだけ伝送遅延は増大しますし、最悪の場合、バッファがオーバフローしてパケットロスを引き起こします。

特にLAN内では、近年はほとんどが1Gbps化、場合によっては10Gbps化されているため、ルータのパケットロスは深刻です。このような背景がL3スイッチの普及を促進しています。

パケット処理能力

pps 用語 packet per secondの略。1秒でどれだけのパケットを転送できるかを表す指標。通信機器の能力の目安になる。

L3スイッチの特徴に、保持しているポート数が多いことが挙げられます。

これは、専用チップの処理能力のお陰で、ポート数を増やしてもその通信量をまかないきれるだけのパケット処理能力があることを意味しています。

L3スイッチとルータの用途の違い

ルータは､次の図のようにWANとLANの境界に置かれるイメージが強く、L3スイッチはマルチポート性を活かして構内のLAN同士を接続するのに利用されます。そのため、ルータにはNAPTやVPN機能が多く実装され、L3スイッチはVLAN機能を備えているものが多くなります。

ルータは、パケット制御プログラムがソフトウェアで稼働している分、カスタマイズしやすく、外部ネットワークと内部ネットワークの接続管理をきめ細かく行える特徴があります。

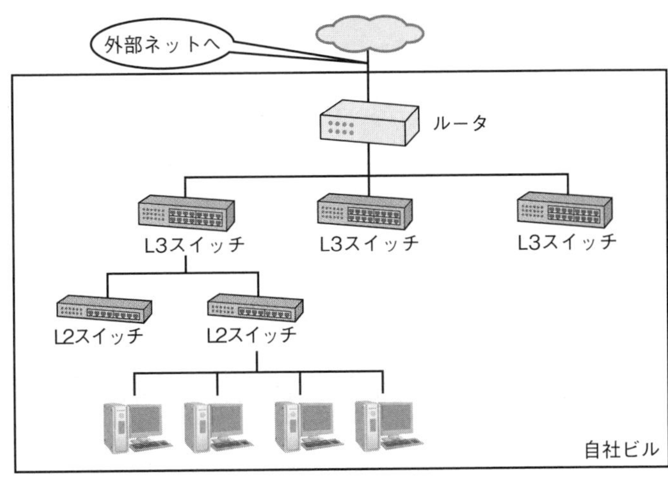

▲図 L3スイッチとルータの用途の違い

3.7 VLAN

3.7.1 スイッチのVLAN機能

VLAN➡
Virtual LAN

スイッチの特徴的な機能にVLAN機能があります。ネットワーク上に配置される通信機器は自分が処理するレイヤ以下のレイヤプロトコルを解釈できる特徴があります。したがって、L3スイッチはL2レベルのスイッチングにも対応しています。

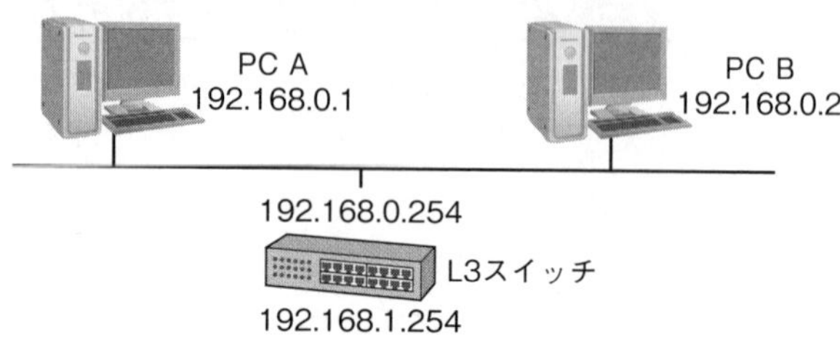

▲図 L3スイッチによるL2スイッチング

PC AがPC Bに通信を行った場合、L3スイッチにもそのパケットは届きます。しかし、L3スイッチはこれをL3レベルでは解釈しません。

デフォルト
ゲートウェイ
➡P132

L3スイッチはまず、着信パケットの宛先MACアドレスを参照します。IPルーティングが必要なパケットであれば、デフォルトゲートウェイとして自分が指定されるため、宛先MACアドレスは必ず自分の192.168.0.254側のNICのものになるはずです。しかし、実際には宛先MACアドレスはPC Bを指しています。したがって、L3スイッチはこのパケットをL2レベルで廃棄します。L3レベルの処理機構にはこれを渡しません。

3.7.2 論理的なLANエリアの構築

L2機能とL3機能の接続性を拡張したのがVLAN機能です。VLANは、LAN設計の物理的な制約を解放します。

次の図では、本社と支社がルータで結ばれています。営業部と開発部は同じブロードキャストドメインに接続されているため、互いの通信をキャプチャできます。これは、同じ会社内でも部外秘情報などがある場合は好ましくありません。営業部と開発部でネットワークを分割することでも解決できますが、L3スイッチを配置すれば作業がもっと簡単になります。

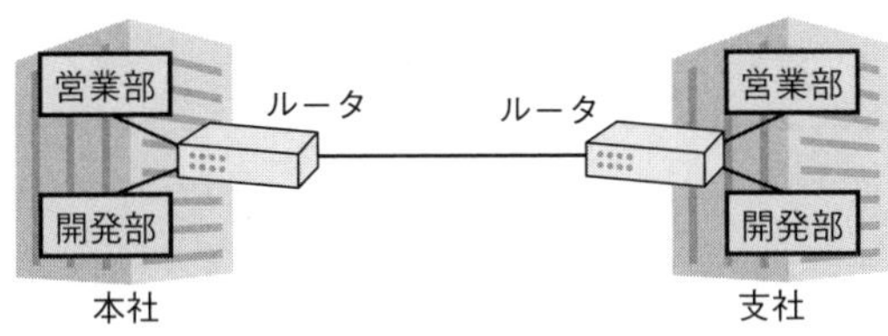

▲図　本支社間をつなぐネットワーク

また、VLAN機能を持っているL3スイッチは、ポート番号の先に存在するノードに**VLAN ID**を設定できます。

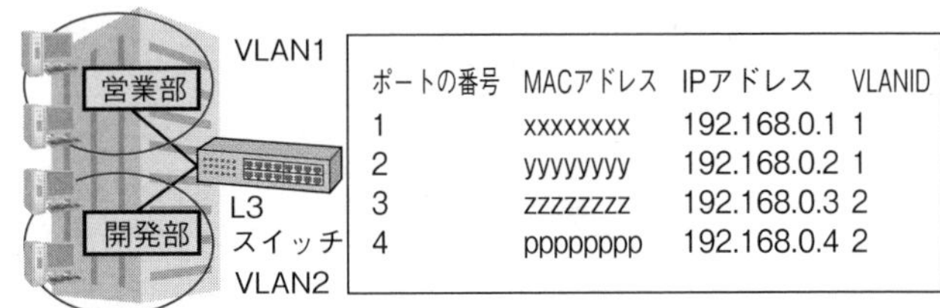

ポートの番号	MACアドレス	IPアドレス	VLANID
1	xxxxxxxx	192.168.0.1	1
2	yyyyyyyy	192.168.0.2	1
3	zzzzzzzz	192.168.0.3	2
4	pppppppp	192.168.0.4	2

▲図　VLAN IDによるグルーピング

参考 **ポートフォワード**
あるポートに着信したパケットを、そのポートに設定された別のノードの特定ポートに転送することをポートフォワードという。これによってプロキシ機能などを実現することができるが、ポート単位でしか通信を制御できないため、柔軟性に欠けるなどの欠点がある。

この図では、営業部と開発部は現在同じブロードキャストドメインに属していますが、L3スイッチはVLAN IDにより営業部と開発部を異なるVLANとして扱います。この場合、VLAN1内の通信はポート3、4には転送しません。同様にVLAN2内の通信もポート1、2には転送しません。この機能によってIPアドレス体系を変更せずにネットワークの分割･統合を行うことができ、ネットワーク運用に柔軟性を持たせることができます。

ポートVLAN

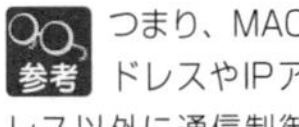
参考 つまり、MACアドレスやIPアドレス以外に通信制御を行うためのパラメータが増えるということ。

ポートによってVLANを識別する方式です。シンプルで使いやすい利点がありますが、VLANの構成が物理的な結線に依存するため、柔軟性の点で劣ります。

タグVLAN

参照 VLANタグ
➜P139

MACフレームにVLANを識別するためのタグ情報を追加する方式です。VLANが論理的に構成されるため、1つのポートが複数のVLANに参加したり、結線を変えずに参加するVLANを変更したりすることが可能です。タグVLANの仕様はIEEE 802.1Qで標準化されています。

3.7.3　遠隔地LANの統合

次の図は、VLANの考え方をさらに推し進めたものです。

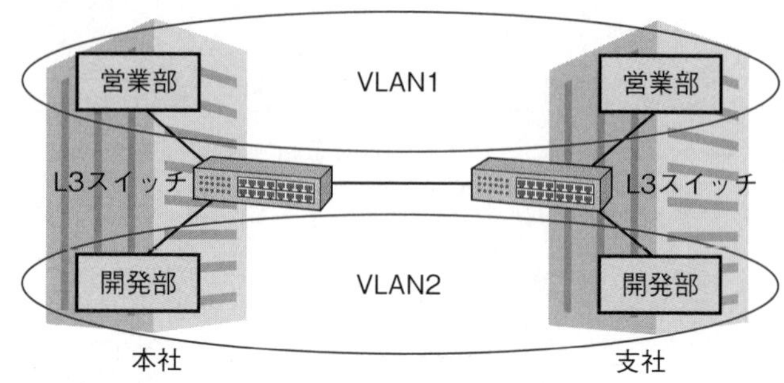

▲図　遠隔地ネットワークの同一LAN化

遠隔地の支社と本社をつなぐ場合、間にWANをはさむので通常はネットワークを分割します。しかし、社屋が異なっても同じ部署で同じネットワークを構成できれば便利です。

そこで、本社営業部と支社営業部、本社開発部と支社開発部に同じVLAN IDを与えてVLANを構成します。これらはネットワークアドレスが異なりますが、VLAN IDはIPアドレスに対して透過的なので問題ありません。このようにして遠隔地のネットワークを同じLANグループとして管理することができます。

IEEE 802.1Qトンネリング

先の図は同一企業を想定していますが、ISPがVLANを使ってネットワークを構成することもあります。

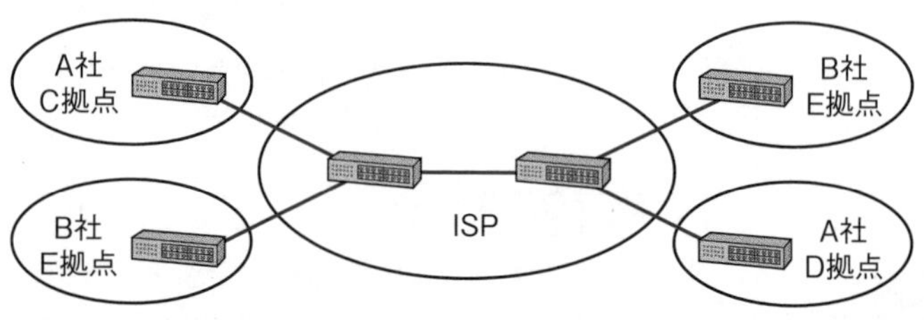

▲図　ISPがVLANを用いるネットワーク構成

このようなケースでVLANによるネットワーク管理ができればISPは楽ですが、A社とB社のVLAN IDが重複してしまう可能性があります。仮に重複がないようにIDを設計しても、VLANタグの上限である4096を超えてしまうでしょう。そこで、ISPは独自のVLANタグをA社、B社に対して付与します。

ISPを通過中のパケットには、2つのVLANタグが付くことになり（二重タギング）ややこしいですが、A社やB社がどうVLANを使っていてもISPに影響はありません。ISPはVLANを使って、A社、B社のトラフィックを処理することができるようになります。これを**IEEE 802.1Qトンネリング**といいます。上図のISP側のルータでA社やB社とつながっているポートは**トンネルポート**と呼ばれます。

3.7.4 VLANのMACフレーム構成

タグベースVLANを実現するためには、VLAN IDを各機器が認識できなくてはなりません。そのため、VLANに対応したL3スイッチではイーサネットで利用するMACフレームを拡張してVLAN IDを挿入しています。

MACアドレス ➜P211

一般的なMACフレームの送信元MACアドレスとタイプの間に4オクテットの領域を追加してVLANに関する情報を挿入しています。これを**VLANタグ**といいます。VLANタグはIEEE 802.1Qで規定されています。

TPID Tag Protocol Identifierの略。0x8100が挿入され、パケットにVLANタグが含まれていることを示す。

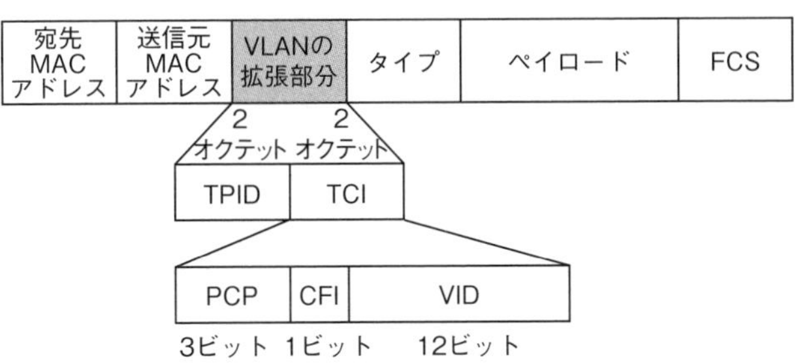

▲図 VLANタグ部分を拡張したMACフレーム

▼表 VLANタグの仕様

VLANタグ	説明
TPID	Tag Protocol ID。IEEE 802.1Qに準拠したフレームであることを表すフィールド
TCI	Tag Control Information。タグ制御用の情報。以下の3つの情報で構成される
PCP	Priority Code Point。0～7でフレーム転送の優先度を記入する（7が最も優先される）。伝送の品質管理に使用する
CFI	Canonical Format Indicator。MACアドレスが正規フォーマットかどうかを識別する識別子（0なら正規フォーマット）
VID	VLAN ID。VLANにつける識別番号。12ビットの空間が与えられ、0～4096のVLAN番号を利用することができる。実際に有効なVLAN番号は1～4095までとなる

VLANを構成する場合は、伝送路中に存在する通信機器がすべてIEEE 802.1Qに対応していることを確認する必要があります。拡張MACフレームフォーマットを見ても分かるように、VLANタグが挿入されたMACフレームは通常のMACフレームより4オクテット長くなっています。IEEE 802.1Qを理解しない通信機器はこれを破棄してしまう可能性があります。

3.8 トランスポート層以上の層の接続機器

3.8.1 ゲートウェイ

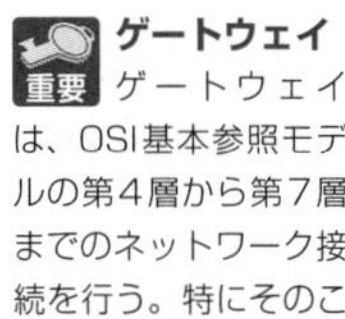

ゲートウェイ 重要 ゲートウェイは、OSI基本参照モデルの第4層から第7層までのネットワーク接続を行う。特にそのことを明記したい場合はL7ゲートウェイと表記することがある。

ゲートウェイは、OSI基本参照モデルの第4層〜第7層についてネットワーク接続を行う通信機器です。第3層まででエンドtoエンドの通信は完成するので、ゲートウェイでは通信の中継よりも、データ形式の変換、プロトコルの変換が主な機能になっています。

プロトコル変換が主用途

例えば、自社の独自技術で通信するネットワークとIPネットワークは直接通信することができませんが、ゲートウェイでプロトコル変換を行えば接続できます。

身近なところでは、**メールゲートウェイ**があります。例えば、通信事業者独自のメール形式とSMTPのメール形式は異なります。それでも携帯やスマホから独自メールを、インターネットを使ってPCに送信できるのは、通信事業者がメールゲートウェイを用意しているためです。

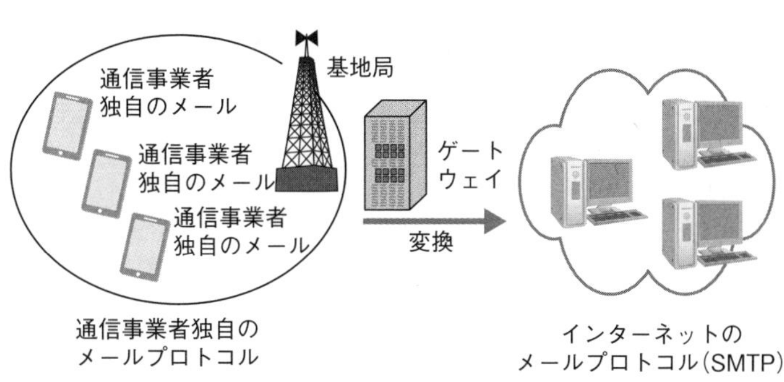

▲図　メールゲートウェイ

セキュリティ対策としても使われる

参照 ファイアウォール➡P402
プロキシサーバ➡P406
ステートフルインスペクション➡P406

ゲートウェイはアプリケーションプロトコルの内容を解釈できるため、アプリケーションヘッダに不正な情報が混入していないか、などを検出することができます。ファイアウォールやプロキシサーバもゲートウェイの仲間です。

3.8.2 L4スイッチ

重要 L4スイッチは、OSI基本参照モデルの第4層（トランスポート層）を扱う。

L4スイッチは、トランスポート層で稼働するので定義としてはゲートウェイに属しますが、機能的にはL2スイッチ、L3スイッチの延長上にある装置ともいえます。

ルータやL3スイッチはIPアドレスを参照して経路制御を行いますが、L4スイッチでは、TCPポート番号やUDPポート番号も経路制御判断の情報として扱うことができます。

L4スイッチの具体例

次の例は、L4スイッチによる負荷分散を示しています。

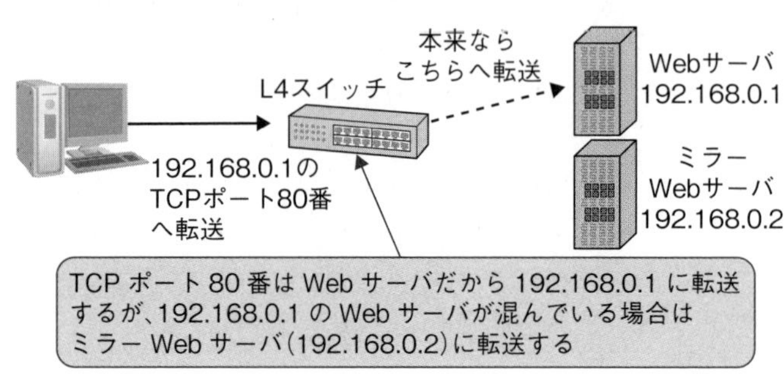
本来なら
こちらへ転送
L4スイッチ
Webサーバ
192.168.0.1
ミラー
Webサーバ
192.168.0.2
192.168.0.1の
TCPポート80番
へ転送
TCP ポート 80 番は Web サーバだから 192.168.0.1 に転送するが、192.168.0.1 の Web サーバが混んでいる場合はミラー Web サーバ(192.168.0.2)に転送する

▲図 L4スイッチによる負荷分散

参考 DNSラウンドロビンも負荷分散の1つの方法といえる。

この図のように、ポート番号情報も含めて転送先を制御することが可能です。L4スイッチは現在、このような負荷分散型のソリューションとして利用されていることが多いです。

参考 **DSR**
Direct Server Returnのことで、ロードバランサを介したクライアントからのリクエストに対し、サーバが直接クライアントに返信することを指す（通常は、ロードバランサを経由する）。動画などの大容量データを伝送する環境では、ロードバランサの負荷を大きく下げることができる。

負荷分散

ロードバランシングともいいます。特定のサーバに処理が集中しないよう、通信の振り分けを行うことです。例えば、2台あるWebサーバに同数の通信が着信するよう調整します。

負荷分散装置

ロードバランサともいいます。L4スイッチなどが使われることが多いといえます。同じユーザからの連続した通信は、同じサーバに転送する機能（**パーシステンス**）などが必要となります。

3.8.3 L7スイッチ

参照 L7ゲートウェイ ➡P405

L7スイッチは、アプリケーション層までの情報を使って通信制御を行う装置です。例えば、メールの内容によって送り先を変えたり、遮断したりすることが可能です。**L7ゲートウェイ**と類似していますが、主目的が通信の転送であること、専用ハードウェアによって処理することなどが特徴です。

本試験で「L7スイッチ」として問われることはあまりありませんが、頻出の「ロードバランサ」が実態としてL7スイッチであることがあります。L4スイッチとL7スイッチでは、パケットをやり取りする手順が異なるので、注意が必要です。

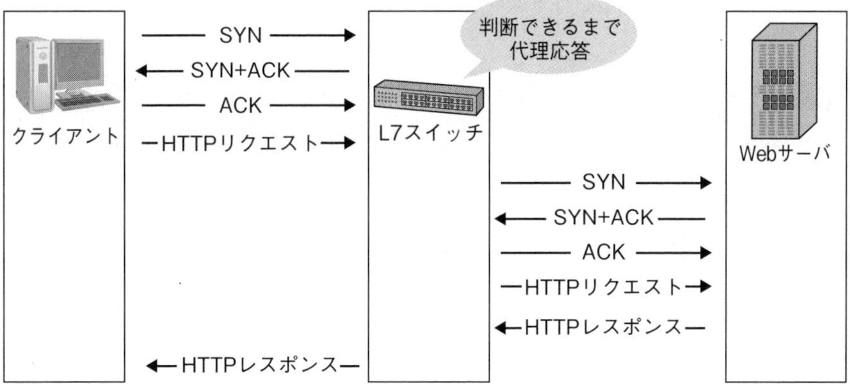

▲図 L7スイッチが転送の判断を行うタイミング

L4スイッチはTCPセグメント(L4の情報)があれば転送先の判断ができるのに対して、上記の例ではHTTPパケット(L7の情報)がないと転送先が判断できないので、判断のタイミングが遅れるためです。

3.9 無線LAN

無線LANは、対応機器の低価格化や高速化を反映して急速に普及しました。社会にとって不可欠なインフラの一つとなり、もともとは屋内利用を想定した技術でしたが観光客等の利用を見込んで屋外や公共の場所にも積極的に導入されています。また、GPSを補完する位置情報システムとしても活用されています。

3.9.1 無線LANの規格

無線LANの規格は、IEEE 802委員会が定めています。現在普及している主要な規格は、次の通りです。

▼表 無線LANの各規格

規格	最大伝送速度	周波数帯	特徴	長所	短所
IEEE 802.11b	11Mbps	2.4GHz	早くから普及	機器が安い	通信速度が遅い
IEEE 802.11a	54Mbps	5GHz	周波数帯により場所等に制限	—	11b規格との互換性がない
IEEE 802.11g	54Mbps	2.4GHz	11bと上位互換	11b機器との混在が可能	他の家電製品との干渉
IEEE 802.11n (Wi-Fi 4)	600Mbps	2.4GHz 5GHz	11a、11b、11gと上位互換	通信速度が速い。11a、11b、11g機器との混在が可能	他の家電製品との干渉
IEEE 802.11ac (Wi-Fi 5)	6.9Gbps	5GHz	5GHzのみにすることで、家電などとの干渉を防ぎ、更なる高速化	通信速度が極めて速い。チャネルボンディングで帯域拡大	11b、11gとの互換性がない
IEEE 802.11ax (Wi-Fi 6)	9.6Gbps	2.4GHz 5GHz	OFDMAによる高速マルチユーザ対応	通信速度が極めて速い。チャネルボンディングで帯域拡大	—
IEEE 802.11be (Wi-Fi 7)	46Gbps	2.4GHz 5GHz 6GHz	6GHz帯を使うようになった。帯域幅が320MHzもある	—	—

なお、試験では規格のスペックが出題されることは稀なので、ある程度の特徴を把握したらアクセス手順などの理解に進んだ方が学習効率が良いです。

WAP Wireless Application Protocolの略。無線LAN用のプロトコル群。プロトコル変換やコンテンツフィルタリングの機能を持つ。

いろいろな規格が乱立している印象がありますが、現在発売されているアクセスポイントや無線LANカードにはすべての規格に対応しているものも多数あります。

また、Wi-Fi Allianceでは無線LANの規格表記の簡略化に取り組んでいて、IEEE 802.11nをWi-Fi 4、IEEE 802.11acをWi-Fi 5、IEEE 802.11axをWi-Fi 6、IEEE 802.11beをWi-Fi 7と記すようになりました。

波の性質上、波長が長い(周波数が低い)ほど電波の回折が大きくなるため、5GHz帯を利用する規格よりも2.4GHz帯を利用する規格の方が、原理上は障害物に強い。

IEEE 802.11b

IEEE 802.11b規格は伝送速度11Mbpsと低速ですが、機材が安価だったこともあり、最も早い時期から普及した無線LAN規格です。

DSSS➡Direct Sequence Spread Spectrum
CCK➡Complementary Code Keying

●DSSS/CCK

DSSSは直接拡散方式のことです。デジタル信号を送信するスペクトラム拡散方式の1つで、他の通信を妨害しにくい特徴があります。これにCCK方式と呼ばれる相補型符号変調方式を掛け合わせたものがIEEE 802.11bで採用されています。

IEEE 802.11a、11g、11n、11acでは、データの変調方式としてOFDMを採用している。
➡P83

IEEE 802.11a

IEEE 802.11a規格は5GHz帯の電波を使い、名目値で54Mbpsの速度を得ることができます。5GHz帯は本来使用に許可が必要な帯域です。現在ではアクセス回線として利用が許可されていますが、公共の場で大出力通信を行うことはできないので注意が必要です。また、利用周波数帯が異なるので11bや11gのネットワークには参加できません。

ISMバンド Industrial Scientific Medical Bandの略。国際電気通信連合(ITU)により定義されている、産業、科学、医療用に開放された周波数帯のこと。2.4GHz帯などが該当し、免許なしで利用することができる。

IEEE 802.11g

IEEE 802.11g規格は11b規格の速度を向上させた規格です。11bと同じ周波数を使用し、同じネットワーク内に11bと11gの通信ノードを混在させられるのが最大の特徴です。ただし、混在モードでは、11gノードは11b通信に対する待ち時間が多くなり、スループットが低下します。また、2.4GHz帯はISMバンドなので電子レンジなどの干渉により速度低下が起こります。

IEEE 802.11n

最大伝送速度が600Mbpsに達する規格で、2.4GHz帯と5GHz帯を併用することに特徴があります。

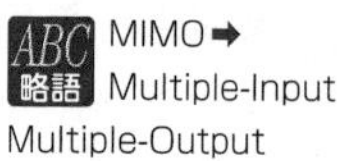

MIMO➡Multiple-Input Multiple-Output

IEEE 802.11nの核になっている技術は、**MIMO**と呼ばれます。これはデータの送受信に複数のアンテナを使うことでデータを並行して伝送する技術です。また、**チャネルボンディング**という、隣接するチャネルをまとめて1つのチャネルとして扱う技術も併用されています。いずれも伝送速度を高める効果がありますが、チャネルボンディングを使うと同時に使えるチャネル数は減ることになります。

また、複数のアンテナで送受信を行うため、有線LANに比べると見劣りする通信の安定性が向上します。これはいわゆる**ダイバシティ効果**で、携帯電話の原理と同様です。

IEEE 802.11nは、IEEE 802.11a、11b、11gとの互換性があるのが特徴です。

IEEE 802.11ac

5GHz帯を使う無線規格で、ついに無線LANでGbps級の通信速度を達成しました。マルチユーザ型のMIMOである**MU-MIMO**や80MHzのチャネルボンディング(オプションでこれを2倍にできます)、256QAM変調方式などが新たに採用されています。

これまでは2.4GHz帯の製品が普及していたので、互換性を維持するために、実装製品ではIEEE 802.11nが併用されることがほとんどです。

IEEE 802.11ax

IEEE 802.11acの6.9Gbpsに対して、9.6Gbpsにカタログ速度が向上した規格です。速度向上の伸びしろは小さいですが、再び2.4GHz、5GHzを併用する規格に戻ったことと、**OFDMA**が実装されたことにより、特に多数の端末や利用者でトラフィックが多い環境で実効効率が向上します。

従来のOFDMではある時間において、1つのチャネルを1つの端末が占有して通信しました。しかし、OFDMAでは1つのチャネルを複数の端末で共有できるので、他の端末にとっての待ち時間が減少します。

ストリームの最大数はIEEE 802.11acと同様の8本（8×8：送受信が8本ずつ）ですが、オプション扱いだったものが標準になりました。したがって、理屈の上では8台の端末と同時送受信（MU-MIMO）することができます。もちろん、これをまとめて1台の端末と通信しても構いません（SU-MIMO）。

IEEE 802.11be

最大通信速度が46Gbpsに達した通信規格です。IEEE 802.11ac→IEEE 802.11axへ進歩したときにやや頭打ちに見えていた通信速度が飛躍的に向上しました。MIMOの同時送受信数が16に拡張されているなどの技術進歩もありますが、最も大ききく寄与しているのは使用する周波数として6GHz帯を採用したことと、帯域幅が320MHzある（IEEE 802.11axから倍増した）ことです。

3.9.2 無線LANのアクセス手順

次の図は、無線LANのアクセスポイントにクライアントが接続する手順です。

用語 SSID
Service Set Identifierの略。無線LANのアクセスポイントに設定される名前のこと。現在は、ネットワーク内に複数のアクセスポイントを設置できるように拡張したESSID（Extended SSID）が主に使われており、ESSIDの意味で単にSSIDと呼ぶことが多い。

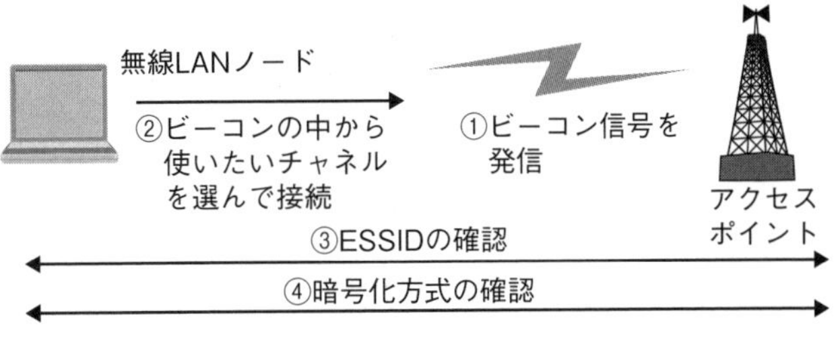

▲図　アクセスの手順

①アクセスポイントは常にビーコンを送信しているので、無線LANを使うノードはこれを認識します。
②ビーコンの中から使いたいチャネルを選んで接続します。
③ESSIDの確認が行われます。
④暗号化方式の確認が行われます。

ESSID

ESSIDは、無線LANにおけるグループを識別するための識別子です。これが同一のノードはネットワークへのアクセスが許可されます。識別子は32文字までの英数字を任意に設定して作ります。

似ているようでもBSSIDは異なる技術なので注意が必要です。無線LANにおけるグループを識別するための識別子、というところまでは同じですが、識別子として用いることができる情報は、48ビットの2進数です。一般的にはアクセスポイントのMACアドレス（MACアドレスも48ビット）がそのまま使われます。

参考 Windowsはこの仕様を推奨している。

アクセスポイントは常にビーコン信号を送信しています。ビーコンにはESSIDも含まれており、無線LANを使うノードはこのビーコンによりアクセスポイントを認識して通信を始めます。ただし、セキュリティ上の理由によりビーコンを発信したくないケースもあります。その際に使われるのが、ビーコン信号を発信しないステルスモードです。

ESSIDはあくまでも、複数のアクセスポイントが利用可能な場合に自分のネットワークを識別するような用途に用いると考えてください。ESSIDを秘匿してパスワードのように運用することも理論上は可能ですが、認証のしくみとしては脆弱です。

ANYモード

無線LAN側がESSIDをANYとして接続すると無条件に接続を許す仕様です。ANY接続を許可すると、無制限にネットワークに接続できてしまうので通常は拒否設定を行います。

また、多くのアクセスポイントはMACアドレスによるフィルタリングに対応しています。利用するノードのMACアドレスをあらかじめ登録しておくと、それ以外のノードからのアクセスを拒否してセキュリティを向上できます。

暗号化方式

ESSIDの確認が終了すると暗号化の手順が始まります。これはオプションであり、暗号化を行わなくても通信は可能ですが、無線通信の特性上、必ず暗号化を行うべきです。

無線通信は無指向通信ですから、クラッカーに簡単に傍受されます。これは防ぎようがありません。このため、無線LANにおいて暗号化は必須の手順だと認識してください。

WEP Wired Equivalent Privacyの略。無線LANの暗号化規格。

最も基本的な暗号化プロトコルは**WEP**ですが、現在は使用が推奨されていません。WEPは、40ビットもしくは104ビットの共通鍵と、IV (Initialization Vector)という24ビットの初期化ベクトルの2つの部分から成るWEPキーを使って暗号化しますが、このIVの短さにつけこんで数時間単位で暗号を解読されてしまう脆弱性が指摘されているのです。

WPA/WPA2 ➡P152

そのため、次世代の無線LAN暗号規格としてWPAやWPA2が策定されました。**WPA**はWi-Fi Protected Accessの略で、WEPと比較すると、ユーザ認証機能の追加や暗号アルゴリズムの変更により強固なセキュリティが実装されています。

WEPの弱点

① MACヘッダは暗号化できない(ペイロードのみを暗号化する)
② アクセスポイントごとにキーストリーム(WEPキー)が設定される(ユーザごとにキーを変えることができない)
③ 生成方法に弱点がある(繰り返し使うと同じキーが出現する)

3.9.3 無線LANのアクセス方式

CSMA/CA方式

CSMA/CD方式 ➡P112

無線LANは、**CSMA/CA方式**によって通信を制御しています。CSMA/CD方式に似ていますが、衝突検出の部分が衝突回避になっているところが異なります。

無線LANは物理層媒体として電波を使うため、衝突の検出ができません。したがって、衝突を回避するための手順が必要になります。CSMA/CA方式では、伝送を行うノードは利用したい周波数帯が使われていないか、必ずランダムな時間だけ待ってから送信を開始します。このとき、無線LANノードはRTS (送信リクエスト) をアクセスポイントに送信し、これを受理したアクセスポイントがCTS (送信OK) を返信することで、安全に伝送を開始します。CTSには他のノードに対する送信抑止時間が記載されており、衝突を抑制します。それでも衝突してフレームが壊れてしまう可能性がありますが、検出できないためデータを受け取ったノードは確認応答（ACK）を返すことでデータを受信したことを通知します。確認応答の際にも待ち時間が発生します。

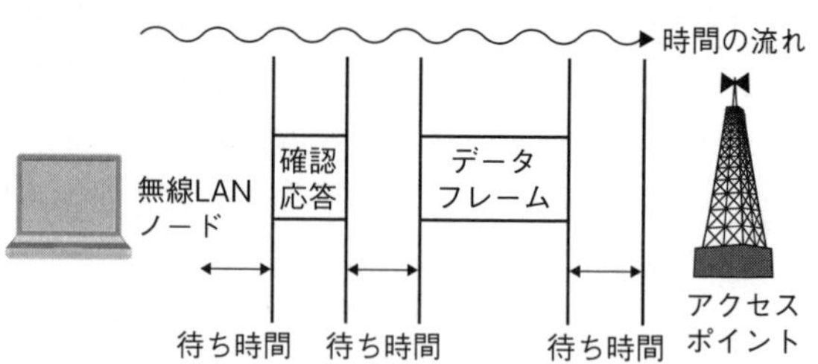

▲図　CSMA/CA方式

このように、フレーム送信ごとに確認応答が返ること、待ち時間が発生することなどから、無線LANにおける実効スループットは名目値よりもかなり低下します。

POINT 無線LANの動作モード

- **インフラストラクチャモード**：無線LAN接続ノードがアクセスポイントを介して相互に通信を行う方式です。
- **アドホックモード**：アクセスポイントを介さずに、無線LANノード同士が直接通信を行う方式です。

3.9.4 セキュリティの向上

無線LANによる顧客情報の流出などが相次いでおり、セキュリティ強化の必要性が高まっています。主なセキュリティ向上策は、以下のとおりです。

IEEE 802.1X認証の導入

LANに接続するノードを認証するしくみです。有線でも無線でも利用することができますが、未認証のノードに接続される可能性が高い無線LANでよく普及しています。

無線LANの盗聴（通信の秘密の侵害）は、罰されることになっています。知る、漏らす、利用する、のどれもが処罰の対象です。積極的傍受（たとえば、無線通信に施されている暗号を解読するなど）は、すぐに処罰の対象となりますが、隣の家の電波が入ってきてしまうようなケースは対象外です。

通信の秘密関連の法律
- 電気通信事業法
  →通信事業者を規制
- 有線電気通信法
  →有線LANについて規定
- 電波法
  →無線LANについて規定

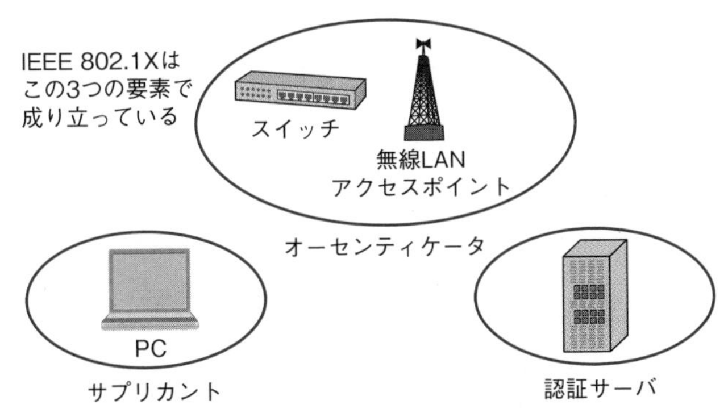

▲図 IEEE 802.1Xを利用する機器構成

IEEE 802.1Xは、クライアントである**サプリカント**と、クライアントがアクセスするスイッチやアクセスポイントである**オーセンティケータ**、**認証サーバ**の3つの要素で構成されます。

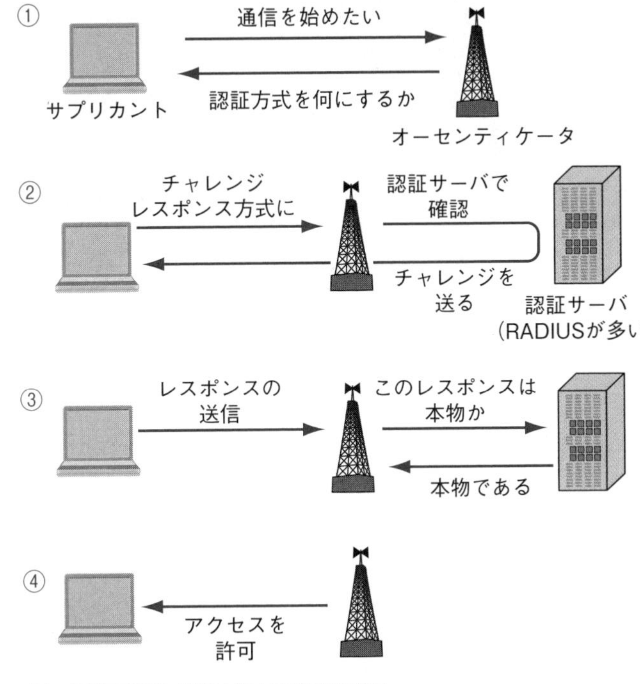

▲図 IEEE 802.1Xにおける認証の流れ

EAP➡Extensible Authentication Protocol

IEEE 802.1Xでは、データを伝送するプロトコルとして、**EAPOL**(EAP over LAN)を用います。EAPOLはまず**EAP**(PPPを拡張したプロトコル)によって認証方式のネゴシエーションと認証、鍵交換を行い、これによって作られる安全な伝送路上でフレームを送信します。

EAPではさまざまな認証方式を使うことができます。代表的、かつよく出題されるものは次表のとおりです。

▼**表** 代表的なEAPの種類

EAP-TLS	デジタル証明書でサプリカントと認証サーバを相互認証する。したがってホストを認証する技術であり、利用者の特定はできない
EAP-TTLS	デジタル証明書でサーバを認証する。サプリカントの認証には、ユーザIDとパスワードを使うため手軽。パスワードの交換には、チャレンジレスポンスなどが用いられる
EAP-MD5	チャレンジレスポンス方式で、ユーザIDとパスワードを使って認証を行うタイプ。ハッシュ関数としてMD5を使う
EAP-POTP	ワンタイムパスワードを使って認証を行う
EAP-PEAP	EAP-TTLSとほぼ同一だが、認証に使える方式が限定される
EAP-SIM	認証にスマートフォンのSIMを使う。機器認証と利用者認証が同時に行えるため高速に動作する
EAP-FAST	デジタル証明書が必要でない、使いやすい方式。サーバ無認証を認めているため、脆弱性も指摘される

3.9.5 強固なセキュリティ規格の策定

WPA/WPA2

Wi-Fi(用語) 無線LANの業界団体で、無線LAN機器の相互接続認証業務等を行っていた。現在はWi-Fi Allianceに業務が引き継がれている。

WEPの脆弱性をカバーすべく、**IEEE 802.11i**規格が策定されることになっていました。しかし、IEEE 802.11iの策定が遅れたため、その一部を実装する形で、**Wi-Fi Alliance**が**WPA**(Wi-Fi Protected Access)という無線LANセキュリティ規格を定め、実装を進めました。WPAはWEP対応機器からもアップデートできるよう配慮されたため、強固なセキュリティ規格とは言えませんでしたが、急場を凌ぐためには十分な性能を発揮したと言えます。

その後、IEEE 802.11iとほぼイコールである**WPA2**が登場、普及して、WPA2が無線LANセキュリティの標準である時期が長く続きます。

IEEE 802.11n ➡P146

	WEP	WPA	WPA2
暗号化方式	WEP	TKIP	CCMP

WEPの暗号化アルゴリズムはRC4で、TKIPもそれは同じです。しかし、IVを延長し、定期的に鍵を更新するなどの工夫で安全性を高めています。

WPAはオプションとしてCCMPを使うことも可能ですが、WPA2ではCCMPが必須になっています。CCMPの暗号化アルゴリズムはAESです。通信相手がCCMPを使えない場合、WPA2でもTKIPを使うことができますが、セキュリティ水準は下がります。

またデータの検証は、WEPではCRC32が、TKIPではMICが、CCMPではCCMPが使われています。

パーソナルモードとエンタープライズモード

WPAとWPA2では、パーソナルモードとエンタープライズモードを使い分けることができます。

パーソナルモードではPSK認証と呼ばれる認証方式が使われますが、これは事前鍵共有方式で、アクセスポイントとクライアントに同じ8～63文字のパスフレーズを設定することで認証を行います。主に家庭での使用を想定したモードです。

エンタープライズモードではIEEE 802.1x規格を使って、認証を行います。主に企業のような大規模環境での使用を想定したモードです。

WPA3

WPA2の脆弱性が指摘されたためリリースされた暗号化方式です。基本的には、WPA→WPA2→WPA3と正常進化してきていて、同じ構造を持つ発展版になっています。

POINT WPA3の変更点

- 鍵交換プロトコルがSAEに→辞書攻撃、総当たり攻撃に強い
- フォワードシークレシーの実現→パスワードが漏れても、過去の暗号通信が解読されない
- エンタープライズモードでは、暗号化アルゴリズムにCNSAも使えるように

3.10 その他無線通信

3.10.1 Wi-Fiメッシュネットワーク

端末の無線化はますます進み、オフィスや家庭でスマホやタブレットを有線接続することはほとんどなくなりました。このとき、重要な役割を果たすのがWi-Fiですが、Wi-Fiのカバー範囲は必ずしも広くありません。1軒の家や1フロアを1台のアクセスポイントでカバーしようとすると、必ず電波が届きにくい場所が生じます。

そのとき、Wi-Fiのアクセスポイントを複数立てて同一ESSIDで運用することにより、カバー範囲を広げることができます。これが**Wi-Fiメッシュネットワーク**です。拠点となるアクセスポイントと、拡張アクセスポイントは互いに無線で通信を行い、最適経路を計算します。拡張アクセスポイントが障害を起こしても、残ったアクセスポイントがネットワークを維持します。

参考 これとは逆に、同一アクセスポイントに複数のESSIDを割り当て、ネットワークを分けて運用することも可能。

利用者は今いる場所で最も電波状態のよいアクセスポイントに接続することができ、フロア内を移動したときも、移動した先で最も電波状態のよいアクセスポイントへ自動的にローミングが可能になります。

3.10.2 UWB

ネットワーク上でやり取りされるデータは、増加の一途を辿っています。従来テキストであったデータが動画や音声に置換されたり、ネットワーク化に馴染まないとされていた業務等も、他業務との接続性からついに接続に踏み切るなどの事例がこの状況を後押ししています。

そうしたニーズを吸収するために超広帯域無線（**UWB**：Ultra Wide Band）が構想されました。高い周波数を使い、短いパルスを高密度で出力し、かつ広帯域を占有することができれば、高速な通信が可能という理屈です。これを周囲に迷惑をかけずに利用するには微弱な出力でないといけないので、結果的に近距離通信になります。

考え方はシンプルなので構想自体は昔からありました。でも、Wi-Fiの速度がどんどん増していくなど、速度を求めるニーズはそちらで満たされてしまいました。近年再注目されているのはiPhoneが搭載したことが大きいと考えられます。周波数の高さと極端な短パルスゆえに通信相手の位置検出性能が高いので、iPhoneはこれをAirTag（紛失防止タグ）の検出や空間認識に使っています。

3.10.3 WiMAX

WiMAXというのは**IEEE 802.16**規格の別名で、業界団体であるWiMAX Forumから取られています。WiMAX Forumは、Wi-Fiなどで行われているように、相互通信の確認が取れた機器に認証マークを与えるなどの業務を行っています。WiMAXは2～11GHz帯の周波数を利用して、最大で70Mbps超の通信速度を実現する無線通信規格です。

伝送距離は最大50kmで、通信範囲で表現するとMANに該当します。登場した当初は、ラストワンマイル問題（家の前までは高速な通信網が来ているのに、引き込み時に速度が落ちる。高速引き込み線は、工事コストなどがかかるので利用者が渋る）を解決するために利用することが想定されていました。無線なので屋内工事などを必要とせず、利用者の負担感が小さいと思われたためです。

その後、2012年に発表されたWiMAX Release 2.1でLTEとの互換性をもつようになり、通信規格としての独自性はなくなりました。現在はサービス名として名前を残していますが、技術的にはいわゆる4Gや5Gを利用しています。

5G➡P168

スマートフォンの登場と通信量の増大

当時、WiMAXの普及は意外なところで促進されました。**データオフロード**です。

スマートフォンの普及は、携帯電話用の無線周波数を逼迫させました。スマートフォンは従来のフィーチャーフォンに比べて桁違いの通信量を発生させます。もちろん、その通信量が各通信事業者（キャリア）のARPUを増大させたわけですが、それを超えてキャリアの携帯無線網を圧迫しています。

用語 **ARPU** Average Revenue Per User 加入者当たり月間売上高。

無線周波数が有限の資源である以上、キャリアの周波数追加には限界があります。そこで考えられたのが、携帯無線網以外のネットワークにトラフィックを逃がすデータオフロードという対策です。

データオフロード

データオフロードの考え方は単純で、携帯無線網が混んでいるなら余裕のある回線へ迂回させようというものです。「余裕のある回線」は技術的には何でもいいのですが、この場合はあくまで携帯無線網の代替として使いたいので有線技術では困ってしまいます。

そこで当初注目されたのがWiMAXと無線LAN（Wi-Fi）です。WiMAXは広い範囲をカバーできるので、屋外通信でもデータオフロードを行うことができます。一方の無線LANは駅や店舗ごとにアクセスポイントを設置する必要がありますが、通信速度が速く、個々の設置コストが低い特徴があります。

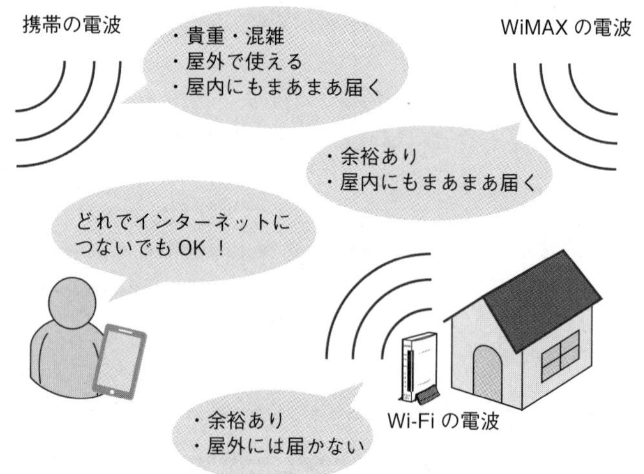

▲図　データオフロード

3.10.4 センサネットワーク、IoT通信

IoT➡P54

インターネットを介してモノとモノをつなぐニーズが高まっています。代表的な用語は**IoT**（Internet of Things：モノのインターネット）です。ここでは、IoT機器向けの技術仕様について確認しておきましょう。

LPWA

膨大な量のIoT機器がネットワーク接続するようになると、通信の性質にも変化が生じます。IoT機器の特徴として、電力確保に不安があること、少量の通信を低頻度で行うことが上げられます。このニーズに応えるために、LoRaなどの**LPWA**（Low Power, Wide Area：低電力広範囲通信）技術が進歩しています。

▼表　主なLPWA技術

名称	通信速度／距離	特徴
Wi-Fi HaLow	150bps～数Mbps／1km	低速長距離。Wi-FiのIoT向け低消費電力規格（IEEE 802.11ah）
Wi-SUN	50～300bps／500m～1km	低速近距離。Wireless Smart Utility Network（IEEE 802.15.4g）
Sigfox	600bps／50km	低速長距離。超狭帯域でブロードキャストを使う
LoRa	250kbps／10km	低速長距離（短距離高速通信モードもあり）

●6LoWPAN

IPv6を利用する場合、ヘッダサイズだけでもそれなりのデータ量があるため、IoT機器間での通信となると効率を無視できなくなります。そこで、IEEE 802.15.4やBLEなどで構成されたLPWA上で、IPv6を利用するためのプロトコルが開発されました。それが**6LoWPAN**（IPv6 over Low-power Wireless Personal Area Networks）です。

ZigBee

情報処理技術者試験ではよく出題される通信規格です。IEEE 802.15.4規格を物理層として採用しています。Wi-FiやBluetoothに比べると日常生活で見かけることはあまりありませんが、センサネットワークなどで使われています。

本試験対策としては、「センサネットワーク」をキーワードとして是非覚えておきましょう。そのまま出題されることもありますし、仮に別の問われ方をしても、センサネットワークで使われるのだから、低電力、近距離通信、低速、多端末接続であると見当がつきます。実際にZigBeeの通信速度はkbps級で極めて低速ですが、電池を使うセンサでも長期間の運用が可能です。

近距離通信という意味で、UWBやBluetoothが誤答誘導選択肢としてよく出てきますが、これらと比べてもZigBeeの通信速度はずっと遅くなりますし、用途も異なります。

BLE

BLE（Bluetooth Low Energy）はBluetoothの低消費電力モードです。その意味ではLPWAに似ていますが、到達距離が短いのでLPWAには含めません。Bluetooth 5.0では125kbps～2Mbpsの幅が持たされています。

どんな技術でもそうですが、伝送速度と消費電力はトレードオフの関係にあります。BluetoothはPAN技術なので本来想定する到達距離は5～10m程度ですが、通信速度を絞れば数百m先のノードともやり取りできると言われています。

CoAP

Constrained Application Protocolの略で、名前のとおり制約のある通信機器（IoT機器）向けのアプリケーション層プロトコルです。ここでいう制約には通信機器そのものも、ネットワーク環境も入ります。低電力・低性能の機器で、低速小容量・大損失のネットワークでも健全に動作するよう設計されています。

オーバヘッドを小さくするために下位プロトコルとしてUDPを使い、マルチキャストもサポートします。

3.11 WANで使われる接続形態

この節では、WANで使われる接続形態について学習します。フレームリレーと、IP-VPN、広域イーサネットを理解しておきましょう。

3.11.1 フレームリレー

フレームリレーは、X.25プロトコルによるパケット交換を簡略化させたサービスです。

X.25は、パケット交換を行うために設計されたネットワーク層プロトコルで、パケット形態端末とパケット交換網間の通信を規定します。X.25では、ローカルネットワークを経由するごとに再送制御を行っていましたが、通信インフラの整備によりデータ伝送エラーが減少したため、フレームリレーでは網内での再送制御を省いています。

再送制御が必要な場合は、エンドtoエンドのノード間でさらに上位のプロトコルを利用してこれを行うことにより、網内の処理効率を上げています。

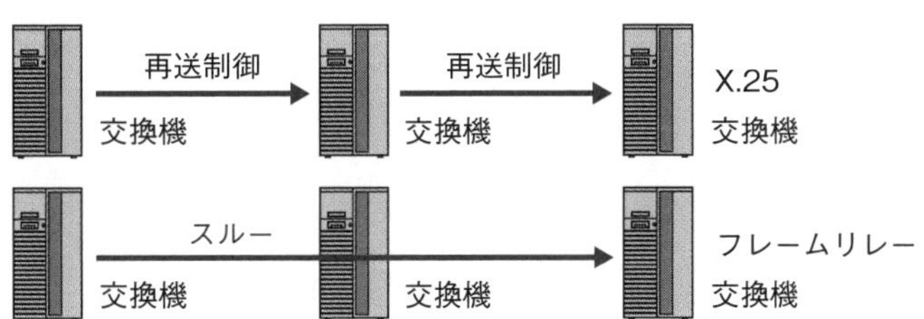

▲図　X.25とフレームリレーの再送制御の違い

ABC 略語 CIR ➡Committed Information Rate

共有型のパケット交換網であるため、多くのユーザが同時にデータを伝送して輻輳になることがあります。この状態でも保証される最低限のスループットのことを、**CIR**と呼びます。

3.11.2 拠点間VPN

企業の本社と支店を結ぶような回線は、過去には専用線を使うのが一般的でした。しかし、専用線は利用料金が高く、限られた企業しか利用することができませんでした。IP関連技術の普及や通信需要の高まりを受けて、異なる形の接続形態が現れました。

技術的な中核になるのは**VPN**です。暗号化と認証により、共有回線上に仮想的な専用線を作り、安価に、専用線に比肩しうるネットワークを構築します。

インターネットVPN

共有回線としてインターネットを利用するVPNです。最も安価に構築できますが、通信の根幹部分をインターネットに依存するため、ベストエフォート型で通信品質は高くありません。

IP-VPN

通信プロトコルとしてTCP/IPを使うため、インターネットVPNに似ていますが、共有回線部分は通信事業者が保有している閉域IP網を使います。利用者のニーズに応じて、ベストエフォート型、ギャランティー型のサービスが用意されています。帯域を保証するギャランティー型のほうが通信品質に優れますが、もちろん料金は高くなります。

MPLS➡P253

IP-VPNで使われる技術として**MPLS**があるので、関連付けて覚えましょう。

広域イーサネット

広域イーサネットでは、通信事業者が保有するネットワークを使ってVPN接続を行いますが、IP(レイヤ3)ではなく、イーサネット(レイヤ2)が提供されます。IP以外のネットワーク層プロトコルが使え、通信速度が速くなる可能性があることがメリットです。

拠点と拠点を結ぶための装置は、インターネットVPNやIP-VPNではルータですが、広域イーサネットの場合はレイヤ2の技術が使われるので、スイッチになることに注意してください。

EVPN (Ethernet VPN)

レイヤ2 VPNの技術の一つです。レイヤ2 VPNとは、拠点と拠点を結ぶ、そのとき途中の経路にどんな技術が使われているかにかかわらず、拠点側から見るとレイヤ2でつながっているように扱えるVPNです。EVPNではもちろんレイヤ2の技術としてイーサネットを使います。

EVPNの特徴は、経路制御にMulti Protocol BGP (MP-BGP)を使い、データ伝送はVXLAN (後述)、MPLS、PBBから選択できる点です。導入が比較的容易なVXLAN、詳細なトラフィック制御ができるMPLS、規模を拡大しやすいPBBといったように、要件に応じて最適な技術を選択できます。

3.11.3 SD-WAN

ここまでに見てきたように、WANの構成方法は多様化・複雑化しています。それを適切に組み合わせて自社ネットワークを構築しなければなりませんし、環境の変化が生じたときに素早く変更できる柔軟性も重要です。

そこで登場したのが**SD-WAN** (Software-Defined Wide Area Network) です。先行したSD-LANのWAN版と捉えて問題ありません。基本的な発想として通信ハードウェアとその制御機構を切り離します。こうすることで、個々の通信機器でなく自社に配置したサーバでWANの一元管理を行えるようになり、管理作業をシンプルにできます。

用語 SD-LAN (Software-Defined Local Area Network)
通信ハードウェアとその制御機構を切り離したLAN。たとえばルータの制御は個々のルータで行われるが、それを中央のサーバに統一する。ネットワーク構成の動的な変更や、全体最適を考えた資源配分が可能になる。

構成を動的に変更することも簡便になりますので、トラフィックの状態にあわせてネットワークの経路や適用するネットワークを変更したり、アプリケーションごとに利用回線を振り分けるような運用も比較的容易に行えます。

ヘビートラフィックを緩和する**ローカルブレイクアウト**などもSD-WANに組み込むことができます。ローカルブレイクアウトは自社ルータとクラウドなどをルータで直接結ぶ接続方法です。したがって、接続先のセキュリティ水準が高いことが条件になりますが、データセンタを経由することで集中するトラフィックを緩和したり、スループットを向上させる効果があります。

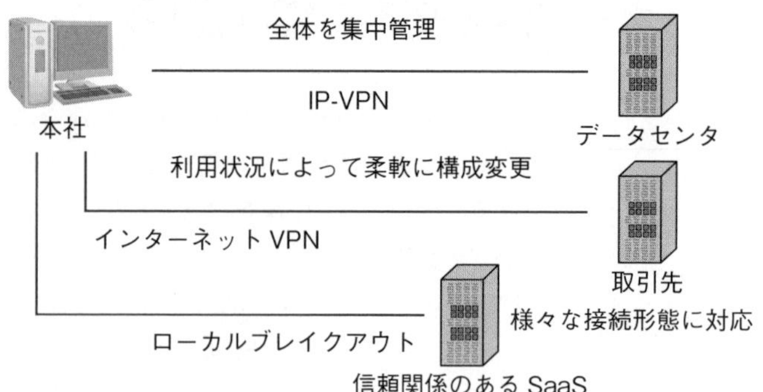

▲図 SD-WANのイメージ

3.11.4 VXLAN (Virtual eXtensible LAN)

本当はレイヤ3のネットワークを使っているのに、まるでレイヤ2のネットワークのように見せかける技術です。たとえば、拠点間をIPで結んでいるWANの場合、拠点内はレイヤ2のイーサネットで、拠点間はレイヤ3のIPでパケットを伝送します。

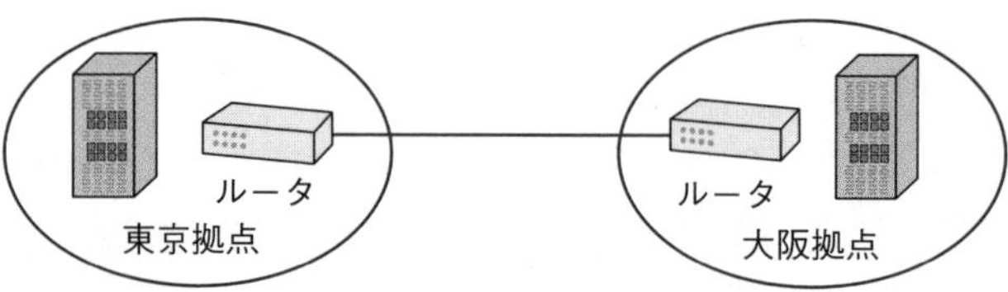

▲図 一般的なWANのイメージ

これに対して、拠点内LANにVXLANスイッチを導入することで、端末から見たときにすべてがレイヤ2で結ばれたLANのように見せかけます。

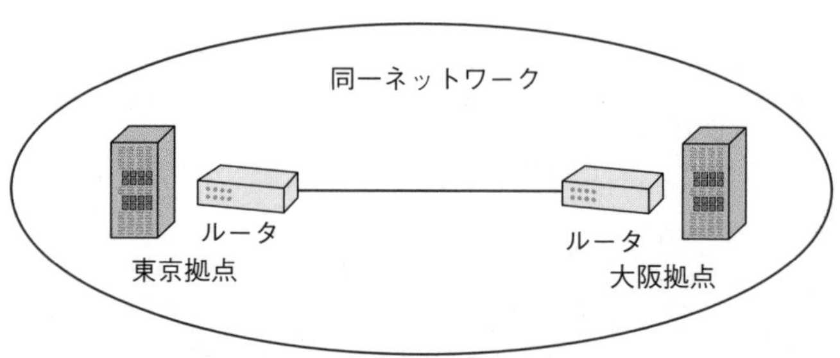

▲図 VXLANのイメージ

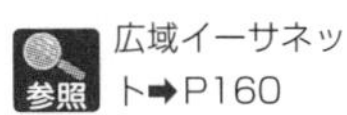
広域イーサネット➡P160

似た技術に**広域イーサネット**があります。東京拠点や大阪拠点の視点で見た場合、スイッチを使って拠点間接続を行い、東京も大阪も同一ネットワーク上にあるように見える点では同じ技術です。

違いは、広域イーサネットでは拠点間を本当にイーサネットで結んでいるのに対して、VXLANの拠点間接続はあくまでIP（レイヤ3）で行われており、イーサネットフレームをカプセリングすることでまるで東京と大阪がイーサネットで結ばれているように見せかけている点に違いがあります（ただし、VXLANのような技術を「広域イーサネット」と呼んでいる通信事業者もあるので、実務で使う場合は用語の定義に注意が必要です）。

イーサネットヘッダ	IPヘッダ	UDPヘッダ	VXLANタグ	元々のイーサネットフレーム

▲**図**　カプセリングのイメージ図

VLANタグ➡P139

カプセリングの方法ですが、VLANと同じようにタグ情報（VXLAN ID）を付加することで制御します。元々のイーサネットフレームをUDP、IP、イーサネットのヘッダでくるむイメージです。

MPLS➡P253

また、類似技術として**MPLS**を思い浮かべる人もいるでしょう。上で記した要件はMPLSでも実現することができます。MPLSはルーティングとフォワーディングなどのネットワーク制御をきめ細かく行える反面、構築にコストがかかります。

3.12 アクセス回線

この節では、自宅や事業所から、幹線ネットワークへ接続するためのアクセス回線について学びましょう。ネットワークスペシャリスト試験で問われる技術として、ISDN、ADSL、CATVなどがあります。

3.12.1 ISDN

ABC 略語 ISDN ➡Integrated Services Digital Network

ISDNとは、統合サービスデジタルネットワークの略称です。通信キャリアは従来、ばらばらの物理ネットワークと品目で通信サービスを提供していましたが、ユーザにとっては分かりにくくコストも高いものでした。

そこで複数のサービスを1つのネットワークで統合して行えるよう、国際標準化されたのがISDNです。

ISDNには、高品質な通信、複数チャネルの使用による同時通信、信号チャネルと情報チャネルの分離、といった特徴があります。また、回線速度によって**N-ISDN**と**B-ISDN**に分けられることもあります。kbpsクラスの通信を行うISDNインフラをN-ISDN、Mbpsクラスの通信を行うISDNインフラをB-ISDNといいます。

参考 ISDNはIP網への移行により、2024年にサービスを終了しました。

他の高速なアクセス回線が登場した結果、ISDNが使われるケースは大幅に減少しました。しかし、「バックアップ用の回線」といった形で、本試験での出題が見られます。

3.12.2 ADSL

ADSL➡Asymmetric Digital Subscriber Line

ADSLは安価で高速なインターネットへのアクセス回線として、一時代を築いた技術です。定額料金、常時接続などの特徴は登場当時は革命的で、日本のインターネット利用者が爆発的に増大するのに大きな役割を果たしました。

参考 日本においてはISDNが0～320KHzの周波数を利用しており、これがADSLと重複しているため干渉が見られるなどの問題点もある。

既存の電話線(メタルケーブル)を利用することを前提にデータ通信の高速化を図るxDSL技術のひとつです。他の技術と比較して、初期費用が安価で済むケースが多くブロードバンドの代名詞となりましたが、あくまで転用技術であるため、欠点もありました。

電話線において使用を想定していない高周波帯域を用いるため減衰が激しく、電話局から離れている利用者は速度が出なかったり、通信が不安定になるなどの現象が起こります。FTTHの普及により、日本では2024年3月にすべての商用サービスが終了しています。

伝送モードが非対称

ADSLの基本的な考え方は、高周波数帯域を利用した高速通信です。そのため、ADSLを利用する際は周波数分割を行うスプリッタを取り付けて通常の電話線と周波数を分割します。したがって、ADSLでは1本の電話線でインターネットへの常時接続を行いつつ、電話やFAXを同時に利用することが可能です。

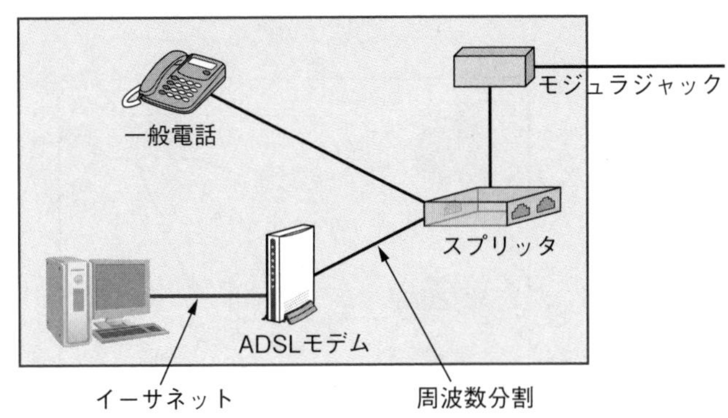

▲図　スプリッタによる周波数分割

G.992
用語 ITU-T勧告。フルレートADSLのG.992.1とハーフレートADSLのG.992.2がある。また、各国の通信環境を考慮したオプション仕様はそれぞれ、Annex A（北米）、Annex B（欧州）、Annex C（日本）となっている。

ADSLの伝送モードは非対称、つまり下りにより多くの帯域を割り当てることで見かけ上の速度を上げています。ADSLの規格はG.992で標準化されていますが、上りに使う周波数は26K～138KHz、下りは138KHz～1.1MHzです。

家庭においてはデータを送信する用途よりも、ホームページなどのデータをダウンロードする用途の方が圧倒的に多いので、上り下りの速度を非対称にすることで、体感速度を上げています。したがって、送受信を均等に行う企業ユースでは期待したほどの速度向上ができない可能性があります。

3.12.3 CATV

CATVは、よく知られたWANへのアクセス経路です。

考案・導入された当初は数M～数十Mbpsという通信速度は十分に魅力的でしたが、日本のCATV事情もあり、あまり普及したとはいえません。現在でも根強いユーザが利用し続けていますが、光ファイバの大幅な低価格化・高速化により、新規加入者は減少しています。

CATV接続の原理

次の図は、CATVをアクセス回線としてインターネットに接続する場合の一般的な構成です。

ケーブルルータ 用語 CATV局側に設置され、インターネットへのルーティングを行うルータ。

ケーブルモデム 用語 CATVモデムのこと。

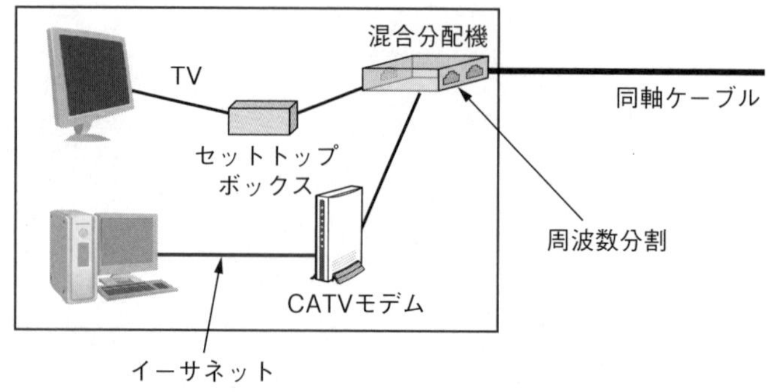

▲図　CATVインターネット

動作原理はADSLと同じで、もともとTV画像の視聴用として設計されている同軸ケーブルの空き周波数部分でデータ伝送を行います。

CATV事業者から引かれている同軸ケーブル部分ではこれらの周波数は同時に収容されていますが、家庭に引き込まれた段階で混合分配機によりTV画像信号とデータ信号に分岐されます。

ADSLと大きく異なるのは、伝送帯域に余裕がある点と、伝送路に同軸ケーブルを利用する点です。

3.12.4 電力線通信

電力線通信（**PLC**：Power Line Communication）は、名前の通り、電力線を使って通信を行う技術です。イーサネットであればRJ-45コネクタとイーサネットケーブルを使って通信を行うところを、電源コンセントと電力線を使って通信を行います。電力線通信中も電力の供給は可能です。

発想としては、これ以上ケーブルを増やしたくない／増やせないニーズに対応するための技術で、登場当初はラストワンマイル問題の解決が期待されていました。

ラストワンマイル問題とは、事業所や自宅の手前までは高速な回線が敷設されているのに、それを構内に引き込む手間やコストの問題で最後の接続区間（ラストワンマイル）が低速になり、全体の通信速度が向上しないことです。その後、IoT機器への適用に期待が集まっています。

3.12.5 移動体通信

移動体通信はどこでも無線通信がしたいという需要に応える形で登場した技術、サービスの総称です。広義にはアマチュア無線なども含みますが、一般的にはキャリア（ドコモ、KDDI、ソフトバンクなど）が提供するサービスを指します。いわゆる「ケータイ」です。

移動体通信の世代

第1世代（1G）の移動体通信は固定電話を無線通信に置き換えた印象が強いサービスでした。それが第2世代（2G）でデジタル伝送に置き換えられ、データ通信の利便性が増しました。

第3世代（3G）になると通信規約が国際標準化し、他国や他キャリアとの相互運用性が向上します。第3世代の末期にはそれまでのケータイ（フィーチャーフォン）に代わってスマートフォンが現れました。これがデータ通信に対する大きな需要を生み、第4世代（4G）への素早い進化を促しました。

スマートフォンは（運用面は別にして）小型のコンピュータそのものですから、フィーチャーフォン視点ではある程度の満足が得られていた3Gの伝送速度では不足でした。そこで、キャリアやメーカは悠長に4Gを待つのではなく、使える技術を市場に逐次投入していきました。そこで、3.5G、3.9G、LTEといった細かい規格や名称が乱立することになりました。混乱を招くので、今ではこれらをまとめて4Gと呼んでいます。

LTE
Long Term Evolutionの略。その名が示すように3Gを長期的に進化させて4Gに移行することを目論んだ通信規格。当初策定された通信速度の基準は下り100Mbps、上り50Mbps。

▼表 移動体通信の世代ごとの特徴

世代	時期	通信速度	多元接続方式	主要な通信規格	特徴
1G	1980年代	数kbps	FDMA	TACS、HiCAP、AMPS、NMT	アナログ伝送方式による黎明期
2G	1990年代	数十kbps	TDMA	PDC、GSM、cdmaOne	デジタル伝送方式の採用
3G	2000年代	数Mbps	CDMA	W-CDMA、CDMA2000	世界標準規格（IMT-2000）の採用。通話からデータ通信需要への移行期
4G	2010年代	数十Mbps～1Gbps	OFDMA、MIMO	LTE、WiMAX、HSPA+	IMT-Advancedに準拠。スマホによる旺盛な需要とそれに応える漸進的進化
5G	2020年代	3～20Gbps	OFDMA、Massive MIMO	5G NR	IMT-2020が定める要件の達成を目指す。IoTや法人事業活動を重視

OFDMA➡P146

MIMO➡P146

5G

第5世代（5G）の特徴は高速大容量と低遅延、多数同時接続です。このうち、高速大容量と低遅延が改善されるのは1G～4Gまでのいつものパターンです。なお、高速大容量と低遅延はいっしょくたにされることもありますが、分けて考えられるようにしておきましょう。たとえば、ワイドボディの旅客機は高速大容量ですが、本数が少なく出発まで時間がかかるかもしれません。こまめに出発している電車の方が出発までの待ち時間は少ないと考えられます。

多数同時接続は5Gの際立った性質です。1平方キロメートルあたり、100万台の収容能力を有しています。これはIoTでの需要を意識したものです。5Gによって、従来は設置が困難だった場所にまでセンサネットワークを張り巡らせることができると考えられています。そのために5Gには低速小容量低電力消費の通信規格も用意されています。

こうした要件を満たすために、5GではマルチユーザMIMO（**MU-MIMO**）、**ビームフォーミング**、**エッジコンピューティング**などの技術が使われています。MU-MIMOでは、基地局側の多数のアンテナ素子が、それぞれ異なる端末と並行して通信を行います。ビームフォーミングは電波が形成するビームをより細く、狭くすることで互いの干渉を少なくする技術です。

MU-MIMO➡P146

●エッジコンピューティング

末端から発生する膨大なデータをすべて中央のクラウドに集約するのではなく、エッジ（ネットワークの縁の部分＝よりデータ発生源の近く）にサーバを置くことで、応答速度の向上や分散処理を行う手法です。

●ローカル5G

通信事業者ではない一般の企業や自治体が、限定された場所で独自に運営するプライベートな5Gシステムのこと。工場での機器の制御用途など、5Gの低遅延・多数同時接続の利点を生かせると期待されています。

Wi-Fiと比べて長距離の通信を行うことができ、端末が高速で移動しても追従可能です。通信自体も安定しますが、免許を取得する必要があるため、Wi-Fiほど手軽に設置できるわけではありません。

3.13 光ファイバによる通信

3.13.1 SDH/SONET

参考 SDH/SONETは、光ファイババックボーン回線に利用される。

SDH/SONETは、光ファイバを用いて高速伝送を行う場合のビットレートやフレーム構成を定めた物理層の国際標準規格です。こうしたフレーム構成などの体系を**デジタルハイアラーキ**といいます。

参考 SDH/SONETでは、データリンク層プロトコルにはATMを利用することが多い。

SDH/SONETは物理層規格ですから、ATMとは排他的な関係ではありません。SDH/SONETの上位にATMをアサインして、ネットワークを構成します。

SDHとSONETは基本的に同じ規格を表しますが、ヨーロッパではSDH、アメリカではSONETと呼ばれるのが一般的です。

SDH/SONETの大きな特徴はまず基本ビットレートを定め、その他のすべてのビットレートを基本ビットレートの倍数に定めたことです。

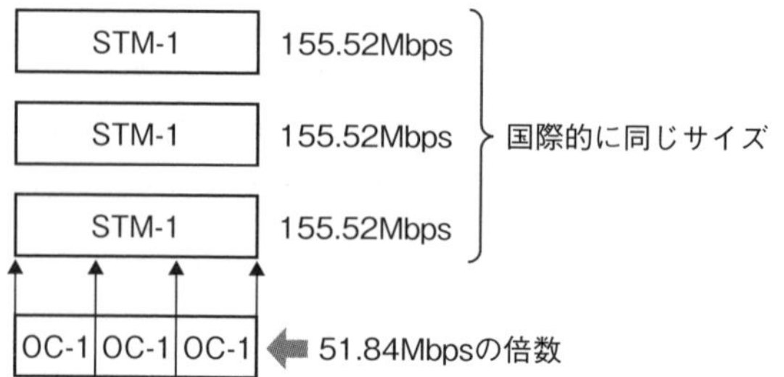

▲図　基本ビットレート

SDH/SONETでは基本ビットレートとして、**OC-1**（51.84Mbps）や**STM-1**（155.52Mbps）が利用されます。STM-1はOC-1がちょうど3つ入る大きさで、それ以上のキャパシティを持つ伝送路を構築する場合も、これらの倍数になるように設計します。

そうすることによって、小さいデータを送信する場合は小さいビットレートを、大きいデータを送信する場合は大きいビットレートを選択して効率的にデータを伝送することができます。小さいビットレートが連続して送信された場合は、大きなビットレートにぴったり納めて送信することもできます。

また、こうしたビットレートが国際規格化されたことで、ネットワークの結節点でビットレートの違いによるデータサイズの変換といった手順が不要になり、データ中継時のスループットの向上も実現しました。

3.13.2 FTTH

家庭向け光ファイバ通信

ABC 略語 FTTH ➡Fiber To The Home

参考 FTTHは、電磁漏えいが起こらず、セキュリティに優れている。しかし、光ファイバケーブルはデリケートで破損しやすいデメリットをもつ。

FTTHは、家庭に光ファイバを引き込んで行うインターネットアクセスサービスで、高い通信品質と伝送速度を提供します。

家庭へのアクセス回線として最も多く利用されているのは、メタルケーブルです。電話、音響カプラ、モデム、ISDN、xDSLと接続されるサービスの変遷はありましたが、家庭への引き込み回線は数十年前から変化していません。

このように、一度構築してしまったインフラはなかなか変更できないため、設計時に細心の注意が必要です。

ただし、近年は低コストで扱いやすいプラスチック光ファイバケーブルの普及で、構内光ファイバも増加しています。

なお、企業やマンションへの引き込みについてはHomeと呼ぶのは違和感があるため、FTTB (Building) などの語が用いられましたが、その後はFTTP (Premises) で落ち着いています。

光ファイバの通信速度

現在のところ、FTTHの商用サービスとしては10Gbps程度までが提供されています。

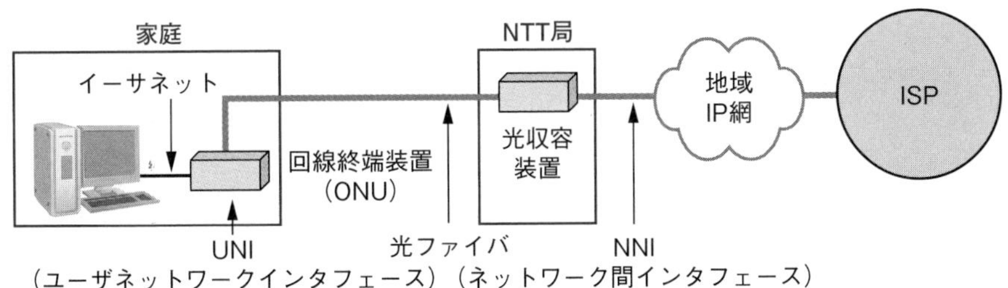

▲図　FTTHの構成

FTTHは、xDSLなどと同様に複数の通信事業者がサービスを提供します。それぞれの事業者において細かい実装の違いはありますが、IPを利用することで相互接続性が確保されます。

PON

PON (Passive Optical Network) とは回線を多重化する技術で、基幹回線から加入者宅への引き込みなどの用途に使われます。個々の加入者宅へ光ファイバ回線を分配するには、何らかの電気的な装置を用いて信号を再構成するなどの方法が用いられますが、PONでは波長の異なる複数の光を同時に送信し、それを光スプリッタと呼ばれる装置で分岐します。この光スプリッタはいわゆる受動装置で、電気的な処理を行いません。そのため保守性が高い利点があります。

家の中まで光ファイバ回線を利用するため高速な通信を提供できますが、それは同時に既存の電話回線等を流用できないことも意味します。したがって、場合によっては敷設コストが高くなります。

PONは、波長の異なる複数の信号を同時に送信することで、多ユーザの同時利用を実現する**WDM** (Wavelength Division Multiplexing：波長分割多重) と呼ばれる方式に分類されます。

章末問題

問題1

長距離の光通信で用いられるマルチモードとシングルモードの光ファイバの伝送特性に関する記述のうち、適切なものはどれか。

ア　シングルモードの方が伝送速度は速く、伝送距離も長い。
イ　シングルモードの方が伝送速度は速いが、伝送距離は短い。
ウ　マルチモードの方が伝送速度は速く、伝送距離も長い。
エ　マルチモードの方が伝送速度は速いが、伝送距離は短い。

問題2

コンピュータとスイッチングハブ（レイヤ2スイッチ）の間、又は2台のスイッチングハブの間を接続する複数の物理回線を論理的に1本の回線に束ねる技術はどれか。

ア　スパニングツリー　　イ　ブリッジ
ウ　マルチホーミング　　エ　リンクアグリゲーション

問題3

レイヤ3スイッチで、IPパケットの中継処理を高速化するために広く用いられている技術・方法はどれか。

ア　TCPのポート番号を用いて、トランスポート層以上の上位層での中継を行っている。
イ　転送処理をハードウェア化している。
ウ　認識するアドレスとして、IPアドレスではなくMACアドレスだけを使うことによって、処理を単純化している。
エ　パケット長を固定長にしている。

問題4

IPネットワークにおいてIEEE 802.1Qで使用されるVLANタグは図のイーサネットフレームのどの位置に挿入されるか。

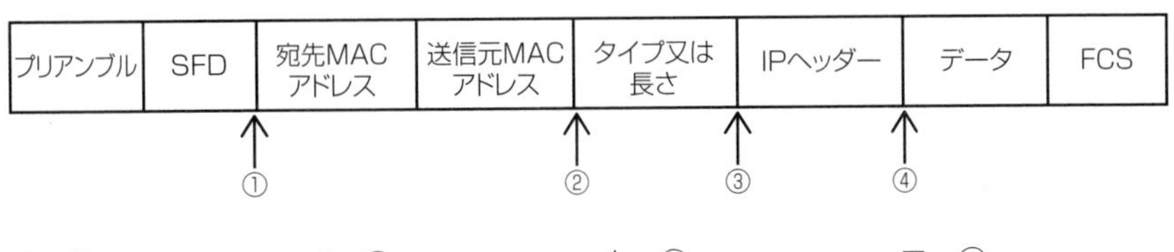

ア　①　　イ　②　　ウ　③　　エ　④

問題5

5個のノードA～Eから構成される図のネットワークにおいて，Aをルートノードとするスパニングツリーを構築した。このとき，スパニングツリー上で隣接するノードはどれか。ここで，図中の数値は対応する区間のコストを表すものとする。

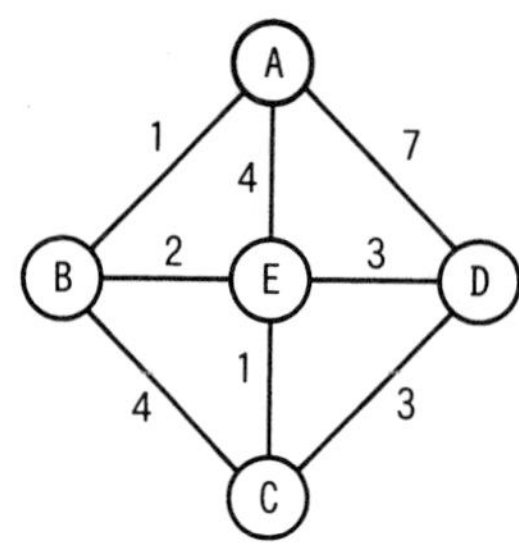

ア　AとE　　イ　BとC　　ウ　CとD　　エ　DとE

問題6

VLAN機能をもった1台のレイヤ3スイッチに40台のPCを接続している。スイッチのポートをグループ化して複数のセグメントに分けたとき、スイッチのポートをセグメントに分けない場合に比べて得られるセキュリティ上の効果の一つはどれか。

ア　スイッチが、PCから送出されるICMPパケットを同一セグメント内も含め、全て遮断するので、PC間のマルウェア感染のリスクを低減できる。
イ　スイッチが、PCからのブロードキャストパケットの到達範囲を制限するので、アドレス情報の不要な流出のリスクを低減できる。
ウ　スイッチが、PCのMACアドレスから接続可否を判別するので、PCの不正接続のリスクを低減できる。
エ　スイッチが、物理ポートごとに、決まったIPアドレスをもつPCの接続だけを許可するので、PCの不正接続のリスクを低減できる。

問題7

無線LANで用いられるSSIDの説明として、適切なものはどれか。

ア　48ビットのネットワーク識別子であり、アクセスポイントのMACアドレスと一致する。
イ　48ビットのホスト識別子であり、有線LANのMACアドレスと同様の働きをする。
ウ　最大32オクテットのネットワーク識別子であり、接続するアクセスポイントの選択に用いられる。
エ　最大32オクテットのホスト識別子であり、ネットワーク上で一意である。

問題8

IoT向けの小電力の無線機器で使用される無線通信に関する記述として、適切なものはどれか。

ア　BLE (Bluetooth Low Energy) は従来のBluetoothとの互換性を維持しながら、低消費電力での動作を可能にするために5GHz帯を使用する拡張がなされている。
イ　IEEE 802.11acではIoT向けに920MHz帯が割り当てられている。
ウ　Wi-SUNではマルチホップを使用して500mを超える通信が可能である。
エ　ZigBeeでは一つの親ノードに対して最大7個の子ノードをスター型に配置したネットワークを使用する。

問題9

5G移動無線サービスの技術や機器を利用したローカル5Gが推進されている。ローカル5Gの特徴のうち、適切なものはどれか。

ア　携帯電話事業者による5G移動無線サービスの電波が届かない場所に小型の無線設備を置き、有線回線で5G移動無線サービスの基地局と接続することによって、5G移動無線サービスエリアを拡大する。
イ　携帯電話事業者による5G移動無線サービスの一つであり、ビームアンテナの指向性を利用して、特定のエリアに対してサービスを提供する。
ウ　最新の無線技術による、5GHz帯を用いた新しい高速無線LANである。
エ　土地や建物の所有者は、電気通信事業者ではない場合でも、免許を取得すればローカル5Gシステムを構築することが可能である。

解説

問題1

シングルモードのほうが伝送速度も伝送距離も優れています。なのになぜ**マルチモード**があるかといえば、マルチモードのほうが安いからです。シングルモードは石英ガラスで作るため、折り曲げに弱いところも弱点です。

問題2

LAN上で使われる、複数の物理回線を論理的に1本の回線に束ねる技術は**リンクアグリゲーション**で、IEEE 802.3adに規定されています。これによって、伝送速度の向上と耐障害性の向上を実現することができます。物理回線の一部に不具合が生じても、残った物理回線によって、論理的な回線は維持されます。

問題3

ルータは、パケットのIPヘッダを参照して中継を行いますが、ソフトウェアで処理をしているため比較的時間がかかります。そこで、専用のハードウェアを用いて中継処理を高速化したものが**レイヤ3スイッチ**です。一般的なスイッチングハブはデータリンク層で動作するため、**レイヤ2スイッチ**と呼んで区別しています。

ア　レイヤ3スイッチは、トランスポート層以上の情報を考慮しません。
イ　正しい。
ウ　ネットワーク層で動作するため、IPアドレスを判断根拠として使います。
エ　ATMについての説明です。

問題4

IEEE 802.1QはVLANをサポートするための拡張規格です。既存のイーサネットフレームにVLANの情報を付加しますが、その位置は送信元MACアドレスの後ろです。この場所にしておくことで、IEEE 802.1Qに対応していないブリッジも従来と同様にMACアドレスを読み取り、フレームを伝送することができます。

問題5

まず、各ノードから最も安価にルートノード(A)と接続できるルートを確認して、各ノードのルートポートが決まります。

- B：A～B（コスト1）
- C：A～B～E～C（コスト4）
- D：A～B～E～D（コスト6）
- E：A～B～E（コスト3）

次に、ノード間のリンクのうち、ルートノードまでが最も安価なポートが指定ポートに決まります。残ったポートがブロッキングポート（非指定ポート）です。

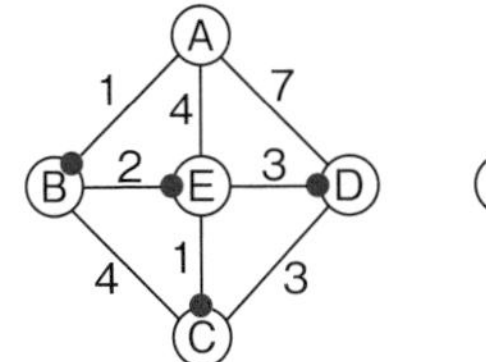

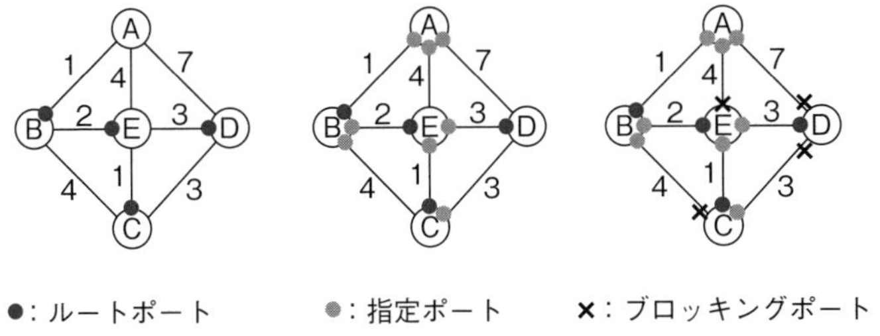

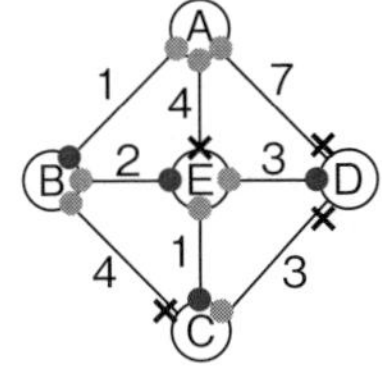

●：ルートポート　　●：指定ポート　　×：ブロッキングポート

これで隣接しているノードはA－B、B－E、C－E、D－Eであることがわかります。このうち、選択肢にあるのはD－Eのみです。

問題6

VLANを実現する方法はいくつかありますが、本問で問われているのは**ポートVLAN**に関する内容です。

ア　ICMPパケットはレイヤ3（ネットワーク層）での送達確認を行うプロトコルです。このため、すべてのセグメントに流れます。

イ　正答です。

ウ　MACアドレスベースVLANについて説明しています。MACアドレスを根拠にセグメントを分ける技術です。

エ　サブネットベースVLANについて説明しています。IPアドレスを根拠にセグメントを分ける技術です。

問題7

SSID（Service Set-ID）とは、無線LANにおけるグループ識別子です。複数のアクセスポイントが使える状況で、混信を防止することができます。SSIDは最大32文字の英数字で構成され、これが一致しないとそのアクセスポイントには接続できません。

問題8

Wi-SUNはいわゆる**LPWA**（低電力で広域をカバーする無線技術）の一つです。SUNはSmart Utility Networkの略で、スマートメーターなどのIoT機器との通信を想定しています。**BLE**はBluetoothを低電力化した技術ですが、2.4GHz帯しか使いません。**IEEE 802.11ac**はIoT向けではありませんし、周波数帯も5GHz帯のみです。**ZigBee**は低電力が共通点ですが、65535ノードを接続できます。

問題9

電気通信事業者でない一般企業も、免許を申請すればプライベートな5Gネットワークを構築できます。Wi-Fiよりもずっと長距離の通信を安定して行うことができ、移動中の機器への対応も強固ですが、機器も高く免許も必要なため、Wi-Fiほどのカジュアルさはありません。

解答

問題1　ア	問題2　エ	問題3　イ	問題4　イ	問題5　エ	問題6　イ
問題7　ウ	問題8　ウ	問題9　エ			

第4章
インターネットの技術

第４章は、ネットワークスペシャリスト試験の１つの山場となる出題範囲です。現代のネットワークがインターネットなしでは語れないように、試験出題者にとってもインターネットは外せないポイントです。ここからは繰り返し設問が作成されるため、どれだけ勉強時間を割いても損をすることはありません。章自体の分量も多く、読み切るには苦痛が伴いますが、黄金の得点源だということを念頭に置いて取り組んで下さい。

たくさんの項目を覚える関係上、それぞれの関係性が希薄になってしまいがちですが、これはもったいない勉強の仕方です。「ある技術を実現するために○○という問題がある」→「それを解消するために○○技術が作られた」など、知識の紐付け（体系化）を行いましょう。これにより記憶が定着しますし、実務力の向上にも役立ちます。

4.1 インターネット技術の基本

4.1.1 インターネットの定義

インターネットワーキングとインターネット

一般名詞としてのインターネット（inter-net）は、ネットワークとネットワークを結んで相互に通信する形態を指します。どのような小さなネットワークでも、ネットワークをまたがって通信を行っているものはインターネットワーキングを行っていると表現します。

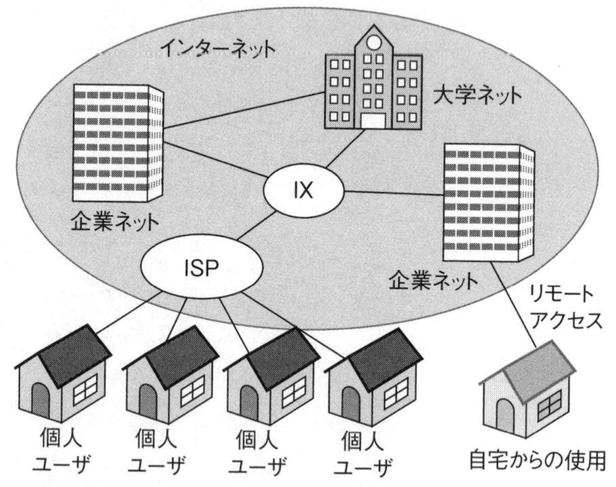

▲図　インターネットの構造

企業や大学のネット同士は直接結ばれていることもありますし、IXと呼ばれる相互接続点によって結ばれる場合もあります。管理体制も設計思想も異なるネットワーク同士が結ばれて、結果として巨大なネットワークとして振る舞っているのが**インターネット**（the Internet）です。見かけ上は1つのネットワークですが、小さなネットワークの寄り合い所帯であることに留意します。これらのネットワークに共通する点は、IPを通信プロトコルとして使用しているという1点だけで、インターネットというブランドがサービスの品質や接続性を保証してくれるわけではありません。

用語 **IX**
Internet eXchangeの略で、インターネットにおける接続点。ISPや企業、大学などを相互に接続する。

参考 大文字で始まるいわゆるインターネット（Internet）。世界中にまたがった通信インフラの総体を指す。

4.1.2 インターネットの成り立ち

インターネットにおけるIPの位置づけ

インターネットの歴史はそのままIPの歴史です。IPとはインターネットプロトコル(Internet Protocol)のことで、インターネットという通信システムの通信規約を定めています。例えば、インターネットを使う上で必須のIPアドレスに関する事柄などは、IPで規定されています。IPは、DARPA(米国国防総省高等研究計画局)によって、可用性が高く効率的な軍事ネットワークプロトコルとして開発されました。

ABC 略語 DARPA➡ Defense Advanced Research Projects Agency

従来利用されてきた電話交換回線や専用線では、交換局が破壊されてしまうと通信が不能になるため、DARPAは蓄積交換型のパケット通信プロトコルを考案しました。パケット通信であれば、1つの経路が敵の攻撃によって破壊されても迂回経路を取ることができます。また、1つの回線を複数のユーザによって共有することで回線使用効率の向上も可能です。

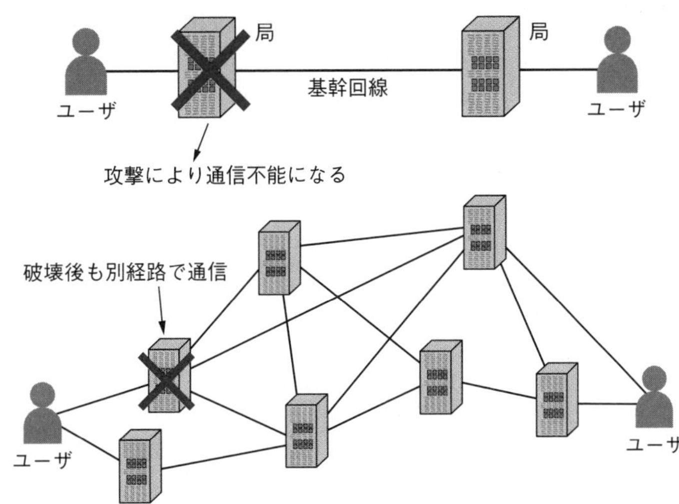

▲図 IPの迂回経路機能

開発の歴史

DARPAは改称前はARPA (Advanced Research Projects Agency) と呼ばれていた。

IPが規定、実装され、最初にネットワーク(ARPANET)として立ち上げられたのは、研究機関や大学など4拠点であったといわれています。プロトコルの体系化終了は1982年で、ちょうど黎明期にあったUNIXの標準通信プロトコルとして採用され普及が促進しました。

このときは、プロトコルの多機能化が進んでいました。これを1つの規格とすると柔軟性がなくなるため、DoDは1規格＝1機能を原則化することで、その後の新技術への対応性を確保しました。このため、例えばTCP/IPという場合、TCPとIPを中心としたSMTPやHTTPなどのプロトコル群まで含めて考えていることがほとんどです。このように単一機能を持った多くのプロトコルの集合を**プロトコルスイート**といいます。

用語 **DoD** Department of Defense。米国国防総省。

4.1.3　アクセス経路の発展

ISP➡Internet Services Provider

一般利用者がインターネットに接続するには、**ISP**(インターネット接続事業者)を利用します。ISPはIXなどを通じて他のISPや企業と接続しています。一般利用者のクライアントマシンはISPを経由することで、インターネット上の情報資源にアクセスすることができます。インターネットはいろいろな事業者や個人が公開している情報資源に誰でもアクセスできるオープンなネットワークです。

ISPは広い帯域幅を持つ基幹回線を持っていて、各家庭、各事業者はアクセス回線を使って基幹回線に接続することで、通信サービスを利用します。アクセス回線には次のような種類があります。

アナログ回線

回線速度の遅さから、主要なアクセス経路としてアナログ回線が使われるケースは大幅に減少しています。しかし、ほとんどすべての家庭や事業所で使えるユニバーサルサービス性から、今後も少しずつ使われていくでしょう。

ISDN

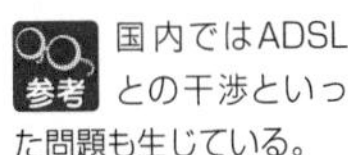
国内ではADSLとの干渉といった問題も生じている。

アナログ回線をリプレースする技術として登場しました。当時としては比較的高速で、ベーシックなサービスでも2系統の回線を持つことから、電話利用時でも並行してインターネット接続が行えるなどのメリットがありました。

CATV

長所

CATVネットワークも基幹回線は光ファイバを用いている。

CATVは加入済みの家庭の場合、回線を新規に敷設する必要がなく、伝送に使われる同軸ケーブルは高い潜在通信能力を持っています。伝送速度は下りで数十Mbpsから百数十Mbpsが標準的で、課金体系も常時接続で固定料金であることがほとんどです。

短所

CATVサービスを受けている家庭は、追加料金とCATVモデムを購入するだけで高速なインターネット接続を手に入れることができますが、そもそもCATVに加入している家庭は、日本ではあまり多いとはいえません。

ADSL

長所

参考 マンション内での分配など、極めて短距離の通信に特化したVDSLなどの規格も存在する。

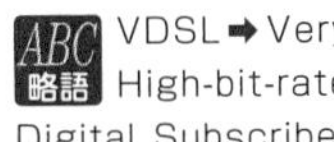
VDSL ➡ Very High-bit-rate Digital Subscriber Line

ADSLは、電話で利用しない高周波数帯域をデータ通信に利用する技術です。伝送媒体としては通常のアナログ回線を利用しますが、スプリッタと呼ばれる分岐装置で周波数分離をすることによって、電話とデータ通信を同時に行うことができます。

短所

ADSLはもともと回線が想定していない周波数で伝送を行うため、局舎からあまり離れた場所では減衰が生じて利用できません。またノイズにも弱く、周辺環境(冷蔵庫など)によっては著しく通信速度が落ちることがあります。

FTTH

長所

FTTH➡Fiber To The Home

FTTHは、ブロードバンドネットワークにおけるラストワンマイル技術の本命です。家庭向けでも10Gbpsのサービスなどが登場しています。伝送距離、伝送速度とも他の技術より高水準で、電磁波漏れによるセキュリティリスクや伝送エラーも低く抑えることができます。

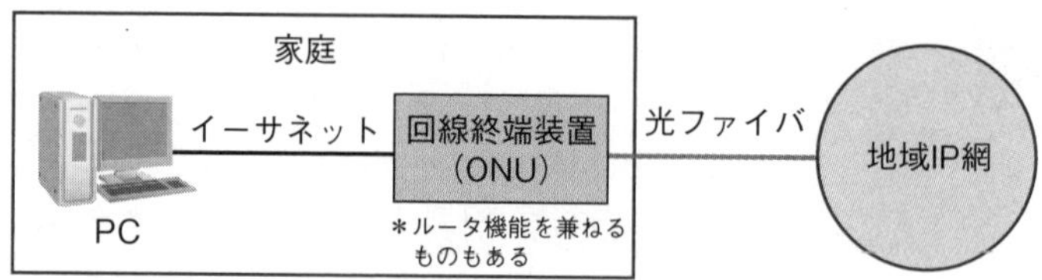

▲図　FTTH接続形態

短所

現状で最も高速かつ安定した有線アクセス経路と言えます。当初懸念された初期工事費、ランニングコストなども低廉化し、コストパフォーマンスにも優れています。100Mbpsクラスでスタートした名目速度は、家庭用でも10Gbpsなどのサービスが現れています。新規にアクセス回線を導入するなら、第一選択であることは間違いないでしょう。

しかし、過疎地域を中心にサービスが提供されていないエリアが残っていること、都心部であっても古い設計の建屋で導入できないなどのケースがあり、その場合は他のアクセス回線を検討することになります。

4.1.4 インターネットの利用形態

イントラネット

参考　イントラネットは、低コストで、クライアントOSにおける通信プロトコルの整合が可能だが、機密性に劣る。

IPをはじめとするTCP/IPプロトコル群を用いて構成された企業内ネットワークのことを**イントラネット**と呼びます。企業内でどんなプロトコルを使おうと本来は自由ですが、

- インターネットの爆発的な普及によりIP対応機器が非常に安価になっていること
- 業務でインターネットを使う局面が増大し、インターネットとの親和性を保つためには企業内も同じプロトコル体系を用いた方が効率がよいこと

などメリットがあり、イントラネット化が進みました。

ただし、極めて普及しているプロトコルであるためクラッカーの知識蓄積も多く、ときには攻撃対象となることが考えられます。セキュリティを高めるために敢えて独自プロトコルを運用する企業もあります。

参考 クラッカーに攻撃されにくくするために、端末や通信プロトコルをあえて標準化されていない独自技術にすることもあるほど。近年は、安全と思われていた専用端末にAndroidなどの標準技術が採用されることが多くなり、クラッカーの新たな攻撃対象になっている。

インターネットVPN

イントラネットの有用性が認知されると、金融関連業務など、秘匿性を要するデータについてもインターネットで送受信する需要が出てきました。通常業務と機密業務で利用するネットワークやシステムが異なると業務のシームレス化が行いにくいことなどが原因です。

インターネットVPNは、伝送路としてインターネットを利用しますが、暗号化と認証を行うことにより、正規のユーザしか通信内容を閲覧することができません。低コストを維持しつつ、通信の安全性を上げたことでインターネットVPNは急速に普及しています。

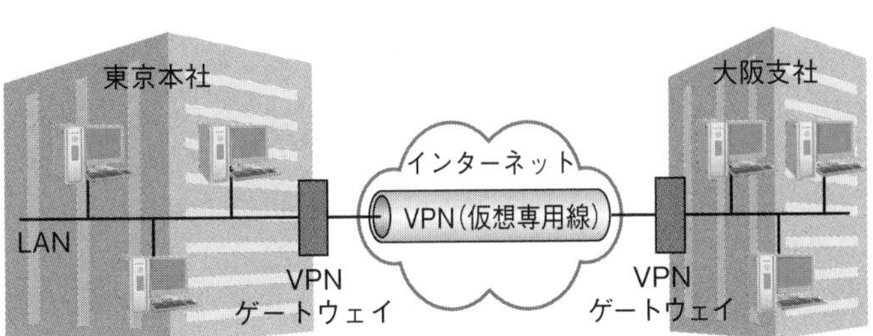

▲図　インターネットVPNの構成

4.2 IPの基礎知識

4.2.1 IP

TCP/IPプロトコルスイートにおけるIPの位置づけ

参考 IPは、DARPAの研究から生まれたプロトコルだが、1981年にRFC 791として公開され、標準的なプロトコルとして発展した。

IPは、ネットワーク層におけるプロトコルで、インターネットワーキングを実現するためのプロトコルとして設計されました。現状でIPはバージョン4（IPv4）とバージョン6（IPv6）が混在していますが、**TCP/IPプロトコルスイート**の中核プロトコルとなっています。

IPは、インターネットワーキングに特化することによって機能を絞り込み、軽量な実装を実現しています。そのため、IPが単独で利用されることは少なく、**TCP**をはじめとする付帯プロトコルを組み合わせてアプリケーション機能を形成します。これらのIPと整合性の高い、あるいはIPを下位プロトコルとして使用することを前提としたプロトコル群を指してTCP/IPプロトコルスイートと呼びます。

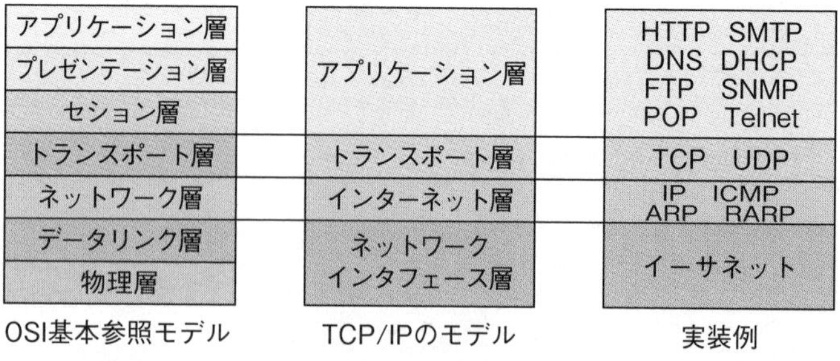

OSI基本参照モデル	TCP/IPのモデル	実装例
アプリケーション層	アプリケーション層	HTTP SMTP DNS DHCP FTP SNMP POP Telnet
プレゼンテーション層		
セション層		
トランスポート層	トランスポート層	TCP UDP
ネットワーク層	インターネット層	IP ICMP ARP RARP
データリンク層	ネットワークインタフェース層	イーサネット
物理層		

▲図　OSI基本参照モデルとの比較

参考 これら2種類のモデルは、どちらが優秀でどちらが劣っているという排他的な関係ではなく、単純に設計思想の違いである。

TCP/IPプロトコルスイートは、独自のネットワーク階層モデルを持ちます。この分野で一般的に利用される階層モデルにOSI基本参照モデルがありますが、OSI基本参照モデルが7階層を形成しているのに対して、TCP/IPネットワークの階層モデルは4階層の構成です。

これは、あまり細分化された階層モデルは実業務においてかえって実装しにくいという設計思想に起因しています。

IPは、ネットワークインタフェース層には依存しないので、この部分は任意の物理層技術、データリンク層技術で構成します。現在最もよく利用されている規格が**イーサネット**で、ここで利用されるMACアドレスをIPアドレスと関連づけるためのARPやRARPプロトコルが用意されています。

IPの基本動作

IPは、ノード間のパケット通信を提供するインターネットワーキングプロトコルです。IPの基本的な特徴は、以下の3点です。

IPの特徴

- ベストエフォート型のコネクションレス型通信である。
- パケット通信技術である。
- 経路制御を行う。

4.2.2 コネクション型通信とコネクションレス型通信

コネクション型通信

参考 コネクション型通信は、伝送路が固定のためセキュリティを確保しやすい。また、通信品質が安定している。

コネクション型通信とは、通信に先立ち伝送路を確保する通信の形態です。コネクション型通信では、通信に先立って伝送路を固定する必要があるため、途中の通信機器に障害などが発生すると通信がダウンしてしまいます。後出のTCPもコネクション型通信です。

▲図 コネクション型通信

コネクションレス型通信

参考 郵便をイメージすると分かりやすい。

コネクションレス型通信は、伝送路を確保しないまま通信を開始するものです。なお、IPや後出のUDPはコネクションレス型通信に該当します。

コネクションレス型通信は、通信開始時には伝送路を固定していないため、例えば通信中にネットワーク機器に障害が生じても動的に伝送経路を変更して通信を継続することができます。これを**経路制御技術**と呼びます。

参考 コネクションレス型通信は、伝送路が固定していないため、ネットワークに障害が生じた場合迂回経路を取ることができる。ただ、セキュリティに対する配慮が必要になる。

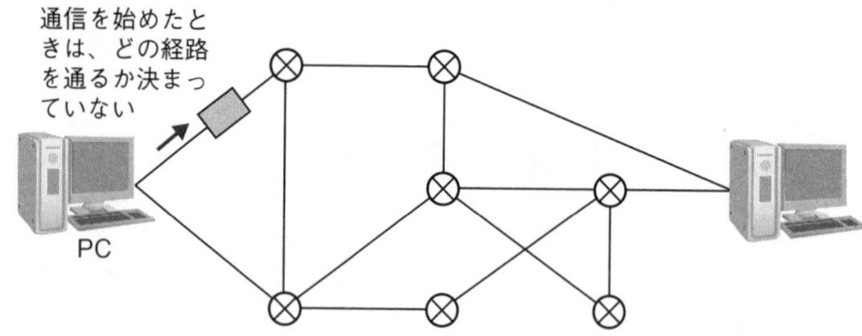
通信を始めたときは、どの経路を通るか決まっていない
PC

▲図　コネクションレス型通信

このような利点がある反面、予想外の経路をたどることにより通信内容が漏れる可能性があることや、通信品質の安定化を図るためには高度な技術が必要になるといった問題点もあります。

4.2.3 ベストエフォート型

到達を保証しない通信

参考 ベストエフォート型は、通信品質が安定しないが、コスト、技術的なハードルが低い。

IP通信の特徴である**ベストエフォート型**とは、通信が成功するよう最大限の努力はするが、最終的な到達を保証しないことを指します。信頼性の点で不安がありますが、コスト面において大きなアドバンテージがあります。

どのような技術でも、100%の信頼性を得るには高いコストが要求されます。しかし、それが70%でよい場合、ハードルは非常に低くなります。このため、IP関連製品は他の通信方式に比べて多くのベンダが参入し、非常に価格が安くバリエーションに富んだ製品が提供されています。

通信品質の向上方法

もちろんIPを利用した通信においても、通信品質を向上させたいというニーズは存在します。その場合は、IPの中で解決するのではなく、別の技術を組み合わせて実現します。IPは、それ自身による機能の提供をできるだけシンプルな形にまとめており、その他の機能が必要な場合は、他のプロトコルを組み合わせることで拡張機能を利用します。

4.2.4 パケット通信

パケットとは

IPは、**パケット**を生成してデータの送受信を行います。パケットとは小包の意味で、送信したいデータが一定の基準値を超えたサイズである場合はデータの分割を行います。これを**フラグメント**といい、フラグメントが行われる基準サイズ(**MTU**)はプロトコルごとに決まっています。

用語 MTU➡Maximum Transmission Unitの略。データリンク層が1フレームで伝送することができる最大データサイズ。

分割されたパケットには、1つひとつに**ヘッダ**と呼ばれる通信情報が付加されます。これは小包に付ける荷札のようなもので、アプリケーションデータとは関係がないため、宛先ノードで破棄されます。

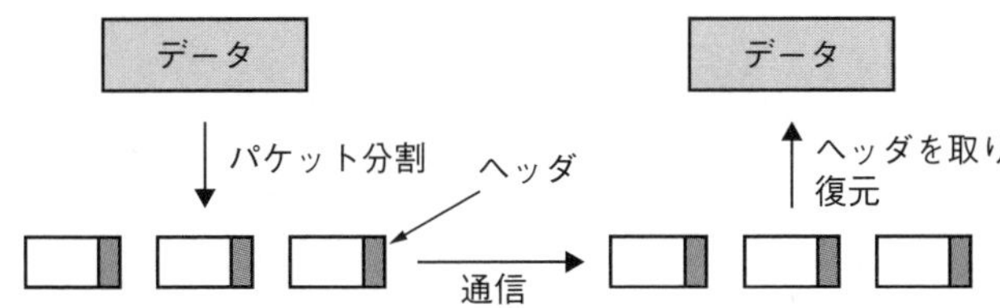

▲図　パケット分割

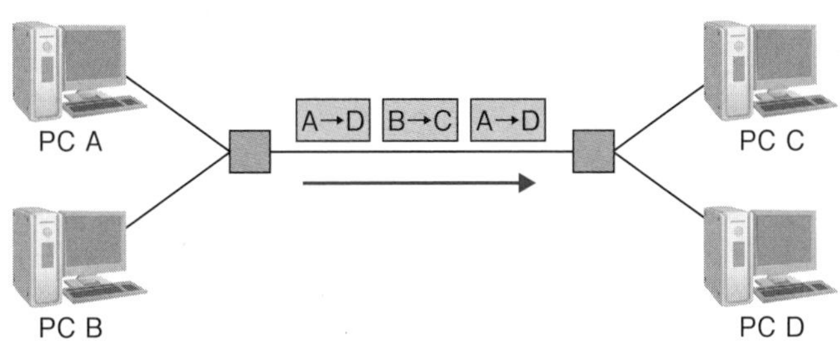

▲図　伝送路の共有

パケット通信のデメリット

参考 あまり細かくパケットに分割すると、データ総量に占めるヘッダの割合が大きくなってしまう。

パケット通信ではヘッダ情報を付加しなければならないため、パケットの割り方によっては非常に伝送効率が悪くなる可能性があります。また、IPでは分割されたパケットはそれぞれ独立して送信されるため、送り出した順番と異なるタイミングで宛先ノードにパケットが届くことがあります。

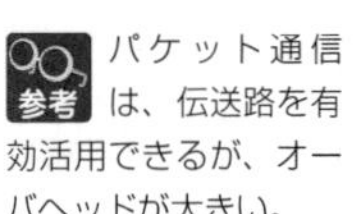
パケット通信は、伝送路を有効活用できるが、オーバヘッドが大きい。

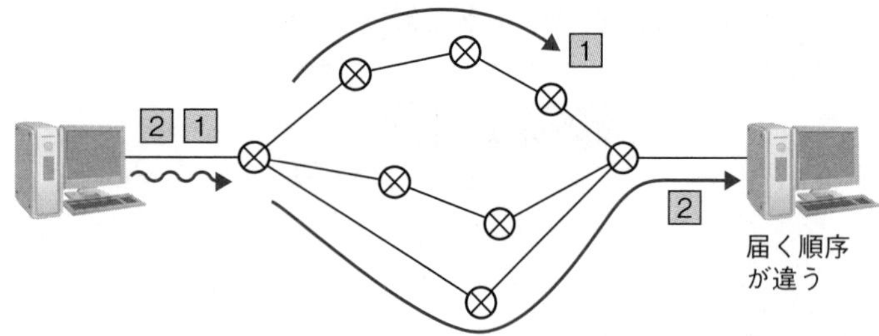

▲図 送達順序の前後

このため、メールのように完全にすべてのパケットが到着してから組み直せばよい通信はともかく、動画や音楽の配信のように送った順番に意味のあるデータに関しては他のプロトコルを併用して順番管理をしなくてはなりません。IPはこの機能を提供しません。

4.2.5 経路制御

インターネットには無数のIXやルータが存在し、その間にメッシュ状にネットワークが設置されています。したがって、宛先ノードに到達するための経路は1つではなく、無数に存在します。

潜在的に無数の選択肢がある経路の中から、最も適切な経路を選ぶ技術が**経路制御（ルーティング）**技術です。インターネットの根幹に関わる技術で、ルータの最も重要な役割です。

参照 ルーティング技術➡P237

適切な経路制御を行うためには、どのネットワークがどのネットワークにつながっているのか、どの回線が速そうかといった現実世界での地図に相当する情報が必要になります。これを**ルーティングテーブル（経路制御表）**と呼びます。

ルーティングテーブルの作成方法には、静的な方法（**スタティックルーティング**：手作業で作る）、動的な方法（**ダイナミックルーティング**：自動的に作る）があります。

無数のネットワークがある現在、ルーティングテーブルの作成と更新は大変な作業です。多くのルータではダイナミックルーティングが行われています。ダイナミックルーティングには、メンテナンスや故障で利用できなくなった経路を自動的に検出して、迂回ルートに切り替える機能もあります。

4.2.6 IPヘッダ

IPは、トランスポート層のプロトコルからデータグラムを受け取るとIPヘッダを付与してパケットを作成し、データリンク層に受け渡します。このIPヘッダの構成は、次のようになります。

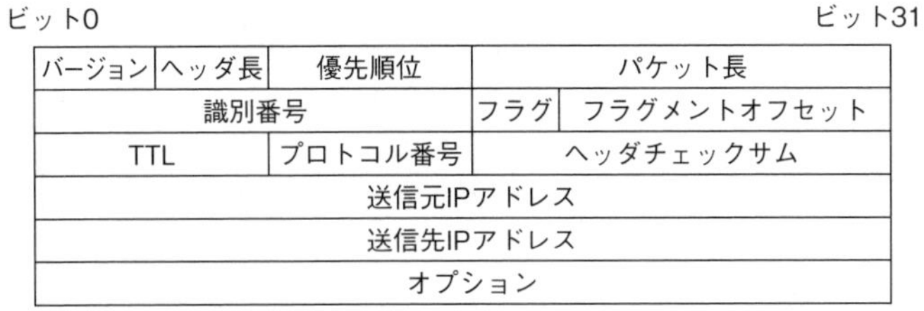

ビット0　ビット31

バージョン	ヘッダ長	優先順位		パケット長
識別番号			フラグ	フラグメントオフセット
TTL		プロトコル番号	ヘッダチェックサム	
送信元IPアドレス				
送信先IPアドレス				
オプション				

▲図　IPヘッダの構成（IPv4）

▼表　IPヘッダの各構成要素

構成名	説明	割り当てビット数
バージョン	IPのバージョン番号	4ビット
ヘッダ長	IPヘッダの長さ（4オクテット単位）	4ビット
優先順位	通信における優先順位（ほとんど使用されていない）	8ビット
パケット長	パケット全体の長さ（オクテット単位）	16ビット
識別番号	フラグメントされたパケットの識別	16ビット
フラグ	分割の可否などの情報	3ビット
フラグメントオフセット	フラグメント分割前の場所情報（8オクテット単位）	13ビット
TTL	パケットの生存時間	8ビット
プロトコル番号	上位層のプロトコルが何か識別	8ビット
ヘッダチェックサム	伝送エラーの検出	16ビット
送信元IPアドレス	送信元ノードのIPアドレス	32ビット
送信先IPアドレス	送信先ノードのIPアドレス	32ビット
オプション	付加情報（32ビットの整数倍の長さにならないときは、0データをパディング）	32ビットの整数倍

4.3 IPアドレス

4.3.1 IPアドレス

IPアドレスは、インターネット上のノードを一意に特定するためのアドレス体系で、重複は許されません。IPv4では、IPアドレスを32ビットで表現します。したがって、IPアドレスで表現できるアドレスのバリエーションは2^{32}となり、約43億台のノードを識別することができます。

参考　正確には、42億9496万7296アドレス。

IPアドレスは、実際には以下のような値を取ります。

IPアドレス

11000000 10101000 00000000 00000001

これは人間には判読しにくいため、表記する場合は8ビットごとに区切って10進化する方法がとられます。

IPアドレス（10進表記）

192 . 168 . 0 . 1

IPアドレスは、インターネット接続されている機器であれば必ず設定されています。Windowsではコマンドプロンプトからipconfigというコマンドを使って確認できます。

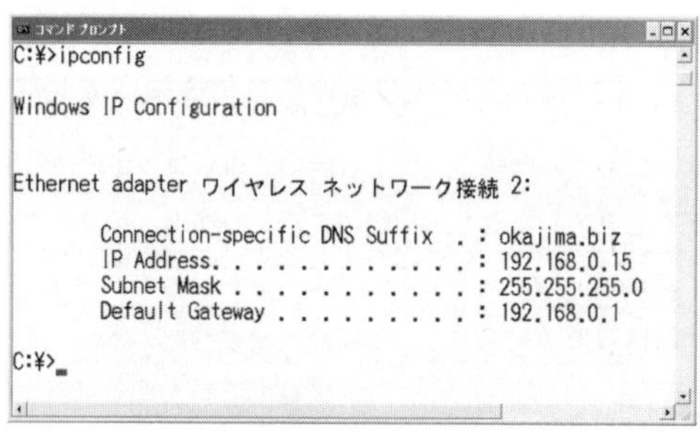

```
C:¥>ipconfig

Windows IP Configuration


Ethernet adapter ワイヤレス ネットワーク接続 2:

        Connection-specific DNS Suffix  . : okajima.biz
        IP Address. . . . . . . . . . . . : 192.168.0.15
        Subnet Mask . . . . . . . . . . . : 255.255.255.0
        Default Gateway . . . . . . . . . : 192.168.0.1

C:¥>_
```

▲図　ipconfig 使用例

ここで**デフォルトゲートウェイ**とは、他のネットワークと通信を行う際に最初に経由するルータのIPアドレスを指します。デフォルトゲートウェイは自ノードと必ず同じネットワークに所属している必要があります。

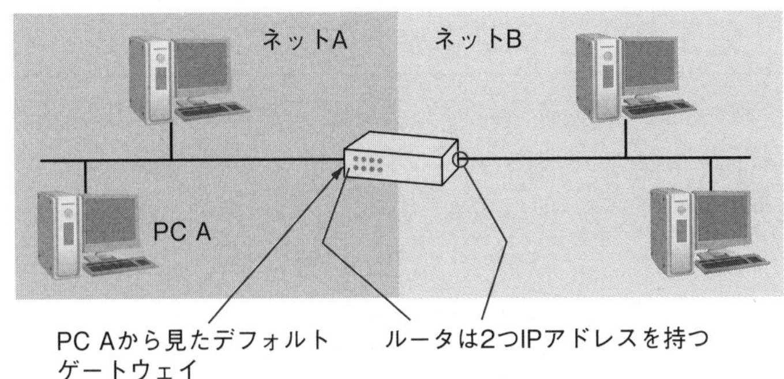

▲図 デフォルトゲートウェイ

ネットワークアドレスとホストアドレス

IPアドレスは、2つの部分に分かれています。表記順で見て左側が**ネットワークアドレス**、右側が**ホストアドレス**です。アドレスの分かれ目を指定する情報が、次項で解説するサブネットマスクになります。

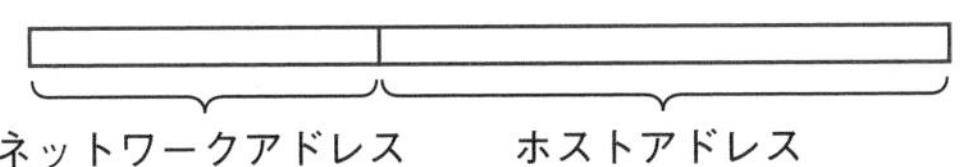

▲図 ネットワークアドレスとホストアドレス

●ネットワークアドレス

重要 ネットワークアドレスとホストアドレスの組合せにより、全体としてIPアドレスの一意性が保証される。

ネットワークアドレスは、ネットワークそのものに付与される番号です。他のネットワークとの重複は許されません。また、同じネットワークに所属しているノードのネットワークアドレスは同一である必要があります。

ルータは、IPアドレスのネットワークアドレスを見て、そのIPパケットを転送する必要があるかどうかを判断します。同じネットワークアドレス同士の通信であれば、他のネットワークには転送する必要がありません。このようにネットワークを分割することによって、トラフィックの管理を実現しています。

●ホストアドレス

ホストアドレスは、同じネットワークに参加しているノードを一意に判別するための番号です。ネットワーク内でホストアドレスが重複してはいけません。

4.3.2 サブネットマスク

前出のipconfig画面の3番目にある項目がサブネットマスクである。

IPアドレスのどの部分までがネットワークアドレスで、どこからがホストアドレスであると見分ける情報が、**サブネットマスク**です。

サブネットマスクはIPアドレスと同様32ビットで表され、1の部分がネットワークアドレスを、0の部分がホストアドレスであることを意味します。

サブネットマスク

11111111 11111111 00000000 00000000

例えば上記の例では、ペアになっているIPアドレスの上位16ビットがネットワークアドレスを、下位16ビットがホストアドレスを表していることが分かります。

サブネットマスクも表記時には10進化を行います。

サブネットマスク（10進表記）

255 . 255 . 0 . 0

この例では、8ビットごとのブロックの分かれ目でアドレスが分割されていますが、現在ではブロックの途中であっても分割してよいことになっています。これを**クラスレスサブネットマスク**といいます。

クラスレスサブネットマスクを利用する場合は、10進表記した際に255と0以外の値を取ることになる。

また、サブネットマスクにはIPアドレスの後ろにネットワークアドレスの長さを付与する表記方法もあります。

ネットワークアドレスの長さを付与した表記

192 . 168 . 0 . 1 / 16

CIDR➡P203

クラスレスサブネットマスクを押し進めたのが**可変長サブネットマスク**（**VLSM**：Variable-Length Subnet Mask）で、同じネットワークの中に異なる長さのサブネットマスクを混在できます。

これを利用して、重複しないアドレス範囲や複数のサブネットを経路集約するためのアドレスを求めさせる出題がある。いずれも、クラスレスなネットワークがどこからどこまでのIPアドレスを含んでいるかが理解できれば解答を導けるようになっている。

次のネットワークは、どこからどこまでのIPアドレスを含んでいるか？

192 . 168 . 0 . 64　　255 . 255 . 255 . 192

クラスCであれば256個のIPアドレスを含むはずだが、クラスレスなので、ここから192を減じる⇒256－192＝64

このことから、上記のネットワークは64個のIPアドレスを含んでいるため、IPアドレスの範囲は

192 . 168 . 0 . 64 ～ 192 . 168 . 0 . 127

4.3.3 IPマルチキャスト

予約されているアドレス

- 224.0.0.1➡サブネット内の全ノード
- 224.0.0.2➡サブネット内の全ルータ
- 224.0.0.5➡OSPFルータ
- 224.0.0.9➡RIP-2ルータ
- 224.0.0.12➡DHCPサーバとリレーエージェント
- 224.0.1.1➡NTP

マルチキャスト通信とは、あるグループに所属しているすべてのノードを宛先に指定する通信です。ブロードキャスト通信はブロードキャストドメインにあるすべてのノードを対象とするため、通信に本来関係のないノードもパケットを処理しシステム資源を浪費します。いっぽう、ユニキャストを繰り返すのも非効率です。そこで、**IGMP**プロトコルを使い、所属グループを特定して1対nの通信を行うのが**IPマルチキャスト**です。グループの所属は管理者が任意に設定しますが、予約されているアドレスがあるので注意が必要です。

IGMP

Internet Group Management Protocolの略で、IPマルチキャストの制御を行うためのプロトコルです。ホストがIPマルチキャストのグループに参加、離脱したり、ルータ同士がグループの情報を交換する際に用いられます。上位プロトコルとしては、UDPが使われます。

送信側がマルチキャストアドレスに対してパケットを送ると、それを受け取ったL3機器はグループに参加しているノードに対して通信を中継します。

経路上にあるL2機器ではブロードキャストを行いますが、**IGMPスヌーピング**に対応している機器の場合は該当ノードのみにフレームを転送します。

徐々に機能が追加されており、**IGMPv2**ではルータを選択する

機能、グループから離脱するメッセージのサポートがなされています。

続くIGMPv3では送信元アドレスに制限をかけることが可能です。指定アドレスからしか受信しないINCLUDEモードと、指定アドレスを除外するEXCLUDEモードがあります。

4.3.4 IPエニーキャスト

1つのIPアドレスに複数のノードが紐付くという意味でマルチキャストとエニーキャストは似ています。しかし、マルチキャストではそのグループに参加しているすべてのノードにパケットを着信させる（みんなで動画を見るなど）のに対して、エニーキャストではグループに参加しているノードのどれか1つにパケットを着信させます。

その仕様上、通信中に通信相手が切り替わる可能性があるため、ステートレスな通信の負荷分散に向いています。たとえばDNSなどの利用に際して、冗長性をもたせつつ負荷分散したいニーズに応えることができます。一方で、Webへの適用には工夫が必要です。

POINT IP通信の種類

・IPマルチキャスト
IGMPプロトコルを使い、所属グループを特定して1対nの通信を行います。

・IPブロードキャスト
IPによるブロードキャストをIPブロードキャストと呼び、データリンク層などのブロードキャストと区別します。

・IPローカルブロードキャスト
ルータを越えないブロードキャストです。一般的にブロードキャスト通信はルータを越えませんが、宛先ネットワークに対するダイレクトブロードキャストと区別するために用います。

・IPエニーキャスト
所属グループの中の1つを選んで1対1の通信を行います。

4.3.5 特別なIPアドレス

用語 マルチホーム接続
宛先IPアドレスに到達するまでに複数の経路をサポートすることを指す。**マルチホーミング**ともいう。2つのISPと契約しバックアップルートを確保することで、可用性を上げるデュアルホーミングが一般的だったが、マルチホーム接続では積極的に経路を分散して各回線の負荷を軽減する。

IPアドレスの中には、特に予約されたアドレスや特別な意味を持つアドレスが存在するので、運用の際は注意が必要です。

ホストアドレスがすべて0もしくは1のアドレス

ホストアドレス部がすべて0のアドレスは予約されており、ネットワーク全体を意味します。また、ホストアドレス部がすべて1のアドレスはそのネットワーク内のすべてのノード宛ての通信を意味します。これを**ブロードキャストアドレス**と呼びます。ブロードキャスト通信を行う場合、このブロードキャストアドレスを使用しますが、自分の所属しているネットワークに宛てたブロードキャスト通信を**ローカルブロードキャスト**、他のネットワークに宛てたブロードキャスト通信を**ダイレクトブロードキャスト**と呼びます。

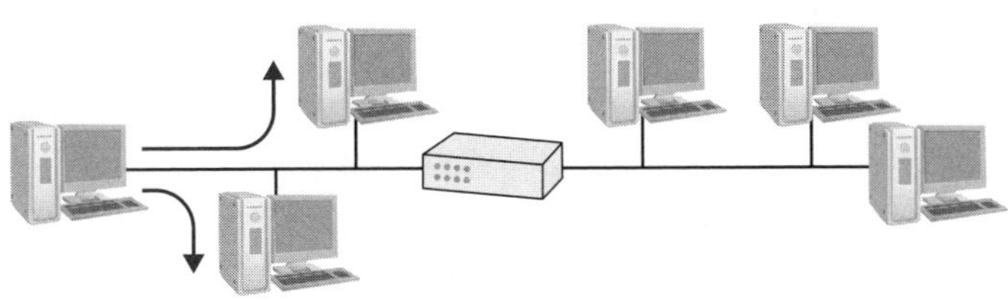

ローカルブロードキャスト

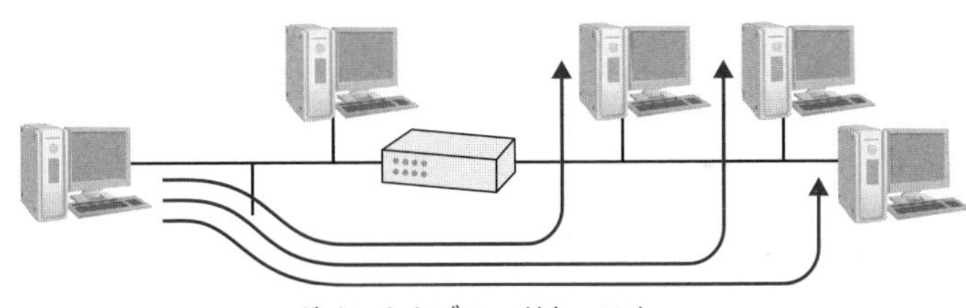

ダイレクトブロードキャスト

▲図 ローカルブロードキャストとダイレクトブロードキャスト

ブロードキャスト通信は、ネットワークの帯域を消耗するため、ルータによってはダイレクトブロードキャストを転送しないように設定しているものもあります。

プライベートIPアドレス

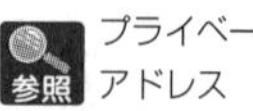
プライベートIPアドレス
➡P198

LAN内のみで使用することを前提に特別に重複を許したIPアドレスです。

ループバックアドレス

参考 ループバックアドレスへの通信は、NIC内で処理される。ホスト名でループバックアドレスを表す場合は、localhostとするのが一般的。

ループバックアドレスは、自分自身を表すIPアドレスです。IPv4では127.0.0.0/8（127.0.0.0 ～ 127.255.255.255）が予約されています。通常は127.0.0.1を利用します。

例えば、自分のコンピュータのTCP/IPスタックが正常に稼働しているか調べたいときに、自分自身に対してpingを送信することがありますが、ループバックアドレスを使って「ping 127.0.0.1」とコマンドすれば、わざわざIPアドレスを調べる必要がありません。

COLUMN

IPアドレスクラス

初期のIPネットワークではアドレスクラスという概念が採用されていました。これはIPアドレスをその先頭アドレスによって、クラスA～Eの5つの種類に分けるというものです。CIDR（Classless Inter-Domain Routing）やクラスレスサブネットマスクの「クラスレス」は、このようなクラス分けの概念に縛られていないことを指しています。歴史的な経緯として知っておきましょう。

クラスA

0	ネットワークアドレス	ホストアドレス
	8ビット	24ビット

クラスB

1	0	ネットワークアドレス	ホストアドレス
		16ビット	16ビット

クラスC

1	1	0	ネットワークアドレス	ホストアドレス
			24ビット	8ビット

クラスD

1	1	1	0	

マルチキャスト用アドレス

クラスE

1	1	1	1	

将来や実験のために予約されたアドレス

▲図　各IPアドレスクラス

プライベートIPアドレスにおいて、RFC 1918にて推奨されるIPアドレスの範囲を「クラスA」「クラスB」「クラスC」と呼ぶことがありますが、これらの語源にもなっています。ただし、アドレスの指定範囲などは異なるので混同しないようにしましょう（詳しくはこの後の「4.4.2　プライベートIPアドレス」を参照してください）。

4.4 IPアドレス枯渇問題に対する技術

4.4.1 IPアドレスの枯渇問題

IPアドレスが足りない

IPv4で使えるアドレスは約43億個です。IPv4が設計された当初は十分だと考えられていましたが、予想を超えたインターネットの普及とIPアドレスの非効率的な使用方法によりアドレス不足が深刻化しました。ICANNもいろいろな措置を講じましたが、IPアドレスの必要量を完全に確保するには至りませんでした。そこで、アドレス空間を128ビットに拡張した**IPv6**が提唱されました。このアドレス空間は天文学的な量のアドレスバリエーションを生むため、抜本的な解決策といえます。

用語 **ICANN** IPアドレスやドメイン名の管理を行う非営利法人。前身はIANA。

急激な移行は困難

現行のIPプロトコルスタックを書き換える必要があるため、ある日を境にすべてをIPv6にするのは非現実的です。ネットワークにおけるアドレスの変更は大仕事で、たとえば携帯電話の電話番号が10桁から11桁に変更された際には混乱が生じました。

IPv6は普及が進んでいますし、最終的にはIPv6に集約させる必要がありますが、さしあたりの解決策として並行して使うIPv4の延命措置が図られています。そのための技術としては、プライベートIPアドレスやCIDRなどがあります。

4.4.2 プライベートIPアドレス

IPアドレスは、インターネット上で一意に定まることが絶対条件ですが、一方で通信はほとんどの場合、同一ネットワーク内で完結するという指摘もあります。

そこで発案されたのが**プライベートIPアドレス**です。これは、正規のIPアドレスの形を取っているため、IPプロトコルスタックを装備しているノードはシームレスに使用することができるアドレスです。

参考 プライベートアドレスと表現する場合が多いが、情報処理技術者試験ではプライベートIPアドレスとされる。

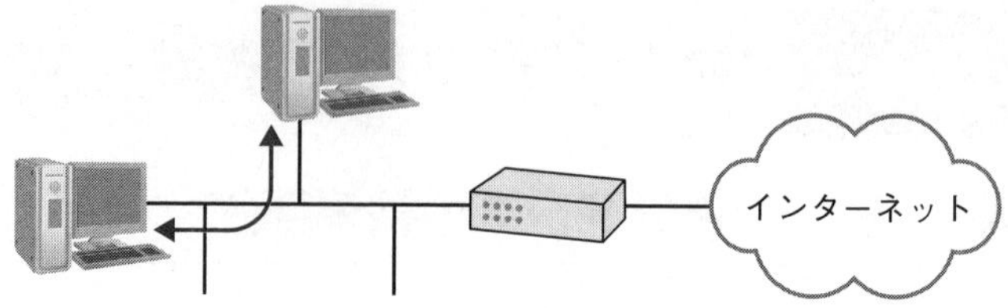

ルータを越えない通信であれば、IPアドレスは厳密な一意性を保証しなくてもよいはず

▲図 プライベートIPアドレスの発想

これは、実質的に利用できるIPアドレスの量を増やすという点において、非常に効果的な考え方です。しかし、プライベートIPアドレスには守らなければならない条件が2つあります。

プライベートIPアドレスの遵守事項

① 同一ネットワーク内ではアドレスが重複しないこと。
② プライベートIPアドレスを利用した通信は、インターネットには送出しないこと。

重要 同じネットワークの中でアドレスが重複してはいけないことには変わりがない。

①は、プライベートネットワーク内といえど、重複したIPアドレスが存在すれば通信が適切に行えないことから自明です。また、②は他のネットワークでもプライベートIPアドレスを利用しているため、インターネットに勝手に送出してしまっては混乱が生じることに起因しています。このルールさえ守っていれば、基本的にはどんなIPアドレスをプライベートIPアドレスとして使用してもかまいません。しかし、RFC 1918では次のアドレスをプライベートIPアドレスとして使用するよう推奨しています。

推奨されるプライベートIPアドレス

- クラスA 10.0.0.0 ～ 10.255.255.255
- クラスB 172.16.0.0 ～ 172.31.255.255
- クラスC 192.168.0.0 ～ 192.168.255.255

多くのルータ製品では、このアドレスが使用されているとパブリックネットワークに対してデータの送信を行いません。設定ミスなどでプライベートIPアドレスが漏えいしてしまう事態を防いでいます。

NAT

インターネットと通信を行う場合は、正式なIPアドレス(**グローバルIPアドレス**)が割り当てられているノードを利用します。しかし、インターネットと通信をするたびにいちいちノードを変更するのは面倒です。そこで、プライベートIPアドレスを用いているノードでも、ユーザが意識することなくインターネットと通信することができるしくみが**NAT**です。

ABC 略語 NAT➡Network Address Translation

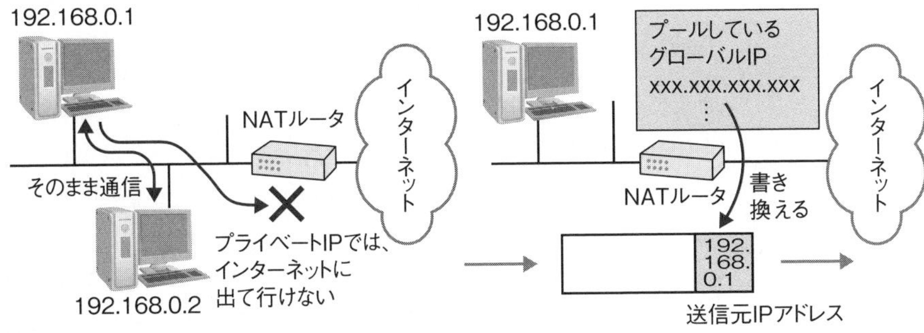

▲図 NAT

参考 同時にインターネットと接続するノードが増えてくると、結局たくさんのグローバルIPアドレスが必要になる。

NATでは、ルータに正式なグローバルIPアドレスをプールしておき、パケットを転送するタイミングで送信元IPアドレスを書き換えます。NAT対応ルータは、返信時のために書き換えたプライベートIPアドレスとグローバルIPアドレスの対応表を作成します。

返信時も同じ操作が行われます。NAT対応ルータは、インターネット側から自分が保持しているグローバルIPアドレスを指定したパケットを受け取ると、対応表に従ってプライベートIPアドレスに変換します。

IPマスカレード

NATは便利な機能ですが、プライベートIPアドレスを持った複数のノードが同時にインターネットと通信しようとした場合、結局ノード分のグローバルIPアドレスが必要になるという欠点があります。

参考 IPマスカレードは、ベンダによって、NAPT、NAT+などと呼称される場合がある。

そこで、NATにTCP/UDPポート番号を組み合わせて、グローバルIPアドレスが1つでも、同時にインターネットを利用できるようにしたのが**IPマスカレード**です。

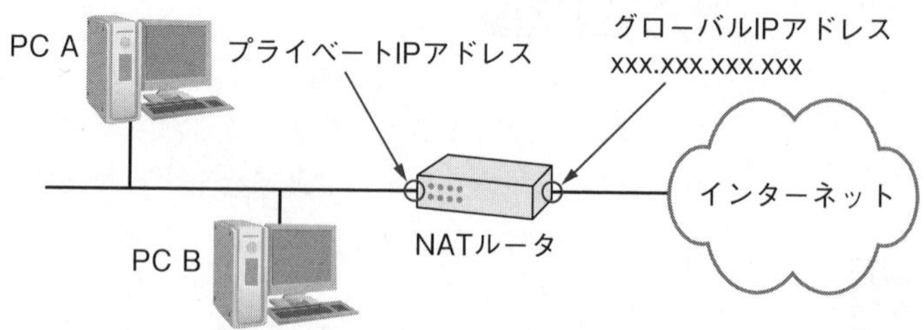

▲図 IPマスカレード

1契約につき1個のグローバルIPアドレス（しかも多くの場合は、DHCPによる動的なアドレス）しか付与してもらえない家庭向けのルータ製品では、ほとんどがこのIPマスカレード機能を提供しています。

参考 ゲームのように動的にポート番号が変わるアプリケーションへの対応としては、UPnPなどの規格が提唱されている。UPnPはXML形式で設定情報を交換し合い、必要であれば動的にルータの設定を変更する。コンピュータネットワークと家電の垣根を取り払い、シームレスな通信環境を実現するためにマイクロソフトが1999年に提唱した規格。便利だが、セキュリティ上の脆弱性が指摘されている。

ただし、NAT、IPマスカレードともインターネット側からの着信には制限が生じます。ローカルネットワークからの送信に対する返信パケットには、IPヘッダにフラグが立つので識別が可能ですが、インターネットからダイレクトに発信されたパケットは、ローカルネットワーク内のIPアドレスが特定できないため通信できません。このような場合は、下の図のようにNATに変換ルールを記述しておく必要があります。

また、IPマスカレードではポート番号も異なっているため、さらに変換が困難です。Webサーバのようにあらかじめポート番号が決まっていれば、やはり事前に変換ルールを作って対応することが可能ですが、ネットゲームのような動的にポート番号が変わる通信では事前に登録することは不可能です。

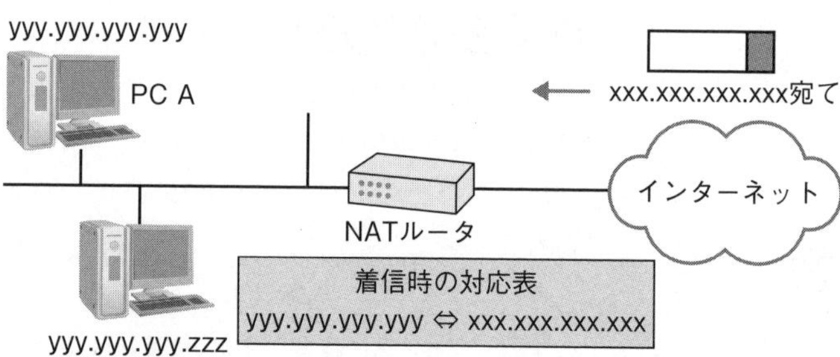

▲図 NATにおける着信受付

4.4.3 CIDR

CIDR➡ Classless Inter-Domain Routing

CIDR(サイダー)はFLSM(固定長サブネットマスク)ではなく、VLSM(可変長サブネットマスク)を使うことでクラスにとらわれずにネットワークを構成する技術です。

以下の2つのネットワークをCIDRでスーパーネット化してみます。

192.168.0.1 ～ 254

192.168.1.1 ～ 254

これを同一のネットワークにするためには、両者のネットワークアドレスのビット列が同一になる箇所でサブネットを区切ればよいことになります。

```
192.168.0.1 ～  : 11000000 10101000 0000000|0 00000001
192.168.1.254   : 11000000 10101000 0000000|1 11111110
```

ここまでのビット列は上下で同じ →|← ここまでをホストアドレスにすれば両者が同じネットワークと認識される

こうすることで、クラスCのアドレス空間2つを1つのネットワークとして束ね、510個のノードを収容することができます。このネットワークをサブネットマスクで表すと、以下のようになります。

192.168.0.1
255.255.254.0　もしくは　192.168.0.0 / 23

経路情報の節約

CIDRは、業務・組織にあった適切なネットワークを構築でき、またIPアドレスを有効に利用することが可能。

1つの組織が多くのネットワーク(典型的な例は、クラスCに収まりきらない企業が多数のクラスCネットワークを運用する)を使うとルーティングの付加が増大します。CIDRを使うことでネットワークを束ねた**スーパーネット**を作り、これを減少させることが可能です。

192.168.0.0 / 24
192.168.1.0 / 24　⇒　192.168.0.0 / 23

数十のネットワークをスーパーネット化するような場合には、経路情報の節約が可能です。

4.5 IPv6

4.5.1 IPv6

参考 Windowsでは、XP以降のバージョンでIPv6を標準装備した。

IPアドレスの枯渇問題に対応するための本命技術が、IPv6です。RFC 1883で規約化され、すでに実装製品も市場に出回っています。もともと現行のIPv4の後継技術として設計されており、IPアドレス空間の拡張以外にも多くの機能強化が図られていますが、やはり現状で注目されているのは、収容できるノードの数です。

IPv6では、アドレス空間がIPv4の4倍である128ビットに拡張されたため、そこで扱えるアドレスのバリエーションは2^{128}＝43億の4乗と天文学的な数字になり、事実上無限ともいえる広大なアドレス空間です。

IPv6では、このアドレス空間を16進数で表記します。IPv4では人間による目視のために10進数表記が行われていましたが、10進数ではあまりにも桁数が長くなるため16進数表記が採用されました。読みにくいので、ブロックごとに区切るのはIPv4と同じです。IPv6では16ビットごとに：で区切って表します。

IPv6の表記

```
FFFF:FFFF:0000:0000:0000:0000:0000:FFFF
```

このうち0は短縮してもよいことになっています。

IPv6の表記（0を短縮）

```
FFFF:FFFF:0:0:0:0:0:FFFF
```

0が連続する場合は、これを消去して「::」で表記する場合もあります。

IPv6の表記（連続する0の省略）

```
FFFF:FFFF::FFFF
```

IPv6アドレスでは、ネットワークアドレスやホストアドレスといったIPv4アドレスの考え方が大きく拡張されています。IPv6のアドレスは、次の3つに分けることができます。

ユニキャストアドレス

ユニキャストアドレスは、1つのノードに対して送信を行うためのアドレスで、いくつかの種類に分けることができます。

●グローバルユニキャストアドレス

基本的なIPv6アドレスで、IPv4のグローバルアドレスと同様の働きをします。異なるネットワークのノードとの通信が可能です。

グローバルルーティングプレフィックス	サブネット識別子	インターフェース識別子
nビット	mビット	128-n-mビット

▲図　グローバルユニキャストアドレスのアドレス構造

グローバルルーティングプレフィックスが、IPv4におけるネットワークアドレスに相当するもので、この値によってそれぞれのネットワークを識別します。IANAが管理して、割り当てを行います。48ビットで割り当てるのが一般的です。

サブネット識別子は、IPv4におけるサブネットアドレスで、16ビットで割り当てるのが一般的です。

インタフェース識別子は、IPv4におけるホストアドレスで、ネットワーク内の各ホストを識別するのに使います。64ビットで構成され、後半48ビットには多くの場合、MACアドレスが挿入されます。

IPv4ではIPアドレスとMACアドレスは別物でした。実際にはデータリンク層とネットワーク層をシームレスに接続するために、この2つのアドレスをARPやRARPでバインドしていましたが、IPv6のユニキャストアドレスでは最初からIPアドレスの中にMACアドレスが埋め込まれ、両者の整合性が高まっています。

●リンクローカルアドレス

同一ネットワーク上でのみ利用可能なアドレスで、すべてのNICが1つこれを保持します。

1111111010	0…0	インタフェース識別子
10ビット	54ビット	64ビット

▲図 リンクローカルアドレスのアドレス構造

DHCP等によるアドレス取得に失敗しても、このアドレスを利用することで、同一ネットワーク内であれば通信を行うことが可能です。リンクローカルの名称から分かるとおり、異なるリンクとの通信(ルータを越える通信)には利用できません。

●ユニークローカルユニキャストアドレス

IPv4におけるプライベートIPアドレスと同等の機能を持ちます。リンクローカルアドレスと異なり、組織内でサブネット分割を行うことが可能です。グローバル識別子はランダムな値を割り当てるため、特別な手続きなしですぐに使い始めることができます。

1111110	L	グローバル識別子	サブネット識別子	インターフェース識別子
7ビット	1ビット	40ビット	16ビット	64ビット

▲図 ユニークローカルユニキャストアドレスのアドレス構造

あくまでも組織内での運用を目的とするもので、プライベートIPアドレスと同じく、このアドレスを持つパケットをパブリックなネットワークに漏出してはいけません(グローバル識別子に重複の可能性があります)。

●無指定アドレス

「0:0:0:0:0:0:0:0」で表されるアドレスです。予約アドレスで、どのIPv6ノードもこれを割り付けてはいけません。まだIPv6アドレスが取得できておらず、ローカルネットワーク内のルータにサブネットID要求をする際などに送信元としてこのアドレスを挿入します。

参考 IPv4における**BOOTPプロトコル**のような利用方法をイメージしている。

●ループバックアドレス

IPv4でも存在する自分自身を意味するアドレスです。IPv6での表記は、「0:0:0:0:0:0:0:1」となります。

ループバックアドレスを使用した場合、パケットはネットワークには送信されません。IPスタックが、たとえば疎通テストなどの目的で、自分自身と通信するためのアドレスです。

●IPv4のバインド

参考 IPv4アドレスの枯渇が目前に迫り、いよいよIPv6への移行が避けて通れなくなってきた。こうした情勢を反映して、IPv6の出題が増す可能性がある。

IPv6は、その普及の過程でIPv4と共存することを想定しています。現在のIPv4プロトコルスタックの普及数を考えれば、これが一斉にIPv6へ変更されることは考えにくい状態にあります。メジャーなOSは、ほとんどがIPv6の標準機能化を終えていますが、社会全体のIPv6への移行が進んでいるとはいい切れない状況です。

そこで、IPv4ネットワークの機能を維持しつつ、スムーズにIPv6への移行を進められるよう、IPv6アドレスの中にIPv4アドレスをカプセリングすることができます。

用語 カプセリング ここでは、IPv6のアドレス（128ビット）の中にIPv4のアドレス（32ビット）を埋め込むこと。

000 ·············· 000	IPv4アドレス
96ビット	32ビット

▲図　IPv4をカプセリングしたアドレス

これにより、ネットワークインフラをIPv6化しつつも既存のIPv4資源を有効利用することができます。また、そのノードがIPv4アドレスにしか対応していないことを示すために、以下のアドレスも利用されます。

000 ·············· 000	1111111111111111	IPv4アドレス
80ビット	16ビット	32ビット

▲図　IPv4専用ノードのアドレス

エニーキャストアドレス

IPv6の**エニーキャスト**は、ユニキャストアドレスを2つ以上のノードに割り当てたアドレスです。これはIPv6ルータしか扱うことができないアドレスで、送信先アドレスとしてだけ設定できます。

エニーキャストアドレスが指定された場合、発信元に最も近い1つのノードだけがパケットを受信します。

マルチキャストアドレス

参考 ブロードキャストはネットワーク資源を浪費するため、IPv6では基本的にマルチキャストを使用する。

IPv6の**マルチキャストアドレス**は、IPv4のマルチキャストアドレスと同様、ノードをグループ化するために使用します。

11111111	フラグ	スコープ	グループID
8ビット	4ビット	4ビット	112ビット

▲図　マルチキャストアドレス

したがって、マルチキャストアドレスを16進数表記すると、FFで始まるアドレスになる。

フラグは、このマルチキャストアドレスが公的機関に割り当てられたものか、一時的なアドレスであるかを表します。公的機関指定のアドレスであれば0000、一時的なアドレスであれば0001が挿入されます。

スコープは、マルチキャストされる範囲を指定するものです。割り当てられているスコープ値は、現在のところ以下のようになります。

▼**表**　スコープ値の割り当て

スコープ値	説明
0	予約
1	ノードローカル
2	リンクローカル
3	未割当
4	未割当
5	サイトローカル
6	未割当
7	未割当
8	組織ローカル
9～D	未割当
E	グローバル
F	予約

参考　1つのノードはいくつものマルチキャストグループに所属することができる。

スコープが2であれば、マルチキャストグループのメンバは同じブロードキャストドメインに所属していることが分かります。Eであれば、グループのメンバはインターネット上のどのネットワークにも所属することができます。

プレフィックス

IPv6でもIPv4同様、どこまでがネットワークアドレス（IPv6では、グローバルルーティングプレフィックス）で、どこからがホストアドレス（インタフェースID）であるのかを識別することは重要です。IPv6では、インタフェースIDは64ビットが推奨されていますが、変更することも可能です。

IPv4ではサブネットマスクやプレフィックスが使われましたが、IPv6ではIPv4型のサブネットマスクはありません。プレフィックスを使って、ネットワークアドレス部の長さを表します。たとえば、ネットワークアドレス長が64ビットであるならば、IPv6アドレスの後に「/64」と追記します。

4.5.2 IPv6の機能

IPv6では、そのアドレス空間の広大さが一番人目を惹きますが、IPv4の反省を踏まえて他にも改良が施されています。IPv6ヘッダを確認しながら、固有の機能を確認します。

IPv6ヘッダ

IPv6のヘッダはIPv4ヘッダと比較して非常に簡素化されています。1つの理由としては、アドレス情報が増えたため、他の情報をあまり詰め込むとヘッダ情報が大きくなって通信のパフォーマンスが落ちることが挙げられます。もう1つには、IPv4ヘッダで用意されたヘッダ項目にはほとんど利用されていないものもあったため、それを省略した効果もあります。例えば、IPv4ヘッダに見られたチェックサムはIPv6には存在しません。これにより、ノード、ルータともに負荷が減り、スループットが向上することが見込まれています。

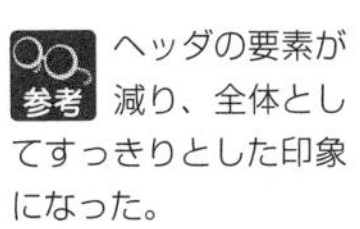

ヘッダの要素が減り、全体としてすっきりとした印象になった。

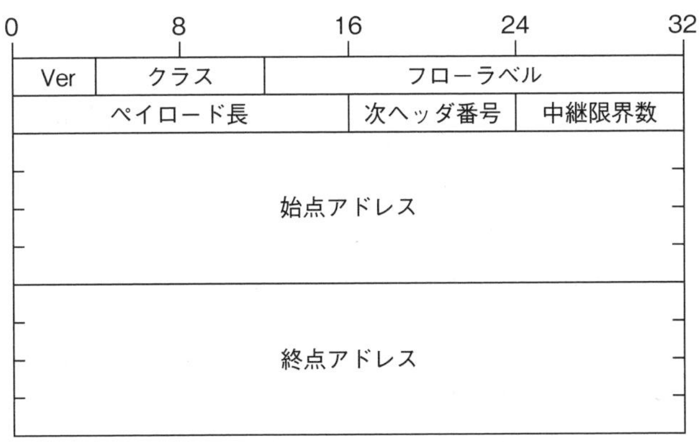

▲図 IPv6ヘッダ

▼**表** IPv6ヘッダの構成

構成名	説明
バージョン	IPのバージョン番号
クラス	通信における優先順位
フローラベル	品質制御(使用しない場合は0でパディング)
ペイロード長	ヘッダを含まないデータ部の長さ(IPv6のMTUは4Gオクテット)
次ヘッダ番号	上位層のプロトコルが何か識別
中継限界数	パケットの生存時間

IPsecへの対応

IPsec➡P428

IPv6では、セキュリティ機能としてIPsecへの対応が必須になっています。したがって、IPv6に準拠して設計されたハードウェア、ソフトウェアであれば、必ずIPsecを利用することができます。IPv4では、IPsecへの対応はオプションであったため、中継するルータや通信相手のノードによってIPsecを利用できないことがありましたが、それに比べるとセキュリティへの対応が進んだといえます。

なぜマルチキャストを使うのか

複数のノードに同じパケットを送りたいとき、ユニキャストを何回も繰り返すのは無駄です。同一のパケットを何回も送信する必要が生じてしまいます。

マルチキャストでは、送信するパケットは1つで、必要な中継点で必要なだけコピーして使われることになります。誤解しがちな点ですが、ブロードキャストも送信するパケットは1つです。ただし、ブロードキャストは「全部宛」になってしまうので、大きなネットワークでは使いにくく、受信を要求していないノードのOSにも到達して破棄されるという無駄な手順が発生します。

マルチキャストでは、受信を要求するノードはそれを宣言(IGMPを使う)してマルチキャストグループに入ります。ルータはマルチキャストグループに接続しているルータにのみパケットを転送するので、基幹ネットワーク上のトラフィックを削減できます。到達したLAN内でのブロードキャストにもマルチキャストMACアドレスが使われるので、各ノードのNICの段階でパケットを破棄することができます。

4.6 データリンク層との接続

4.6.1 MACアドレス

参考 一般的にユーザが変更することは想定していない（厳密にはユーザが変更することも可能）。

MACアドレスは、イーサネットやFDDIで使用される物理アドレスです。MACアドレスはデータリンクを解決するためのデータリンク層のアドレスで、ネットワーク層に位置するIPアドレスとは存在するレイヤが異なります。

データリンクアドレスの必要性

MACアドレスを把握するためには、そもそも、なぜ異なる体系の2つのアドレスが必要か、というところから理解しておく必要があります。

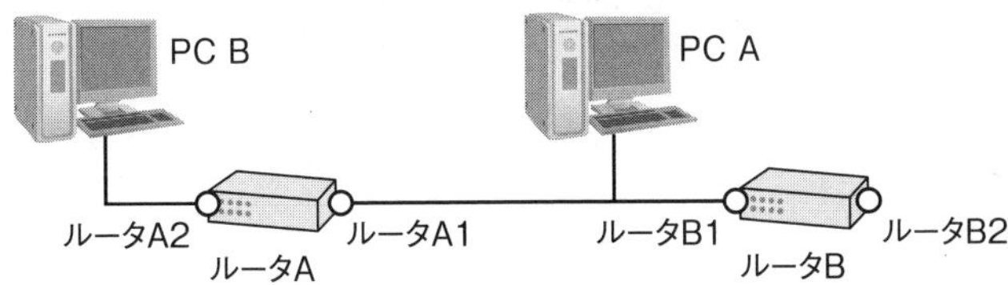

▲図　MACアドレスの必要性

上記のようなネットワークを考えた場合、すべてがIPアドレスとして構成されていると不都合が生じます。IPアドレスは世界においてユニークな番号ですから、通信の最初から最後まで一貫したアドレスを保持しなければなりません。

例えば、PC AからPC Bまでパケットを送信する場合、IPパケットの構成は、以下のようになります。

	IPヘッダ	
データ	PC A発	PC B着

▲図　IPパケットの構成

電気通信の特性上、あるエリア内での通信はブロードキャストされます。しかし、インターネットをこのエリアとして指定した場合、大変な通信の輻輳が発生します。それを防ぐために、ブロードキャストドメインを区切るためのルータが存在するわけです。

したがって、前記の図の例では、PC A→PC Bの通信はルータAを経由することになります。経由する以上、宛先アドレスにルータA（正確にはA1のアドレス）を指定しなくてはなりません。そこで、ネットワークをまたいだ通信を考える場合には、ブロードキャストドメイン内だけで利用できるローカルなアドレスが必要になってきます。MACアドレスはこれに該当します。

参考 OSI基本参照モデルの下位層になるほど、フレームの中に占めるヘッダ情報の割合が大きくなる。これは、下位のプロトコルのヘッダがどんどん追加されていくため。

	IPヘッダ		MACヘッダ	
データ	PC A発	PC B着	PC A発	ルータA1着

▲図　PC AからルータA1までのMACフレーム

	IPヘッダ		MACヘッダ	
データ	PC A発	PC B着	ルータA2発	PC B着

▲図　ルータA2からPC BまでのMACフレーム

MACアドレスの構成

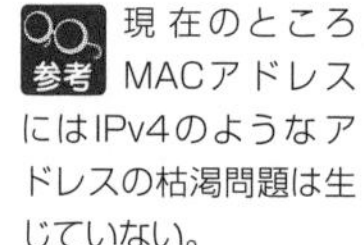

参考 現在のところMACアドレスにはIPv4のようなアドレスの枯渇問題は生じていない。

MACアドレスの仕様は、IEEE 802.3で定義されています。アドレス長は48ビットで、IPアドレスよりも16ビット長くなっています。

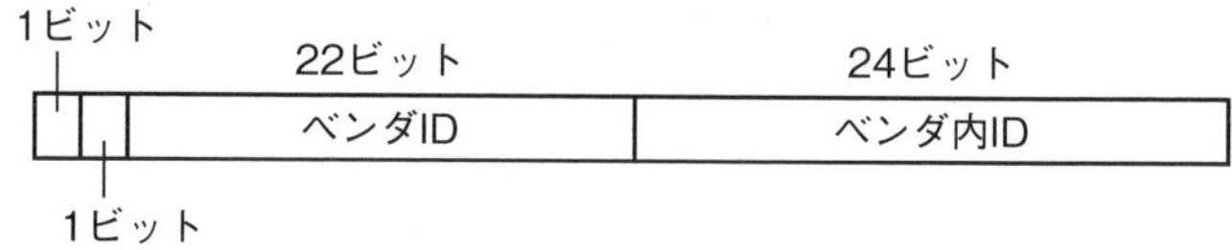

▲図　MACアドレス

1ビット目はユニキャストアドレスとマルチキャストアドレスの判別、2ビット目はユニバーサルアドレスとローカルアドレスの識別に利用されます。いずれも前者が0で後者が1をフラグとして挿入します。

ベンダIDは、NICを供給するベンダに付与されるメーカ番号で、重複しないようIEEE委員会が管理します。ベンダ内IDは、そのベンダが製造しているNICに対して付けられる固有の番号です。

IEEE 802.3の標準仕様であるため、イーサネットやFDDIのように異なるデータリンク技術同士でも同じ体系のMACアドレスを使用することができます。

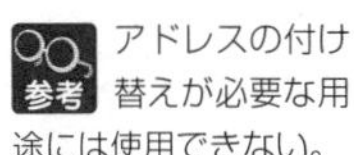
アドレスの付け替えが必要な用途には使用できない。

しかし、物理的なアドレスであるため、ルーティングには不向きです。例えば、あるユーザが部署を異動する際にはネットワークが変わるのでアドレスを変更する必要がありますが、MACアドレスでは不可能です。経路制御に使用するアドレスとしてはIPアドレスのように論理的なアドレスを用います。

イーサネットを構成する副層

IEEE 802では、独自の参照モデルを持っています。これはOSI基本参照モデルの物理層とデータリンク層に相当するものです。

OSI基本参照モデル	IEEE 802参照モデル	
データリンク層	LLC副層	論理リンク制御
	MAC副層	CSMA/CD、トークンリング
物理層	物理層	光ファイバ、UTP、無線LAN ……

▲図　MAC副層とLLC副層

用語 **MAC副層**
Media Access Controlの略。媒体アクセス制御副層のこと。
LLC副層
Logical Link Controlの略。論理リンク制御副層のこと。

MACアドレスは、**MAC副層**に属しています。MAC副層は、物理層が受信したビット列から宛先MACアドレスなどの制御情報を削除して、**LLC副層**に受け渡します。

LLC副層は受信したフレームに漏れがないか、あるいは受信したフレームが伝送エラーで壊れていれば再送させるなど論理リンクの制御を行います。

MACアドレスが付与される単位

MACアドレスは、NICに対して1つ付与されます。これは多くの場合、ノードと同義ですが、ルータのように1つのノードで複数のNICを保持する機器もあるので注意が必要です。この場合、ルータは複数のMACアドレスを持つことになります。

自分が使っているコンピュータのMACアドレスを確認してみましょう。Windowsの場合は、ipconfig /allコマンドを使って調べることができます。Physical Addressとして表示されるのがそれで、複数のNICを持っている場合は、すべてのMACアドレスが表示されます。

POINT MACアドレスはルート上で入れ替わっていく

- MACアドレスは同一ネットワーク内での通信に使われるアドレス
- ネットワークをまたぐ通信の場合、送信元アドレス、送信先アドレスが途中でどんどん入れ替わっていく。ここが出題ポイント。「PC1→ルータ→PC2」と通信する場合、IPアドレスは最初から最後まで「送信元：PC1、送信先PC2」だが、MACアドレスはルータによる経由前は「送信元：PC1、送信先：ルータ」であり、経由後は「送信元：ルータ、送信先：PC2」になる。
- ネットワークが変わる境界、すなわちネットワーク層以上の通信機器を中継する時点で、アドレスが入れ替わる。

4.6.2 ARP

IPネットワークでは、MACアドレスとIPアドレスをうまく組み合わせてローカルな通信とグローバルな通信をシームレスに処理しています。IPv6では、IPヘッダの中にMACアドレスを埋め込むことによって、この2つのアドレスを融合させていますが、IPv4ではIPアドレスとMACアドレスは別物として処理されます。

そこで、必要な場合にこの2つのアドレスを関連づける必要があります。それが**ARP**です。

 ARP➡Address Resolution Protocol

参考 IPアドレスからMACアドレスを解決するのが**ARP**、MACアドレスからIPアドレスを解決するのが**RARP**（Reverse ARP）。

 通常、自ノードはアクセスしたいノードのIPアドレスは知っているが、MACアドレスは知らない。

ARPによるMACアドレスの取得

IPアドレスは最終目的地の論理アドレスで、そこに至るまでの各ローカルネットワーク内では通信のためにMACアドレスが必要になります。そこで、IPパケットの送信を始めるノードは、まずARPによって宛先ノードのMACアドレスを取得します。

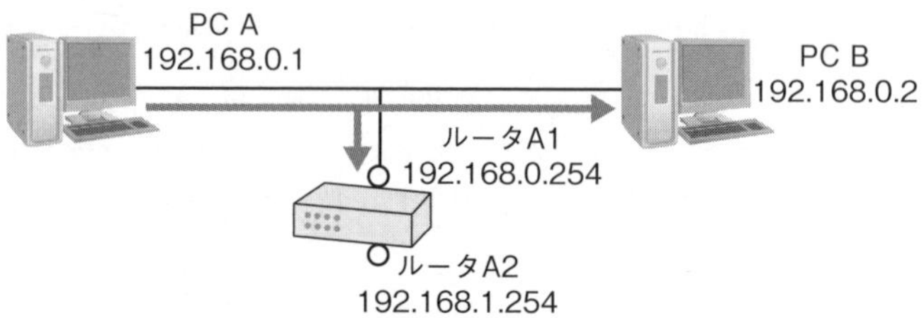

▲図　ARP要求

ARP要求はブロードキャストされ、ローカルネットワーク内のすべてのノードに届きます。前図の例では、ルータA1にもARP要求が届きますが、ルータA1は192.168.0.2ではないため、これを無視します。

ARP要求を受け取ったPC Bは、自分のMACアドレスを埋め込んだARP応答をPC Aに対して返信します。この一連の操作により、PC AはPC BのMACアドレスを知ることができます。

同じネットワークに存在しないIPアドレスが宛先の場合は、ルータを経由しますから、まずローカルネットワーク内に存在するルータ（デフォルトゲートウェイ：図のルータA1）のMACアドレスを要求することになります。

ARPのパケット仕様

ARPで利用される**ARPパケット**は、次のような仕様になっています。ハードウェアタイプはイーサネットであれば1、フレームリレーであればFというように物理層〜データリンク層で利用される技術の種類を挿入するフィールドです。プロトコルタイプは、解決を要求しているプロトコルの種類です。

0 8 16 31 ビット

0–7	8–15	16–31
ハードウェアタイプ		プロトコルタイプ
HLEN	PLEN	オペレーション
送信元のMACアドレス		
送信元のMACアドレス（続き）		送信元のIPアドレス
送信元のIPアドレス（続き）		探索するMACアドレス
探索するMACアドレス（続き）		
探索するIPアドレス		

▲図　ARPのパケット仕様

ARPキャッシュ

バースト特性
用語 データ転送がまとめて連続的に生じがちである状態を指す。これにより急激に増大する通信を、バーストトラフィックと呼ぶ。

通信には**バースト特性**があり、通信を行った同じノードに対して近い将来再び通信を行う可能性は、他のノードよりも高くなります。これは、各データリンクのMTUが技術ごとにそれぞれ異なることが原因の1つです。

IPパケットのMTUは65535オクテットですが、イーサネットのMTUは1500オクテットです。これは、IPでは1つのパケットでも、データリンク層への引き渡し時に分割されることを意味しています。このようなフラグメントが起こると、同じノードに対して連続した通信が行われます。そのたびにARP要求を行っていたのではネットワークの帯域を圧迫しスループットが低下するため、一度ARP要求によって取得されたMACアドレスはローカルノード内にキャッシュされます。

参考　現在保持しているARPキャッシュは、コマンドプロンプトから「arp -a」コマンドを利用することによって確認できる。

ネットワーク構成が変更される場合があるので、キャッシュには生存時間が設定されています。Windowsでは通常2分ほどでARPキャッシュがクリアされます。

4.6.3　プロキシARP

参考　プロキシARPは、クラスレスサブネットに対応していないようなノードが応答を期待できないARP要求を送信しても対応することができる。

プロキシARP（代理ARPともいう）は何らかの理由で通常のARP応答が期待できない場合に、代わりにARP応答を返す機能のことを指します。

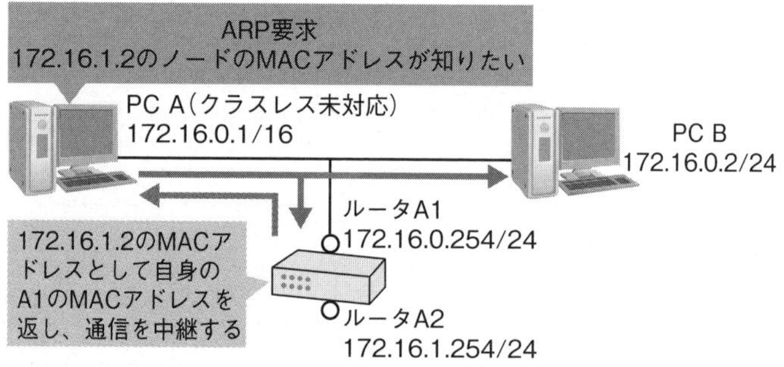

▲図　プロキシARP

上図の例では、172.16.0.0のネットワークをサブネット分割して利用しています。ネットワークアドレスは上位24ビットに設定されていますから、172.16.0.0と172.16.1.0は異なるネットワークです。

ここで、クラスレスサブネットをサポートしていないノードがある場合は工夫が必要です。PC Aが未サポート機種で172.16.1.2と通信する場合、自分のネットワークアドレスと宛先ノードのネットワークアドレスは異なりますから、ルータA1のMACアドレスを要求してネットワークを越えた通信を行わなくてはなりません。しかし、PC Aはこのネットをクラス Bだと認識するので、172.16.0も172.16.1も同じネットワークだと判断してしまいます。

そこで、PC Aから172.16.1のアドレスを解決するARP要求があった場合に、ルータA1が自分のMACアドレスを返すことをプロキシARPと呼びます。こうすると、PC Aはルータ A1を172.16.1.2だと思って通信してくるので、ルータはこれを172.16.1のネットワークに転送します。

このように、プロキシARPはARP要求が期待できないときに有効であるというメリットを持ちますが、管理が複雑になりやすく、また、場合によっては通信上のトラブルを招きやすくなるというデメリットもあります。

4.6.4 ICMP

ICMP➡Internet Control Message Protocol

IPを補完するプロトコル

IPネットワークの中でコネクション型の通信が必要とされる場合は、他のレイヤのプロトコルによって別途実装しますが、IPのレベルで送達確認をしたいというニーズもあります。特に障害時には、トランスポート層で通信にトラブルがあるのか、ネットワーク層なのか、という切り分けを素早く行う必要があります。

ICMPは、RFC 792で定義されている。

そこで、ネットワーク層において送達確認を行うプロトコルとして**ICMP**が規格化されました。ICMPは伝送プロトコルとしてIPを利用するため、IPレベルでの送達の可否を検査できます。

ICMPを利用するためにはそのネットワークでIPが使えることが前提となる。

ICMPは、IPパケットのペイロードに埋め込まれ、送信されます。ICMPは**ICMPヘッダ**と**ICMPデータ**から構成されており、ICMPデータ部は診断内容により任意の長さのデータを挿入することができます。ICMPヘッダの種類には、以下のようなものがあります。

▼表 ICMPタイプ

ヘッダ	説明	英文
0	エコー応答	Echo Reply
3	到達不能	Destination Unreachable
5	経路変更要求	Redirect
8	エコー要求	Echo Request
9	ルータ広告	Router Advertisement
10	ルータ要請	Route Solicitation
11	時間超過によるパケット破棄	Time Exceeded

ICMPを利用したpingコマンド

ICMPの機能を利用したツールにpingコマンドがあります。pingコマンドはノードに対してICMPパケットを送信し、応答の可否、応答にかかる時間などを表示します。

次の図は、ノード192.168.0.1に対しICMPパケットを送信し、ICMPタイプ0のエコー応答(正常通信)があったことを示しています。

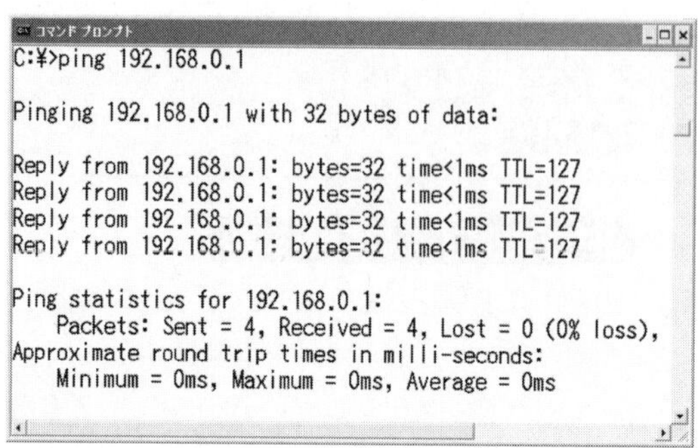

```
コマンド プロンプト
C:¥>ping 192.168.0.1

Pinging 192.168.0.1 with 32 bytes of data:

Reply from 192.168.0.1: bytes=32 time<1ms TTL=127
Reply from 192.168.0.1: bytes=32 time<1ms TTL=127
Reply from 192.168.0.1: bytes=32 time<1ms TTL=127
Reply from 192.168.0.1: bytes=32 time<1ms TTL=127

Ping statistics for 192.168.0.1:
    Packets: Sent = 4, Received = 4, Lost = 0 (0% loss),
Approximate round trip times in milli-seconds:
    Minimum = 0ms, Maximum = 0ms, Average = 0ms
```

▲図 ping

宛先ノードが返答しない場合は、タイプ3の到達不能メッセージが表示されます。到達不能メッセージは通信障害の原因により、いろいろな返信コードが用意されています。

参考 返信されたコード番号により、ネットワークにどんな種類の障害が発生しているのか切り分けられる。

▼表 コード番号

コード	説明
Code0	ネットワーク到達不能
Code1	ホスト到達不能
Code2	プロトコル到達不能
Code3	ポート到達不能
Code4	フラグメンテーション禁止
Code5	送信元経路不能
Code6	宛先ネットワーク不明
Code7	宛先ホスト不明
Code8	送信元ホスト孤立
Code9	宛先ネットワークコミュニケーション拒否
Code10	宛先ホストコミュニケーション拒否
Code11	宛先ネットワークTOS不能
Code12	宛先ホストTOS不能

このうち、トラブルシューティングでよく見かけるのは、Code0のネットワーク到達不能です。宛先ネットワークまでの経路上に存在するルータが、宛先ネットワークへの経路情報を保持しておらず転送が不可能な場合に表示されます。

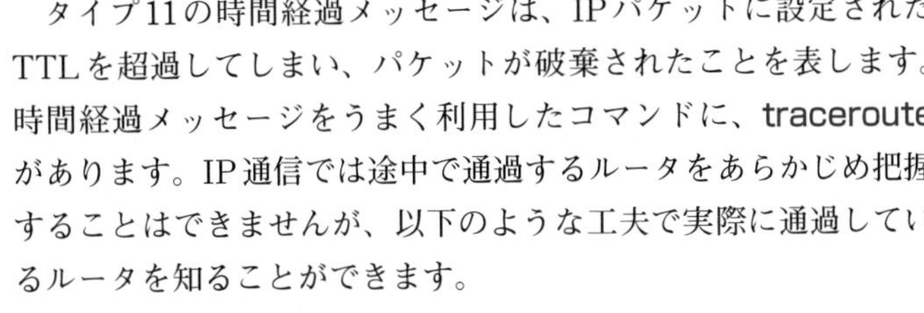

タイプ11の時間経過メッセージは、IPパケットに設定されたTTLを超過してしまい、パケットが破棄されたことを表します。時間経過メッセージをうまく利用したコマンドに、tracerouteがあります。IP通信では途中で通過するルータをあらかじめ把握することはできませんが、以下のような工夫で実際に通過しているルータを知ることができます。

ABC 略語 TTL➡Time To Live

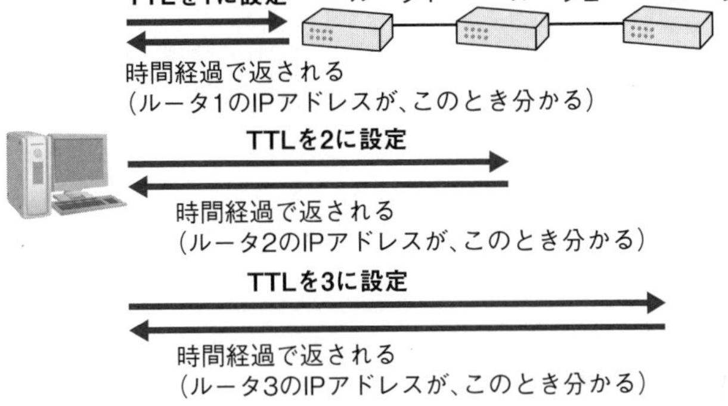

▲図　tracerouteコマンド

このように、TTLを1から順に増やしていくことで、宛先ネットワークまでどのルータを経由して到達しているのか、知ることができます。tracerouteはUNIXのコマンドですが、Windowsでもtracertとして実装されています。

参考 tracertはコマンドプロンプトから実行できる。

COLUMN

tracerouteコマンド

tracerouteコマンドがいつも成功するとは限りません。ノードによっては、セキュリティ上の理由からICMPに返信しない設定になっているものも多いからです。むしろ、インターネット上の公開サーバやルータなどを対象にpingやtracerouteを使っても返信がない方が一般的といえます。

ping (IPレベルでの疎通) に失敗しているはずなのに、HTTPによる通信は行えるなどのケースはこうした理由によって生じます。自宅でブロードバンドルータを管理するような場合でも、WAN側からのping要求には返信しない設定にしておいた方がよいでしょう。

ICMPv6

IPv6ネットワークで使われるICMPです。従来のICMPと同様、エコー要求／エコー応答による疎通確認や、到達不能の検出、時間切れの検出などを担います。それに加えて、従来のICMPでは扱ってこなかった機能が盛り込まれているのが特徴です。

近隣探索はIPv4ではARPが行っていましたが、IPv6ではICMPv6がその機能を担っており、近隣要請、近隣広告（近隣探索に対する、探索対象機器からの応答）、ルータ要請、ルータ広告（ルータから同一セグメント内にマルチキャストされるネットワークの基本設定情報）などのメッセージをやり取りできます。

マルチキャストに用いるプロトコルとしてIPv4にはIGMPがありましたが、これもICMPv6に統合されています。マルチキャストリスナ探索、マルチキャストリスナ応答、マルチキャストリスナ離脱のメッセージを使います。

4.7 TCPとUDP

4.7.1 トランスポート層の役割

トランスポート層は、データ送信の確実性、信頼性、品質をつかさどるレイヤです。ネットワーク層までで、エンドtoエンドの通信環境は確立されていますが、トランスポート層によって通信品質の管理が付加されます。

また、もう1つの大きな役割としてアプリケーションの識別があります。現在多くのノードはマルチタスク環境を実装しています。通信を行う主体はアプリケーションですから、IPアドレスでノードを特定できてもアプリケーションが分からなければ通信できません。どのアプリケーションへの通信か、ということを採番して管理する役目もトランスポート層は担っています。

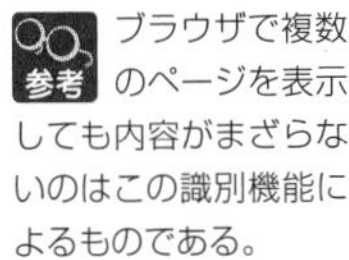
参考 ブラウザで複数のページを表示しても内容がまざらないのはこの識別機能によるものである。

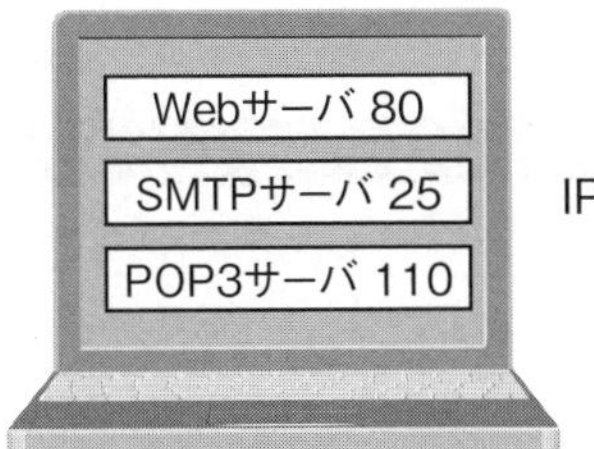

▲図 アプリケーションに番号を付けて、ノード内のどのアプリケーションが行う通信か特定する

4.7.2 ポート番号

参考 TCPポート番号とUDPポート番号は別物として扱われる。

ポート番号は、トランスポート層においてアプリケーションの識別に利用する番号です。ポート番号は16ビットで表されます。MACアドレスやIPアドレスと比較して小さな情報量ですが、MACアドレスやIPアドレスと違い、ポート番号はローカルノード内でアプリケーションを識別するだけなので十分です。

Windows上で現在利用しているポート番号を表示するには、netstatコマンドを使用します。

▲図　netstatコマンド

参考 ローカルアドレス、外部アドレスともにノード名：ポート番号の順で表示されている。ノード名は、UNCやFQDN、IPアドレスなど任意の形式。

1列目の表示はプロトコルを表します。TCP/IPのトランスポート層プロトコルにはTCPとUDPがあり、これらは異なるプロトコルです。したがって、TCPポート110番とUDPポート110番は同時に利用しても問題ありません。

2列目がローカルマシンのIPアドレスとポート番号、3列目が通信相手のIPアドレスとポート番号です。IPアドレスやポート番号は名前解決されていることがあります。4列目は接続の状態を示します。

ウェルノウンポート（システムポート）

参考 ウェルノウンポートは古い呼称で、現在はシステムポートと呼ぶのが一般的。過去問には未登場だが覚えておこう。

16ビットの情報であることから、ポート番号は0～65535の範囲で指定することになります。アプリケーションを特定できればよいわけですから、基本的にアプリケーション間の重複がなければどの番号を指定してもかまいません。しかし、不特定多数の人が共有して利用するアプリケーション（Webサーバやメールサーバなど）では、ISPごとに番号が異なったりすると非常に使いにくくなります。

そこで、世界的に標準のポート番号を決めて利便性を上げています。これを**ウェルノウンポート**（Well-Known port）または**システムポート**と呼び、0～1023番までの番号を割り当てます。

ウェルノウンポートの中でも特によく使うものの一覧を挙げます。

重要 Webサーバ80番や443番、SMTPサーバ25番は本試験でよく出題される。代表的なウェルノウンポート番号は、記憶しておくと試験だけではなく実務でも役立つ。

例 **ウェルノウンポート**

ftp-data	20	ntp	123
ftp	21	imap	143
ssh	22	snmp	161
telnet	23	ldap	389
smtp	25	https	443
domain (DNS)	53	smtps	465
bootps (DHCP server)	67	ldaps	636
bootpc (DHCP client)	68	ftps-data	989
http	80	ftps	990
kerberos	88	imaps	993
pop3	110	pop3s	995

現時点におけるウェルノウンポートの構成は、IANAが提供している。

新しいアプリケーションが登場するとウェルノウンポートの構成も変化します。

ダイナミックポート

ダイナミックポートは一時的に利用されることから、**エフェメラル**(ephemeral)**ポート**とも呼ばれる。

ウェルノウンポート以外のポート番号は、ローカルノード内で重複しなければどのように利用してもかまいません。ポート番号の管理はOSが行うので、アプリケーションが起動する空いているポート番号が自動的に採番されます。

RFCの規約上は1024番ポート以降がダイナミックポートとして使われることになっていますが、OSの実装では49152以降の番号がよく使われます。

4.7.3 TCP

TCPはヘッダ情報がUDPと比較して多いので、CPU資源、ネットワークともに負荷がかかる。

TCP➡Transmission Control Protocol

TCPは、後述するUDPに対して送達管理、伝送管理の機能を追加したプロトコルです。UDPはシンプルさを最優先して設計されているため、これらの機能はユーザに一任されていましたが、TCPではこれをプロトコルレベルで提供します。

コネクションの確立

IPやUDPといったコネクションレス型通信と異なり、TCPは通信に先立ってコネクションの確立を行うコネクション型通信を提供します。コネクションが確立されると、通信を行うアプリケーションの間にバーチャルサーキットが作られ、アプリケーション同士は下位層通信プロトコルの規約を意識することなく、このバーチャルサーキットにデータを投入するだけで通信を行うことができます。

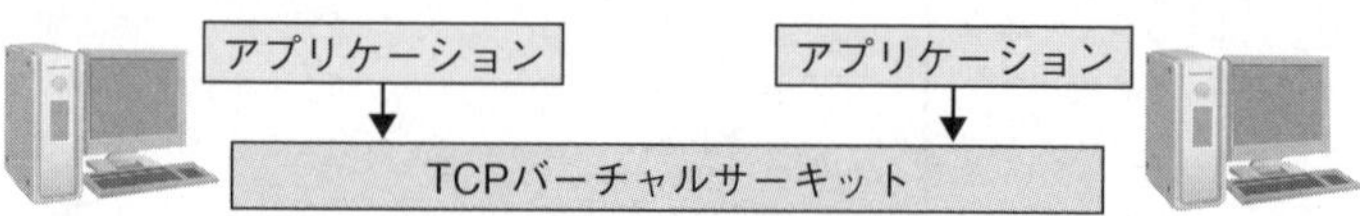

▲図　バーチャルサーキット

ACK➡ACKnowledgement

通信に失敗したときに返答されるパケットに**否定応答**（**NACK**）がある。一般的には、受信側が一部のデータを受信できなかったケースなどに返される。なお、TCPでは「ACKが返ってこない」「想定していた受信確認番号と違う」ことをもって異常を検出するので、NACKは使わない。

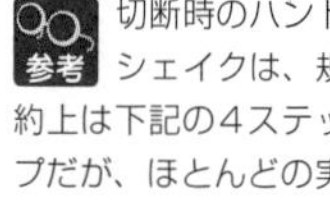切断時のハンドシェイクは、規約上は下記の4ステップだが、ほとんどの実装は図に示す3ステップとなっている。

- ① FIN（→）
- ② ①に対するACK（←）
- ③ FIN（←）
- ④ ③に対するACK（→）

TCPは、コネクションを確立するために**3ウェイハンドシェイク**を行います。これは、コネクション確立要求パケットとそれに対する確認応答パケットのやり取りを3回行うことから命名された手法です。ここで利用されるコネクション**確立要求パケット**のことをSYN、**確認応答パケット**のことをACKといいます。

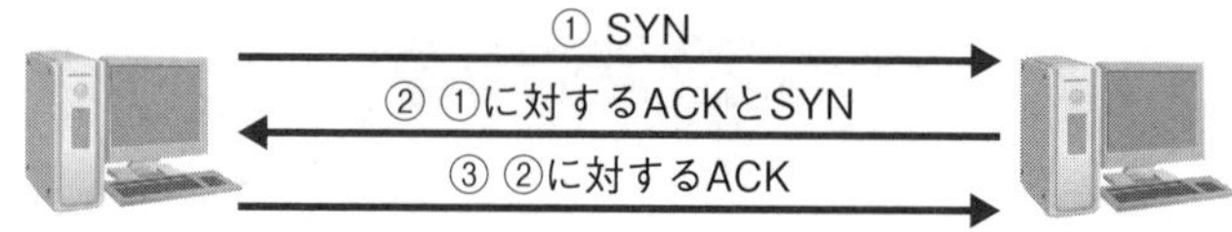

▲図　3ウェイハンドシェイク

また、TCPはコネクション切断時にもハンドシェイクを行います。これによりバーチャルサーキットの確立と切断を完全に管理しています。

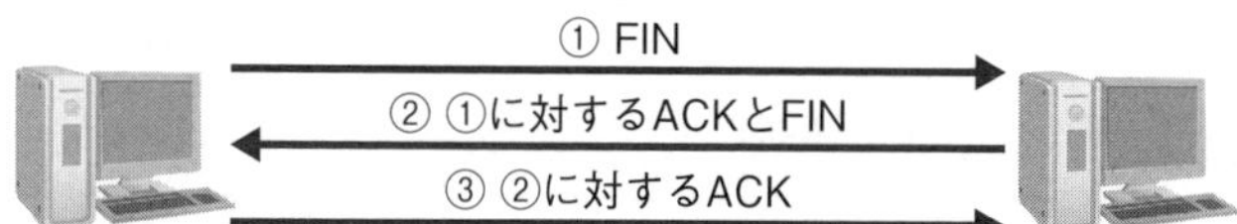

▲図　切断時のハンドシェイク

MSSの決定

コネクションが確立されるとデータの伝送が始まります。ここでやり取りするデータの1単位を**セグメント**と呼びますが、セグメントのサイズはコネクション確立時に動的に決定されます。

通信効率を考えると、セグメントのサイズは大きい方がヘッダ情報によるオーバヘッドが小さくて済みますが、セグメントの最大長が途中の伝送路におけるMTUより大きいと、伝送中にルータによるIPレベルでのフラグメント処理が行われ、かえってスルー

用語 オクテット (octet) 8ビットに相当する情報量の単位。バイトは必ずしも8ビットを表すとは限らないので、厳密に8ビットを表現するケースでよく用いられる。

用語 MTU Maximum Transmission Unitの略で、パケットの最大サイズを表す。ヘッダなどの余剰情報を含んでいるため、実際に送信できるデータサイズはMTUより小さくなる。

用語 MSS Maximum Segment Sizeの略。ある通信経路を選択した場合に、分割せずに送信できるTCPセグメントの最大長で、下位の通信リンクのMTUによって決定される。プロトコルのヘッダサイズを減じるため、MTUより小さな値になる。

プットが悪くなってしまう可能性があります。

そこで、TCPではコネクション確立時にノードが接続されている下位ネットワークのMTUを交換しあって、小さい方を最大セグメント長(MSS)とすることでこの問題を回避しています。

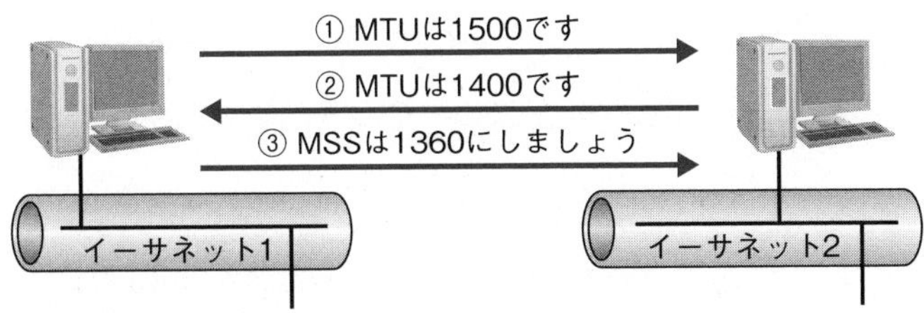

▲図 MSSの決定

上図は、MTUが1500オクテットのイーサネット1と1400オクテットのイーサネット2がMSSを決定するプロセスです。最終的にMSSを1360オクテットに決めているのは、小さい方のMTU(イーサネット2の1400オクテット)からIPヘッダ20オクテットとTCPヘッダ20オクテットを減算しているためです。

データ伝送時の確認応答

TCPは、データ伝送プロセスでも確認応答のやり取りをすることでデータ伝送の信頼性を向上させています。具体的には1セグメントのデータを送信するごとに受信ノードが確認応答を行います。

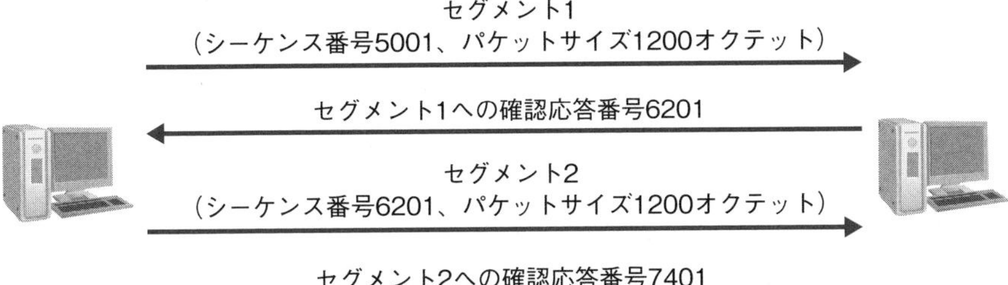

▲図 正常伝送時のプロセス

参考 UDPにこのプロセスはない。UDPを用いた通信で着信データの確認を行う場合は、上位のプロトコルで対応する必要がある。

ACKパケットには確認応答番号(ACK番号)が含まれています。次にどのセグメントを送って欲しいかを表す値です。送られてきたシーケンス番号に受信バイト数を加算して確認応答番号にします。それを受け取った送信側は次のシーケンス番号として利用します。なんらかの通信障害で確認応答が返信されなかった場合には、再送処理を行います。再送処理を行う条件は2つあります。

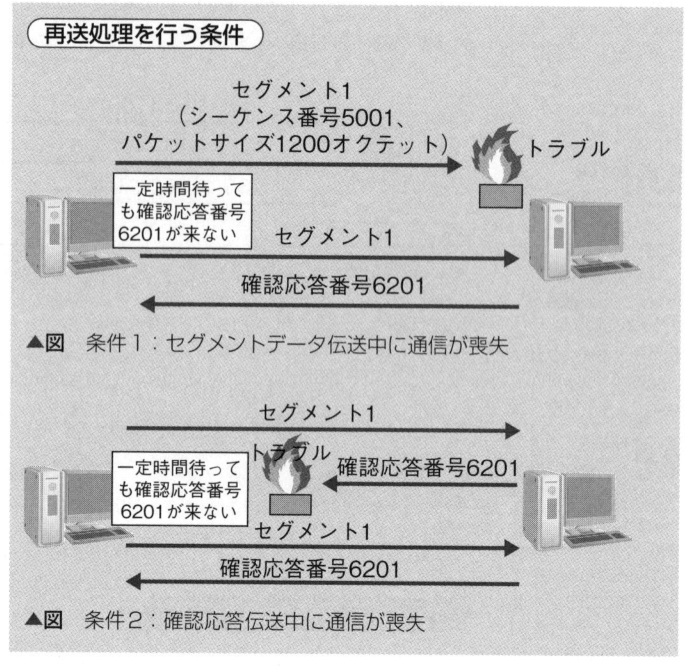

▲図　条件1：セグメントデータ伝送中に通信が喪失

▲図　条件2：確認応答伝送中に通信が喪失

いずれの条件においても、送信ノードがセグメントデータを再送することによってデータの受信漏れを防いでいます。条件2の場合は、セグメント1のデータが重複して受信ノードに届くので、片方のデータは破棄されます。

再送はセグメント単位で行われます。実際の通信では、この順番管理はTCPヘッダのシーケンス番号フィールドを利用して行われます。シーケンス番号は、送信データをオクテット単位でカウントした値です。

TCPヘッダフォーマット

参考　UDPヘッダはこれに比べると非常に簡略化されており、宛先と送信元のポート番号、セグメント長、チェックサムしか含まれていない。

TCPはフロー制御などを行うため、TCPヘッダが持つ情報はUDPよりも複雑化しています。

TCPの方が複雑な動作ができるから、TCPがUDPに対して優位であるということではない。状況に応じてプロトコルを使い分ける。

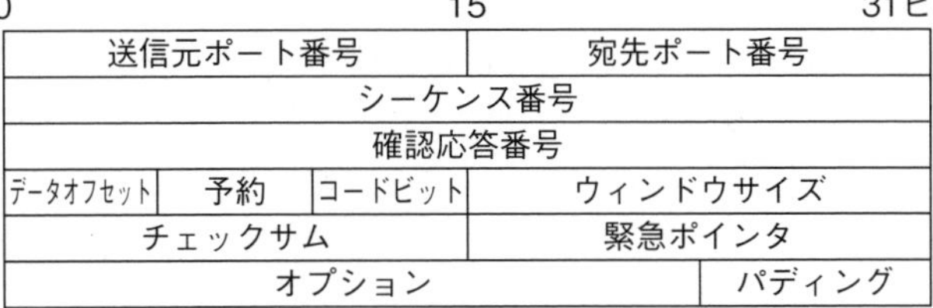

▲図　TCPヘッダ

UDPヘッダ➡P231

●送信元ポート番号

送信ノードのアプリケーションが使用しているポート番号が挿入されます。0～65535の範囲の値を取る可能性があるため、16ビットの空間が予約されています。

●宛先ポート番号

受信ノードのアプリケーションが使用しているポート番号が挿入されます。

●シーケンス番号

重要　シーケンス番号はコネクション確立時に送信ノードが乱数によって決定するので、1で始まることはない。

送信するセグメントのデータ全体での位置を、オクテット単位で表します。仮にシーケンス番号が1から始まったとして、セグメント長が100だった場合、最初のセグメントのシーケンス番号は1、次のセグメントのシーケンス番号は101です。

シーケンス番号には32ビットのフィールドが与えられているため、最大で約43億のシーケンス番号を採番することができます。

●確認応答番号（ACK番号）

セグメントデータを受信した際の確認応答時に利用される番号です。実際には、次に受信すべきシーケンス番号が挿入されます。例えば、シーケンス番号が1から始まり、セグメント長が100だった先ほどのケースでは、データ全体の中で1～100オクテットの部分のデータが受信できているため、次に受信すべきデータは101オクテット目からになります。この場合、確認応答番号フィールドには101が挿入されます。

そのため、確認応答番号フィールドにはシーケンス番号と同じく32ビットのフィールドが与えられています。

4　インターネットの技術

●データオフセット

本来の意味は、TCPのペイロードがどこから始まるかを表すフィールドなのですが、それを直接的に示すのではなく、TCPのヘッダの長さを示すことで表しているので、ちょっと分かりにくくなっています。ここはヘッダの長さを、4オクテットのかたまりがいくつあるか記述することになっていて、例えばオプションを含まないTCPヘッダの場合は、ヘッダ長が20オクテットなので、5(×4＝20オクテット)と書くことになります。

●予約

将来的にTCPを拡張した場合に、その機能で扱う情報を挿入するための予約フィールドです。現在は使われておらず、0をパディングして運用します。フィールド長は6ビットです。

●コードビット

コードビットフィールドは、6ビットの空間が与えられているフィールドですが、1ビット目からそれぞれビットごとに意味が与えられています。それぞれのビットはフラグビットになっており、その内容によって予約された意味を表します。

URG	ACK	PSH	RST	SYN	FIN

▲図　コードビットの内訳

参考 コードビットによりそのTCPセグメントの持つ意味が表現できる。

▼表　コードビットの構成

フラグ	内容
URG	Urgent Flagを表す。このビットに1が立っている場合は、緊急データであるという意味になる。
ACK	Acknowledgement Flagを表す。このビットに1が立っている場合は、確認応答番号フィールドが有効である。
PSH	Push Flagのこと。バッファリングの可否を設定するフラグで、1が立っている場合はバッファリングが許されず、すぐに上位層にデータを受け渡す必要がある。
RST	Reset Flagのこと。このビットに1が立っていると、TCPスタックはステータスが通信中であってもコネクションを切断する。なんらかの障害が発生した場合などに使用する。
SYN	Synchronize Flagのこと。このビットに1が立っている場合、3ウェイハンドシェイクにおけるSYNパケットであることを意味する。
FIN	Finish Flagのこと。コネクションの切断を行う場合、このビットに1を立てる。こちらから送るデータがないことを意味する。

●ウィンドウサイズ

ウィンドウサイズがTCPヘッダのウィンドウサイズフィールドを上回る場合は、オプションフィールドによって補完する。

ウィンドウプローブ ➡Window Probe

ACKを受信せずにどれだけのデータを送信してよいか、その最大値を挿入する16ビットのフィールドです。ウィンドウサイズは固定ではなく、1つのセッションの中でも動的に変更されます。また、ウィンドウサイズに0が指定された場合、送信ノードはデータを伝送することができなくなります。その場合、次にいつ、どのくらいのデータを送信してよいかを知るために、**ウィンドウプローブ**と呼ばれる探索パケットを送信します。

●チェックサム

経路上のルータやゲートウェイのバグなどにより、TCPセグメントが破壊されていないことを確認するためのフィールドです。送信ノードのTCPスタックは、IPスタックから情報を得て**TCP疑似ヘッダ**と呼ばれる情報を作成します。

0 15 31ビット

送信元IPアドレス		
宛先IPアドレス		
0でパディング	6(プロトコル番号)	TCPパケットのサイズ

▲図 TCP疑似ヘッダのフィールド構成

このような処理を行うのは、チェックサムのデータ量を抑制するためである。

TCPヘッダ、データ部、およびこのTCP疑似ヘッダに対して2オクテットごとに1の補数の和を求め、それらの総数の1の補数がチェックサムということになります。

受信ノードでもこれと同じ処理を繰り返し、値を比較することによって通信中にデータが壊れていないことを確認します。

●緊急ポインタ

コードビットのフラグでURGという緊急データが存在することを示すフラグがありますが、URGフラグが有効になっていた場合、実際にペイロードのどの部分が緊急処理を要するデータなのかを指定するポインタです。データの先頭から緊急処理を要するデータ部分までの距離をオクテット単位で挿入します。

緊急ポインタフィールドには16ビットの空間が割り当てられています。

●オプション

代表的なオプションを以下の表に挙げます。

▼表 オプション一覧

オプション	番号	説明
MSS	2	コネクションを確立する際に、MSSをネゴシエーションするが、そのために使われるオプション。
WSOPT (Window Scale Option)	3	TCPヘッダの正規のウィンドウサイズフィールドは2オクテットしか用意されていないため、伝送路が非常に高速になった場合、TCPの仕様によりスループットが頭打ちになる。そのため、広帯域の回線や大きな通信バッファを利用できるシステムでは、ウィンドウの最大値をこのオプションで拡張することにより、TCP側のボトルネックを回避する。
TSOPT (Time Stamp Option)	8	シーケンス番号の拡張に利用するオプション。ウィンドウサイズと同様、シーケンス番号も4オクテットという制限があるため、非常に大きなデータを送信する場合、これが不足することが想定できる。そこで、このオプションによりシーケンス番号を拡張する。
SACK Permitted	4	SACKが利用可能であることを通知する。
SACK	5	通常のACKでは、たとえば1～10のデータを送り、5が失われた場合、6～10が無事に受信できていても、5以降のデータがすべて再送信になります。このとき、SACKオプションで6～10が受信できていることを通知すると無駄な再送手順を省けます。

参照 MSS➡P225

4.7.4 UDP

コネクションレス型プロトコル

略語 UDP➡User Datagram Protocol

用語 **UDPデータグラム**
UDPで扱うデータの単位。TCPではセグメント、UDPではデータグラムと呼ぶが、パケットという用語を使う方がより一般的である。

UDPは、トランスポート層の本来の目的である**送達管理を行いません**。アプリケーションの識別機能のみを提供します。これは送達確認を行うTCPに対してUDPが劣位だということではありません。UDPはその分通信手順やヘッダ構造がシンプルで、オーバヘッドの少ない高速な通信環境を提供します。

例えば、通信速度が非常に重要なシステムで伝送路の品質が保証されており、データ授受の確認がアプリケーションでも行われていれば、トランスポート層でUDPを選択するメリットが大きくなります。

リアルタイム通信などに向く

参考 通信制御はユーザ側に一任されるので、柔軟性が高い通信を提供できるが、通信の送達性の保証はないので、通信制御を行う場合はユーザ側がその部分を作り込む必要がある。

リアルタイム性に重要な価値がある動画や音声のストリーミング配信などでも、UDPプロトコルが利用されます。

UDPヘッダの構造を以下に示します。極めてシンプルなデータ構造に注目してください。

0　15　31ビット

送信元ポート番号	宛先ポート番号
セグメント長	チェックサム

▲図　UDPヘッダ

TCPヘッダ➡P226

このように、UDPヘッダは全体でわずか64ビットの情報です。ここでセグメント長は、UDPヘッダとUDPデータ部を加算した合計のデータサイズをオクテット単位で挿入するフィールドです。

UDPと関連の深いプロトコル

●RTP、RTCP

Real-time Transport Protocolの略。UDPと組み合わせて利用されるプロトコルで、遅延が許されない動画や音楽のストリーミング配信に使われます。RTCP（RTP Control Protocol）によって制御されます。

●DNS

DNS➡P256

DNSは基本的にやり取りする情報が小さいので、オーバヘッドを小さくするためにUDPを使います。しかし、DNSのレコード長は大きくなる傾向にあります。UDPの512バイト制限を超えると、DNSは下位プロトコルとしてTCPを使うようになります。

●DHCP

DHCP➡P264

IPアドレスを取得するためのプロトコルです。まだIPアドレスが確定していない段階のクライアントが使うのでブロードキャストに頼らざるを得ません。ブロードキャストができるのはUDPです。

●SNMP

SNMP➡P335

ネットワーク管理用のプロトコルです。CPUやメモリに制限のある通信機器が使うこと、TCPで帯域を取るとネットワークを圧迫し本末転倒であることなどから、UDPが使われています。

4.8 TCPの伝送制御

TCPがUDPと異なる点として、通信の信頼性を提供することが挙げられます。その手法としての3ウェイハンドシェイクや確認応答なども学習しました。しかし、確認応答の手順は無駄な待ち時間も伴うため、通信速度を損なうことにもつながります。そのため、TCPでは信頼性を維持しつつも、高いスループットを維持できるよう、さまざまな高速化手法が取り入れられています。この節では、それを学んでいきましょう。

4.8.1 スライディングウィンドウ

スライディングウィンドウの仕様は早い段階からTCPに盛り込まれていました。TCPの機能として象徴的な3ウェイハンドシェイクよりも先に規格化が行われています。

TCP通信の高速化手法

3ウェイハンドシェイクなどは、TCPによるコネクション型通信の最も基本的な通信モデルです。しかし、この方法ではセグメントデータを送信して、それに対する確認応答(ACK)を確認した上で次のセグメントデータを送っています。

これは、送信ノードが次のセグメントデータを送る準備を整えていても、確認応答を受信するまでは送信待ちをしなければならないことを意味しています。これは、通信のスループットを大きく低下させる要因です。

そこで、高速通信に対するニーズが高まってくると、TCPは**ウィンドウ**という概念を取り入れました。この概念を利用すると、TCPはウィンドウとして指定しただけのデータを連続して送信することができます。例えば、本来確認応答を待たずに連続して送信できるデータは1セグメント分だけですが、ウィンドウサイズを5セグメントと指定すると、5セグメント分のデータを連続して送信することができます。

連続送信で通信効率を上げる

例えば、MSSが100オクテットだとすると、次の例では確認応答を待たずに500オクテットのデータを送信することができます。

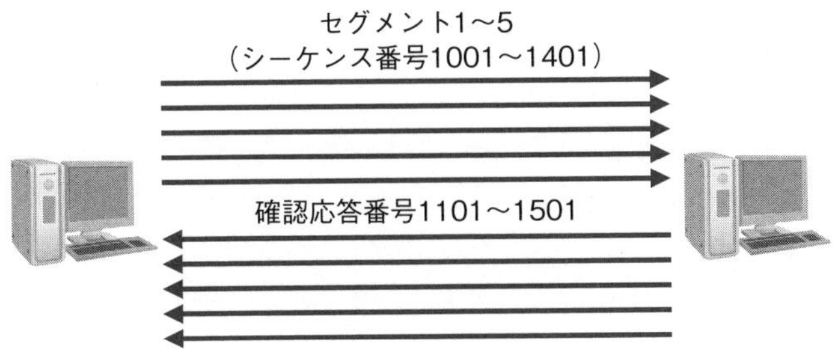

▲図　スライディングウィンドウ

送信ノードは、確認応答が着信するたびにウィンドウをずらして次のデータを送信します。これを**スライディングウィンドウ**と呼びます。

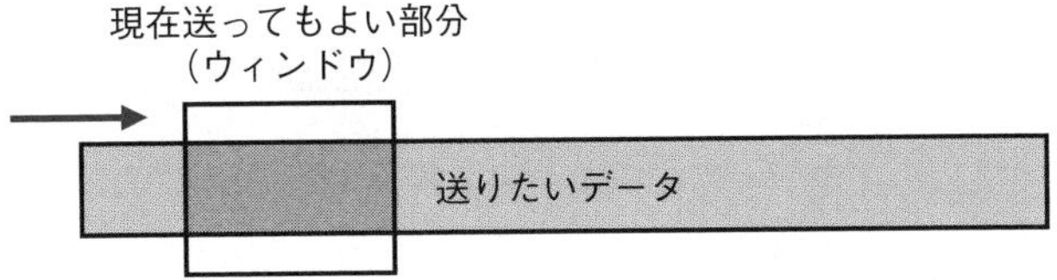

▲図　ウィンドウの移動

参考　ウィンドウサイズは、確認応答の内容によって拡大と縮小が可能である。

ウィンドウに該当している部分を通信バッファに割り当てておけば、確認応答が着信するとすぐに送信に移れるのでスループットの向上が見込めます。確認応答が着信したデータに関してはウィンドウをずらしてバッファから追い出します。

大きな通信バッファを確保できるシステムでは、ウィンドウサイズを大きくして伝送速度を向上させることができます。

4.8.2　高速再送制御

再送制御の高速化

スライディングウィンドウ使用時の再送制御は、**高速再送制御**と呼ばれます。送信データが通信中に失われた場合、受信ノードは受信に成功したデータまでの確認応答を応答し続けます。

次の図では、セグメント3に通信障害が発生し、その後のセグメント4、セグメント5は正常に着信しています。受信ノードはこれに対し、完全に受信ができているセグメント2まで確認応答を返信し続けます。

送信ノードは、セグメント3の送信にトラブルがあったことが分かるため、セグメント3を再送します。セグメント3への確認応答を受信していないため、セグメント3はまだウィンドウ(通信バッファ)に存在します。このため、再送処理が高速になります。

また、通常の遅延状態と判別するために、送信ノードは同一の確認応答を3回連続受信した場合に再送しますが、これはタイムアウトをトリガにするよりも速いタイミングで起動します。

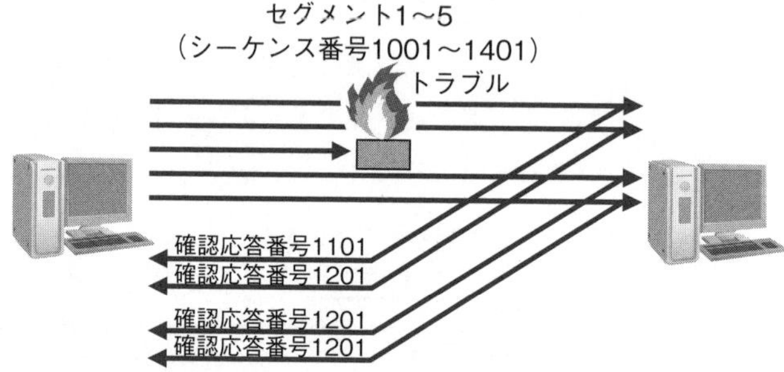

▲図　高速再送制御

確認応答パケット喪失時にも威力を発揮

スライディングウィンドウにおける再送制御の優位性は、確認応答パケットが失われた場合にもあてはまります。

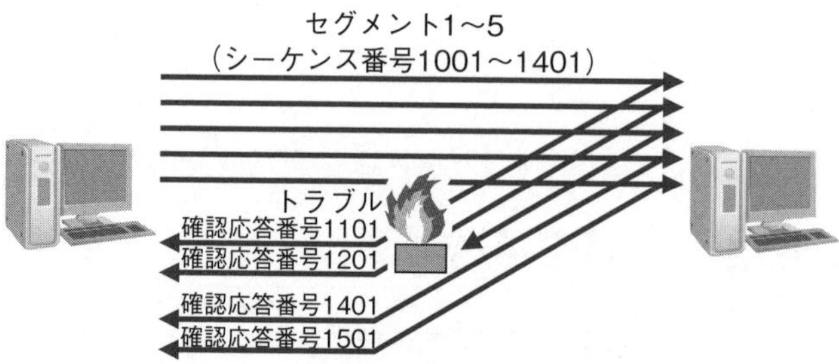

▲図　確認応答パケットの喪失

上記の例では、セグメント1～5は正常に伝送されていますが、それに対する確認応答番号1101～1501のうち、確認応答番号

1301が失われています。

スライディングウィンドウを使用しない処理では、この場合セグメント3を再送しなければなりませんでしたが、スライディングウィンドウの場合はその後に確認応答番号1401が着信するので、実はセグメント3は正常に伝送できていることが送信ノードにも分かります(セグメント3が失われていたら、前の例のように確認応答番号1201を受信し続けるはずです)。

したがって、スライディングウィンドウ方式を採用している送信ノードでは、確認応答がいくつか失われても無駄な再送を行わずにすみます。

4.8.3 フロー制御

スロースタートでは、ウィンドウサイズが小さい状態から通信を始めるため、ネットワークに負荷がかからない。ただ、通信の出だしは通信速度が上がらない。

BBR Bottleneck Bandwidth and Round-trip propagation timeの略で、IPネットワークにおける輻輳制御のしくみの一つ。従来の輻輳制御はパケット喪失の発生を抑止することに力点が置かれていたが、現代のネットワークではそれ以前の段階でネットワークへの流量を抑制したい(各通信機器のバッファが大きくなっているので、そこに入ってしまうと待ち時間が大きくなる)。そのために、帯域と所要通信時間を指標に使って、バッファに貯め込まれる前に送信にブレーキをかける。

送信ノードは、可能な限りの速度でデータを送出しようとします。特にスライディングウィンドウを用いている場合は、設定によってはかなりの量のデータを同時に送信します。

しかし、場合によってはこれがネットワークに負荷をかけることにつながります。LAN上にたまたま大量のデータが流れていたり、経路上のWANが狭帯域でネットワークが輻輳するかもしれません。こうした状況は初期状態では知ることができないため、通信のスタート時にはウィンドウサイズを1にして少しずつデータを流し始め、大丈夫そうであれば徐々にウィンドウサイズを大きくしていく方法があります。これを**スロースタート**と呼びます。

スロースタートが終了した後にも通信中にウィンドウサイズを動的に変更して、通信を適切な状態に保ちます。これを**フロー制御**と呼びます。

例えば、送信ノードのバッファに対して受信ノードのバッファが著しく小さい場合、送信ノードは自らのバッファかウィンドウサイズを使い果たすまでデータを送信し続けますが、受信ノードでは受信中にバッファあふれが発生してセグメントが破棄されてしまいます。これでは再送が行われ通信効率が低下するので、受信ノードは送信ノードに対して処理可能なウィンドウサイズを通知して送信量を抑制してもらいます。TCPヘッダには、この処理を行うためのウィンドウサイズフィールドが存在します。

4.8.4 遅延確認応答(遅延ACK)

受信ノードは、セグメントデータを受信すると確認応答を返して受信通知を行います。このとき、確認応答パケットのTCPヘッダにはウィンドウサイズが挿入されています。

セグメントデータの受信直後に確認応答が返されると、受信バッファに余裕がないため、本来のシステム性能よりも小さいウィンドウサイズが返答される可能性があります。送信ノードが、この値を基準にウィンドウサイズを設定して後続の送信を行うと、受信ノードの許容値よりも小さいデータが送信され続けます。

これは、通信全体のスループットを落としてしまう要因です。そこで、次のような条件で確認応答を返すことを**遅延確認応答**または**遅延ACK**と呼びます。

参考 遅延確認応答により、受信バッファに余裕のある状態でウィンドウサイズを応答できる。

遅延確認応答の条件

① 2セグメント受信する
② ①に該当しない場合、0.2秒確認応答を遅延させる

スライディングウィンドウの特性により、セグメントごとに確認応答を返さなくても無駄な再送処理を行わなくなりました。

そこで、2セグメント受信ごとに確認応答を返すことによって、不適切に小さいウィンドウサイズがTCPヘッダに挿入されることを抑制します。

▲図 遅延確認応答

4.9 ルーティング技術

4.9.1 ルーティング

経路制御（ルーティング）を正しく行うためには、ルータが膨大な数のネットワークの位置関係を把握している必要があります。こうした情報をルータが読める形式にまとめたものが、**ルーティングテーブル**です。

参考 ダイナミックルーティングを行うためのプロトコルを**ルーティングプロトコル**、もしくは**ダイナミックルーティングプロトコル**と呼ぶ。

ルーティングテーブルは、ネット黎明期は手作業によってメンテナンスされる（**スタティックルーティング**）のが基本でしたが、ネットワークの普及とともにそれは現実的ではなくなりました。

常に大量のネットワークが接続、更新、廃棄されているため、手作業では情報の更新作業が追いつきません。そこで、経路情報を自動収集して、判別、登録する**ダイナミックルーティング**が行われるようになりました。ダイナミックルーティングを使うルータは、ネットワークに障害や輻輳が生じても、自動的に迂回経路をとることができるため、信頼性の向上にも寄与します。

ルーティングテーブル

目的地までのルートと距離は、ルータ内で**ルーティングテーブル**（経路表）という形にまとめて保存されています。ルーティングテーブルには、宛先アドレスとそこに至るために転送すべきルータ、宛先までの距離が書かれています。

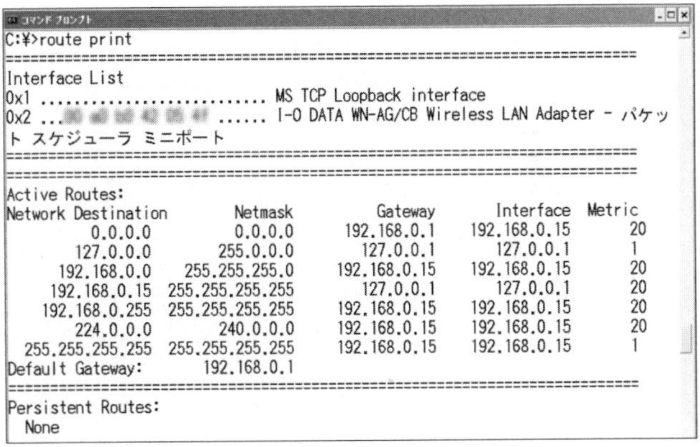

```
コマンド プロンプト
C:¥>route print
===========================================================================
Interface List
0x1 ........................... MS TCP Loopback interface
0x2 ...                 ...... I-O DATA WN-AG/CB Wireless LAN Adapter - パケット スケジューラ ミニポート
===========================================================================
===========================================================================
Active Routes:
Network Destination        Netmask          Gateway       Interface  Metric
          0.0.0.0          0.0.0.0      192.168.0.1    192.168.0.15      20
        127.0.0.0        255.0.0.0        127.0.0.1       127.0.0.1       1
      192.168.0.0    255.255.255.0     192.168.0.15    192.168.0.15      20
     192.168.0.15  255.255.255.255        127.0.0.1       127.0.0.1      20
    192.168.0.255  255.255.255.255     192.168.0.15    192.168.0.15      20
        224.0.0.0        240.0.0.0     192.168.0.15    192.168.0.15      20
  255.255.255.255  255.255.255.255     192.168.0.15    192.168.0.15       1
Default Gateway:       192.168.0.1
===========================================================================
Persistent Routes:
  None
```

▲図 Windowsのルーティングテーブル例（route printを実行）

Windowsパソコンにもルーティングテーブルがありますから、一度確認してみるとよいでしょう。コマンドプロンプトからroute printを実行します。

スタティックルーティング

ルーティングテーブルの作成方法は、2つに分けられます。そのうち、ネットワーク管理者がルーティングテーブルを手作業で作成する方法が**スタティックルーティング**（静的ルーティング）です。

参考 **VRRP**（Virtual Router Redundancy Protocol）は、ルータを冗長構成する場合に用いるプロトコル。複数のルータでグループを作り、そのグループのマスタルータが停止した場合に、バックアップルータが処理を引き継ぐ。

ネットワークが少数のうちは十分に機能しますが、インターネットのように無数のネットワークが統廃合を繰り返している環境では、きちんとした情報を維持するのは不可能です。現在では、少数接続のネットワーク環境や宛先に至るまでの経路を特定させたい場合に利用されています。

ダイナミックルーティング

スタティックルーティングにおける管理上の負担を取り除くのが**ダイナミックルーティング**（動的ルーティング）方式です。ルーティングプロトコルを利用することでルータ同士が情報の交換を行い、自律的にルーティングテーブルを作成します。

ルータの故障などによる一時的な経路変更にも対応できるため現在ではほとんどのルータが採用しています。注意点としてはルータへの負荷、情報交換パケットがネットワークの帯域を圧迫するなどの点があります。

参考 ルーティングプロトコルのクセを熟知していないと、思わぬ経路が選択される場合がある。また、経路がループする可能性も考慮に入れる必要がある。

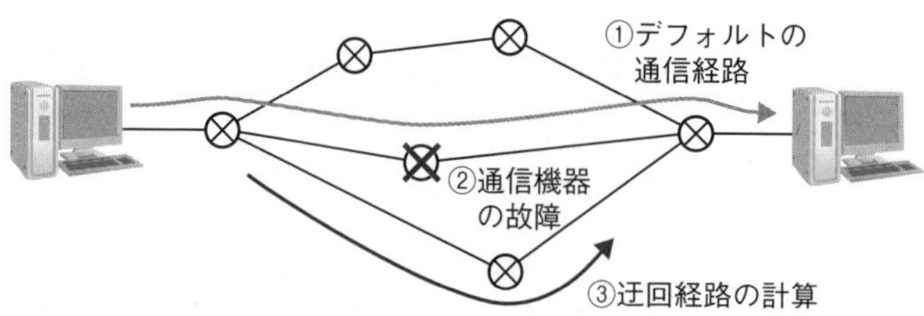

▲図　ダイナミックルーティングによる経路の迂回

4.9.2 ルーティングプロトコルの分類

IGP

本試験では、主にIGPについて問われることが多い。

ルーティングプロトコルは2種類あり、1つは自律システム内をルーティングする**IGP**、もう1つは自律システム同士のルーティングを行う**EGP**です。

AS➡Autonomous System

自律システム(**AS**)とは、家庭内や社内など、同じ方針に則って管理を行うことができる範囲です。企業内でネットワークを運用する場合、部署ごとにネットワーク管理方針があっては全体の統制が取れません。一般的に自律システムは企業単位です。

IGRP
IGPで使われる代表的なルーティングプロトコル。**ディスタンスベクタ型**のアルゴリズムが採用されているが、ホップ数は255まで設定可能であり、RIPより大規模なルーティングを行うことが可能である。

EIGRP
IGRPを拡張した上位互換プロトコル。ディスタンスベクタ型と**リンクステート型**を組み合わせたアルゴリズムを採用しており、さらに大規模なルーティングを行える。

自律システムの例として、企業、家庭、ISPなどがあります。この自律システムの中でダイナミックルーティングを行うのがIGPです。IGPの代表的なプロトコルは**RIP**と**OSPF**です。

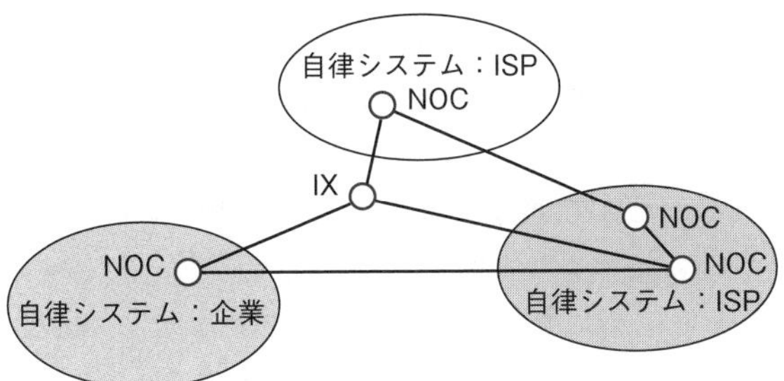

▲図　自律システムの構成

EGP

自律システム同士のルーティングを行う場合は、別のプロトコルを利用しなくてはなりません。自律システムの中であれば、情報の交換は比較的自由です。企業やISPの中核をなすNOC(Network Operation Center)に情報を集約すればよいからです。

しかし、自律システムは互いに異なる命令系統に所属する対等な関係の組織であり、お互いに公開し合っては不都合な情報もあるからです。そこで、こうした事柄を考慮した**EGP**が必要になります。EGPとIGPでは、EGPがより大きな範囲のルーティングに利用されます。EGPの代表的なプロトコルとして、**BGP**があります。

POINT　IGPとEGP

- **IGP** ……… AS内でのルーティングを行うプロトコル
  頻出のプロトコル
  - ・**RIP**……… 使用アルゴリズムは**ディスタンスベクタ**
  - ・**OSPF** … 使用アルゴリズムは**リンクステート**
- **EGP** ……… AS間のルーティングを行うプロトコル
  - ・**BGP-4** … EGPが出題されるとしたらこれ。午前でも午後でも問われる可能性あり

4.9.3　ルーティングプロトコルのアルゴリズム

ディスタンスベクタ

用語 ディスタンスベクタ➡Distance-Vector

ディスタンスベクタは、ルーティングプロトコルが宛先ネットワークまでの経路を評価するのに、方向と距離のみを要因として判断する方法です。

経路を判断するのに最低限の情報しか持たないため、アルゴリズムがシンプルで実装しやすいメリットがあります。反面、その他の情報は考慮しないため、現実に即した経路を判断できないことがあります。

次の図のネットワークでルータAからPC Aまでの経路を考えた場合、メトリック数で判断すると、上の経路は3で下の経路は2です。したがって、ディスタンスベクタアルゴリズムは、PC Aへの経路としてルータBを選択します。

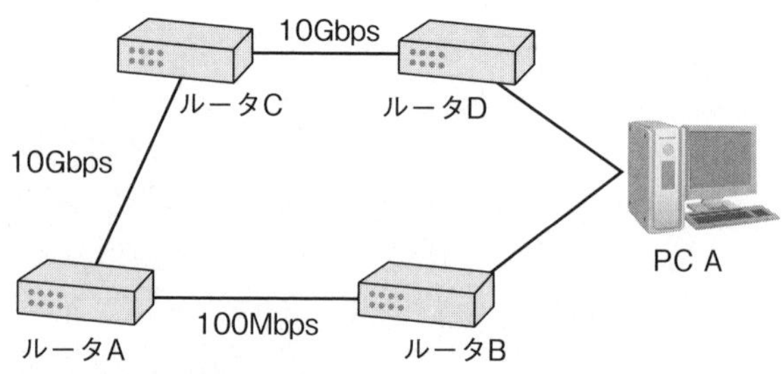

▲図　ネットワーク構成例

しかし、これにネットワークの速度という要素をプラスしてみると、10GbpsのLANで接続されている上の経路の方が到達速度

は速そうです。

このように、ディスタンスベクタ型のアルゴリズムでは、扱う情報がシンプルで実装が簡易な反面、距離以外の要素で伝達速度が左右されるネットワークでは最適な経路を選択できない可能性があります。また、ネットワークの構造が複雑になると経路にループが生じることがあります。

自動的にネットワークに経路を判断させる場合、この経路のループをどう処理するかが問題となります。スイッチングハブのスパニングツリーも同様の問題を内包しています。

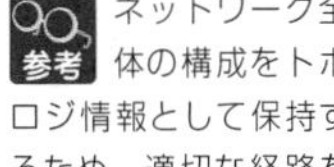

参照 スパニングツリー➡P124

リンクステート

リンクステートは、ディスタンスベクタよりも多くの情報から経路を判断できるように工夫されたアルゴリズムです。具体的にはトポロジ情報をルータ内に保持して計算を行います。

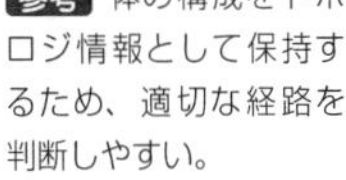

参考 ネットワーク全体の構成をトポロジ情報として保持するため、適切な経路を判断しやすい。

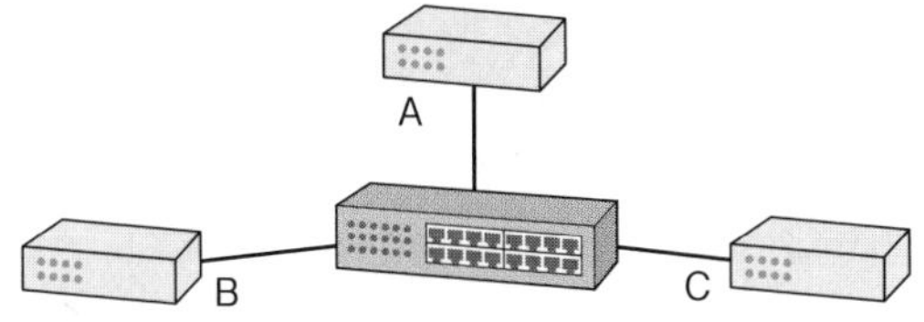

▲図　トポロジ情報

トポロジ情報とは、上図のようにネットワークの接続形態をモデル化した情報です。トポロジ情報はネットワーク全体の情報が含まれるので、自律システム内の各ルータにおいて同じ情報を持ち合うことになるという利点があります。

ディスタンスベクタ型は、距離と方向というそのルータから見た主観的な情報が用いられるため、情報量が少なくて簡易な反面、各ルータが持つ情報がばらばらで検定がしづらいという欠点がありました。これに比べてトポロジ情報を用いる場合は、どのルータも同じ情報を持つことになります。ネットワーク全体の構造は客観的な情報であり、ルータごとに変化する余地がないからです。

このため、ネットワークが複雑になっても正しい経路を判定することができる、状態情報として回線速度などを加味している場合は、ディスタンスベクタよりも伝送時間の点で最適な経路を判定できるなどのメリットがあります。

●情報が大きくなり負荷が増大

参考 全体のトポロジ情報を持つと情報量が大きくなるため、実際にはあるエリアのトポロジだけを把握するなど工夫がなされている。

ただし、自律システム内のすべてのネットワーク構成をトポロジ情報として保持するため、その情報量はディスタンスベクタに比べると非常に大きくなります。経路計算も、パラメータとして使用する要因が多くなるため複雑になりやすく、ルータに対して多くのシステム資源を要求します。基本的には、ハイエンドなルータがサポートするアルゴリズムです。

4.9.4 経路のループを回避する技術

RIPなどのディスタンスベクタ型のルーティングプロトコルでは、次のようなケースで経路のループが起きる場合があります。

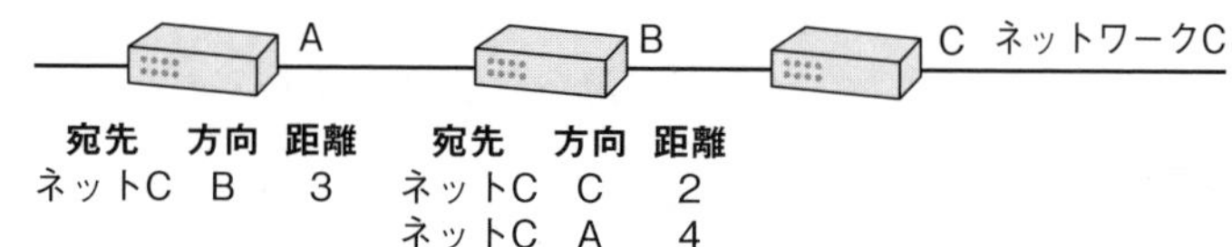

▲図 ネットワーク構成例

ネットワークCに至る経路として、ルータBはルータCを選択しています。同様にルータAはルータBを選択しています。ルータAがこの情報をルータBにアドバタイズした場合、ルータBはネットワークCに至るルートとしてルータAも選択肢に入れます。しかし、この時点ではルータCを選択した方がメトリックが小さいため、経路は変わりません。

ここでルータCが故障するとルータBはルータCを方向に持つ経路情報を削除します。そのため、ネットワークCへの経路としてルータAを選択します。ルータAはルータBからのアドバタイズを受信しますが、このときメトリックを1加算して、以下のようにルーティングテーブルが書き変わります。

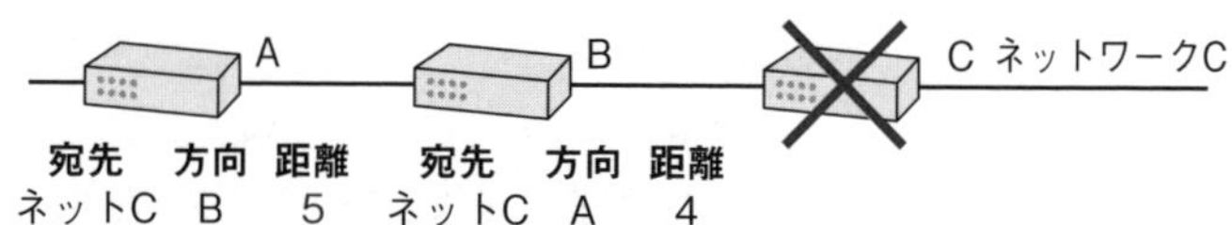

▲図 書き換えられたルーティングテーブル

異なるルータであれば採用されない。

本来であれば、このとき受信した経路情報はメトリックが5で自分が保持している経路情報より距離が大きいため採用されませんが、この情報はもともとルータBから教えられた情報であるため、メトリックが大きくなってもルータAはこれを受容しなければなりません。ルータBの先で経路に変更が加えられた可能性があるからです。

そして、ルータAは書き換えられたルーティングテーブルを新たにルータBに対してアドバタイズします。ルータBはこれを見てネットワークCへのメトリックを6に更新し … と、お互いに距離情報をどんどん加算しながらピンポン状に経路情報をやり取りすることになります。

参考 本来、ルーティングテーブルに記載されないはずの情報まで登録されることになる。

このように経路情報がループした場合、最終的にはメトリックが16を越えて経路情報そのものが破棄されてしまいます。

RIPの最大ホップ数は、16である。

スプリットホライズン

スプリットホライズンは、簡単な方法で経路のループを防止することができるが、複雑なネットワークではループを防止できないことがある。

経路情報のループを避けるためにいろいろな方法が考えられていますが、**スプリットホライズン**はその中でもよく普及している手法です。

これは非常にシンプルな方法で、自分がルートを教えてもらった方向にはそのルートのアドバタイズを行わないというルールです。

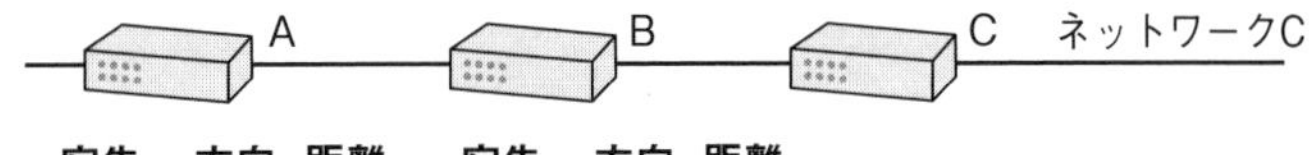

宛先	方向	距離	宛先	方向	距離
ネットC	B	3	ネットC	C	2
			ネットC	A	4

▲図　ネットワーク構成（再掲）

先の例では、この段階ですでにループの要因が含まれています。すなわちルータBの2番目の経路情報が余分なのです。これはネットワークCに至る経路としてルータAを指定していますが、結局、A→B→Cというルートを通ることになるので、全く無駄な情報です。そもそもルータBに教えてもらったネットワークCへの経路をルータAがルータBに教え返したのが原因でこのような情報が登録されてしまったのですから、これを抑制すればよいわけです。したがって、「教えてもらった方向へは、該当する経路情報をアドバタイズしない」という規則を採用します。これによって経路ループが発生する可能性を下げることができます。

ポイズンリバース

スプリットホライズンは経路ループを抑止する簡単な方法でしたが、ネットワークが複雑になってくるとその効果を発揮できないことがあります。次の図を見てください。

参考 ポイズンリバースは、比較的構成の複雑なネットワークでも経路ループを抑制できる。

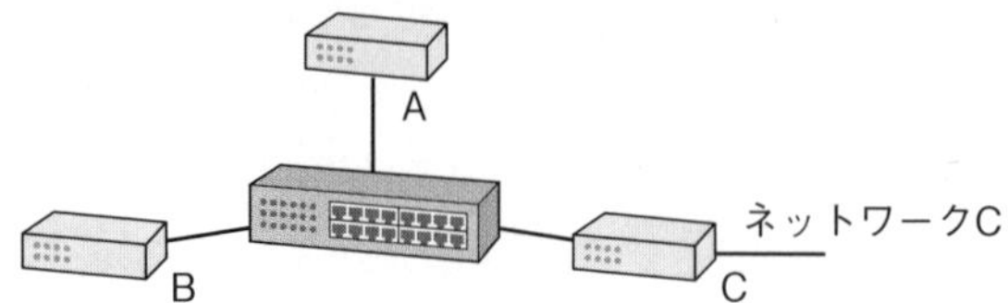

▲図　ネットワーク構成例(2)

先ほどと同じくネットワークCへ到達したいのですが、構成が変わっています。ルータCはネットワークCにダイレクトにつながっているので、メトリックは1です。これをルータAとルータBにアドバタイズします。ルータAとルータBのルーティングテーブルに以下のような経路情報が追加されます。

▼表　ルータA、Bのルーティングテーブル

宛先	ベクトル	ディスタンス
ネットワークC	ルータC	2

ルータAでスプリットホライズンを採用していた場合、これはルータCから教えてもらった情報なので、ルータC側の方向にはアドバタイズを行わない処置をとります。しかし、**ポイズンリバース**はさらに積極的にルータC側の方向にネットワークCへはルータAを経由しては到達できないことをアドバタイズします。

▼表　ルータAがポイズンリバースによりルータB、Cにアドバタイズする情報

宛先	ベクトル	ディスタンス
ネットワークC	ルータA	16

これを受信したルータB、Cは、メトリックが16を越えるためルータAを経由してはネットワークCへ到達できないと判断します。これにより、経路情報で誤解を生じる余地が小さくなります。

ただし、ポイズンリバースを採用すると、このような到達不能情報がルーティングテーブルに必ず記載されるようになるため、ルーティングテーブルが大きくなります。これはシステム資源に圧迫を加える可能性があります。

また、RIPはルーティングテーブルをブロードキャストするプロトコルですから、ルーティングテーブルが大きくなると、ネットワークの帯域も圧迫します。

4.9.5 RIP

RIP IGPで使われる代表的なルーティングプロトコル。実績のある長く利用されているプロトコルなので、対応製品が多い。

ディスタンスベクタ➡P240

RIPは、サブネットマスク概念に対応していない。

RIPは、非常に普及している**ディスタンスベクタ型**のルーティングプロトコルで、IGPに属します。RIPはデフォルトの設定で、30秒ごとにルーティングテーブルをネットワーク上にブロードキャストします。これによって、近隣に存在するRIP対応ルータに自分の存在を知らせ、かつルーティング情報をアドバタイズします。

192.168.1.2　192.168.2.2　192.168.3.2　192.168.4.2
A　B　C　D
192.168.0.1　192.168.1.1　192.168.2.1　192.168.3.1

▲図　ネットワーク構成例

このIPアドレスは末尾が0になっているので、ネットワークそのもののIPアドレスを示している。そのネットワークに至る経路情報であることが分かる。

上図のようなネットワークで、192.168.4.0に至るルートをルータCが知っている場合、ルータCのルーティングテーブルは以下のようになります。

▼表　ルータCのルーティングテーブル

IPアドレス	ベクトル	ディスタンス
192.168.4.0	192.168.3.2	2

ベクトルとは、そのネットワークが存在する方向です。ルータは必ず複数のNICを持っているので、どちら側に目的ネットワークがあるのか示します。

上の図中ルータCのNICは、192.168.2.1と192.168.3.2の2枚ですが、ネットワーク192.168.4.0は、192.168.3.2のNICの先に存在します。したがって、192.168.4.0のベクトルは192.168.3.2となります。

ディスタンスは、そのネットワークまでの距離です。ルータが直接目的ネットワークに接続されていれば1、間に他のルータが入るたびに、2、3 … と加算します。ルータCから見てネットワーク192.168.4.0までの間にはルータDがあるので、ディスタンスは2となります。

なお、RIPは中小規模のネットワークを想定しているので、ディスタンスは15までしかサポートしていません。

参考　RIPでは、中継するルータの数（**ホップ数**）を基準にディスタンスを計算する。これに対して、次項で説明するOSPFは経路に付加した重み（コスト）を基準にディスタンスを計算するが、このような計算基準のことを**メトリック**と呼ぶ。

ルーティングテーブルのアドバタイズ

前ページの図の例のルータCは、このルーティングテーブルを30秒ごとにブロードキャストします。ブロードキャストですから、ローカルネットワーク内に他のルータが存在する場合は、必ずそのルータに着信することになります。

ルータBは、ルータCのアドバタイズを受信すると、それを自分が保持しているルーティングテーブルと比較します。もし192.168.4.0への経路を今まで知らなかったなら、ルータBのルーティングテーブルに新たにこれを追加します。その際、ディスタンスに1を加算します（経路までにルータCがあるからです）。また、192.168.4.0への経路をすでに知っていた場合は、ディスタンスを比較して小さい方の情報をルーティングテーブルに登録します。

参考　ルーティングテーブルに登録される、次の転送先ルータ（のIPアドレス）の情報を**ネクストホップ**（next hop）という。

▼表　ルータBに追加された情報

IPアドレス	ベクトル	ディスタンス
192.168.4.0	192.168.2.2	3

ルータBは、30秒ごとにこれを192.168.1.1側のネットワークにブロードキャストします。こうした手順を繰り返して徐々に経路情報が隣のルータに伝播していくのです。

参考　30秒ごとにルーティングテーブルをブロードキャストするため、ルーティングテーブルが大きくなってくると、ネットワーク資源を圧迫する。

経路情報の抹消

RIPは、ネットワーク管理の自動化を目指したプロトコルなので、経路情報の登録だけでなく抹消についても手順が定められています。

参考　RIPはほとんどの処理が自動化されており、ネットワーク管理者の管理項目が少ない。

故障や電源断によって利用できなくなったネットワークへの経路情報がいつまでもルーティングテーブル上に残っていると、通信ができないにも関わらずデータの転送が行われることになり、ネットワーク資源を浪費します。また、宛先ネットワークに至る経路が複数存在する場合は、その経路情報を抹消すれば異なるルートで到達することができるかもしれません。このため、RIPはアドバタイズが行われなくなったネットワークについて経路情報を抹消します。この場合の待ち時間は、120秒です。

RIP-2

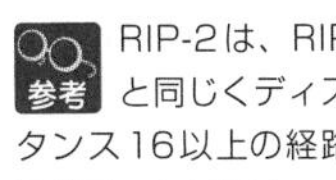

参考 RIP-2は、RIPと同じくディスタンス16以上の経路はサポートしない。

RIP-2は、RIPを運用して得られた反省点を元にRIPを改良したプロトコルです。基本的な設計はRIPと同様で、ホップ数制限(最大15ホップまで)などはそのまま引き継がれています。**ディスタンスベクタ型**のアルゴリズムで、IGPに属するプロトコルです。RIPから変更のあった点として、以下の3つが挙げられます。

RIPからの改良点

- **ブロードキャストを廃止し、アドバタイズにマルチキャストを採用**
  ネットワーク資源、システム資源に与える影響の軽減を図っています。
- **サブネットマスクに対応**
  サブネットマスク情報をアドバタイズするため、サブネット分割されたネットワークでも正確にルーティングできます。
- **パスワードに対応**
  RIPでは不可能だったパスワードによる認証に対応しました。パスワードが一致しないアドバタイズ情報は、無視することができます。

4.9.6 OSPF

参照 リンクステート
➡P241

用語 **IS-IS**
OSPFと同様のリンクステート型ルーティングプロトコルで、IGPに属する。特徴はOSPFに準じるが、OSIアーキテクチャの一部として開発された経緯があり、IP以外のプロトコルを扱うことができる。

OSPFは、RIPと同じIGPに属するプロトコルですが、ルーティングアルゴリズムとして**リンクステート型**を採用している点が特徴的です。トポロジ情報を用いて経路を判断するため、ディスタンスベクタではループが発生してしまうような複雑な経路を持つネットワークでも適切な経路を判断してルーティングを行うことが可能です。

また、重みという要素を経路判断の材料として取り入れている点に特徴があります。RIPでは判断要素が方向と距離しかなかったため、下のようなネットワークでは経路としてルータAは、ルータBを選んでしまいます。

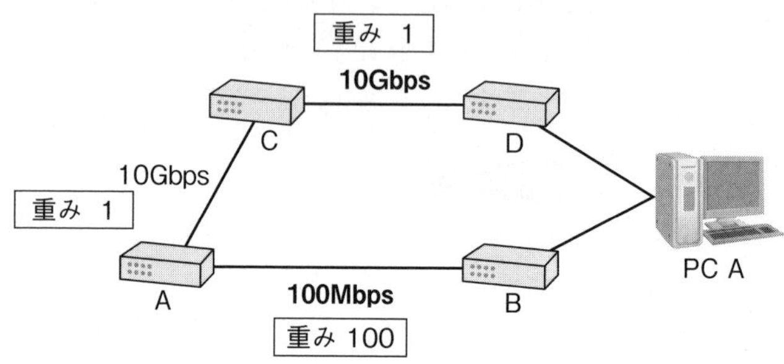

▲図　重みによる経路判断

コスト
用語 OSPFが経路選択に用いる情報で、小さいコストの経路ほど優先して選択される。コスト＝100,000,000／経路の通信帯域（bps）であるため、小さいほど通信速度が速いことになる。

参考 トポロジに変更が行われた場合にルーティング情報の交換が行われる。また、RIPでは扱えなかったサブネットマスクなどの情報も交換することができる。

しかし、OSPFでは**コスト**と呼ばれる重みパラメータを付加することで、経路判断の評価軸にネットワークの速度や混み具合を入れることができます。具体的には、10Gbps回線と100Mbps回線の速度差が100倍程度ですから、以下のように重みを付けます。

10Gbps回線……1　　　100Mbps回線……100

すると、距離で判断するとルータBを経由するルートを取ることになる上図のネットワークですが、

上ルート　1＋1＝2　　　下ルート　100

重み判断では上ルートの方が重みが小さいので、ルータAは、ルータCを経由するルートを選択することになります。

このように、OSPFの方が経路判断に利用できる情報量が多いので、現実のネットワークの使い勝手に即した経路選択をすることができます。

SPFアルゴリズム

SPF（Shortest Path First：最短経路優先）**アルゴリズム**とは、OSPFなどで使われている経路決定方法です（OSPF特有ではなく、他のルーティングプロトコルでも採用しているものがあります）。始点（スタートノード）から終点（ゴールノード）へ至る経路のうち、

最もコストの小さい経路が最短（最適）経路となります。次のような手順で、目的地までの最短経路を決定できます。

①スタートノードのコストを0、その他のノードのコストを無限大とする。
②スタートノードと直接接続しているノードのうち、最も小さいコストを持つノードを確定とする。
③確定したノードに接続しているノードでスタートノードからのコストを計算する。
④新しいコストが現在のコストより小さい場合、そのコストをノードに設定する。
⑤この時点でスタートノードからのコストが最も小さいノードを確定とする。
⑥すべてのノードが確定していなければ、③へ戻る

OSPFパケット

参考 OSPFは、ルーティングテーブルのブロードキャストを行わないのでネットワーク帯域を不必要に圧迫しない。

OSPFではリンクステート型に特有のデメリットを軽減するための工夫がいくつかなされています。例えば、リンクステート型で扱うトポロジ情報は、ディスタンスベクタと比較して非常に大きくなります。これをRIPと同様にブロードキャストしていたのでは、ネットワークの帯域が無駄に消耗されます。

そこで、OSPFではいくつかの要求や応答パケットを用意することで、この問題を回避しています。

▼表　OSPFパケット

タイプ	パケット	説明
タイプ1	Hello	近隣に存在するルータに自ルータが正常に稼働していることを通達する。RIPではこの役割をルーティングプロトコルブロードキャストが担っているが、これはネットワークの帯域を消耗する。Helloパケットという基本的には空のパケットでこれを代行することによって、ネットワーク資源に与える影響を削減している。
タイプ2	データベース記述	トポロジ情報を保持したデータベースから、リンク状態広告として要約したパケット。
タイプ3	リンク状態要求	データベース記述パケットを受信したノードは、リンク状態広告を見て自分が持っていない情報が含まれている場合に、このパケットを送信する。
タイプ4	リンク状態更新	リンク状態要求を受信した場合に作成される、相手ルータのデータベースを更新するための情報。
タイプ5	リンク状態確認応答	受信確認パケット。ACKに相当する。

用語 プリファレンス値
あるルーティングプロトコルが計算した経路と、違うルーティングプロトコルやスタティックルーティングによって設定された経路が異なる場合、どの経路を優先するか設定する値。

OSPFルータは、稼働している間、10秒間隔でHelloパケットをブロードキャストし続けます。これが近隣ルータに対する自ルータの正常動作確認として機能します。Helloパケットを受信した他ルータは、同様にHelloパケットを返信します。40秒待っても返信がない場合はリンクが切断されたと判断され、トポロジ情報が変更されます。

リンクが確立されると、ルータ同士はデータベース記述パケットを交換して、互いのトポロジ情報を比較します。情報に相違があった場合は、リンク状態要求パケットを送信して最新のデータを要求し、リンク状態更新パケットを返信してもらいます。この手順を繰り返すことで、エリア内に存在するルータが互いに同じ情報を持つようになります。

隣接ルータが存在しないなど、OSPFパケットをやり取りする必要がない場合には、そのインタフェースをパッシブインタフェースとして、パケットの送受信を禁止します。これにより、ルータの負荷を軽減できます。

エリア

参考 エリアを区切ることで、トポロジ情報を減らすことができるが、エリアを利用するにせよトポロジ情報は複雑で大きく、OSPFを処理するルータに高度なシステム資源（CPU、メモリ）を要求する。また、エリアの設計によっては、トポロジ情報やルータ負荷の軽減が行えない場合がある。

OSPFでは、さらに**エリア**という概念を導入して、各ルータが持つトポロジ情報の量を抑制しています。

次ページの図は企業内におけるエリア構築の例です。各エリア内におけるCのルータを内部ルータと呼び、エリア内のトポロジ情報のみを保持します。総務エリアの内部ルータは、総務エリアだけのトポロジ情報を保持しています。

これだけでは他エリアへのルートが分からないので、すべてのエリアと接続するバックボーンエリアを構築します。ここに配置されるルータは、ネットワーク全体のトポロジ情報を保持します。各エリアとバックボーンエリアを結んでいるルータBを**エリア境界ルータ**、バックボーンエリア内のルータと接続するルータAを**バックボーンルータ**と呼びます。

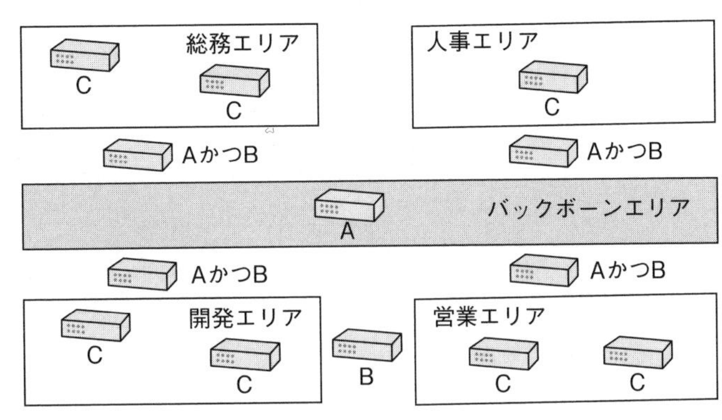

▲図 エリア概念

このようにトポロジ情報の単位をエリアごとに区切り、各ルータの役割を分担することで保持すべき経路情報を抑制する工夫がされています。

4.9.7 BGP-4

参考 BGPルータ同士はピアを使って経路情報を交換します。同じAS内でピアを確立する場合を**iBGP**、異なるAS内でピアを確率する場合を**eBGP**と呼びます。

BGP-4は、自律システム間のルーティングを行うEGPに属するプロトコルで、BGPバージョン4を表しています。これはBGPにおける最新の規格で、以前のバージョンと比べるとクラスレス経路を制御する機能が加わっています。

EGPでは自律システム内の細かいルーティングについては言及しません。組織の自律性を維持し、対等な接続関係を保つためにも組織内の情報はマスクされている必要があります。

これは換言すると、IPアドレスとサブネットマスクを利用したルーティングができないことを意味します。

参考 AS番号は、JPNICが管理・運用している。

したがって、BGPでは自律システムごとに付与された**AS番号**という固有番号(2オクテットのアドレス)によってルーティングを行います。

ルーティング方法

BGPに対応したルータは、自律システムの境界部分に置かれて他の自律システムと経路情報を交換します。このルータのことを**BGPスピーカ**と呼びます。

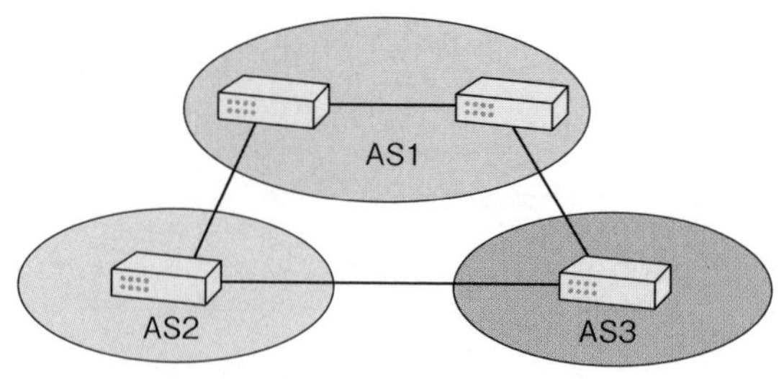

▲図 BGPスピーカ

BGPスピーカは、図のようにお互いにリンクを張ります。AS1はBGPスピーカを2個保持しているので、AS内部でもBGPスピーカ同士のリンクが張られています。

参考 パスベクトル方式は、ディスタンスベクタ方式に比べて、途中に通過するASの番号を保持するため、ループの検出が容易である。

BGPスピーカ同士が交換する情報には、宛先ASに至るまでの方向と距離、そこまでに通過するASの番号が含まれます。この情報を収集したデータベースのことを**AS経路リスト**といい、AS経路リストを用いた経路制御のことを**パスベクタ型アルゴリズム**と呼びます。具体的には、BGPはAS_PATHというパラメータを持っていて、この値が最短であるルートを選択します。AS_PATHはアドバタイズされると、ASを経由していくたびにAS番号が追加され、のびていきます。

▼表 BGPの主なパラメータ

パラメータ名	説明
AS_PATH	経路情報が通過してきたAS番号を並べたリスト。通過してきたASが多いほどリストが長くなる。リストに自ASが入っていたらその経路情報を削除してルーティングループを避ける
ORIGIN	どこが経路情報を作ったか。優先度が高い順にIGP(自ASで作られた経路情報)→EGP(外部ASで作られた経路情報)→その他
LOCAL_PREF	アウトバウンド通信に使うAS内ルータを決める優先度(大きいほど優先度が高い)
MULTI_EXIT_DISC	インバウンド通信に使うAS内ルータを決める優先度(小さいほど優先度が高い)。ただし、アドバタイズした値を外部ASが書き換えることはある

ルートリフレクタ

BGP対応ルータはスケーラビリティの面からも可用性の面からも、多数配置されるのが一般的です。ASをまたいだルータのリンクをEBGPピア、AS内のルータ同士のリンクをIBGPピアといいます。

大きなASの中で大量のBGP対応ルータがメッシュ状にIGBPリンクを張って経路情報を交換すると、ネットワーク負荷が大きくなり、管理も大変です。そこでルータ間の役割分担を行い、ルート情報を集約するリフレクタ(**ルートリフレクタ**)と、それ以外のクライアントに分けます。各クライアントはルートリフレクタとだけIBGPピアを構成すればよいので、ネットワーク負荷を軽減できます。

ルートリフレクタとそれにリンクするクライアント群をクラスタと呼びます。大きなAS内には複数のクラスタを作ることができます。

4.9.8 MPLS

MPLSはレイヤ2の技術だが、上位層プロトコルとつながりが深いので、ここで説明する。

MPLSは、IPヘッダの代わりにMPLSタグを用いてルーティングを行うプロトコルです。**MPLSタグ**はパス概念を持っているので、従来のルータとは違い経路を特定する仮想パスを構築できます。また、プロトコル依存性が少なく、多くの上位プロトコルを配送することが可能です。

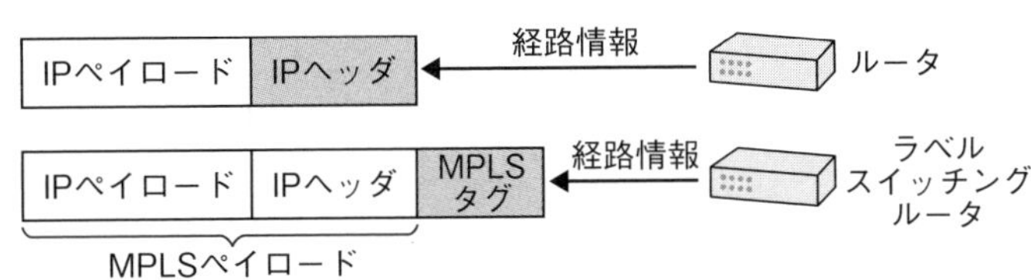

▲図 MPLSによるルーティング

ATM➡P120

MPLSは、もともとはATM用のルーティング技術として開発がスタートしましたが、パス機能などとの整合性のよさから、VPNへの応用が進んでいます。

LSRとLER

MPLS対応ルータのことをラベルスイッチングルータ(Label Switch Router：**LSR**)といいます。また、LSRで構成されるMPLS網の出入り口に置かれるLSRのことを**LER**(Label Edge

Router）といい、**エッジルータ**とも呼ばれます。

LERは、パケットの転送先を識別するIDである**ラベル**（MPLSタグ）をパケットに付与する役割を持ちます。

LSRは、**ラベルテーブル**を保持しています。ラベルテーブルとは、ラベルごとに経路を記述した表のことです。

4.9.9　IPマルチキャストルーティング

マルチキャストはグループ単位でノードを管理し、グループに所属しているすべてのノードにパケットを届ける技術です。このグループを管理するためのプロトコルがIGMPでした。

参照 IGMP➡P195

マルチキャストを行うためには、マルチキャストルーティングに対応したルータ群（**マルチキャスト網**）が必要です。マルチキャストルーティングに対応したルータは、宛先マルチキャストアドレスを見てどこへパケットを中継するかを判断します。

マルチキャストのルーティングに使われるプロトコルにはPIM-DM、PIM-SM、DVMRPなどがあります。マルチキャストを送信するノードはソース、受信するノードはリスナーと呼ばれます。

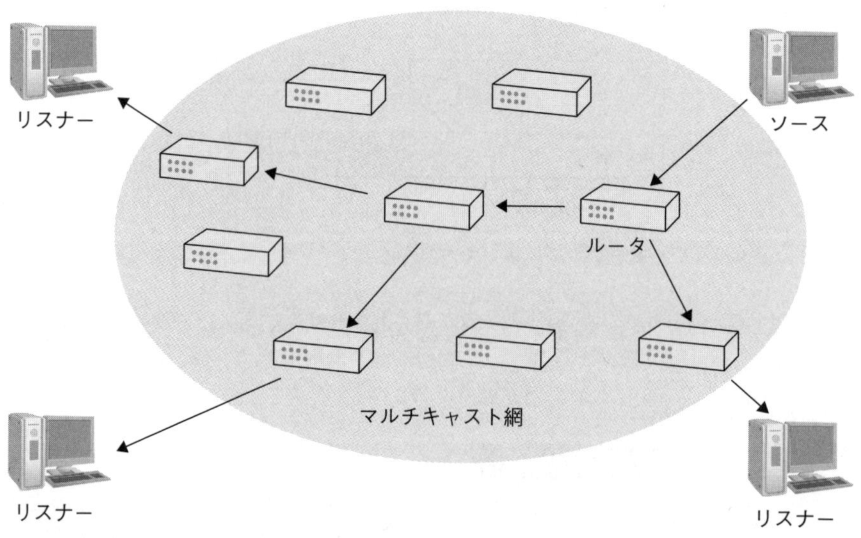

▲図　マルチキャストルーティング

ソースが送信したパケットはマルチキャスト網内をユニキャストの要領で伝送されていきます。たとえば1万台のリスナーがいたとき、マルチキャストを使わずに、1万のユニキャストを繰り返すのに比べるとネットワーク負荷を大幅に削減できます。図を見るとイメージできるように、マルチキャストの配信は次第に枝分かれしていく木構造になります。これをマルチキャスト配信ツリーと呼びます。

マルチキャスト配信ツリーは、何をルートとするかで2種類に分けることができます。ソースをルートとする送信元配信ツリー(PIM-DMを使う)と、ランデブーポイントをルートとする共有配信ツリー(PIM-SM)です。複数の送信元配信ツリーをくっつけて、互いのコンテンツを配信し合うものです。

ランデブーポイントとは、マルチキャスト網において中心的な役割を担うルータのことをいいます。共有配信ツリーの場合、ソースからのマルチキャストパケットがランデブーポイントに届くと、ランデブーポイントは別の送信元配信ツリーのリスナーへパケットを転送・配信していきます。

COLUMN

どうしてUDPがトランスポート層なのか？

トランスポート層は品質管理をする層なのに、そのしくみを持っていない**UDP**が何故該当するのか、という話です。

1つにはTCP/IPはOSI基本参照モデルに準拠して作られているわけではないですし、ネットワークの両端を確実に結ぶためにはアプリケーション識別（ポート番号）の機能が不可欠です。ネットワーク層はノードを識別しますが、ノード上で動くアプリケーションの識別はしないため、品質管理の要求がなくてもトランスポート層の位置にUDPのような機能が必要になってきます。

他のプロトコルでも、下位層の通信品質の向上にともなって、本来あった品質管理の機能が省かれるケース（X.25とフレームリレーの関係）などがあります。あわせて覚えてください。

4.10 名前解決及びアドレス管理技術

4.10.1 DNS

用語 DDNS（ダイナミックDNS）
動的にDNSを構成する技術。通常、DNSのレコードはスタティックに登録されるが、DHCPを使うクライアントなど、IPアドレスが短い周期で変更されるホストには不向きな方法である。そのため、クライアントにエージェントソフトを常駐させたり、DHCPと連携するなどの方法でレコードを自動更新するのがDDNSである。

DNSは、ドメインネームシステムと呼ばれる名前解決システムです。

IPネットワークでは、本質的にノードのアドレスにIPアドレスを使用します。しかし、IPアドレスは人間にとっては覚えにくいアドレスであるため、古くから別名（エイリアス）を付けるための機構が考えられてきました。最初に考えられたのは、**hostsファイル**方式です。これは、今でも多くのOSが実装しています。

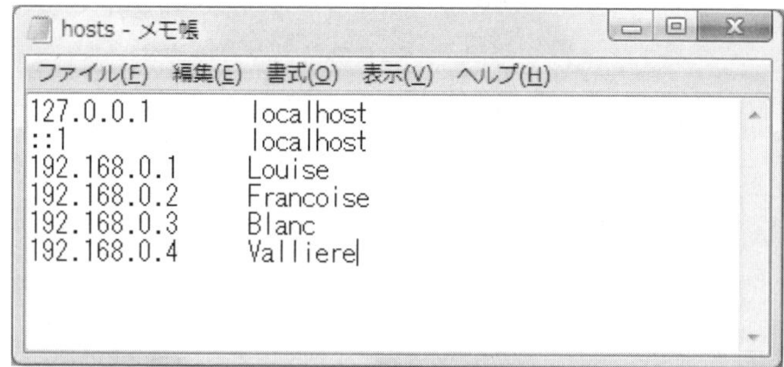

▲図　hostsファイルの例

参考 Windowsでは、デフォルトで「C:¥Windows¥System32¥drivers¥etc」フォルダにhostsというファイルが格納されている。

hostsファイルは、接続しているノードが少ないうちは有効に機能しますが、ノードが増加してくるとメンテナンスが大変です。また、複数のノードにそれぞれhostsファイルを設定する必要があるため、大規模なネットワークの名前解決ソリューションとしては適切ではありません。

そこで、名前解決を専門に行うサーバが登場しました。これを**DNSサーバ**と呼びます。

ドメイン名

参考 ドメイン名は、IPアドレスと比較して人間向けのアドレス体系であり、理解しやすい。実装には、名前解決のための機構が必要になる。

DNSで解決する名前のことを、**ドメイン名**と呼びます。単純にノードに名前を付ける方法ではどこかで必ず重複が発生するため、ドメイン名では名前空間を階層構造にして管理のしやすさと重複対策を同時に対処しています。

ドメインの名前空間は「/」(ルート)を頂点に階層化されています。ルートの直下にくる空間を、**TLD**といいます。

TLD➡Top-Level Domain

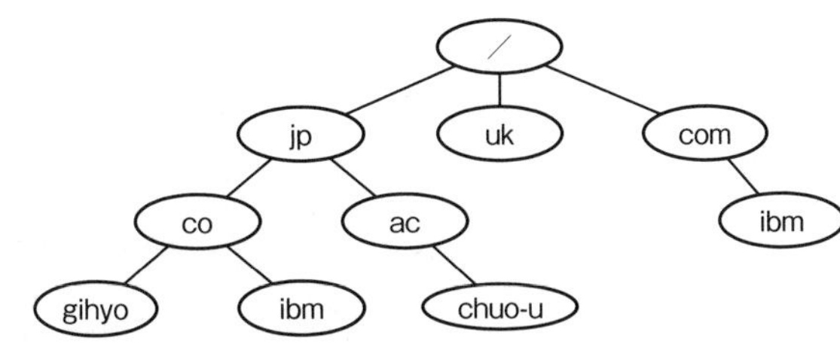

▲図　ドメイン名前空間の構造

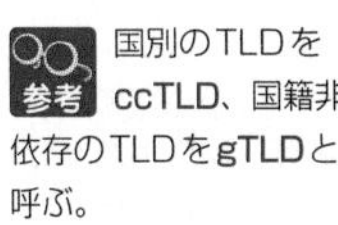
国別のTLDを**ccTLD**、国籍非依存のTLDを**gTLD**と呼ぶ。

TLDは通常、jp、ukといった国名が入りますが、comやnetのように国籍に依拠しない名前もあります。

TLDの下には、組織種別を表す**SLD**が配置されます。学術機関を表すacや営利組織を表すco、政府団体を表すgoなどがあります。さらに下位にはサードレベルドメインがあり、企業や学校といった各組織の名前空間をつくります。この、各組織が管理する名前空間を**DNSゾーン**と呼びます。権威DNSサーバが名前解決情報を管理する基本的な単位で、Aレコードなどの名前解決情報を記したテキストファイルが**DNSゾーンファイル**です。

また、ドメイン名にノード名を付加して、IPアドレスと1対1に対応させた名前を**完全修飾ドメイン名**(**FQDN**)と呼んで区別します。例えば、ドメイン名に「www」をつけることで、そのドメイン内のwwwというコンピュータという指定が加わり、IPアドレスに変換することができます。

名前解決の方法

DNSシステムは、名前解決のためのデータベースを分散させて負荷を均一化しています。

世界中のFQDNを解決するためのデータベースとなるとデータは膨大になりそうですが、ルートDNSサーバは世界中のすべてのノードのIPアドレスを記録してはいません。代わりに、TLD DNSサーバのIPアドレスを記録します。

TLD DNSサーバは自分の管理下のSLD DNSサーバのIPアドレスを記録し、この連鎖によって、いつかはFQDNがIPアドレスに解決できることになります。

リゾルバ

参考 Windowsでは、TCP/IPのプロパティにDNSサーバのIPアドレスを登録するフィールドがあるが、これは、Windowsのリゾルバ機能を動作させるためにDNSサーバの位置を知っている必要があるからである。

DNSサーバに対して、名前解決を依頼するDNSクライアントのことを**リゾルバ**(またはネームリゾルバ)と呼びます。リゾルバ機能は、現在ほとんどのOSに実装されています。

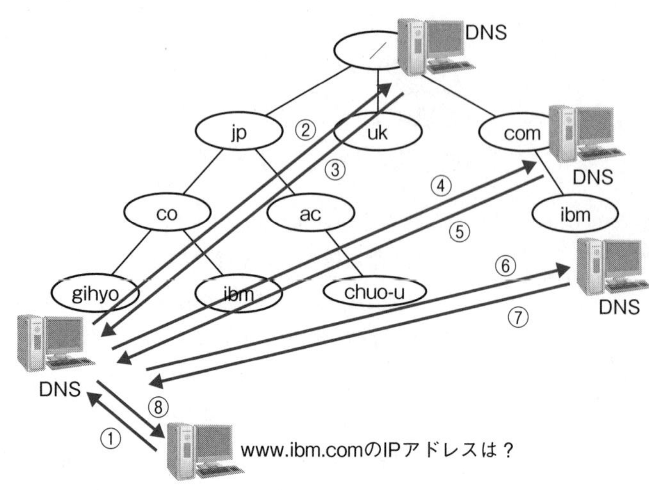

▲図 名前解決手順

参考 DNSサーバはルートサーバの情報を持っている。

リゾルバは、登録されたDNSサーバ(通常はローカルドメイン内の直近のDNSサーバを登録します。ここではgihyo.co.jpのDNSサーバ)に対して名前解決を要請します(①)。DNSサーバは名前解決ができる場合はIPアドレスを返しますが、解決できなかった場合はルートサーバへ名前解決を依頼します(②)。

参考 Windowsマシンは、名前解決の必要性が生じるとまずhostsファイルを参照し、そこに登録がなければDNSサーバへ問合せを実行する。したがって、よく利用するFQDNなどは、hostsファイルに登録しておくとローカルマシン内で名前解決ができるためスループットを向上させることができる。

ルートサーバは、直接は要求のあったFQDN(www.ibm.com)のIPアドレスを知りませんが、comを管理しているTLD DNSサーバのIPアドレスを知っているため、これをgihyo.co.jpのDNSサーバに返します(③)。

gihyo DNSサーバは、さらにcomのDNSサーバに問合せを行い(④)、ibm DNSサーバのIPアドレスを得ます(⑤)。gihyo DNSサーバはibm DNSサーバに問合せを行いますが(⑥)、ここではwww.ibm.comは自社内のコンピュータであるため、IPアドレスを返信してくれます(⑦)。gihyo DNSサーバは、www.ibm.comのIPアドレスを要求のあったPCに返信します(⑧)。

プライマリサーバとセカンダリサーバ

DNSはインターネットの根幹をなすシステムです。そのため、高可用性を確保するために、RFCにおいて複数台で運用することが求められています。DNSレコードを管理する単位を**DNSゾーン**といいますが、ゾーン情報のオリジナルを保存するサーバを**プライマリサーバ**、ゾーン転送によりゾーン情報のコピーを受け取り保存しているサーバを**セカンダリサーバ**と呼びます。

参考 プライマリサーバとセカンダリサーバはそれぞれマスタDNSサーバ、スレーブDNSサーバと表記されることもある。

組織が大きくなると、管理すべきゾーンも大きくなるため、ゾーンの管理は委任することができるようになっています。例えば、gihyo.co.jp内にsoumu.gihyo.co.jpとeigyo.gihyo.co.jpがある場合、eigyo.gihyo.co.jpは下位サーバに委任して、gihyo.co.jpゾーン(soumu.gihyo.co.jpを含む)とeigyo.gihyo.co.jpゾーンの2つのゾーンとして運用するといったことが可能です。

権威DNSサーバとキャッシュDNSサーバ

参考 権威DNSサーバをゾーンサーバ、キャッシュDNSサーバを参照サーバやフルリゾルバと表記されることもある。

自らのゾーンのDNSレコードを保存したDNSサーバを**権威DNSサーバ**(**コンテンツサーバ**)と呼びます。プライマリサーバとセカンダリサーバはどちらも権威DNSサーバです。

リゾルバが名前解決を要求するとき、権威DNSサーバへの問合せを繰り返すのは非効率です。そこで、自組織内に**キャッシュDNSサーバ**を置きます。この場合、リゾルバはキャッシュDNSサーバに問合せを行い、キャッシュDNSサーバ内に該当情報がキャッシュされていれば直接回答を得ることができます。ない場合はキャッシュDNSサーバが組織外の権威DNSサーバに問合せを行い、その結果を保存するわけです。DNSレコードが変更されることを考慮して、キャッシュには1日、2日などの有効期限が設定されます。

権威DNSサーバとキャッシュDNSサーバの役割分担を表にまとめます。

▼表　権威DNSサーバとキャッシュDNSサーバの役割分担

	機能	対象
権威DNSサーバ	自ドメインの名前解決を提供する。再帰的な問い合わせは行わない	不特定多数のクライアント
キャッシュDNSサーバ	最終的に名前解決ができるまで再帰的に問い合わせする	自ドメインのクライアントに対してサービスする

●オープンリゾルバ

DNSサーバを権威DNSサーバとキャッシュDNSサーバに分離するのには、オープンリゾルバ対策という側面もあります。

オープンリゾルバとは、インターネット上にある不特定多数のクライアントからの問い合わせに対して、再帰的な問い合わせに応じてしまうDNSサーバのことです。このようなサーバは、悪意のあるクライアントにとってありがたいものなので、不正利用に使われる可能性が大です。

DoS攻撃➡P386

たとえば、攻撃したいPC（IPアドレスAAA.BBB.CCC.DDD）があるとして、送信元アドレスをAAA.BBB.CCC.DDDに偽装してオープンリゾルバにDNS問い合わせを多数行います。すると、DNSからの大量の返答は、実際に問い合わせを行った攻撃者のPCではなく、攻撃対象のPC（AAA.BBB.CCC.DDD）に届くのです。

オープンリゾルバへの対策は、不特定多数のクライアントに回答するのは、権威DNSサーバが自ドメイン内の名前解決を行うときに限定することです。自ドメインと関係のない問い合わせには回答しないよう設定します。

自ドメインと関係のない問い合わせに対して、再帰的な問い合わせに応じるのは、自ドメイン内のPCの相手をするキャッシュDNSサーバのみとします。キャッシュDNSサーバも、インターネット上からの問い合わせに対しては再帰問い合わせに応じません。

権威DNSサーバとキャッシュDNSサーバを分けることで、このような設定をしやすくなります。

POINT

普段DNSサーバとして意識しない機器、たとえばルータがオープンリゾルバになっていることがある。

内部DNSと外部DNS

セキュリティ上の理由から、DNSサーバを内部ネットワーク向けと外部向けに分けて運用する場合があります。

●内部DNSサーバ

社内LANに設置して、社内からの問い合わせに応える権威DNSサーバ(社内のホスト情報を回答する)、及びキャッシュDNSサーバ(社外のホスト情報を回答する)を**内部DNSサーバ**といいます。

●外部DNSサーバ

DMZに設置して、自社外からの問い合わせに応える権威DNSサーバ(社外のホスト情報を回答する)を**外部DNSサーバ**といいます。

DNSに登録されるデータ形式

参考 リゾルバ機能をコマンドプロンプトから利用するnslookupコマンドも用意されている。

DNSサーバは、IPアドレスとFQDNを対応させる巨大なデータベースを保持していますが、このデータベースへの登録方法を紹介します。これは基本的にプレーンなテキストで構成されており、管理者が自分で読むことができるDNSレコード(リソースレコード)という形式になっています。

▼表 レコードタイプの一覧

レコードタイプ	説明
A	ノードの**IPv4アドレス**を表す。
AAAA	ノードの**IPv6アドレス**を表す。
NS	**DNSサーバ**であることを表す。
CNAME	他のレコードで登録された名前に対して、**別名**を関連づける。
SOA	ドメインやDNSゾーンの**登録情報**を表す。
PTR	IPアドレスからFQDNを**逆引き**するためのポインタ。
MX	**メールサーバ**であることを表す。
TXT	**テキスト情報**であることを表す。

●Aレコード、MXレコード

通常は**Aレコード**というFQDNとIPアドレスを対応させるレコード形式が利用されますが、ノードが持っている役割によっては別のレコードタイプが使われることもあります。

メール送信を行う場合は、宛先ドメインのどのコンピュータにメールを送ればよいのか(どのコンピュータがメールサーバなのか)をDNSに問い合わせます。その際に使われるのが**MXレコード**で、次の書式でメールサーバのアドレスを記します。

```
ドメイン名　IN MX　プリファレンス値　そのドメインの
メールサーバのFQDN
```

ドメインにメールサーバが複数ある場合、プリファレンス値が小さい方が優先されます。メールサーバの管理者はこれを利用して、メイン機とバックアップ機を公開しておくような運用が可能です。なお、プリファレンス値が同じである場合、どれを利用するかは送信側の任意です。MXレコードがあることにより、メール送信者はドメイン名が分かっていれば、メールサーバを知らなくてもメールの送信ができます。メールサーバはFQDNで記述するので、予めAレコードで登録しておく必要があります。

●TXTレコード

TXTレコードはDNSのリソースレコード(AレコードやMXレコード)の一種です。名前の通り、テキスト情報をDNSに登録することができます。用途は特に定められていませんが、情報処理試験で出題対象になるのが、SPFとの組合せです。SPFでは自組織で確かに使用している正規のメールサーバをDNSに登録する必要がありますが、この登録時にTXTレコードを使用します。

参照 SPF➡P276

```
+ip4:192.168.0.1  -all
(192.168.0.1からのメールのみ許可)
+ip4:192.168.0.1  +ip4:192.168.0.2 -all
(192.168.0.1と192.168.0.2からのメールを許可)
+ip4:192.168.0.0  -all
(192.168.0ネットワークからのメールのみ許可)
-all
(ウチのドメインからはメールを送りません)
```

本試験で出題される典型的なTXTレコードです。SPFの基本的なしくみに加えて、TXTレコードの書き方がよく出題されるので、ここで覚えてしまいましょう。書き方(読み方)は、

通信の可否　プロトコル　許可／拒否の範囲

で、これを接続させることができます。

1つめの例では+ip4：192.168.0.1となっているので、IPv4アドレス192.168.0.1が正規のメールサーバであることが示されています。忘れてはいけないのがその後ろで、-allが続いています。これは、明示的に許可された192.168.0.1以外にメールサーバは使用しないので、それ以外のアドレスからのメールはすべて拒否すべきことが示されています。

2つめの例では、2台のメールサーバが正規のメールサーバとして登録されています。3つめの例では、IPアドレスに注意してください。これはネットワークアドレスを示しているので、192.168.0ネットワークからのすべてのメールを正規のメールとして処理します。4つめの例は、このドメインからはメールが送られないこと（正規のメールサーバがないこと）を示しています。

DNSラウンドロビン

負荷が集中するWebサーバなどでは、1つのドメイン名に対して複数のIPアドレスを登録し、名前解決のたびに応答するIPアドレスを変えていくことがあります。これを**DNSラウンドロビン**と呼び、サーバの負荷軽減を行う手法の1つです。

簡便な方法であるため、デメリットもあります。サーバとクライアント間の継続的な通信が必要な状況で、名前解決のたびに異なるサーバが回答されて通信の継続性が失われたり、DNSキャッシュに長時間保存されることで、特定のサーバに意図せずアクセスが集中するケースなどです。

DNSSEC

DNSのセキュリティを拡張したプロトコルです。サーバ、クライアントの双方が対応している必要があり、加えてDNSサーバ自身が多数の階層構造を持っていることを考えると、完全に普及させるために置き換えなければならないノード数は膨大な数に上ります。危険性が叫ばれている旧来のDNSを代替するのは簡単ではありません。

DNSSECはDNSのリソースレコードのハッシュ値からデジタル署名を生成し、それ自身をRRSIGレコードとして登録します。情報を受け取った側は、RRSIGレコードを公開鍵で検証することで、送られてきたリソースレコードが正当なものであることを確認できます。このとき、公開鍵自身もDNSKEYレコードとして、DNSサーバに登録されます。情報を受け取る側は、RRSIGレコードを検証するための公開鍵をDNSKEYレコードとして入手します。

POINT　DNSを巡る動向

・IDN

Internationalized Domain Nameの略で、国際化ドメイン名のことです。従来、ドメイン名には英数字とハイフンしか使えませんでしたが、2バイトコードなどをACSII変換することにより漢字などでドメイン名を表現できるようにしました。

・顧客ドメインサービス

通常、ISPでホームページなどを運用する場合、そのISPのドメイン名が用いられます。ユーザが取得したドメイン名を利用する場合は、サーバも自分で用意するのが一般的だったのです。ISPやIDCが顧客のドメイン名を用いてサーバを運用することを顧客ドメインサービスといい、ユーザは低負担で自社ドメインを運用できます。

4.10.2　DHCP

参考　現状では市販されているほぼすべてのルータやL3スイッチ製品にDHCPサーバ機能が搭載されており、中小規模のネットワークであれば、その機能で困ることはないが、大規模ネットワークやDHCP自体に負荷がかかるようなネットワーク構成の場合は、DHCPに特化した製品を利用するほうがよい。

コンピュータの台数が増大すると、IPアドレスの管理負担が大きくなります。そこで、IPアドレスを自動採番するシステムとして設計されたのが**DHCP**（Dynamic Host Configuration Protocol）です。DHCPはクライアントサーバ型のシステムで、DHCPサーバがIPアドレスを一元管理し、DHCPクライアントはDHCPサーバからIPアドレスを受け取ることによって、自分自身のIPアドレスを設定します。

なお、最初の段階ではIPアドレスを特定できません。したがって、DHCPクライアントとDHCPサーバの間でコネクション指向の通信は行えませんから、要求する下位プロトコルはUDPになります。

IPアドレス付与の流れ

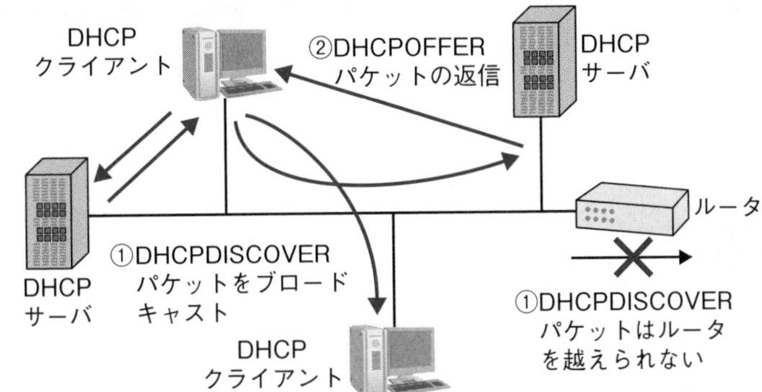

▲図　DHCPDISCOVERパケット

DHCPクライアントを設定しているノードは、起動時に、**DHCPDISCOVERパケット**を送信してDHCPサーバを検索します(①)。

DHCPDISCOVERパケットは、ブロードキャストされます。

DHCPDISCOVERパケットを受信したDHCPサーバは、IPアドレスを配布できる状態であれば、**DHCPOFFERパケット**を返信します(②)。ローカルネットワーク内にDHCPサーバが複数台存在する場合は、提供パケットが複数返される可能性があります。このとき、どのDHCPサーバから与えられたIPアドレスを採用するかは、先着順でDHCPクライアントが決定します。

参考 もし、DHCPクライアント上でWebサーバなどのIPアドレスが固定されていないと利用しにくいサービスが稼働している場合は、MACアドレスと配布するIPアドレスを結びつけることによって、固定したIPアドレスを付与することもできる。なお、一般的にサーバではDHCPを使わずスタティックにIPアドレスを設定する。

参考 ブロードキャストパケットはルータを越えられない点に注意する必要がある。DHCPサーバは、各ブロードキャストドメインごとに設置する。

参考 DHCPDISCOVERパケットの性質上、異なるネットワークのDHCPクライアントには対応できない。

DHCP
クライアント
④DHCPACK
パケットの返信
DHCP
サーバ
ルータ
※採用されなかった
提案をリセットする
DHCP
サーバ
③DHCPREQUEST
パケットをブロード
キャスト
DHCP
クライアント
③DHCPREQUEST
パケットはルータ
を越えられない

▲図　DHCPREQUESTパケット

採用すべきIPアドレスを決定すると、DHCPクライアントはその旨を**DHCPREQUESTパケット**としてブロードキャストします

参考 IPアドレス以外にも附帯情報をDHCPクライアントに与えることができる。

(③)。該当するDHCPサーバは、使用許可フラグとそのリース期限を**DHCPACKパケット**として返信し(④)、IPアドレスが有効になります。自分の提案したIPアドレスが採用されなかったDHCPサーバは提案をリセットし、IPアドレスをプールし直します。

リース期限

参考 Windowsマシンでは、DHCPサーバやリース期限をipconfig/allコマンドで確認することができる。

IPアドレスのリース期限は環境によってまちまちですが、モバイル機器が多用されるケースで数時間～数日、比較的機器構成が安定しているデスクトップ中心の環境では1週間程度が標準的です。

DHCPクライアントはリース期間の半分が過ぎると、リース更新要求をDHCPサーバに対して送信し、リース期限の延長をリクエストします。

DHCPクライアントは、電源切断時に**DHCPRELEASEパケット**を送信してIPアドレスを解放します。次の電源起動時に改めてIPアドレスを取得しますが、このとき同じアドレスを取得できる保証はありません。

DHCPサーバの設定

DHCPサーバは、空いているIPアドレス空間を設定してDHCPクライアントからの要求に備えます。アドレス空間は、192.168.0.2 ～ 192.168.0.32のように指定します。

DHCPクライアントからDHCPREQUESTがあると、DHCPサーバはこれをリースします。保持しているIPアドレスをすべてリースした場合は、次からのリクエストには応えられません。

DHCPリレーエージェント

用語 **giaddrフィールド**
DHCPDISCOVERパケット内のフィールド。DHCPリレーエージェントがDHCPDISCOVERを受信したNICのIPアドレスを書き込む。DHCPサーバが、IPアドレス未取得ノードの所属サブネットを識別するために使う。

DHCPサーバはローカルネットワークに対して1つ設置しますが、管理の一元化やネットワーク構成の都合で、複数のネットワークを1つのDHCPサーバで管理したい場合があります。その場合に利用されるのが**DHCPリレーエージェント**です。DHCPリレーエージェントは、DHCPサーバではありませんが、リモートネットワークにあるDHCPサーバにDHCPDISCOVERを転送します。DHCPリレーエージェント機能は、ルータやRASサーバに実装します。

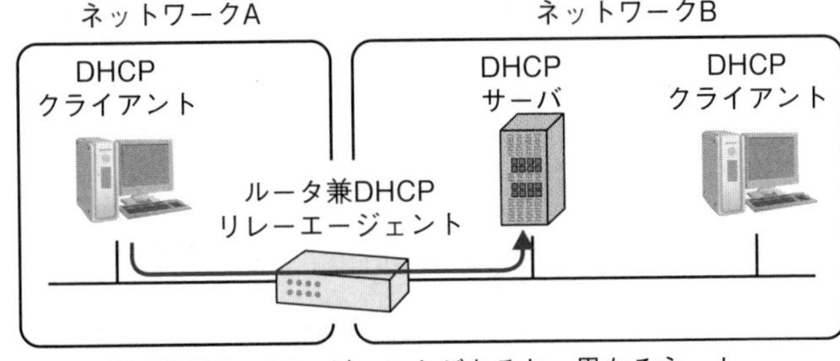

▲図 DHCPリレーエージェント

DHCPv6

IPv6用のIPアドレス自動割当プロトコルです。しくみ自体は従来のDHCPとほとんど変わりありません。一部にデフォルトゲートウェイのアドレスを渡せないなどの変更がある程度です。

IPv6ではリンクローカルアドレスは自動的に採番されますし、ICMPv6のルータ探索、ルータ広告を使ったステートレス自動設定でグローバルユニキャストアドレスも自動的に取得することができます。

しかし、たとえばDNSサーバ情報などの設定をしたい場合にはステートフル自動設定を行う必要があり、そこで使われるのがDHCPv6です。IPv6アドレスをDHCPv6を使って取得する／しない(Mフラグ)、IPv6アドレス以外の付帯情報をDHCPv6サーバから取得する／しない(Oフラグ)をICMPv6のフラグで選択することができます。

4.10.3 その他の名前解決技術

LDAP

LDAP (Lightweight Directory Access Protocol)とは、ディレクトリサービスにアクセスするためのプロトコルです。**ディレクトリサービス**とは、各種の情報資源(PCやユーザなど)を素早く見つけて利用するためのしくみです。ディレクトリサービスのプロトコルとしてはX.500があるのですが、オーバヘッドが大きいため、簡略化されたLDAPが普及しています。

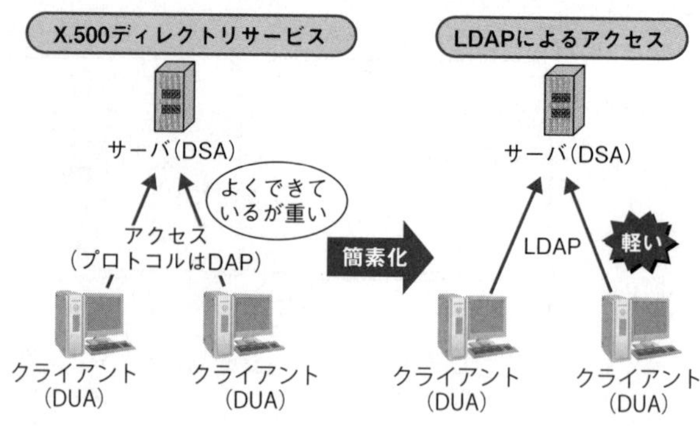

▲図　DAPからLDAPへ

アクセスプロトコルをLDAPに変更した場合、X.500で規定する機能の全部が使えるわけではありません。しかし、シンプルさとTCP/IP環境で実装できる実用性により、使いやすいものになっています。

Whois

JPRS（日本レジストリサービス）は、https://whois.jprs.jp/でWhoisサービスを提供している。

Whoisとは、Whoisデータベースやそこにアクセスするための Whoisプロトコルによって構成されるサービスの総称で、RFC 954で定義されています。インターネット上のWhoisサービスでIPアドレスやドメイン名を入力すると、ネットワーク名や組織名、管理者連絡窓口、技術連絡担当者などの情報を得ることができます。

4.11 メール関連のプロトコル

4.11.1 SMTP

インターネット上で利用できるメールのことを電子メールやEメールと呼びます。当初は研究者同士の情報交換や仲間同士のコミュニケーションに利用するツールと思われていましたが、今やビジネスに必須のツールにまで成長しました。電子メールを送信するためのプロトコルがSMTPです。

参考 SMTPは、極めて汎用性の高いメールプロトコルである。

電子メールのプロトコルは1つではない

電子メールに利用されるプロトコルは1つではありません。例えば、インターネット以前にもパソコン通信などで電子メールのサービスはありましたが、同じサービスの加入者同士のものでした。

現在の例でいえば、携帯電話のキャリアメールがこれに該当します。携帯電話のメールプロトコルは各キャリア固有で、互換性はありません。

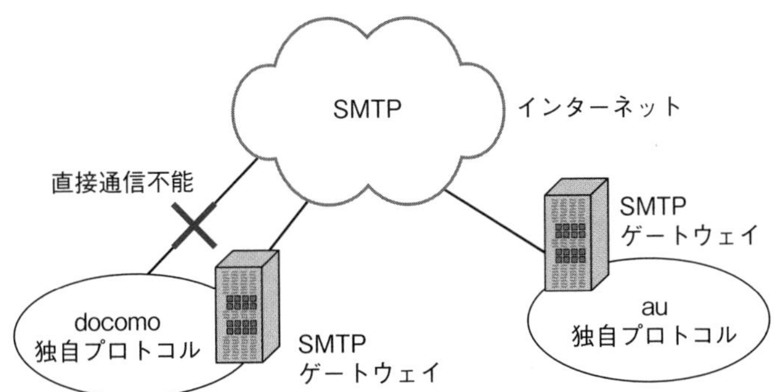

▲図　SMTPメールと独自プロトコルメールの接続

これでは電子メールの利点である高い接続性が殺がれてしまうので、携帯電話キャリアはゲートウェイを用意して独自プロトコルをSMTP形式に変換してインターネットに送信しています。

SMTPは、特に接続性を意識して設計されたプロトコルであるため、機能面ではこうした独自プロトコルに及びません。キャリア独自のメールでは綺麗な絵文字を本文中に利用することも可能ですが、SMTPメールはASCIIコードのみを用いてデータ伝送を行います。

SMTPメールの配送プロセス

SMTPの配送方法は非常に単純なものです。メールの送信ノードと受信ノードの2台の間でコネクションが張られ、直接データのやり取りを行います。

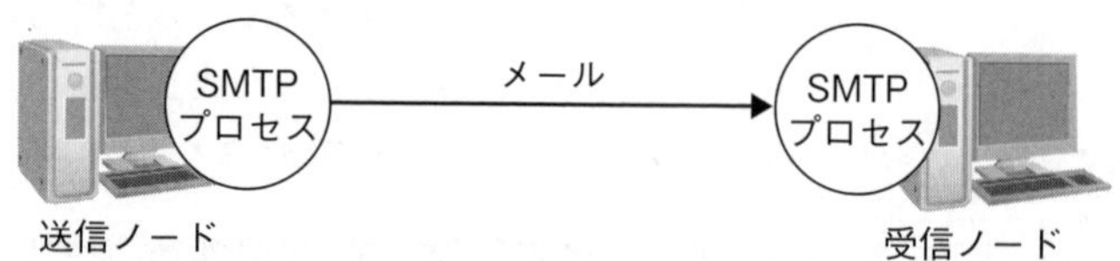

▲図　SMTP配送モデル（初期）

しかし、パソコンが1人1台という環境になってくると、使用していないPCの電源は切られます。また、メールが社会の中で重要な役割を担いはじめたので、電源を切っている間は届かないという運用も許されません。そこで、メールサーバを利用するモデルが考案されました。

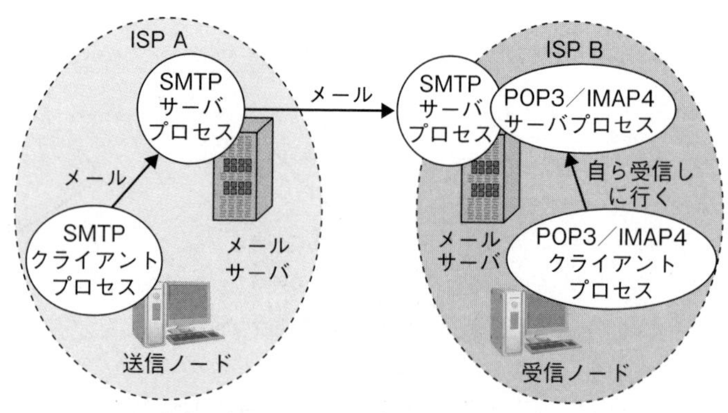

▲図　SMTP配送モデル（現在）

参考　SMTPクライアントソフトウェア（メールソフト）を**MUA**（Mail User Agent）、SMTPサーバソフトウェア（メールサーバ）を**MTA**（Mail Transfer Agent）という場合がある。

このモデルでは、それぞれの企業やISPなどにメールサーバが設置されます。サーバマシンは高い可用性を持ち24時間稼働します。送信ノードがSMTPクライアントを用いて自ドメインのメールサーバにメールを送信すると、メールサーバは送信先ドメインのメールサーバにメールを転送します。

POP3➡P278

そこで、メールはサーバに蓄積されます。受信ノードは、POP3という受信専用のプロトコルを用いて自ドメインのメールサーバから自分のメールをダウンロードします。このため、手元のパソコンを常に立ち上げておかなくてもメールの送受信ができるのです。

SMTPメールのアドレス

ドメイン名➡P256
FQDN➡P257
DNS➡P256

SMTPのメールアドレスは、「名前@ドメイン名」という構造を取っています。このドメイン名は、HTTPなどの名前解決に利用されるものと同一です。

名前はドメイン内で重複してはいけません。

SMTPの伝送手順

SMTPは、下位プロトコルとしてTCPポートの25番を利用します。したがって、DNSにより名前解決を行って宛先ノードのIPアドレスを得てしまえば、基本的な伝送制御はTCPやIPに任せてしまいます。

SMTPは、メールに必要なやり取りをコンパクトにまとめたプロトコルです。

ESMTP拡張機能には、SMTP-AUTH、8ビットMIME、配信確認、パイプライン、拡張エラー情報などがある。

▼表　SMTPコマンド

コマンド	説明
HELO＜domain＞	通信の開始を表す
EHLO＜domain＞	通信開始＋ESMTP拡張機能が使えるかの問い合わせ
MAIL FROM：＜Return-Path＞	送信者を挿入するフィールド
RCPT TO：＜Forward-Path＞	受信者を挿入するフィールド
DATA	電子メール本文
RSET	初期化コマンド
VRFY＜string＞	ユーザ名の確認
EXPN＜string＞	MLを展開
NOOP	応答要求
QUIT	切断

▼表　SMTP応答

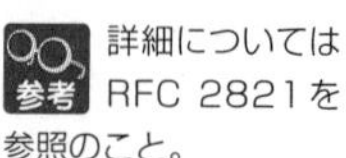
詳細についてはRFC 2821を参照のこと。

(200番台：肯定応答)	
211	HELP応答
214	HELPメッセージ
220＜domain＞	開始
221＜domain＞	切断
250	メールの処理が正常終了
251	ユーザが存在しないので転送する
(300番台：DATAコマンドに対する肯定応答)	
354	DATAコマンドに対する肯定応答
(400番台：転送エラー)	
421＜domain＞	転送不可により切断
450	メールボックスが存在しない
451	処理中断
452	サーバのディスク容量不足
(500番台：中断エラー)	
500	コマンドのシンタックスエラー
501	パラメータエラー
502	実装していないコマンド
503	コマンドの順番が異なる
504	実装していないパラメータ
550	メールボックスが存在しない
551	ユーザが存在しない
552	ユーザに割り当てられたディスク容量を超えた
553	権限のないメールボックス
554	その他

参考　SMTPには本人認証のしくみが組み込まれていないので、なりすましに対して脆弱である。

SMTPでメールを送信する場合は、これらのコマンドと確認応答を対話的にやり取りして通信を行います。

これらのやり取りは、すべてテキストベースで行います。したがって、SMTPコマンドとそれに対する応答メッセージを理解していれば、これを手動で行うことも可能です。telnetクライアントを利用して、受信ノードにTCPポート番号25番で接続すれば、SMTPサーバプロセスは対話型処理に応じます。

Outlookなどのメールクライアントソフトを用いたメールの送受信は、これらのプロセスをソフトウェアが自動的に処理しているだけで、基本的な流れは同一です。

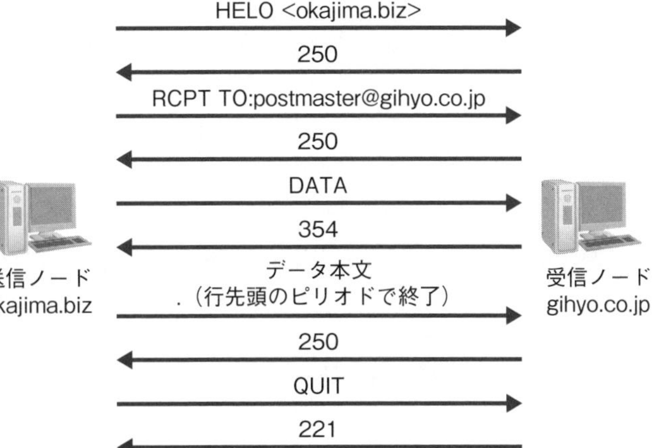

参考 宛先が複数ある場合、複数のRCPTコマンドが実行される。

▲図　SMTP送信ノードと受信ノードのやり取り

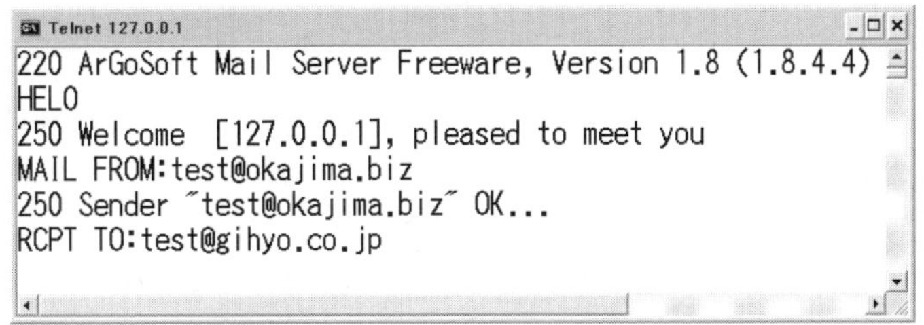

▲図　Telnetを用いたSMTP接続

また、プロトコルアナライザを用いれば、メールソフトがやり取りしている上図のようなコマンドを取得することも可能です。キャプチャソフトでも可能なので試してみるとよいでしょう。

4.11.2　SMTPメッセージの構造

SMTPメッセージは、エンベロープ、ヘッダ、ボディの3つの部分で構成されます。ヘッダとボディをあわせてコンテンツといいます。

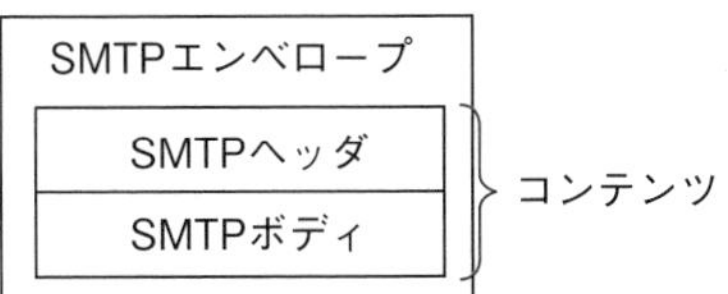

▲図　SMTPメッセージの構造

SMTPエンベロープは、SMTPコマンドで入力したMAIL FROMとRCPT TOの情報が記述されるフィールドで、MTAはこの内容をもとにメールの転送を行います。

SMTPヘッダは送信者や受信者、エンコード情報などが記述されるフィールドです。SMTPエンベロープと似ていますが、このフィールドはメールを受信したクライアントのMUAが使用するものです。つまり、実際の配送段階で使われる情報はSMTPエンベロープだけで、受信者の便宜のためにSMTPヘッダがあることになります。

SMTPボディはメールの本文そのものです。ヘッダとボディは空白行によって区分されます。

MIME

SMTPの仕様では、題名や本文として扱える文字コードはASCIIコードに限定されています。これは現在に至っても変更されていません。SMTPの設計は英語圏の技術者が行っているため、致し方のないことですが、漢字やアラビア語を利用する言語圏では不自由な期間がありました。

エンコーディング
あるデータ形式から異なるデータ形式へ変換を行うこと。MIMEに変換することを**MIMEエンコーディング**という。

また、メールを送受信する環境が整ってくると、アプリケーションのデータや画像データなどをメールに添付したいというニーズも発生しました。

そこで、従来ASCIIコードしか利用できなかったSMTPにおいてASCIIテキスト以外のデータも扱えるよう、機能拡張を定義したのが**MIME**です。

従来のSMTPの構造を崩さずに機能拡張を行うため、MIMEは送信するデータをBase64という方法でASCII文字列に変換します。送信データから3バイトずつを取り出し、それを6ビットごとに1文字のASCII文字に変換するやり方です。変換後は4バイトになるので、データ量は変換前の4／3に増大してしまいます。

●8ビットMIME

MIMEはデータをASCII文字（7ビット）へと変換しますが、これを8ビット文字に変更したものを**8ビットMIME**といいます。

純正のSMTPはASCII文字列しか送信できないので、拡張SMTP（ESMTP）でしか使えません。

S/MIME

MIMEをさらに拡張して電子メールの暗号化と電子署名の機能を盛り込んだのが**S/MIME**です。

S/MIMEはRSAセキュリティ社が提案しIETFが標準化した規格で、RSAやECDSAを用いて実装されます。認証局が発行した**X.509形式**の電子証明書が必要です。

4.11.3 POP before SMTP

SMTPは設計が古く、なりすましに対して脆弱です。そのため、メールの送信時にも本人認証を行い、セキュリティを向上させる方法がいくつか考えられました。**POP before SMTP**は、SMTPシステムには手を付けずにPOP3の認証機構を利用するしくみです。

●POP3の認証を利用した簡易的な本人確認

参考 送信前に必ずPOP3によりメールの受信を行う必要があるため、メールボックスに大量にメールが保存されているような状況では、メール送信に時間がかかる。

POP before SMTPは、メールの送信を行う前にPOP3を利用して認証を行います。そして、POP3を受信したIPアドレスのノードに対して一定の時間だけSMTP接続を許可します。

こうすることで、SMTPに大きな変更を加えることなく本人認証を行うことが可能です。

4.11.4 SMTP Authentication (SMTP-AUTH)

POP before SMTPは、POP3通信を行っている送付ノードを認証しているだけで、SMTP自体に認証システムを組み込んでいるわけではありません。そこで、SMTPに直接認証機構を組み込んだ仕様が、**SMTP Authentication**です。

参考 SMTP自体に認証機構を組み込むことで、SMTP通信の正当性を保証する。

SMTP Authenticationでは、ユーザIDとパスワードによる認証を行いますが、**AUTH PLAIN**や**AUTH CRAM-MD5**など数種類の認証方法が提供されています。このうち、AUTH PLAINはクリアテキスト認証で、パスワードが平文のままネットワーク上を流れるので、通常はAUTH CRAM-MD5などの暗号化に対応した認証を行います。

SMTP AuthenticationはSMTPの仕様を改良しているため、従来のSMTPに対応したソフトウェアでは通信を行うことができません。

つまり、サーバ側、クライアント側がともにSMTP Authenticationに対応している必要があります。

SMTP-AUTHはクライアント→サーバへの通信に用いますが、従来のSMTPと区別し、またOP25Bへの対策のためサブミッションポート(587番ポート)を使うのが一般的です。

参照 OP25B ➡P403

4.11.5 送信ドメイン認証

脆弱性のあるメールサーバが第三者中継の踏み台にされ、大量のスパムメールやなりすましメールが飛び交っている中で、SMTPでも送信者を認証したいニーズが急増しています。**送信ドメイン認証**は、IPアドレスを使うもの(例：SPF)、デジタル署名を使うもの(例：DKIM)の2つに分けられます。どちらも、クライアントに変更を加えなくても導入できるのが特徴で、大量のクライアントを抱える環境でも、比較的作業負担を小さくできます。

SPF

SPF (Sender Policy Framework)は、メールを送信する可能性がある**IPアドレスの範囲をSPF情報**としてまとめ、DNSで公開する方法(TXTレコード)です。受信側メールサーバはDNSに問合せを行い、送信元IPアドレスがこの範囲内にあれば、正当なメールとして処理します。SPFレコードの書き方が午後問題でよく問われているので、DNSの項もあわせてご覧ください。といっても、+(許可)、−(不許可)だけ覚えておけばなんとかなるので、簡単です。

TXTレコード ➡P262

SPFは比較的簡単に実装できるのが利点ですが、送信側メールサーバが正規のメールサーバか否かを検証しているだけなので、クラッカーが正規のメールサーバを利用するケース(送信元を突き止められるのをものともしなかったり、正規のアカウントを乗っ取っているような場合)には対応できません。

DKIM

DKIM (DomainKeys Identified Mail)は送信側メールサーバがメールに対してデジタル署名を行う方法です。具体的にはデジタル署名をメールヘッダ(DomainKey-Signature)に添付し、それを検証するための公開鍵はDNSにTXTレコードとして登録します。

受信側メールサーバはDKIM対応のメールを受け取ると、DNSに対して問い合わせを行い、TXTレコードから公開鍵を取り出して署名の検証を行います。デジタル署名を使うため、検証の信頼性が高いのが特徴です。

一般的にデジタル署名は導入の敷居が高く、なかなか標準的な利用者に浸透しませんが、DKIMではサーバがすべて処理することも可能なので導入しやすいといえます。

デジタル署名の特徴として、署名の対象になっているフィールド（メールヘッダの一部とメール本文）に変更が加わると、メールと署名の対応が崩れて認証が失敗します。送信中にメールの本文が変わるような運用（送信の過程でシグネチャや添付ファイルがつくなど）では、注意が必要です。

DMARC

SPFやDKIMによる送信ドメイン認証を補完する技術です。SPFでもDKIMでも、認証に失敗したメールの処理は受信者に一任されています。しかし、DMARCを使うと、送信者が認証失敗メールをどう処理して欲しいかをDNSに記述できます。

ABC略語 DMARC➡Domain-based Message Authentication, Reporting, and Conformance

送信サーバも受信サーバもDMARCに対応している場合、送信者が「拒否」を設定しておけば、受信サーバがこれをDNSから参照して自動的に認証失敗メールの受け取りを拒否します。受信サーバは認証結果を送信者に報告するので、送信者側は自分のメールがどう扱われたかを知ることができます。

POINT

- 送信元IPアドレスを使う ＝ SPF
- デジタル署名を使う ＝ DKIM
- 日本では、SPFが普及している。
- DKIMを個人のPCで行うこともできるが、あまり現実的ではないので、一般的にはプロバイダのMTAが行う。
- SPFとDKIMを組み合わせたDMARCもある。

4.11.6　POP3

SMTPがメールの送信を行うのに対して、**POP3**はメールサーバに蓄積された自分宛てのメールを手元のクライアントマシンにダウンロードするためのプロトコルです。

このとき、メールサーバには他のユーザのメールも蓄積されており、これが他人に読まれるとプライバシが侵害されるため、早くから本人認証のための機能が実装されていました。

POP3ではメールのダウンロードに先立って、ユーザIDとパスワードにより本人認証を行います。認証されたユーザは、自分宛てのメールに限ってサーバからリストや本文をダウンロードすることができます。

POP3で使用されるコマンド

POP3は、ローカルドメインのメールサーバに対して自分宛てのメールを受信しにいくだけの機能を持ったプロトコルであるため、シンプルな構成でまとめられています。POP3コマンドやそれに対する応答は次のように数種類しかありません。

参考　パスワードがクリアテキストでネットワーク上に送信される。

▼表　POP3コマンド

認証時	
USER ＜ユーザ名＞	ユーザ名の入力
PASS ＜パスワード＞	パスワードの入力
QUIT	切断
ダウンロード時	
STAT	状態の通知
LIST	メール一覧表
RERT	メールのダウンロード
DELE	メールの消去（実行はQUIT時）
RSET	DELEコマンドの取消し
QUIT	DELEコマンドを実行して切断
TOP	メールの先頭行を取得

▼表　POP3応答

＋OK	コマンドが成功したことを表す。
－ERR	コマンドが失敗したことを表す。

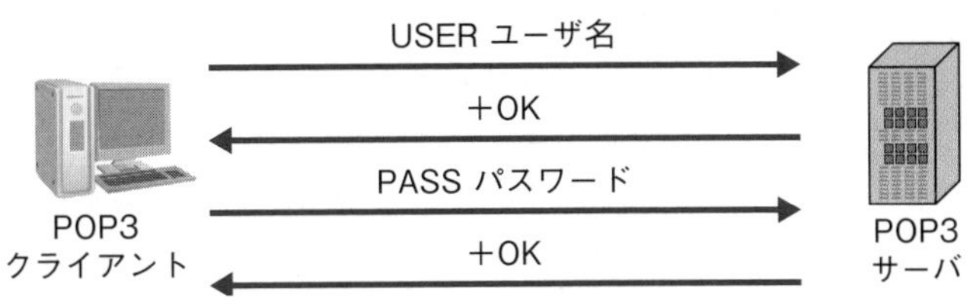

▲図　ユーザ名とパスワードを交換して通信開始

このようにPOP3コマンド体系は、とてもコンパクトにまとめられています。応答に関してはOKとERRの2種類しかありません。

4.11.7 IMAP4

用語 IMAP4 モバイル環境において、通信費やデータ容量の節約に配慮したメール受信プロトコルで、サーバ側でメールを管理することで何台ものPDAを使い分けるような用途に適応している。

IMAP4は、POPの次の世代のメール受信プロトコルです。モバイル環境を意識しているため、メールボックスの管理は基本的にサーバ側で行います。

例えば、通信帯域の狭いモバイル環境からでもストレスなくメールが閲覧できるように、メールのヘッダだけをダウンロードして、その情報から選択的に本文をダウンロードするなどの機能が充実しています。また、一度モバイルでメールを閲覧してもサーバにメールが残っているため、他のクライアントから再閲覧することが可能です。

これは、モバイル機器のデータ容量の節約にも寄与します。その代わりサーバ側は、対応できる処理能力や大きなメールボックス容量を確保する必要があります。

また、POP3の場合はクライアント側にメールをダウンロードするため、サーバへの接続を終了した後も問題なくすべてのメールを閲覧することができますが、IMAP4ではダウンロードしなかったメールについてはサーバに再接続を行わないと閲覧できない点に注意する必要があります。

4.11.8 POP3S、IMAP4S、SMTPS

POP3は設計が古いプロトコルなので、パスワードをクリアテキストで送信するなど、現状のネットワークにそぐわない機能があります。これを打開するために、パスワードの暗号化を必須とした**APOP**が策定されましたが、脆弱性が見つかったこともあり普及しませんでした。

POP3S（POP3 over TLS）は、従来から使っているPOP3の伝送路を単純にTLSで暗号化するプロトコルです。同種のプロトコルに**SMTPS**や**IMAP4S**があります。TLSは認証と暗号化を提供しますし、手順中にサーバ証明書が組み込まれていることでファーミングなどの不正を防ぐことができます。

TLSによる通信を行うためにオリジナルのプロトコルに対して、ウェルノウンポートが変更されていることに注意してください。

・SMTP（25） → SMTPS（465）
・POP3（110） → POP3S（995）
・IMAP4（143）→ IMAP4S（993）

利用者の負担を減らすために、最初はオリジナルのプロトコルとポート番号で通信を開始し、途中でTLSを使った暗号化通信へと切り替えを行う**STARTTLS**もよく利用されています。利用者はポート番号の変更を意識する必要がありませんし、サーバ側もたとえばPOP3とPOP3Sを並行運用する場合にポートを2つ開けておく必要がありません。

SMTPSやPOP3S、IMAP4Sはパケットがやり取りされる伝送路すべてが暗号化される保証がないことに留意が必要です。仮にSMTPSでメールを送ったとしても、それを最初に受け取ったメールサーバ以降でどう扱われるかは分かりません。また、受信サーバでは復号され、平文でメールボックスに入ることになります。POP3SやIMAP4Sはそれを受け取るときに暗号化通信を使うわけです。

S/MIME ➡P275

これを許容できない要件がある場合は、S/MIMEなどを使ってエンドtoエンドの暗号化を行います。

UA

ユーザエージェントのこと。ユーザの負担を少なくするための自動化ソフトウェア。メールやWebはコマンドラインからの対話型通信を行うこともできるが、ユーザへの負担が大きい。そこでGUIなどを装備し簡単にこれらの機能を使えるようにしたのがUAである。メールのUAであればMUAとなる。

4.12 Web関連のプロトコル

4.12.1 HTTP

用語 W3C
World Wide Web Consortiumの略。Webで利用される技術の標準化を推進する団体を指す。

HTTPは、構造化文書の記述言語であるHTMLを送受信するために設計されたプロトコルです。下位プロトコルとして、TCPを利用します。HTTPには、ウェルノウンポートとして、TCP80番が指定されています。

現在では、HTMLは本来の文書構造記述言語という役割から離れ、ほとんどの場合ホームページ記述用の言語として利用されているため、HTTPもホームページの送受信用プロトコルとして認識されています。

HTTPもSMTPなどと同じようにTCPを下位プロトコルとして用い、WebサーバとWebクライアント（ブラウザ）の間で対話型の処理を行います。

▼表　HTTPで使われるメソッド

GET	指定URLのデータを取得する
HEAD	メッセージのヘッダを取得する
PUT	指定URLへデータを保存する
DELETE	指定URLのデータを削除する
POST	指定URLにデータを送信する
CONNECT	プロキシにトンネリングを要求する

このうち、**CONNECTメソッド**はプロキシサーバを使う通信で頻出です。プロキシサーバは着信した通信を解釈して、再構成することで通信の中継を行います。しかし暗号化通信、たとえばHTTPS通信では受け取ったパケットを復号して中身をチェックし、作り直すことはできません。そのため、CONNECTメソッドを使ってトンネリングを行うことで、（パケットをいじらずに）単に中継を行います。

プロキシサーバやそれ以外の社内サーバでマルウェアのチェックなどをしている場合、このトンネルが抜け道となってチェックをすり抜けてしまうケースが想定されます。トンネリングするパケットの条件や、トンネリング要求の妥当性を読み落とさないように注意しましょう。

4.12.2 HTTPのプロセス

HTTP通信は、Webクライアント(ブラウザ)がWebサーバにHTTPリクエストを発行することで始まります。

参考 このやり取りは、SMTP同様テキストベースで行われる。

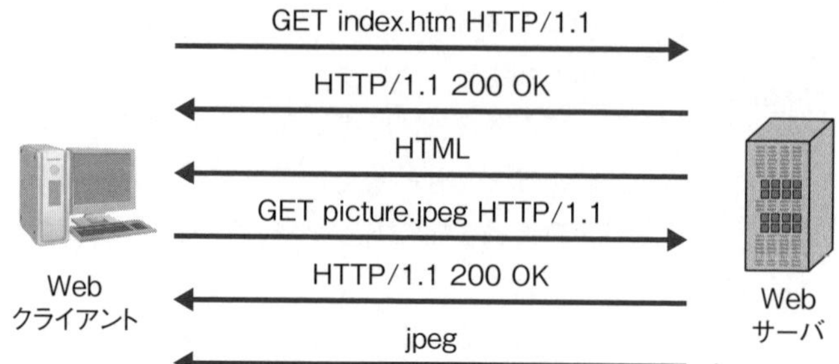

▲図 HTTP接続

通信に先立って、HTTPはバージョンのネゴシエーションを行います。上記では、HTTP/1.1のリクエストに応えていますが、サーバ側がHTTP/1.0しかサポートしていない場合はそれを通知し、クライアント側のバージョンを摺り合わせてから通信を開始します。

ヘッダ

本文に先立って送信されるメタ情報を記述したフィールドです。本文で使用される言語や文字コードなどが挿入されます。

HTTPリクエストパケット

Webサーバに対して、HTTPレスポンスを求めるパケットです。クライアントが送信します。

前図ではクライアントからWebサーバに対して、HTTPリクエストパケットが送信されていて、その中にヘッダとしてHTTPリクエスト(GETコマンドなど)が含まれていることが見て取れます。

次に、POSTの手順も見てみましょう。

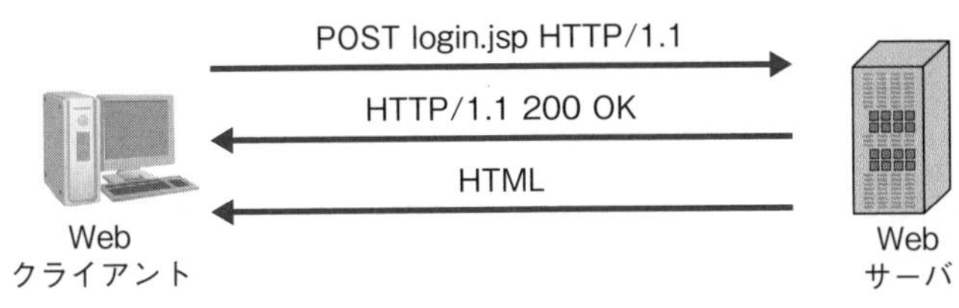

▲図 POSTメソッド

GETでもPOSTでも、基本的な通信の流れは変わりません。ログイン要求とレスポンス、GET要求とレスポンスといった具合に会話型の手順が進められています。通信手順は順を追って見ていけば、必ず理解できます。文脈上おかしいところがあれば、そこが出題ポイントかもしれません。たとえ知らないプロトコルが出題されたとしても、臆せず読み進む癖をつけましょう。

POINT GETとPOST

- **GET**メソッドで情報を送る場合、情報は**クエリストリング**に埋め込まれる
- **POST**メソッドで情報を送る場合、情報はメッセージのボディに埋め込まれる

メソッドの名前の通り、GETは本来情報を取得するときに、POSTは情報を送信するときに用います。GETで情報の送信ができるのは、情報を取得するのに必要な引数を送れるようにしてあるからです。

GETメソッドでよく出題されるのは、送信する情報が埋め込まれる場所の性質についてです。**クエリストリング**はURLの一部(URLの「?」以降の部分)ですから、ログとしてサーバやキャッシュに残る可能性があり、ここから情報が漏れるリスクが生じます。

また、送信できる情報量や文字コードにも制限があるので、セキュリティが争点となっている出題ではPOSTメソッドへの移行を検討すべきです。クライアントからサーバへ渡したいデータを、HTTPボディに格納して送信する方法です。GETメソッドでデータを送るのに対して、次の点で優れています。

・送信するデータサイズに制限がない。
・バイナリデータも送信できる。
・URIのようにさまざまな箇所にログに残ることがない。

参考 詳細はRFC 1945（HTTP/1.0）で確認することができる。HTTP/1.1はRFC 2616。

Webサーバに単にリクエストを伝えるだけでなく、リクエストがきっかけとなってWebアプリケーションを起動させ、そこへデータを渡すような通信を行うことがあります。

キープアライブ

キープアライブとは、一度確立されたHTTP接続におけるTCPリンクを通信終了まで維持し続ける機能です。現在のWebページは中に映像が埋め込まれるなど、Webサーバに対して連続した要求をすることがほとんどなので、キープアライブを利用することによってTCPリンク確立のオーバヘッドを減少させることができます。ただし、コネクション管理は複雑化し、待機状態でもコンピュータ資源を使っています。

●パイプライン

キープアライブをさらに発展させた通信の高速化・効率化機能です。コネクションの開始と終了に時間と資源を奪われるので、コネクションを持続させるのがキープアライブでした。**パイプライン**ではそれに加えて、HTTPリクエストを連続して送信できるようにしています（通常のコネクションでは、HTTPリクエストに対するHTTPレスポンスが返ってからでないと、次のHTTPリクエストが送信できませんでした）。これにより、通信効率が大きく向上しています。

HTTP/2

HTTP/1.1に代わる新たなバージョンが**HTTP/2**です。強化点はさまざまですが、最も注目されるのは通信の高速化・効率化です。Web通信の大容量化が進み、インフラとしての重要性も増していることに応えた改訂といえます。

ただ、いろいろな工夫がされると複雑になり、トラブルの要素が増えるのは技術の宿命です。HTTP/2の場合はコネクションの持続時間が長くなりますので、負荷分散などを行うときの通信の振り分けがめんどうになると考えてください。

●ストリーム

HTTP/1.1の高速化技法であったパイプラインを強化した**ストリーム**が導入されています。パイプラインはHTTPリクエストを連続して送信できましたが、HTTPレスポンスが順番通りに返る必要がありました。1つ、HTTPレスポンスが遅延すると、その後のHTTPレスポンスが返ってきても結局待たされることになります。

この制約からHTTPを解放したのがストリームで、複数のリクエスト〜レスポンスのペアを1つのコネクション上で並行してやり取りすることができます。ストリームはクライアントからでも、サーバからでも開始することができます。

また、ストリームごとにフロー制御や優先度を設定することが可能になっていて、重要な情報を他に先がけて処理したり、大容量通信を行うストリームに他が喰われてしまう事態を回避できます。

●ヘッダ圧縮

参照 プロトコルアナライザ ➡P129

プロトコルアナライザで見るとわかりますが、現代のHTTP通信はボディはもちろんヘッダ部分も肥大化しています。そのため、ヘッダを小さくする工夫がなされています。同一ヘッダであれば再送せず差分だけを送信したり、テキストではなくインデックスを用いるなどです。もちろん圧縮もされ、バイナリ形式で送信されます。ここで使われる圧縮アルゴリズムを**HPACK**といいます。

過去問では、新しい形式のヘッダフィールドにおける必須フィールドを問う設問がありました。CONNECT以外のすべてのHTTP/2リクエストには、:method、:scheme、:pathヘッダが必要です。

●サーバプッシュ

HTTP通信はクライアントが要求し、サーバがそれに応答する形で進みます。そのため、HTMLをgetし、それを解析して必要になったJPEGやJavaScriptをさらにgetするといった形で何回もコネクションが発生します。

この点に対応した技術が**サーバプッシュ**です。必要になる要素（上記の例でいえば、JPEGとJavaScript）をクライアントのリクエストがなくてもサーバ側から送信してしまいます。

WebDAV

ABC 略語 WebDAV➡Web-based Distributed Authoring and Versioning

WebDAVはコンテンツの作成、編集、公開、バージョン管理をHTTP上で行えるようにするプロトコルです。古典的なWebコンテンツの作成方法としては、ローカルPC上でファイルを作り、FTPでWebサーバの適切なディレクトリに送信し、ファイルの権限管理などを行うやり方がありました。

WebDAVを使うと、ローカルPCからサーバへのファイル送信などにもHTTP/HTTPSが使えるため、通信の管理が楽になります。ファイアウォールにとっても、余計なポートを開ける必要がありません。

WebSocket

T 用語 **Ajax** Asynchronous JavaScript + XMLの略。HTTPはページ単位で通信を行うため、Webアプリケーションでは表示内容の変更が生じるとページ全体が再描画される。この時間を短縮してユーザビリティを向上させるため、JavaScriptの非同期通信機能を用いる手法。

WebSocketは、クライアントとWebサーバ間で双方向通信を行うための技術です。

HTTPはいまやWebページのやり取り以外の多くの通信に使われ、またWebページそのものも動的でリアルタイムな通信を要求するものが増えました。

HTTPを様々な使い方に拡張するのは通信管理などの点で便利ですが、もともと向いていない用途に転用していることは否めません。特にネックとなるのは、クライアント側がきっかけになって通信がスタートする(**プル配信**)点です。サーバ側からクライアントに**プッシュ配信**がしたい場合には工夫が必要です。

そのために、AjaxのXML HTTP Requestなどが使われますが、これはクライアント側から定期的にサーバに問い合わせを行うので、そのたびにTCPのハンドシェイクが発生し、ネットワークへの負荷が大きくなります。

WebSocketではクライアントがHTTPのGETメソッドでUpgrade WebSocketリクエストを送り、サーバ側がそれに応えてハンドシェイクを行うことで、HTTPとは異なる恒常的なコネクションを確立します。このコネクションは双方向通信を行うことができ、サーバからクライアントにプッシュ配信をすることなどに利用できます。

4.12.3 HTTPメッセージのフォーマット

HTTPでやり取りされるメッセージをもう少し詳細に見ておきましょう。直接出題されることは少なくても、通信の全体像を理解することに役立ちます。

先頭行
改行コード(CR+LF)
HTTPヘッダ
空行
HTTPボディ

▼図　HTTPメッセージのフォーマット

先頭行

先頭行は、まさにHTTPメッセージ(HTTPパケット)の先頭で、リクエストであればP.263の表に示したようなメソッドが入ります。メソッドにはそれぞれ固有のパラメータがあります。

```
GET  /mypage/progA?PID=xx HTTP/1.1
```

であれば、「/mypage/progA」がURIで、「?PID=xx」はクエリストリング、HTTP/1.1は通信に使用するHTTPのバージョンです。

HTTPメッセージがレスポンスの場合、先頭行にはステータスコードが挿入されます。私たちがよく目にする404は、要求されたページが見つからなかったときのステータスコードです。

参考　詳細はRFC 1945(HTTP/1.0)で確認することができる。HTTP/1.1はRFC 2616。

▼表　よく目にする(出題される)ステータスコード

ステータスコード	意味
200	正常終了
307	ページが一時的にリダイレクトされた
401	認証を要求されている
403	リクエストが拒否された
404	リクエストされたページがない
500	サーバ内部のエラー
503	サービスが停止中

このステータスコードを全部暗記する必要はありませんが、分かりやすいようにxxx番台はyyy、という採番ルールがあるので、それを覚えておくと得点力が増すでしょう。

▼表　ざっくりとしたステータスコードの分類

ステータスコード	意味
100番台	情報の通知（Informational）
200番台	処理が成功（Success）
300番台	アドレス移動などの通知（Redirection）
400番台	クライアント側のエラー（Client Error）
500番台	サーバ側のエラー（Server Error）

HTTPヘッダ

先頭行の次にはHTTPヘッダが挿入されます。HTML文書ではありませんが、それに付帯するさまざまな情報が格納される部分で、本試験を解くときの手がかりになる重要な箇所です。

▼表　ヘッダ属性とその意味

ヘッダ属性	意味	どこで使うか
Authorization	認証情報	リクエスト
Referer	どこからリンクしてきたかのURI	リクエスト
User-Agent	ブラウザの種類とバージョン	リクエスト
Cookie	クライアントがサーバにCookieを渡す	リクエスト
Set-Cookie	サーバがクライアントにCookieを格納する	レスポンス
Content-Type	ファイルの種類や文字コードの種類	リクエスト/レスポンス
Server	サーバソフトの種類やバージョン	レスポンス
Location	リダイレクト先のURI	レスポンス

参考　正しい綴りは「Referrer」だが、HTTP仕様策定時のミススペルが定着し、「Referer」のまま現在に至る。

このうち、本試験で狙われそうなのはRefererとCookieです。RefererはそのWebページにアクセスしてきたリンク元のURLが格納されるものです。アクセス解析などに対して貴重な情報を提供しますが、「利用者がどのページにアクセスしているのか」が漏えいするリスクもあります。特にURLにクエリストリングが使われているときは、注意が必要です。

Cookie ➡P291

Cookieは、Webサーバがクライアントの中に情報を保存しておくためのしくみです。別項で詳しく解説します。

HTTPボディ

HTTPヘッダのあと、改行記号で区切られた次に、HTTPボディが挿入されます。HTML文書などが入る箇所ですが、ヘッダの種類によっては空っぽのこともあります。

・リクエスト時

GET　：Webページの取得要求なので、ボディは空っぽ

POST：データ送信メソッドなので、ボディに送信するデータを格納してサーバに送る

クエリストリングは、GETメソッドのURIに埋め込む形でクライアントからサーバに情報を渡してしまおうという技術ですので、HTTPボディは使いません。手軽ですが、情報の分量でもセキュリティでも制約の大きい方法です。

・レスポンス時

HTML文書や、そこに埋め込まれる画像、動画、音声データなどが挿入されます。

POINT クエリストリングの特徴

・クエリストリングはもともとURIを送るためのものなので、セキュリティ的に脆弱（WebサーバのログやRefererなど、あちこちに記載される）。
・送信可能データはテキストのみ255文字。

POINT hiddenフィールド

・HTMLのフォーム項目のhiddenフィールドが出題対象になる。このフィールドを使うとHTML文書の中にデータを埋め込んでもブラウザには表示されない。
・しかし、データ自体はHTML内に書かれているため、利用者に容易に閲覧・改ざんされてしまう。セッションIDのような大事な情報はhiddenフィールドには書かない。

4.12.4　URLフォーマット

HTTPリクエストによって、どの資源にアクセスするか指定するには、URLを使用します。URLのフォーマットは、次のようになります。

URLのフォーマット

スキーム：//ノード名：ポート番号/絶対パス

●スキーム

重要　主なスキーム
HTTP
mailto
FTP
gopher
news
nntp
telnet

どんな手段で資源にアクセスするかを記述します。HTML資源にアクセスする際にはHTTPが使われますが、ファイルをダウンロードする際のFTPやニュースグループにアクセスする際のnewsなどもよく利用されます。ブラウザではスキームを指定しなくてもホームページにアクセスできる場合がありますが、これはブラウザが絶対パスのファイル拡張子などからスキームを推測して補足するからです。

●ノード名

用語　URLエンコード
URLとして使われる文字は、英数字記号など一部に限られるため、2バイト文字などをURLに埋め込む場合は、%+2桁の16進数で文字を表すパーセントエンコーディングを行う。たとえば空白は%20となる。

ノード名は、実際にアクセスするマシンの位置を指定するフィールドです。IPアドレスで表してもドメイン名で表してもかまいません。

ドメイン名を挿入する場合は、DNSやhostsファイルなどで名前解決できる環境であることが前提になります。

●ポート番号

ノードの中のどのポートに着信させるかを指定します。これもスキームと同じく省略されることがありますが、HTTPではTCPポート80番といったようにウェルノウンポートが定義されているため、スキームによってブラウザがポート番号を補足します。

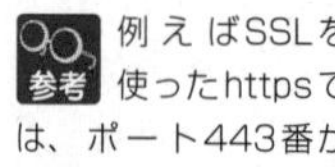

例えばSSLを使ったhttpsでは、ポート443番が用いられるし、プロキシサーバを経由する場合なども、別ポート番号を利用することが多い。

アクセスするWebサーバがウェルノウンポートでないポート番号でサーバアプリケーションを稼働させている場合は、ポート番号まで指定しないと通信ができません。

●絶対パス

ノード内のどの資源に対して要求を行うのか絶対パス形式で指定します。何も指定しない場合、Webサーバ側で指定がないときに応答するページを設定していれば、その画面が返されます。Webサーバ側に設定がない場合、エラーになります。

4.12.5 Cookie

Cookie（クッキー）は、Webサーバとクライアント間の状態を管理する技術です。

HTTP通信は、それ自体では状態管理を行いません（**ステートレス**）。このため、ショッピングサイト等でせっかく買い物かごに商品を詰めても、次のページに移動した瞬間に「これは誰の買い物かごだ？」とわからなくなってしまいます。それでは不便なので、Cookieを使って通信状態を維持できるようにします。

本試験では**セッション管理**という用語で登場します。一連の通信（**セッション**）ごとに割り当てたID（**セッションID**）によって、サーバは「この人はさっきと同じ人だ」と認識できるわけです。

Cookieのしくみ

Cookieはサーバが作成し、HTTPのSet-Cookieヘッダフィールドを使ってクライアントに送信します。クライアントはそれを受け取ると、テキストファイルとしてCookieを保存し、サーバから要求があればHTTPのCookieヘッダフィールドを使って送り返します。

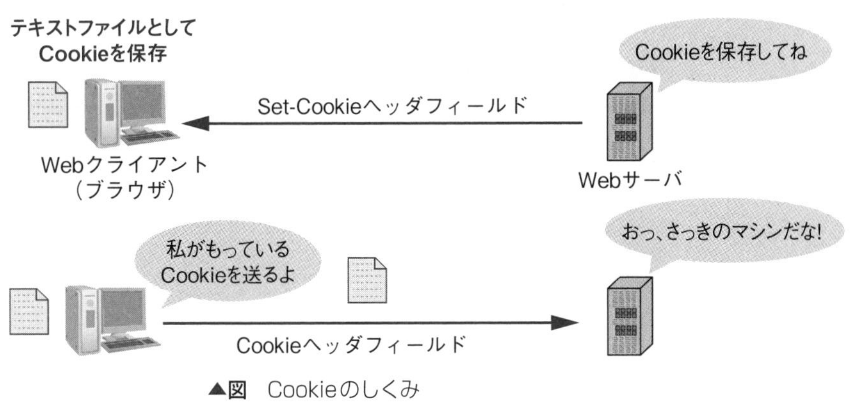

▲図 Cookieのしくみ

Cookieには何を書くのも自由です。基本的にはセッション管理や、そこから派生してユーザ識別に使いますので、Cookieの名前(Name)、Cookieが使えるドメイン(Domain)、Cookieが使えるパス(Path)、Cookieの作成日時(Date)、Cookieの有効期限(Expires)などとともにセッションIDをサーバが決め、それがクライアントに送られます。

この一連のしくみ自体をCookieと呼ぶこともありますし、クライアントに保存されているテキストファイルのことをCookieと呼ぶこともあるので、本試験のときは文脈に注意しましょう。

Cookieの問題点とその対策

Cookieはとても便利なものですが、セッション管理やユーザ識別に使う以上､第三者に知られてしまうといかようにも通信を乗っ取られてしまいます。そこで対策が施されます。

まず､基本的にCookieは発行したサーバにしか送信されません。別のサーバが｢Cookieを送り返してよ｣と要求してもクライアントは無視します。それで不便な場合は、Cookieが使えるドメインを指定しておくとそのドメイン内のサーバはCookieを利用できます。

Cookieが使えるパスも同様です。特に指定しない場合は、Cookieを発行したURLに対してのみCookieのやり取りを行います。

ただし、セッションIDが第三者に推測されてしまうと、いくらこうしたしくみを工夫しても悪用されますので、セッションIDのランダム化なども定番の対策です。

●セキュリティ関連の属性

試験では、Set-Cookieヘッダフィールドが持つセキュリティ関連の属性もよく問われます。Secureを設定しておくと平文の通信ではCookieを送信しなくなります。また、HttpOnlyを設定しておけば、ヘッダ情報からしか参照できなくなります。

▼表 主なSet-Cookieヘッダフィールド

設定項目	説明
Name	Cookieの名前を設定する
Domain	Cookieを送信するドメイン名を指定する。指定しない場合は、クライアントはSet-Cookieを行ったサーバにしかCookieを送信しない（同一ドメイン内での運用性をよくするために使う）
Path	Cookieを送信するディレクトリを指定する。指定しない場合は、Cookieを発行したディレクトリとそのサブディレクトリのみ有効となる
Expires	Cookieの有効期限を指定する。指定しない場合は、ブラウザ終了時に削除される
Secure	暗号化通信（HTTPS）のときだけCookieを送信する
HttpOnly	HTTPでリクエストされたときだけCookieを送信する（ブラウザなどのスクリプト（例えばJavaScript）からCookieを利用できないようにする）

参考 有効期限を設定しないCookie（セッション終了時に削除）を特に**セッションCookie**と呼ぶことがある。

4.12.6 HTTP認証

Webサーバは、アクセスしてくるクライアントに対して、認証を要求することができます。この認証機構によって、権限を有する者しか閲覧できない情報をWebサーバ上に公開することができます。

クライアントはまずAnonymousでWebページを要求して、もしそのページの閲覧に必要な場合、Webサーバがクライアントに認証を要求することで認証プロセスが始まります。サーバが複数の認証手段を用意している場合はそれを提示し、クライアントはその中から好きな認証手段を選びます。

Anonymous

認証を要求せず、すべてのユーザにWebサーバ上のリソースを使わせます。

ベーシック認証

ユーザ名とパスワードを使った認証方式です。ポイントとして、ユーザ名とパスワードがクリアテキスト（BASE 64エンコード）で送信されることを覚えておいてください。

ダイジェスト認証

ベーシック認証ではユーザ名とパスワードがクリアテキストでネットワーク上に流れてしまうので、脆弱性があります。それを改善したのが**ダイジェスト認証**です。

サーバはナンス(ランダム値)を作ってクライアントに送ります。それを受け取ったクライアントは、ユーザ名とパスワード、ナンス(ランダム値)からハッシュ値(ダイジェスト)を作り、それをサーバに返す(サーバも保管しているユーザ名とパスワードから、同じハッシュ値を作れる)ことで認証を行います。このため、パスワードがネットワーク上を流れることはありません。

このやり方を**チャレンジレスポンス方式**といいます。サーバがクライアントに送るランダム値をチャレンジ、クライアントがサーバに返すハッシュ値をレスポンスと呼ぶためです。

4.12.7 Webサービス

CGI

CGI➡Common Gateway Interface

CGIは、Webサーバアプリケーションから別のプログラムを呼び出す技術です。Webサーバは本質的に、クライアントの求めに応じて静的なHTMLを返信するためのものです。したがって、動的なページを生成したり、クライアントの求めに応じて何らかの処理を行う場合には、別のアプリケーションの助けを借りなければなりません。

そのためには、Webサーバアプリケーションと外部アプリケーションが情報のやり取り(Webサーバが外部アプリを起動したり、外部アプリの演算結果を受け取る)をする必要があります。その役割を果たすのがCGIです。

Web API

Webサービスを外部から利用するためのAPIです。インスタグラムやフェイスブックなどのWebサービスは、単に利用者が閲覧するだけでなく、他のプログラムから利用することができるようになっています。Webサービスと他プログラム間を結ぶインタフェースが**Web API**です。

Web APIの普及により、例えばグーグルマップを他プログラムから使い、自社サービスに地図機能を埋め込むようなサービス構築の手法(**マッシュアップ**)が広く使われるようになりました。

SOA/SOAP

SOA→Service Oriented Architecture

SOA(サービス指向アーキテクチャ)は、ある機能(給与計算だったり、写真印刷だったり、進捗管理だったり)単位で独立したシステム(サービス)を作り、そのサービスを組み合わせることで全体的なシステムを構築する考え方です。

それまでの考え方でも、プログラム同士の連携は重視されていたものの、もっと小さな単位での連携や再利用が指向されていたので、使いにくかったり、構築に時間がかかったりしました。サービスという大きな単位で他のサービスと連携させることで、素早く、簡単にシステムを構築することができます。

ABC略語 SOAP→Simple Object Access Protocol

SOAPは、プログラム間通信を行うためのプロトコルでデータ構造の記述にXMLを利用するのが特徴です。伝送にはHTTPを用いるため、汎用性と拡張性が高いのもポイントです。いわゆる疎結合を行うためのプロトコルで、Webサービスでの利用が期待されていましたが、XMLが面倒でデータ量も多いことなどから、もっと簡単に使うことができるJSONが台頭しました。

JSON (JavaScript Object Notation)

ABC略語 JSON→JavaScript Object Notation

JavaScriptで扱うことができるデータ記述方法です。「名前と値の組みの集まり」と「値の順序付きリスト」という構造でデータを表現します。とにかくシンプルなのが特徴で、しっかりした構造化を行うXMLと比べるとデータ量を小さくできます。JSONを使って、ブラウザのJavaScriptからアクセスすることができるWeb APIがたくさんあります。

CORBA/ORB

ABC略語 CORBA→Common Object Request Broker Architecture

CORBAはオブジェクト間通信を行うためのプロトコルです。OSやアプリケーションに依存することのない通信環境を提供します。伝送プロトコルにHTTPを使うSOAPに対して定義が厳密で実装が難しく、普及が伸び悩みました。

ABC略語 ORB→Object Request Broker

ORBはCORBA環境において、オブジェクト間の通信を仲介するアプリケーションです。

4.13 その他のアプリケーション層プロトコル

4.13.1 FTP

参考 TFTPではコネクションは1本だけである。

FTPは、IPネットワーク上でファイルをやり取りするために設計されたプロトコルです。パスワード認証機能が用意されている点と、TCPコネクションを2本張る点に特徴があります。

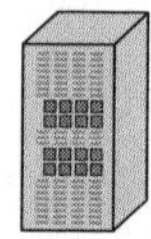

▲図　2本のコネクション接続

参考 SMTPやHTTP同様、制御コネクションでやり取りされるパケットをキャプチャすることで、どのようなコマンドが発行されているか確認できる。

FTP通信は、FTPクライアントがFTPサーバに対して制御コネクションを開き、FTPコマンドを発行することで開始されます。この段階で、FTPクライアントとFTPサーバの間にパスワード要求やそれに対する返答がやり取りされ、認証と送信すべきデータの決定が行われると、FTPサーバ側からデータコネクションが開かれます。セキュリティが要求される場合は、TLSでラッピングするFTPSが使われます。

▼表　FTPコマンド

コマンド	説明
USER	ユーザ名
PASS	パスワード
PASV	パッシブモードを利用する
RETR	ファイルのダウンロード
STOR	ファイルのアップロード
DELE	サーバ側ファイルの消去
LIST	ファイルの一覧を取得
ASC	アスキーデータの転送
BIN	バイナリデータの転送

FTPにおけるファイアウォールの影響

FTPのプロセスはシンプルですが、2本のコネクションを張り、しかもそれがサーバ側からのアクセスである点で問題が生じる場合があります。クライアントとサーバの間にファイアウォールが設置されている場合、ファイアウォールがサーバからのデータコネクションアクセスをフィルタリングしてしまう可能性があります。

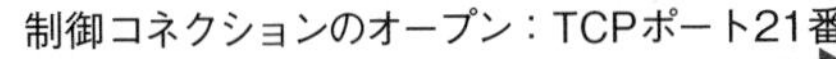

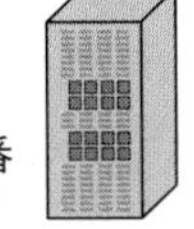

▲**図**　ファイアウォールによるフィルタリング

かといって、ファイアウォールでTCPポート20番への着信を許可するのも現実的ではありません。FTPはサーバやクライアントのファイルを直接操作できる点で、セキュリティ上の脆弱性になりかねないプロトコルです。

そこで、この場合は**パッシブモード**という通信モードを使用します。

参考　パッシブモードに対して、通常のFTPをアクティブモード、もしくはFTPアクティブモードと呼ぶ。

クライアントがデータコネクションを開く

FTPクライアントが、**PASVコマンド**によってパッシブ通信を依頼した場合、FTPサーバは自分からはデータコネクションをオープンしません。その代わり、データコネクションのオープンに必要なデータを、制御コネクションを使ってFTPクライアントに送信します。

FTPクライアントは、このデータを使い自らデータコネクションをオープンします。宛先ポート番号は1024～65535から任意に選択されますが、内部ネットワークからの通信であるため、ファイアウォールはこれをスルーします。

▲図　パッシブ通信

パッシブFTP（用語）　ファイアウォールの外側からデータコネクションを開くことが許可されていない環境でもFTPを利用できる。

ファイアウォール環境下でもFTPが使えるのはこの機能のお陰です。ほとんどのFTPサーバ、FTPクライアントがパッシブモードをサポートしています。

TFTP

TFTP（略語）　オーバヘッドが少なく、高速な通信が期待できる。また、仕様がシンプルでルータなどのメモリ容量の小さいマシンでも利用できるが、ユーザ認証のしくみがなく、セキュリティ上脆弱である。

TFTPは、簡易的なFTPです。FTPからパスワード認証などの機能を省略し、またFTPが下位プロトコルとしてTCPを要求するのに対し、UDPプロトコルを使用します。

そのため、TFTPのサーバソフトやクライアントソフトは非常にコンパクトに実装できます。この利点から、ディスク容量が少なかったりディスクレスであるコンピュータやルータなどがネットワークブートするためのファイル転送などに利用されます。

パスワード認証がないため、パブリックなネットワークではあまり利用されません。また、下位プロトコルがUDPであるため、転送が高速である反面、通信の信頼性はFTPに劣ります。

Anonymous FTP

Anonymous FTPは、匿名FTPという意味です。通常のFTPと利用しているシステム自体は変わりません。FTPは、制御コネクション確立時にユーザ名とパスワードから認証を行いますが、この方法では不特定多数のユーザにフリーソフトを配布するような用途では利用できません。

そこで、匿名でFTPサーバにアクセスするための運用手段がAnonymousです。Anonymousアクセスを許可するFTPサーバでは、**Guestアカウント**を使用することによって誰でもアクセスすることが可能です。

（参考）　Guestアカウントを利用する際のパスワードは任意だが、エチケットとして自分のメールアドレスを入れる場合が多い。

なお、匿名でのアクセスになるため、トラブルが生じたときにアクセスした個人を特定することが困難となります。

4.13.2 Telnet

Telnetはサーバに対してコマンドを発行できるため、アクセス管理を万全に行わないと、セキュリティ上の弱点になる可能性がある。

Telnetに似たプロトコルに**RDP**(Remote Desktop Protocol)がある。これはWindows環境で使われる遠隔ログインプロトコルで、ターミナルサービスやリモートデスクトップ、リモートアシスタンスはこれを用いる。

遠隔地のコンピュータに接続して操作する

Telnetは、遠隔ログインを行うためのプロトコルです。Telnetプロトコルはクライアントマシン上に仮想端末を構成し、サーバコンピュータに接続します。このとき、ユーザは仮想端末にコマンドの入力を行いますが、実際にそれを実行するのはサーバマシンです。仮想端末は、入力したコマンドのローカルエコーやサーバでの計算結果を表示する機能のみを提供します。

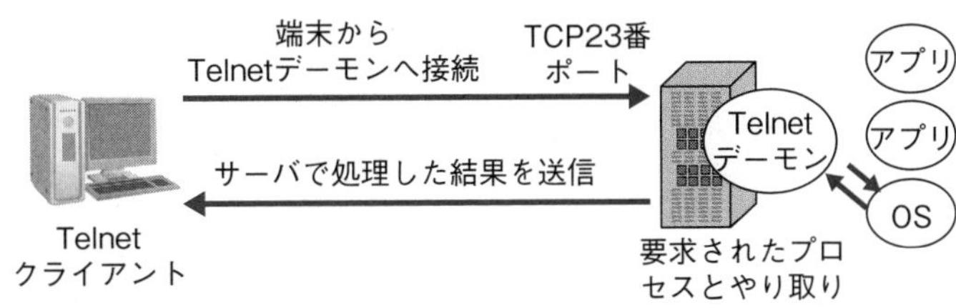

▲図 Telnet接続

4.13.3 SIP

インターネット上の電話サービス

従来、音声回線とパケット回線は明確に区分されていました。通信特性が異なり、音声を無理にパケット化して送信しても遅延などがひどく、実用的な通話品質にならなかったからです。一方、電話回線では、発呼した電話と着呼した電話の間で回線が占有されるため、どうしても高コストになります。

しかし、パケット関連の技術革新が続き、通信速度、通信品質が向上してくると、音声回線とパケット回線を統合するメリットの方が大きくなってきました。上手に統合できれば、2つのネットワークを構築、維持するコストをかけずにすみ、各サービスの連携性も高まります。

インターネット上で電話サービスを行うためには、音声を伝送するための技術と呼制御(通信路を確保したり、転送、切断したりすること)の2つが必要で、前者に使われるのがVoIP、後者に使われるのがSIPです。

VoIP

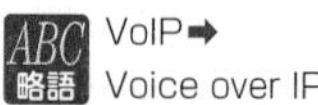
VoIP➡
Voice over IP

VoIPとは、IPネットワークで音声をやり取りするための技術で、音声を圧縮するコーデックなどからなっています。データの伝送には、リアルタイム性に優れたUDPをベースとしたプロトコルが使われます。一般の電話機にIP電話アダプタを付加することで、VoIP対応機器にすることができます。構築したIP電話網を従来の音声回線網と接続するには**VoIPゲートウェイ**を使います。

SIP

インターネット上での電話サービスを実行するには、電話回線網と同等のサービスを提供できなければなりません。少し考えただけでも、①IPアドレスによって管理されているIP ネットワークで、どんな電話番号を使うのか、②遅延が生じる可能性が高いインターネットで、電話として使い物になるのか、など、さまざまな問題が予想できます。このうち、電話番号とIPアドレスの対応管理や帯域管理、セッションの開始と終了を担当するのが**SIPサーバ**です。

SIP➡
Session Initiation Protocol

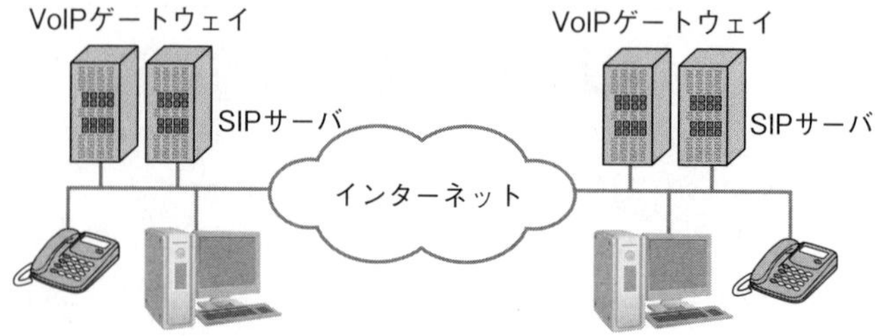

▲図　SIPサーバ

参考 SIPはIETFによってRFC化された技術だが、同様のプロトコルとしてITU-TのH.323が存在し、情報処理技術者試験にも出題されている。

RSVPやRTPは、UDP上で動作するプロトコルである。

SIPサーバがセッションの開始と終了を制御するために使うプロトコルがSIP、帯域管理のために使うプロトコルが**RSVP**（Resource reSerVation Protocol）です。これは、通信をやり取りするノード間で帯域を予約するプロトコルです。ベストエフォートな環境であるIPネットワークにおいて、QoSを確保するために用いられます。主な用途としては、リアルタイム性が求められる動画配信、音楽配信などがあります。VoIP端末は、SIPプロトコルでVoIPゲートウェイに発呼をリクエストし、VoIPゲートウェイはアドレス解決、RSVPによる帯域確保などを行って、VoIP端末同士にセッションを確立させます。

SIPは、あくまでもセッションの管理にのみ利用される点に注意して下さい。実際に音声パケットを伝送するのは、RTP(Real-time Transport Protocol)です。

参考 RTPの他にもSDPなどが使われる。SDPとは、RFC 4566として規定されたセッション記述プロトコルで、セッションの告知や招待などの機能を持つ。マルチメディア会議を公開して、参加者を募るような用途がある。

SIPによる接続手順

SIPは電話などの端末機器(ユーザエージェントといいます)とSIPサーバとの間でリクエストとレスポンスをやり取りして、セッションを確立、管理、切断します。このリクエストとレスポンスは、httpのものが流用されています。したがって、テキストベースで内容を容易に確認することができます。

▼表 SIPリクエストとSIPレスポンス

SIPリクエスト(一部)	
INVITE	セッションに参加する
ACK	INVITEに対するレスポンスの確認応答
BYE	セッションの終了
CANCEL	進行中のセッションのキャンセル
REFER	別のノードへの呼の転送
REGISTER	ロケーション情報をSIPサーバに登録する

SIPレスポンス	
100番台	インフォメーション
200番台	成功通知
300番台	リダイレクトの必要あり
400番台	クライアントに起因するエラー
500番台	サーバに起因するエラー
600番台	グローバルエラー

最もシンプルなSIPの接続例は、以下のようになります。

▲図 SIPによる接続の流れ

リクエストやレスポンスは、実際にはSIPサーバによって中継されます。セッション確立後に使われているRTPは、動画や音声をストリーミングするためのプロトコルで、下位プロトコルとしてUDPの使用が想定されています。RTPのヘッダには時間情報が付与されているため、受信側は順序を制御したり、失われたパケットを飛ばして再生することが可能です。

章末問題

問題1

UDPのヘッダフィールドにはないが、TCPのヘッダフィールドには含まれる情報はどれか。

ア 宛先ポート番号
イ シーケンス番号
ウ 送信元ポート番号
エ チェックサム

問題2

ネットワークアドレス192.168.10.192/28のサブネットにおけるブロードキャストアドレスはどれか。

ア 192.168.10.199
イ 192.168.10.207
ウ 192.168.10.223
エ 192.168.10.255

問題3

ネットワークを構成するホストのIPアドレスとして用いることができるものはどれか。

ア 127.16.10.255/8
イ 172.16.10.255/16
ウ 192.168.255.255/24
エ 224.168.10.255/8

問題4

IPv4のIPマルチキャストアドレスに関する記述として，適切なものはどれか。

ア 127.0.0.1はIPマルチキャストアドレスである。
イ 192.168.1.0/24のネットワークのIPマルチキャストアドレスは192.168.1.255である。
ウ IPマルチキャストアドレスの先頭の4ビットは1111である。
エ IPマルチキャストアドレスの先頭の4ビットを除いた残りの28ビットは，受信するホストのグループを識別するために利用される。

問題5

IPv6においてIPv4から仕様変更された内容の説明として、適切なものはどれか。

ア　IPヘッダのTOSフィールドを使用し、特定のクラスのパケットに対する資源予約ができるようになった。
イ　IPヘッダのアドレス空間が、32ビットから64ビットに拡張されている。
ウ　IPヘッダのチェックサムフィールドを追加し、誤り検出機能を強化している。
エ　IPレベルのセキュリティ機能（IPsec）である認証と改ざん検出機能がサポート必須となり、パケットを暗号化したり送信元を認証したりすることができる。

問題6

可変長サブネットマスクを利用できるルータを用いた図のネットワークにおいて、全てのセグメント間で通信可能としたい。セグメントAに割り当てるサブネットワークアドレスとして、適切なものはどれか。ここで、図中の各セグメントの数値は、上段がネットワークアドレス、下段がサブネットマスクを表す。

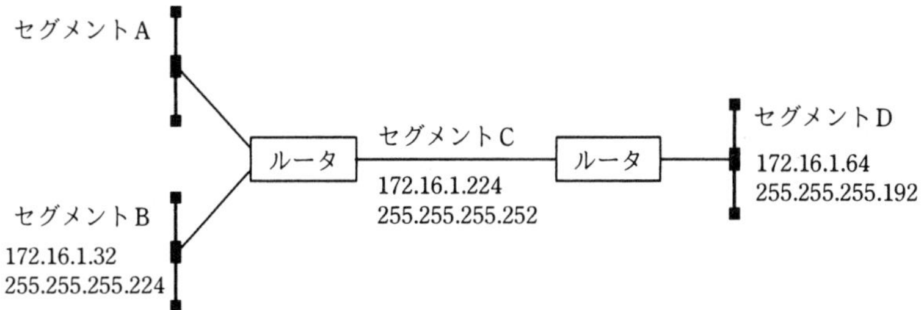

	ネットワークアドレス	サブネットマスク
ア	172.16.1.0	255.255.255.128
イ	172.16.1.128	255.255.255.128
ウ	172.16.1.128	255.255.255.192
エ	172.16.1.192	255.255.255.192

問題7

TCP/IPに関連するプロトコルであるRARPの説明として、適切なものはどれか。

ア　IPアドレスを基にMACアドレスを問い合わせるプロトコル
イ　IPプロトコルのエラー通知及び情報通知のために使用されるプロトコル
ウ　MACアドレスを基にIPアドレスを問い合わせるプロトコル
エ　ルーティング情報を交換しながら、ルーティングテーブルを動的に作成するプロトコル

問題8

RIP及びRIP-2の仕様に関する記述のうち、適切なものはどれか。

ア　RIPでは情報交換にブロードキャストを使うが、RIP-2ではユニキャストを使う。
イ　RIPと同様にRIP-2でもサブネットマスクを運ぶ機能がある。
ウ　RIPには最大15ホップまでという制限があるが、RIP-2では制限が拡大されている。
エ　RIPには認証機構がないが、RIP-2では更新情報のメッセージごとに認証ができる。

問題9

図に示すIPネットワークにおいて、IPブロードキャストパケットが**中継されない経路**はどれか。

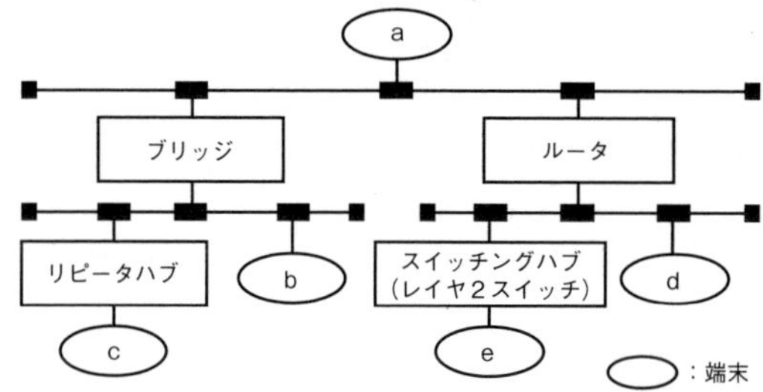

ア　aとbの間の経路　　　　イ　aとdの間の経路
ウ　bとcの間の経路　　　　エ　dとeの間の経路

問題 10

TCPのデータ転送に関する記述のうち、適切なものはどれか。

ア　ウィンドウサイズはACKを待たずに送信できるデータ量で、ネットワークごとに一定の値が決められている。

イ　順序番号は送信データストリーム中のセグメントのオクテット位置を示し、0～$2^{32}-1$の値をとる。

ウ　制御ビットフィールドの緊急フラグが有意のセグメントは、そのセグメントを緊急に送るべきであることを表すが、緊急データの長さを指定することはできない。

エ　パケットの重複や順序誤りなどのエラーを検出するためにチェックサムの計算を行う。

問題 11

二つのルーティングプロトコルRIP-2とOSPFを比較したとき、OSPFだけに当てはまる特徴はどれか。

ア　可変長サブネットマスクに対応している。

イ　リンク状態のデータベースを使用している。

ウ　ルーティング情報の更新にマルチキャストを使用している。

エ　ルーティング情報の更新を30秒ごとに行う。

問題 12

図は、OSPFを使用するルータa～iのネットワーク構成を示す。拠点1と拠点3の間の通信はWAN1を、拠点2と拠点3の間の通信はWAN2を通過するようにしたい。xとyに設定するコストとして適切な組合せはどれか。ここで、図中の数字はOSPFコストを示す。

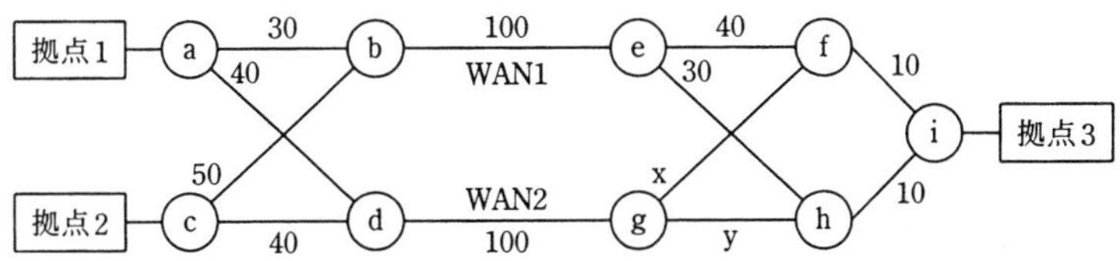

	x	y
ア	20	20
イ	30	30
ウ	40	40
エ	50	50

問題13

IPネットワークのルーティングプロトコルの一つであるBGP-4の説明として、適切なものはどれか。ここで、自律システムとは、単一のルーティングポリシによって管理されるネットワークを示す。

ア　経由するルータの台数に従って最短距離を動的に決定する。サブネット情報を通知できないので、小規模のネットワークに適している。
イ　自律システム間を接続するルーティングプロトコルとして規定され、経路が変化したときだけ、その差分を送信する。
ウ　自律システム内で使用され、距離ベクトルとリンクステートの両アルゴリズムを採用したルーティングプロトコルである。
エ　ネットワークをエリアと呼ぶ小さな単位に分割し、エリア間をバックボーンで結ぶ形態を採り、伝送路の帯域幅をパラメタとして組み込むことができる。

問題14

IPv4アドレスが192.168.10.0/24～192.168.58.0/24のネットワークを対象に経路を集約するとき、集約した経路のネットワークアドレスのビット数が最も多くなるものはどれか。

ア　192.168.0.0/16　　イ　192.168.0.0/17
ウ　192.168.0.0/18　　エ　192.168.0.0/19

問題15

IPv4ネットワークでTCPを使用するとき、フラグメント化されることなく送信できるデータの最大長は何オクテットか。ここでTCPパケットのフレーム構成は図のとおりであり、ネットワークのMTUは1,500オクテットとする。また、(　)内はフィールド長をオクテットで表したものである。

MACヘッダ (14)	IPヘッダ (20)	TCPヘッダ (20)	データ	FCS (4)

ア　1,446　　イ　1,456　　ウ　1,460　　エ　1,480

問題16

DNSにおいて、電子メールの送信だけに利用されるリソースレコードはどれか。

ア　MXレコード　　イ　NSレコード　　ウ　PTRレコード　　エ　SOAレコード

問題17

DNSでのホスト名とIPアドレスの対応付けに関する記述のうち、適切なものはどれか。

ア　一つのホスト名に複数のIPアドレスを対応させることはできるが、複数のホスト名に同一のIPアドレスを対応させることはできない。
イ　一つのホスト名に複数のIPアドレスを対応させることも、複数のホスト名に同一のIPアドレスを対応させることもできる。
ウ　複数のホスト名に同一のIPアドレスを対応させることはできるが、一つのホスト名に複数のIPアドレスを対応させることはできない。
エ　ホスト名とIPアドレスの対応は全て1対1である。

問題18

WebブラウザでURLにhttps://ftp.example.jp/index.cgi?port=123と指定したときに、Webブラウザが接続しにいくサーバのTCPポート番号はどれか。

ア　21　　イ　80　　ウ　123　　エ　443

解 説

問題1

TCP/IPにおけるトランスポート層のプロトコルには**TCP**と**UDP**がありますが、TCPがコネクション型の通信を提供するプロトコルです。つまり、TCPの方がUDPに対して情報量が多く、それも通信品質を制御する情報が主になると考えればよいことになります。

宛先ポート番号や送信元ポート番号は、コネクションのタイプによらず必要な情報です。したがって、パケットの順序制御を行うシーケンス番号が正解であると導けます。チェックサムによるデータの確認は、UDPでも実装されています。

問題2

プリフィックスが28ビットですから、このネットワークのIPアドレスの範囲は192.168.10.192～192.168.10.207です。アドレス範囲の末尾がブロードキャストアドレスになりますから、選択肢イが正答です。

問題3

正答するには予約されているIPアドレスを把握しておく必要があります。

ア　ループバックアドレス（127.0.0.0/8）なので利用できません。
イ　正答です。

ウ　ブロードキャストアドレス（ホスト部がすべて1）なので利用できません。
エ　IPマルチキャスト用のアドレス（クラスD）なので利用できません。

問題4

IPマルチキャストではクラスDと呼ばれる、ユニキャストとは区別されたIPアドレス群（224.0.0.0 ～ 239.255.255.255）を使います。先頭の4ビットはマルチキャストアドレスを表す1110で固定し、残りの28ビットでマルチキャストグループを識別します。

問題5

IPv6では**IPsec**がサポート必須となりました。IPsecそのものは、IPv4でも使うことができるので、この点は注意してください。IPv4では、IPsecの使用はオプション扱いでした。IPsecはネットワーク層において認証と暗号化の機能を提供します。

問題6

セグメントBは172.16.1.32で、サブネットマスクが255.255.255.224ですから、IPアドレスの範囲は172.16.1.32 ～ 172.16.1.63です。

セグメントCは172.16.1.224で、サブネットマスクが255.255.255.252ですから、IPアドレスの範囲は172.16.1.224 ～ 172.16.1.227です。

セグメントDは172.16.1.64で、サブネットマスクが255.255.255.192ですから、IPアドレスの範囲は172.16.1.64 ～ 172.16.1.127です。

セグメントAはこれらと重ならない範囲でIPアドレスを指定しなければなりません。どことも重ならないのは、選択肢ウの組み合わせです。

問題7

IPアドレスからMACアドレスを解決するプロトコルが**ARP**です。**RARP**は「リバースARP」のことで、その名のとおりMACアドレスからIPアドレスを解決することができます。なんらかの理由でデバイス内にIPアドレスを保存できないコンピュータが使用しますが、同一ネットワーク内にMACアドレスとIPアドレスの対応関係を記憶している**RARPサーバ**を置き、そこにRARP要求を送ることで実装します。

ア　ARPです。
イ　ICMPです。
ウ　正しい。
エ　RIPなどが該当します。

問題8

RIPとは、代表的な**ディスタンスベクタ型**のルーティングプロトコルです。いくつかの反省点を踏まえてRIP-2が作られました。

ア　マルチキャストを使います。
イ　RIPはサブネットマスクに対応していませんでした。
ウ　同様の制限があります。
エ　正解です。

問題9

IPブロードキャストですから、データリンク層以下で動作している通信機器には関係がない点をまず意識します。すると、リピータ(物理層)、ブリッジ(データリンク層)、スイッチングハブ(データリンク層)はネットワークの構成要素には含まれているものの、設問には関連しません。IPブロードキャストはルータによってのみ止められます。したがって、選択肢の中からルータを挟む経路をピックアップすればよいことになります。

なお、IPブロードキャストには同じネットワークを対象にした**ローカルブロードキャスト**と、異なるネットワークを対象にした**ダイレクトブロードキャスト**がありますが、一般的にはローカルブロードキャストを指します。

問題10

ア　ウィンドウサイズは動的に変更できます。
イ　正解です。
ウ　緊急データの長さは指定することができます。
エ　TCPのチェックサムは、パケットの完全性を検査するためのものです。

問題11

RIPはディスタンスベクタ型、**OSPF**はリンク状態(リンクステート)型プロトコルの代表例です。ディスタンスベクタ型は経路選定時に距離しか考慮しませんが、リンク状態型では回線の太さなども加味されます。総じて、リンク状態型のほうが適切な経路を選択できる可能性が高いと言えます。しかし、多くの情報を保持、交換する必要があるため、ルータやネットワークへの負荷が大きくなります。

問題12

まず拠点1が取り得るルートですが、以下の4つが考えられます（f－i、h－i間のコストは同一であるため、便宜上無視します）。

（WAN1ルート）　a－b－e－f　コスト170
（WAN1ルート）　a－b－e－h　コスト160
（WAN2ルート）　a－d－g－f　コスト140＋x
（WAN2ルート）　a－d－g－h　コスト140＋y

拠点1－拠点3間はWAN1ルートを通るようにしたいので、WAN2ルートのコストが大きくなるように設定しなければなりません。したがって、x、yともに20より大きな値である必要があります。

拠点2が取り得るルートは、以下の4つが考えられます。

（WAN1ルート）　c－b－e－f　コスト190
（WAN1ルート）　c－b－e－h　コスト180
（WAN2ルート）　c－d－g－f　コスト140＋x
（WAN2ルート）　c－d－g－h　コスト140＋y

拠点2－拠点3間はWAN2ルートを通るようにしたいので、WAN2ルートのコストが小さくなるように設定しなければなりません。したがって、x、yともに40より小さな値である必要があります。

したがって、両方の条件に合致するのは、選択肢イのみです。

問題13

BGPはRIPやOSPFといったルーティングプロトコルの一種です。しかし、自律システム内で用いられるIGP（RIPやOSPF）と異なり、自律システム間のルーティングを目的としたEGPに該当します。

問題14

複数のネットワークアドレスを1つのアドレスにまとめることを**経路集約**（ルート集約）といいます。経路集約を行うことで、ルーティングテーブルに登録する膨大なルート情報を、ネットワーク単位でまとめて登録できるようになります。

最大効率（集約した経路のネットワークアドレスのビット数が最も多くなる）で経路を集約するには、すべてのネットワークのIPアドレスを2進数で表し、共通する上位ビットを最大長までとります。

192.168.10.0　**11000000 10101000 00**001010 00000000
192.168.58.0　**11000000 10101000 00**111010 00000000

上位18ビットまでが共通部分なので、選択肢ウの「192.168.0.0/18」が正答です。

問題15

MTUはデータリンク層が1フレームで伝送することができる最大データサイズです。ここでは1,500オクテットで、これが1つのイーサネットフレームに収まります。イーサネットフレーム全体ではなく、ペイロードとして運ぶ部分であることに注意してください。図で言うとIPヘッダからデータまでです。したがって、IPヘッダとTCPヘッダの40オクテットを減じた1,460オクテットが正答です。

問題16

ア　正答です。MXはMail eXchangerの略です。
イ　NS(Name Server)レコードは、DNSサーバを明確に指定するために利用します。
ウ　PTR(PoinTeR)レコードは、IPアドレスからFQDNを逆引きするために利用します。
エ　SOA (Start Of Authority) レコードは、通常はゾーン情報の先頭に記述して、管理するドメインやDNSゾーンの登録情報を表すために利用します。

問題17

イが正答です。一つのホスト名に複数のIPアドレスを対応させることで、たとえば人気のWebサイトなどで負荷分散がやりやすくなります。www.example.comへやってきたパケットを何台ものサーバに振り分けられるからです。複数のホスト名に同一のIPアドレスを対応させると、利用者から見ると複数のサイトを、一台のサーバに集約することなどが可能です。

問題18

URLの先頭にあるスキーム名に注目します。この通信にはhttpsが使われていますので、ウェルノウンポートの知識から、443番ポートだと確定できます。ftpはホスト名ですので、プロトコルとしてftpが使われているかどうかは関係ありません。同様にport=123もクエリストリングですから、単にサーバに渡される情報というだけで、実際に123番ポートが使われるかどうかには関係がありません。

解答

問題1　イ	問題2　イ	問題3　イ	問題4　エ	問題5　エ	問題6　ウ
問題7　ウ	問題8　エ	問題9　イ	問題10　イ	問題11　イ	問題12　イ
問題13　イ	問題14　ウ	問題15　ウ	問題16　ア	問題17　イ	問題18　エ

第5章 信頼性向上

信頼性というと、以前は通産省（当時）の情報システム安全対策基準に見られるように、「故障からシステムを守る」、「停電や火災からシステムを守る」という側面が強く打ち出されていました。この時代に登場した指標がRASです。

後にIntegrityとSecurityがここに追加されてお馴染みのRASISになったように、時代の変遷によって（とりわけインターネットの登場と普及によって）信頼性についての考え方も変わってきました。クラッカーの不正侵入やテロリズムまで想定してシステムを構築する必要が生じてきたのです。

また、旧来の信頼性（Reliability）についてもシステムの365日24時間稼働が常態化したことにより、より高度な対応技術が求められるようになりました。

このように、現代は信頼性にシビアな時代です。しっかりと技術を習得しましょう。

5.1 信頼性設計

企業活動がシステムに依存するようになると、数分のシステムの停止が大きな経済的損失をもたらすことがあります。現在、システムの信頼性を向上させることは多くの企業にとって必須になっており、ネットワークエンジニアに求められる重要なスキルの1つです。

5.1.1 RASIS

RASISは、信頼性設計の基本的な考え方です。

R (Reliability)

参照 **MTBF** Mean Time Between Failureの 略。平均故障間隔のこと。

信頼性を表します。これを数値化する尺度として**MTBF**があります。

POINT MTBFの公式

$$\mathrm{MTBF} = \frac{1}{\lambda} \quad (\lambda = \text{故障率})$$

MTBFが大きいほど、故障が発生しづらいシステムとなります。MTBFを増大させるには、より高品質な機器を導入するなどの方法があります。

A (Availability)

参考 例えば、ミッションクリティカルな基幹システムが目指すべき稼働率として、99.999%といった数値が提示されることがあるが、これは365日連続稼働させた場合に5分強のダウンタイムしか許されないことを意味する。

可用性を表し、利用したいときにシステムが利用できる状態である割合を示します。数値化する尺度として**稼働率**があります。

POINT 稼働率の公式

$$\text{稼働率} = \frac{\mathrm{MTBF}}{\mathrm{MTBF} + \mathrm{MTTR}}$$

稼働率が大きいほど、いつでも利用できるシステムとなります。稼働率を大きくするにはMTBFを大きくする、MTTRを小さくする、機器が故障した場合は、修理を待たずに待機系へスイッチするなどの方法があります。

S（Serviceability）

MTTR
Mean Time To Repairの略。平均修理時間のこと。

保守性です。故障が発生した場合の修理のしやすさを表します。数値化する尺度はMTTRを用います。

POINT MTTRの公式

$$MTTR = \frac{1}{\mu} \quad (\mu = 修理率)$$

MTTRが小さいほど、故障時の修理にかかる時間を短縮できます。機器のモジュール化による修理工数の削減などでMTTRを減少できます。

I（Integrity）

保全性を表します。コンピュータシステムが保持するデータを過失や故意によって、喪失／改ざんされる可能性です。定量的な評価尺度はありませんが、**フールプルーフ**機構の導入、アプリケーション監査、バックアップの取得などで保全性を向上できます。

S（Security）

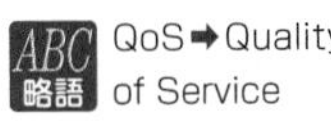
セキュリティでよく用いられる指標は**CIA**（Confidenciality, Integrity, Availability）。

安全性です。自然災害やテロリズム、クラッカーなどの攻撃からシステムを守れる度合いを表します。JRAMなどいくつかの評価方法がありますが、多くは定性的なものです。セキュリティマネジメントシステムの導入などにより安全性を向上できます。

5.1.2 QoS

ABC 略語 QoS➡Quality of Service

QoSは、サービス品質、あるいはサービス品質を保証する技術群を指す用語です。インターネットで利用されるIPはベストエフォート型のプロトコルですが、業務で利用する場合は最低限の性能を保証して欲しいケースも、ままあります。

もともとベストエフォートを前提に作られたネットワークの中で、帯域をやりくりしたり、あるパケットを優先制御することで利用者のニーズに近いサービスを提供する技術が研究されています。

5.2 耐障害設計及び性能管理

障害設計を行うための要素には、次のようなものがあります。

5.2.1 フォールトアボイダンス

フォールトアボイダンスは、障害に対する古典的な対処方法です。機器の故障が起こらないよう、高品質なものを投入するなど、障害を起こさないよう管理する技術です。一般的にコストがかかるのが難点です。

5.2.2 フォールトトレランス

フォールトトレランスは、比較的新しい障害管理思想です。故障が起きることを前提に、故障によって生じる被害を限定化します。フォールトアボイダンスよりも低コストで対策できる点に特徴があります。

フェールセーフ

参考 フェールセーフの中でも、処理を代替機に引き継ぐことを特に**フェールオーバ**と呼ぶ。フェールオーバ先の機器が故障し、さらに3台目以降の代替機に引き継ぐ場合は**カスケードフェールオーバ**である。

フェールセーフは、故障が起こった際に処理を代替機に委譲する、データの破壊に対してバックアップを用意するなど、故障の被害を最小限に留めることを指します。

フェールソフト

参考 情報処理技術者試験では、フェールソフトを**縮退運転**と訳す。

フェールソフトは、故障が生じた場合に核になる機能を損なわないようにする技法です。例えば、CPUの処理能力が低下した場合に、ユーザ情報系システムをダウンさせて、基幹業務は通常どおり運用できるようにするなど、影響度の大きいシステムを生存させるように働きかけます。

フールプルーフ

フールプルーフは、人為的なミスによるデータの破壊等を起こさないよう予防するシステムです。数値入力時に有効範囲の数値かチェックを行ったり、入力画面にヘルプ機能を付与するなどの手法があります。

フォールトマスキング

フォールトマスキングは、機器の冗長構成などにより、故障が生じても他の装置に対して故障を隠蔽したり、自律回復を行うシステムを指します。

5.2.3 耐障害設計

ネットワークシステムの信頼性を向上させるためには、単一の機器の信頼性を向上させるだけでなく、耐障害設計を行うことで大きな効果を得ることができます。

故障予防

重要 試験でも、「いかに壊さないようにするのか」という点は出題ポイントになる。

一般的に、故障してからその手当を行うよりも、故障させないように対策する方が低コストです。

用語 **UPS** Uninterruptible Power Supplyの略。無停電電源装置のこと。

故障予防

- 納入機器に対して品質基準を設けるなど、設計時／設置時に十分なレビューを行う。
- サーバマシンは空調の効いたサーバルームに設置するなど、クーリング対策を行う。
- UPSを設置して、電源切断時にもデータの損失を回避する。また、電圧を安定させる。
- 重要な機器を並列系統に配置するなど、システム全体の可用性を向上させる。
- システムに関する権限管理を明確化し、権限のない部署はシステム資源にアクセスできないようにする。
- WANは複数の伝送路、特に異なるキャリアの回線を用意する。
- バックアップを取得し、世代管理する。
- バックアップからの回復リハーサルを行う。

故障監視／運用

重要 試験での出題ポイントとしては、自動化と監査がキーワードになる。

どのように予防しても、必ず故障は起こってしまうものです。したがって、万一壊れた場合にそれを確実に検知して対策できる体制が必要です。

ハートビート
正常稼働中であることを他の機器に通知するために、一定間隔で送信されるパケットのこと。受信側機器でハートビートを観測できなくなると、何らかの障害が疑われる。VRRPアドバタイズメントはハートビートの一例。

センドバック保守
故障した機器をベンダに送付して修理する。低コストであるが、復旧に時間がかかる。

オンサイト保守
ベンダの保守要員に自社で作業を行ってもらう。復旧時間が短縮でき、持ち運び困難な大型機器にも対処しやすいが、高コストである。

遠隔監視装置はSNMPなどのプロトコルによって機器を監視し、異常があれば管理者への通報や、バックアップ機器への換装を行う。

資産管理台帳の作成で管理負荷が増大する。これを解消するため、自動化ツールが登場した。

故障監視および運用

- システム資源の動的動作管理を行うなど、故障が生じた場合にすぐに検出できる体制を整える（フォールトレイテンシの向上）。
- ベンダと保守契約を締結し、予防保守を行うことで故障の傾向を早期発見する。
- 故障に関する自己診断を行う機器を導入する。
- ログを監査し、故障の徴候を発見する。
- 機器運用を自動化し、人的ミスの発生を抑制する。
- 故障が生じた際の自動復旧、自動再構成を行う。
- 故障機器をシャットダウンする前にログやスナップショットを保存し、解析を行う。

管理台帳の作成

ネットワークを円滑に利用していくためには、日々変化するネットワークの状況を正確に把握することが重要です。特に現在のハブ型ネットワークモデルでは、機器の増設が簡単に行えるため管理者の承認を経ずにネットワーク構成が変更される場合もあります。

管理台帳

- 資産管理台帳を作成し、常に最新の状態に更新する。
- ネットワーク管理図などにより、IPアドレスの重複やリピータの段数制限オーバなど、初歩的なミスを回避する。
- 資産管理台帳の作成や、ネットワーク管理図の作成を自動化する。
- ネットワーク構成変更の承認フローを定め、セキュリティ事故や災害復旧時に資料と実装が異ならないような体制を確立する。

故障復旧

機器の故障が生じた場合は、どれだけ業務停止時間を短くできるかがかぎになります。ダウンタイムが長くなるほど会社の損害が大きくなるため、機器を二重化したり、交換機材を常備するなどの対策がとられます。

故障復旧

- 重要機器については、予備部品、予備ユニットを用意して、修理を待たずに交換する。
- モジュール化された機器を使用し、交換だけで復旧を行えるようにする。
- システム監査を行い、故障原因の特定と対策を分析、業務手順の変更やシステム構成の変更を行う。
- 故障事例データベースを作成し、事故事例／復旧手法のノウハウを蓄積する。
- パソコンなどは、アプリケーションのインストール、設定などが完了したイメージデータを保存しておき、再インストールや設定作業を行わずに復旧できるようにする。

用語 **FMEA**
Failure Mode and Effect Analysis の略。故障モード影響解析。
FTA
Fault Tree Analysis の略。故障木分析。

5.2.4　ITサービス継続性管理

ディザスタリカバリ

業務の24時間化、グローバル化が進んでいる現在、業務停止の許容時間はどんどん短くなっています。大規模災害（ディザスタ）等のやむを得ない事情でも、早期に業務を復旧（リカバリ）させないと、シェアの低下、顧客の流出、企業の評価や業績の低下が生起します。

そのための具体的な手段、備えとして本試験に出題されるのがBCPです。

BCP

ABC略語 BCP➡Business Continuity Planning

BCP（事業継続計画）は、自然災害、テロ、戦争、感染症、水や電力などのリソース不足といったリスクが生じたときに、業務を止めずに継続する、もしくは業務停止を最小時間にとどめて復旧するための対応方法、対応手順を示した文書です。具体的な施策としては、遠隔地バックアップやその世代管理、バックアップサイトの構築、データベースのレプリケーションなどが挙げられます。

事業内容や企業規模によって期待される水準や範囲が異なるため、一律なBCPを策定することは困難です。そのため、企業ごとに個別のBCPを作ることになりますが、基本となる考え方を内閣府が「**事業継続ガイドライン**」として発行しています。

事業継続ガイドラインでは、操業度と時間軸について許容限界を定め、時間的な許容限界が来る前に操業度の許容限界以上の水準で業務を再開し、徐々に100%の状態に近づけることを推奨しています。復旧の最初から100%を求めないところがポイントです。

・事業継続：防災情報のページ（内閣府）
https://www.bousai.go.jp/kyoiku/kigyou/keizoku/

BCM

ABC 略語 BCM➡Business Continuity Management

BCPを達成するための取り組みやしくみ全般の管理を行うことを**BCM**（事業継続管理）といいます。BCMの重要な指標として、**RTO**（Recovery Time Objective：目標復旧時間）と**RPO**（Recovery Point Objective：目標復旧時点）を覚えておきましょう。

RTOはどのくらいで業務を復旧させるのか、RPOは災害が生じる前のどの時点まで業務を復旧させるのかを示します。

円滑な業務継続を行うためには、どちらもゼロに近い（災害が起きてすぐに復旧する、災害が起きる直前の状態に復旧させる）のが望ましいですが、ゼロに近づけようとするほど大きなコストがかかるので、利用者の要求水準や自社業務の特性を考慮して、経営者が判断します。

5.2.5 性能管理

ネットワークが所定の性能を発揮しているか管理する

故障管理の範疇ではありませんが、性能管理はネットワークシステムを運用する上で重要です。ネットワークシステムを運用する場合、将来の資源需要を勘案して性能設計を行いますが、往々にして実際の要求が設計を上回ることがあります。

ネットワーク使用量は一定とは限らない

そこで、システムログの検査などでシステムの利用状況をチェックし、システム資源が逼迫する兆候があれば資源の追加や業務フローの変更等を行って対処します。業績の伸びや季節による通信量の変化が予測値と異なる場合に特に注意が必要です。

多くのOSやアプリケーションは、利用状況を監視するための機能を持っているので、グラフ化や統計処理を行って定期的に残存キャパシティを監視する手順を確立します。

▲図 監視ツールの画面（Zabbix）

参考 ログを取得することはシステム管理の基本であるが、取得のし過ぎには注意する必要がある。ログの取得量が膨大になり、チェックしきれず事故の兆候を見逃した、というケースは過去に出題例がある。

CPU使用状況やメモリ、ハードディスク容量が逼迫するとシステムダウンの原因にもなるので、性能管理を行うことは障害管理にも寄与します。上記のような管理ツールにしきい値を設け、システム資源の使用率がある水準を超過したら管理者に通報するしくみも有効です。

COLUMN

システムのログ観察

優秀なネットワークエンジニアは、頻繁にログを観察しています。自動監視体制が敷かれている環境でもこれは変わりません。彼らがログのパターンを頭に叩き込むのは、平常時のシステム状態を把握しておきたいからです。しきい値を設定してそこから外れた値が出現したときにアラートを上げるしくみも、そもそもはしきい値を設定できるエンジニアのスキルがあってこそ成立します。

また、しきい値そのものが季節や業務サイクルによって変動する可能性もあります。ログのサイクルやパターンを掌握することで、次に行わなければならないシステム投資の方向性まで決定できることがあります。

このように、ログの観察はシステムと対話する数少ない手段の1つです。自宅のコンピュータでもよいので、自分が管理しているシステムのログを常に観察する癖をつけてみましょう。

5.3 バックアップ

5.3.1 バックアップの必要性と準備作業

バックアップの基本的な機能はOSも持っているが、本格的なバックアップを行うためにはサードベンダの用意する製品の方が多機能で使いやすい場合が多い。

重要 バックアップからデータを復元することを**リストア**という。バックアップの確認はしても、リストアできることまでを確認しているエンジニアは少ない。出題ポイント。

保全すべきシステム資源として特に重要なものの1つに、業務データが挙げられます。通信機器などはある意味で新しいものを購入し交換すれば事が足りますが、自社業務データは代替性がなく、失われた場合の復旧が非常に困難です。また、企業は競争力の源泉を自社業務データをはじめとするノウハウから得ている場合が多く、データの喪失は業務継続を困難にします。

こうしたリスクに対処するための手段が**バックアップ**です。バックアップはハードディスクに保存されるデータを多重化したり、テープなどのさらに安定した媒体にコピーを保存することを指します。

バックアップを計画する場合、次のような項目を決定する必要があります。

どの範囲のデータをバックアップするか

すべてのデータをバックアップするのが理想ですが、時間とコストのバランスから、クリティカルなデータのみを取得することもあります。

バックアップの頻度と取得方法

毎日バックアップを取得するのか、1週間おきなのか、毎回すべてのデータをバックアップするのか、前回との変更箇所だけでよいのか、といった点を決定します。

バックアップに許容される時間

昼間バックアップを取得してよいのか、システムが止まる夜間でなければならないか、その場合何時間以内で終わる必要があるのか、などの項目を洗い出します。

世代管理の有無

最新のバックアップだけを取得できればよいのか、誤消去に対処するため、何世代分かのデータを保管するのかを決めます。

データの保存場所

自社内保存でよいのか、遠隔地保存するか、その場合配送業者は信用できるのか、といった点を考慮します。

5.3.2 バックアップ方法

フルバックアップ

用語 フルバックアップ
フルバックアップは、リストアにかかる時間が他の方法と比べて最小になるが、バックアップ取得にかかる時間は最大となる。

フルバックアップは、基本になるバックアップ方法です。バックアップ取得対象となるデータすべてのバックアップを取得します。リストアする場合に、1回の読み出しでリストアが終了しますが、取得にかかる時間は最大になります。

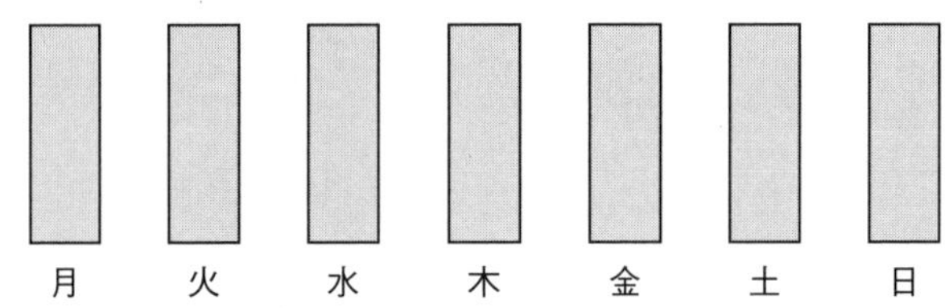

▲図 フルバックアップ

差分バックアップ

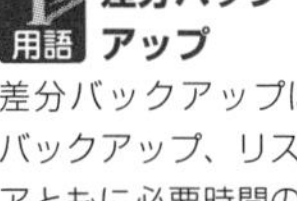

用語 差分バックアップ
差分バックアップは、バックアップ、リストアともに必要時間のバランスがとれているが、バックアップ取得時間が安定しない。

差分バックアップは、フルバックアップに対して変更分を取得する回を組み合わせることで、取得にかかる時間と復旧にかかる時間のバランスを取る方法です。

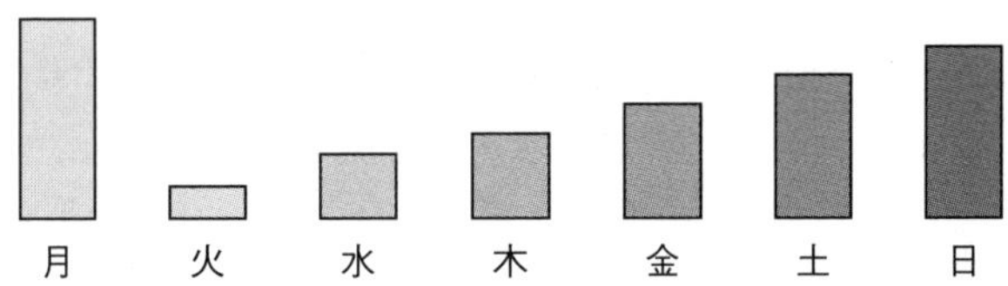

▲図 差分バックアップ

この図の例では、月曜日にフルバックアップを取得し、火曜〜日曜日では、**月曜日からの変更分**をバックアップします。こうすることで火曜〜日曜日のバックアップ取得時間を短縮できます。

復旧時には、例えば土曜日に事故が発生してリストアする場合、月曜日のデータをリストアしてから、金曜のデータをリストアするという2つの工程が必要です。また、曜日が進むにつれてバックアップ取得時間が増加し一定にならない点も注意が必要です。

増分バックアップ

用語 増分バックアップ
増分バックアップは、バックアップ取得時間が最小だが、リストア時間は最大となる。

増分バックアップは、最初にフルバックアップを取得し、以降は**前日に対する変更分**だけをバックアップする方式です。この方法は、バックアップ取得時間を最小にできます。

リストア時間は曜日によって異なります。1サイクルを1週間で行う場合、最悪で7回のリストア工程が必要です。

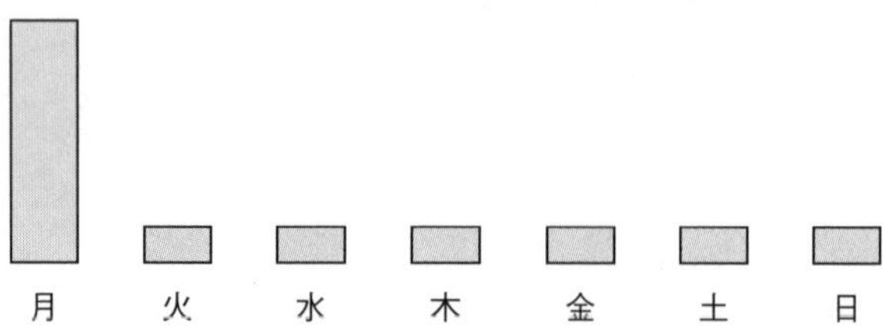

▲図 増分バックアップ

フルバックアップを取得する曜日以外は、前日からの変更分だけを保存するので、バックアップの取得にかかる時間は最小です。

しかし、例えば日曜日のバックアップ取得後にリストアするようなケースでは、月曜日のフルバックアップをリストアし、順次火〜日のバックアップをリストアする必要があります。リストアに必要な時間は最大です。

5.3.3 バックアップ運用

リストアのリハーサルの実施

リストアのリハーサルは、必ず実施します。バックアップからの復旧は短時間に行う必要があるため、手順を確認しておくことが重要です。

また、ほとんどの管理者はバックアップの取得で安心してチェックを怠る傾向にあります。媒体の劣化や、業務データの増加により媒体容量を超過したなどの要因でバックアップが有効に保存されていない事態はよく生じます。このような場合の対処としてもリハーサルは有効です。

廃棄管理

バックアップ媒体やバックアップデータには保存期間を定めて

厳重に管理します。保存場所は、鍵のかかる冷暗所など、セキュリティ対策や媒体劣化対策を考慮したものにする必要があります。

最も問題になるのが廃棄工程で、担当者の集中力が途切れやすくなります。個人情報保護法などにより、業務データの流出には社会的責任が伴うため、企業はデータの廃棄までをきちんと管理しなくてはなりません。

具体的には、媒体を物理的に破壊する、消磁機器を使用する、シュレッダを用いる、消去ソフトウェアを利用するなどの方法があります。

廃棄業者と契約する場合は、守秘義務条項を契約に盛り込みます。

参考 フォーマットはテーブル情報だけを書き換えるので、ディスク上にデータが残る。この場合、ツールを使用して読み出すことが可能である。

5.3.4 遠隔地管理

バックアップサイトの運用

バックアップは業務データを守るための強力な手段ですが、ここで守れるのはデータのみだという点に注意して下さい。大規模災害などではバックアップやバックアップ媒体の遠隔地保存などでデータが守れたとしても、社屋のコンピュータが全滅してしまえば何日間かは業務が停止してしまいます。グローバルな業務環境においては例えやむを得ない事情にせよ、業務を止めてしまった企業には倒産などの厳しい結果が待っています。

そこで遠隔地にデータだけでなく、業務が行えるだけのシステム群を配置してバックアップサイトを構成する企業が増えています。バックアップサイトとの間に通信リンクを張り、リアルタイムでデータの同期を取るケースもあります。

コンティンジェンシープラン

9.11事件以降に顕著ですが、いかなる事態においても業務を止めない「**業務継続性**（ビジネス・コンティニュイティ）」が非常に重要である、という意識が各企業に浸透してきています。

その対策の要となるのが、**コンティンジェンシープラン**（**緊急時対応計画**）です。大規模災害などでパニックに陥ることなく被害の拡大を防止し、早急な復旧を図るために連絡網や連絡手順、対応手順などを事前に取り決めたものです。

参考 コンティンジェンシープランはBCPの一要素。BCPは業務に何らかのインパクト（たとえばサプライチェーンがなくなるなど、災害などに限定しない）が発生しても業務を継続できる体制を作る中長期の計画。コンティンジェンシープランは災害などを念頭に、万一の事態が発生したときの初動処理を計画したもの。

BCP➡P319

5.4 ストレージ関連技術

5.4.1 RAID

 RAID
➡Redundant Arrays of Independent Disks

RAIDは、ハードディスクの可用性を向上させるための技術です。従来のアプローチでは、高い信頼性を得るためには機器単体の信頼性を上げる手法がとられましたが、高コストです。そこで、安価な量産品を冗長構成にすることで、全体の可用性を向上させたモデルがRAIDです。

RAIDにはRAID0 ～ RAID6の段階があります。各レベルに共通しているのは、多数の磁気ディスクの併用によって、ディスク系の性能、信頼性の向上を図る点です。

参考 RAIDはバックアップと等価ではないことに注意する。たとえば、間違ってデータを上書きした場合、バックアップから復元することは可能な場合があるが、RAIDでは間違ったデータがすでに保存されている。

複数のディスクを並列に並べ、それらを1台の論理ディスクとして利用することで、入出力の高速化を図ります。また、冗長ビット（ハミング符号やパリティ）をディスク上に持たせたり、ミラーリングを行うことで、障害によるデータの欠落を修復可能とし信頼性を向上します。

5.4.2 RAIDの種類

RAID0

重要 RAID0は、データへのアクセスが高速であるが、単体時よりも信頼性が低下する。

RAID0は、データを複数のハードディスクに分散して配置してストライピングする方式で、高速な読み書きができるのが特徴です。

1台でもディスク装置が故障すると読み書きが不能になるため、全体としての信頼性は低下します。

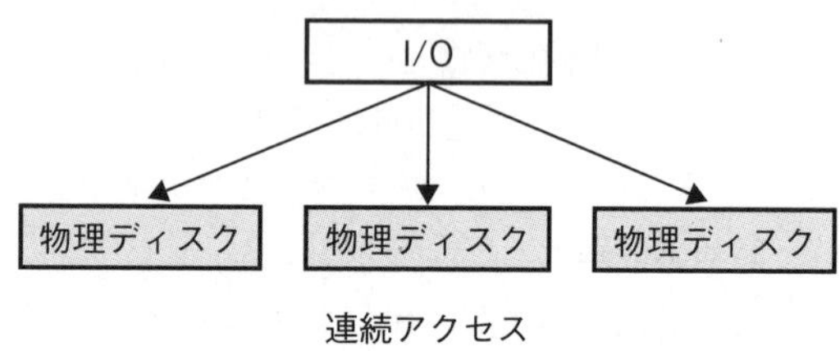

▲図　RAID0

RAID1

RAID1は、2台のハードディスクにまったく同じデータを書き込むミラーリング方式です。片方の装置が壊れてもそのまま業務を継続することができますが、実質的な記憶容量はハードディスク全体の2分の1となります。

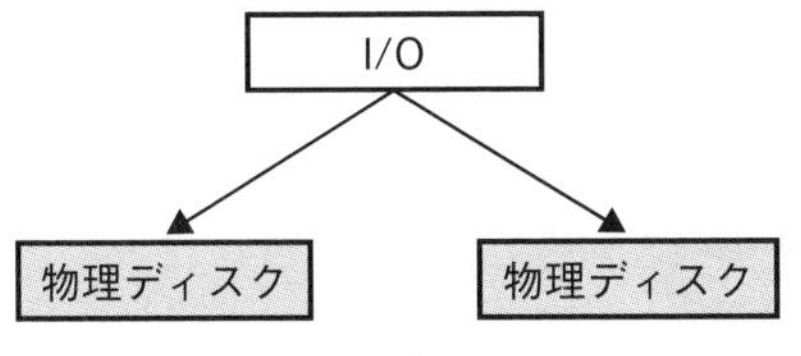

▲図　RAID1

●RAID0+1、RAID1+0

RAID0と1を組み合わせた構成として、**RAID0+1**（RAID01）および**RAID1+0**（RAID10）があります。RAID0+1はRAID0のグループをRAID1によってミラーリングする構成、RAID1+0はRAID1のグループをRAID0によってストライピングした構成です。どちらも最低4台のハードディスクが必要で、容量は全体合計の2分の1となります。

両者は似ていますが、RAID0を構成するハードディスクのいずれか1台が壊れるとデータが失われるRAID0+1に対して、RAID1でミラーしたハードディスクがすべて故障するまでデータが壊れないRAID1+0の方が故障耐性に優れています。

RAID2

参考　RAID5が優秀なため、RAID2～4については現在ほとんど使われていない。

RAID2は、RAID0にエラー訂正データを付加して、ディスクが壊れた際のデータ復元を可能にした方式です。

エラー訂正データに**ハミングコード**を利用するため、ディスクが2台同時に壊れてもデータを復元できる特徴があります。

しかし、エラー訂正に必要なデータ量が本来のデータ量を上回るなど、コスト効率は悪化します。

RAID3

RAID3は、RAID2のエラー訂正機構を簡略化した方式です。エラー訂正データにパリティビットを利用します。パリティデータ格納に必要なディスクは1台であるため、ディスクの利用効率はRAID2よりも向上します。

しかし、2台のハードディスクが同時に壊れる事態には対応できません。また、パリティディスクへの書込み負荷が大きいため全体の書込み速度は低下します。

RAID4

RAID3ではビット単位でストライピングを行いますが、これをブロック単位に変更したものが**RAID4**です。

RAID5

参考 RAID5では、RAID0並みの読み出し速度を実現するが、1台のディスクが故障した場合、パリティデータから演算によってデータを復元するため、読み出し速度が低下する。

RAID5は、3台以上のハードディスクを使用して、各ハードディスクにパリティデータを配置する方式です。1台の装置が故障した場合でも、残った装置はパリティデータを利用して業務を継続することができます。

その場合、パリティデータから演算によってデータを復元するためアクセス速度は低下します。2台のディスクが同時に故障した場合には対処できません。パリティデータの構成上、最低でも3台以上の物理ディスク装置で構成を行う必要があります。

RAID1と比較した場合、実効記憶容量は増大します。また、パリティデータが各ディスクに分散しているためボトルネックになりにくく、処理速度の向上が期待できます。書込み時はパリティ演算を行うため、処理速度が遅くなりますが、読み出し時のパフォーマンスはRAID0と同等です。

物理ディスク	物理ディスク	物理ディスク
パリティ	データ	データ
データ	パリティ	データ
データ	データ	パリティ

▲図　RAID5

POINT 信頼性を向上させるための技術

・シンプレックスシステム

一業務に対して1つのシステムを割り当てる通常の処理方法。

・デュプレックスシステム

一業務に対して二系統のシステムを用意し、主系にオンラインリアルタイム処理など可用性要求の高い処理を、従系にはバッチ処理など比較的可用性要求の低い処理を行わせる。

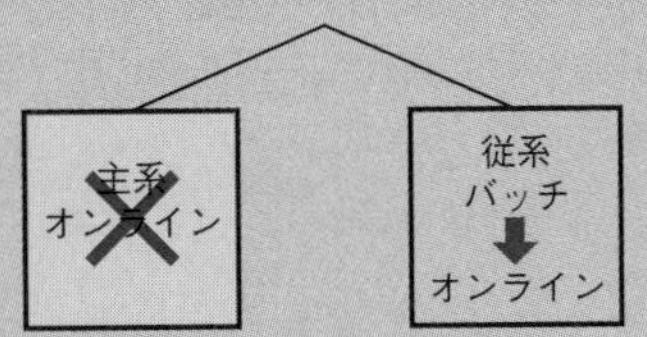

▲デュプレックスシステム

仮に主系の機能がダウンした場合、従系の処理をオンラインに切り替えて可用性要求の高い処理を継続できるようにするシステムである。

・デュアルシステム

一業務に対して二系統のシステムを用意し、主系／従系ともに同じ処理を行わせて演算結果を比較するシステムである。処理の検算が行えるため信頼性が高く、どちらかが故障した場合も片系が処理を継続することができる。欠点は高コストなことである。

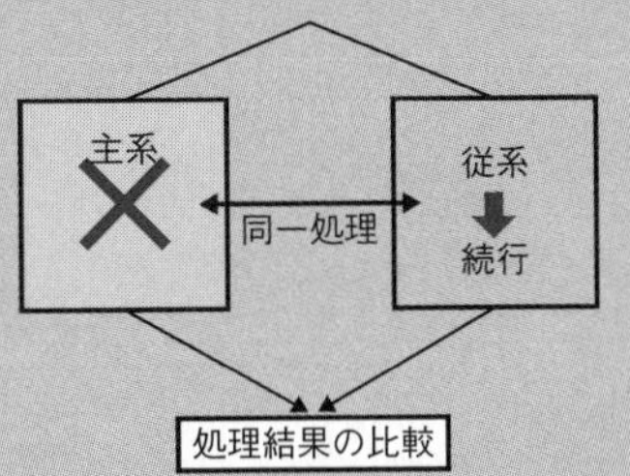

▲デュアルシステム

・タンデムシステム

システムを直列に接続することにより、機能分散や負荷分散を図ったシステム。可用性は低下する。

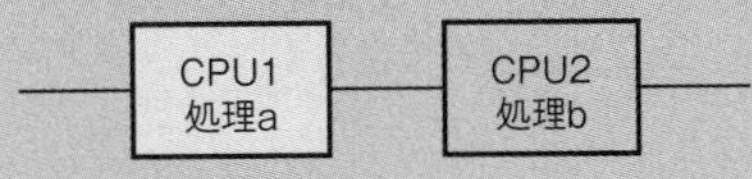

▲タンデムシステム

5.4.3 ネットワーク上のストレージ

企業は業務の多角化、多国籍化によって365日、24時間のシステム稼働を余儀なくされています。自社ビルの倒壊や炎上時にも業務を継続するためには、バックアップサイトやデータを遠隔地に実装しなければなりません。支社や営業所に適切な設備がない場合などは保存のための費用がかさむため、データの保存などを専門に扱う業者が登場しており、米国では一般的なサービスになっています。

遠隔地へのデータ移送には、ネットワーク伝送や媒体の配送などを利用します。媒体を運送業者に配送してもらう場合、契約に守秘義務条項を盛り込んだり、業者へのセキュリティ監査を行うなどして保安体制をコントロールします。

NAS

ABC 略語 NAS➡Network Attached Storage

 参考 NASは、一般的なファイル共有プロトコルを使用する。クライアントがアクセスし、ファイルシステムはNAS上に存在する。

NASは、ネットワークに直接接続する形式のファイルサーバです。ファイルの保存に特化した単機能サーバで、ネットワークやファイル共有の設定が簡易なため、システムへの導入や追加が比較的簡単に行え、また導入コストが低いという利点があります。

しかし、LAN上をストレージデータが流れるため、帯域を圧迫するという短所も持っています。

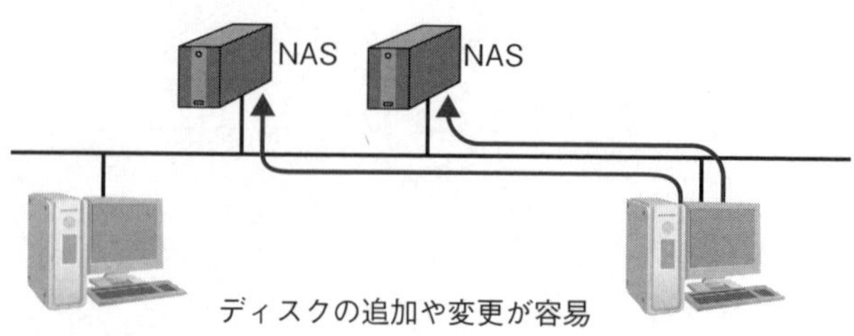

▲図 NAS

SAN

ABC 略語 SAN➡Storage Area Network

SANは、通常のデータを伝送するLANとは別に、ストレージデータ専用のネットワークを構成します。高いスループットを求められるサーバなどが、クライアントが伝送する業務データなどに帯域を阻害されることなく高速にストレージデバイスにアクセスできます。クライアントにとっても、大容量のストレージデータでLANを圧迫されることがなくなります。

しかし、SANは高コストであり、また、新たにネットワークを敷設する必要があります。

SANは高速伝送が要求されるため、SCSI-3のサブセットである**Fibre Channel**を用いることが多かったのですが、GbEの普及によりIPネットワークも利用されるようになってきました。

用語 **Fibre Channel**
光ファイバを用いて1Gbpsで通信する規格である。

参考 SANは、ストレージの制御にSCSIコマンドを利用する。サーバがアクセスを行い、ファイルシステムはサーバ上に存在する。

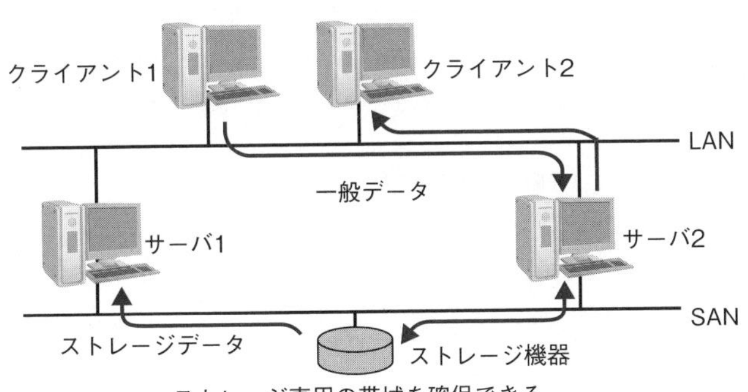

▲図　SANの構成例

●FC-SAN

Fibre Channelを用いて構成するSANのことを、**FC-SAN**といいます。FC-SANでは、**ファイバチャネルスイッチ**を使ってネットワークを構成します。トポロジとしては、スター型やメッシュ型が考えられます。

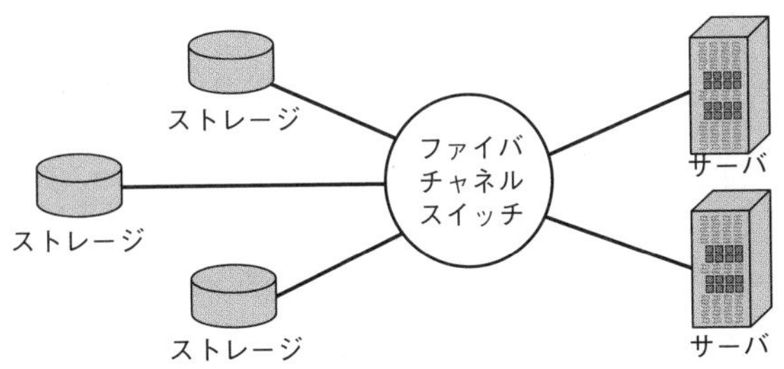

▲図　ファイバチャネルスイッチを軸にスター型で構成した例

用語 **レプリケーション**
システムやデータの複製を持つこと。あるハードウェアやデータベースが破損しても、複製を用いて処理を続行できる。

SANが大規模化してくると、必然的に参加するサーバやストレージの台数が増えてきます。保守性や安全性を考えると、それぞれのサーバがアクセスできるストレージ領域を分割するのが好ましい運用であるといえます。

SANはこの問題を**ゾーニング**という機能で解決しています。ゾーニングの方法には種類がありますが、最もプリミティブなものが**ポートゾーニング**です。ポートVLANのように、サーバのアクセス権を接続されているポートによって識別してストレージを割り当てます。

ポートゾーニングより柔軟で精密なゾーニングの方法としては、**WWNゾーニング**があります。これはサーバの**HBA**（イーサネットにおけるNICに相当する）に割り当てられた**WWN**という固有コードによってサーバを識別するものです。

用語 WWN (World Wide Name)
HBAに割り当てられる一意なアドレス。NICにおけるMACアドレスに相当する。HBAそのものに割り当てられるものと、HBAのポートごとに割り当てられるものがある。

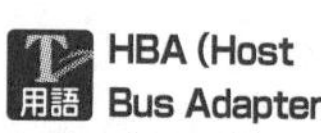
HBA (Host Bus Adapter)
ホスト（コンピュータ）と周辺機器（HDDなど）を接続するためのアダプタの総称。SCSIコントローラやファイバチャネルアダプタはHBA。

●IP-SAN

IP技術を用いて構成するSANのことを、**IP-SAN**といいます。ケーブルやアクセス制御方式、通信機器などに、既存のIPの技術や製品を適用することができるため、安価に構築できるメリットがあります。ストレージの制御自体はSCSIの命令系統を使うので、対応製品も多数にのぼります。IP-SANの規格としては、IPネットワークに直接SCSIコマンドを発行できるようにした**iSCSI**が普及しています。その他にも、FC-SANの使うプロトコルをIPネットワークでやり取りできるようにして、遠隔地のFC-SAN同士を広域IP網などで結べるようにした**FCIP**、**iFCP**などがあります。

用語 iSCSI
iSCSIはSCSIコマンドを発行するサーバ（イニシエータ）と、IPネットワークを介してそのコマンドを受理する記憶装置（ターゲット）によって構成される。

●FCIP

Fibre Channel over IPの略で、FCフレームをIPでそのままカプセル化する技術です。FCのアドレスを使うため、IPのネットワーク上でルーティングを行うことはできません。遠距離のFC間をIPネットワークでトンネリングする用途に用いられます。

●iFCP

Internet Fibre Channel Protocolの略。FCフレームをカプセル化しますが、アドレスは変換されます。したがって、IPアドレスによるルーティングを行うことができます。主に拠点間接続に使われるFCIPに対して、柔軟な運用が可能です。

5.5 ネットワーク管理技術

5.5.1 syslog

MDM
用語 スマホやタブレットといったモバイル端末を一元管理すること。バージョン同期、マルウェア対策、情報漏えい対策機能などを持つ。

syslog
用語 ログを別サーバに保存できるため、記憶容量が小さい／ないなど通信機器でもログを保存できる。

参考 一部ベンダの製品では、TCPポートを使うこともある。

システムの監視、管理、および障害時の原因究明には、ログ情報が欠かせません。しかし、ネットワーク管理者が管理する通信機器は、サーバなどのアプリケーション層に位置する機器に比べるとログ取得機能（特に保存容量）が貧弱です。

そこで、通信機器にログを保存するのではなく、サーバに対して送信し、サーバ側にログを保存する方法が考えられました。ここで用いられるプロトコルがsyslogです。

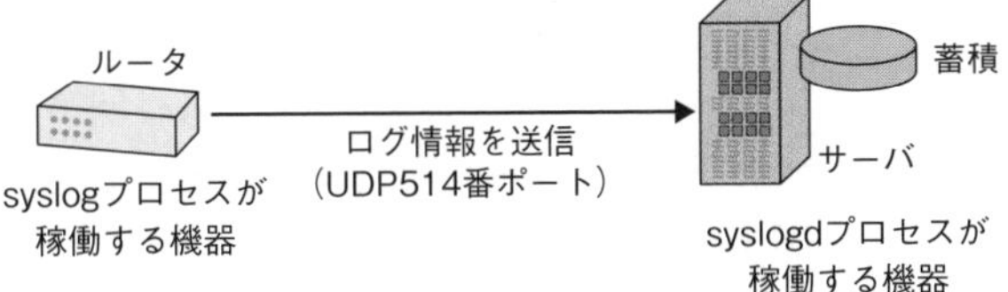

▲図 syslog

syslogは、クライアントサーバ型のシステムで、ログを送信する機器はsyslogプロセスを、ログを受信する機器（サーバ）はsyslogdプロセスを動作させ、ログ情報を伝送します。

▼表 syslogのアラートレベル

メッセージ	重要度	状況
LOG_EMERG	0	致命的障害
LOG_ALERT	1	警報
LOG_CRIT	2	重大な障害
LOG_ERR	3	エラー
LOG_WARNING	4	警告
LOG_NOTICE	5	注意喚起
LOG_INFO	6	一般情報
LOG_DEBUG	7	デバッグ情報

syslogでは、表のようにログのレコードに対して重要度を定めています。一般的にすべてのログを取得するとデータ量が膨大に

なるため、利用する機器の重要度やログの発生傾向によって取得するログのレベルを決定します。

ログ取得領域がオーバフローすることはままあるので、ログファイルが一定サイズを超えたら上書きしたり、ログファイルの世代管理を行うことで対処します。

こうした設定は、syslogdのsyslog.confファイルで行います。

5.5.2 NTP

コンピュータに内蔵される時計の精度はかなり悪く、一度正確に設定しても数日で数秒のずれが生じるのが一般的である。

NTP
Network Time Protocolの略。
RFC 1305。

NTPの階層構造の各層をstratumと呼ぶ（日本語で地層の意味）。最大16階層（0～15）まで設定可能。

UDPポート123番を使用する。

参考 NTPは定期的にバージョンアップされており、現状ではNTP3、NTP4がよく使われている。NTP4では、はじめて公開鍵暗号を用いた認証機能が導入され、時刻改ざんなどのリスクに対応できるようになった。

ログを取得する際、当該機器のタイマが標準時に合致していることは大前提です。ネットワーク機器のログの多くは、他社マシンを含む他のマシンのログと突き合わせて障害原因の特定などを行うため、ログに打刻される時間が異なると検査ができません。

コンピュータや通信機器の時刻を合わせるためのプロトコルがNTPです。NTPでは、世界標準時に同期したNTPサーバに対してNTPクライアントが時刻同期をとる、クライアントサーバモデルを採用しています。

NTPでは、トラフィックを軽減するために階層構造を採用しています。正確な時計を持つNTPサーバを頂点とし、それに同期をとる中間のNTPサーバ階層を何回か挟むことで1台のサーバへの負荷集中を避けます。

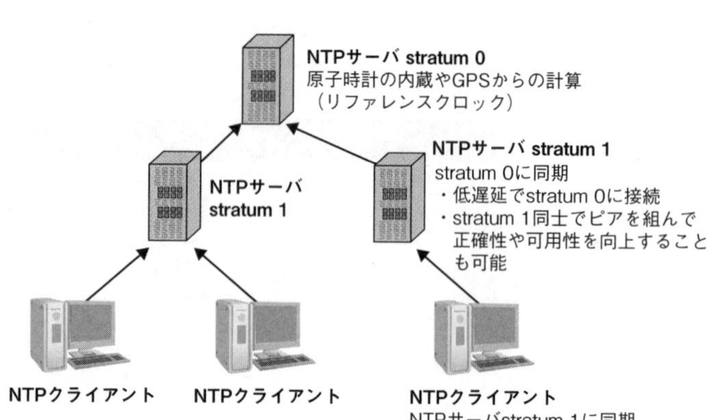

▲図 NTPの階層構造の例

SNTP　NTPを簡易化したプロトコル。トラフィックレベルが変動した場合などに、時刻同期の信頼性が低下するが、簡易に実装できる。SNTPクライアントはNTPサーバに接続できるため、クライアントマシンにはSNTPをインストールするケースがほとんどである。

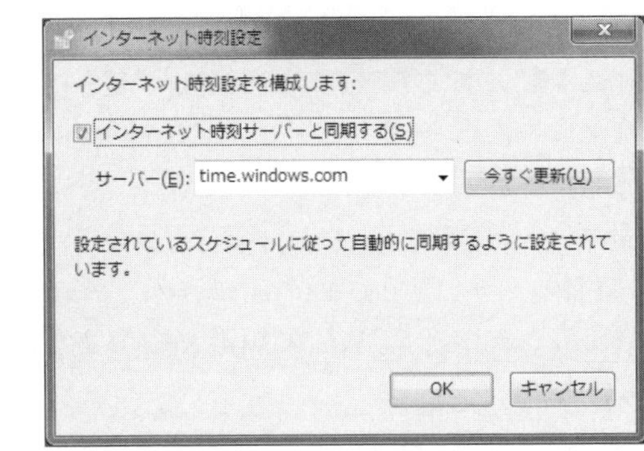

▲**図**　NTPクライアントの設定

多くのOSでは、デフォルトでNTPクライアントがインストールされており、NTPサーバと同期します。

NTPサーバの状態確認機能（monlist）は大きなサイズのデータを返答するため、NTPが下位プロトコルとしてUDPを使うこととあわせてDoS攻撃で狙われがちです。

5.5.3　SNMP

SNMP➡Simple Network Management Protocol

障害の監視システムは、初期には画面上にログを表示し、三直体制で常駐するオペレータがそれを読みとるもの、サイレンを鳴らすものなどがありました。その後の進化で、ネットワーク管理者に対してメールやショートメッセージサービス（SMS）、携帯への発信で通報を行ったり装置自身が自律回復を行うモデルが登場しています。

SNMPの構成

オープン環境において、こうした管理仕様を標準化するために設計されたのが**SNMP**です。SNMPは、IPスタックを利用して機器管理情報を交換します。TCP/IPプロトコルスイートに属し、下位プロトコルとしてUDPを要求します。IPスタックが存在すれば利用することができ、ベンダ依存性がありません。

重要　SNMPは、IPの正常動作を前提に設計されている。IPレベルの障害が発生した場合は、SNMPも動作を停止する。

SNMPの動作モデルはシンプルで、マネージャとエージェントのみによって構成されます。

SNMPマネージャ（監視する側）と**SNMPエージェント**（監視される側）の間で**PDU**を用いて管理情報を授受します。基本的にはマネージャの要求にエージェントが応答することでやり取りが成立しますが、例外としてエージェントが発行する**Trap**があります。Trapは使用するポート番号が異なり、SNMPには161番と162番のポートが予約されていますが、Trapだけが162番ポートを使用します。PDUには次の種類があります。

PDU➡Protocol Data Unit

Trapはよく出題される。例えば午前2問題の選択肢では下記のように記述されている。
「ネットワーク機器の設定を不正に変更して、MIB情報のうち監視項目の値の変化を検知したときセキュリティに関するイベントをSNMPマネージャ宛てに通知させる」。

▼表　PDUの種類

Get-Request	マネージャがエージェントから情報を引き出す。
Get-Next-Request	データ長が不明な場合、データが終了するまで再要求を行う。
Get-Response	Get-Request、Get-Next-Requestに対する返答を行う。
Set-Request	管理オブジェクトの設定値を変更する。
Trap	エージェントが情報をマネージャに通知する。

動作モデル

SNMPの詳細な仕様は、RFC 1157で確認できる。

①マネージャからの動作確認

マネージャがエージェントに対してGet-Requestを発行して、動作状況を確認します。

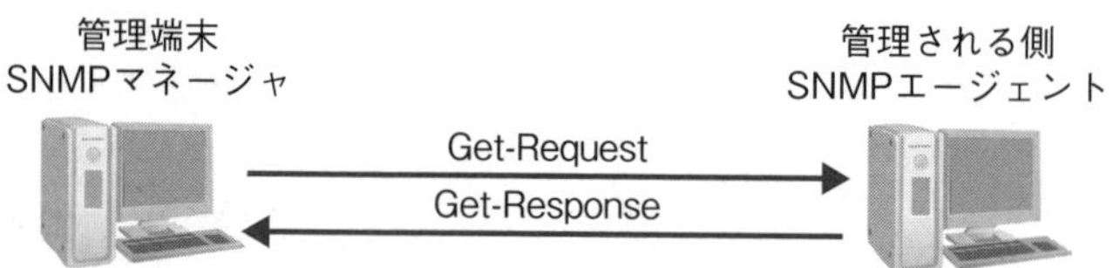

▲図　動作確認

②設定変更

マネージャがエージェントに対してSet-Requestを発行してエージェントの設定を変更します。変更の反映はGet-Requestで確認します。

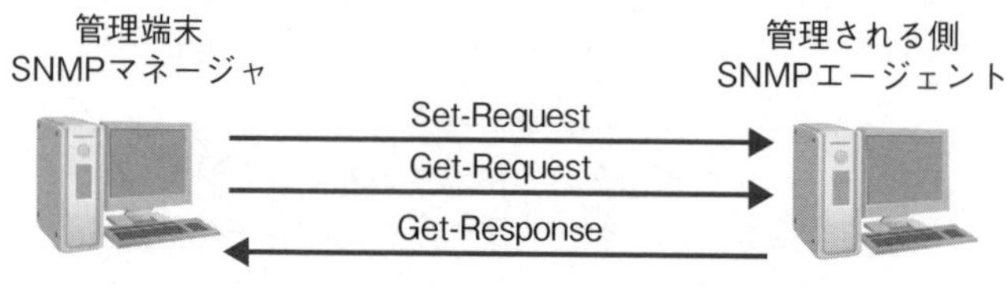

▲図　設定変更

③イベント通知

エージェントに障害が発生した場合、マネージャにTrapを発行して通知します。SNMPでは、障害発生など起動トリガのことを**イベント**と呼びます。次の2点において特徴的です。

重要 エージェントがイニシアティブを取って送信するPDUは、Trapだけである。

・エージェントがPDUを発行する。
・レスポンスがない。

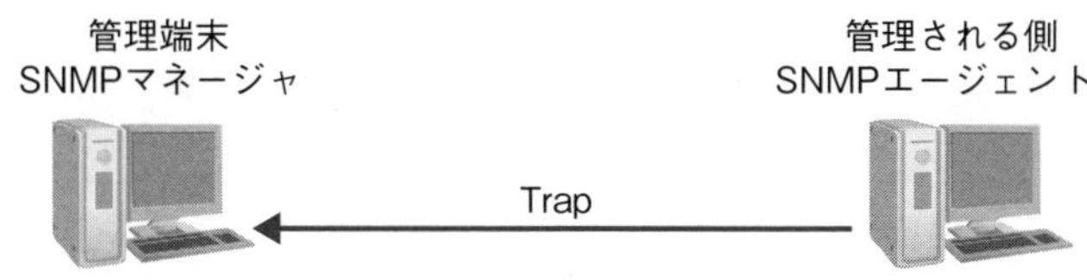

▲図　イベント通知

MIB

参考 SNMPは、標準MIBを利用することでベンダニュートラルな障害管理を実現する。

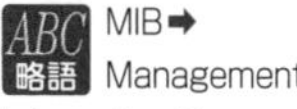
略語 MIB➡Management Information Base

エージェントには、**MIB**と呼ばれるデータベースが接続され、そこに故障情報やトラフィックの情報などが蓄積されます。標準で定められているMIBは故障情報の蓄積を想定していますが、実際にはトラフィック管理などをSNMPで行うため、各ベンダが機能拡張を行った**拡張MIB**が普及しています。拡張MIBにはベンダ間の互換性は存在しません。

RMON

略語 RMON➡Remote network MONitoring

トラフィック監視用の専用装置を実装し、SNMPマネージャに情報を報告させるためのプロトコルです。RMON1はOSI基本参照モデルの第1～3層の情報(ネットワーク内の回線使用率、ホストごとの回線使用率など)を、RMON2は第4層以上の情報(プロトコル使用率、ホストごとのプロトコル使用率、ホストのアドレステーブルなど)を収集します。

5.6 運用管理

ITサービスマネジメント

ITのサービスは提供されるようになってから日が浅く、また可視化しにくい要素を含んでいるため、適切な水準で利用者にサービスを提供できているか、経営戦略は達成できているか、予算は枠内で収まっているか、法令やコンプライアンスは遵守できているか、といった問題に悩まされがちです。

これを一元的に管理し、持続運用していくためのしくみを、**ITサービスマネジメントシステム**と呼んでいます。

ITIL、JIS Q 20000

ITサービスマネジメントシステムを構築するガイドラインとしては、まず**ITIL**が登場しました。ITILはイギリス政府がまとめたもので、これを国際規約化したのがISO/IEC 20000、さらに和訳したものが**JIS Q 20000**です。JIS Q 27000シリーズなどと同様に、JIS Q 20000-1が認証基準（サービスマネジメントシステム要求事項）、JIS Q 20000-2がベストプラクティス（サービスマネジメントシステムの適用の手引）になっています。ITILは単にベストプラクティスでしたので、認証基準化されたことが最大の相違点です。

すべてのマネジメントシステムがそうであるように、JIS Q 20000-1においても経営者のコミットメントが必要であると定められています。

また、サービスを提供する企業と利用者との間で交わされる合意である**SLA**（サービス品質保証）についても定められており、サービス水準目標値の設定、企業と利用者の責任の規定をすることとなっています。

ご参考までに、JIS Q 20000-1は次の項目で成り立っています。

情報技術－サービスマネジメント－

8 サービスマネジメントシステムの運用

8.1 運用の計画及び管理

8.2 サービスポートフォリオ

8.2.1 サービスの提供

8.2.2 サービスの計画

8.2.3 サービスのライフサイクルに関与する関係者の管理

8.2.4 サービスカタログ管理

→**サービスカタログ**とは、サービスマネジメントシステム（SMS）の利用者や関係者に向けて、適用範囲内のサービスを説明するために用意する案内書（カタログ）のことです。

8.2.5 資産管理

8.2.6 構成管理

8.3 関係及び合意

8.3.1 一般

8.3.2 事業関係管理

8.3.3 サービスレベル管理

8.3.4 供給者管理

8.4 供給及び需要

8.4.1 サービスの予算業務及び会計業務

8.4.2 需要管理

8.4.3 容量・能力管理

8.5 サービスの設計，構築及び移行

8.5.1 変更管理

8.5.2 サービスの設計及び移行

8.5.3 リリース及び展開管理

8.6 解決及び実現

8.6.1 インシデント管理

8.6.2 サービス要求管理

8.6.3 問題管理

8.7 サービス保証

8.7.1 サービス可用性管理

8.7.2 サービス継続管理

8.7.3 情報セキュリティ管理

SLA

SLA ➡ Service Level Agreement

SLAは、通信サービスの提供者とその利用者の間で結ばれる、サービス品質に関しての契約です。QoSに実効を持たせる制度の1つだと考えればよいでしょう。個別に契約を取り交わす場合と、サービスに最初から設定されている場合とがあります。

通信事業者は、ネットワークのスループットやサーバの応答時間などについて、利用者とSLAを結びます。利用者がネットワークから期待した性能を得られなかった場合は、事業者に対して契約によるペナルティを加えることができるため、事業者はQoS実現のために、しっかり労力を傾注すると考えられています。

もちろん、高いサービスレベルを実現するためには、利用者側もそれに見合うだけの対価を支払う必要があります。

日本では「サービス品質保証制度」の名目で、各キャリアがSLAを導入しています。例えば、あるキャリアにおける品質基準には、故障回復時間と開通時期が設定されており、これらのサービス品質が規定の値に達しなかった場合は、最大月額回線使用料金の10％～50％を返還するという契約になっています。

5.7 アウトソーシングサービス

コアコンピタンス
中核競争力のこと。

企業がコアコンピタンスとなる業務に経営資源を集中させるため、情報システムを外部業者に委託するケースが増えてきました。専門業者に業務を行ってもらうことで、コストの削減やサービスの向上などが図れます。

IDC

IDC➡Internet Data Center

IDCは、インターネットデータセンタの略称です。Webサーバを利用した業務が普及したことで、ユーザは365日24時間のサービス提供が当たり前であると感じるようになってきました。

しかし、実際にサービスを実装する企業にとってみると、これは大きな負担としてのしかかってきます。つまり、それだけの可用性を保証するためには、サーバやデータベースシステムの多重化はもちろんのこと、複数系統の電源や遠隔地のバックアップサイト、メンテナンス時にもサービスを継続するための運用マネジメントの存在など、考慮しなければならない事項が山積みされます。

そこで、これらのサービスを専門に提供する事業者としてIDCが登場しました。

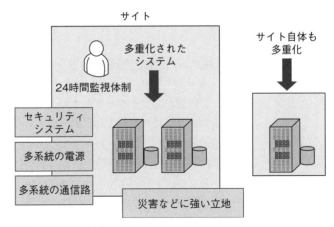

サイト
多重化されたシステム
24時間監視体制
セキュリティシステム
多系統の電源
多系統の通信路
災害などに強い立地
サイト自体も多重化

▲図　IDCの構成要素

IDCは、地震や水害などの影響を受けないよう、地形的な条件なども配慮して建設される堅牢なセンタです。アメリカでは、すでに事業として広く認知されています。日本国内では、自治体などが使用する公共IDCを中心に普及が進んでいます。

ハウジングサービス

ハウジングサービス提供業者
インターネットデータセンタ（IDC）と呼ぶ場合もある。

ハウジングサービスは、**コロケーションサービス**とも呼ばれる。

ハウジングサービスとは、顧客のサーバ等を預かって安全に運用するサービスのことを指します。ハウジングサービス提供業者は、24時間の監視体制や安定した電源、耐震・耐爆設備などを用意します。資金的に余裕のない企業や、遠隔地に支社のない企業などがバックアップサイトを構築するのに適しています。

類似サービスにレンタルサーバがありますが、これはサーバも業者が用意する形態で、このレンタルサーバを貸し出すサービスのことを、**ホスティングサービス**ともいいます。顧客のサーバを預かるハウジングサービスとの違いに注意して下さい。

クラウド

クラウド、もしくはクラウドコンピューティングとは、処理能力やストレージ能力をインターネット上にあるデータセンタが供給し、それをユーザがサービスとして利用するモデルです。手元の端末の簡略化（スマートフォンやタブレットでも高度なサービスが受けられる）、どこでも同じ環境が使えるなどのメリットがあります。

「ホスティングとどう違うのだ」と疑問に思うかもしれません。実際、両者はよく似ています。クラウドに特徴的なのは規模と迅速性で、障害が発生すると遠隔地のデータセンタに処理を引き継ぐ、瞬間的な処理負荷増大時に素早くスケールアウトしてまた元に戻す、といったことが行われます。

クラウドは、どの階層のサービスが受けられるかによって、IaaS（インフラ：ハードウェアや通信回線をクラウドとして提供する）、PaaS（OS）、SaaS（アプリケーション）、FaaS（機能）に分類されることがあります。

参考　FaaSによって実現する、常時稼働するサーバを必要としないシステム形態をサーバレスという。

章末問題

問題1

ネットワーク管理プロトコルであるSNMPのメッセージタイプのうち、異常や事象の発生をエージェントからマネージャに知らせるために使用するものはどれか。

ア get-request
イ get-response
ウ set-request
エ trap

問題2

システムの信頼性向上技術に関する記述のうち、適切なものはどれか。

ア 故障が発生したときに、あらかじめ指定された安全な状態にシステムを保つことをフェールソフトという。
イ 故障が発生したときに、あらかじめ指定されている縮小した範囲のサービスを提供することをフォールトマスキングという。
ウ 故障が発生したときに、その影響が誤りとなって外部に出ないように訂正することをフェールセーフという。
エ 故障が発生したときに対処するのではなく、品質管理などを通じてシステム構成要素の信頼性を高めることをフォールトアボイダンスという。

問題3

複数のコンピュータを組み合わせて一つの信頼性の高いシステムを構築する方式であり、システムの一部で障害が発生しても、ほかのコンピュータに処理を代行させることによって、システム全体の停止を防止できるようにしたものはどれか。

ア クラスタリング
イ コールドスタンバイ
ウ ホットスワップ
エ ミラーリング

問題4

ネットワークのQoSを実現するために使用されるトラフィック制御方式に関する説明のうち、適切なものはどれか。

ア 通信を開始する前にネットワークに対して帯域などのリソースを要求し、確保の状況に応じて通信を制御することを、アドミッション制御という。
イ 入力されたトラフィックが規定された最大速度を超過しないか監視し、超過分のパケットを破棄するか優先度を下げる制御を、シェーピングという。
ウ パケットの送出間隔を調整することによって、規定された最大速度を超過しないようにトラフィックを平準化する制御を、ポリシングという。
エ フレームの種類や宛先に応じて優先度を変えて中継することを、ベストエフォートという。

問題5

RAIDに関する記述のうち、適切なものはどれか。

ア　1台のディスクドライブを用いてディスクの性能と信頼性の向上を図っている。
イ　ストライピングやミラーリングの技術を利用している。
ウ　ディスクキャッシュの技術を利用して信頼性の向上を図っている。
エ　データを保持するために使用可能なディスクスペースは、RAIDの方式によって変化しない。

問題6

全国に分散しているシステムを構成する機器の保守に関する記述のうち、適切なものはどれか。

ア　故障発生時に遠隔保守を実施することによって駆付け時間が不要になり、MTBFは長くなる。
イ　故障発生時に行う機器の修理によって、MTBFは長くなる。
ウ　保守センタを1か所集中から分散配置に変えて駆付け時間を短縮することによって、MTTRは短くなる。
エ　予防保守を実施することによって、MTTRは短くなる。

問題7

ホストコンピュータとそれを使用するための2台の端末を接続したシステムがある。ホストコンピュータの故障率をa、端末の故障率をbとするとき、このシステムが故障によって使えなくなる確率はどれか。ここで、端末は1台以上が稼働していればよく、通信回線などほかの部分の故障は発生しないものとする。

ア　$1-(1-a)(1-b^2)$　　イ　$1-(1-a)(1-b)^2$
ウ　$(1-a)(1-b^2)$　　エ　$(1-a)(1-b)^2$

問題8

クラウドサービスで提供されるFaaSに関する記述のうち、最も適切なものはどれか。

ア　利用者は、演算機能、ストレージ、ネットワークなどをクラウドに配置して使用することができる。
イ　利用者は、仮想化したデスクトップ環境を遠隔地の端末から使用することができる。
ウ　利用者は、クラウドサービス事業者が提供するアプリケーションプログラムを使用することができる。
エ　利用者は、プログラムの実行環境であるサーバの管理を意識する必要がなく、その実行環境を使用することができる。

解説

問題1

SNMPはTCP/IPのアプリケーション層で稼働するプロトコルで、ネットワークの管理を行います。SNMPでは、通信機器はSNMP**マネージャ**（管理する側）と**エージェント**（管理される側）に分けられ、基本的にマネージャからエージェントにメッセージが送られることで管理手順が進められます。しかし、唯一エージェントからマネージャに送られるメッセージが**trap**で、異常や事故（イベントと呼びます）の発生を知らせます。

問題2

いずれも信頼性向上技術について書かれていますが、説明と用語の関係を入れ替えて誤答を作っているパターンです。次は正答の選択肢として出題されるかもしれないので、誤答についても「本当は何の説明なのか」を考えておくと、本番での得点力が上がります。ア～ウの技術は、フォールトトレランスとして大きくくくることができます。

ア　フェールセーフの説明です。
イ　フェールソフトの説明です。
ウ　フォールトマスキングの説明です。
エ　正答です。

問題3

フォールトトレランスをどう実装するかが問われています。「複数のコンピュータを組み合わせる」、「他のコンピュータに処理を代行させる」といったキーワードから、**クラスタリング**が最も適切と判断できます。他にも**フェールソフト**、**フェールセーフ**などの用語を確認しておきましょう。

ア　正答です。
イ　待機系のコンピュータを、動作させずに維持しておく方法です。
ウ　電源投入状態で、周辺機器などを交換することをいいます。
エ　2台のハードディスクに、同じ内容を保存することをいいます。

問題4

ア　正答です。**アドミッション制御**は通信開始に先立ってネットワーク資源を確保し、確保できた帯域に応じて通信を制御します。
イ　ポリシングの説明です。**シェーピング**は通信量を一定に抑えますが、パケットの破棄はせず、バッファで待たせます。
ウ　シェーピングの説明です。**ポリシング**は超過分のパケットを破棄する技術です。
エ　**ベストエフォート**は伝送に最善を尽くすが保証はしない方式です。

問題5

複数の安価なディスク装置を組み合わせて、高価なディスク装置を上回る可用性を実現するのが**RAID**です。性能と可用性のバランスから、いくつかのレベルが存在します。

ア　RAIDは、必ず複数のディスク装置を利用します。
イ　正しい。
ウ　ディスクキャッシュに関連する技術ではありません。
エ　RAIDのレベルによって、実際に使えるディスクスペースの割合が変わります。

問題6

MTBFとは平均故障間隔、**MTTR**とは平均修理時間を指す用語です。MTBFは故障と故障の間、つまり正常動作している期間を意味するので、大きいほどシステムの信頼性が高いといえます。一方、MTTRは修理にかかる時間ですから、小さいほどシステムの信頼性が高いことになります。

ア　MTTRが短くなります。
イ　MTBFとは関連しません。
ウ　正解です。素早く全国のブランチに対応できると思われるので、遠隔保守の導入と同様MTTRは短くなります。
エ　MTBFが短くなります。

問題7

「端末が1台以上稼働していればよい」とあるので、システム全体での故障率は、

1－(ホストが正常稼働している確率×端末のどちらかが正常稼働している確率)

です。

ホストの稼働率は「1－a」、端末のどちらかが正常稼働している確率は「1－(b×b)」です。したがって、システム全体の故障率は、「$1-(1-a)(1-b^2)$」であることが分かります。

問題8

XX as a Service系の用語のうち、XX部分にFunctionが入るのが**FaaS**です。ここでいうFunctionは関数(機能)のことで、利用者はサーバの設定やサーバ上の実行環境の構築に煩わされることなく、用意された機能を使ってアプリケーションを開発することができます。

解答

問題1　エ	問題2　エ	問題3　ア	問題4　ア	問題5　イ	問題6　ウ
問題7　ア	問題8　エ				

第6章 セキュリティ

ネットワークセキュリティの必要性に関する認識は、かなり社会に浸透しました。今後は、どのような形であれ、セキュリティを意識しないネットワークはあり得ないでしょう。情報処理試験体系の中では、情報処理安全確保支援士試験との兼ね合いもあるので、極端にセキュリティ関連の出題頻度が増しているということはありませんが、明示的でなくても「セキュリティを意識すれば、このネットワーク構成はないでしょう」というリテラシ的な取り扱われ方をするので、ネットワークエンジニアの基礎教養として習得しておく必要があります。

NATやVPNなど、アドレスの付け替え、パケットのカプセリングを伴う複雑な技術が多用されるので、1つひとつの要素を分解してシンプルに捉え、確実に理解するのが早道です。公開鍵暗号はデジタル署名と関連付けて動作モデルを確認しましょう。

6.1 暗号化

6.1.1 盗聴リスクと暗号化

ネットワークシステムの運用には、**盗聴**のリスクがあります。リスクを完全に消し去ることは不可能ですが、何らかの対策を講じることでリスクを許容可能な範囲に留めることを**リスクコントロール**と呼びます。盗聴リスクに対して用いられる対策が**暗号化**です。

参考 JPEG技術なども元になるデータを変換するが、誰でも復元できるため暗号化技術には分類しない。

なお、ハッシュ関数なども元になるデータを変換しますが、必ずしも文書を元の形に復元できないため、暗号化アルゴリズムとは区別します。

6.1.2 暗号の種類

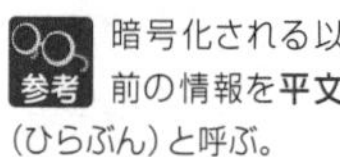

参考 暗号化される以前の情報を**平文**（ひらぶん）と呼ぶ。

暗号とは、情報を特定の条件が整った場合のみ復元可能な一定の規則で変換して一見意味のない文字列や図案とするものです。

ITシステムは、この特定の条件を**キー**（鍵）というビット列で表現します。キーを情報にアクセスしてよいユーザだけが保持することで、権限のない非正規ユーザへの情報漏えいを防止します。暗号化には、大きく分けて2種類の方式があります。

共通鍵暗号

暗号化と復号に同じ鍵を用いるのが最大の特徴です。通信のペアごとに鍵が必要になるため、鍵の数が増えたり、鍵の配送が困難であるといった欠点が生じますが、暗号処理にかかる時間が短い利点があります。

公開鍵暗号

暗号化と復号に異なる鍵を用います。したがって、異なる相手に対して同じ暗号化鍵を配布することができ、鍵の数を抑制したり、鍵の配送を簡略化できる利点があります。実装方式が複雑なため、暗号処理に時間がかかるのが欠点です。

6.1.3 共通鍵暗号

参考 共通鍵暗号は、暗号化処理、復号処理が比較的短時間で行えるが、不特定多数との通信ができないデメリットを持つ。

用語 共通鍵暗号は、秘密鍵暗号、対称鍵暗号とも呼ばれる。

用語 **CRYPTREC暗号リスト（電子政府推奨暗号リスト）**
総務省と経産省が公表している推奨暗号のリスト。安全性と実装時の性能、利用実績などを加味して、推奨できる暗号が列記されている。https://www.cryptrec.go.jp/list.htmlで最新版を確認することができる。

共通鍵暗号は、コンピュータシステムの初期段階から用いられてきた暗号化方式で、暗号化と復号に同一のキー（**共通鍵**）を用いる点が特徴です。この共通鍵は送信者と受信者のみが秘密に管理しなければなりません。そのため、共通鍵のことを秘密鍵と表現することもあります。

互いのキーが同一であることは、暗号システムの負荷を軽減します。したがって、共通鍵暗号では暗号化処理に必要なCPU資源や時間を節約することができます。

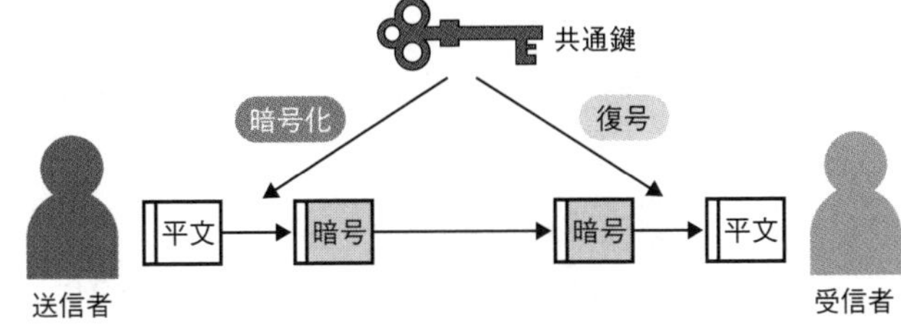

▲図　共通鍵暗号

上の例では、送信者と受信者が同じ共通鍵を持っています。共通鍵暗号でシステムを構築する際の重要な留意点は、この鍵の配布です。

共通鍵は送信側、受信側どちらで作成してもかまいませんが、通信相手に伝達しなければ利用できません。共通鍵をメールなどで配布するとそれ自体に盗聴の危険が発生しますし、郵送は処理時間がネックになります。

また、n組の通信が発生する場合、$\frac{n(n-1)}{2}$個の鍵が必要になる点にも留意しなくてはなりません。

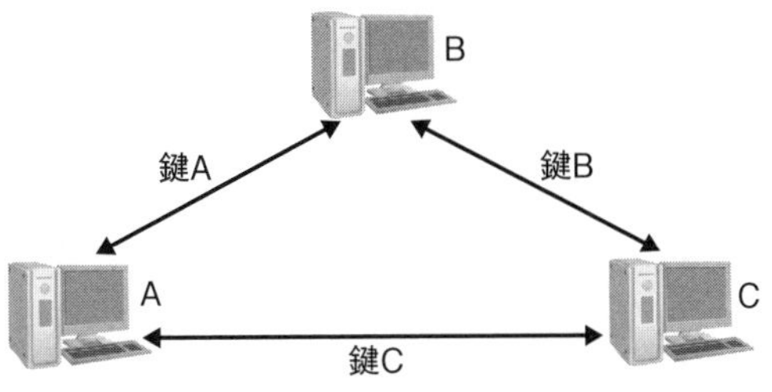

▲図　必要な鍵の数

6 セキュリティ

前ページでAとBの通信、AとCの通信に同じ鍵を使用すると、他のペアの通信を解読できるため盗聴のリスクが発生します。このため共通鍵暗号では、通信のペアごとに異なる鍵を用意しなければなりません。

6.1.4 共通鍵暗号の実装技術

DES

ABC 略語 DES➡Data Encryption Standard

T 用語 **NIST** 米国商務省標準局のこと。

DESは、IBMが開発し、1977年に**NIST**が標準暗号として採用したことから普及しました。

DESは、共通鍵として56ビットのデータ列を用います。この場合、鍵のバリエーションは2の56乗＝約7京ですが、CPUパワーが飛躍的に向上すると総当たりによる解読がかなりの速さで行えるようになりました。

TripleDES

TripleDESは、DESの脆弱性が次第に指摘されるようになったことを受けて開発された暗号化方式です。

DESの暗号化アルゴリズムをそのまま利用し、キーを2つ用意して暗号化、復号、暗号化という手順を踏みます。

参考 この図はTriple DES-EDE2である。3回の暗号化／復号処理すべてで異なる3種類の鍵を使うTripleDES-EDE3もある。

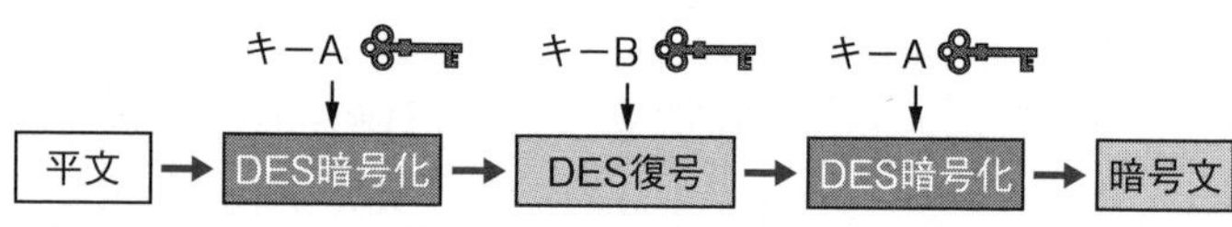

▲図 TripleDES

ただし、暗号アルゴリズム的な弱点はDESのそれをそのまま引き継いでいるため注意が必要です。

AES

ABC 略語 AES➡Advanced Encryption Standard

共通鍵暗号の実装技術として長らくDESや、その延命措置であるTripleDESが使われてきましたが、計算能力の向上や暗号解読手法の進歩により、もはや安全な暗号方式とは言えなくなりました。現状では、共通鍵暗号の実装は**AES**に集約されています。

午前問題に出題されるAESのスペックとしては、以下の点を覚えておきましょう。

・ブロック暗号であること
・鍵長が可変であること

用語 **ストリーム暗号** 平文の先頭から順に暗号化処理を行う。

用語 **ブロック暗号** 平文をある単位のブロックに分割し、ブロックごとに暗号化処理を行う。

暗号はビット単位で暗号化を行う**ストリーム暗号**と、ブロック単位で暗号化を行う**ブロック暗号**に分類することができます。ブロック暗号ではブロックのサイズが大きい方が攻撃に対して強固です。DESのブロック長は64ビットでしたが、AESでは128ビットに拡張されています。

鍵の長さも、ブロック長と同様に長いほうが攻撃に対して強固です。DESでは鍵長が56ビットで固定でしたが、AESでは128、192、256ビットから選ぶことができます。平文と鍵によって変換処理(ラウンド処理)を行いますが、この回数が鍵長によって異なります(出題例があります)。128ビット鍵で10回、192ビット鍵で12回、256ビット鍵で14回です。

あるデータブロックを単純に暗号化(ECBモード)すると、同じデータからは同じ暗号文ができあがり、これにより攻撃者につけ込む余地が生じます。

そのため、連鎖するブロックのうち、直前のブロックから得られた暗号文と次の平文のXORを暗号化するCBCモードなどが使われます。最初のブロックには「直前のブロック」がありませんが、その代わりに使うのが初期ベクトル(IV)です。

また、OFBモードではIVを暗号化して鍵ストリームを作り、鍵ストリームと平文のXORを暗号文としています。次のブロックでは、直前の鍵ストリームを暗号化して新たな鍵ストリームを作ります。

6.1.5 公開鍵暗号

重要 公開鍵暗号方式において、公開鍵＝暗号化鍵、秘密鍵＝復号鍵である。

共通鍵暗号は、1対1で通信を行うことを念頭に設計されました。したがって、複数のユーザと通信する必要がある場合、急速に管理すべきキー数が増加します。また構造上、不特定多数との通信には利用できません。そこで、この問題を解消するために暗号化鍵と復号鍵を分離した方式が**公開鍵暗号**です。

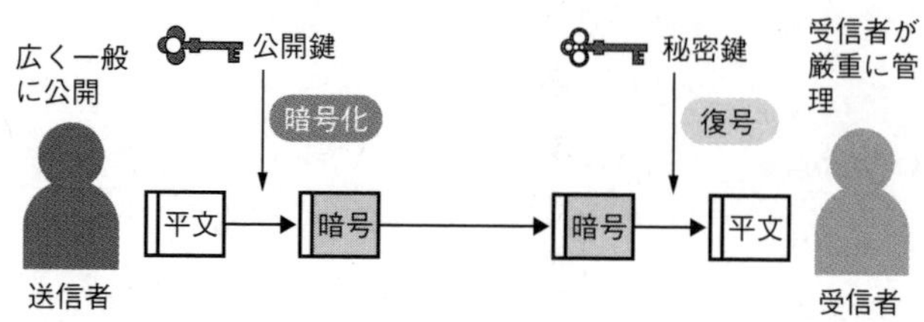

▲図　公開鍵暗号

重要　公開鍵暗号といっても、復号鍵（秘密鍵）の方を公開してはいけないのは、共通鍵暗号と同様。

公開鍵暗号では暗号化鍵を一般に公開します（**公開鍵**）。これは暗号化のみに利用されるため、公開しても問題ありません。

それに対して、暗号化された文書を復号するための鍵（**秘密鍵**）は、受信者が秘密に管理します。このようにすることで、公開鍵は誰でも利用できるものの、それによって暗号化された文書を復号できるのは、秘密鍵を持っているユーザだけになります。

また、公開鍵暗号は鍵管理負担の増大も解決します。

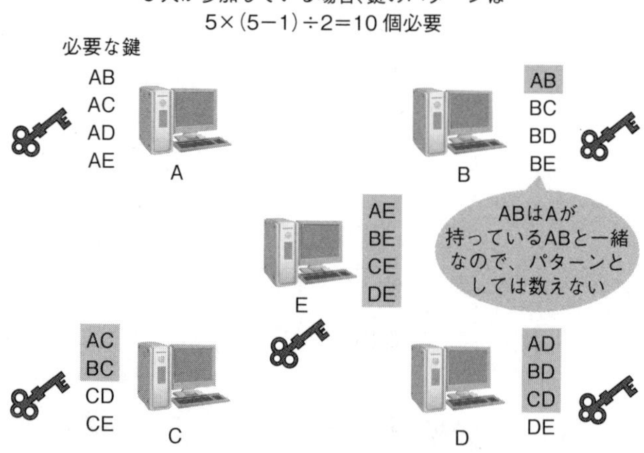

▲図　共通鍵暗号の鍵管理数

参考　公開鍵暗号は共通鍵暗号とくらべ、ネットワークに参加するユーザが増えた場合でも、管理すべき鍵の数が低く抑えられる。

共通鍵暗号では、n人が参加するネットワーク全体でn（n－1）／2個の鍵が必要でした。通信のペアそれぞれに異なる鍵が必要だからで、暗号化と復号を同じ鍵で行うため、鍵の使い回しができませんでした。

それに対して公開鍵暗号ではn人が参加するネットワーク全体で2n個の鍵があれば通信できます。暗号化鍵は異なる通信相手に対して使い回しが可能だからです。ネットワークに参加するユーザの数が増加するほど、両者で管理しなければならない鍵の数に開きが出るため、大人数間での通信に適しています。

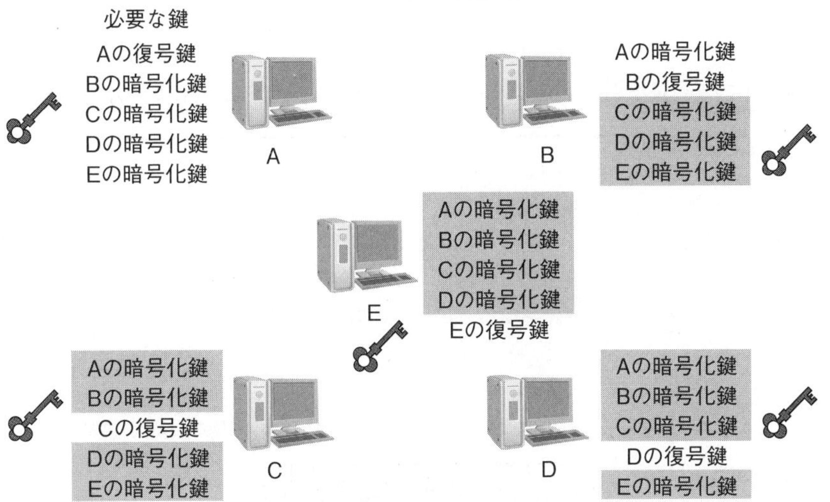

▲図　公開鍵暗号の鍵管理数

ここで図示した5人の例ではどちらも鍵が10個必要となりますが、10人になると共通鍵暗号は鍵が45個必要なのに対して公開鍵暗号は20個、50人なら共通鍵暗号が1,225個に対して公開鍵暗号は100個となり、鍵管理負担の差が広がります。

ただし、公開鍵暗号は一般的に処理に必要なCPUパワーが同じキー長の共通鍵暗号の数百～数千倍といわれています。このため、暗号化処理、復号処理に多くの時間がかかるデメリットがあります。

6.1.6 公開鍵暗号の実装技術

RSA

参考 RSAは、素因数分解を利用した公開鍵暗号方式で、簡単な原理で実装でき、普及が進んでいる。

RSAは、公開鍵暗号で最も普及している暗号化方式です。開発者であるRivest、Shamir、Adlemanの3人の頭文字をとって命名されました。RSA技術は、現在RSA Security社が管理しており様々なソリューションを販売しています。

RSAは、大きな数値の素因数分解に非常に時間がかかることを利用した暗号化方式です。

RSAは、計算量に依存したアルゴリズムであるため、将来的にコンピュータの計算能力が飛躍的に増大した場合には解読されてしまう危険性があります。増加するコンピューティング能力に対して相対的なセキュリティレベルを維持するため、RSAは年々キー長を増大させており、クラッカとのいたちごっこになっています。

公開鍵(a, N)
秘密鍵(b, N)
N＝素数c×素数d
を用意した場合、a、c、dを決定できれば、bを導いて秘密鍵を得ることができますが、cとdを計算することが非常に困難であるため、bを決定できない原理になっています。
Nを導くために必要な計算量は、以下のとおりです。

Nのサイズ(ビット)	MIPS年
512	3×10^{4}
1024	3×10^{11}
2048	3×10^{20}

※注　数体ふるい法を使用した場合の計算量

数体ふるい法
用語　離散対数問題の解法に利用されるアルゴリズムで、最も効果的にRSAを解読できるといわれている。

楕円曲線暗号

楕円曲線暗号(ECC)は、米国の数学者、KoblitzとMillerによって1985年に考案された暗号化方式です。楕円曲線上の演算規則を利用して鍵を生成します。

例えば、$Y = a^{x} \bmod p$ において、Xが秘密鍵、Y、a、pが公開鍵となります。通常、Y、a、pからXを求めるためにはRSAにも適用される数体ふるい法を用いますが、楕円曲線暗号はこうした離数対数問題の解法アルゴリズムに対して強固であるといわれています。

6.1.7 ハイブリッド方式

参考 ハイブリッド方式は、データ量の多い本文部分は共通鍵暗号で暗号化／復号するため、処理時間が短い。また、共通鍵暗号で問題になる鍵の配送処理に公開鍵暗号を利用することで、素早く安全に鍵を配布できる。

公開鍵暗号は、鍵配布時のセキュリティ、管理鍵数の増加問題を解決しますが、暗号化、復号に必要な演算量が大きく処理に多くの時間がかかります。

特に大容量データの暗号化に公開鍵暗号を利用すると、処理上のボトルネックになる可能性が高くなります。

そのため、共通鍵暗号のキーを配布するために公開鍵暗号を利用し、データ本文のやり取りは共通鍵暗号を用いる折衷案を採用するシステムが増加しています。

これにより、処理速度と利便性の両方を確保することができます。

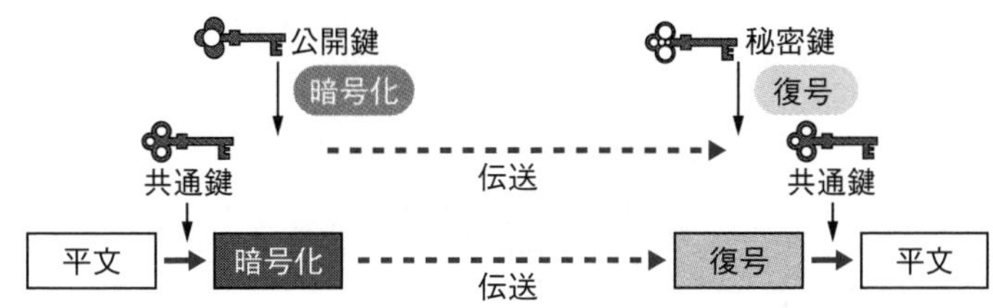

▲図 ハイブリッド方式

COLUMN

ブロックチェーン

不特定多数の参加者がシステム運用に関わりデータの真正性をチェックし、ハッシュ値を複雑に組み合わせることで、一度書き込んだデータの改ざんや消去を極めて困難にするデータ保存技術です。分散型台帳技術とも呼ばれます。参加者はブロックチェーン全体をダウンロードできるため、システム障害などが発生してもどこかでデータが生き残る確率は高くなります。その性質から、非中央集権で高信頼、公平・透明なシステムを永続させられると指摘する人もいます。

一方で、健全な運用のためには多くの人の参加が必要です。暗号資産（仮想通貨）のしくみでは、参加に対する見返り（検証作業に成功した者への暗号資産の配布）があるため人が集まりますが、それ以外の分野では参加の動機が確立されていないと考える人もいます。参加者が少なくなれば談合などの可能性が生じ、非中央集権や公平さに疑義が芽生えます。参加者がいなくなればシステムが止まるかもしれません。

近年の応用例にNFT（非代替性トークン）があり、デジタル資産の所有ができると一部で言われましたが、所有権を裏付ける法はなく、またその資産の唯一性はブロックチェーンの中でしか証明できないので運用には注意が必要です。

6.2 認証システム

6.2.1 認証システムの基本的な考え方

認証は、ネットワークシステムを利用するユーザが、正当な利用権限を保持しているか否かを確認するための行為です。それ自体は特に新しい概念ではありませんが、ネットワーク上の認証は相手を確認するための方法に工夫が必要です。

6.2.2 パスワード認証

ユーザIDとパスワードを組み合わせた**パスワード認証**は、最も基本的な認証技術です。システムへの実装も簡易なため、多くのマシン、システムで利用されています。

クリアテキスト認証

クリアテキスト認証は、古くからあるパスワード認証方法です。ログインする際にサーバに対して平文でユーザIDとパスワードを送信します。PPPにおける**PAP**などがこの方式を採用しています。

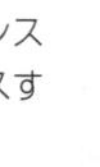

用語 **ログイン** 認証を行いシステム資源へアクセスする手順。

略語 PAP➡ Password Authentication Protocol

もともとは、ローカルノード内のプロセス間通信で行われていたモデルをクライアントサーバ方式に拡張したものです。そのため、ネットワーク上の盗聴に対して配慮がありません。

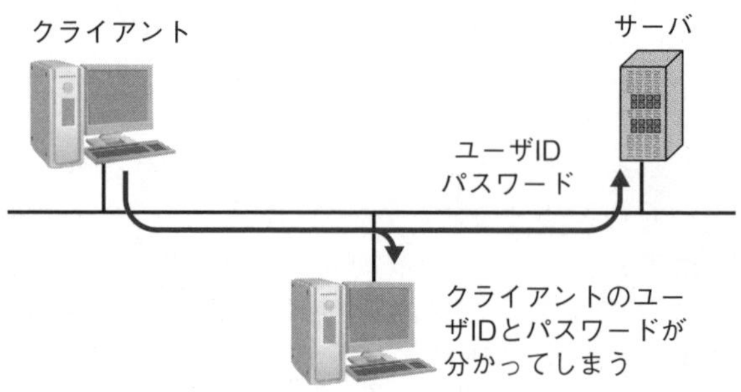

▲図　クリアテキスト方式

参考 クリアテキスト認証は、ほとんどのOS、ソフトウェアが対応している。

この図からも分かるように、クリアテキスト認証ではブロードキャストドメインの中に存在するノードは、他ユーザのユーザIDとパスワードを**スニファ**することが可能です。

現在のネットワーク環境下では、セキュリティ強度の低いモデルであるといえます。

用語 スニファ ネットワーク上を流れるパケットをキャプチャして内容を解読すること。特定のハードウェアやソフトウェアを指す場合もある。

チャレンジレスポンス認証

パスワード認証がネットワーク上で利用されるようになったのを受けて、クリアテキスト認証の脆弱性を解消したのが、**チャレンジレスポンス認証**です。

参考 チャレンジレスポンス認証は、Windowsなど多くのOSがすでに対応している。

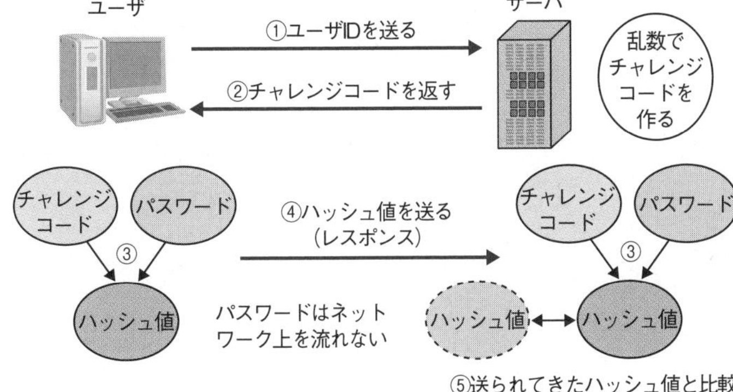

▲図　チャレンジレスポンス認証

用語 CAPTCHA 文字列を歪んだ画像などにして、利用者に入力させる方法。ボットによる自動アカウント取得などを回避するのに有効。

チャレンジレスポンス認証では、その手順中に**パスワードがネットワーク上を流れない**ことに注意してください。

認証の流れは、以下のとおりです（上図参照）。

① クライアントからユーザIDを送信する。
② サーバでは**チャレンジコード**を生成し、クライアントに返信する。
③ クライアントとサーバは、互いに保存しているパスワードとこのチャレンジコードから**ハッシュ値**を生成する。
④ 今度は、クライアントがサーバにハッシュ値を返信する。
⑤ サーバでは、自分が計算したハッシュ値とクライアントから送られたハッシュ値を突合せることでユーザ認証を行う。

用語 チャレンジコード 使い捨ての乱数。チャレンジ値などと書かれる場合もある。

この方法では、チャレンジコードとそれによって生成されるハッシュ値しかネットワーク上を流れません。チャレンジコードは使い捨てにされるため、仮に盗聴されたとしても次回のログイン時にはチャレンジコードが変わり、クラッカーは不正なアクセスを実行することができません。

参考 ユーザIDとパスワードが、ユーザやローカルノードから直接盗難されるような場合には無力である。

実際には、さらにチャレンジコードやハッシュ値を暗号化して送受信することで、よりセキュリティ強度を高めて運用します。チャレンジレスポンス認証を採用した実装技術としてCHAPがあります。

参照 CHAP➡P416

ワンタイムパスワード

ワンタイムパスワード(OTP)は、ログインするごとにパスワードを変更する認証方式です。チャレンジレスポンス方式では、使い捨てのチャレンジコードを利用しましたが、ワンタイムパスワードはパスワードそのものを使い捨てにします。

●S/KEY

参考 S/KEY方式は、シーケンス番号を利用することにより単純チャレンジレスポンス方式よりも解読しにくくなっている。

UNIXで採用されているため、ワンタイムパスワードの実装例としては普及している部類に入ります。基本的な手順としてはチャレンジレスポンス方式を応用します。

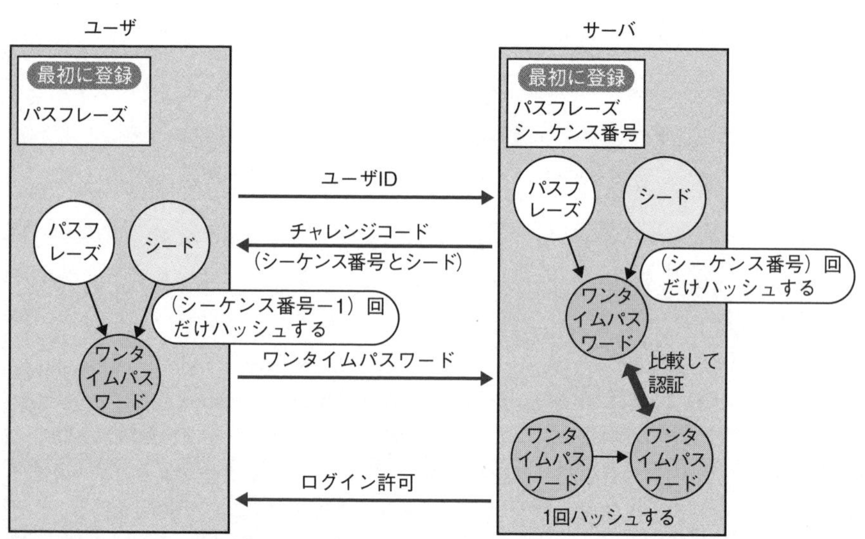

▲図　S/KEY方式

シード チャレンジレスポンスのチャレンジコードに相当する使い捨ての乱数。

S/KEY方式では、**シード**の他に**シーケンス番号**を利用している点に特徴があります。

シーケンス番号分だけハッシュ処理をしてワンタイムパスワードを生成しますが、クライアント側では「シーケンス番号－1」回しか演算せず、最後の1回をサーバ側で行うことでさらに構成を複雑化してセキュリティ強度を向上させています。

参考 シーケンス番号により、パスフレーズに生存時間を設定できる。

また、通信ごとにシーケンス番号を減じてゆき、これが0になるとシステムを利用できなくなるため、パスフレーズの再登録が必要になる点も強制的なパスワード変更が必要になるという点で優れています。

ただし、最初に登録したパスフレーズがローカルノードやユーザから直接漏れるような場合では、セキュリティが破綻する点はチャレンジレスポンス方式と変わりません。

●時刻同期方式

S/KEY方式では、認証に先んじてチャレンジコードをやり取りする必要がありましたが、**時刻同期方式**では乱数のチャレンジコードの代わりに時刻をトリガにしてワンタイムパスワードを生成します。

PIN 個人情報番号のことである。

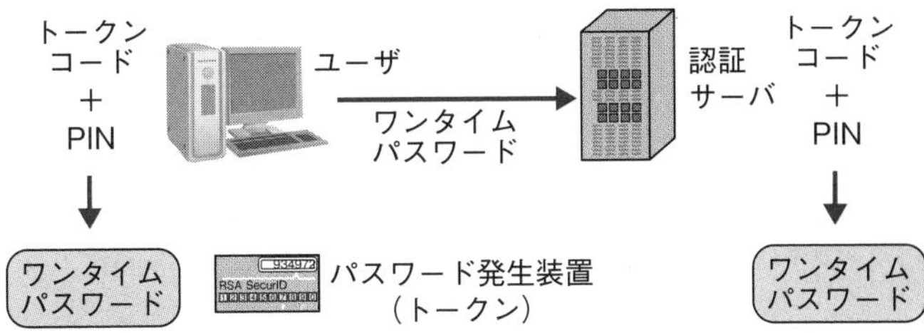

▲図　時刻同期方式

USBメモリ USBバスに挿入する形態の補助記憶装置。手軽で大容量なのが特徴。

時刻同期方式では、時刻からパスワードを生成するための**トークン**と呼ばれるパスワード生成機構が必要です。トークンはUSBメモリなどのハードウェアで提供される場合や、クライアントノードにインストールするソフトウェアとして提供される場合があります。

参考 ネットワーク上にチャレンジコードを流す必要がないため、よりセキュリティ強度が向上する。

時刻同期方式は、ネットワーク上に余分な情報を流さないという意味においては、S/KEYより一歩考え方を推し進めた認証方式です。しかし、時刻を要素にしてパスワードを生成する以上、各サーバ、各クライアントともに時刻の同期がとれていなければ運用することができません。

6.2.3 パスワード認証の運用上の注意点

パスワード認証では、知識という実体のないものを利用して認証を行うため、管理が困難である特徴があります。パスワードでは、以下のようなリスクに注意しなければなりません。

パスワードシステムの運用時のリスク

- ユーザの不注意によりパスワードが漏えいする。
- **辞書攻撃**など、利用されやすいパスワードを推定される。
- **総当たり攻撃**によりすべてのパスワードをチェックされる。

用語 **辞書攻撃** 生年月日やユーザ名、電話番号、ペットの名前、あるいはパスワードとして用いられやすい一般名詞などをデータベース化して認証システムに繰り返し認証を行う方法。

こうしたリスクに対処するため、パスワードシステムは基本的に以下の要件を満たして運用する必要があります。

用語 **総当たり攻撃** 考えられるすべてのパスワードの組み合わせを順番に試していく方法。

用語 **ショルダーハッキング** 肩越しにパスワードを覗き見ること。

用語 **ステガノグラフィ** 情報を隠蔽する技術。秘密にしたいデータを別のデータに埋め込んで、存在そのものを隠す。

パスワードシステム運用時に満たすべき条件

- ユーザ個人もしくは乱数により生成し、他人に漏らさない。
- 漏えいを防ぐため、メモなどに書き下さない。
- 漏えいや盗聴の被害を最小限に留めるため、頻繁に変更する。
- 辞書攻撃などの対象になりそうな簡単なパスワードは採用せず、長大で複雑なパスワードを用いる。
- 総当たり攻撃に対処するため、数回パスワードを間違えたら当該ユーザIDを利用不能にする。

これらを遵守して運用すれば、パスワード認証システムは有効に機能します。しかし、これらの各事項が互いに背反する要素を持っていることも事実です。長大かつ複雑で推測困難なパスワードを頻繁に変更しつつ利用すれば、ユーザは記憶が困難になりメモに書かなければ運用できないなどの弊害があります。

参考　知識による認証は一般的に利用者に負担を強いる。この方式が現在多用されているのは、主に管理者側の都合（実装しやすく、安価）によるもので、将来的には別の方式に移行していくと思われる。

パスワードを利用した認証システムはこれらの要素の妥協点を探りながら運用することになりますが、現在のようにセキュリティの確保が要求される局面が多い環境では、パスワード認証には限界があることも理解しておく必要があります。

POINT　パスワードの基準

・少なくとも８文字以上。
・次の４つのグループの文字をすべて含む。

グループ	例
大文字	A, B, C...
小文字	a, b, c...
数字	0, 1, 2, 3, 4, 5, 6, 7, 8, 9
記号*	` ~ ● @ # $ % ^ & * ( ) _ + - = { } ¦ [ ] ¥ : " ; ' < > ? , . /

*文字または数字として定義されないものすべて

・前のパスワードと明らかに異なる。
・名前またはユーザ名を含まない。
・一般的な単語または名前でない。

参考　キャッシュカードなどはこれと正反対のパスワード（暗証番号）が使われていることが分かる。最大で1万通りしかパスワードを生成できないため、総当たり攻撃で容易に特定が可能である。

6.2.4　バイオメトリクス認証

参考　最近の流行は2通りのバイオメトリクスを組み合わせてさらに認証強度を増す方法である。顔相による認証なども実用化された。

バイオメトリクス認証では、複製が困難な人間の生体情報を用いて本人認証を行います。指紋などの特徴は個々人ごとに特徴があり、本人を識別できることが知られています。また、これらの情報は置き忘れや盗難の心配がないため、次世代の認証技術として注目されています。

指紋

指紋の形をトポロジとして認識し、個人を識別します。犯罪捜査などで古くから利用されていますが、近年に入りコンピュータでも高い精度で識別が可能になり、普及しました。

しかし、指紋パターンだけでは樹脂素材などによるコピーなどの方法でセキュリティシステムが突破されるため、体温レベルや皮脂成分なども併用して認証する方法が検討されています。

虹彩

虹彩も個々人ごとに特異であり、識別に利用できることが知られています。コピーのしにくさという観点では指紋よりも優れている点があるため、今後の普及が期待されています。実装製品としては、ゴーグル状の識別装置を覗き込むものが多く、指紋よりもユーザの拒否反応が少ないという報告もあります。

参考 その他の認証方法として、相手の電話番号を事前に登録しておき、かけ直すことによって本人確認を行う**コールバック**や発信者番号情報を要求し、電話番号によって本人確認を行う**発信者番号通知**などがある。

声紋

音声をエンベロープパターンとしてプロットすると、個人に特有な波形を得ることができます。これを利用して個人識別に利用します。指紋や虹彩よりも採取に際して、ユーザの拒否反応が小さいことが報告されています。しかし、風邪や加齢などで本人であっても認証エラーが発生することがあり、識別能力の点で他のバイオメトリクスに劣ります。

6.2.5 シングルサインオン

クッキーやリバースプロキシによって実現されるシームレスな認証を**シングルサインオン**(SSO)と呼びます。各サイトに認証システムが実装され、サインオンの機会が増加している現状では、利用者の利便性の点でも、セキュリティ確保の点でも重要な技術です。

Cookieによる認証

Cookie(**クッキー**)は、サーバがクライアントに送るテキスト情報です。クライアントはこれをテキストファイルとして保存し、サーバの要求があれば返信します。

httpによる通信は、ページの遷移をサポートしていません。つまり、ショッピングサイトなどで複数のページを渡り歩くような場合、「前のページで何を買い物かごに入れていたのだろう」という情報は引き継がれないことになります。これを補完するのがクッキーで、こうした履歴情報の他に認証情報も保存しておくことができます。

しかし、クッキーによる認証はあくまで簡易的なものだと認識する必要があります。クッキーはテキストファイルであるため、コンピュータを共有するようなケースでは、他のユーザにクッキー情報を見られてしまうことも考えられます。

あるクッキーを読み出せるのは、基本的にそのクッキーを保存したサーバのみです。同一ドメイン内の別サーバであれば、方法によっては読み出しが可能ですが、別ドメインのサーバからは閲覧できないようになっています。したがって、クッキーによる認証で別ドメイン間のシングルサインオンを実装することはできません。

サーバがクッキーを発行する際に使うSet-Cookieヘッダの属性のうち、domain属性とsecure属性が頻出です。

●domain属性

サーバがクッキーを要求して、クライアントがそれに返信するとき、どの範囲のサーバまで返信するかを定めるものです。範囲を狭めれば狭めるほど、そのクッキーを利用できるサーバを限定することになり、セキュリティが向上します。

domain属性

example.co.jp ……… クッキーを利用できる範囲が広く、悪用されるかもしれない

eigyo.example.co.jp… だいぶクッキーを利用できる範囲が狭まった

domain属性を指定しなかったときは、クッキーを返送してよいのはそのクッキーを発行したサーバのみになります。

●secure属性

この属性を指定すると、SSL/TLSで通信が暗号化されているときだけ、クッキーを送受信するようになります。

secure属性で問題となるのは、同一Webサーバ上にHTTPとHTTPSを使うページが混在している場合です。この場合、secure属性がついていても、HTTPでクッキーを送ってしまいます。解決するには、すべてのページをHTTPSでやり取りするようにするか、HTTPとHTTPSでクッキーを使い分けます。

リバースプロキシによる認証

参考 通常のプロキシサーバがクライアント側に置かれるのとちょうど逆のモデルになるので、リバースプロキシと呼ばれる。

クッキーを認証に使うのは、先に述べた理由でセキュリティ上の脆弱性が残ります。そこで、最近注目されているのが**リバースプロキシ**です。

プロキシサーバ
➡P406

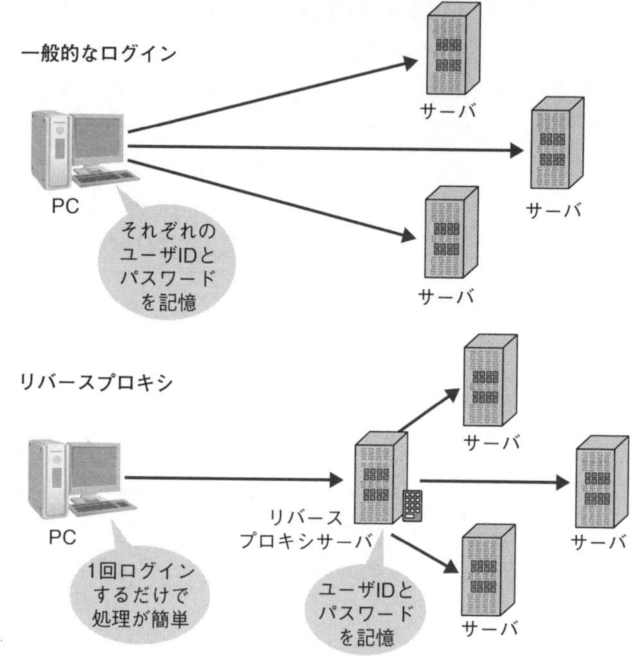

▲**図**　リバースプロキシによる認証

リバースプロキシでは、各サーバの認証に使うユーザIDとパスワードの組やデジタル証明書を**リバースプロキシサーバ**が保持し、各サーバへのログインを代行します。そのため、クライアントノードは、一度リバースプロキシサーバにログインしてしまえば、その後の認証から解放され、ユーザの負担を軽減します。

リバースプロキシを使った認証では、**SAML**などの技術を組み合わせることで、別ドメインへの**シングルサインオン**(SSO)を実装することも可能です。

重要　ネットワーク内に存在する他ノードに、ARPテーブルを更新させる用途でも使われる。自ノードのエントリが上書きされる。

シングルサインオンに関連して、いくつか出題例があるのが**GARP (Gratuitous ARP)**です。SSOサーバは、その性質上、自アドレス宛でないパケットを受信する必要が生じることがあります。その際、IPアドレスの重複トラブルを起こす可能性があるため、このGARPが重複検知に利用されます。GARPでは、目的アドレスに自分のIPアドレスを挿入して、ARPパケットを送信します。他のノードからARPリプライがあれば、IPアドレスが重複していることが分かります。

6.2.6 認証と認可のプロトコル

ログインやアプリケーション連携は、利用者の識別（誰なのか）→認証（本人なのか）→認可（何をしていいのか）の順で進んでいきますが、認証と認可のプロトコルはよく出題されるので、ここでまとめておきましょう。

OAuth 2.0

OAuthは、アプリケーション連携などを目的としたプロトコルです。サイトA（リソースサーバ）のストレージサービスに保存してある写真を、サイトB（クライアント）のSNSに投稿したい状況をイメージしてください。サイトAから自分（リソースオーナ）のPCやスマホに写真をダウンロードしてきて、サイトBに投稿し直すのは無駄が多いので、サイトAとサイトBを連携させたいところです。

サイトAのユーザIDやパスワードをサイトBに与えてしまうのが最も簡単な方法ですが、セキュリティ上の問題が生じます。そこで、サイトBにはパスワードではなく、写真の使用権（アクセストークン）だけを与えたいと考えます。

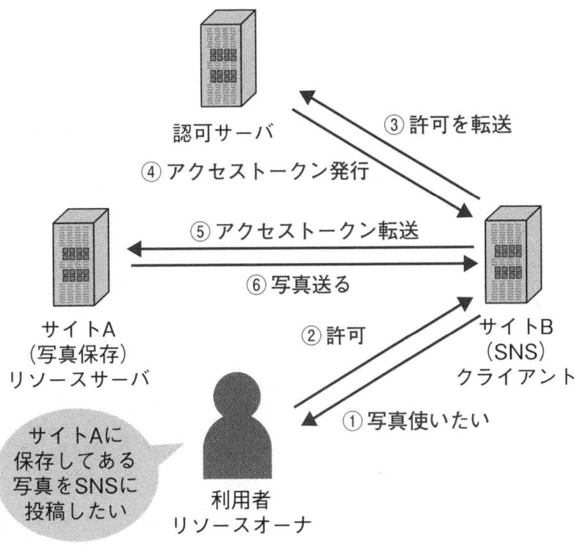

▲図 OAuthのしくみ

図は大まかな流れを示したものです。図中のリソースサーバと認可サーバは兼ねられることもあります。

OpenID Connect

OAuth 2.0を拡張したプロトコルです。OAuthは認可を行うことに限定したプロトコルでしたが、**OpenID Connect**ではこれにプラスして認証を行い、利用者のアイデンティティ情報を安全に交換できるようになっています。要素技術としてJSONが使われていることも覚えておきましょう。

参照 JSON➡P295

SAML

SAMLはアイデンティティ情報、認証情報、認可情報を交換する技術として長い歴史を持つプロトコルで、標準化団体のOASISが規格化しました。認証情報を提供するのがIdP (Identity Provider)、サービスを提供するために認証情報を要求するのがSP (Service Provider) です。認証情報の記述にはXMLが、伝送にはSOAPが使われています。同一ドメインに限定されるクッキーに比べると、柔軟にドメインをまたいだSSOの構築が可能です。

SAMLはOpenID Connectと同様の機能を持っています。しかし、SAMLではIdPとSPが事前に信頼関係を構築して、ユーザIDを連携しておく必要があります。そのため、企業の機関連携などでは普及しましたが、B to Cの一般利用者が気軽にID連携をする用途には向きませんでした。

COLUMN

デジタル証明書の有効期限

X.509をはじめ、デジタル証明書を利用する場合は、その有効期限に注意します。デジタル証明書には有効期限が設定されており、これを過ぎたものは、きちんとCAに認証されたデジタル証明書であっても意味をなしません(失効します)。

したがって、有効期限が切れていないか、あるいは自分が発行を行う場合は、有効期限をどの程度に設定するかという点を熟慮します。不必要に長い有効期限を設定するとセキュリティ上の脆弱性になりかねないからです。

また、有効期限内であっても、なんらかの理由でデジタル証明書が失効することがあります(発行企業が倒産するなど)。その場合、CAは**CRL** (Certificate Revocation List:証明書失効リスト)にその旨を記載するので、デジタル証明書確認の際には、最新のCRLを用いてチェックする必要があります。

6.3 デジタル署名

6.3.1 デジタル署名の基本的な考え方

なりすましと改ざんへの対策

暗号化が盗聴リスクへの対策であったのに対し、**デジタル署名**はなりすましと改ざんリスクへの対策です。

デジタル署名は、公開鍵暗号の利用プロセスを応用することでなりすましと改ざんを検出します。公開鍵暗号では、送信者が公開鍵を用いて平文を暗号化し、受信者に送付していましたが、デジタル署名は、平文に秘密鍵を適用してデジタル署名を生成します。

デジタル署名を受信したユーザは、公開鍵を用いてデジタル署名を検証し、これを別途送られた平文と比較します。両者が一致すれば、署名を行ったのは秘密鍵を所持しているユーザ本人であること、途中で改ざんされていないことが証明されます。

重要 本人性を確認することは、事後否認への対策にもなる。事後否認とは、本当は本人が送信したメッセージにも関わらず、「他人になりすまされた」、「改ざんされた」などと主張すること。

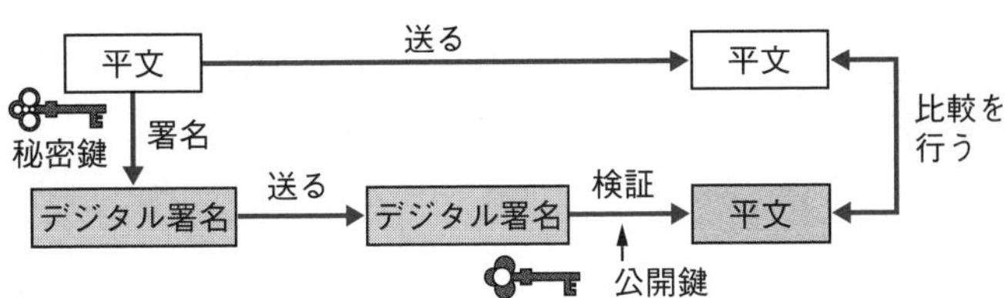

▲図 デジタル署名

盗聴対策にはならない点に注意

参考 送信相手が秘密鍵を持っていることは確認できるが、秘密鍵が盗難されたり、偽装されたりした場合には対処できない。

デジタル署名は、あくまでなりすましと改ざんに対する処置である点に注意する必要があります。前述のモデルでも、平文を別途送信しているため盗聴リスクには対処できていません。デジタル署名を運用する場合には、暗号化と組み合わせて利用します。

また、デジタル署名は実際にはハッシュ関数を用いて生成したダイジェストから作成されます。平文にそのまま秘密鍵で署名するのは処理速度の点で非効率であることと、ハッシュ関数の不可逆性によってさらに改ざんの抑止につながるためです。

6.3.2 メッセージダイジェスト

デジタル署名において、平文から直接デジタル署名を生成するモデルは、処理時間が多くかかることと署名のサイズが平文ごとに異なることから敬遠されます。そこで、平文に対してハッシュ演算を行い、メッセージの要約（**メッセージダイジェスト**）を得てデジタル署名を生成します。

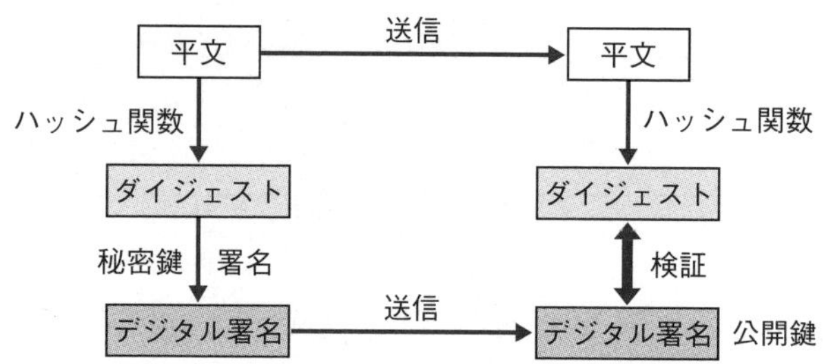

▲**図**　ダイジェストを利用したデジタル署名

メッセージダイジェストを利用することで、デジタル署名の長さを統一し、暗号化処理時間を軽減します。また、ダイジェストに利用する**ハッシュ関数**（メッセージダイジェスト関数）は**不可逆関数**であるため、仮にネットワーク上で盗聴されてもそこから平文を復元することができません。

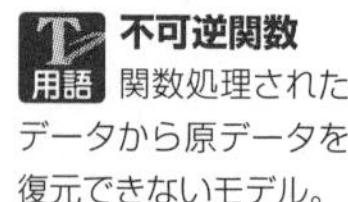
不可逆関数 関数処理されたデータから原データを復元できないモデル。

ハッシュ関数では、異なる平文から同じダイジェストを生成してしまうこと（**衝突**）がないように留意する必要があります。

MD5

用語 MD5➡Message Digest 5

MD5は、RSA社が開発したハッシュ関数で、任意の長さの平文から128ビットのハッシュ値を生成します。セキュリティ分野に有用性のある、いわゆる暗号学的ハッシュ関数でハッシュ値から元のデータへの復元ができない、同じハッシュ値を生成する異なるデータ（シノニム：衝突）を見つけられない、元のデータを少しでも変更するとハッシュ値が大幅に変わる、といった特性を備えています。現在でも基本的なハッシュ関数として多くのツールに実装されていますが、衝突を簡単に起こさせる脆弱性が発見され、政府推奨暗号などから外されています。

SHA

SHA➡Secure Hash Algorithm

SHAは米国政府が標準として採用しているメッセージダイジェスト生成関数です。任意の長さの平文から160ビットのダイジェストを生成する**SHA-1**が長く使われていましたが、脆弱性が指摘されたため現在では生成するハッシュ値を拡張した(224ビット、256ビット、384ビット、512ビットの4種類が使える)**SHA-2**へ移行しました。224、256ビットではブロック長512ビット、ラウンド数64、384、512ビットではブロック長1042ビット、ラウンド数80です。

SHA-3も開発されていますが、SHA-2に深刻な脆弱性がないこともあり、現状ではSHA-2の利用が一般的です。SHA-3でも出力は224、256、384、512ビットですが、アルゴリズムが異なるので信頼性が向上しています。ブロック長はそれぞれ1152、1088、832、576ビット、ラウンド数はすべて24回です。

6.3.3 PKI

重要 **PKI** 公開鍵や秘密鍵が本人と結び付けられた正当なものであることは、第三者機関により効率的に証明される。そのために使用されるモデルである。

デジタル署名は、メッセージ送信者が公開鍵とペアになる秘密鍵を持っていることを証明します。しかし、この秘密鍵を持っている人物がかならずしも本人であるということにはなりません。そもそも秘密鍵もそれとペアになる公開鍵も、最初から偽造された可能性があります。これを防止する機構が**PKI**です。

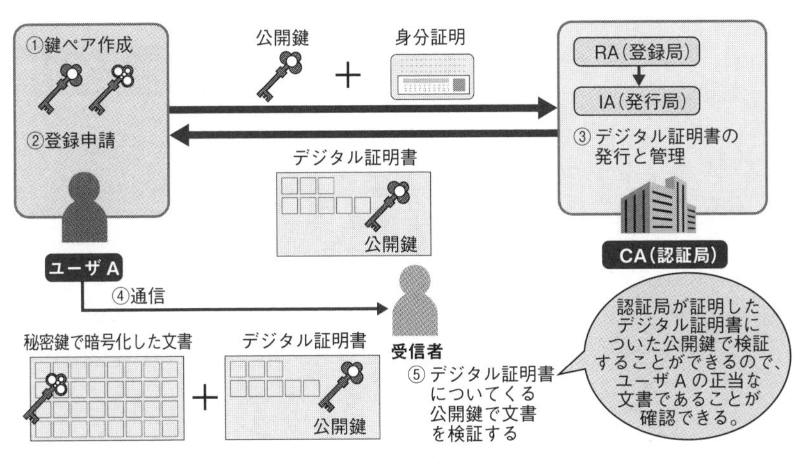

▲図　PKIモデル

PKI➡ Public Key Infrastructure

前ページの図がPKIのモデルです。このように当事者同士の間に第三者機関を介在させることによって、公開鍵の真正性を証明します。第三者機関への登録には、運転免許証など公的な身分証明書が必要であるため、対面で取引をするのと同等の信頼性が保証されます。

第三者機関が真正性を証明

参考 認証局は、政府機関などがその業務を行う場合や、民間企業が行う場合がある。

鍵の真正性を証明する第三者機関のことを、**認証局**（**CA**）と呼びます。認証局は厳密には、デジタル署名の登録作業を行う**登録局**（**RA**）と発行を行う**発行局**（**IA**）に区分されますが、現在PKI業務を行っているベンダはRA、IA両方の業務を管掌することがほとんどです。

ただし、こうした認証局が証明するのは、鍵の真正性であることに注意する必要があります。認証局は、取引相手の経営状況や業務内容などを保証するものではありません。

また、公的なデジタル証明書が不必要な社内文書のようなケースでは、社内のサーバに**プライベートCA**を構築することもできます。

COLUMN

認証の連鎖

デジタル署名は三文判のようなものです。本気で偽造しようと思えばいくらでも作りようがあります。実社会でも重要な文書には実印を押しますが、実印の信頼性が高いのは印鑑登録という形で役所が真正性を証明しているからです。PKIでこれを担うのが認証局ですが、これは民間企業でもかまいません。

したがって、認証局を利用しようとすると、「そもそもその認証局は信用できるのか？」という疑問に突き当たります。認証局を認証する認証局が …… とやっていくといたちごっこです。このため、主要な認証局（ルート認証局）のデジタル証明書はあらかじめブラウザにインストールされています。また、ルート認証局に認証された下位認証局を信用することで認証の連鎖が広がっていきます。

6.4 マルウェア

6.4.1 コンピュータウイルスとマルウェア

コンピュータウイルスが用語として広く普及し、時としてワームやトロイの木馬なども含む広い意味で使われていますが、狭義のウイルスと区別がつきにくいため、包括的に「悪意のあるソフトウェア」を表す用語として**マルウェア**が使われるようになりました。マルウェアとセットで使われる場合、「ウイルス」は本来の意味（寄生タイプのマルウェア）と考えてOKです。

マルウェアは、**スパイウェア**（情報を不正に収集するソフト）や**ランサムウェア**（利用者のPCやデータなどのリソースをロックし、身代金を要求するソフト）、悪質な**アドウェア**（利用者の意図しない広告を不正に行うソフト）、**ルートキット**（不正アクセスをサポートするツール群）、**ボット**などを含む概念です。

ただし、どこまでをマルウェアと呼ぶかは線引きが微妙です。例えば、クッキーは一般的に使われる技術ですが、利用者の閲覧履歴を記録、送信することができるため、一部のセキュリティソフトではスパイウェアとして削除されます。

6.4.2 マルウェアの分類

コンピュータウイルスの実体

参考 最初のウイルスは1986年にパキスタンで出回ったとする説があるが、それ以前にも同様の動作をするプログラムはあったと思われる。

コンピュータウイルスの実体は、ユーザに隠蔽される形式でメモリや補助記憶媒体に保存されるプログラムです。自動的に増殖したり、システム内のデータを破壊するなどの挙動を示します。

これらは、さらに細かく分類することがあります。広義のコンピュータウイルスは、下記の3種のプログラムを包含します。

参考 初期のウイルスはフロッピーディスクのMBRに感染するものが多かったが、感染速度が遅いため、メールの普及に伴いこのタイプのウイルスは減少した。

●ウイルス（狭義）

他のプログラムに寄生するタイプです。

●ワーム

他のプログラムに依存せず、独立して破壊活動が行えるタイプです。

●トロイの木馬

見かけ上は有用なプログラムとして動作しますが、あるトリガが与えられると破壊活動や増殖を行います。

マルウェア感染のリスク

マルウェアには、単にある日時になるとメッセージを表示するものなど、特に実害のないものもありますが、多くはファイルの破壊や個人情報の漏えい、ローカルノードを踏み台にした再感染など、システムに被害を及ぼします。これらは企業経営に深刻な被害を与えるため、マルウェア感染のリスクをコントロールすることが重要です。

近年企業経営の要として言及されるキーワードに**事業継続性**がありますが、マルウェアはデータの消去や漏えいによって事業継続に対してリスクを与えます。

ポリモーフィック型マルウェア

マルウェアをステルス化し、セキュリティ対策ソフトの検査をかいくぐる手法は常に研究されてきました。新種や亜種を作るのが良い方法ですが、手間がかかります。そこで、マルウェアのコードそのものではなく、コードを暗号化する鍵を変化させる**ポリモーフィック型マルウェア**や、意味のないコードを挿入・変更していく**メタモーフィック型マルウェア**などが登場しました。

マルウェアの作成者にとっては、マルウェアそのものの改変よりずっと楽に、異なったソフトウェアであるように偽装できる手法です。ポリモーフィックは「多様な～」という意味を持つ語で、オブジェクト指向プログラミング言語に関連してポリモーフィズムを勉強した方も多いと思います。ポリモーフィズムは関数の振る舞いの多様性のことでした。関連して覚えておくのもよいでしょう。

6.4.3　コンピュータウイルスの3機能

ウイルスの定義としては、1990年に通商産業省(現経済産業省)が策定した**コンピュータウイルス対策基準**において、次の3つの機能のうち1つ以上を持つものと定められています。

コンピュータウイルスの3機能

- **自己伝染機能**
  ウイルス自身の機能やOS、アプリケーションの機能を利用して、他のノードに自分のコピーを作成する機能です。
- **潜伏機能**
  ウイルスとしての機能を起動して発病するまでに、一定の期間や条件を定めてそれまで沈黙している機能です。潜伏期間が長くなると、感染経路の特定が難しくなります。
- **発病機能**
  メッセージの表示や、ファイルの破壊、個人情報の漏えいなどを実行する機能です。

6.4.4 ルートキット

情報システムを攻撃しようとする攻撃者が使うソフトウェアのセットです。複数のソフトウェアでパッケージになっています。

ターゲットとする情報システムへの侵入手順は、そのシステムごとに大きく異なります。しかし、一度侵入に成功してしまうと、ある程度やることは決まってます。侵入を発見させず、定期的に侵入を繰り返すために、以下の特徴を持っています。

- 侵入の痕跡などの各種ログを消す
- 悪意ある用途に使っているプロセスやタスクを隠蔽する
- 悪意ある用途に使ったファイルを隠蔽する
- バックドアを作り、次回以降の侵入を容易にする

ルートキットは、カーネルレベルと、アプリケーションレベルに分類できますが、カーネルに食い込んで動作するタイプのほうが危険でしかも見つけにくいです。アプリケーションとして動作するタイプは、一般的にトロイの木馬になっていて、動作を見抜かれないよう偽装されています。

6.4.5 マルウェアへの対策

マルウェアへの効果的な対策としてウイルスチェックソフトの導入があります。しかし、これも万能ではなく、運用方法を工夫したり他の対策と組み合わせて効果を増大させる必要があります。

ウイルスチェックソフト

現在主要なマルウェア対策ソリューションと考えられているのが、**ウイルスチェックソフト**です。ウイルスチェックソフトは、パターンファイルと呼ばれるマルウェアの特徴を記述したデータベースを持ち、ローカルノードに流れ込むデータを監視します。

参考 例えば、メールなどはメールソフトが受け取る前にウイルスチェックソフトが横取りしてチェックを行う。安全であるメールのみをメールソフトに受け渡している。

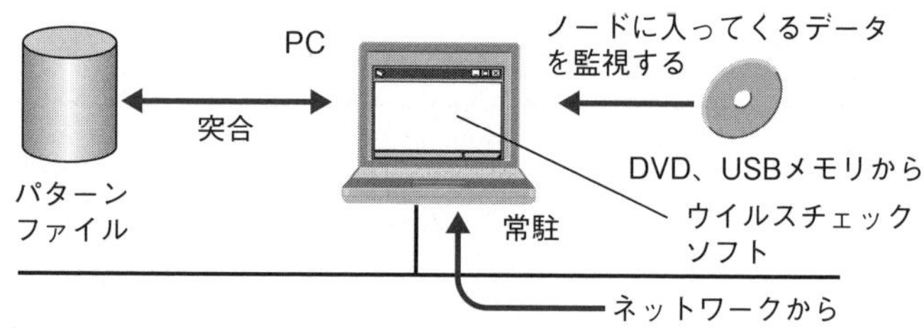

▲図 ウイルスチェックソフト

監視中のデータにマルウェアと同じパターンのものが存在した場合、このデータを隔離してユーザに警報を表示します。

また、定期的にHDDやメモリの感染チェックを行い感染の有無を確認します。非常に効果的なソリューションですが、構造的な問題点もあります。

参考 標準的な圧縮方法に関しては、サポートするウイルスチェックソフトが増えている。

- **パターンファイルに情報のあるマルウェアしか検出できない**
  ウイルスチェックソフトは、決してインテリジェンスのあるプログラムではなく、単純にパターンファイルと流入データを比較しているだけです。これを防ぐためには、パターンファイルを常に最新に保つことが必要です。
- **亜種に対抗できない**
  登録されているマルウェアでも、少しでもビット列が異なると検出できません。感染例が多く、多くのクラッカーが研究しているマルウェアでは、速い速度で亜種が出回り感染することがあります。

- **圧縮データに弱い**
  プログラムを圧縮する行為も、元のビットパターンを変更するという点で亜種と同じ効用を持ちます。圧縮してビット列が変わったマルウェアを検出できず、解凍後に感染した事例があります。

参考 ウイルスチェックソフトは専用機材などの追加投資は必要ないが、OS機能の深部に食い込むためOSやアプリケーションソフトの不具合の原因になることがある。

ウイルスチェックソフトを導入しても、これらの事項が考慮されていない場合は容易にマルウェアに感染します。近年特に指摘されているのは、パターンファイルの更新を確実に行うことです。

新規のパターンファイルがリリースされると表示される機能や強制的にパターンファイルをダウンロードする機能、クライアントノードのパターンファイルバージョン番号を管理するサーバソフトウェアなどの対策が考えられています。

ネットワークからの遮断

マルウェアの脅威を無効化するには、感染経路そのものを遮断してしまうことも効果的です。

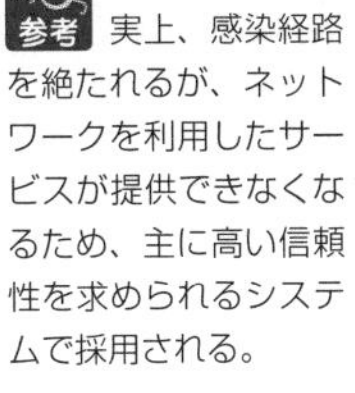
参考 マルウェアは事実上、感染経路を絶たれるが、ネットワークを利用したサービスが提供できなくなるため、主に高い信頼性を求められるシステムで採用される。

ネットワークに接続せず、DVDやUSBメモリの交換も行わなければ、そのノードはマルウェアの感染に対して非常に強靱になります。多くの場合は、利便性の観点からこうした処置がとれませんが、例えば金融機関の基幹システムなどで採用されています。

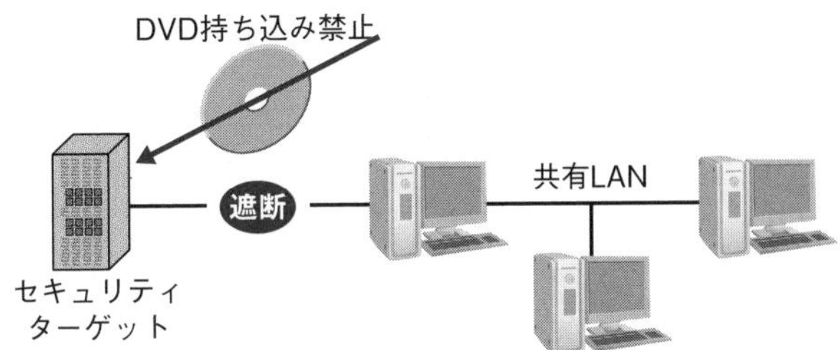

▲図 ネットワーク接続の遮断

これほど極端である必要はありませんが、ネットワーク設計を行う際に「このノードは本当にネットワークに接続する必要があるのか」「このポートは開けておく必要があるのか」といった視点を持つことは重要です。

6.4.6 マルウェア感染後の対応

どのような対策も完全にマルウェア感染を抑止することはできません。ネットワーク管理者は、万一の場合に備えて感染後の対応手順を作成しておく必要があります。

感染後の対応手順

① 感染したシステムの利用停止
② ユーザへのアナウンス
③ マルウェアと影響範囲の特定
④ 復旧手順の確立と復旧作業
⑤ 原因の特定と対応策の策定
⑥ 関係機関への届出

初動対応

マルウェアに感染後の処置として最重要なのは二次感染の防止です。原因の特定などは後回しにして、後の解析で必要な**スナップショット**などを記録するに留めます。

T 用語 **スナップショット**
システムの状態を保存したイメージデータ。

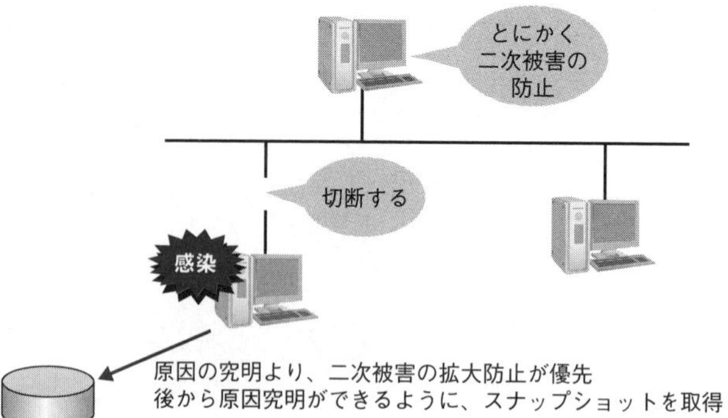

▲**図** マルウェア感染後の処置

重要 とにかく感染を隠さないことが大切である。基本は、管理者への通報と感染システムのネットワークからの切り離し。

最初にマルウェアを発見したユーザが単独で対処して被害を拡大させることが多いため、管理者への通報を徹底させます。教育と対応マニュアルの整備を行うとよいでしょう。また、マルウェア感染をユーザに通知して注意を喚起するとともに他に感染がないか確認します。

復旧

初動措置が済んだら、マルウェアの特定と復旧作業に着手します。復旧作業中に二次感染を引き起こさないよう、完全に遮断された環境で作業を行い、十分なチェックを行ってからネットワークへ再接続します。

マルウェアが特定できない場合や、除去が不可能な場合はOSの再インストールを行う必要があります。データもバックアップから復元する必要があり、大変時間がかかります。そのため、ダウンタイムを短縮しなければならないシステムでは普段からイメージファイルを保存して復旧手順を高速化します。

参考 OSの再インストールや業務データのリストアは時間がかかるが、ディスクイメージのコピーは比較的高速に行える。そのため、業務によってはディスクイメージを取得しておく場合がある。

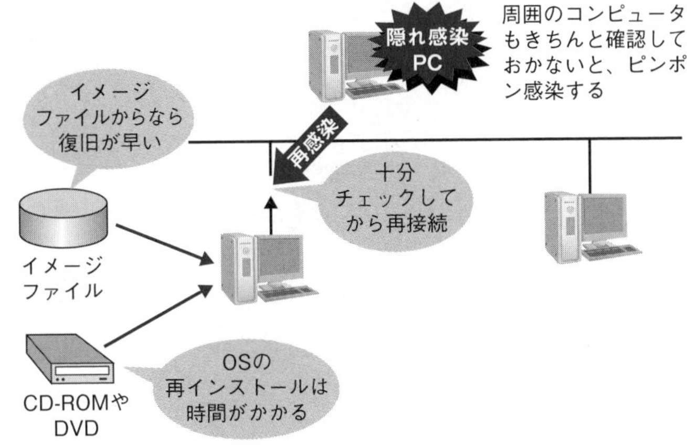

▲図 復旧作業

これらの復旧作業手順は必ず記録に残し、後日監査して再発予防策を策定できるようにします。マルウェア感染時は時間的にも精神的にも追いつめられますが、口頭での指示や確認は最終的な被害を大きくする原因の1つです。

重要 口頭で確認したため復旧作業が徹底されなかった、というケースは過去に出題例がある。

事後処理

完全に復旧が済んだら、再発防止策の策定と実施、関係機関への通知を行って対応プロセスが終了します。

例えば、IPA/ISECでは届出を統計処理して感染被害の拡大と再発防止に役立てています。メールでも受け付けているので届出をするとともに、ホームページなどでマルウェアの最新動向などをチェックするとよいでしょう。

6.4.7 CVSS

共通脆弱性評価システム（Common Vulnerability Scoring System）のことです。情報システムの脆弱性を識別、評価、対策することは、情報セキュリティに関わる要員にとって極めて重要な業務です。

しかし、各ソフトウェアベンダが配信する脆弱性情報は、そのベンダの製品に限定されます。一方、各セキュリティベンダが配信する脆弱性情報は、同じ脆弱性でもベンダごとに評価や対策が異なるといった問題点がありました。

そこで、ベンダに依存しない、オープンで包括的、汎用的な同一基準下の評価方法として作られたのがCVSSで、いまではバージョンアップを重ね、CVSSv3が広く使われています。

CVSSの3つの基準！

1. 基本評価基準

脆弱性の特性を評価するものです。機密性、完全性、可用性のCIAに対する影響を評価して、CVSS基本値と呼ばれる結果を出力します。脆弱性固有の深刻度が分かる基準で、固定値です。

2. 現状評価基準

脆弱性の現在の深刻度を評価するものです。攻撃コードの有無や対策の有無などを基準に評価して、CVSS現状値を出力します。脆弱性の現状を表す基準で、対応が進むことなどにより変化する値です。

3. 環境評価基準

最終的な脆弱性の深刻度を評価するもので、利用者の利用環境などが加味されます。対象製品の使用状況や、二次被害の大きさなどを評価して、CVSS環境値を出力します。利用者が脆弱性へどう対応するかを表す基準で、利用者ごとに変化します。

6.5 サイバー攻撃

6.5.1 クロスサイトスクリプティング

クロスサイトスクリプティングは、スクリプト攻撃の一種です。XSSと略記されることもあります。スクリプト攻撃は、ホームページ記述言語であるHTMLにスクリプトを埋め込める性質を利用した攻撃方法です。

HTMLへのスクリプトの埋込みは、動的なコンテンツを作成するためによく利用される技術です。しかし、スクリプトに悪意のあるコードを埋め込んでおくことで、ユーザのコンピュータに被害を与えることも可能です。そのため、最近の企業システムではブラウザでスクリプトを実行できないよう設定する、スクリプト実行を許可するにしても信頼できるサイトからのデータのみに限定する、などの措置が取られています。

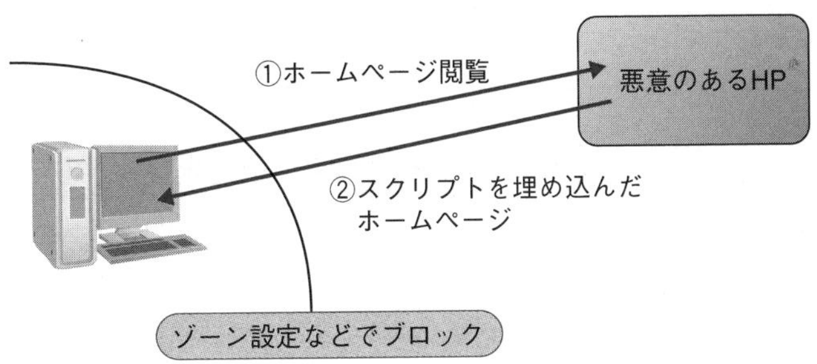

▲図　通常のスクリプト攻撃

クラッカーはこの防御方法を回避するために、クロスサイトスクリプティングを利用します。クロスサイトスクリプティングは、以下の手順で行われます。

① クラッカーは悪意のあるスクリプトを埋め込んだホームページを作成し、ユーザの利用を待つ。
② ユーザが偶然や誘導により、そのホームページを閲覧する。
③ スクリプト実行に関する脆弱性のあるサイトに要求が転送される（ユーザが信頼しているサイトであればさらによい）。
④ 脆弱性のあるサイトは、転送された悪意のあるスクリプトを埋め込んだ形でホームページデータを返信する。
⑤ ユーザのブラウザで、悪意のあるスクリプトが実行される。

参考　クロスサイトスクリプティングという名前は、クラッカーが用意したホームページの他に、脆弱性のある他のサイトにまたがってクラッキングが実行される構造に由来している。このため、仮にクラッカーのサイトを信頼できないサイトとしてブロックしていてもスクリプトを実行してしまう可能性がある。

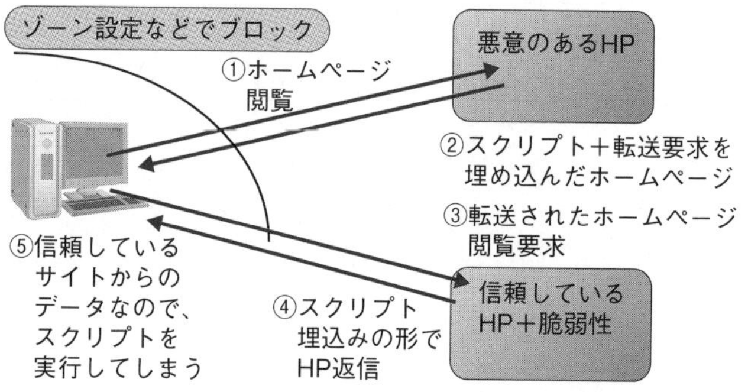

▲図　クロスサイトスクリプティング

クロスサイトスクリプティングの脆弱性の種類

クロスサイトスクリプティングに対する脆弱性については、社会的な影響が大きいこともあり、分析の細分化が進んでいます。本試験対策として、3つの脆弱性を覚えておきましょう。

●Reflected XSS

反射型と呼ばれるXSSです。その名前のとおり、利用者からのリクエストのなかにスクリプトが含まれていて、リクエストに応じて返信されるWebページにスクリプトがそのまま埋め込まれてしまうタイプの脆弱性です。

たとえば、URLの中にスクリプトが含まれている悪意のあるリンクを作っておき、何も知らない利用者にそのリンクを踏ませるなどして、スクリプトを実行させることができます。

Webサーバ側のWebアプリケーションの脆弱性をなくすことで対策します。

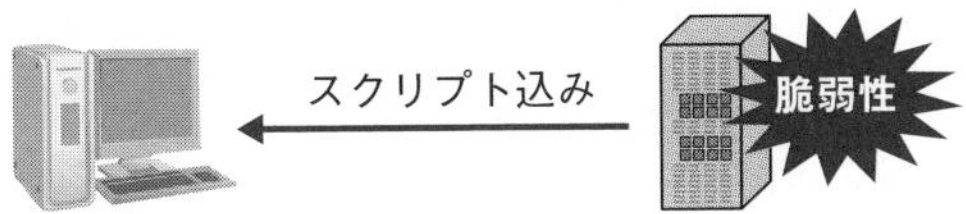

▲図　Reflected XSS

●Stored XSS

格納型と呼ばれるXSSです。悪意のある利用者がスクリプトを、脆弱性のあるWebアプリケーションに送信し、そこに保存させます。すると、他の利用者がWebページをリクエストしたときに、スクリプトが含まれたWebページが生成され、何もしらない利用者のPC上でそのスクリプトが実行されます。

こちらもWebサーバ側のWebアプリケーションの脆弱性をなくすことで対策します。

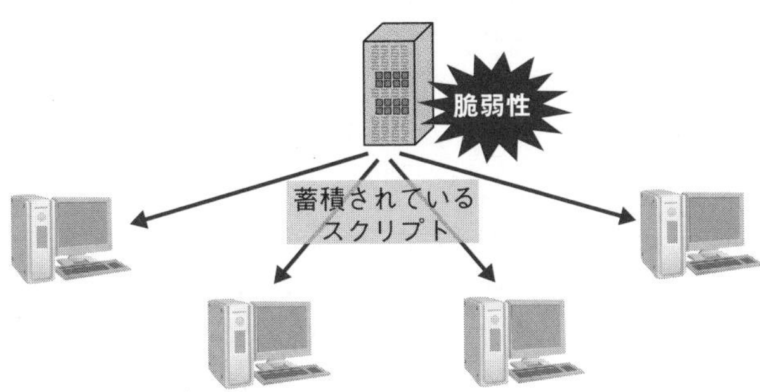

▲図　Stored XSS

●DOM Based XSS

DOM (Document Object Model) は、アプリケーションがHTMLやXMLを操作するときに使うAPIです。たとえば、JavaScriptはDOMを使うことでHTMLのパラメータを操作できます（動的Webページ生成）。

innerHTMLプロパティを使うと、HTMLそのものを直接読み書きできるので、悪意のあるスクリプトを生成することも可能です。

また、document.writeメソッドも要注意です。パラメータとして名前をもらうつもりだったのに、クッキーの出力命令を書き込まれてしまって、表示する羽目になるなどのインシデントが考えられます。

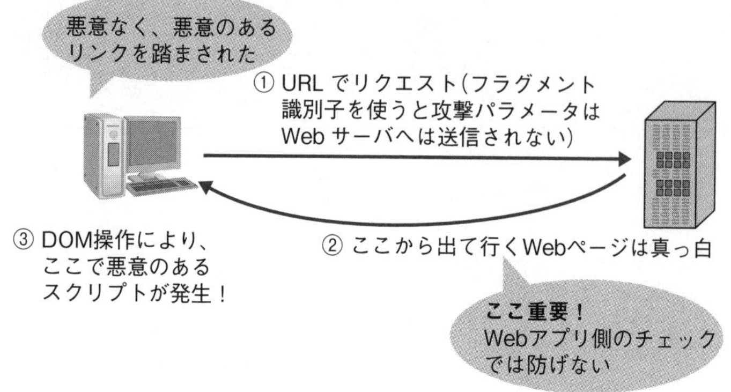
悪意なく、悪意のある
リンクを踏まされた
① URL でリクエスト(フラグメント
識別子を使うと攻撃パラメータは
Web サーバへは送信されない)
③ DOM操作により、
ここで悪意のある
スクリプトが発生！
② ここから出て行くWebページは真っ白
ここ重要！
Webアプリ側のチェック
では防げない

▲図　DOM Based XSS

これまでの2例との大きな相違点は、悪意のあるスクリプトが発生する場所が、クライアントのブラウザ上だということです。Webサーバ、Webアプリ側の検査ではチェックをすり抜けてしまいます。ブラウザのプラグイン、JavaScriptのライブラリを最新に保って対策します。

innerHTMLやdocument.writeメソッドなどを使わざるを得ないときはエスケープ処理を行うなど、正規のスクリプトが脆弱性を持たないように対策しなければなりません。

6.5.2　インジェクション攻撃

インジェクションとは注入のことです。コマンドやメッセージに不正な文字列などをインジェクションすることで、開発者や管理者が意図していない動作をシステムに行わせることができます。

SQLインジェクション

SQLはデータベース操作言語です。クライアントはデータベースにSQL文を送信することで、データベースに抽出などの操作を実行させることができます。このSQL文に不正な文字列を挿入させ、別の意味に書き換えてしまえば意図しない動作を引き起こします。

もっとも狙われるのは、ユーザが入力するデータです。たとえば、ログインをするとき、利用者にフォームからユーザIDとパスワードを入力してもらうとします。

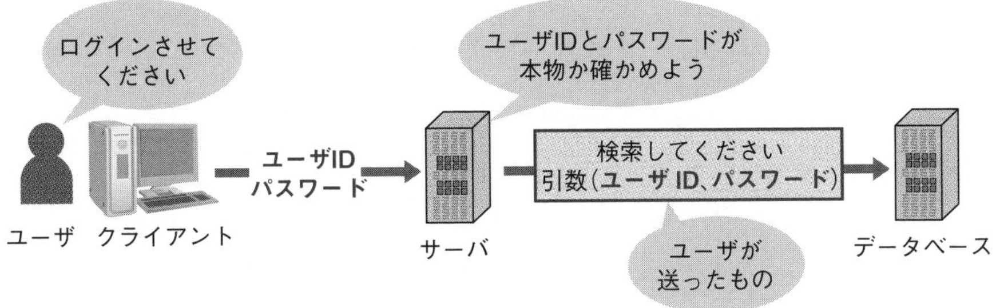

▲図　ユーザのデータがSQLに挿入される例

誰がログインしてくるか分かりませんので、ユーザIDとパスワードを管理者が用意するわけにはいきません。そこで、途中まで出来上がったSQL文を用意し、その空欄部分にユーザが入力してくれたユーザIDとパスワードを挿入する形でSQL文を完成させます。

通常はこれで何の問題もありませんが、悪意を持った攻撃者が、不正な文字列を挿入するとSQL文の意味を変えてしまうことができます。よくある手口としては、構文を変更するようなデータを入力します。ユーザIDやパスワードではなく、文末記号などを入力するのです。

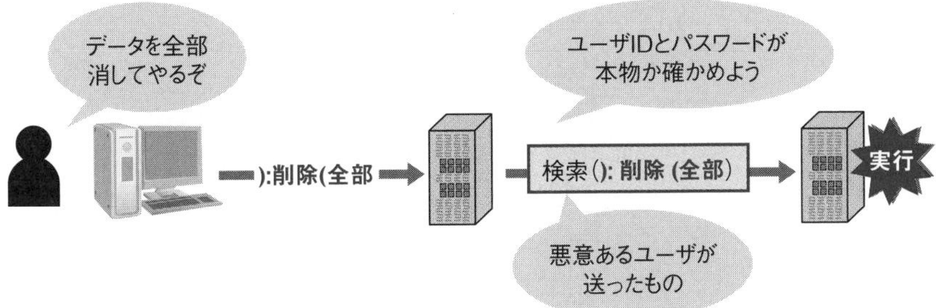

▲図　前図を悪用したSQLインジェクションの例

あらかじめ用意しておいたSQL文はまったく無害だったはずなのに、一度文を終了させられてしまい、次に「削除」などの別の命令文を差し込まれてしまいました。全体として文法的には間違っていないので、サーバは危険なこれらの命令を実行してしまうわけです。

もうちょっと具体的に説明してみましょう。サーバは次のようなSQL文を用意して、クライアントからの入力を待っています。

```
SELECT * FROM ユーザ表 WHERE name='[          ]'
```

誰かのデータを検索したいわけですが、「誰か」の部分はユーザに入力させる作りです。たとえば、岡嶋さんのことを検索したいときはokajimaと入力します。すると、次のようなSQL文が出来上がります。

```
SELECT * FROM ユーザ表 WHERE name='okajima'
```

これはとても真っ当なSQL文です。でも、悪意を持った攻撃者は、検索語として次のようなデータを投入してきます。

```
okajima' or '0' = '0
```

これが空欄部分に挿入されると、次のSQL文が出来上がります。

```
SELECT * FROM ユーザ表 WHERE name='okajima' or '0'='0'
```

後半の条件、'0'='0'はいつでも成立しますから、すべてのデータが選択されてしまうことになります。

●SQLインジェクション対策

SQLインジェクションを防ぐためには、データベースの**バインド機構**を使います。ここまでで述べてきたように、SQLインジェクションの肝は不正な文字列の注入（インジェクション）により、もとから用意していたSQL文の構文を変更する点にあります。

そこで、ユーザが送ってきたデータを挿入する前に、SQL文の構文解析を済ませておくのです。その時点ではまだユーザデータを得ておらず、SQL文として完成していませんが、ユーザデータが入るべき場所はプレースホルダ（場所の予約）として空けておいて、あとからユーザデータを結合（バインド）します。

ユーザが投入するデータは真っ先に汚染を疑うべき場所なので、バインド機構を使ったからといってデータの検査はしなければなりませんが、仮に検査をすり抜けた不正データがあったとしても構文解析は終了しているので、先の例のようにSQL文の構文を変えられてしまうようなことはありません。

何らかの理由でバインド機構が使えないときには、**エスケープ処理**に頼ることになります。この2つは排他的な関係にはありませんので、通常はユーザデータのエスケープ処理をしてから、バインド機構のあるデータベースへデータを送ります。

エスケープ処理とはユーザが入力したデータを検査して、不正な文字列や特殊な意味を持つ文字を削除したり、同じ意味を持つ別の文字列に変更することです。きちんとしたエスケープ処理ができていればこれだけでも安全ですが、「きちんとしたエスケープ処理」を行うのはなかなか難しいのが現実です。

HTTPヘッダインジェクション

HTTPヘッダに不正な文字列を挿入することで、Webサーバやブラウザに意図しない動作をさせる攻撃手法です。ここでも、ポイントはユーザが入力するデータになります。たとえば、クエリストリングなどはユーザが入力したデータをWebサーバに伝えるために気軽に使われる便利な機能です。

一方でHTTPヘッダは各要素を改行コードで区切る仕様のため、たとえばクエリストリングに改行コードを含めることで、悪意のあるヘッダを挿入（Set-Cookieでクッキーをいじられるなど）することができます。

また、改行コードが2つ連続すると、ヘッダが終了してボディの記述へ続くと解釈されるので、scriptタグなどの悪意のあるボディ要素を挿入される可能性もあります。

利用者にここだけ入力
してもらうつもりが…
勝手なスクリプトを
実行されてしまう

```
http://example.com/index.html?id=hogehoge(CR+LF)(CR+LF)<script>...
```

▲図　HTTPヘッダインジェクションの例

OSコマンドインジェクション

OSへのコマンドに不正な文字列を注入する攻撃方法です。考え方はSQLインジェクションやHTTPヘッダインジェクションと同じです。

プログラミング言語には、OSのコマンドを呼び出せる関数が実装されています。ここに不正な文字列を挿入して、開発者が意図していない動作を実行させるわけです。

たとえば、ファイルの表示を行うプログラムを作り、ユーザにファイル名を入れてもらう作りになっていたとします。ユーザが素直にファイル名を入れてくれればいいのですが、「/etc/passwd」などとやられるとパスワードが流出するかもしれません。

対策方法も同じで、ユーザが入力したデータについては検査とエスケープ処理を必ず実行します。

すべてのインジェクション攻撃について言えることですが、ユーザが入力するデータは細心の注意を払って検査するようにしましょう。

6.5.3 DoS攻撃

DoS➡Denial of Service

サービス停止攻撃の1つです。1つひとつは正規のサービス要求ですが、それを大量に繰り返すことによってサーバを過負荷状態にし、正常なサービス提供を不可能にさせる方法です。

攻撃元が複数のネットワークに分散している場合を、特に**分散DoS**（**DDoS**）という。

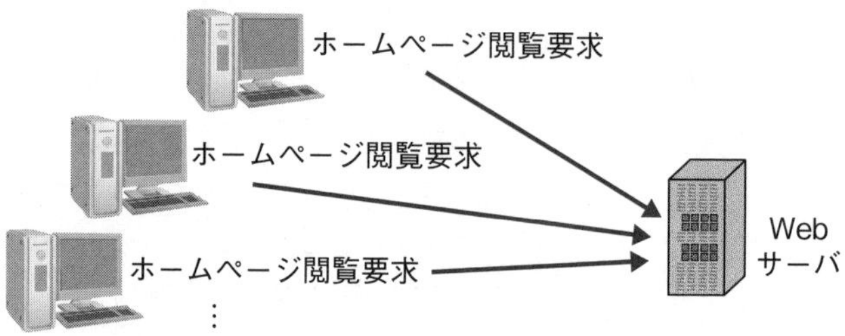

▲図　DoS攻撃

この例では、ホームページの閲覧要求自体は正当な行為ですが、意図的に1億台で一斉に行えば業務妨害になります。しかし、人気チケットの販売などで単純に混雑している場合などとの切り分けが難しいといえます。

DNS amplification（DNSamp、DNS増幅攻撃）

オープンリゾルバ➡P260

攻撃対象へのトラフィックを増大させる攻撃方法です。DNSクエリレスポンスの情報が大きいドメインを選んで問い合わせたり、あらかじめDNSクエリレスポンスが大きくなる情報をDNSサーバに登録しておくなどの手口がとられます。

ICMP Flood (Ping Flood)

ABC 略語 ICMP➡Internet Control Message Protocol

ICMP Flood (Ping Flood) は、名前の通りping (ICMPエコー要求) を大量に送信して、それへの対応に相手のコンピュータを忙殺させることで、他のサービスを妨害するものです。

インターネットに接続されるノードであればほぼ備えているプロトコルである点で、クラッカにとっては利用しやすい攻撃方法です。

参考 ICMP Floodと類似する攻撃に**Smurf攻撃**がある。Smurf攻撃では送信元を攻撃先サーバに偽装したICMPエコー要求をブロードキャストし、ネットワーク上のコンピュータからのICMPエコー応答パケットを攻撃先サーバに集中させる。

対策として、多くの通信機器でpingに応答しない設定がデフォルト化しています。特にWAN側からのpingには応答するべきではありません。ICMP Floodが成立しなくても、第三者に組織内のネットワーク構成を知られる可能性があるからです。

なお、「×× Flood」と名の付く攻撃はたくさんあります。通信を送りつけることで、相手のコンピュータの資源を消費させることができるので、どんな通信でも大量に送ればDoS攻撃になるからです。ホームページを大量にリクエストすれば(F5アタック)ホームページFloodになるかもしれませんし、大量のメールを送りつければメールFloodになるかもしれません。

TCP SYN Flood

TCP SYN Floodは、TCPの3ウェイハンドシェイクにつけこんだ攻撃方法です。3ウェイハンドシェイクでは、SYNとACKをやり取りすることによってコネクションを確立しますが、このときサーバ側ではCPUやメモリを消費します。

そこで、攻撃者は最後のACKに応答しないことでこれらの資源を確保したままにし、サーバのレスポンスを遅くさせたり、OSのダウンにつなげます。サーバの設定によっては、コネクションが確立していないために、通信のログが残らないことも考えられ、原因の究明に支障を来すこともあります(出題例があります)。

対策として採用されるのは、不要なTCPポートを閉じる、一定時間を過ぎた不成立コネクションは強制的に終了させ、CPUやメモリ領域を開放することなどです。不正なアクセスを行っているIPアドレスを特定できる場合は、通信の遮断も有効です。

リフレクタ攻撃

DoS攻撃の一種で、反射型攻撃(RDoS)ともいいます。通常のDoS攻撃と違う点は、攻撃者やその支配下にある端末(ボットなど)で直接攻撃を行うのではなく、間にリフレクタと呼ばれる踏み台を挟むことです。リフレクタの数を増やすと、分散反射型攻撃(DRDoS)になります。

リフレクタを用いて攻撃を増幅させることから、増幅型攻撃にも分類できる。

RTBH
Remotely Triggered Black-Hole Routing。
DDoS攻撃に対応するための手法の一つ。単に**ブラックホーリング**ともいう。DDoS攻撃で送られてきたパケットを、何にもつながっていない仮想インタフェースに転送(要するに破棄)することで飽和攻撃から守る。ただし、ある宛先IPアドレスへのパケットをすべて破棄してしまうため、送信元IPアドレスによって攻撃かそうでないかをフィルタリングしたい場合は別の技術を組み合わせる必要がある。

このとき、リフレクタとして選ばれるのは、攻撃者が送ったパケットよりも大きなパケットや大量のパケットを生成してくれるサービスです。また、パケットを偽装しやすいUDPを下位プロトコルとして用いるサービスも好まれます(DNSやNTPがこれに該当します)。ICMPを悪用するSmurf攻撃もDRDoSの一種です。

攻撃者はDNSやNTPに問い合わせを行い、このとき送信元を偽装することで標的ノードに大量の返信が集中するよう細工します。

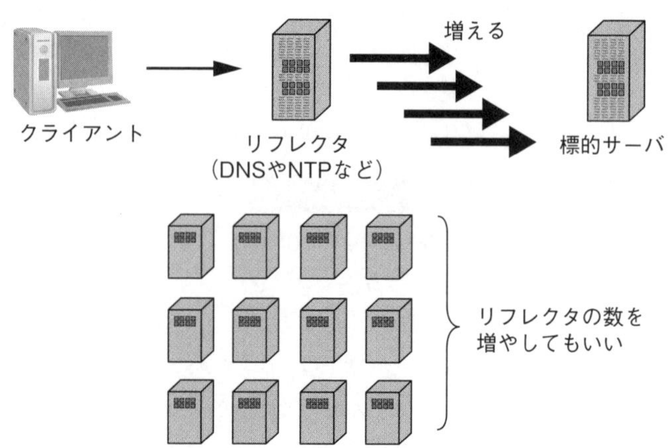

▲図 リフレクタ攻撃

6.5.4 バッファオーバフロー

バッファオーバフローとは何を意味するのでしょうか? 人によってイメージはさまざまですが、バケツみたいな容器から水があふれる様子などを想像していただければいいでしょう。

ソフトウェアは、システム上のメモリに配置され実行されています。外部から受け取るデータも当然システム上のメモリに保存されます。このメモリは無尽蔵にあるわけではなく、あらかじめ格納する領域がOSやアプリケーションによって定められます。攻撃者がこの領域(バッファ)を超えるサイズのデータを送信してあふれさせることをバッファオーバフロー攻撃とよびます。

バッファオーバフローの影響

バッファオーバフローが行われ、データがあふれると、なぜいけないのでしょうか?

本来別のデータが格納される領域にデータがあふれる(フローする)ので、攻撃者はシステムに誤作動を起こさせることができます。さらに、あふれさせる領域をプログラムの実行アドレスが格納されている領域にできれば、送信した任意のプログラムを相手のシステム内で実行することすら可能になります。

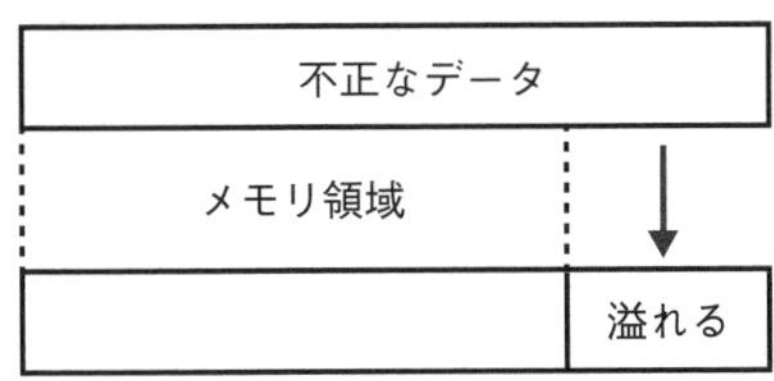
不正なデータ
メモリ領域
溢れる
用意された領域
別のデータが入っているところを上書きしてしまうので、予期しない動作や任意のプログラム実行につながる

▲図 バッファオーバフローのイメージ

本試験及び実務においては、特にC言語での対策が頻出します。

POINT C言語の特徴

- C言語はもともとOSを書くための言語なのでやれることが多い。メモリも直接いじれる。
- 設計が古い。そのため今どきのプログラミング言語が備えている安全機構がない。
  ※だからこそ、使いやすいとも言える。
  ※最近は、さまざまな安全機構が後から足されている。

安全機構がないC言語では、データ書き込み時の領域あふれは、プログラマがチェックする(あふれないようにプログラムを書く)ことになっています。モダンなプログラミング言語では、最大データサイズを予め設定させるような関数が用意されているので、プログラマにとっては自由度が大きい反面、負担も大きいと言えます。

チェック機能のプログラミングは往々にして後回しにされ、忘れられます。

また、ポインタを使ったアクセスも、プログラミングの自由度を上げる点で魅力的ですが、とんでもないメモリ領域への直接アクセスを許すことにもなるので、これもプログラマに自由度と負担を与える要因です。

主なバッファオーバフロー攻撃の方法

●スタック攻撃

スタックとは、下位試験の午前問題などで何度も試されてきたように、ソフトウェアの実行中などにデータを一時的に保存しておく領域です。スタックには、変数の内容や次に実行するコマンドの格納アドレスなど、さまざまなデータが格納されます。

ここではプログラムの中で関数を呼び出すことを想定してみましょう。スタックには関数を実行し終わったあとにプログラムへ戻ってくるためのリターンアドレスや、関数の中で使う変数を記憶するための領域が確保されます。

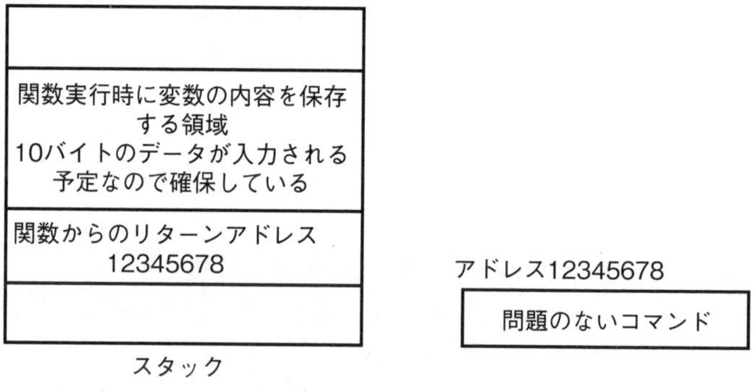

スタック
関数実行時に変数の内容を保存する領域 10バイトのデータが入力される予定なので確保している
関数からのリターンアドレス 12345678

アドレス12345678

問題のないコマンド

▲図　正常なスタック

攻撃者がこのスタックを攻撃したとします。関数の実行が終了して、次にアドレス12345678のコマンドが実行されるのは何の問題もありません。しかし、ここで変数に対する入力がAAAAAAAAAA55555555だったらどうでしょう。予定した10バイトを超える18バイトのデータです。

55555555の部分は変数のために確保された領域をはみ出して、次に実行するコマンドのアドレス12345678を上書きしてしまいます。システムは予期しない動作に見舞われるでしょう。

次はもっと上手くやった例です。攻撃者は、システムを乗っ取るなどの攻撃用プログラムを送り込みます。そして、アドレス領域をそのプログラムの先頭に来るように上書きすることで、自分が送り込んだプログラムを実行させることができます。

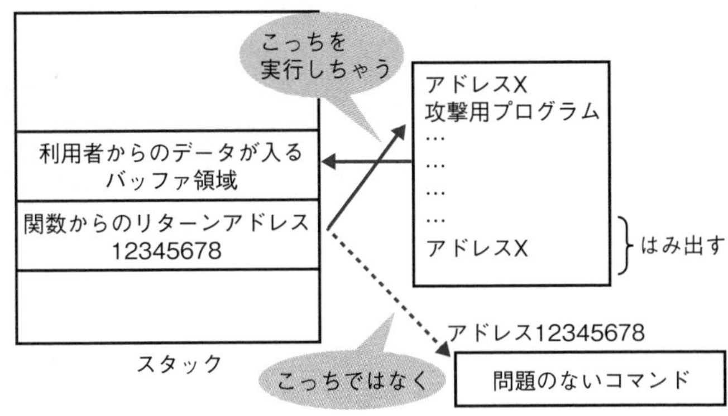

▲図　スタック攻撃

●ヒープ攻撃

ヒープ領域は、動的に確保したり、解放したりできるメモリ空間のことです。C言語では、「malloc()」と「free()」、「new」と「delete」などのコマンドを使って、プログラマがメモリを確保・解放できるようになっています。

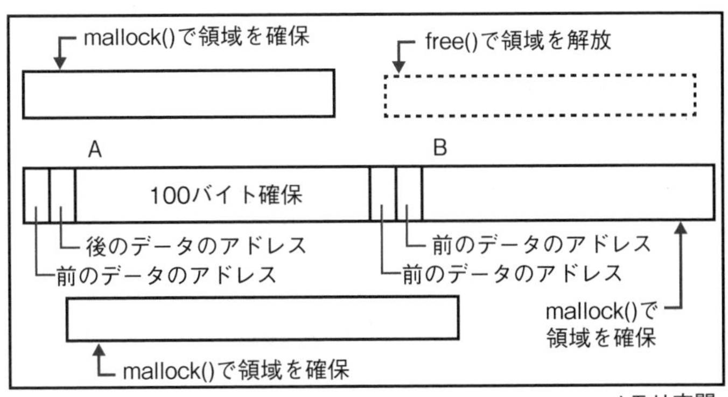

▲図　ヒープのイメージ

メモリ中のある領域を確保すると、データが入る領域の他に管理領域が作られ、その中に前のデータのアドレス、後のデータのアドレスが格納されます。双方向リストによってヒープの構造が管理されているわけです。

動的にメモリが確保され、解放されるわけですから、必ずしも綺麗にデータが並んでいるわけではありません。メモリが虫食い穴のようになったり（フラグメンテーション）、使い終わったのに解放されていない領域（メモリリーク）が生じることがあります。

これを回避するために、OSはガベージコレクションを行って、使っていない領域を解放し、断片化したメモリを併合します。

確保したメモリ領域が隣り合っている場合、システムが想定しているデータより大きいデータを挿入することによって、バッファオーバフローを起こさせ、隣接するメモリ領域の管理領域を上書きすることが可能です。

上図の例で言えば、メモリ空間Aに対して100バイトを超えるデータを書き込んでやれば、隣接するメモリ空間Bの管理領域を上書きできます。これにより、システムに誤作動や異常終了を起こさせることが可能です。

●バッファオーバフローへの対策

プログラム内において、バッファオーバフローを生じさせてしまうような関数や特定の使用方法をしないこと、入力値のチェックをすることなどは有効な対策方法です。しかし、プログラムの複雑化・肥大化・短納期化が進む現在、プログラマの力量と注意にすべてを帰すのは、現実的な対策でも有効な対策でもないことは理解しておく必要があります。だからこそ、いつもバッファオーバフロー脆弱性によるシステムへの被害が報道されているのです。

バッファオーバフローが発生しないプログラムを完璧に作るのはほぼ不可能なことは前提にして、全体のセキュリティシステムを構築するのが現実解と言えます。近年では次のようなシステム的な対策も登場しています。

●データ実行防止機能（DEP：Data Execution Prevention）

メモリ空間には、コード領域、スタック領域、ヒープ領域、静的領域が配置されます。プログラムはコード領域に格納されるので、これまでに述べたスタックやヒープでコードが実行されるのは本来はおかしいことです。

したがって、データしか格納されていないはずのメモリ空間でのコードの実行を禁止すれば、バッファオーバフロー攻撃の、少なくとも任意のコードを実行する攻撃を防げるはずです。そのために使われるのがDEPです。

●アドレス空間配置ランダム化(ASLR：Address Space Layout Randomization)

古典的なメモリ空間では、コード領域、スタック領域、ヒープ領域は、メモリを効率的に使用するために整然と並んでいます。しかし、整然と並んでいるが故に、攻撃者にアドレスを特定され、攻撃に使われるのはここまでに見てきたとおりです。

ASLRを使うと、これらの領域はランダムな位置に配置されるようになるので、攻撃者は攻撃を試みるとき、まず広大なメモリ空間から攻撃用プログラムが配置されるアドレスの特定から始めなければなりません。攻撃の実行難易度や、攻撃にかかる時間的コストを引き上げることができます。

6.5.5 盗聴

盗聴とは、ネットワーク上を流れるデータを取得する行為を指します。特徴として、攻撃行為を行わずに目的を達成できる可能性があることや、電波などを傍受するだけなので、発見(露見)しにくいことが挙げられます。

インターネットや無線LANなどは、他人が通信の内容を解析したり、電波を傍受すること自体を防ぐことはできません。そのため、通信を暗号化するのが常套手段です。

サイドチャネル攻撃

暗号を解読するときに、暗号アルゴリズムや暗号鍵と正面から向き合うのではなく、別の側面の事象やデータを手がかりに解読しようとする手法の総称です。正規のルートではなく、側道(抜け道)を行くようなやり方なので**サイドチャネル**といいます。例えば、暗号化や復号を行う機器の消費電力や処理にかかる時間、発する熱や音、エラーメッセージなどから暗号解読に役立つ情報を入手します。

特にエラーメッセージは、暗号だけでなく他の攻撃方法でも重視されます。懇切丁寧なエラーメッセージは開発者や利用者にとって使い勝手のよいものですが、攻撃者にも重要な手がかりを与えてしまうことがあり、どの程度までエラーメッセージで情報を開示するかは、セキュリティ強度に関わってきます。

キーロガー

キーボードを操作したログを記録するプログラムを、コンピュータにインストールして動かし、リアルタイムやログがある程度たまったタイミングで、攻撃者に通知するものです。**キーボードロギング**ともいいます。近年ではハードウェア型の機器が仕掛けられる事例もあり、その場合はソフトウェアでは検出できません(目視で確認する必要があります)。

外部犯の場合は、他のマルウェアと同様にメールやWebサイト経由で巧妙に誘導して相手にプログラムをインストールするように仕向けます。内部犯の場合は、重要なデータにアクセスする端末でロギングを行い、パスワードなどを搾取することが考えられます。また、ネットカフェのような公共の場所ではこうしたプログラムやハードウェアを仕掛けやすく、インターネットバンキングのIDやパスワードといった貴重な情報を盗聴される例が目立ちます。

テンペスト技術

情報機器が発する電磁波を傍受して、不正に情報を取得する技術の総称です。例えば、ディスプレイが発する電磁波から、そのディスプレイが目視できない場所からでもディスプレイの画面を再現することができます。妨害電磁波を出す機器を取り付けたり、電磁波を遮断する性質を持つ材質で作られたシールドなどを使って対策を行います。

6.5.6 その他の攻撃手段

ボット

ボットは感染したコンピュータを支配下に置き、遠隔操作するためのマルウェアです。ボット作成者の狙いは、多数のコンピュータを感染させ、自分の思い通りに動くボットネットを構築することです。

ボットネットは様々な用途に使うことができますが、スパムメールの送信やDDoS攻撃などで特に効果があります。これらを職業として行う者は数百万〜数千万台規模のボットネットを持つこともあると言われています。

ポートスキャン

攻撃を行うコンピュータのすべてのポートにパケットを送信し、応答の有無を確認することで、そのコンピュータがどのようなサービスを動かしているか推測する準備攻撃です。ポートの返信状況により、脆弱性のあるサービスの有無、管理者のスキルなどが推定できます。

IPスプーフィング

IPアドレスを偽装して正規のユーザのふりをする攻撃手段です。ルータやファイアウォールなどでIPアドレスをフィルタリングし、正規のユーザしか利用できないように設定しても、この方法で突破されてしまうことがあります。

DHCPスプーフィング

DHCPスヌーピング➡P411

偽のDHCPサーバやDHCPクライアントを立てて、ネットワークを攻撃する手法です。ネットワーク内に偽DHCPサーバを立てられると、攻撃者の思いのままのIPアドレスやデフォルトゲートウェイ、参照するDNSサーバのアドレスなどを配布されてしまいます。また、偽のDHCPクライアントを立てることで、正規のDHCPサーバに過剰なDHCPDISCOVERを要求し、DHCPサーバのリソースを枯渇させることもできます。

MITM攻撃

MITM➡Man-in-the-middle

中間者攻撃とも呼ばれる攻撃です。クラッカーが、2者間で通信が行われている間に割り込んで互いの通信を仲介する攻撃で、仲介の過程で鍵がクラッカーのものにすり替えられるため、クラッカーの公開鍵で暗号化してしまうケースなどがあります。

●MITB攻撃

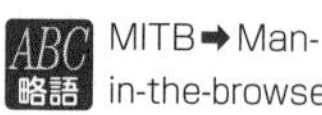
MITB➡Man-in-the-browser

ブラウザを狙った中間者攻撃を**MITB攻撃**といいます。MITBマルウェアはクライアントの中で活動し、ブラウザとWebサイトの間でプロキシのように機能します。

利用者はブラウザを通じて直接Webサーバと通信をしているつもりでも、一度MITBマルウェアを経由してしまっているので、好き勝手に通信内容を改ざんされてしまいます。オンラインバンクとの通信を乗っ取るパターンが典型的で、口座振込の振込先や振込金額を書き換えられて、攻撃者に送金されてしまいます。銀行側から見ても、IDやパスワード、クライアントのIPアドレスは正規のものなので、正規の利用者と区別がつきません。

セッションハイジャック

二者間で張られているセッションを乗っ取ってしまう攻撃方法です。乗っ取りの形式は多岐に渡ります。通信相手であるサーバを偽装しても構いませんし、正規のクライアントとサーバの間に割り込んで中継者として振る舞うMITM攻撃(中間者攻撃)もあります。

一度セッションを乗っ取ってしまえば、相手は正規のサーバやクライアントとして通信をしてくるわけですから、個人情報の盗聴もパケットの改ざんも思いのままです。

攻撃者はセッションを識別する手がかりに着目します。TCPであればIPアドレスとTCPポート番号、シーケンス番号によってセッションが管理されています。特定されるとセッションを乗っ取られる可能性があるので、TCPポート番号のランダム化や推測しにくいシーケンス番号の採番を行います。

逆に攻撃者からすると、これらを推測したり、IPアドレスの偽装を行うことで自分が正当な通信相手であると、相手に信じ込ませます。

HTTPもよく出題されます。HTTPにはセッション管理機能がありませんが、HTTPを利用するソフトウェアは次の方法を使うことでクライアント／サーバ間でセッションIDをやり取りしています。

- URLに埋め込む（クエリストリング）
- hiddenフィールドに埋め込む
- Cookieを使う

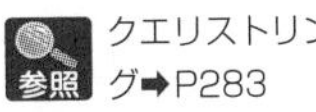
クエリストリング➡P283

クエリストリングが秘匿情報のやり取りに向かないのは、別項で学習したとおりです。

hiddenについては、IPA自体が「hiddenは危険」という記事を公開したこともあるくらいなので、この辺もよく攻められます。hiddenフィールドはWebページ間でデータを受け渡すときに便利ですが、「ブラウザで表示されないだけ」で通信経路上ではやり取りされていますし、HTMLのソースで確認することもできます。

クロスサイトリクエストフォージェリ

利用者があるサーバにログイン状態であることを悪用して、攻撃者がそのサーバを使ってしまう攻撃方法です。たとえば、SNSであれば、利用者のアカウントを使ってSNSへ投稿するなどの行為が行えます。CSRFまたはXSRFと略記されます。

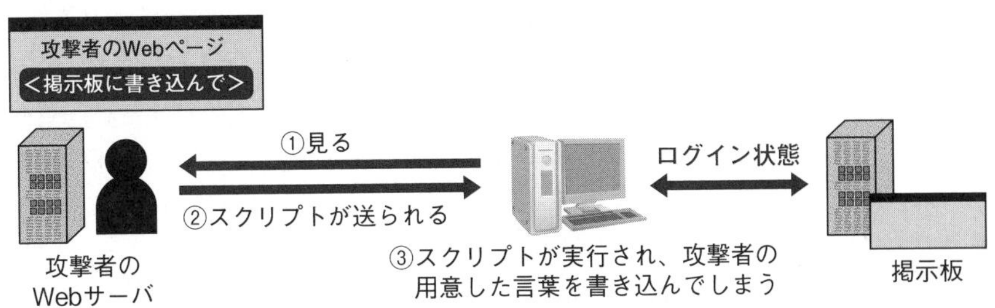

▲図　クロスサイトリクエストフォージェリ

攻撃者はWebページやHTMLメールを用意して、投稿を行うスクリプトを埋め込んでおきます。利用者がこれらにアクセスするとスクリプトが起動します。SNSへの投稿は正規のアカウントでログインしていないと行えないはずですが、まさにこのとき利用者が正規アカウントでログイン中であると、そのアカウントを使って任意の投稿をされてしまいます。

CSRFにはブラウザやメールソフトで、スクリプトの実行を禁止することで対策します。もちろん、利用が終了したらSNSやWebサイトからログオフしておくことも有効です。

RLO

ABC略語 RLO➡Right-to-Left Override

RLOは、右から左へと記述するタイプの言語(アラビア語など)に対応するためにUnicodeが持っている制御文字です。制御文字は目に見えないため、これを悪用してファイル名を逆順に表示して拡張子を偽装することができます。

例えば「請求書.exe.xlsx」というExcelファイルに偽装して、実際には「請求書.[RLO]xslx.exe」という不正なプログラムを実行させようとします。

スパムメール

オプトイン 受信することを承諾しているユーザにのみ、広告メールなどを送ること。

T用語 **オプトアウト** 拒否できるしくみを用意することを前提に、未承諾のユーザにも広告メールなどを送ること。

不特定多数のユーザに電子メールを送る行為です。ユーザにとっては知らない相手から送られるメールであるという点でマルウェアの温床になる可能性があり、また中継するメールサーバにも非常に負荷がかかる犯罪性の高い行為です。

なりすましメール

送信元メールアドレスを偽装したメールのことで、各種の攻撃に使われています。知人や友人、有名企業などに偽装されるとどうしても信じてしまい、添付されたマルウェアを開いたり、URLをクリックしてフィッシングサイトに誘導されたりするからです。

なりすましメールが安易に送られる理由としては、SMTPの脆弱性(もともと送信者認証のしくみがなかった)を挙げることができます。そこで送信ドメイン認証が普及しました。

参照 送信ドメイン認証➡P276

Webビーコン

広告メールなどを送るスパマーは、マーケティングや詐欺などに利用するためにもっと詳細な情報を欲しています。そこで使われるのが**HTMLメール**です。広告メールをHTMLで作成し、メッセージのなかに<img>タグで画像を埋め込みます。HTMLの性質上、受信したユーザがメールを開くと、指定されたサーバに画像を受信しにいきます。この画像を要求する通信にIDを付与し、どの

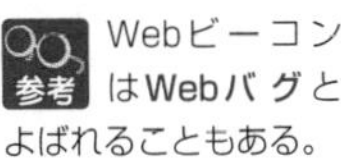
Webビーコンは Webバグとよばれることもある。

受信者がメールを読んだのかが、送信者にわかるようにするのが**Webビーコン**です。

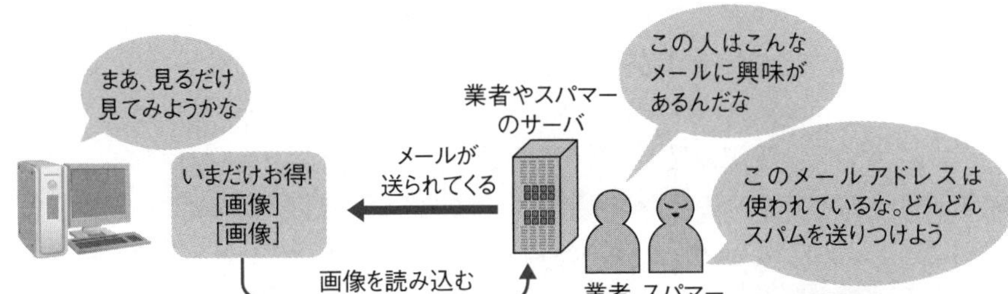

▲図 Webビーコン

画像を開かなければ原理的にWebビーコンが働くことはありません。ただ、メールソフトが勝手にプレビューしてしまうこともあるので注意が必要です。

現在のメールソフトは、Webビーコンに対応するため、メールのプレビュー時に画像を表示しないよう設定されていることがほとんどです。初期設定でそうなっていないメールソフトの場合は明示的に「メールをテキストとして読み込む」「画像をブロックする」「画像を表示する前に確認する」などの設定を施します。

標的型攻撃

特定の人や組織を狙う攻撃の総称です。具体的な技術としては、ウイルスや**フィッシング**、**ソーシャルエンジニアリング**などお馴染みのものが使われますが、標的やその周辺を徹底的に調査した上でカスタマイズされる点が、従来型の攻撃と異なります。

標的組織の情報リテラシが高くて、容易にウイルス添付メールを開いてくれないようであれば、その組織が使う標準書類形式を**スキャベンジング**などで入手して内部メールであることを装う、ネットワークから切断された重要機密エリアがあれば、ウイルスをUSBメモリに入れて落としておき、誰かが拾って中身を調べるためにPC接続するのを待つ、ウイルス対策ソフトウェアのパターンマッチングを回避するために、その標的のために開発した新種のウイルスを用意する、などの手口が使われます。

ソーシャルエンジニアリング

IT技術によらず、人的な脆弱性を利用して情報を搾取する手法を**ソーシャルエンジニアリング**といいます。

●ショルダーハッキング

IDやパスワードなどを入力しているユーザの肩口からその様子を盗み見て、情報を取得する手口です。ソーシャルエンジニアリングの典型的な事例で、ソーシャルサーフィンともいいます。

●スキャベンジング

スキャベンジング(scavenging)とは「ゴミ箱あさり」のことで、ゴミ箱に捨てられた情報をつなぎ合わせて本来の重要な情報を復元する作業を指します。シュレッダーされた情報を復元されるケースもあるので、情報の廃棄段階での処理も重要です。

●会話

業務担当者同士の会話などは、重要情報の宝庫です。ホテルのロビーや喫茶店などで打合せをする場合、周囲の環境や会話の内容に注意します。退社後の居酒屋での会話で情報が筒抜けになるケースも多々あります。

また、不慣れなユーザや権力のあるユーザを装って管理者にユーザIDやパスワードを聞く方法もあります。確実に本人であると確認できる場合以外はこのような問合せに応じないことも重要です。

フィッシング

フィッシング(phishing)とは、有名なサイトや信頼されているサイトになりすまして、個人情報、クレジットカード情報などを搾取する詐欺の手法です。

この手法では、偽サイトに利用者を誘導しなければなりませんが、その手口として使われるのがスパムメールや、有名サイトと少しだけ違うドメイン名(利用者の打ち間違いを期待する)です。例えば、ソフトウェアベンダからのメールを装って、「セキュリティホールが発見されたため、更新が必要」などの文面で受信者にリンクをクリックさせます。

ユーザ側は慎重にサイトやリンクのアドレスを確認することで、ある程度防止することができます。

●スミッシング

スミッシング(smishing)はSMS phishingからの造語で、携帯電話やスマートフォンのショートメッセージサービス(SMS)を悪用したフィッシング詐欺のことです。

ファーミング

DNSキャッシュポイズニングなどの手法により、DNSの名前解決情報を不正に上書きすることで、正規のアドレスを入力したりクリックしているにも関わらず、偽サイトに誘導されてしまう手口を**ファーミング**(pharming)といいます。利用者に落ち度がなくても、引っかかってしまうことがある点に恐ろしさがあります。

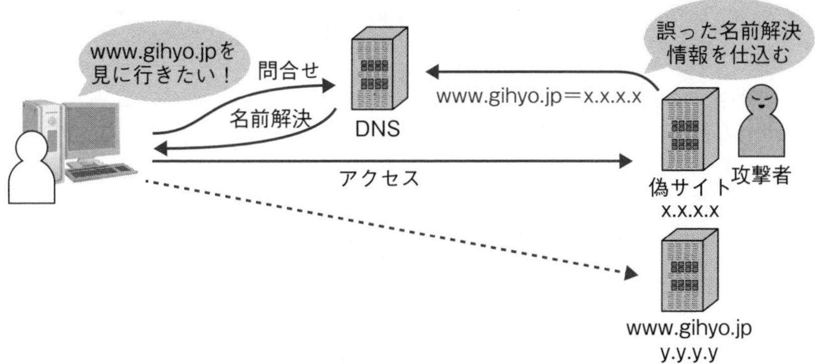

▲図　ファーミング(DNSキャッシュポイズニングの例)

ランサムウェア

マルウェア(トロイの木馬)の一種で、身代金(ransom)を要求してくるタイプのものを**ランサムウェア**といいます。感染経路は一般的なマルウェアと同様で、メールの添付ファイルや悪意のあるサイトからのダウンロードです。特徴的なのは感染して活動を開始すると、感染PC内にあるファイル類やシステムそのものを暗号化などでロックし、金銭を要求してくることです。

6.6 LANにおけるセキュリティ対策技術

6.6.1 ファイアウォール

重要 ファイアウォールという用語はよく利用されるため、多くの意味が混在している。広義にはセキュリティ境界に置かれるゲートウェイのことを指すが、運用を行う場合は細かい差異を熟知する必要がある。

現在のセキュリティモデルは、ネットワークを内（ローカル）と外（リモート）に分け、ローカルネットワークのセキュリティを維持する設計思想が採用されています。このモデルにおいて内と外の境界に設置するのが**ファイアウォール**です。

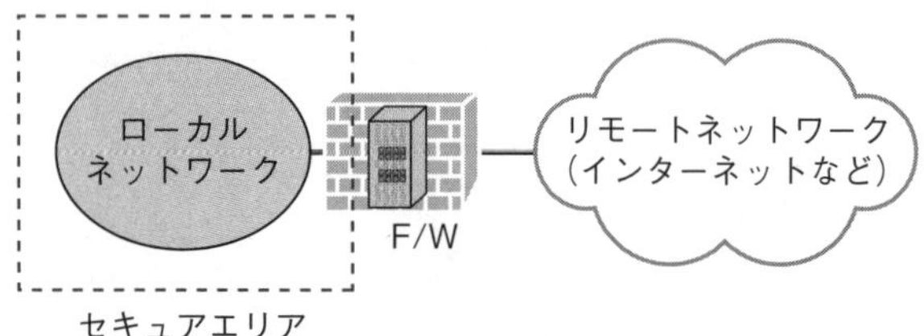

▲図　現在のセキュリティモデル

パケットフィルタリング型ファイアウォール

参考 アクセス制御に用いる規則（ルール）を集約したものを**ACL**（Access Control List：アクセス制御リスト）と呼ぶ。ルータ、ファイアウォール、サーバなど、様々な機器で用いられる。

ファイアウォールは、一定の規則に従ってパケットの通過／不通過を決定しますが、この決定規則にパケットから得られる**ヘッダ情報を用いる**のがパケットフィルタリング型ファイアウォールです。用いられるヘッダ情報には、送信元IPアドレス、宛先IPアドレス、送信元ポート番号、宛先ポート番号、プロトコル種別などがあります。使う情報別にどのようなふるいにかけられるか見ていきましょう。

●IPアドレスを使う場合

参考 一般的にフィルタリングルールの処理は、番号順に行われる。あるルールが適合した場合、残りのルールは無視される。

IPアドレスを使う場合、ファイアウォールは以下のようなフィルタリングルール表（ルールベース）を保持します。

▼表　IPアドレスによるフィルタリングルール例

順番	送信元IPアドレス	送信先IPアドレス	適否
1	192.168.0.1	すべて	○
2	すべて	10.0.0.1	○
3	すべて	すべて	×

ホワイトリスト 何らかのフィルタリングを行うとき、安全な通信（条件・相手）のリストを作って、そのリストに合致する条件の通信のみを許可する方法をホワイトリスト方式という。

ブラックリスト 何らかのフィルタリングを行うとき、危険な通信（条件・相手）のリストを作って、そのリストに合致する条件の通信のみを拒否する方法をブラックリスト方式という。

送信元／送信先のIPアドレスによりパケットの通過、破棄を判断するこの方法は「ファイルサーバには外部からアクセスさせたくない」「業務に関係のない内容のサイトには内部のすべてのノードはアクセスしない」などのコントロールを行うことに向いています。

フィルタリングルールは、適用漏れを生じないように、上記のように通過させるべきパケットを明示的に示した後、すべてのパケットを破棄するルールを付記します。ルールは、ルール表の上から順に適用されていきます。

IPアドレスを使う方法は簡便で使いやすいですが、IPアドレス（＝特定できるのはどのノードか、ということ）を判断根拠とするため、不特定多数のノードと通信を行うWebサーバなどでは結局すべての通信を許可する必要があり、セキュリティ上の脆弱性が生じます。また、IPアドレスが偽造されるようなケースには対処できません。

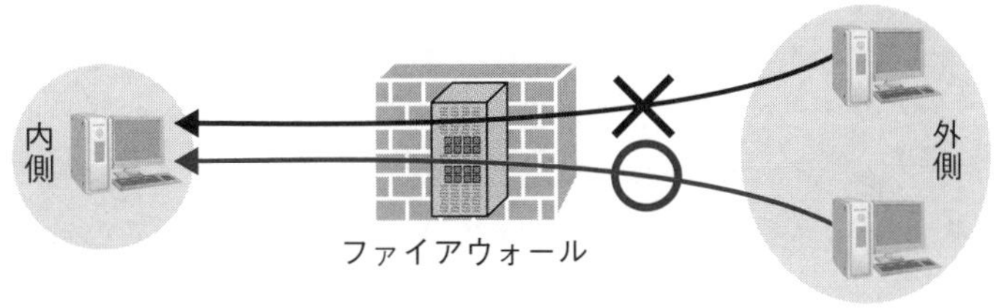

▲図　L3でのフィルタリング（IPアドレスを使う場合）

●ポート番号を使う場合

ポート番号でのフィルタリングも、最初にすべての通信を遮断するルールを作成してから必要なポートの通信を許可するという流れで考えます（表は上から実行するので順番は逆になります）。

▼表　ポート番号によるフィルタリングルール例

順番	送信元ポート番号	送信先ポート番号	適否
1	すべて	TCP 80 (http)	○
2	すべて	TCP 25 (smtp)	○
3	すべて	すべて	×

OP25B（Outbound Port 25 Blocking） ISPが用意したメールサーバ以外のメールサーバへメールを送信することを防止するために、SMTPが利用するTCP25番ポートへの域外送信を防止する技術。スパムメール対策に有効とされている。

トランスポートレベルでフィルタリングを行うことで、ノードのIPアドレスだけでなく、利用するアプリケーション別に通信を制御できるようになり、セキュリティレベルが向上します。

メールソフト
ワープロ
ファイアウォール

▲図　L4でのフィルタリング（ポート番号を使う場合）

多くのアプリケーションには何らかのバグが存在し、それがセキュリティホールにつながります。利用しないアプリケーションのポートは閉じておくことがセキュリティ上重要です。

これは本来、すべてのノードで実行すべきことですが、クライアントノードなどでは設定漏れの可能性もあり、また多重防御の観点からもポート番号によるフィルタリングを行うことは有効です。適切に設定されたファイアウォールによってポートスキャン攻撃を効率的に防止することができます。近年のマルウェアの傾向として、特定ポートへ直接データを混入し感染させる手法が増加しているため、ポート番号によるフィルタリングは依然重要性を保っています。もちろん、IPアドレスとポート番号を組み合わせてフィルタリングすることも可能です。

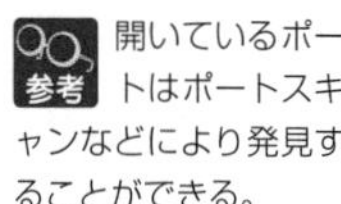
開いているポートはポートスキャンなどにより発見することができる。

●リクエストの返信

Webサーバなどへの通信の場合、リクエストは内側のクライアントからの通信なので通しますが、返信が問題になることがあります。クライアントのWebブラウザはOSに割り当てられた動的なポート番号を利用するため、ファイアウォールにあらかじめ登録できないからです。しかし、TCPヘッダにはACKフラグ（ACKビット）と呼ばれるフィールドがあるため、ここを確認することで自社クライアントから送信した通信への返信であることが分かります。ファイアウォールは返信の通過は許可することで問題なく運用することができます。

参考　こうした通常の設定では、動的ポート番号を利用するネットワークゲームなどが適切に機能しない場合がある。

仮にクラッカーが返信フラグを偽装しても、シーケンス番号などの整合性をチェックするので侵入を防ぐことが可能です。しかし、パケットキャプチャリングなどの方法で、シーケンス番号も整合するよう偽装されたパケットは通過させてしまうリスクがあります。

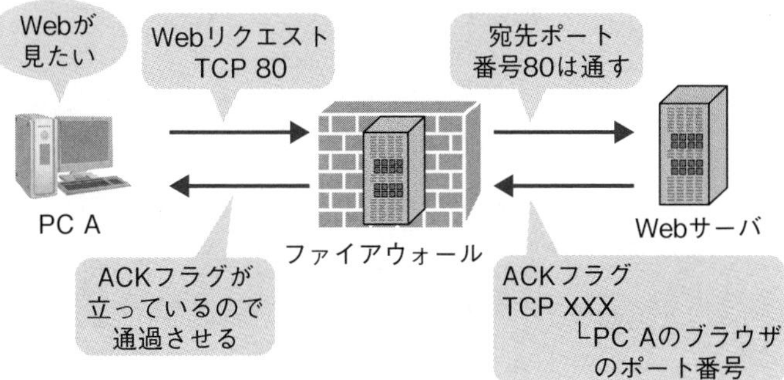

▲図　リクエストの返信

アプリケーションゲートウェイ型ファイアウォール

アプリケーションゲートウェイ型ファイアウォールは、アプリケーション層の内容を解釈して通信の適否を決定するファイアウォールです。**L7ゲートウェイ**などとも呼ばれます。

利用するアプリケーションによってHTTP向け、SMTP向けなど様々なバリエーションが存在します。

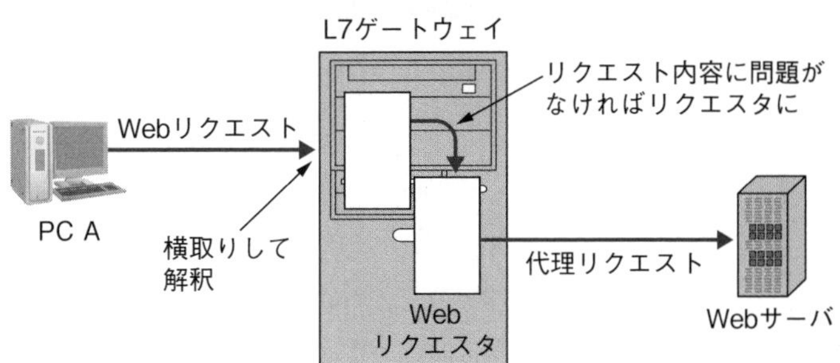

▲図　Web通信におけるL7ゲートウェイの例

基本的には、クライアントからのSMTP要求やHTTP要求をL7ゲートウェイが一度横取りするイメージです。

例えば、HTTPのL7ゲートウェイであれば、仮想のWebサーバをゲートウェイ内に用意し、クライアントからのリクエストを一度受信します。

ゲートウェイはその内容を解釈し、問題がなければIPアドレスなどをゲートウェイのものに再構成したWebリクエストを同じゲートウェイ内にあるWebリクエスタから送信します。

●ステートフルインスペクション

アプリケーションゲートウェイの特徴は、パケット通過／不通過を決定する判断因子が多く、きめの細かいセキュリティコントロールが可能な点です。

例えば、ACKフラグが立っているのにそれに対応する送信パケットがないなど、前後のパケットや上下のプロトコルとの整合性が取れていないことの検査（**ステートフルインスペクション**：前後、上下の文脈を見た検査）や、メールの内容に「機密事項」「飲み会」などの単語が含まれていたら送信しないといったアプリケーション情報を使った検査（**ディープパケットインスペクション**：ペイロードの情報を見た検査）が行えます。

ただし、ステートフルインスペクションやディープパケットインスペクションでは、検査すべきデータ量、バッファすべきデータ量が、単純なパケットフィルタリングに比べて大幅に増加します。ゲートウェイの負荷も大きくなるので、システムのボトルネックとならないよう注意が必要です。

プロキシサーバ

参照 リバースプロキシ➡P407

L7ゲートウェイ、特にhttpを扱うものを**プロキシサーバ**と呼ぶことがあります。プロキシとは代理の意味で、登場初期の段階ではネットワークトラフィック緩和策として採用されました。

proxy.pacファイル
ブラウザなどに対して、プロキシサーバの設定を自動化するためのスクリプト。

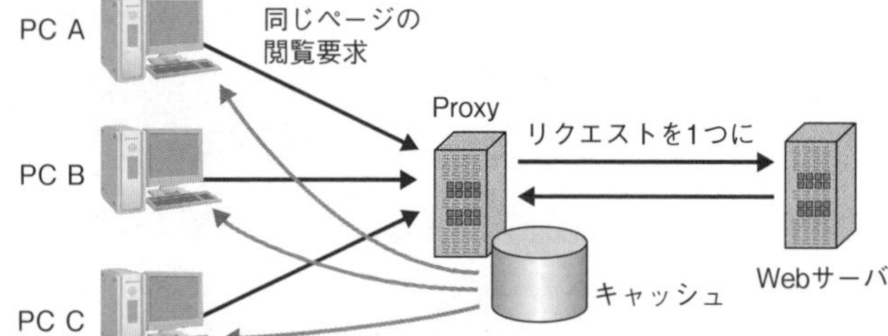

▲図　Proxyサーバ

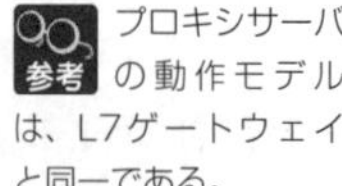
プロキシサーバの動作モデルは、L7ゲートウェイと同一である。

プロキシサーバは、Webページの内容をキャッシュし、キャッシュに保存されているページであれば、WANに問合せをせずにローカルノードに返信します。これによってWANトラフィックを軽減します。キャッシュされたページコンテンツは必ずしも最新ではありませんが、一定期間経過したキャッシュは破棄するなどの措置で問題なく運用することが可能です。また、先読み機能（利用者が次に要求するページを予想してあらかじめ読み込んでおく）を持つことでさらに性能向上を試みるプロキシサーバもありますが、混雑時にトラフィックを多発させボトルネックとなる可能性もあります。

もともとの狙いは異なりますが、リクエストを中継するモデルはほとんど同一なので、現在ではセキュリティを意図したL7ゲートウェイと、トラフィック管理が目的のプロキシサーバは同梱されたり、同じものとして認識されるケースが多くなっています。

プロキシサーバは、高速通信を実現するためにも、セキュリティを向上させるためにも重要な機器であるため、冗長性を持たせて複数台で実装することも多く、本試験でも出題があります。こうした環境で頻繁にプロキシサーバの設定を変えなければならない場合、各PCに自動設定を適用すると効率的です。そのためのプロトコルを**WPAD**（Web Proxy Auto-Discovery）といいます。プロキシサーバ設定用のスクリプトはproxy.pacファイルにまとめます。

リバースプロキシサーバ

リバースプロキシサーバは、トラフィックの軽減やセキュリティ対策を目的とした通常のプロキシと異なり、サーバサイドで用意されるプロキシサーバです。シングルサインオンを実装するために使われる技術の1つです。

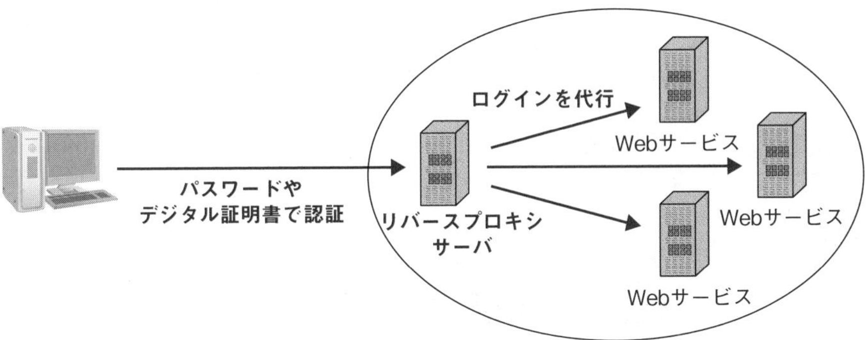

▲図　リバースプロキシサーバのしくみ

参照 リバースプロキシによる認証 ➡P363

リバースプロキシサーバがフロントエンドで認証を行い、それ以降の他のサーバへの認証行為を自動的に代行します。こうすることで、各サーバに異なるユーザIDやパスワードが設定されていても、クライアント側での認証は一度だけで済みます。

クッキーと異なり、技術仕様として同一ドメインに縛られるわけではありませんが、ドメイン間をまたいだ実装には使いにくいのが実情です。

WAF

WAF（Webアプリケーションファイアウォール）はHTTPやHTTPSを解釈して、サイバー攻撃からWebサーバを守る機器です。

一般的なファイアウォールは、ネットワーク層やトランスポート層のレベルで不正な通信をチェックします。しかし、Webサーバを攻撃する手法が高度化してくると、ファイアウォールだけではセキュリティを維持することが難しくなりました。HTTPやHTTPSの内容を改ざんする攻撃などは、ネットワーク層やトランスポート層のチェックをくぐり抜けてしまうからです。

WAFは大きく二つに分類できます。原則として通信を遮断し、条件に一致する通信のみ許可するポジティブモデルと、原則として通信を許可し、条件に一致する通信のみを遮断するネガティブモデルです。WAFの性能は、どのような条件を作り込むかに大きく左右されるので、導入時にはチューニングが必須です。

HTTPのヘッダ等が不正か調べるためには、HTTPS通信であれば復号処理が必要になりますし、Webサーバのコンテンツとの矛盾チェックのためにコンテンツをキャッシュしておく必要もあるなど、FWに比べるとWAFの処理は複雑になります。

6.6.2 DMZ

DMZ➡DeMilitarized Zone

DMZは、内と外という従来のセキュリティモデルに第3のエリアを追加した考え方です。

従来のセキュリティモデル

従来の二元的なセキュリティモデルでは、公開サーバの扱いが問題視されていました。

次の図は、公開サーバをファイアウォール内部に設置した例です。この場合、Webサーバとメールサーバへのアクセスを受け付けるためにポート番号80番と25番を通すよう設定するなど、ファイアウォールの防御に穴を開ける必要がありました。

これは公開サーバの性質上仕方のない処置ですが、ローカルネットワーク全体のセキュリティレベルを引き下げます。

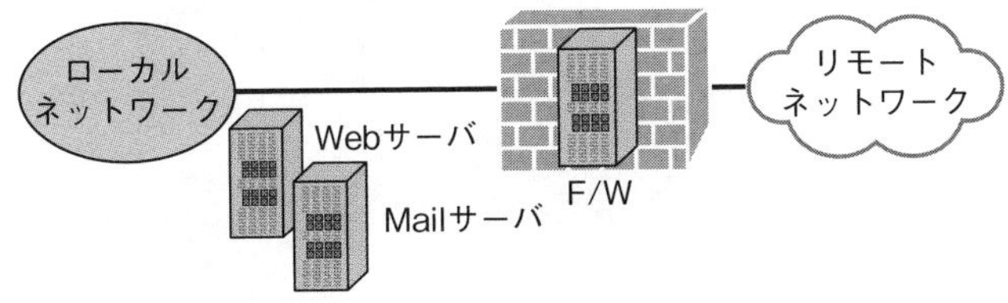

▲図　内部設置型

これを嫌うと公開サーバをファイアウォールの外側に設置するモデルを採用することになりますが、このモデルではローカルネットワークが安全な反面、公開サーバはまったくの無防備になってしまいます。

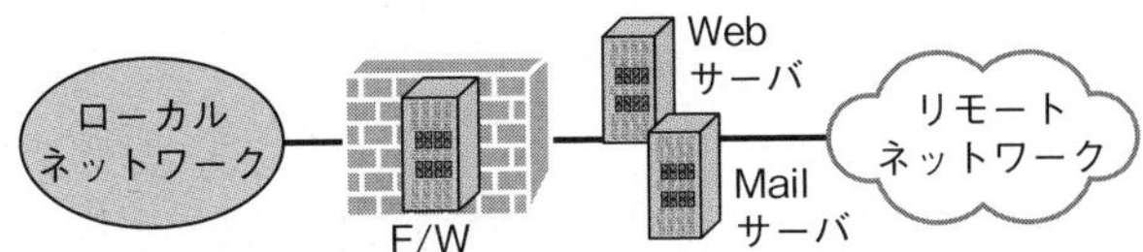

▲図　外部設置型

第3のゾーンを作成

参考　公開サーバ用の第3のゾーンを作成することにより、ローカルネットワークを高いセキュリティレベルで守ることができ、公開サーバに対しても最低限のセキュリティレベルを維持できるようになる。

そこで、公開サーバ向けに、ローカルとリモートの中間レベルのセキュリティを施したゾーンがDMZです。DMZの実現モデルは、複数存在します。

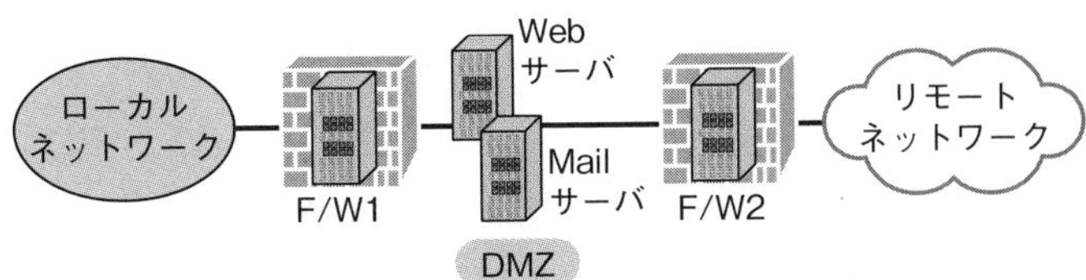

▲図　DMZモデル(1)

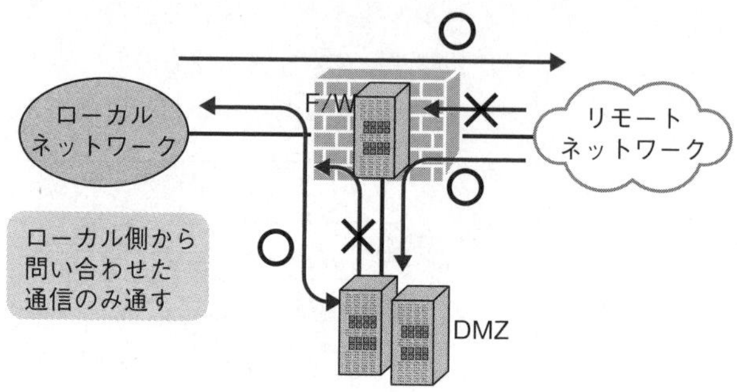

▲図　DMZモデル(2)

組織や物理ネットワークに合わせて多くのバリエーションが存在します。

DMZ構成のポイントは、DMZからローカルネットに向けての通信を遮断することです。これを怠るとDMZを踏み台にされたり、DMZ内でマルウェア感染した公開サーバがローカルノードを攻撃した際に無防備になります。

6.6.3　パーソナルファイアウォール

従来のファイアウォールがローカルネットワークとリモートネットワークの境界面に設置されるのに対して、**パーソナルファイアウォール**は、主にクライアントノードにインストールして利用するソフトウェアタイプの製品です。

ファイアウォールが設置されている環境では、パーソナルファイアウォールは無意味に思えますが、セキュリティ侵害や情報漏えいのかなりの部分は内部犯が行っているという報告があり、これら内部犯については境界面設置型のファイアウォールは無力なため、多重防壁として採用します。

参考　最近では、多段防御(Multi-Layer Protection)という用語を用いることが多い。

また、万一クライアントノードにマルウェアが感染した際などに、クライアントからの送信トラフィックを遮断して他のノードへの二次被害を抑制する効果があります。

もちろん、ハードウェアタイプのファイアウォールを設置することがオーバースペックになる家庭用途でも有効です。

パーソナルファイアウォール製品は低価格化が進んでおり、ネットワークに存在するすべてのクライアントノードにインストールすることも、現実的な選択肢の1つとなりました。

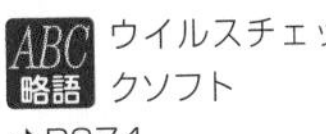
ウイルスチェックソフト ➡P374

多くの製品ではウイルスチェックソフトウェアと同梱されているので、比較的導入も簡単です。フリーウェアも登場しています。

6.6.4 その他対策技術

ハニーポット

ハニーポットは、ダミーとして設置されるサーバやネットワーク機器の総称です。例えば、スパムメールに対応するためのダミーメールサーバなどがハニーポットです。これは、クラッカーが攻撃対象とする装置そっくりに作られ、彼らの攻撃を誘います。ハニーポットには各種のログ収集機構が設定されており、ここで得られたログはクラッカーの特定や攻撃方法の研究に使われます。

DHCPスヌーピング

DHCPスプーフィング ➡P395

DHCPスプーフィングに対応するための機能です。スヌーピングは「のぞき見」の意味があり、攻撃手法っぽいですが、これはスイッチに実装するセキュリティ機能です。名前も似ていてややこしいので、気をつけて記憶しましょう。

DHCPスヌーピングでは、スイッチのポートをトラステッド(trusted；信用できる)とアントラステッド(untrusted；信用できない)に分けます。DHCPサーバをつなぎ、サーバからのDHCPメッセージを受け付けるのはトラステッドポートのみです。こうすることで、不正なDHCPサーバをネットワークに接続されてしまうリスクを下げられます。

また、DHCPスヌーピングを行うスイッチは、バインディングテーブルと呼ばれるクライアント情報のリストを作成します。たとえば、イーサネットフレームに含まれている送信元MACアドレスとDHCPDISCOVERに含まれている送信元MACアドレスが異なれば、そのクライアントはなりすましである可能性が高いですし、DHCPサーバが配布していないIPアドレスからの通信であれば、なりすましや、正規利用者が勝手に固定IPで接続しようとしている事態を疑えます。

IDS

略語 IDS➡Intrusion Detection System

IDS（侵入検知システム）は、パケットフィルタリングなどでは検出が困難な攻撃（DoSなど）に対処するためのシステムです。

IDSは、ホストにインストールしてそのホスト自身を監視するホスト型（**HIDS**）や、パケットをキャプチャできる場所に設置してネットワーク全体を監視するネットワーク型（**NIDS**）があります。

IDSはポートスキャンやDoSなどの攻撃パターンを**シグネチャ**というデータベースに保持しており、このパターンに合致する兆候があれば管理者に警告したり、ネットワークを遮断したりします。これを**Misuse検知法**といいます。

しかし、シグネチャはウイルスチェックソフトのパターンファイルのように一意に定まるものではなく、あくまで攻撃の類型を示したものに過ぎないため、誤って正常なアクセスを不正アクセスと検出したり（**フォールスポジティブ**）、不正アクセスを正常なアクセスであると検出する（**フォールスネガティブ**）可能性があります。これらの誤検出は、運用によって得られたデータでシグネチャを調整することで削減できますが、その構造上IDSが安定した性能を発揮するまでにはある程度の時間を必要とします。

●Misuse検知法

Misuse検知法は、**シグネチャ**によりクラッカーの攻撃パターンを判断します。

比較的簡単に導入できるというメリットがありますが、新種の攻撃に対応できないことや、ウイルスチェックソフトなどと比較すると誤検出の可能性が高いというデメリットも持っています。

●Anomaly検知法

Misuse法は新種の攻撃方法には対応できません。そこで、攻撃パターンではなく、システムの正常な稼働状態をシグネチャに登録し、そこから外れた挙動を示した際に異常を検出する**Anomaly（アノマリ）検知法**もあります。

Anomaly検知法を利用する場合は、正常な動作のデータを蓄積してシグネチャを作る必要があるため、設置から運用開始まで時間がかかる欠点があります。

IDSの2つの接続形態

IDSはネットワークへの設置のしかたによって、2つに分類できます。

●インラインモード

ネットワークを通せんぼする形に配置します。通信を中継する形になり、自身を経由していくパケットのみを監視します。しかし、IDSの性能や可能性が低いとネットワークの性能のボトルネックになってしまいます。

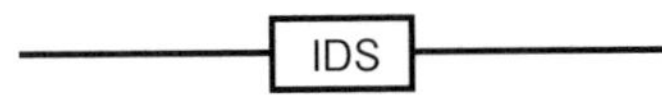

▲図　インラインモード

●プロミスキャスモード

インラインモードの対置的な配置方法で、ネットワークの通せんぼはしません。パケットが流れてくるエリアに配置し、取得可能なすべてのパケットを監視します(一般的にはスイッチのミラーポートへ接続する。本試験の出題傾向もそう)。

通せんぼをしているわけではないので、輻輳時などは大量のパケットが行き交います。IDS自身の性能がこれに追いつけないと、パケットの取りこぼしや分析漏れが生じます。

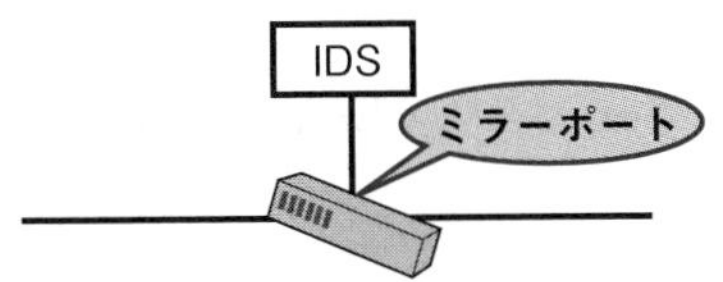

▲図　プロミスキャスモード

IPS

ABC 略語 IPS➡Intrusion Prevention System

IDSが侵入検知システムであるのに対して、**IPS**(侵入防止システム)は検出した不正通信の遮断までを自動的に行います。

侵入検知から遮断まで、人手を介さずに実行することができるため、リスクに対する速やかな対応が可能ですが、検出誤りなどで必要な通信を遮断してしまった場合の副作用は大きくなります。

検出方法および接続形態についてはIDSと同様にMisuse検知／Anomaly検知、インラインモード／プロミスキャスモードがあり、状況に応じて使い分けます。

6.7 ユーザ認証におけるセキュリティ対策技術

6.7.1 リモートアクセス技術

ファイアウォールを利用した二元セキュリティモデルは、ローカルネットワークをいかに外部攻撃から守るかという視点で設計されています。ここでは、リモート資源を利用する場合のセキュリティ技術を学習します。

PPP

PPP（用語）
二点間を電話回線で結ぶために開発されたデータリンクプロトコルであり、非常に汎用性が高く物理媒体に依存しない。また、PPP単体で認証を行うことが可能。

（略語）PPP➡Point to Point Protocol

リモートアクセスを行う場合、ネットワーク経路上でWAN基盤を中継します。プロトコル構造としては、ネットワーク層ではエンドtoエンドで透過的なIPを利用しますが、データリンク層は物理媒体に応じてプロトコルが異なります。

公衆回線アクセスなどを想定して、LANとWANのシームレスな結合を行うために設計されたプロトコルが**PPP**です。

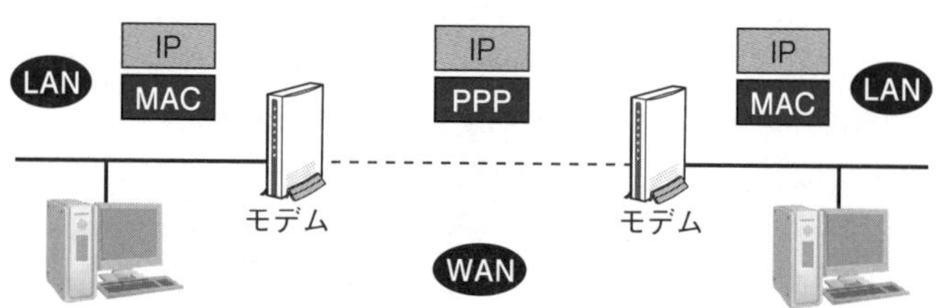

▲図　PPPの用途

一般的なLAN構成ではMACフレームの上位にIPがマウントされますが、WAN部分ではMACフレームをPPPで置換します。

フラグ	アドレス	制御	タイプ	データ	FCS	FCSフラグ
1オクテット (01111110)	1オクテット (11111111)	1オクテット (00000011)	2オクテット	1500オクテット (既定)	4オクテット	1オクテット (01111110)

▲図　PPPデータフレームフォーマット

この図は、PPPのフレームフォーマットです。非常にシンプルに構成されていることが読みとれます。隣接したモデム同士の通信が主用途であるため、複雑な制御情報が盛り込まれていないか

HDLC
フラグ同期方式の採用により、任意のビット列の送信を可能とした伝送効率のよいプロトコル。

らです。フォーマット自体は**HDLC**を参考に作られているため、FCSの構成なども同一です。

最近では、一般電話回線以外のADSLなどでもPPPを利用するため、PPPプロトコル体系は大きく拡張されています。

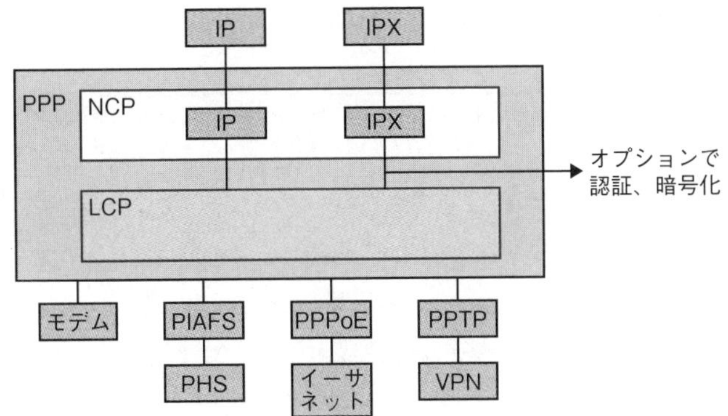

▲図　PPPの構造

ABC 略語 NCP➡Network Control Protocol
LCP➡Link Control Protocol
IPCP➡Internet Protocol Control Protocol

PPPは、ネットワーク層とのネゴシエーションを行う**NCP**と、リンクネゴシエーションを行う**LCP**に分類できます。

NCPには、上位プロトコルごとにIP、IPX等への接続モジュールがあります。IPと接続する場合はNCPとして**IPCP**が使われ、IPの設定をネゴシエーションします。

LCPでは、認証や暗号化の有無、パケットサイズなどを相手ノードとネゴシエーションします。

MRU➡Maximum Receive Unit

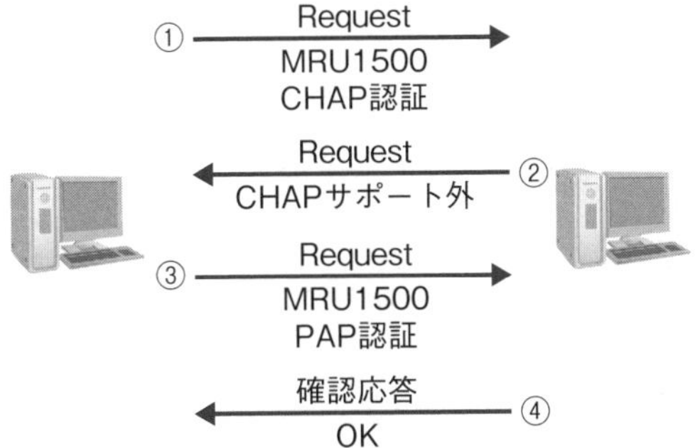

▲図　LCPネゴシエーションのプロセス

T 用語 **LCPエコー**
リンク接続状態を確認するためのパケット。LCPエコーリクエストとLCPエコーリプライの応答によって接続確認を行う。

PPPは、NCPとLCPの二層構造や通信条件のネゴシエーション機能を持っているため、非常に汎用性が高いプロトコルです。

PPPoE

PPPoE
用語 PPP over Ethernetの略。RFC 2516。

PPPoEは、イーサネット上でPPPを利用し、PPPフレームをMACフレームでカプセリングして送信する技術です。ADSLのデータリンク方式として採用されたため、普及しました。

MAC ヘッダ	PPPoE ヘッダ	PPP ヘッダ	ペイロード
14 オクテット	6 オクテット	2 オクテット	最大1492 オクテット

▲図　PPPoEヘッダ

PPPoEでは、PPPフレームにPPPoEヘッダ情報を付与して、それをMACフレームにカプセリングします。本来MACフレームを置換するはずのPPPをさらにMACフレーム化するのは違和感がありますが、各ユーザが同じローカルネットに属しているADSLにおいて、認証サーバへの接続手続きを電話回線のダイヤルアップと同等の手順で行おうとした結果、この方式が採用されました。

6.7.2　認証技術

PAP

略語 PAP➡Password Authentication Protocol

PAPは、PPPで利用される最も基本的な認証プロトコルで、クリアテキストで認証データを送信します。

PAPは、ほとんどの機器がサポートしていますが、盗聴に弱いという短所を持ちます。

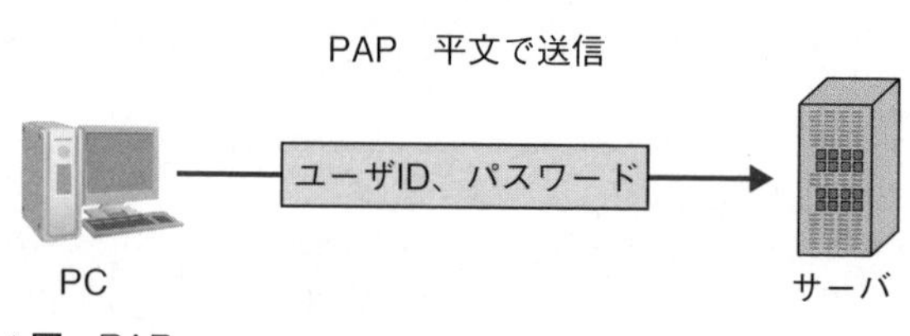

▲図　PAP

CHAP

略語 CHAP➡Challenge Handshake Authentication Protocol

CHAPは、PAPの盗聴に対する脆弱性を補うために登場した認証プロトコルです。**チャレンジハンドシェイク方式**を利用して暗号化された認証データを送信します。

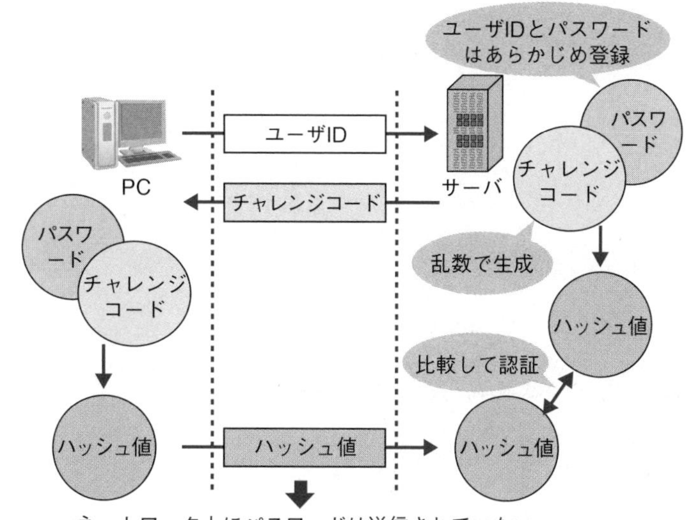

▲図 CHAP

現在、ほとんどのPPP対応通信機器はCHAPをサポートしています。したがって、セキュリティ上は認証プロトコルとしてCHAPを選択し、LCPによるネゴシエーションでPAPを要求された場合は拒否する設定にしておくとよいでしょう。

EAP➡PPP Extensible Authentication Protocol

PPPにおける標準の認証プロトコルはPAPとCHAPですが、CHAPの脆弱性も指摘されているため、オプションの**EAP**もよく利用されています。代表的なEAPとしてはEAP-TLS、MS-CHAP、LEAP、PEAP、EAP-MD5などがあります。

RADIUS

用語 **RADIUS** Remote Authentication Dial-In User Serviceの略。RFC 2138。

参考 もともとは、Livingston Enterpriseが自社アクセスサーバ用に開発したプロトコルだが、現在ではRFC化され、広く利用されている。

リモートアクセスにおける脆弱性に、アクセスサーバのセキュリティがあります。

アクセスサーバは、外界に対してアクセス経路を開いているという点でクラッカーの攻撃対象になりますが、さらに認証のためのユーザID、パスワード情報が蓄積されているためクラッキング時の被害が大きくなります。

RADIUSは、この脆弱性を緩和するためにアクセスサーバと認証ポイントを分離したモデルです。

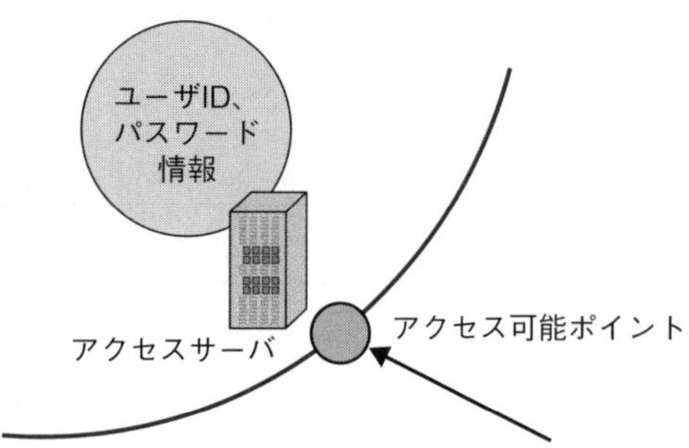

▲図　従来のRAS認証モデル

RADIUSモデルでは、アクセスサーバのことを**RADIUSクライアント**と呼ぶ。

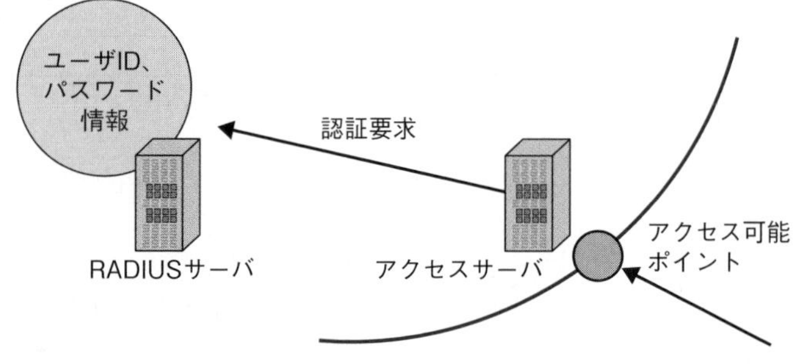

▲図　RADIUSモデル

重要　情報処理試験でよく出題されるのは、1台のRADIUSサーバで64台までのアクセスサーバを管理できるか、CHAP認証はアクセスサーバで復号されるか、といったプロトコルの仕様である。RADIUSにはアクセスサーバの台数制限はなく、認証要求の暗号文はRADIUSサーバ上で復号される。

上の図のようにすることで、仮にアクセスサーバがクラックされた場合でもパスワード情報までに1段階の余裕があります。アクセスサーバとRADIUSサーバの間にファイアウォールを立てる場合もあります。

また、アクセスサーバが増加してくると、ユーザIDの追加登録作業や同期作業が繁雑になりますが、RADIUSサーバであればこれらを一元管理できるため、効率的に運用できます。

DIAMETER

DIAMETERは、認証サーバ用のプロトコルとして広く普及しているRADIUSの後継プロトコルです。RADIUS（半径）に対してDIAMETER（直径）という名称がRADIUSの継承を表しています。

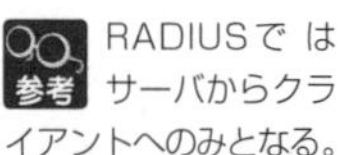RADIUSではサーバからクライアントへのみとなる。

RADIUSとは上位互換性がありますが、RADIUSで不可能だったサーバークライアント間の双方向の情報交換や、ベンダが独自の拡張情報を扱える余地を大きくしたこと、セキュリティの強化など様々な改良が加えられています。

6.7.3　ケルベロス認証

ケルベロス
ギリシャ神話に登場する三つ頭の地獄の番犬。時間を統制する。

MIT（マサチューセッツ工科大学）のアテナプロジェクトにおいて開発された認証方式です。Kerberos Ver5はRFC 1510として登録され、後にRFC 4120に更新されています。

ケルベロス認証は、暗号化に任意のアルゴリズムを選択できることで、将来的な暗号理論の拡張に備えた点と、**レルム**という概念を導入した点が特徴的です。

レルム

レルムは、DNSやWindowsにおけるドメインのような概念です。レルム内においては、ユーザIDやパスワードは一切ネットワーク上を流れません。

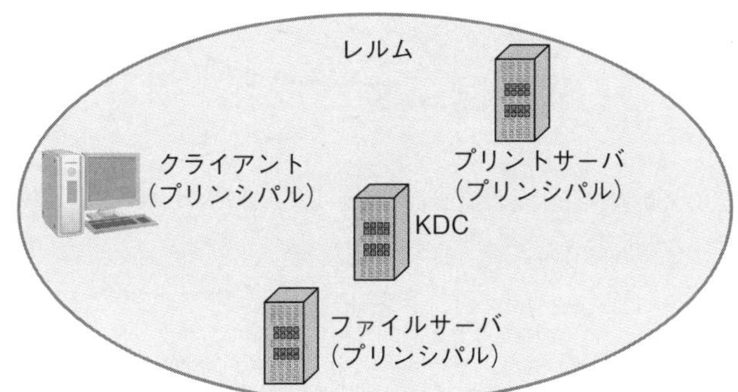

▲図　レルム

KDC➡Key Distribution Center

AS➡Authentication Server

TGS➡Ticket Granting Server

KDB➡Kerberos DataBase server

KDCは、ASプロセスとTGSプロセス、KDBプロセスで構成されています。

- **ASプロセス**
  クライアントの認証を行います。
- **TGSプロセス**
  チケットの発行を行います。
- **KDBプロセス**
  プリンシパルの共通鍵を管理します。

認証プロセスは、以下のとおりです。

プリンシパル
レルム内においてKDCに管理されるすべてのノードを指す用語。

①プリンシパルがASにチケットを要求します。
②ASはKDBを検索し、正当なプリンシパルであれば共通鍵で暗号化したチケットを返信します。
③プリンシパルはチケットをTGSに送信し、サーバの使用許可証を要求します。
④TGSはサーバ使用許可証とサーバ通信に使う共通鍵を返信します。
⑤サーバとの通信を開始します。

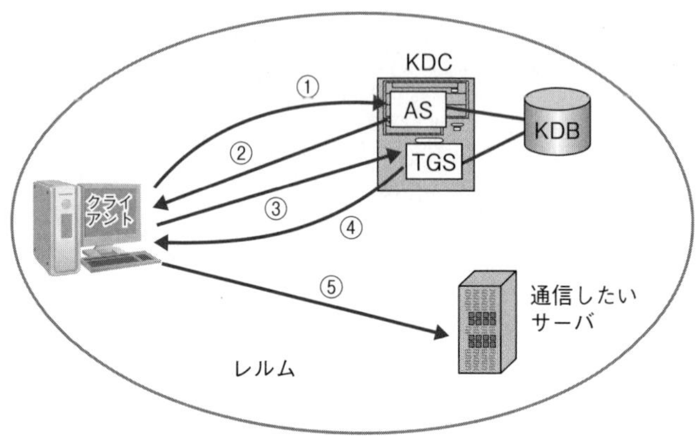

▲**図**　ケルベロス認証の認証プロセス

なお、上記の例ではAS、TGS、KDBを1台のサーバに集中させてKDCを構成しましたが、この場合、KDCがダウンしたりクラックされたりすると認証プロセスがストップします。

セキュリティリスクを軽減するために、それぞれのプロセスを複数のサーバに分散させたり、可用性を向上させるためにバックアップKDCを構成することも可能です。

6.7.4　SSL/TLS

SSL➡Secure Socket Layer

TLS➡Transport Layer Security

SSL/TLS（以下TLS）とは、インターネット環境で広く用いられているセキュリティ通信プロトコルで、**暗号化と認証**の機能を提供します。似たようなプロトコル、例えばIPsecと最も異なるのは**トランスポート層〜セション層において動作**するプロトコルだということです。

参考 単に通信の暗号化を行うだけでなく、相手を確認する(サーバ認証など)機能を持っているということ。

参考 TLSは複数の層にまたがっている。本試験では、「トランスポート層のプロトコル」とも「セション層のプロトコル」とも出題されたことがある。

参考 SSLとTLSは独立したプロトコルだが、類似の技術なので同列に扱われることも多い。そのようなときに、歴史的に普及したSSLを併記してSSL/TLSと表記される。

プログラマの視点では、TLSはTCPの代わりのように機能します。したがって、TCPを利用したプログラムは、ほとんどの場合TLS通信を行うように修正することができます。

実際の通信の動きを見ても、TLSはアプリケーションとTCPの間に、アタッチメントのように挿入されます。なお、TLSの下位プロトコルはTCPで、UDPで動かすことはできません。

もともとネットスケープ社(大手ブラウザベンダ)がWebサーバとWebクライアント間のセキュアな通信を行うために設計したのがSSLです。広く利用されてきましたが、2014年のPOODLE攻撃によりSSLv3の致命的な脆弱性が発覚し、使用を禁止するRFC提案を経て急速に**TLS**(RFC 2246)に移行しました。現在も慣習的にSSLと言われることがありますが、技術的にはTLSに移行しています。

TLSでできること

TLSは、サーバ認証、クライアント認証、セッションの暗号化の3点を行うプロトコルです。認証にはデジタル証明書を使います。TLSでは、サーバ認証とクライアント認証に、それぞれサーバ証明書とクライアント証明書が使えます。サーバ証明書を認証局に発行してもらうときには、その認証の厳しさに応じて3つのパターンが用意されています。

●DV(ドメイン確認)

ドメインの真正性、使用権が確認できれば、取得できる証明書です。一番取得が簡単ですが、本当にそのドメインと企業が一致しているかは分かりません。

→証明書にはドメイン情報しかない。

●OV(組織実在確認)

ドメインの真正性に加えて、その組織の実在を確認しないと発行されない証明書です。信用調査機関やその会社への電話確認を経て発行するので、手続は面倒です。

→証明書に組織情報も記載される。

●EV(拡張確認)

最も厳格な確認プロセスを経て発行される証明書で、CAブラウザフォーラムのEVガイドラインが確認基準として使われます。

この証明書を持っているサイトにアクセスすると、ブラウザのアドレスバーが緑色になります。
→アドレスバーが緑になる。

サーバ認証は必須ですが、クライアント認証は行わなくてもかまいません。暗号化には複数のアルゴリズムを利用でき、ハンドシェイクによってどのアルゴリズムを使うかを決定します。

TCPを利用するアプリケーションは、多くの場合若干の変更を加えることでTLSを利用することができます。アプリケーションが行う通信を安全にしたいと考えている開発者にとって、この手軽さは大きなメリットです。

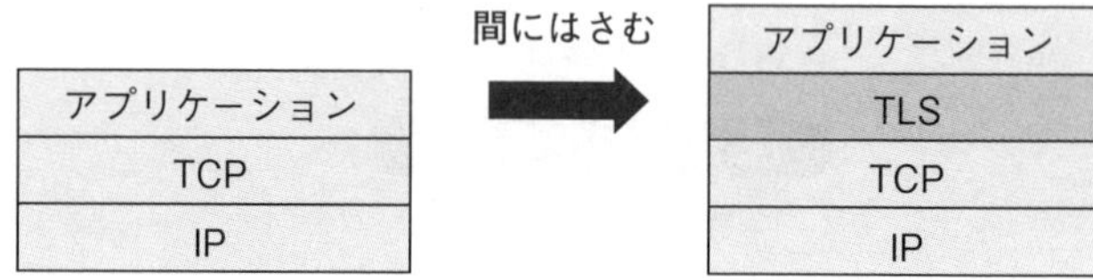

▲図　TLSはTCPで利用しやすい

TLS非対応のアプリケーションを捨ててしまうことは、互換性の問題で現実的でないため、かなりのサーバがTLS非対応アプリとTLS対応アプリを同時に動かす運用を行っています。

このとき、両者を区別する方法としては、次のようなものがあります。

・ 異なるポート番号を使う
・ ネゴシエーション時にリクエストを見て区別する

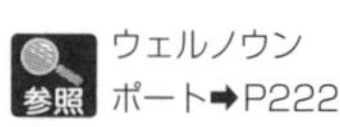
参照 ウェルノウンポート➡P222

前者の方が一般的で、例えばhttpをTLSで保護したい場合にはhttpsというスキームが使われます。httpの**ウェルノウンポート**番号が**TCP80番**であるのに対して、httpsは**TCP443番**です。

また、TLSは暗号化プロトコルであるという切り口で説明されることが多いですが、実際にはデジタル証明書を利用した改ざん検出、ノード認証を含む総合セキュリティプロトコルである点に注意が必要です。

TLSの通信手順

TLSでの通信は「ハンドシェイク」と「データの伝送」の2つの部分に分けることができます。

●ハンドシェイク

ハンドシェイクはサーバを認証して、暗号鍵を作るためのステップです。ここでTCP上にTLSの通信路を構築し、その通信路を使ってデータの伝送を行います。そのため、ハンドシェイクは重要かつ複雑なステップです。本試験で問われるとすれば、ハンドシェイクの部分でしょう。ハンドシェイクの目的は3つです。

1. サーバを認証する
2. 暗号化アルゴリズムを決める
3. 暗号化鍵とMAC鍵を作る

MACはMessage Authentication Codeの略で、メッセージ認証コードと訳す。MACアドレス(Media Access Control address)と混同しないように。

TLSでは複数の暗号化アルゴリズムの使用が許可されています。そのため、クライアントとサーバの間でどの暗号化アルゴリズムを使うかを合意するのが最初のステップです。これは、クライアントが提案し、その中からサーバが選ぶことで決められます。このとき、サーバが送るデジタル証明書を検証することで、サーバの認証も同時に行います。

その次は暗号化通信に使う暗号化鍵とMAC鍵の生成です。これは互いに送り合った乱数と、**プレマスタシークレット**と呼ばれるでたらめな文字列から作られます。プレマスタシークレットはクライアントが作りますが、サーバの公開鍵で暗号化することで安全にサーバに渡すことができます。

TLSは公開鍵暗号と共通鍵暗号を組み合わせたハイブリッド暗号方式。

ここでわざわざ複雑な手順を踏んで鍵をつくるのは、主に以下の理由によります。

それでもTLSの処理はシステムへの負荷が大きいため、暗号処理に特化した専用機器であるTLSアクセラレータが使われることがある。

- サーバの公開鍵だけでは、クライアント→サーバへの一方向通信しかできない。
- 公開鍵暗号は暗号化と復号に非常に時間がかかる。

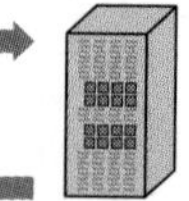

▲図　ハンドシェイク

参考　遡って安全を保てる性質を**前方秘匿性**(Forward secrecy)という。鍵交換に使う秘密鍵が漏洩したとして、漏洩以前に行われた暗号通信が不正に復号されないことを保証する。暗号化を行うセッション鍵を秘密鍵から作っていたりすると、芋づる式に解読される。

図の最後で交換しているMACが分かりにくいかもしれません。MACはメッセージから作るダイジェスト（要約）のことで、メッセージが異なるとMACも異なる性質を持っています。クラッカーが中間者攻撃などで一連の通信に割り込み、鍵などを搾取している場合、メッセージの改ざんが行われます。そこで、最後にメッセージのMACを交換して見比べることで、改ざんの検出、すなわちクラッカーによる攻撃の有無を調べられるわけです。

参照　中間者攻撃(MITM攻撃)➡P376

なお、TLSでは必要があればサーバがクライアントを認証することもできます。その場合、クライアントはサーバが指定する認証局のうち、いずれかのデジタル証明書を入手してWebクライアントにインストールします。

また、TLSではセッションが成立した後に利用するアプリケーション層のプロトコルをネゴシエーションすることも可能です。このために使う拡張仕様を**ALPN**（アプリケーション層プロトコルネゴシエーション）といいます。

クライアントが利用可能なアプリケーション層プロトコルのリストを送り、サーバはその中から利用するプロトコルを選びます。たとえば、HTTP/2とHTTP/1.1のどっちも使えるとクライアントが伝え、ではHTTP/2を使うとサーバが決めるイメージです。

●データの伝送

ハンドシェイクによってサーバを認証し、暗号化アルゴリズムが決まって鍵が交換されると、実際にデータを伝送するステップに入ります。ここで使われるのが、**TLS Record**プロトコルです。

このステップはIPなどと同様、とてもシンプルです。送りたいデータが大きい場合、それを区切って(フラグメント:断片化)、フラグメントごとにヘッダをつけてパケットにし、送信します。

ポイントとなるのは、フラグメントから計算したMACが各パケットに挿入されることと、フラグメントとMACが暗号化されることです。MACが挿入されるのは改ざん対策、暗号化は盗聴+改ざん対策です。

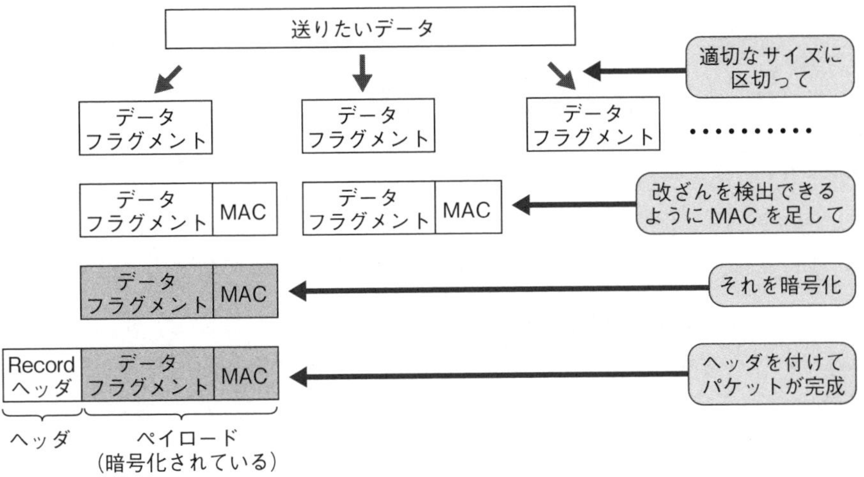

▲図 TLS Record

> 参考 コンテンツのタイプは、
> ・アプリケーションデータ
> ・アラート
> ・ハンドシェイク
> ・チェンジ・サイファ・スペック
> の4つ。

相手ノードやポートを特定する作業はTLSの下位に位置するIPやTCPが処理するため、ここでつけられるRecordヘッダにはコンテンツのタイプ、パケットのサイズ、TLSバージョンの3つが書かれているだけです。

6.8 公共回線におけるセキュリティ対策技術

6.8.1 VPN

VPNは、公共ネットワークの中で仮想的な専用線を作る技術です。物理的専用線は、セキュリティの点でも通信速度の点でも公共ネットワークより優れていますが、通信コストが高価である欠点があります。そこでVPNは、公共ネットワークを仮想的に専用化し、通信コストを引き下げる用途に使われます。

インターネットVPN

参考 インターネットVPNでは、帯域保証はされない。

伝送路としてインターネットを利用します。通信費は低く抑えられますが、基本的にVPNゲートウェイなどの設置や設定はユーザが行う必要があります。インターネットにアクセスできる環境であれば、どのノードからもVPNアクセスを行うことができます。

IP-VPN

参考 基本的には拠点間を結ぶ用途に使われるもので、モバイルユーザが社外からVPN通信するような場合には、インターネットVPNを使わざるを得ないことがある。

伝送路に通信キャリアの広域IP網などを利用するVPNです。インターネットVPNより割高になるケースが多いですが、通信帯域が保証される、保守サービスがある、などの企業向けメニューが揃っています。VPN装置の設定なども、多くの場合キャリアが行います。現在注目されているのがMPLSを使うもので、ラベルによってユーザが分離されることで、通信効率とセキュリティが向上します。

SSL-VPN

認証と暗号化にTLSを利用するVPNの方式です。TLSはトランスポート層、セション層で暗号化と認証を行うため、IPに関連する設定の変更等を意識することなくVPNを構成できる利点があります。ただし、アプリケーションごとにVPNを確立する必要があります。

6.8.2 VPNの基本構成

VPNの基本は、暗号化と認証です。VPNは伝送路として公共回線を利用するため、パケットを暗号化しなければ容易に通信内容を盗聴されてしまいます。また、認証を行うことで、相手のVPNノードの真正性と改ざんの有無を検出します。

6.8.3 VPNの2つのモード

トランスポートモード

重要 トランスポートモードでは、すべてのエンドノードにVPNソフトをインストールする必要がある。

トランスポートモードでは、通信を行う端末が直接データの暗号化を行います。通信経路のすべてにおいて暗号化された通信がやり取りされますが、IPヘッダが暗号化されず、クラッカーに不正アクセスの糸口を与えることがあります。また、端末数が多い場合はインストール作業などの管理工数が増大します。

モバイル機器を利用してインターネットVPNを利用するようなケースでは、トランスポートモードを採用します。

トンネルモード

重要 トンネルモードでは、ローカルネットワークと公共ネットワークの間にVPNゲートウェイを設置する。

トンネルモードでは、VPNゲートウェイを利用して暗号化を行います。VPNゲートウェイを設置するだけで、エンドノードでは透過的な通信ができます。多数の端末を持つネットワークではより簡単な実装方法で、VPN上を伝送されるデータでは送信ノードが送出したIPヘッダも暗号化、カプセル化され、VPNゲートウェイが新たなIPヘッダを付与します。

用語 **IPsecゲートウェイ**
トンネルモードを用いてVPNを行う場合、暗号化と認証を行うVPNゲートウェイが必要になるが、これを**セキュリティゲートウェイ**と呼ぶことがある。VPNにはいくつかのプロトコルがあるが、IPsecを使うものを特にIPsecゲートウェイと呼ぶ。

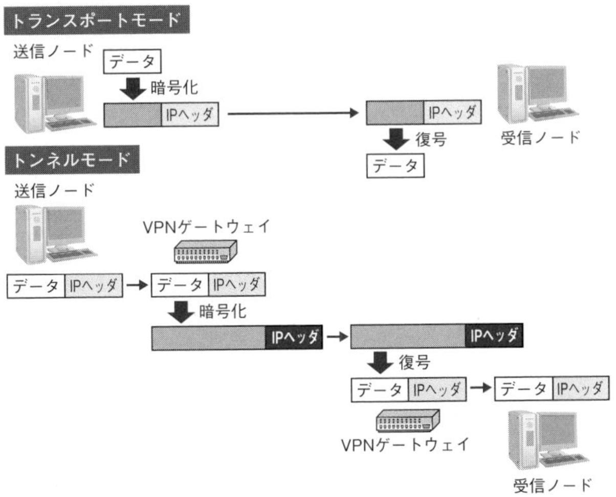

▲図 トランスポートモードとトンネルモード

しかし、VPNゲートウェイを設置する必要があるため、基本的に拠点間を接続する通信モデルとなります。また、ローカルネットワーク内では通信が暗号化されないという欠点もあります。

6.8.4 VPNを実現するプロトコル

VPNを構成するためには、専用のプロトコルが必要です。現在多く利用されているのは**IPsec**と**PPTP**です。どちらを利用しても最終的に出来上がるVPNの機能はほとんど変わりませんが、IPsecはネットワーク層プロトコル、PPTPはデータリンク層プロトコルという点に違いがあります。自社ネットワークの特性を考慮して採用するプロトコルを選択します。

IPsec

IPsecは、IPレベルで暗号化や認証、改ざん検出を行うセキュアプロトコルです。IPv4ではオプション仕様で、IPv6においては標準プロトコルとして採用されています。

IPsecを利用する利点は、従来IPを利用してきた機器が大きな変更なく透過的にセキュアプロトコルを利用できることです。暗号化プロトコルとしては、IPsec以前にもS/MIMEなどが実装されていますが、これらはアプリケーションごとに個別に設定する必要がありました。これは、適用漏れや適用工数の増大を招きます。IPsecを採用し、IP通信そのものを暗号化対象にすればアプリケーションごとにセキュリティを考慮する必要がなくなります。

●IPsecの通信手順

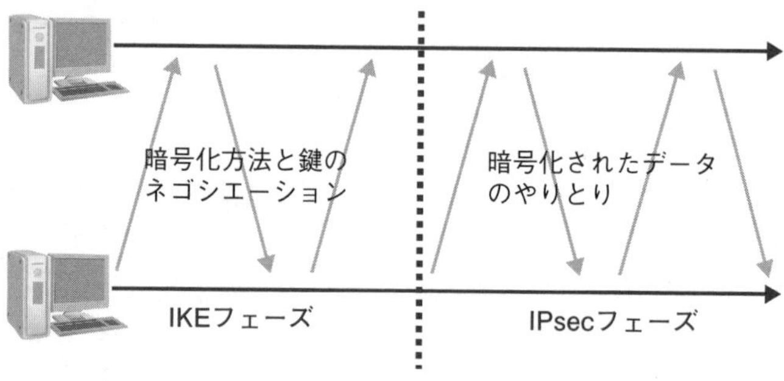

▲図 IPsec通信のスタート

IPsecでは、まずIPsecを適用する条件と方法を定義します。「Aの条件に合致したら、B方式でIPsec通信を確立する」といったもので、この定義のことを**セレクタ**と呼びます。PCやルータ、VPN装置などのノードは、パケットに対してセレクタを適用し、合致した場合はそこで定義されている方法によってIPsec通信を行います。

SA➡Security Association

IPsec通信を行う場合、各ノードは**SA**(セキュリティアソシエーション)という仮想的な通信路を作成します。

IKE Internet Key Exchangeの略。RFC 2409。

まず最初に行われるのは**IKEフェーズ**です。IKEフェーズ用のSA(**IKE SA**)が作られます。SAは片方向の通信しかできないため、送信用と受信用の2本のSAが作られることに注意してください。ここで、暗号化方式の決定と鍵の生成、交換を行います。その性質上、IKEフェーズでは公開鍵暗号が使われます。なお、このタイミングで暗号化アルゴリズムが決定されます。IPsecでは暗号化は中核要素ですが、そのアルゴリズムは将来への拡張に備えて決定されていません。IPsecを実装するスタックが保持しているアルゴリズムの中から任意に選択することになります。そのため、IKEフェーズでは互いのスタックがどのアルゴリズムを利用できるかネゴシエーションします。

NATトラバーサル NAT環境下でVPNを実現する技術。VPNのパケットをUDPでカプセリングすることで元のパケットに手を加えずに通信するため、認証の失敗が起こらない。NAT越えともいう。

IKEv2では要求メッセージと応答メッセージが1つのペア(エクスチェンジ：メッセージ交換の最小単位)となり、処理が進んでいきます。IKEv2には次の4種類のエクスチェンジがあります。

VPNパススルー VPNパケットに対しNAT/NAPTを適用せずに送信元IPアドレスだけを書き換えて素通しさせる技術。トンネルモードのESPでは認証データにIPアドレスが含まれず、送信元が構築したオリジナルのIPヘッダがESPのペイロードに存在するため、TCPやUDPのチェックサム検証で矛盾が生じず、VPN通信が実現できる。しかし、最大セッション数が1つに制限される欠点がある。

▼表　IKEv2の4種類のエクスチェンジ

エクスチェンジ	内容
IKE SA INIT	ネゴシエーションと鍵生成情報の交換を行い、IKE SAを作る
IKE AUTH	保護された通信路であるIKE SAを使って相手を認証する。Child SAを作るためのネゴシエーションと鍵生成情報の交換も行い、Child SAを作る(IKE SA INITとIKE AUTHは必ず連続して実行する)
CREATE CHILD SA	すでに通信路を確保し、認証された相手に対して、連続してChild SAのみを作りたい場合などに、既存のIKE SAを使ってChild SAを作る
INFORMATIONAL	SAの終了やエラー検知に使う

IKEフェーズが終了すると**IPsecフェーズ**に移行し、伝送データを暗号化して送信することが可能になります。IPsecフェーズでは送信用と受信用のSA(**Child SA**)がそれぞれ作成され、送信パケット、受信パケットそれぞれに対して適用されます。この

フェーズでは一般的に共通鍵暗号が使われます。

●ESP

ESP
Encapsulating Security Payloadの略。RFC 2406。暗号ペイロードといい、暗号化されたデータが挿入される部分である。ESPにIPヘッダをプラスして構成したパケットを**IPsecパケット**という。

IPsecで使われるフレーム構造が**ESP**です。ESPには暗号化に必要なSPI情報と、着信時にヘッダ情報をベリファイするためのIPヘッダ(トンネルモード時)、ノードの認証と改ざん検出を行うための認証データが挿入されます。認証データはメッセージダイジェストによって構成されます。

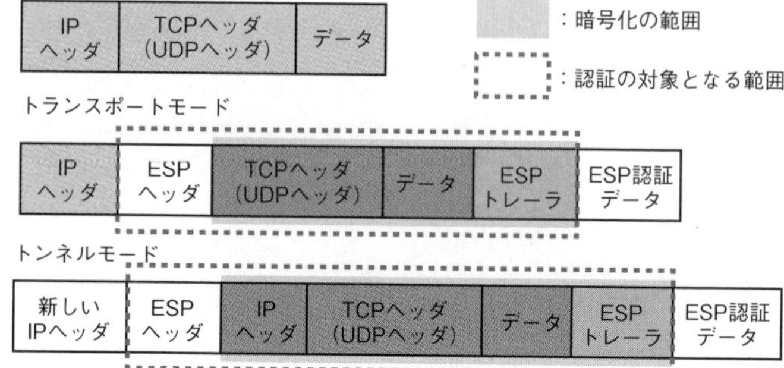

▲図　ESPフレームフォーマット

●AH

IPsecの仕様には**AH**というフレーム構造もあります。これは、認証と改ざん検出を行うもので、ESPと組み合わせて使うことができます。AHは、Authentication Headerの略で、認証ヘッダと訳します。AHヘッダには、IPヘッダとデータ部から作られた**ICV** (Integrity Check Vector)と呼ばれるチェックサムが含まれており、改ざんを検出することができます。

●IPsecの動作モード

IPsecには、**メインモード**と**アグレッシブモード**と呼ばれる2つの動作モードがあります。メインモードはLAN間接続、アグレッシブモードはリモートアクセスでの利用を想定しています。

メインモードでは、通信相手の認証にIPアドレスを用います。そのため、IPアドレスが変更される可能性のある環境では利用することができません。一方、アグレッシブモードでは、通信相手の認証は任意の情報を用いることができます。そのため、DHCP

による動的IPアドレス割当てが行われている環境でも、SAの確立が可能です。

PPTP

PPTP Point to Point Tunneling Protocolの略。RFC 2637。

PPTPは、データリンク層で暗号化や認証、改ざん検出を行うプロトコルです。そのため、ネットワーク層でIPXなどIP以外のプロトコルを利用していてIPsecが使えない環境でも、VPNを構成して、透過的な通信を行うことができます。

IPsecがデータ通信に先立ってIKEフェーズを行うように、PPTPも各種のネゴシエーションを行います。

IPヘッダ	GREヘッダ	PPPヘッダ	IPヘッダ（暗号化）	データ（暗号化）

▲図　PPTPフレームフォーマット

GRE PPTPでは、GRE（Generic Routing Encapsulation）によってPPPフレームをカプセル化する。カプセル化の際に付与されるGREヘッダには、ペイロードのサイズなどが格納されるが、ポート番号の情報は含まれていない。

PPTPのフレームフォーマットは、PPPをもとに構成されています。PPPと異なっているのは、**GRE**というプロトコルでカプセル化する点で、これはESPによるカプセル化と同様です。

IPsecとPPTP

IPsecとPPTPは動作する階層が違うことに注意しましょう。

L2TP

RFC 2661で、PPTPの認証手段などを拡張した仕様を持ちます。セッションにUDPを利用する点がPPTPと異なります。また、1つのトンネルで複数のセッションを張ることができます。

COLUMN

ペネトレーションテスト

システムの脆弱性を発見する方法の一つで、侵入テストとも呼ばれ、セキュリティ監査などで利用されています。監査対象となるシステムに対して、クラッカーが用いる手法で実際に攻撃を行うことに特徴があります。模擬攻撃を行うため脆弱性の発見には効果を発揮しますが、運用には注意が必要です。抜き打ちでペネトレーションテストを行ったため、クラッカーの攻撃だと勘違いした担当者がシステムを停止し、業務運営に支障が生じたという例もあります。実施には慎重な検討が必要です。

6.9 セキュリティ関連規格

6.9.1 CC

参考 現在でも、ISO/IEC 15408をCCと呼ぶことが認められているため、用語の使用には注意が必要。

参考 最も評価が高いのはEAL7だが、EAL5以上は軍事用など特殊な用途に限られる。

1996年に最初のバージョンが発行され、バージョン2がISO/IEC15408として国際標準化されました。現在の最新版はCC/CEMバージョン3.1リリース4です。なお、CEMは、評価に使用される手法を定めた規格です。

規格名	主体	用途	目的
TCSEC	米国防総省（オレンジブック）	元は軍事システム向け	評価基準
CC	ISO（ISO/IEC15408）	商用システムを想定	評価基準
CCRA	欧米6ヶ国7機関	商用システムを想定	CC認証を国際的に相互承認

6.9.2 ISMS

ISMSとは、情報セキュリティマネジメントシステムのことです。国内ではJIPDECが情報セキュリティマネジメントシステム適合性評価制度を運用しており、そこで各種の情報セキュリティマネジメントシステムに関する規格が使われています。

情報セキュリティマネジメントシステムに関する規格は少し複雑なので注意が必要です。まず、規格そのものにベストプラクティスと認証基準の2つの系譜があります。

用語 **ISO/IEC 20000**
ITサービスマネジメントシステムの構築に関する国際標準規格で、近年出題が増加している。マネジメントシステムを構築するという点において、基本的な考え方はISO/IEC 27000などと同じ。英国規格のITILをベースに作られている。

ベストプラクティス

ベストプラクティスとは、組織の情報セキュリティ管理のしくみはこうあるべき、という優れた事例を文書化したものです。英国規格の**BS7799-1**をもとにして、国際標準規格の**ISO/IEC 17799**、国内規格の**JIS X 5080**が作られました。これがさらに改訂されて、国内規格は2006年に**JIS Q 27002**へと、国際標準規格は2007年に**ISO/IEC 27002**へと変更されました。

認証基準

もう1つの**認証基準**は、ベストプラクティスをもとに組織が作り上げた情報セキュリティマネジメントシステムが本当に実効性があり、他の各規約などと整合しているかを審査するために使われます。こちらは、英国規格の**BS7799-2**をもとにして、国内規格のISMS認証基準が作られました。認証基準の国際標準化は遅れていましたが、2005年10月に**ISO/IEC 27001**として公開されました。これを受けてISMS認証基準も2006年5月に**JIS Q 27001**に移行しました。ISMS認証基準は移行期間が終了し廃止されましたが、ISMS適合性評価制度自体は継続している(認証基準がJIS Q 27001になる)ので、間違えないようにしましょう。

用語 JIS Q 27000シリーズの用語
- **情報セキュリティ事象**
情報セキュリティ方針への違反や、対策に不具合がある可能性、セキュリティに関係すると思われる未知の状況。
- **情報セキュリティインシデント**
望まないセキュリティ事象や、予期しない情報セキュリティ事象で、業務運営を危うくしたり、セキュリティの脅威になる可能性が高いもの。

CIA

前述のISO/IEC 15408が製品のセキュリティを規定しているのに対して、ISO/IEC 27001やJIS Q 27001は組織のセキュリティ運用体制を扱っている点に特徴があります。その他、セキュリティについての定義などがなされており、CIAもここで言及されています。

CIAとは、機密性(Confidentiality：許可された正当なユーザだけが情報にアクセスできる)、完全性(Integrity：情報が完全で正確であること。情報の一部分が失われたり、改ざんされたりすると完全性が失われる)、可用性(Availability：ユーザが情報を必要とするときに、いつでも利用可能な状態であること)で、この3つを維持するものが情報セキュリティであるというわけです。

ISMSを構築する手順

参考 午後問題などで狙われる可能性があるので、ざっと流れを覚えておく必要がある。

JIS Q 27001で定義されているISMSの構築の仕方は、以下の通りです。

ISMSの構築の仕方

① ISMSの範囲を定義する

特に適用対象の境界を明確にし、適用を除外する対象についてそれが正当である理由を明文化する。

② ISMSの基本方針を策定する

ISMSの方向性と行動指針を示す。

組織の取組みを明確にする。

経営陣の参画を明確にする。

③ リスクアセスメントの体系的な取組み方法を策定する

リスクアセスメントの方法とリスク評価基準、リスクの受容水準を定める。

④ リスクを特定する

情報資産、脅威、脆弱性を明確にする。

⑤ リスクアセスメントを実施し、リスクを分析・評価する

リスクに対して対応するか受容するかを決定する。

⑥ リスクのための選択肢を特定し、評価する

リスクに対応するための選択肢(リスク最適化、リスク回避、リスク移転、リスク保有)を決定する。

⑦ リスクに対応した管理目的および管理策を選択する

リスクを最適化する場合、管理目的と管理策(JIS Q 27002)を選択する。

⑧ 経営陣から残留リスクの承認を得る

⑨ 経営陣からISMS導入および運用の許可を得る

⑩ 適用宣言書を作成する

選択した管理策と選択しなかった管理策を提示し、理由を説明する。

T 用語 リスク 一般的にリスク=危険だが、リスクが高い(=見返りも大きい)場合があるように、リスクには「不確実性」という意味もある。ここでいうリスクは不確実性の意味合いも持つ。

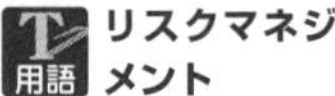

リスクマネジメント
リスクを、許容可能な水準内に収めるために行う活動の総称。

ISMSの雛形としてJIS Q 27002が与えられていますが、業界や業態の違いもあるため、必ずしもすべてに準拠する必要はありません。ただし、導入の必要がないとする管理策については、その理由を明確にする必要があります。同様に、JIS Q 27002にない管理策も、組織にとって必要であれば盛り込むことができます。セキュリティへの取り組みは組織横断的な要素を持つため、経営陣の参画、承認も重要な要素です。

T 用語 デジタルフォレンジックス
情報システムの状態や利用履歴を記録し、公的な証拠能力を担保する水準で保管すること、もしくはそのシステム自体を指す用語。従来のシステムログのような狭義のログだけでなく、広く業務活動全般のログが収集対象となる。

JIS Q 31000シリーズ

リスクマネジメントのやり方はJIS Q 31000シリーズで標準化されています。JIS Q 27000シリーズに基づいてセキュリティマネジメントシステムを構築していくと、リスクマネジメントの実施に直面しますが、両者は整合性を保つように設計されています。

●JIS Q 31000

ISO31000を基に作られた企画で、リスクマネジメントの原則と指針を示しています。この文書は「リスク」を「あらゆる業態及び規模の組織は、自らの目的達成の成否及び時期を不確かにする外部及び内部の要素並びに影響力に直面している。この不確かさが組織の目的に与える影響をリスクという」と定義しています。

●JIS Q 31010

JIS Q 31000シリーズを構成する文書のうちで、リスクアセスメントについて定めたものです。IEC/ISO31010を基にしており、リスクアセスメント技法についてまとめられています。

本試験に出題されるポイントとしては、リスクアセスメントが次のプロセスによって実行されることと、

リスク特定
⬇
リスク分析
⬇
リスク評価
⬇
リスク対応

リスクを分析するときには、リスクが顕在化したときの結果とリスクの起こりやすさを基準にすることを理解しておきましょう。

6.9.3 その他のセキュリティ関連規格

システム監査基準とシステム管理基準

名前が似ているので混同しがちです。本試験でもたびたび狙われるので、セットで覚えておくとよいでしょう。

システム監査基準	システム監査の品質を確保して、有効な監査にするための、システム監査人の行動規範
システム管理基準	経営戦略に沿った情報システム戦略の立案と、それに基づいた効率的な投資、リスク低減をするための実践規範

情報セキュリティ監査制度

専門性が高い「監査」という行為を簡便に行うことを目指して作られた制度で、実施基準、報告基準、個別管理基準(監査項目)策定に関するガイドラインが公開されています。

助言型監査	改善点の助言が主眼
保証型監査	対策が一定の水準に達しているか証明する

JIS Q 15001

「個人情報保護に関するコンプライアンス・プログラムの要求事項」という名称でも問われますが、必ずJIS Q 15001と注釈が入ります。JIS Q 15001は個人情報保護を行うマネジメントシステムが構築されているかを認定するものです。イメージとしてはISMSと同様で、個人情報保護方針の作成、計画、実施・運用、監査、見直しの一連のPDCAサイクルを作ります。

プライバシーマーク制度

日本情報経済社会推進協会(JIPDEC)が運用する認定制度で、個人情報保護の取り扱いが確立されているかを第三者機関が審査・認証します。その際に使われる規格がJIS Q 15001で、認定取得を目指す企業はこれに準拠したマネジメントシステム(JIS Q 15001ではコンプライアンス・プログラムという)を構築する必要があります。

サイバーセキュリティ戦略

サイバーセキュリティ基本法に基づいて、内閣サイバーセキュリティセンターが定めた戦略です。サイバー空間に係わる認識、目的、基本原則、目的達成のための施策、推進体制、今後の取組の各章からなります。

本試験で狙われるのは、自由で安全なサイバー空間を発展させ、経済の持続的発展、安心な社会の実現、国際社会と日本の安全保障を実現するという目的と、5つの基本原則です。

1. 情報の自由な流通の確保
2. 法の支配
3. 開放性
4. 自律性
5. 多様な主体の連携

6.9.4 セキュリティ関連組織

CSIRT

ABC 略語 CSIRT➡ Computer Security Incident Response Team

CSIRTは、情報セキュリティにまつわるインシデントが起きたときに、対応する組織の総称です。初動対応はもちろんのこと、情報を収集しての原因分析までを行います。企業や学校といった組織単位のものから、国際連携を行う大規模なものまで、様々な水準・大きさのCSIRTが混在しています。

JPCERT/CCがまとめたCSIRTガイドは、CSIRTを構築・運用する経営者、CIO、CSIRTメンバのためにCSIRTの組織と活動を説明して、何を行うべきかを明らかにしたものです。どんなインシデントに対応するのか、そのサービス対象によってCSIRTを6つに分類しています。

組織内CSIRT	組織にかかわるインシデントに対応する企業内CSIRT。
国際連携CSIRT	国や地域を対象とするCSIRT。国を代表するCSIRT。
コーディネーションセンター（CC）	他のCSIRTをサービス対象とするCSIRT。各CSIRT間の情報連携や調整を行う。
分析センター	インシデントの傾向分析やマルウェアの解析を行う。
ベンダチーム	自社製品の利用者をサービス対象とするCSIRT。自社製品の脆弱性を見つけ、パッチの配布などを行う。
インシデントレスポンスプロバイダ	CSIRTの機能を有償で請け負う組織。セキュリティベンダが顧客に対して、CSIRTサービスを提供する。

日本を代表するCSIRTとして**JPCERT/CC**という高度な組織がありますが、一方で企業内のCSIRTも重要な役目を果たして

います。組織内CSIRTの重要な役割は、利用者からのインシデント報告を受け、対応することです。また、すべてのインシデントに独力で対応する必要はありません。外部のCSIRTと適切な関係を保ち、状況に応じて依頼できる状況を作っておきます。

インシデント情報はなりすましである場合もあります。改ざんや盗聴がない経路の確保も組織内CSIRTの仕事です。

内閣サイバーセキュリティセンター

ITがますます重要な社会インフラになるにつれ、サイバー攻撃や障害によるリスクは幾何級数的に増大しています。こうした事態に対応するためにサイバーセキュリティ基本法が施行され、第25条により内閣にはサイバーセキュリティ戦略本部が、内閣官房組織令により内閣官房には**内閣サイバーセキュリティセンター**（**NISC**）が設置されました。

サイバーセキュリティ戦略本部は、同じく内閣に置かれるIT戦略本部、NSC（国家安全保障会議）と連携を取りながら緊急事態などに対応します。

内閣サイバーセキュリティセンターは、技術動向を調査・研究し、サイバーセキュリティ政策の中長期計画を立案します。

COLUMN

ISMSとPDCAモデル

ISMSに限らずマネジメントシステムではなんでもそうですが、PDCAサイクルを回すことが極めて重要だと考えられ、ポリシーやマネジメントシステムの中に組み込まれています。Plan（計画：ISMSの確立）、Do（実行：ISMSの導入と運用）、Check（監査：ISMSの監査と見直し）、Act（改善：ISMSの改善）がセットであることを意識しておきましょう。

Planではセキュリティポリシーの定義やリスクアセスメント、Doでは運用管理や従業員の教育訓練、Checkではセキュリティ監査、Actではフォローアップと改善策の策定などを行います。

一方でマネジメントシステムを導入するとPlanやCheckばかりに時間を取られ、価値を生み出すDoの活動が手薄になるという批判もあります。バランスの取れた施策にすることが重要です。

問題1

図は公開鍵暗号方式による機密情報の送受信の概念図である。a、bに入れる適切な組合せはどれか。

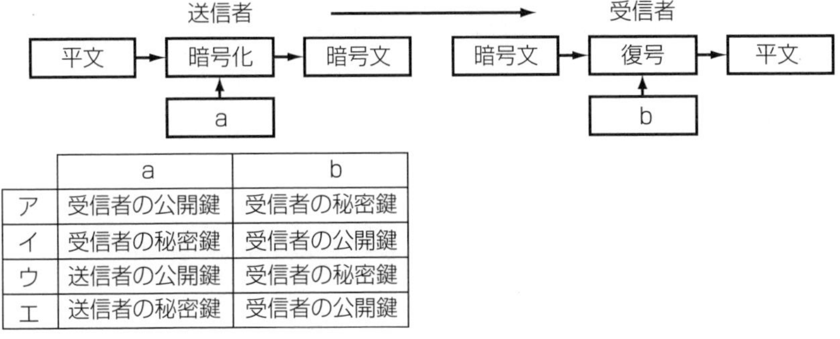

	a	b
ア	受信者の公開鍵	受信者の秘密鍵
イ	受信者の秘密鍵	受信者の公開鍵
ウ	送信者の公開鍵	受信者の秘密鍵
エ	送信者の秘密鍵	受信者の公開鍵

問題2

公開鍵暗号方式によって、暗号を使ってn人が相互に通信する場合、異なる鍵は全体で幾つ必要になるか。ここで、公開鍵、秘密鍵をそれぞれ一つと数える。

ア　$n + 1$　　イ　$2n$　　ウ　$\frac{n(n-1)}{2}$　　エ　$\log_2 n$

問題3

公開鍵暗号方式に関する記述として、適切なものはどれか。

ア　DESやAESなどの暗号方式がある。
イ　RSAや楕円曲線暗号などの暗号方式がある。
ウ　暗号化鍵と復号鍵が同一である。
エ　共通鍵の配送が必要である。

問題4

ポリモーフィック型マルウェアの説明として、適切なものはどれか。

ア　インターネットを介して攻撃者から遠隔操作される。
イ　感染ごとにマルウェアのコードを異なる鍵で暗号化するなどの手法によって、過去に発見されたマルウェアのパターンでは検知されないようにする。
ウ　複数のOS上で利用できるプログラム言語でマルウェアを作成することによって、複数のOS上でマルウェアが動作する。
エ　ルートキットを利用してマルウェアを隠蔽し、マルウェア感染は起きていないように見せかける。

問題5

DNSサーバで管理されるネットワーク情報の中で、外部に公開する必要がない情報が攻撃者によって読み出されることを防止するための、プライマリDNSサーバの設定はどれか。

ア　SOAレコードのシリアル番号を更新する。
イ　外部のDNSサーバにリソースレコードがキャッシュされる時間を短く設定する。
ウ　ゾーン転送を許可するIPアドレスを限定する。
エ　ラウンドロビンを設定する。

問題6

Webコンテンツを提供する際にCDN(Content Delivery Network)を利用することによって，副次的に影響を軽減できる脅威はどれか。

ア　DDoS攻撃
イ　Man-in-the-Browser攻撃
ウ　パスワードリスト攻撃
エ　リバースブルートフォース攻撃

問題7

送信元IPアドレスがA、送信元ポート番号が80/tcpのSYN/ACKパケットを、未使用のIPアドレス空間であるダークネットにおいて大量に観測した場合、推定できる攻撃はどれか。

ア　IPアドレスAを攻撃先とするサービス妨害攻撃
イ　IPアドレスAを攻撃先とするパスワードリスト攻撃
ウ　IPアドレスAを攻撃元とするサービス妨害攻撃
エ　IPアドレスAを攻撃元とするパスワードリスト攻撃

問題8

NTPを使った増幅型のDDoS攻撃に対して、NTPサーバが踏み台にされることを防止する対策の一つとして、適切なものはどれか。

ア　NTPサーバの設定変更によって、NTPサーバの状態確認機能(monlist)を無効にする。
イ　NTPサーバの設定変更によって、自ネットワーク外のNTPサーバへの時刻問合せができないようにする。
ウ　ファイアウォールの設定変更によって、NTPサーバが存在するネットワークのブロードキャストアドレス宛てのパケットを拒否する。
エ　ファイアウォールの設定変更によって、自ネットワーク外からのUDPサービスへのアクセスはNTPだけを許す。

問題9

DNSの再帰的な問合せを使ったサービス妨害攻撃(DNSリフレクタ攻撃)の踏み台にされないための対策はどれか。

ア　DNSサーバをキャッシュDNSサーバと権威DNSサーバに分離し、インターネット側からキャッシュDNSサーバに問合せできないようにする。
イ　問合せがあったドメインに関する情報をWhoisデータベースで確認してからキャッシュDNSサーバに登録する。
ウ　一つのDNSレコードに複数のサーバのIPアドレスを割り当て、サーバへのアクセスを振り分けて分散させるように設定する。
エ　ほかの権威DNSサーバから送られてくるIPアドレスとホスト名の対応情報の信頼性を、デジタル署名で確認するように設定する。

問題10

スパムメールの対策として、宛先ポート番号25への通信に対してISPが実施するOP25Bの例はどれか。

ア　ISP管理外のネットワークからの通信のうち、スパムメールのシグネチャに合致するものを遮断する。
イ　ISP管理下の動的IPアドレスを割り当てたネットワークからISP管理外のネットワークへの直接の通信を遮断する。
ウ　メール送信元のメールサーバについてDNSの逆引きができない場合、そのメールサーバからの通信を遮断する。
エ　メール不正中継の脆(ぜい)弱性をもつメールサーバからの通信を遮断する。

問題11

なりすましメール対策に関する記述のうち，適切なものはどれか。

ア　DMARCでは，“受信メールサーバが受信メールをなりすましと判定したとき，受信メールサーバは送信元メールサーバに当該メールを送り返す”，というDMARCポリシーを設定できる。
イ　IP25Bでは，ISPが自社の受信メールサーバから他社ISPの動的IPアドレスの25番ポートへの接続をブロックする。
ウ　S/MIMEでは，電子メール送信者は，自身の公開鍵を使ってデジタル署名を生成し，送信する電子メールに付与する。電子メール受信者は，電子メール送信者の秘密鍵を使ってデジタル署名を検証する。
エ　SPFでは，ドメインのDNSで，そのドメインを送信元とする電子メールの送信に用いてもよいメールサーバのIPアドレスをSPFレコードにあらかじめ記述しておく。

問題12

パケットフィルタリング型ファイアウォールのフィルタリングルールを用いて、本来必要なサービスに影響を及ぼすことなく防げるものはどれか。

ア 外部に公開していないサービスへのアクセス
イ サーバで動作するソフトウェアのセキュリティの脆(ぜい)弱性を突く攻撃
ウ 電子メールに添付されたファイルのマクロウイルスの侵入
エ 電子メール爆弾などのDoS攻撃

問題13

RADIUSの機能や役割に関する記述として、適切なものはどれか。

ア コンピュータごと、アプリケーションごとに個別に管理されていたユーザ情報を、企業や組織全体のディレクトリ情報として格納し、統括的に管理する。
イ ダイヤルアップ接続を用いた企業内へのリモートアクセスを実現する場合に、ユーザ認証、アクセス制御、アカウント情報を統括管理する。
ウ 複数のLANやコンピュータシステムをインターネットや共用回線を用いて、仮想的に同一のネットワークとして接続する技術であり、守秘性、一貫性を提供する。
エ モバイル通信を対象とするユーザ管理ではなく、イントラネットを対象とするユーザ管理を支援する。

問題14

TLSに関する記述のうち、適切なものはどれか。

ア TLSで使用するWebサーバのデジタル証明書にはIPアドレスの組込みが必須なので、WebサーバのIPアドレスを変更する場合は、デジタル証明書を再度取得する必要がある。
イ TLSで使用する共通鍵の長さは、128ビット未満で任意に指定する。
ウ TLSで使用する個人認証用のデジタル証明書は、ICカードにも格納することができ、利用するPCを特定のPCに限定する必要はない。
エ TLSはWebサーバと特定の利用者が通信するためのプロトコルであり、Webサーバへの事前の利用者登録が不可欠である。

問題15

IPsecのAHに関する説明のうち、適切なものはどれか。

ア　IPパケットを暗号化する対象部分によって、トランスポートモード、トンネルモードの方式がある。
イ　暗号化アルゴリズムや暗号化鍵のライフタイムが設定される管理テーブルで、期間を過ぎると新しいデータに更新される。
ウ　暗号化アルゴリズムを決定し、暗号化鍵を動的に生成する鍵交換プロトコルで、暗号化通信を行う。
エ　データの暗号化は行わず、SPI、シーケンス番号、認証データを用い、完全性の確保と認証を行う。

問題16

デジタルフォレンジックスに該当するものはどれか。

ア　画像、音楽などのデジタルコンテンツに著作権者などの情報を埋め込む。
イ　コンピュータやネットワークのセキュリティ上の弱点を発見するテストとして、システムを実際に攻撃して侵入を試みる。
ウ　巧みな話術、盗み聞き、盗み見などの手段によって、ネットワークの管理者、利用者などから、パスワードなどのセキュリティ上重要な情報を入手する。
エ　犯罪に関する証拠となり得るデータを保全し、調査、分析、その後の訴訟などに備える。

解説

問題1

公開鍵暗号方式は、暗号化と復号に異なる鍵を使うのが特徴の暗号方式です。ペアになる鍵は受信者が作成し、復号鍵（秘密鍵）は手元に残し、暗号化鍵（公開鍵）は送信者に対して公開します。

問題2

公開鍵暗号方式は、送信者と受信者で異なる鍵が使えるため、鍵の数を抑制できるのが特徴です。n人が参加するネットワークで発生する鍵数は、2n個になります。共通鍵暗号方式では、送信者と受信者のペアごとに異なる鍵を用意しなくてはならないため（ペア間では同一の鍵を使う）、鍵の数は$\frac{n(n-1)}{2}$個まで増大します。

問題3

公開鍵暗号方式は、共通鍵暗号方式の二つの欠点を補うために考案されたものです。共通鍵暗号方式は暗号化に使う鍵と復号に使う鍵が共通であることから、処理方式としてシンプルですが、送信者と受信者が同じ鍵を持ち合うための鍵の配送が困難であること、ネットワークに参加する人数が増えると鍵の総量が幾何級数的に増大することが知られています。逆に公開鍵暗号方式の欠点としては、処理に時間がかかることがあげられます。

ア　これらは共通鍵暗号方式の代表的なアルゴリズムです。
イ　正答です。
ウ　暗号化鍵と復号鍵が異なるため、**非対称鍵暗号**とも呼ばれます。
エ　共通鍵を使わないため、鍵の配送問題が発生しません。

問題4

ポリモーフィックやポリモーフィズムはオブジェクト指向の用語でも出てきますが、「多様な」の意味があります。その名のとおり、1つのマルウェアが多様な様相を見せることで、パターンマッチングによる検出を回避します。具体的には、その暗号化方法を変えることで実装します。コードを変えるより、ウイルス作成者にとっては楽な方法です。

問題5

DNSでは、ゾーン情報のオリジナルを保存するプライマリサーバから、**ゾーン転送**によりセカンダリサーバにコピーすることが行われます。このゾーン転送を行えるサーバを限定しておかないと、攻撃者によって不正にアクセスされてゾーン情報を取得されてしまいます。したがって、選択肢ウが正答です。

問題6

CDNによってDDoS攻撃を緩和できると言われています。CDNを利用している場合、オリジナルの配信サーバではなく、各地に分散しているエッジサーバが攻撃対象となります。CDNはもともとが大量のトラフィックをさばく目的のシステムであるため、攻撃を受けても飽和しない可能性があることに加え、オリジナルサーバは攻撃を免れるからです。

問題7

送信されているパケットはSYN/ACKですから、このパケットを送信したマシンはFlood攻撃の被害者であると考えられます。攻撃者がSYNを投げ、それに被害者がSYN/ACKを応答し、そこにACKを返さないことで成立させるDoS攻撃です。したがって、正答はアとなります。問題文の情報から、パスワードリスト攻撃を示唆する兆候はありません。

問題8

NTPは下位プロトコルとしてUDPを使うので、DoS攻撃に狙われやすいサービスの1つです。また、大きなデータを返信するサービスも狙われます。monlistはNTPサーバが直近でやり取りしたノードのリストを返信するのでパケットサイズが大きくなります。これが詐称された送信元アドレスのノードへ集中して返信され、DoS攻撃となるわけです。

問題9

DNSリフレクタ攻撃では、セキュリティ対策されていないキャッシュDNSサーバを踏み台としてトラフィックを増大させ、一斉にアクセスすることで標的サーバのサービスを妨害します。したがって、キャッシュDNSサーバの利用を制限する対策が必要です。選択肢アが正答です。

踏み台になるのは、問題のない組織が運用するサーバがほとんどのため、選択肢イにあるWhoisでの確認は意味がありません。残る選択肢ウはDNSラウンドロビン、選択肢エはDNSSECの説明です。

問題10

OP25BはOutbound Port 25 Blockingの略で、名前が表すとおり、SMTPが使用するTCP25番ポートへの域外送信を防止する技術です。基本的にクライアントからのSMTP要求は自ドメイン内のメールサーバに対して行われるものなので、ドメイン外のメールサーバへSMTPを送信することをブロックするわけです。悪用されやすいSMTP通信をこれで保護することができます。

問題11

なりすましメール対策の代表例に**SPF**があります。DNSを用いることで導入を簡便にしているのが特徴で、「そのドメインからメールが送られてくる場合は、このIPアドレスから」という情報をDNSに保存しておきます。受信者はDNSに問い合わせをすることで、真偽を判断できます。

問題12

パケットフィルタリング型ですので、IPアドレスやポート番号といった情報をもとにフィルタリングを行います。つまり、電子メールやWebといったサービスの単位でフィルタリングしてしまうことになるので、例えば外部へ公開しているサービスに適用して、リスクのある通信のみを除外するといった運用はできません。

問題13

RADIUSとは、ユーザ認証を行うためのプロトコルです。RASサーバに直接パスワードなどの認証情報を蓄積すると、メンテナンスやセキュリティ面で問題が生じるため、認証情報を別に分離して管理することを目的としています。認証情報を持つ管理サーバを**RADIUSサーバ**、そこに接続して認証を依頼するRASサーバなどを**RADIUSクライアント**と呼びます。また、RADIUSでは認証情報だけでなく課金情報なども蓄積、管理することができます。

問題14

ウが正答です。デジタル証明書はICカードに格納できます。実際にお持ちの方も多いと思います。TLSの鍵長制限は256ビットで、イの記述とは異なります。また、デジタル証明書へ組み込む情報はIPアドレスはもちろん、FQDNも使えます。この場合、IPアドレスが変わっても、そのまま証明書を使えます。

問題15

IPsecパケットには、セキュアな機能を実装するための付加情報が添付されます。このうち、認証とパケットの改ざんチェックの機能を持つのが**AH**(Authentication Header)、これらにプラスして、暗号化機能を提供するのが**ESP**(Encapsulated Security Payload)です。AHはIPヘッダとデータ部から作る**チェックサム**(ICV:Integrity Check Vector)で、改ざんの有無を調べます。

問題16

ア　電子透かし(デジタルウォーターマーク)の説明です。
イ　ペネトレーションテストの説明です。
ウ　ソーシャルエンジニアリングの説明です。
エ　正答です。フォレンジックス(forensics)は、forensic scienceとほぼ同義で用いられており、日本語では「法科学」と訳されます。

解答

問題1　ア	問題2　イ	問題3　イ	問題4　イ	問題5　ウ	問題6　ア
問題7　ア	問題8　ア	問題9　ア	問題10　イ	問題11　エ	問題12　ア
問題13　イ	問題14　ウ	問題15　エ	問題16　エ		

第Ⅱ部
長文問題演習
－午後Ⅰ・Ⅱ問題対策－

午後Ⅰ問題の対策

1　ネットワークの更改
2　ネットワーク構成の変更
3　Web システムの更改
4　仮想デスクトップ基盤の導入
5　クラウドサービスとの接続
6　SaaS の導入
7　コンテンツ配信ネットワーク
8　通信品質の確保
9　ネットワーク設計と運用
10 LAN のセキュリティ対策
11 セキュアゲートウェイサービスの導入

午後Ⅱ問題の対策

1　仮想化技術の導入
2　サービス基盤の構築
3　社内システムの更改
4　ECサーバの増強
5　無線LAN
6　標的型メール攻撃
7　IP電話のクラウドサービス移行

午後問題の傾向＆対策

長文問題（午後Ⅰ：3問、午後Ⅱ：2問）、記述式による解答

午後Ⅰ・Ⅱ試験問題の出題分野

午後試験では、受験者の能力がネットワークスペシャリスト試験区分における“期待する技術水準”に達しているかどうかを、**技術の応用能力および実務能力**を問うことによって評価されます。

過去の出題内容	本書（Ⅰ部）の対応する主要な章	過去の出題内容	本書（Ⅰ部）の対応する主要な章
無線LAN	2、3、4	災害対策	4、5、6
ネットワークの再構築	4、5、6	LANの導入	1、3、4、5
ネットワークの移行	3、4	ネットワークの性能設計	1、3、5、6
インターネット利用システム	4、6	リモート接続ネットワーク	3、4、6
運用管理	3、4	障害解決	3、4、5、6
電子メール	4	レイヤ2の技術	3、4、5
開発システムの再構築	3、4	セキュリティ対策	4、6
モバイル端末	3、4、6		

過去6回の試験における出題内容

問題番号	平成30年秋	令和01年秋	令和03年春	令和04年春	令和05年春	令和06年春
午後Ⅰ問1	セキュリティ対策	ネットワークの増強	ネットワークの運用管理	ネットワークの更改	Webシステムの更改	コンテンツ配信ネットワーク
問2	ネットワークの監視	ネットワークの再構築	ネットワークの統合	セキュアゲートウェイサービスの導入	IPマルチキャストによる映像配信の導入	SD-WANによる拠点接続
問3	ネットワークの冗長化	セキュリティ対策	通信品質	シングルサインオンの導入	高速無線LANの導入	ローカルブレイクアウトによる負荷軽減
午後Ⅱ問1	ネットワーク基盤の拡張	クラウドサービスへの移行	社内システムの更改	テレワーク環境の導入	マルチクラウド利用による可用性向上	データセンターのネットワークの検討
問2	SDNと従来型ネットワークの比較	セキュリティ対策	ネット接続環境の更改	仮想化技術の導入	ECサーバの増強	電子メールを用いた製品サポート

合格へのキーポイント

○ 午後Ⅰでは午前問題レベルの知識の応用力が問われる。午前知識を習得するときから、業務と技術のマッチングに気をつけておきたい。

○ 午後Ⅱの問題は長文である。解答のヒントが十分に散りばめられているので、恐れる必要はないが、解答に必要な情報の取捨選択ができるよう設問文を正確に把握しよう。

NOTE 「午前問題の傾向＆対策」は20ページ

Q&A
午後Ⅰ問題の対策

午後Ⅰ問題は、ネットワーク試験の一つの山場です。短い時間で多くの問題に対応し、正確に解答しなければなりません。

午後Ⅱ問題は長文ですが、1問だけを選択すればよくじっくりと問題に取り組めるのに対して、午後Ⅰ問題では2問選択する必要があるため、選択した問題のシステムに素早く馴染む頭の切替えが要求されます。前の問題を引きずって、設問と違うシステムをイメージしないよう注意してください。また、技術知識も午後Ⅱ問題と比較して正確さが必要です。

ここに頭の回転のピークを合わせられるよう、当日の体調を管理しましょう。

本書のサポートページより、解答用紙PDFをダウンロードいただけます。問題演習にご活用ください。

https://gihyo.jp/book/2024/978-4-297-14339-8/support

1 ネットワークの更改

問題の概要

全体のネットワーク構成と、そこにおける個々の通信機器の役割、どこでどんなパケットが発生し、どんな経路で運ばれているかが問われる設問です。ネットワークスペシャリストの問題として極めてオーソドックスといえます。ネットワークとセキュリティはもはや不可分であるため、セキュリティ技術の知識は高い水準で求められます。ここでは認証と認可の違いがテーマになりました。

キーワード

認証
認可
L2SW
ファイル転送
パケット転送

ネットワークの更改に関する次の記述を読んで、設問1～3に答えよ。

〔現状のネットワーク〕

A社は、精密機械部品を製造する中小企業であり、敷地内に事務所と工場がある。事務所には電子メール（以下、メールという）送受信やビジネス資料作成などのためのOAセグメントと、社外との通信を行うDMZが設置されている。工場には工作機械やセンサを制御するための制御セグメントと、制御サーバと操作端末のアクセスログ（以下、ログデータという）や制御セグメントからの測定データを管理するための管理セグメントが設置されている。

センサや工作機械を制御するコントローラの通信は制御セグメントに閉じた設計としているので、事務所と工場の間は、ネットワークで接続されていない。また制御セグメントと管理セグメントの間には、制御サーバが設置されているがルーティングは行わない。

操作端末は、制御サーバを介してコントローラに対し設定値やコマンドを送出する。コントローラは、常に測定データを制御サーバに送信する。制御サーバは、収集した測定データを、1日1回データヒストリアンに送る。データヒストリアンは、ログデータ及び測定データを蓄積する。

A社ネットワークの構成を、図1に示す。

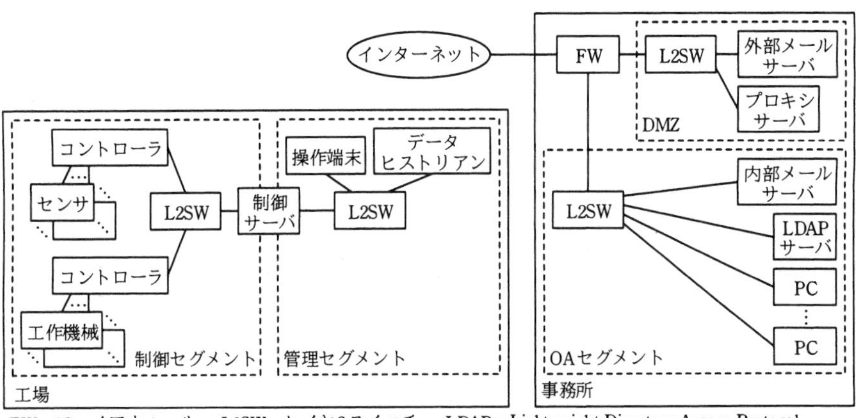

図1　A社ネットワークの構成（抜粋）

ログデータの転送は、イベント通知を転送する標準規格（RFC 5424）の［ a ］プロトコルを利用している。データヒストリアンに蓄積された測定データとログデータは、ファイル共有プロトコルで操作端末に共有され、社員がUSBメモリを用いてOAセグメント内のPCに1週間に1回複製する。

制御サーバ、操作端末及びデータヒストリアンのソフトウェア更新は、必要の都度、OAセグメントのPCでインターネットからダウンロードしたソフトウェア更新ファイルを、USBメモリを用いて操作端末に複製した上で実施される。

A社の社員は、PCでメールの閲覧やインターネットアクセスを行う。OAセグメントからインターネットへの通信はDMZ経由としており、DMZには社外とのメールを中継する外部メールサーバと、OAセグメントからインターネットへのWeb通信を中継するプロキシサーバがある。DMZにはグローバルIPアドレスが、OAセグメントにはプライベートIPアドレスがそれぞれ用いられている。

社員のメールボックスをもつ内部メールサーバと、プロキシサーバは、ユーザ認証のためにLDAPサーバを参照する。プロキシサーバのユーザ認証には、Base64でエンコードするBasic認証方式と、MD5やSHA-256でハッシュ化する［ b ］認証方式があるが、A社では後者の方式を採用している。また、プロキシサーバは、HTTPの［ c ］メソッドでトンネリング通信を提供し、トンネリング通信に利用する通信ポートを443に限定する。

〔ネットワークの更改方針〕

A社では、USBメモリ紛失によるデータ漏えいの防止、測定データのリアルタイムの可視化、及び過去の測定データの蓄積のために、USBメモリの利用を廃止し、工場と事務所をネットワークで接続することにした。A社技術部のBさんが指示された内容を次に示す。

(a) データヒストリアンにあるログデータをPCにファイル送信できるようにする。またPCにダウンロードしたソフトウェア更新ファイルを操作端末にファイル送信できるようにする。

(b) 測定データの統計処理を行い時系列グラフとして可視化するサーバと、長期間の測定データを加工せずそのまま蓄積するサーバをOAセグメントに設置する。

(c) セキュリティ維持のために、工場の制御セグメント及び管理セグメントと、事務所のOAセグメントとの間はルーティングを行わない。

ヒント ルーティングされないということは、L2でつながっているということです。通信はどこまで届くでしょうか。

Bさんは、工場のネットワークを設計したベンダに実現方式を相談した。指示(a)と(c)については、ファイル転送アプライアンス(以下、FTAという)がベンダから提案された。指示(b)と(c)については、ネットワークパケットブローカ(以下、NPBという)、可視化サーバ、キャプチャサーバがベンダから提案された。

Bさんがベンダから提案を受けた、A社ネットワークの構成を、図2に示す。

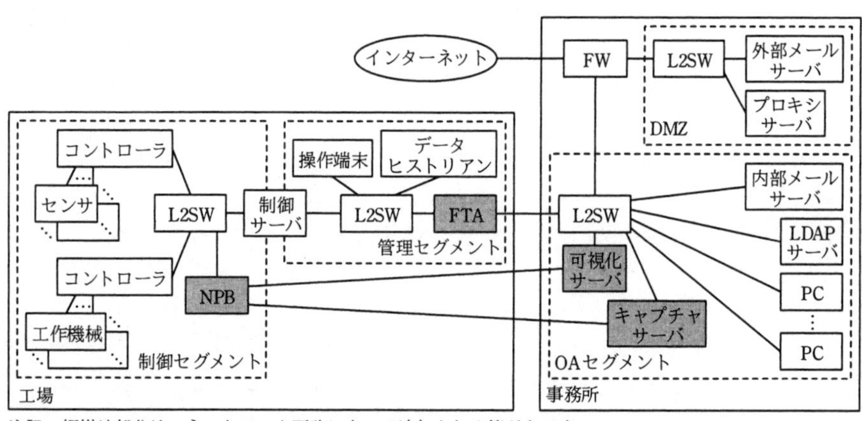

注記　網掛け部分は，ネットワーク更改によって追加される箇所を示す。

図2　ベンダが提案したA社ネットワークの構成（抜粋）

〔管理セグメントとOAセグメント間のファイルの受渡し〕

FTAは、分離された二つのネットワークでルーティングすることなくファイルの受渡しができるアプライアンスである。ファイルの送信者は、①FTAにWebブラウザを使ってログインし、受信者を指定してファイルをアップロードする。ファイルの受信者は、FTAにWebブラウザを使ってログインし、自身が受信者として指定されたファイルだけをダウンロードできる。

FTAの機能を使い、ファイルの受渡しの際に上長承認手続を必須にする。上長への承認依頼、受信者へのファイルアップロード通知は、FTAが自動的にメールを送信して通知する。承認は設定された上長だけが行うことができる。

Bさんが検討したFTAの利用時の流れを、表1に示す。

表1 FTAの利用時の流れ

項番	概要	説明
1	アップロード	送信者は，FTA に HTTPS（HTTP over TLS）でアクセスし，PC 又は操作端末から FTA にファイルをアップロードする。
2	承認依頼	上長宛ての承認依頼メールが，FTA から内部メールサーバに自動送信される。
3	承認	上長は，PC でメールを確認後，FTA に HTTPS でアクセスし，ファイルの中身を確認した上で承認する。
4	ファイルアップロード通知	受信者宛てのファイルアップロード通知メールが，FTA から内部メールサーバに自動送信される。
5	ダウンロード	受信者は，PC でメールを確認後，FTA に HTTPS でアクセスし，ファイルを PC 又は操作端末にダウンロードする。

②指示(c)のとおり、FTAには静的経路や経路制御プロトコルの設定は行わない。③FTAは、認証及び認可に必要な情報について、既存のサーバを参照する。

Bさんは、ベンダからFTAを借りて想定どおりに動作をすることを確認した。

〔測定データの可視化〕

NPBは事前に入力ポート、出力ポートを設定し、入力したパケットを複数の出力ポートに複製する装置である。NPBではフィルタリングを設定して、複製するパケットを絞り込むことができる。可視化サーバは複製されたパケット(以下、ミラーパケットという)を受信して統計処理を行い、時系列グラフによって可視化をすることができる。キャプチャサーバは大容量のストレージをもち、ミラーパケットをそのまま長期間保存することができ、必要時にファイルに書き出すことができる。

Bさんは、NPBの動作の詳細についてベンダに確認した。Bさんとベンダの会話を次に示す。

Bさん：L2SWとNPBの転送方式は、何が違うのですか。

ベンダ：L2SWの転送方式では、受信したイーサネットフレームのヘッダにある送信元MACアドレスとL2SWの入力ポートをMACアドレステーブルに追加します。フレームを転送するときは、宛先MACアドレスがMACアドレステーブルに学習済みかどうかを確認した上で、学習済みの場合には学習されているポートに転送します。宛先MACアドレスが学習されていない場合は［ d ］します。

ヒント　学習済みの場合はピンポイントに、そのノードが存在しているポートに転送できるんですよね。では、学習できていないときは？

これに対してNPBの転送方式では、入力ポートと出力ポートの組合せを事前に定義して通信路を設定します。今回のA社の構成では、一つの入力ポートに対して出力ポートを二つ設定し、パケットの複製を行っています。

NPBの入力は、L2SWからのミラーポートと接続する方法と、ネットワークタップと接続する方法の二つがあります。ネットワークタップは、既存の配線にインラインで接続し、パケットをNPBに複製する装置です。今回検討したネットワークタップを使う方法では、送信側、受信側、それぞれの配線でパケットを複製するので、NPBの入力ポートは2ポート必要です。④今回採用する方法では、想定トラフィック量が少ないので既存のL2SWのミラーポートを用います。NPBにつながるケーブルは全て1000BASE-SXです。

Bさんは、ベンダへの確認結果を基にA社におけるNPBによる測定データの送信について整理した。その内容を次に示す。

- 可視化サーバとキャプチャサーバをOAセグメントに設置する。
- コントローラは、更改前と同様に測定データを制御サーバに常時送信する。
- ⑤制御セグメントに設置されているL2SWの特定ポートにミラー設定を行い、L2SWの該当ポートの送信側、受信側、双方のパケットを複製してNPBに送信させる。
- NPBは受信したミラーパケットを必要なパケットだけにフィルタリングした後に再度複製し、⑥可視化サーバとキャプチャサーバに送信する。

Bさんは、FTA、NPBによるネットワーク接続方式を上司に説明し、承認を得た。

設問1

〔現状のネットワーク〕について、(1)、(2) に答えよ。

(1) 本文中の[a]～[c]に入れる適切な字句を答えよ。

(2) 外部からアクセスできるサーバをFWによって独立したDMZに設置すると、OAセグメントに設置するのに比べて、どのようなセキュリティリスクが軽減されるか。40字以内で答えよ。

設問2

〔管理セグメントとOAセグメント間のファイルの受渡し〕について、(1)～(3) に答えよ。

(1) 本文中の下線①について、利用者の認証を既存のサーバで一元的に管理する場合、どのサーバから認証情報を取得するのが良いか。図2中の字句を用いて答えよ。

(2) 本文中の下線②について、FTAにアクセスできるのはどのセグメントか。図2中の字句を用いて全て答えよ。

(3) 本文中の下線③について、FTAにおいて認証と認可はそれぞれ何をするために使われるか。違いが分かるようにそれぞれ25字以内で述べよ。

設問3

〔測定データの可視化〕について、(1)～(5) に答えよ。

(1) 本文中の[d]に入れる適切な字句を答えよ。

(2) 本文中の下線④について、L2SWからミラーパケットでNPBにデータを入力する場合、ネットワークタップを用いてNPBにデータを入力する方式と比べて、性能面でどのような制約が生じるか。40字以内で述べよ。

(3) 本文中の下線⑤について、1ポートだけからミラーパケットを取得する設定にする場合には、どの装置が接続されているポートからミラーパケットを取得するように設定する必要があるか。図2中の字句を用いて答えよ。

(4) 本文中の下線⑥について、サーバでミラーパケットを受信するためにはサーバのインタフェースを何というモードに設定する必要があるか答えよ。また、このモードを設定することによって、設定しない場合と比べどのようなフレームを受信できるようになるか。30字以内で答えよ。

(5) キャプチャサーバに流れるミラーパケットが平均100kビット／秒であるとき、1,000日間のミラーパケットを保存するのに必要なディスク容量は何Gバイトになるか。ここで、1kビット／秒は10^3ビット／秒、1Gバイトは10^9バイトとする。ミラーパケットは無圧縮で保存するものとし、ミラーパケット以外のメタデータの大きさは無視するものとする。

解答のポイント

基本的なプロトコルや認証手順の流れはつかんでおきたいところです。知っているだけでなく、解答用紙に表現できる力が必要です。これらは別種のスキルになりますから、知識を入れるだけでなく問題演習で力を磨いてください。

理解度チェック

解答➡P459

① 認証とは何ですか？
② 認可とは何ですか？

■設問1の解説

(1)

【空欄a】

RFC 5424はSyslogプロトコルです。ただし、こんなRFCの番号をがりがり暗記する必要はありません。問題文に「イベント通知を転送する標準規格」と書いてくれているので、Syslogであることは導けます。

【空欄b】

Basic認証との対比ならダイジェスト認証だろうと導いてもいいですし、ハッシュ(ダイジェスト)を使うならダイジェスト認証だと結論してもかまいません。基礎的な知識を問う問題ですが、仮に忘れていてもこうした周辺情報から正解を導けるようになっておきたい問題です。

【空欄c】

HTTPでトンネリングを行うために用意されているメソッドは、CONNECTメソッドです。プロキシサーバはパケットを解釈して中継しますが、暗号化されたパケットは解釈できないのでトンネリングしてそのまま通過させるわけです。

(2)

外部からアクセスさせるためには、その通信を許可する必要がありますが、許可する通信が増えれば増えるほどセキュリティリスクは高まります。外部に公開するサーバをDMZにまとめておけば、仮に公開サーバが乗っ取られて踏み台にされたとしても、OAセグメントはFWによって守られています。

■設問2の解説

(1)

図1や図2のなかでユーザ認証に使える資源はLDAPサーバです。〔現状のネットワーク〕に「内部メールサーバと、プロキシサーバは、ユーザ認証のためにLDAPサーバを参照する」とも書かれているので、FTAにおいてもこれを使えばよいとわかります。

(2)

指示(c)は、「セキュリティ維持のために、工場の制御セグメント及び管理セグメントと、事務所のOAセグメントとの間はルーティングを行わない」でした。ルーティングされないということは、レイヤ2で結ばれたセグメントでなければFTAにアクセスできないということです。したがって、FWを介すDMZ、制御サーバを介す制御セグメントからはアクセスできません。

(3)

FTAに絡めていますが、認証と認可の違いを説明できるかを問う設問です。認証はここでは当人認証のことで、そのユーザIDを所持している本人が本当に作業をしているか(具体的にはパスワードが合致しているか)を確認します。認可はその人が何の作業ならしていいかを確認するものです。

■設問3の解説

(1)

宛先MACアドレスがどのポートに接続されているかわかっている場合はそのポートに転送すればOKですが、わからない場合は全ポートに流さないといけません。これをフラッディングといいます。フラッディングするとネットワークが混むんですよね。

(2)

1Gビット/秒のLANケーブルは、上り1Gビット/秒、下り1Gビット/秒の通信を同時に行うことができます(実効速度はもっと遅いにしても)。したがって、上りと下りのパケットを両方キャプチャしてミラーリングすると、出力ポートには最大で2Gビット/秒の帯域が必要になります。しかし、ミラーポートに接続されるのは1000BASE-SXですから2Gビット/秒の通信をさばけません。帯域が不足する可能性があるわけです。

(3)

制御セグメントのL2SWが接続されているのは、(センサを制御する)コントローラ、(工作機械を制御する)コントローラ、制御サーバ、NPBです。NPBは取得したパケットを送り出す先ですから除外します。コントローラ～制御サーバ間の通信をキャプシャしたいわけですから、制御サーバにつながるポートをミラーリングすれば、すべてのパケットを取りこぼしなく取得できます。

(4)

可視化サーバとキャプチャサーバにとっては、自分宛てでない通信を取得することになるので、プロミスキャスモードに設定する必要があります。通常の状態では自分宛てでないフレームは破棄してしまいます。

(5)

平均100kビット／秒のデータを1,000日分ですから、

100kビット×60秒×60分×24時間×1,000日＝8,640,000,000kビット

という計算になります。解答はGバイト単位で求められているので、

8,640,000,000kビット÷8 ＝1,080,000,000kバイト
＝1080Gバイト

を導きましょう。

●解答●

■理解度チェックの解答

① 認証とは、正当かどうかを確かめることです。本人確認においては身元確認と当人認証に分けられるが、本問で問われているのは当人認証です。ユーザIDを持つ本人が確かに作業しているかチェックします。

② 認可とは、その利用者がどんな作業をしていいかを管理することです。同じ社員であっても、部署や階級によって与えられる権限は異なります。

■設問の解答

● 設問1

(1) 【a】Syslog 【b】ダイジェスト 【c】CONNECT

(2) 社外からサーバに侵入されたときにOAセグメントの機器に侵入されるリスク（35文字）

● 設問2

(1) LDAPサーバ

(2) 管理セグメント、OAセグメント

(3) 【認証】FTAの利用者が本人であることを確認するため（22文字）
【認可】操作ごとに実行権限を有するかを確認するため（21文字）

● 設問3

(1) 【d】フラッディング

(2) 送信側と受信側のトラフィックを合計1Gビット／秒までしか取り込めない。（35文字）

(3) 制御サーバ

(4) 【モード】プロミスキャス
【フレーム】宛先MACアドレスが自分のMACアドレス以外のフレーム（27文字）

(5) 1,080

2　ネットワーク構成の変更

問題の概要

ネットワークの構成を動的に変更する手段と、その過程の理解を問うた設問です。ネットワークの構成変更を行う理由はいくつも考えられますが、ここでは障害の発生と復旧に焦点が置かれています。問われている事項はVRRPやSTPなど、この分野の基本をおさえたもので、ひねった出題で困らせてやろうといった意図は希薄といえます。ネットワーク好きの人にとってはわくわくする出題かと思いますので、出題者との知恵比べを楽しみましょう。

キーワード

VRRP
STP
SNMPv2c
BPDU
トラップ

ネットワーク監視の改善に関する次の記述を読んで、設問1～4に答えよ。

A社は従業員数200人の流通業者である。A社のシステム部門では、統合監視サーバ（以下、監視サーバという）を構築し、A社のサーバやLANの運用監視を行っている。

監視サーバは、pingによる死活監視（以下、ping監視という）とSYSLOGによる異常検知監視（以下、SYSLOG監視という）を行っている。現在定義されているLANに関するSYSLOG監視は、ポートのリンク状態遷移、STP（Spanning Tree Protocol）状態遷移及びVRRP（Virtual Router Redundancy Protocol）状態遷移の3種類である。

ある日、“従業員が使用するPCからファイルサーバを利用できない”という苦情が、システム部門に多数寄せられた。調査した結果、ケーブルの断線による障害と判明して対処したが、監視サーバで検知できなかったことが問題視された。

〔A社LANの概要〕

A社は、オフィスビルの1フロアを利用している。A社LANの構成を、図1に示す。

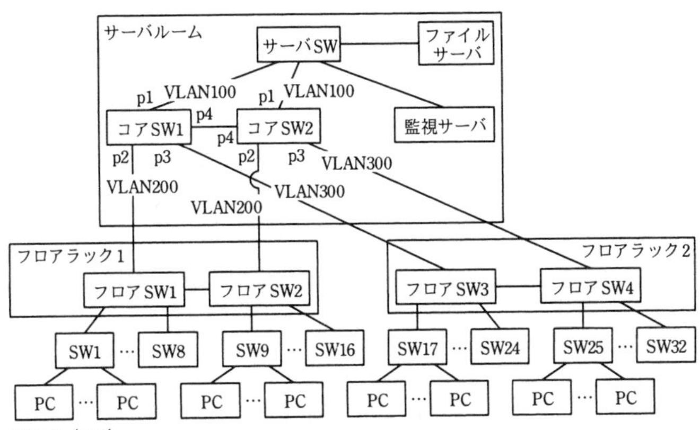

SW：スイッチ
注記1　コアSW1，コアSW2は，レイヤ3スイッチである。
注記2　フロアSW1～フロアSW4，サーバSW，SW1～SW32は，レイヤ2スイッチである。
注記3　p1～p4は，スイッチのポートを示す。
注記4　VLAN100，VLAN200，VLAN300は，スイッチのアクセスポートのVLAN IDを示す。

図1　A社LANの構成（抜粋）

コアSWには、サーバSWとフロアSWが接続されている。サーバSWは、監視サーバとファイルサーバを収容している。フロアSWには、従業員が使用するPCを収容するSWが接続されている。

A社LANは次のように設計されている。

- コアSWには、①VRRPが設定してあり、②正常時は、コアSW1がマスタルータで、コアSW2がバックアップルータとなるように設定している。
- A社LANは、ループ構成を含んでいる。例えば、コアSW1－サーバSW－コアSW2－コアSW1はループ構成の一つである。IEEE 802.1Dで規定されているSTPを用いて、レイヤ2ネットワークのループを防止している。正常時はコアSW1がルートブリッジとなるように設定している。
- コアSWのp1ポート、p2ポート及びp3ポートはアクセスポートで、③p4ポートをIEEE 802.1Qを用いたトランクポートに設定している。

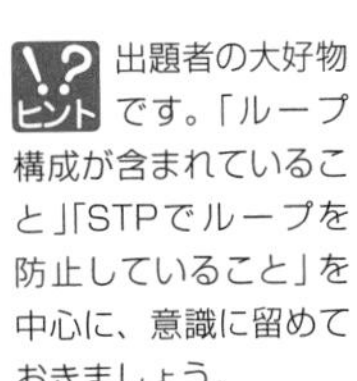
出題者の大好物です。「ループ構成が含まれていること」「STPでループを防止していること」を中心に、意識に留めておきましょう。

〔監視サーバの概要〕

監視対象機器は、コアSW、サーバSW及びフロアSWである。

ping監視には、RFC 792で規定されているプロトコルである［　ア　］を利用する。echo requestパケットの宛先として、監視対象機器には［　イ　］を割り当てる必要がある。

リンクダウンなどの異常が発生した機器は、監視サーバに対して直ちにSYSLOGメッセージを送信する。監視サーバは、受信したSYSLOGメッセージの分析を直ちに行い、定義に従って異常として検知する。SYSLOGは、トランスポートプロトコルとしてRFC 768で規定されている［　ウ　］を用いている。

〔監視サーバの問題〕

ネットワークに異常が発生した際に、監視サーバで検知できなかった問題について、システム部門のB課長は、部下のCさんに障害発生時の状況確認とネットワーク監視の改善策の立案を指示した。

〔障害発生時の状況確認〕

ケーブルの断線による障害発生時の構成を、図2に示す。

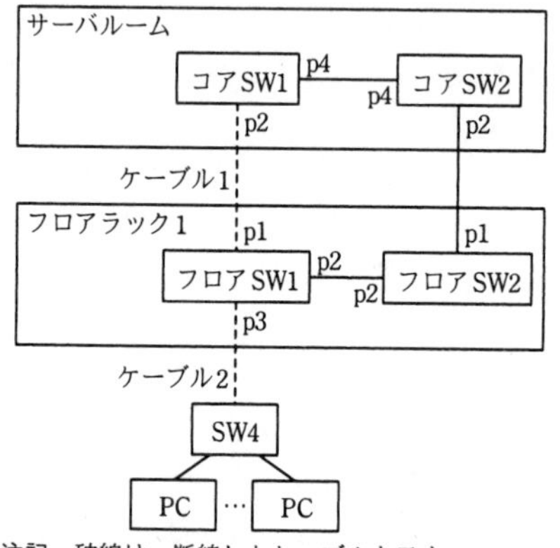

注記　破線は，断線したケーブルを示す。

図2　ケーブルの断線による障害発生時の構成（抜粋）

Cさんが行った状況確認の結果は、次のとおりである。

- 障害発生時、フロアラック1の近くでフロアのレイアウト変更が行われていた。その影響で、フロアSW1のp1ポートとコアSW1のp2ポートを接続するケーブル1が断線した。同時に、フロアSW1のp3ポートとSW4を接続するケーブル2が断線した。
- ケーブル1の断線によって、<u>④フロアSW2のp1ポートのSTPのポート状態がブロッキングから、リスニング、ラーニングを経て、フォワーディングに遷移した</u>。また、監視サーバでは、SYSLOG監視によって、ケーブル1が接続されているポートのリンク状態遷移が発生したことを検知した。

・ケーブル2の断線に伴って⑤フロアSW1が送信した，リンク状態遷移を示すSYSLOGメッセージが監視サーバに到達できなかった。その結果、監視サーバは、ケーブル2が接続されているポートのリンク状態遷移を検知できなかった。

〔ネットワーク監視の改善策の立案〕

Cさんは、ネットワーク監視の改善策として、新たにSNMP (Simple Network Management Protocol) を使って監視することを検討した。Cさんは、監視対象機器で利用可能なSNMPv2cについて調査を行った。

!? ヒント SNMPと書いてもよさそうなところを、わざわざSNMPv2cとマニアックな書き方をしています。何か出題に絡んできそうと思ってください。

SNMPは機器を管理するためのプロトコルで、⑥SNMPエージェントとSNMPマネージャで構成される。SNMPエージェントとSNMPマネージャは、同じグループであることを示す[エ]を用いて、機器の管理情報(以下、MIBという)を共有する。

SNMPの基本動作として、ポーリングとトラップがある。ポーリングは、SNMPマネージャが、SNMPエージェントに対して、例えば5分ごとといった定期的にMIBの問合せを行うことによって、機器の状態を取得できる。一方、トラップは、MIBに変化が起きた際に、SNMPエージェントが直ちにメッセージを送信し、SNMPマネージャがメッセージを受信することによって、機器の状態を取得できる。

Cさんは、⑦5分間隔のポーリング、又はトラップを使用して監視しても、今回発生したネットワークの異常においてはそれぞれ問題があることが分かった。しかし、SNMPのインフォームと呼ばれるイベント通知機能を利用すれば、これらの問題に対応できると考えた。

!? ヒント こういう数値は見せ球のこともありますが、重要な手掛かりになる確率が高いです。特に午後Ⅰでは問題文はさほど長くなく、見せ球を挿入する余地は限られますので、固有の数値などに注意しながら読み進めましょう。

SNMPのインフォームでは、MIBに変化が起きた際に、SNMPエージェントが直ちにメッセージを送信し、SNMPマネージャからの確認応答を待つ。確認応答を受信できない場合、SNMPエージェントは、SNMPマネージャがメッセージを受信しなかったと判断し、メッセージの再送信を行う。Cさんは、⑧今回と同様なネットワークの異常が発生した場合に備えて、SNMPマネージャがインフォームの受信を行えるよう、SNMPエージェントの設定パラメタを考えた。

その後、CさんはSNMPのインフォームを用いたネットワーク監視の改善策をB課長に報告し、その内容が承認された。

設問1

本文中の［ア］～［エ］に入れる適切な字句を答えよ。

設問2

〔A社LANの概要〕について、(1)～(3)に答えよ。

(1) 本文中の下線①について、PC及びサーバに設定する情報に着目して、VRRPによる冗長化対象を15字以内で答えよ。

(2) 本文中の下線②について、バックアップルータはあるメッセージを受信しなくなったときにマスタルータに切り替わる。VRRPで規定されているメッセージ名を15字以内で答えよ。

(3) 本文中の下線③について、p4ポートでトランクポートに設定するVLAN IDを全て答えよ。

設問3

〔障害発生時の状況確認〕について、(1)、(2)に答えよ。

(1) 本文中の下線④について、BPDU（Bridge Protocol Data Unit）を受信しなくなったフロアSW2のポートを、図2中の字句を用いて答えよ。

(2) 本文中の下線⑤について、フロアSW1が送信したSYSLOGメッセージが監視サーバに到達できなかったのはなぜか。“スパニングツリー”の字句を用いて25字以内で述べよ。

設問4

〔ネットワーク監視の改善策の立案〕について、(1)～(3)に答えよ。

(1) 本文中の下線⑥について、SNMPエージェントとSNMPマネージャに該当する機器名を、図1中の機器名を用いてそれぞれ一つ答えよ。

(2) 本文中の下線⑦について、ポーリングとトラップの問題を、それぞれ35字以内で述べよ。

(3) 本文中の下線⑧について、SNMPエージェントが満たすべき動作の内容を、40字以内で述べよ。

解答のポイント

何らかの変更が生じて、事前事後の差を問うたり、変更のプロセスがきちんと追えているかを問う設問は、情報処理技術者試験に限らず作問における王道です。受験者の力量が出やすいところですし、しっかりした論拠を持った問題を作りやすいポイントでもあるからです。ネットワーク構成の場合は、事前事後の経路の差などをしっかり頭に入れて設問を読みましょう。VRRPやSTPなどの主要プロトコルは、何ができるかだけでなく、どんなプロセスで動作するのかも理解して本試験に臨みたいところです。

理解度チェック

解答➡P469

① VRRPとは何ですか？
② STPとは何ですか？

■設問1の解説

【空欄ア】

RFC 792＝ICMPの規定と記憶していれば一発ですが、むしろそのような人は少ないと思います。pingに使われているプロトコルがICMPであることを理解していれば解答できますので、RFCの番号を覚えなくちゃ！ とは思わなくて大丈夫です。

【空欄イ】

ICMPは、もともと信頼性をさほど重視していない構造を持つIPネットワークを運用するに際して、補完的に使うプロトコルです。IPネットワークでの使用が前提になりますので、監視対象機器にはIPアドレスが割り当てられている必要があります。

【空欄ウ】

SYSLOGが下位プロトコル(トランスポートプロトコル)として、何を求めているかを答えさせる設問です。ややマニアックです。というのも、SYSLOGといえば下位プロトコルはUDPを使うことが多いので、それをそのまま解答すれば正答になるのですが、プロトコルの規定上は別にUDPでもTCPでもいいからです。

確実に正答を導こうと考えると、この設問の論拠は「RFC 768であること」しかなく、RFCの番号を覚えている必要があります。

【空欄エ】

SNMPにおいて、管理する側がマネージャ、管理される側がエージェントです。一般的にSNMPマネージャになった機器は、多くのエージェントを管理します。そのため、管理対象のグループを分けることがあります。

たとえば、ある管理者はグループ1の管理情報を見ることしかできないけれど、グループ2では更新もできる、といった運用をします。このグループのことをコミュニティと呼んでいます。

■設問2の解説

(1)

下線①はVRRPと書かれているだけなので、解答の手掛かりにはなりません。情報処理技術者試験はこういうのが多いです。

VRRP (Virtual Router Redundancy Protocol) は定期的に出題される項目で、複数台のルータをまとめて冗長化する目的で使われます。いわゆる本番系がマスタルータ、待機系がバックアップルータです。

障害が起きたときに単純にマスタルータをバックアップルータに切り替えると、IPアドレスの矛盾などが生じ、クライアントはそれを踏まえた通信を行う必要が生じてしまいます。

クライアントに透過的に (障害に気づかせずに) 通信を継続させるために仮想ルータを設定して、クライアントには仮想ルータと通信しているように見せます。これにより、マスタルータがダウンしても、バックアップルータが仮想ルータの設定を引き継ぐことで、スムーズな通信の移行が可能です。

ルータのグループ化ですから、もともとクライアントに対してデフォルトゲートウェイを冗長化するための技術です。この場合も、コアSWはPCやサーバのデフォルトゲートウェイとして振る舞っています。

(2)

VRRPでは、マスタルータは定期的にVRRPアドバタイズメントをマルチキャストして、バックアップルータに正常稼働を伝えています。このアドバタイズメントが受け取れなくなると、バップアップルータはあらかじめ定められたアドバタイズメント (通常、1秒程度) の3倍の時間に優先度を足した時間待って (複数のバックアップルータが同時起動するのを避けるため) 自身をマスタルータに移行させます。

(3)

VLANでは、1つのVLANに所属するポートをアクセスポート、複数のVLANに所属するポートをトランクポートと呼びました。トランクポートは主にスイッチ同士を接続するのに使われます。設問のp4もコアSW1とコアSW2を結んでいます。

たとえば、VLAN200に所属するPCがファイルサーバにアクセスするとき、通常であればコアSW1だけを経由してファイルサーバに至ります。しかし、コアSW1とサーバSWが断線すると、この経路はなくなるため、コアSW2を経由 (p4を使う) しなければなりません。VLAN300に所属するPCについても同様のことが言えます。

したがって、トランクポートにはVLAN100、VLAN200、VLAN300のすべてを登録する必要があります。

■設問3の解説

(1)

設問3はSTP（スパニングツリープロトコル）についての問いです。ネットワークの冗長構成にかかわるプロトコルですが、VRRPとは異なるレイヤ、異なるプロトコルですので、頭を切り替えていきましょう。

スパニングツリーのツリー構造に参加するスイッチはBPDUを交換して、ツリーの状態をループが生じないように絶えず確認します。BPDUにはブリッジID（優先度とスイッチのMACアドレス）が含まれていて、この値を「どのスイッチ（ブリッジ）をルートブリッジにするか」などの判断に使っています。

フロアSW2にはp1とp2のポートがありますが、断線したのはケーブル1でフロアSW1の方向ですから、BPDUを受信しなくなるのはp2側です。

スイッチは障害などでツリー構造に変更が生じた可能性が出ると、スパニングツリーの再構成を行います。そのとき、ポートの状態はブロッキングからスタートして、次のように移行（遷移）していきます。下線④はこの点を説明しています。

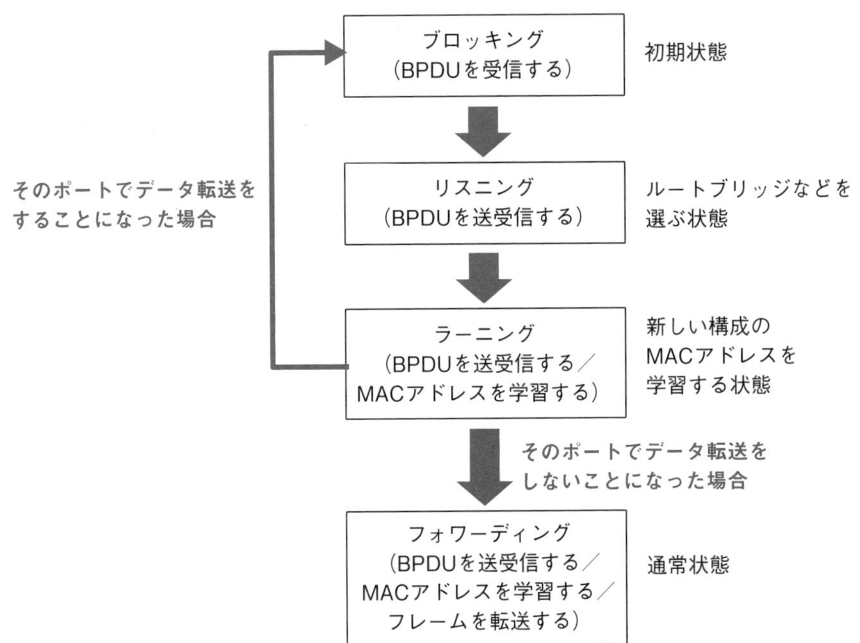

▲図　スパニングツリーの再構成時の状態遷移

(2)

図2だけでは分かりにくいので、図1もあわせてご覧ください。フロアSW1から監視サーバへの経路は、下記のようになります。

フロアSW1 ～ コアSW1 ～ サーバSW ～ 監視サーバ

今回はケーブル1が断線していますが、STPが稼働しているので、下記のように経路を変えての通信が可能なはずです。

フロアSW1 ～ フロアSW2 ～ コアSW2 ～ サーバSW ～ 監視サーバ

それができなかったのであれば、何らかのトラブルが生じています。(1) でも議論したように、スイッチを冗長化するスパニングツリーがまさに再構築している最中だったので、転送が行われなかったのだと導くことができます。

■設問4の解説

(1)

SNMPでは、監視する側はマネージャ、監視される側はエージェントでした。したがって、マネージャは監視サーバになります。

エージェントとして運用すべき機器は、SYSLOG監視の対象であったポートのリンク状態遷移、STP状態遷移、VRRP状態遷移の取得対象と同様です。

したがって、コアSW1、コアSW2、フロアSW1、フロアSW2、フロアSW3、フロアSW4、サーバSWを解答すればOKです。

(2)

下線⑦では、「5分間隔のポーリング」と記されています。人間の感覚では5分は決して長い時間ではありませんが、VRRPやSTPは秒単位で障害の検出と修復を行っています。これと比較すると、異常の発見が遅くなると考えることができます。

SNMPトラップは、エージェントからマネージャにメッセージを送信する機能ですが、到達確認機能はありません。ここではSNMPv2cが使われているので、INFORMなどの他の手段で到達確認をすることはできますが、特に記載がされていません。

(3)

(2) からの続きの設問です。SNMPv2c以降でサポートされているINFORMの説明は問題文中でしてくれているので、難易度は易しくなっています。

この場合、スパニングツリーの再構築が完了して、監視サーバとの通信が再開するまで、INFORMの再送信を継続すれば目的を達成することができます。

●解答●

■理解度チェックの解答

① ルータを冗長化するためのプロトコルです。仮想ルータの背後に複数の物理ルータを紐付けることで、物理ルータに障害が発生しても、利用者(仮想ルータを使っている)からはトラブルがないように見えます。

② スイッチ(ルータではない点に注意)を冗長化するためのプロトコルです。ループが発生して永遠にフレームが巡回し続けることがないように、スパニングツリーが使われています。STPによってスイッチやポートの役割が確定します。

■設問の解答

● **設問1**

【ア】ICMP　【イ】IPアドレス　【ウ】UDP　【エ】コミュニティ

● **設問2**

(1) デフォルトゲートウェイ(11文字)

(2) VRRPアドバタイズメント(13文字)

(3) VLAN100、VLAN200、VLAN300

● **設問3**

(1) p2

(2) スパニングツリーが再構築作業を行っていたから(22文字)

● **設問4**

(1) 【SNMPエージェント】コアSW1、コアSW2、フロアSW1、フロアSW2、フロアSW3、フロアSW4、サーバSW(いずれか1つを解答)
【SNMPマネージャ】監視サーバ

(2) 【ポーリング】状態を取得が5分おきなので、発生タイミングによって異常の検出が遅くなる(35文字)
【トラップ】トラップは到達確認をしないので、情報の未達に気がつかない可能性がある(34文字)

(3) スパニングツリーの再構築が完了して通信が復旧するまでインフォームを再送信し続ける(40文字)

3 Webシステムの更改

問題の概要

バージョン違いは、情報処理技術者試験では焦点になるテーマです。最新知識を仕込んでいたら、古いバージョンの用語から出題があったといった事例もあります。基本的には最新動向をつかみつつ、前バージョンとの違いを意識しておく勉強法が効率的です。

キーワード

HTTP/1.1
HTTP/2
TLS
クラウド
経路設定

Webシステムの更改に関する次の記述を読んで、設問に答えよ。

G社は、一般消費者向け商品を取り扱う流通業者である。インターネットを介して消費者へ商品を販売するECサイトを運営している。G社のECサイトは、G社データセンターにWebシステムとして構築されているが、システム利用者の増加に伴って負荷が高くなってきていることや、機器の老朽化などによって、Webシステムの更改をすることになった。

〔現行のシステム構成〕

G社のシステム構成を図1に示す。

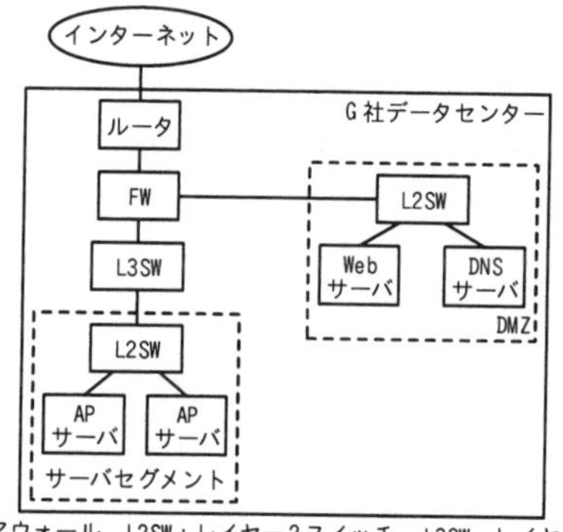

図1　G社のシステム構成（抜粋）

・Webシステムは DMZ に置かれた Web サーバ、DNS サーバ及びサーバセグメントに置かれた AP サーバから構成される。

- ECサイトのコンテンツは、あらかじめ用意された静的コンテンツと、利用者からの要求を受けてアプリケーションプログラムで生成する動的コンテンツがある。
- WebサーバではHTTPサーバが稼働しており、静的コンテンツはWebサーバから直接配信される。一方、APサーバの動的コンテンツは、Webサーバで中継して配信される。この中継処理の仕組みを［ a ］プロキシと呼ぶ。
- DMZのDNSサーバは、G社のサービス公開用ドメインに対する［ b ］DNSサーバであると同時に、サーバセグメントのサーバがインターネットにアクセスするときの名前解決要求に応答する［ c ］DNSサーバである。

〔G社Webシステム構成見直しの方針と実施内容〕

G社は、Webシステムの更改に伴うシステム構成の変更について次の方針を立て、担当者として情報システム部のHさんを任命した。

- Webシステムの一部のサーバをJ社が提供するクラウドサービスに移行する。
- 通信の効率化のため、一部にHTTP/2プロトコルを導入する。

Hさんは、システム構成変更の内容を次のように考えた。

- DMZのWebサーバで行っていた処理をJ社クラウドサービス上の仮想サーバで行うよう構成を変更する。また、この仮想サーバは複数台で負荷分散構成にする。
- 重要なデータが格納されているAPサーバは、現構成のままG社データセンターに残す。
- J社の負荷分散サービス（以下、仮想LBという）を導入する。仮想LBは、HTTPリクエストに対する負荷分散機能をもち、HTTP/1.1プロトコルとHTTP/2プロトコルに対応している。
- Webブラウザからのリクエストを受信した仮想LBは、リクエストのURLに応じてAPサーバ又はWebサーバに振り分ける。
- Webブラウザと仮想LBとの間の通信をHTTP/2とし、仮想LBとAPサーバ及びWebサーバとの間の通信をHTTP/1.1とする。

!? ヒント 区間でプロトコルを分ける運用などは、試験で狙われやすいんです。何かが変わるポイントや結節点になる箇所の記述に注意しましょう。

Hさんが考えたWebブラウザからサーバへのリクエストを図2に示す。

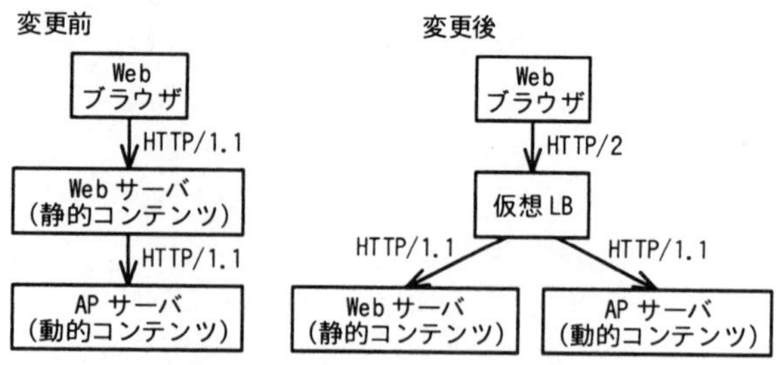

図2 Webブラウザからサーバへのリクエスト

Hさんは、次にHTTP/2プロトコルについて調査を行った。

〔HTTP/2の概要と特徴〕

HTTP/2は、HTTP/1.1との互換性を保ちながら主に通信の効率化を目的とした拡張が行われている。Hさんが注目したHTTP/2の主な特徴を次に示す。

- 通信の多重化：HTTP/1.1には、同一のTCPコネクション内で通信を多重化する方式としてHTTPパイプラインがあるが、HTTP/2では、TCPコネクション内で複数のリクエストとレスポンスのやり取りを［ d ］と呼ばれる仮想的な通信路で多重化している。<u>①HTTPパイプラインは、複数のリクエストが送られた場合にサーバが返すべきレスポンスの順序に制約がある</u>が、HTTP/2ではその制約がない。
- ヘッダー圧縮：HPACKと呼ばれるアルゴリズムによって、HTTPヘッダー情報がバイナリフォーマットに圧縮されている。ヘッダーフィールドには、［ e ］、:scheme、:pathといった必須フィールドがある。
- フロー制御：［ d ］ごとのフロー制御によって、一つの［ d ］がリソースを占有してしまうことを防止する。
- 互換性：HTTP/2は、HTTP/1.1と互換性が保たれるように設計されている。一般的にHTTP/2は、HTTP/1.1と同じく"https://"のURIスキームが用いられる。そのため、通信開始処理において［ f ］プロトコルの拡張の一つである<u>②ALPN (Application-Layer Protocol Negotiation) を利用</u>する。

〔HTTP/2における通信開始処理〕

HTTP/2では、通信方法として、h2という識別子で示される方式が定義されている。その方式の特徴を次に示す。

- TLSを用いた暗号化コネクション上でHTTP/2通信を行う方式である。
- TLSのバージョンとして1.2以上が必要である。
- HTTP/2の通信を開始するときに、ALPNを用いて③クライアントとサーバとの間でネゴシエーションを行う。

Hさんが理解したh2の通信シーケンスを図3に示す。

ヒント シーケンス図が出てくると頭を抱える人もいますが、むしろ正解をほぼ示してくれるヒントの宝庫です。プロトコルの変わり目に着目しましょう。

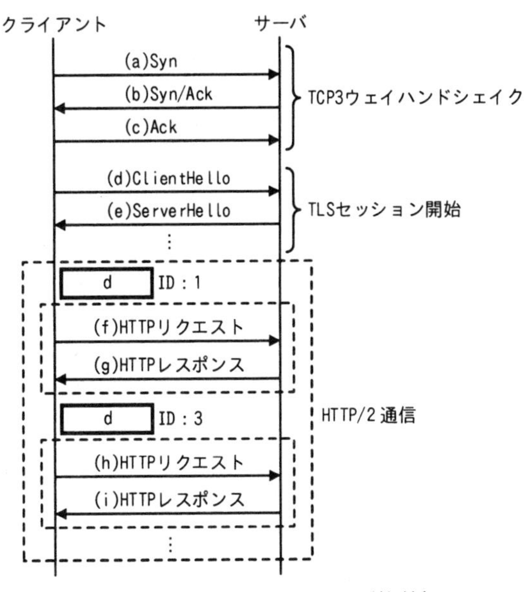

図3　h2の通信シーケンス（抜粋）

このシーケンスによって、上位プロトコルがHTTP/2であることが決定される。

〔新Webシステム構成〕

Hさんは新たなWebシステムの構成を考えた。Hさんが考えた新Webシステム構成を図4に示す。

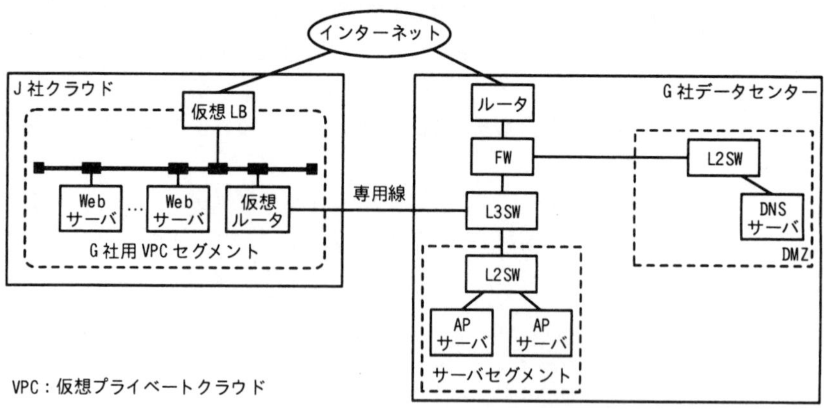

図4　新Webシステム構成（抜粋）

図4の新Webシステム構成に関するHさんの考えを次に示す。

- J社クラウドのVPCサービスを用いて、G社用VPCを確保する。G社用VPCセグメントではIPアドレスとして、172.21.10.0/24を用いる。
- G社用VPCセグメントの仮想ルータとG社データセンターのL3SWとの間を、J社が提供する専用線接続サービスを利用して接続する。専用線接続のIPアドレスとして、172.21.11.0/24を用い、L3SWのIPアドレスを172.21.11.1とし、仮想ルータのIPアドレスを172.21.11.2とする。
- G社データセンターとJ社クラウドとの間で通信できるように、L3SW及び仮想ルータに表1の静的経路を設定する。

表1　静的経路設定

機器	宛先ネットワーク	ネクストホップ
L3SW	ア	イ
仮想ルータ	0.0.0.0/0	ウ

- G社用VPCセグメント中に、仮想サーバを複数起動し、Webサーバとする。
- G社用VPCセグメントのWebサーバは静的コンテンツを配信する。
- G社データセンターのサーバセグメントのAPサーバは動的コンテンツを配信する。

・Webサーバ及びAPサーバは、これまでと同様にG社データセンターのDMZのDNSサーバを利用して名前解決を行う。

Hさんは、J社クラウドの仮想LBの仕様について調べたところ、表2に示す動作モードがあることが分かった。

表2 仮想LBの動作モード

動作モード	説明
アプリケーションモード	レイヤー7で動作して負荷分散処理を行う。
ネットワークモード	レイヤー4で動作して負荷分散処理を行う。

④Hさんは、今回のシステム構成の変更内容を考慮して仮想LBで設定すべき動作モードを決めた。

Hさんは、ここまでの検討内容を情報システム部長へ報告し、承認を得た。

設問1

本文中及び図3中の［ a ］～［ f ］に入れる適切な字句を答えよ。

設問2

〔HTTP/2の概要と特徴〕について答えよ。

(1) 本文中の下線①について、複数のリクエストを受けたサーバは、それぞれのリクエストに対するレスポンスをどのような順序で返さなければならないか。35字以内で答えよ。

(2) 本文中の下線②について、ALPNを必要とする目的は何か。30字以内で答えよ。

設問3

〔HTTP/2における通信開始処理〕について答えよ。

(1) 本文中の下線③について、h2のネゴシエーションが含まれるシーケンス部分を、図3中の(a)～(i)の記号で全て答えよ。

(2) 本文中の下線3について、ネゴシエーションでクライアントから送られる情報は何か。35字以内で答えよ。

設問4

〔新Webシステム構成〕について答えよ。

(1) 表1中の［ ア ］～［ ウ ］に入れる適切なIPアドレスを答えよ。

(2) 本文中の下線④について、Hさんが決めた動作モードを答えよ。また、その理由を“HTTP/2”という字句を用いて35字以内で答えよ。

解答のポイント

HTTP/2の高速化手法であるストリームと、HTTP/1.1のパイプラインとの対比が求められる出題でした。両者をごっちゃにしないよう、注意して空欄を埋めていきましょう。また、本試験ではよくあるパターンですが、主題であるHTTP/2がわからなくても解ける問題がたくさんあります。もし知識があやふやでも、諦めずに落ち着いて解答しましょう。

理解度チェック 解答➡P478

① ストリームとは何ですか？

② パイプラインとは何ですか？

■設問1の解説

【空欄a】

外部からの通信に対し返答する可能性があるのはWebサーバとAPサーバですが、これをWebサーバが集約して処理しています。内部からの通信を集約するプロキシに対して、リバースプロキシと呼びます。

【空欄b】

外部からの問い合わせに対して、自組織のリソースの名前解決を提供するのは権威サーバ(コンテンツサーバ)です。

【空欄c】

主に内部からの問い合わせに対して、権威サーバへの問い合わせを中継し、結果を蓄積しておくのがキャッシュサーバです。DNSレコードの生存時間中はこれを維持し、2回目以降の問い合わせにはキャッシュを使って回答します。

【空欄d】

HTTP/2はHTTP/1.1を発展させたバージョンで、主にHTTP通信を高速化するための技術が盛り込まれています。リクエストとレスポンスを繰り返す際にセッションを維持するストリームはその工夫の一つです。

【空欄e】

CONNECT以外のすべてのHTTP/2リクエストには、:method、:scheme、:pathヘッ

ダーが必要です。

【空欄f】

HTTP/2では事実上、暗号化が必須になっています。TLSによるネゴシエーションを高速化するためのALPNが利用されています。

■設問2の解説

(1)

HTTPパイプラインはレスポンスを待たずにリクエストを複数送信できるHTTP/1.1の高速化技術ですが、リクエストとレスポンスの順番が整合している必要があります。そのためボトルネックになりがちで、これを改善したのがHTTP/2のストリームです。

(2)

TLSではセキュアな通信路を確保した上で、その上位のアプリケーション層でどのようなプロトコルを使うのかネゴシエーションを行います。ここで使われるのがALPN（アプリケーション層プロトコルネゴシエーション）です。

■設問3の解説

(1)

設問2でも検討しましたが、TLSにおいて上位のアプリケーション層で使うプロトコルをネゴシエーションするための拡張仕様がALPNです。

図3を見ると、(a)～(c)はTCPの3ウェイハンドシェイク中でまだTLSのセッションがスタートしていません。いっぽう、(f)以降はすでにアプリケーション層プロトコルが決定して、HTTP通信が始まっています。したがって、TLSにおけるハンドシェイクをしている(d)、(e)が正しいと導けます。

(2)

ALPNは利用するアプリケーション層のプロトコルを交渉・決定するためのプロトコルですから、そのノードで使用可能なアプリケーション層プロトコルの情報が交換されます。

■設問4の解説

(1)

【空欄ア、イ】

このL3SWはG社データセンターに属する機器で、J社クラウドに接続するための設定ですから、宛先ネットワークはG社用VPCセグメントに割り当てられた172.21.10.0/24です。ネクストホップはJ社仮想ルータのIPアドレスである172.21.11.2を設定します。

【空欄ウ】

仮想ルータから見たネクストホップはG社L3SWでなくてはなりませんから、172.21.11.1であることが確定します。

(2)

〔G社Webシステム構成見直しの方針と実施内容〕の本文や図2に、変更後のHTTP通信の種類が書かれています。

・Webブラウザ～仮想LB間　　HTTP/2
・仮想LB ～ APサーバ及びWebサーバ間　　HTTP/1.1

つまり、仮想LBはHTTPを解釈して、バージョンを変換することが求められています。表2から、それが可能なのはレイヤー7で動作するアプリケーションモードです。

● 解答 ●

■理解度チェックの解答

① ストリームはHTTP通信の高速化技法です。HTTPでは連続してリクエストとレスポンスが出現しますが、複数の応答にまたがってセッションを維持します。

② パイプラインも同じくHTTP通信の高速化技法ですが、リクエストとレスポンスの順番が一致している必要があり、そこがボトルネックになりがちでした。

■設問の解答

● 設問1

【a】リバース　【b】権威　【c】キャッシュ
【d】ストリーム　【e】:method　【f】TLS

● 設問2

(1) リクエストを受けたのと同じ順序でレスポンスを返す必要がある。(30文字)
(2) 通信開始時にTCPの上位のプロトコルを決定するため (25文字)

● 設問3

(1) (d)、(e)
(2) クライアントが利用可能なアプリケーション層のプロトコル (27文字)

● 設問4

(1) 【ア】172.21.10.0/24　【イ】172.21.11.2
【ウ】172.21.11.1
(2) 【動作モード】アプリケーションモード
【理由】HTTP/2リクエストをHTTP/1.1に変換して負荷分散するから (33文字)

4 仮想デスクトップ基盤の導入

問題の概要

出題者が好んで用いるようになったトピック「仮想化」が取り上げられています。仮想化は今後も出題が継続すると予想されるので、正しい知識を習得しておくのが望ましいですが、仮に「仮想化」についての対策が不足していた場合でも、諦めないことが重要です。比較的新しいトピックの場合、その技術の大半は問題文中で説明されることがほとんどです。この問題でも、「仮想化」についての知識を問うのではなく、基本的なシステム移行のポイントや、ネットワーク図を見ての運用上のポイントによって、多くの設問が構成されています。

この問題には数式が登場するため、本試験時にはそれを理由に他の問題を選んだ受験者もいました。数式を回避する方は多いのですが、むしろ長大な文章題を読み解くより簡単なので、積極的に計算問題に取り組みましょう。

キーワード

VDI
TC
バーストトラフィック
シェーピング
C&Cサーバ

仮想デスクトップ基盤の導入に関する次の記述を読んで、設問1～4に答えよ。

T社は、従業員数500人の建設会社で、全国10か所に支店がある。T社では、従業員1人にPC1台を貸与し、従業員は設計業務や電子メール（以下、メールという）、Webサイトの閲覧などにPCを活用している。現在、各従業員のPC内のハードディスクには、T社の秘密情報を含む書類が保存されている。そこで、T社では、情報セキュリティ強化を図るために、仮想デスクトップ基盤（以下、VDIという）を導入することを決めた。そのための事前調査、検討から設計までを情報システム部のUさんが担当することになった。

〔現行ネットワークの概要〕

T社の現行ネットワーク構成を図1（次ページ）に示す。

各拠点は広域イーサ網で接続されており、アクセス回線の契約帯域は、本社が1Gビット／秒、各支店が100Mビット／秒である。インターネット接続回線は、拠点ごとに契約しており、契約帯域は本社が100Mビット／秒、各支店が40Mビット／秒である。

図1を見るとファイルサーバは1つしかないようです。ということは、支店からファイルサーバを使いたいときには、通信が発生しますよね。

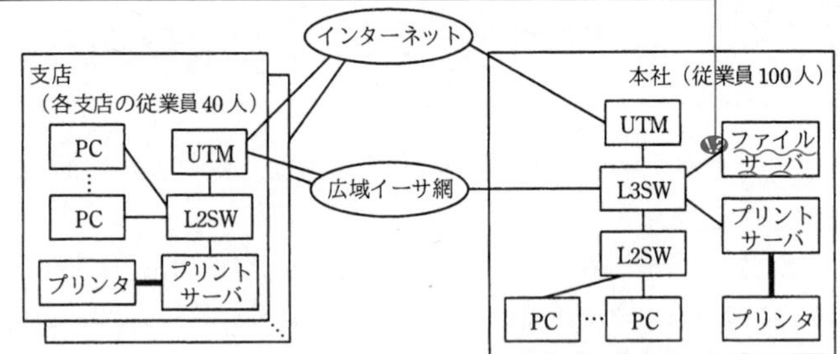

L2SW：レイヤ2スイッチ　L3SW：レイヤ3スイッチ　UTM：Unified Threat Management
広域イーサ網：広域イーサネットサービス網
注記1　L2SW，L3SW，UTMは，全てのポートがギガビットイーサネットである。
注記2　プリンタとプリントサーバは，USBケーブルで接続されている。

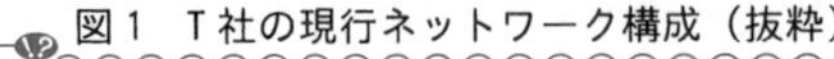
図1　T社の現行ネットワーク構成（抜粋）

図2と見比べましょう。違っているところがあるはずですが……。

現行ネットワークでは、次の3種類の通信が行われる。

(1) ファイル転送通信

・設計資料の共有、バックアップのために、PCがファイルサーバと通信を行う。

・ピーク時に必要な帯域は、本社従業員向けに200Mビット／秒、全ての支店従業員向けの合計が800Mビット／秒である。

(2) プリント通信

・設計資料の印刷のために、PCから自拠点に設置しているプリントサーバに印刷データを送信する。

・印刷量は拠点によって異なるので、必要な帯域は把握していない。PCからプリントサーバに印刷データを送信したときは、①一時的に大量の帯域を使用する。

(3) インターネット通信

・インターネット上のWebサイトの閲覧、ISPが提供するメールサービスの利用のために、PCがWebサーバ、メールサーバと通信を行う。

〔VDIの事前調査〕

Uさんは、PC単位のプログラム実行環境（以下、仮想PCという）をソフトウェアで実現するVDIと、従業員が仮想PCを操作するために使うシンクライアント（以下、TCという）について調査した。調査結果は次のとおりである。

(1) VDIを実現する装置とその関連装置

- VDIサーバ：VDIを組み込んだサーバ
- TC：ハードディスクなどの情報蓄積機能がないPC

(2) VDIの動作概要

- VDIは、VDIサーバ上に仮想PCをTCと1対1で生成する。そのとき、VDIは仮想PCに対してIPアドレスを動的に割り当てる。
- VDIは、VDIサーバ上に仮想スイッチ(以下、仮想SWという)を生成する。仮想PCは仮想SWとの接続によって、外部との通信が可能になる。
- 仮想SWは、外部接続用のポートにVDIサーバの物理NIC (Network Interface Card)を使用する。

(3) 仮想PCから行われる通信

- 画面転送通信：仮想PCの画面をTCに転送する。TC1台が使用する帯域は、最大200kビット／秒である。
- ファイル転送通信、プリント通信及びインターネット通信：使用帯域は、現行と同じである。

〔SSL可視化装置・標的型攻撃対策装置の導入〕

Uさんは、T社のサイバーセキュリティ対策の一環として、VDIとともにSSL可視化装置と標的型攻撃対策装置を導入して情報セキュリティ強化を図ることにした。そのためにUさんが選定した装置は、次のとおりである。

- SSL可視化装置：平文で行われる通信だけでなく、SSL/TLSによる暗号化通信も監視するために、暗号化通信の復号、復号した通信データを標的型攻撃対策装置に転送、復号した通信データを再度暗号化する装置
- 標的型攻撃対策装置：マルウェアに感染した仮想PCがインターネット上のC&C (Command & Control) サーバと行う不正通信を検知し、C&CサーバのIPアドレスを特定する装置

〔ネットワーク構成の検討〕

(1) VDI導入後のネットワーク構成案

Uさんは、これらの事前調査の結果から、VDIサーバなどの装置を本社に設置することにした。Uさんが考えたVDI導入後のネットワーク構成案を、図2に示す。

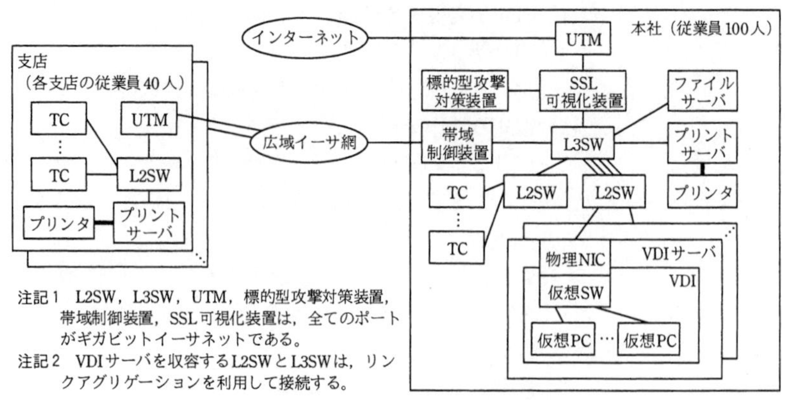

図2 VDI導入後のネットワーク構成案（抜粋）

ヒント 図1と見比べましょう。違っているところがあるはずですが……。

VDI導入後は、②支店のインターネット接続回線を廃止し、本社のインターネット接続回線の契約帯域を1Gビット／秒に変更する。

(2) VDI導入後の広域イーサ網

③本社と支店間の広域イーサ網を経由する通信は、VDIの導入で変化する。Uさんは、広域イーサ網のアクセス回線の契約帯域について、次のとおり整理した。

- 現行のアクセス回線の安全率は、“アクセス回線の契約帯域÷ピーク時に必要な帯域＝［ a ］”である。VDI導入後も現行の安全率を確保する。
- 全従業員が同時に仮想PCを利用しても、TCの操作に遅れが発生しないようにするためには、画面転送通信の帯域を確保する必要がある。
- 印刷量を把握できないプリント通信の帯域は確保しない。
- VDIの導入でアクセス回線の契約帯域を下げることができる。契約帯域は現行の安全率を考慮した最低限必要な帯域とし、本社は［ b ］Mビット／秒、各支店は［ c ］Mビット／秒に変更する。
- プリント通信も広域イーサ網を経由するので、本社から広域イーサ網方向の通信に対して、帯域制御が必要になる。

!? ヒント 帯域制御を考慮したとはいうものの、把握できないから検討から外した項目があるようです。その通信が増えるとまずそうです。

〔帯域制御の設計〕

(1) 帯域制御装置の機能

Uさんは、ネットワークセグメントの構成変更が不要で、帯域制御を行うことができる帯域制御装置の導入を決めた。Uさんが選定した装置の機能は、次のとおりである。

- パケットを送出するときに、支店ごとに二つの制御（分類制御、送出制御）が可能である。
- 分類制御では、IPアドレス、ポート番号などでパケットを分類し、グループ化する。グループ化の単位をクラスとし、クラス単位でキューを割り当て、パケットを格納する。
- 送出制御では、クラス単位の帯域確保の制御と、同一支店への複数クラスのパケットに対するシェーピングが可能である。

(2) 帯域制御方式の設計

装置の機能を踏まえ、Uさんが考えた帯域制御方式の設計は、次のとおりである。

- 最初にパケットは、IPアドレスで宛先の支店が決定され、支店ごとに設定した分類制御、送出制御に送られる。
- 分類制御では、画面転送通信のクラスとそれ以外の通信のクラスを定義する。各クラスへのパケットの分類は、ポート番号で識別して行う。
- 送出制御では、④画面転送通信のクラスに、各支店の従業員が同時に仮想PCを利用するときに、最低限必要な帯域を確保する設定を行う。
- それ以外の通信のクラスでは、帯域確保の制御を行わない。このクラスに分類されたパケットは、帯域が空いているときにだけ送出される。
- ⑤シェーピングの設定は、各支店における広域イーサ網のアクセス回線の契約帯域とする。

〔仮想PCのマルウェア感染時の対応〕

仮想PCに感染したマルウェアは、別の仮想PCに感染拡大を試みる場合がある。仮想PCでは物理的にLANケーブルを抜くことができないので、従来の対処方法は利用できない。そこで、Uさんが考えた対策案は、次のとおりである。

- ある仮想PCで、ウイルス対策ソフトがマルウェアの感染を検知したときは、情報セキュリティ管理者がその仮想PCを隔離すべきか否かを判断する。隔離するときは、VDIのコンソールを使って、その仮想PCを［ ア ］から切り離す。

・ 標的型攻撃対策装置が、ある仮想PCの通信からC&Cサーバの IPアドレスを特定したときは、本社のUTMにフィルタリングを設定する。被害の拡大を防ぐために、他の仮想PCも含めてC&Cサーバと通信を行うことを防ぐ必要があるので、"送信元＝［ イ ］、宛先＝［ ウ ］、ポート番号＝任意、動作＝拒否"のフィルタリングルールを設定し、インターネット方向の通信を遮断する。

その後、VDIの導入に関するUさんの報告書は企画会議で承認され、導入の準備を開始した。

設問1

本文中の下線①の現象を引き起こすトラフィックを何というか。15字以内で答えよ。

設問2

〔ネットワーク構成の検討〕について、(1)～(3)に答えよ。

(1) 本文中の下線③について、VDI導入前に広域イーサ網を経由する通信を一つ、VDI導入後に経由する通信を二つ、本文中の通信名を用いてそれぞれ答えよ。

(2) 本文中の［ a ］～［ c ］に入れる適切な数値を求めよ。

(3) 本文中の下線②について、インターネット接続回線を廃止する理由を、インターネット通信に着目して30字以内で述べよ。また、現行ネットワーク構成と比べたときの情報セキュリティ対策上の利点を30字以内で述べよ。

設問3

〔帯域制御の設計〕について、(1)、(2)に答えよ。

(1) 本文中の下線④について、帯域確保の設定を行わなかった場合、TCの操作性が悪化することが懸念される。TCの操作性が悪化する原因を、プリント通信の特性に着目して25字以内で述べよ。

(2) 本文中の下線⑤について、本社から各支店方向の通信の帯域が、各支店のアクセス回線の契約帯域を超過したときに、帯域制御装置がパケットに対して行う制御の内容を、15字以内で述べよ。

設問4

本文中の［ ア ］～［ ウ ］に入れる適切な字句を答えよ。

解答のポイント

VDIの設定に目が行きますが、移行前、移行後の変化とそれにともなうトラブルの発見・回避というオーソドックスな出題形式が踏襲されています。新規のトピックに惑わされずに、問題の本質をおさえましょう。帯域制御の問題では、「安全率」という過去問であまり見かけない用語が出てきますが、仮に知識がなくても問題文からの情報で正答が導けるように構成されています。

理解度チェック 解答➡P489

① この問題において、仮想PCとシンクライアントはどこに存在しますか？ また、データの実体はどこに存在しますか？
② レイテンシとは何ですか？

■設問１の解説

下線①には、「一時的に大量の帯域を使用する」と書かれています。トラフィックが集中して、この状態になることをバーストトラフィックと呼びます。この設問自体は、バーストトラフィックという用語を知っているかどうか、知識一発的な設定になっていますが、通信のバースト特性については理解しておきましょう。

通信は、「急に」、「爆発的に」発生することがよくあります。この性質を通信のバースト特性と呼び、その結果生じる大量のトラフィックがバーストトラフィックです。新製品の発売直後に予約の通信が殺到する、レポート提出日前に印刷の通信が集中するといった例が身近にあります。

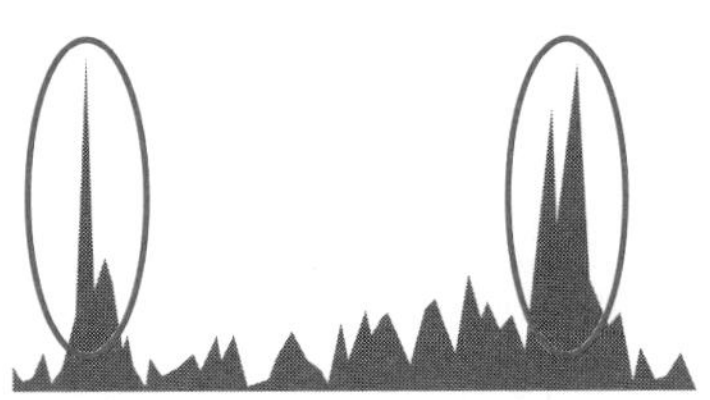

図 バーストトラフィック

理屈の上では、バーストトラフィックを収容できるように回線容量を設計すればよいのですが、ほとんどの時間帯においてはバーストトラフィックの数％といったトラフィックしかなく、過剰設備となります。

■設問２の解説

(1)

下線③は、「本社と支店間の広域イーサ網を経由する通信は、VDIの導入で変化する」ことを指摘しています。何らかの変更を行った前後、Before and Afterの違いを問う出題は定番です。この設問では、「何らかの変更」＝「VDIの導入」です。

VDI導入以前の状況は、図1に示されています。各支店がインターネット接続回線を個別に契約しています。

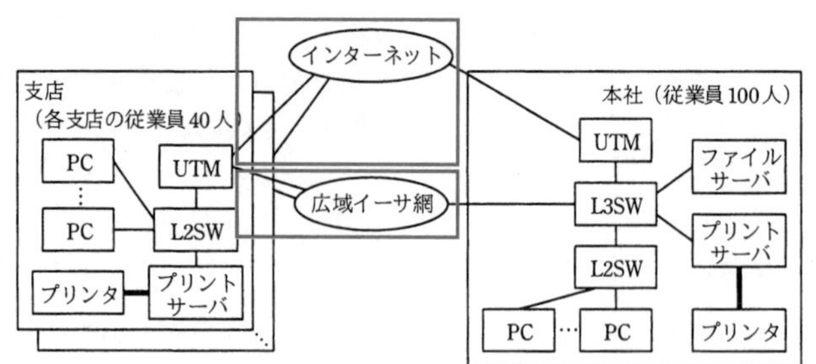

L2SW：レイヤ2スイッチ　L3SW：レイヤ3スイッチ　UTM：Unified Threat Management
広域イーサ網：広域イーサネットサービス網
注記1　L2SW，L3SW，UTMは，全てのポートがギガビットイーサネットである。
注記2　プリンタとプリントサーバは，USBケーブルで接続されている。

図1　T社の現行ネットワーク構成（抜粋）

一方、VDI導入以降の状況は図2に示されており、各支店のインターネット接続回線が廃止され、広域イーサ網にまとめられていることが分かります。

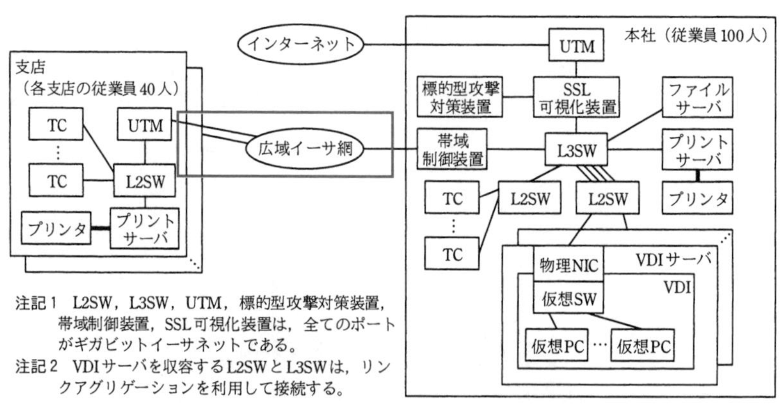

図2　VDI導入後のネットワーク構成案（抜粋）

VDI導入以前は、各支店～本社間の通信は2つの経路（インターネット、広域イーサ網）があったので、それを切り分けて解答を導くことが重要です。〔現行ネットワークの概要〕から、ファイル転送通信、プリント通信、インターネット通信の3つの通信が行われることが分かりますが、そのうちプリント通信は「自拠点に設置しているプリントサーバに印刷データを送信する」とされているため、支店内で通信が完結します。また、インターネット通信は、ISPのWebサーバ、メールサーバを使うため、インターネットを使うことが自明です。

したがって、支店のPCと本社のファイルサーバが通信する「ファイル転送通信」だけが広域イーサ網を使います。

VDI導入以降の通信については、支店と本社の通信経路が広域イーサ網にまとめられるため、支店のTCと本社の仮想PC間にどんな通信が発生するかをまとめればOKです。〔VDIの事前調査〕に「仮想PCから行われる通信」として、画面転送通信とファイル転送通信、プリント通信、インターネット通信が記述されています。このうち、画面転送通信とプリント通信はTCと仮想PC間のやり取りが必要になるので、これを解答します。ファイル転送通信は本社内で、インターネット通信は本社とインターネット間で通信が完結するので、広域イーサ網は経由しません。

表 VDI導入前の通信経路

通信名	経路（支社⇔本社）
ファイル転送通信	PC→L2SW→UTM→広域イーサ網→L3SW→ファイルサーバ
プリント通信	PC→L2SW→プリントサーバ
インターネット通信	PC→L2SW→UTM→インターネット

表 VDI導入後の通信経路

通信名	経路（支社⇔本社）
画面転送通信	TC←L2SW←UTM←広域イーサ網←帯域制御装置←L3SW←L2SW←仮想PC
プリント通信	TC←L2SW←UTM←広域イーサ網←帯域制御装置←L3SW←L2SW←仮想PC
インターネット通信	インターネット←SSL可視化装置←L3SW←L2SW←仮想PC
ファイル転送通信	ファイルサーバ←L3SW←L2SW←仮想PC

(2)

【空欄a】

アクセス回線の契約帯域÷ピーク時に必要な帯域＝［ a ］であることが示されているので、それぞれに数値を当てはめます。現行の通信であることに注意してください。ファイル転送通信が計算の対象となります。

- アクセス回線の契約帯域＝1Gビット／秒
- ピーク時に必要な帯域＝800Mビット／秒

したがって、1Gビット／秒÷800Mビット／秒＝1.25であることが導けます。ポイントとして、本社従業員向けに必要な帯域である200Mビット／秒を加算してしまわないことが重要です。これは本社内で通信が完結します。

【空欄b、c】

VDI導入後の話になりますので、画面転送通信とプリント通信が計算の対象となります。〔VDIの事前調査〕から、画面転送通信に必要な帯域はTC1台あたり200kビット／秒です。各支店の従業員は、図1により40人と確定しているので、各支店において発生する通信は次の計算で求められます。

200kビット／秒×40＝8000kビット／秒＝8Mビット／秒

本社では10支店からの通信が集中するので、この10倍の80Mビット／秒のトラフィックが発生します。「印刷量を把握できないプリント通信の帯域は確保しない」ことが明記されているため、上記の通信量に、安全率を乗じる計算を行います。

【本社】80Mビット／秒×1.25＝100Mビット／秒
【支店】8Mビット／秒×1.25＝10Mビット／秒

(3)

現在、各支店がインターネット接続回線を利用している目的は、〔現行ネットワークの概要〕に示されている「インターネット通信」を行うことです。システムがVDIへと移行すると、「インターネット通信」は仮想PC～インターネット間で行われるようになるので、各支店でのインターネット接続回線は不要になります。

また、インターネット接続回線は、インターネットからのアクセスを受ける可能性がある、セキュリティ上の重要管理項目です。現状では支店ごとにインターネット接続回線があるため、管理コストが嵩んでいることが予想されます。VDI導入後はインターネット接続回線が本社に集約されるため、監視が簡素化され、セキュリティ水準も向上します。

■設問３の解説

(1)

プリント通信に関しては、VDI導入以前も導入以降も仕様に変更がありません。これまでの検討で、印刷量は拠点によって異なるので、必要な帯域を把握していないことと、プリント時にバーストトラフィックが発生することが分かっています。そのため、帯域制御を行わないと画面転送通信の帯域が圧迫され、TCの操作に遅延が生じることが予想されます。

(2)

シェーピングとは、ネットワークが混雑したときに、送信するパケットを抑制する（送信を遅らせる）ことで混雑を緩和する手法です。帯域制御装置は、この処理を行います。

■設問４の解説

【空欄ア】

仮想PCであっても、基本的な感染対策は物理PCと同じです。感染した、あるいは感染が疑われるPCはネットワークから切り離すことが、重要な初動処理となります。ただし、ネットワークはかなり抽象的な言葉ですので、解答欄に書く前に注意したいところです。この設問の場合は、図2にネットワーク図が示されていて、仮想PCが仮想SWに接続されていることが分かります。したがって、切り離す対象は「仮想SW」とした方がより題意に適していると考えられます。

【空欄イ、ウ】

〔仮想PCのマルウェア感染時の対応〕の記述から、C&CサーバのIPアドレスは特定できていることが分かります。したがって、宛先についてはC&Cサーバが当てはまります。C&Cサーバとの通信を遮断するのが最も重要な対応だからです。送信元は、「他の仮想PCも含めて」すべての機器がC&Cサーバと通信することを禁止しなければなりませんから、「任意」であると導けます。

● 解 答 ●

■理解度チェックの解答

① ・仮想PC：本社のサーバ
・シンクライアント：本社と支社のTC
仮想デスクトップ環境では、データセンタなどの物理サーバ上で多数の仮想PCが稼働します。担当者が使う手元の端末としてTCが置かれますが、ここには画面データだけが転送されます。担当者が手元で処理しているように感じるデータは、仮想PC側に置かれています。

② データの伝送要求から、結果が返されるまでの遅延のことです。レイテンシが発生しないように、各種の帯域制御が行われます。パケットの送信を抑制するシェーピングもその一つです。

■設問の解答

● 設問1

バーストトラフィック

● 設問2

(1) 【VDI導入前に経由する通信】ファイル転送通信
【VDI導入後に経由する通信】画面転送通信、プリント通信

(2) 【a】1.25　【b】100　【c】10

(3) 【理由】本社の仮想PCがインターネット通信を行うから（22文字）
【利点】回線が本社に集中し、セキュリティ管理がしやすい（23文字）

● 設問3

(1) 画面転送通信がプリント通信の伝送データに圧迫される（25文字）

(2) パケットの送信を遅延させる（13文字）

● 設問4

【ア】仮想SW　【イ】任意　【ウ】C&Cサーバ

5 クラウドサービスとの接続

問題の概要

　クラウドとの接続とありますが、出題の主題はVPNです。VPNではパケットのカプセル化、アドレス変換、プロトコル変換などが行われるため、どうしても動作が複雑になります。出題者にとっては問題が作りやすいポイントですし、実務を進める上でも理解しておきたいポイント（トラブルが起こりがち）であるため、よく取り上げられます。この問題では冗長構成が盛り込まれることで、ネットワークの構成がさらに複雑になっています。基本的な駆動原理を理解しておくことで、それが組み合わされても惑わされずに正答を導けます。

キーワード

クラウドサービス
VPN
IP in IP
IPsec
トランスポートモード
MTU

社内ネットワークとクラウドサービスとのネットワーク接続に関する次の記述を読んで、設問１～４に答えよ。

　K社は、中堅の加工食品販売会社である。K社では、幾つかあるシステムのうち、販売管理システムを更改する予定である。販売管理システムは、K社製品の在庫の管理、販売計画及び販売実績の管理に使用されている。

〔クラウドサービスとのネットワーク接続の検討〕

　販売管理システムの更改に当たって発足したプロジェクトチームが検討を進めた結果、L社が提供しているクラウドサービス（以下、L社クラウドサービスという）を利用する案が有力視されている。そこで、L社クラウドサービスを試験的に利用して評価することになった。プロジェクトチームのOさんが、K社ネットワーク（以下、K社NWという）とL社クラウドサービスとのネットワーク接続を担当することになった。L社クラウドサービスのサービス仕様に従ってOさんが考えた、L社クラウドサービスとのネットワーク接続構成を図1に示す。

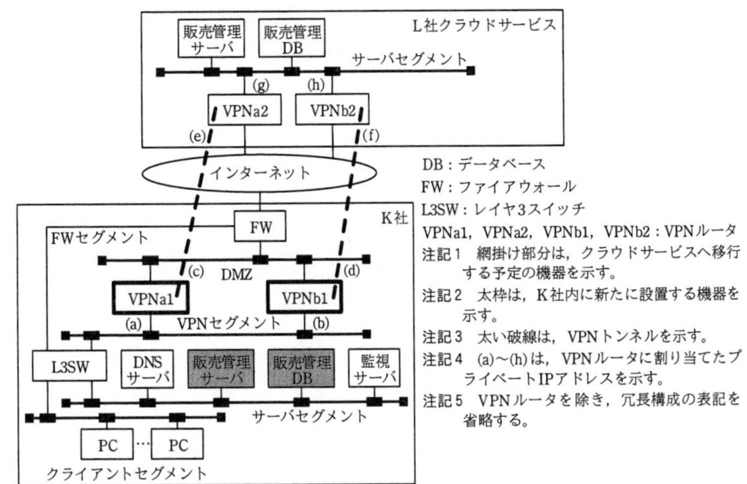

図1 L社クラウドサービスとのネットワーク接続構成（抜粋）

図1のL社クラウドサービスとのネットワーク接続構成の概要は、次のとおりである。

- L3SWにVPNセグメントを作成する。VPNルータとしてVPNa1とVPNb1を新たに設置し、DMZとVPNセグメントに接続する。
- VPNa1はVPNa2との間に、VPNb1はVPNb2との間に、VPNトンネルを構成する。
- VPNトンネルは、VPNa1側をアクティブ、VPNb1側をスタンバイとする。
- VPNa1、VPNb1及びL3SWの間ではOSPFで経路情報の交換を行う。
- L社クラウドサービス内では、評価のために、販売管理サーバと販売管理DBを構築し、K社NWのクライアントセグメントから利用できるようにする。
- K社NWのクライアントセグメントのPC及びサーバセグメントのサーバには、L3SWをデフォルトゲートウェイとして設定する。また、L3SWには、FWをデフォルトゲートウェイとして設定する。
- K社NWのPCとサーバには、プライベートIPアドレスを割り当てる。PC及びサーバからインターネットへのWeb閲覧などの通信は、FWでIPアドレスとポート番号の変換処理である［　ア　］を行う。

〔インターネットVPN接続の検討〕

L社クラウドサービスのVPNルータとK社NWのVPNルータでは、互いのグローバルIPアドレスを利用して、RFC 1853に記載されているIP in IPを用いて、トンネルが構成される。このトンネルの通信を、IPsecを用いて暗号化する。

暗号化は、フェーズ1と呼ばれるIKE SAの確立、フェーズ2と呼ばれるIPsec SAの確立を経て行われる。

フェーズ1では、接続する相手を認証する方式として、両方の機器であらかじめ、［　イ　］と呼ばれる同じ鍵を共有する方式を利用する。

フェーズ2では、①IPヘッダを暗号化対象とするトンネルモードではなく、IPヘッダを暗号化対象としないトランスポートモードを選択する。

ヒント：MTUは1回に送信できるパケットやフレームの最大サイズです。パケットサイズが大きくなると、これを超過してしまうのではないでしょうか。ということは……。

IP in IPでトンネルを構成し、更にIPsecを用いて暗号化することによって、②元のIPパケットと比較してパケットサイズは大きくなる。そこで、IP in IPで作成されたトンネルインタフェースではMTUのサイズを適切な値に設定し、さらに、トンネルインタフェースを通過するパケットのTCP MSS (Maximum Segment Size) を適切な値に書き換える。

ヒント：静的経路制御ではなく、動的経路制御を選択する理由は2つあります。1つは経路情報がたくさんあっても、自動でテーブルを作れて手間が省けること。もう1つは……。

〔K社NWとL社クラウドサービスとの経路情報の交換の検討〕

L社クラウドサービスとのネットワーク接続では、静的経路制御、又はBGPを用いた動的経路制御を選択できる。Oさんは、③BGPを用いた動的経路制御を選択した。

Oさんが考えた、K社NWとL社クラウドサービスとの経路情報の交換の概要を図2に示す。

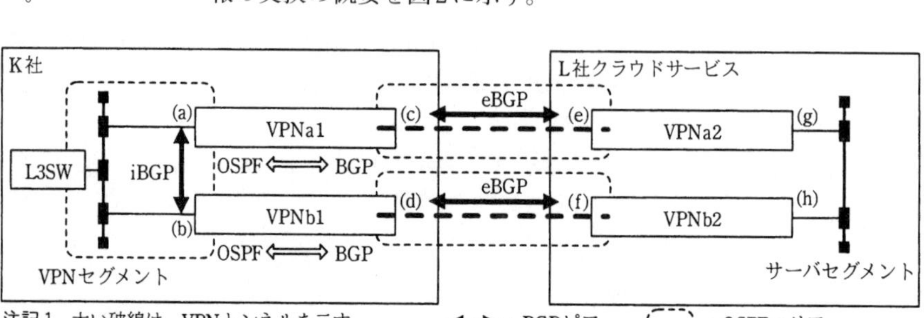

注記1　太い破線は，VPNトンネルを示す。　⟷：BGPピア　（破線枠）：OSPFエリア
注記2　(a)～(h)は，VPNルータに割り当てたプライベートIPアドレスを示す。

図2　K社NWとL社クラウドサービスとの経路情報の交換の概要

BGPはルーティングプロトコルの一つであり、特定のルーティングポリシで管理されたルータの集まりを示す［ウ］の間で、経路情報の交換を行うために開発されたプロトコルである。

BGP接続を行う2台のルータ間ではトランスポートプロトコルの一つである［エ］のポート179番を使用し、経路情報の交換を行う。このコネクションのことをBGPピアと呼ぶ。

［ウ］を識別する番号として、VPNa1とVPNb1では65505を使用し、VPNa2とVPNb2ではL社クラウドサービスが割当てを受けている64496を使用する。

VPNa1とVPNa2間及びVPNb1とVPNb2間ではeBGPピアを設定し、VPNa1とVPNb1間ではiBGPピアを設定する。

VPNa2とVPNb2は、それぞれVPNa1とVPNb1に対し、L社クラウドサービス内のサーバセグメントの経路だけBGPで経路広告する。

K社NWのVPNセグメントと接続するVPNa1、VPNb1及びL3SWの各インタフェースではOSPFのエリア0を構成し経路情報の交換を行う。さらに、IP in IPで作成されたトンネルインタフェースでは、OSPFのエリア0を構成するが、<u>④経路情報の交換を行う必要がないのでパッシブインタフェース</u>とする。

VPNa1とVPNb1では、OSPFとBGPの間で経路情報の再配布を行う。

Oさんは、VPNa1側をアクティブ、VPNb1側をスタンバイとする構成について、I主任に相談した。次は、そのときのOさんとI主任の会話である。

Oさん：VPNの経路設計で、VPNa1側をアクティブ、VPNb1側をスタンバイとしたいのですが、どのように設計したらよいでしょうか。

I主任：通信の方向それぞれについて経路設計をする必要があります。まずは、社内からL社クラウドサービスの方向は、L社クラウドサービスを利用するPCからのパケットは全てL3SWに届くので、L3SWがパケットの転送先として、VPNa1とVPNb1のどちらを選択するか、転送先を決められるようにすればよいです。

Oさん：VPNa1とVPNb1が、BGPで受けた経路情報をOSPFに再配布する際に、異なるコストを付与すると転送先を選択できそうですね。VPNb1側のコストをVPNa1側と比べて［ A ］します。

I主任：次に、L社クラウドサービスから社内の方向はどうでしょう。L社クラウドサービスは、どのようなBGPのパスアトリビュートをサポートしていますか。

Oさん：MEDとAS_PATHを利用できます。今回はAS_PATHを使おうと考えています。AS_PATHでは、AS_PATH長が短い方が選択されます。

I主任：そうですね。そういえば、一点注意が必要です。経路情報の再配布を行うときには、経路のループを防止しなければいけません。

Oさん：分かりました。⑤経路のループを防止する経路制御を行います。

!? ヒント 経路のループは、ブリッジでもルータでも出てくるトラブルの素です。自分自身を含む経路を受信してしまうとループが発生してしまいます。それを防ぐためには？

〔ネットワーク監視の検討〕

K社NWのサーバセグメントには、ネットワーク及びサーバが正常かどうかを確認するために監視サーバを設置している。監視にはpingを用いる。pingは、［ オ ］のecho requestパケットを監視対象に送り、［ カ ］パケットが監視対象から返ってくることで到達性を確認する。⑥二つあるVPNトンネルがそれぞれ正常に動作しているかを常に確認するために、監視対象として(e)と(f)を選択した。実際に、VPNルータを停止するテスト、及びVPNトンネルを切断するテストを行い、正しく検知できることを確認した。

Oさんは、これまでの結果をまとめて、プロジェクトに報告した。その後、L社クラウドサービスの試験利用の評価を行った。その結果は良好で、K社ではL社クラウドサービスを利用した販売管理システムの更改が決定された。また、K社内のその他のシステムも順次、L社クラウドサービスへ移行する計画が立てられた。

設問1

本文中の［ ア ］～［ カ ］に入れる適切な字句を答えよ。

設問2

〔インターネットVPN接続の検討〕について、(1)、(2) に答えよ。

(1) 本文中の下線①について、今回の構成では、トランスポートモードを選択している。選択した根拠を、IPアドレスに着目して30字以内で述べよ。

(2) 本文中の下線②について、IP in IPで作成されたトンネルインタフェースのMTUの値を1,500とした場合、VPNルータで発生する処理を、30字以内で述べよ。ここで、インターネットを含む全てのインタフェースのMTUの値を1,500とする。

設問3

〔K社NWとL社クラウドサービスとの経路情報の交換の検討〕について、(1)～(4) に答えよ。

(1) 本文中の下線③について、静的経路制御と比較して動的経路制御を選択した利点を40字以内で述べよ。

(2) 本文中の下線④について、パッシブインタフェースの動作の特徴を、20字以内で述べよ。

(3) 本文中の［ A ］に入れる適切な字句を答えよ。

(4) 本文中の下線⑤について、経路のループを防止するために必要な経路制御を40字以内で述べよ。

設問4

本文中の下線⑥について、二つあるVPNトンネルをそれぞれ監視する目的を35字以内で述べよ。

解答のポイント

空欄補充問題はややマニアックな内容も含まれています。一つ二つ取りこぼしても、気落ちして後の問題に引きずらないようにしましょう。ネットワーク図が掲げられる出題はそれを読み込んで理解するのが鉄則ですが、この問題はネットワーク図の知見を入れなくても、一般論として解答できる設問を含んでいます。この種の設問は、サービス問題になることが多いので、しっかり得点を積み重ねましょう。ある問題を解答するに際して、問題文の条件をどれだけ取り込めばよいのか、一般論で解答を作ってしまってよいのかはかなり難しい判断を伴う作業ですが、問題文に出てきた条件は、必ず一般論より優先させてください。

理解度チェック 解答➡P500

① トランスポートモードとトンネルモードとは何ですか？
② エクステリアゲートウェイプロトコル(EGP)とインテリアゲートウェイルーティングプロトコル(IGP)は、どう違うんですか？

■設問1の解説

【空欄ア】

プライベートIPアドレスとグローバルIPアドレスの変換処理を行うことで、プライベートIPアドレスを用いたネットワークをシームレスにインターネットに接続するのがNATです。しかし、NATの弱点として、接続を要求する端末の数だけグローバルIPアドレスが必要になることがあげられます。この方法では、同時に通信を行う端末数が増えてくるとあまりアドレスの節約効果が期待できません。

そこで、プライベートIPアドレスを「グローバルIPアドレス＋ポート番号」の組に対応させるNAPT(IPマスカレード)が登場しました。ポート番号によって対応するプライベートIPアドレスを識別できるので、一つのグローバルIPアドレスでも複数の端末を同時に通信させることが可能です。

【空欄イ】

IPsecの話題が扱われています。また、空欄イの説明として、「〜と呼ばれる同じ鍵を共有する」との記述があります。これらから、空欄イは「事前共有鍵」であると導けます。

【空欄ウ】

BGPは組織間のルーティングを制御するエクステリア・ゲートウェイ・プロトコルです(組織内のルーティングを制御するのはインテリア・ゲートウェイ・プロトコルで、RIPやOSPFが代表例です)。BGPでは、ASと呼ばれるネットワーク単位を基本として、AS同士のルーティングを制御します。ASは同じルーティングポリシで運用されるネットワークのことですが、イメージしにくければAS=ISPと考えてみてください。この場合、ISPはIANAからAS番号をもらい、ASを構成・運用します。

【空欄エ】

BGPでは、ルータ同士の情報交換にTCPを使います。基本事項ではありますが、ややマニアックな出題です。

【空欄オ】

空欄オは、pingを行うためのプロトコルであり、echo requestなどのパケットを送信すると説明されています。この条件を満たすプロトコルはICMPです。

【空欄カ】

ICMPにおいて、echo requestが到着した場合に行われる返信は、echo replyです。

■設問2の解説

（1）

IP in IPとは、IPパケットを別のIPパケットでくるむようにして（カプセル化）、トンネリングを行う技術です。こうすることで、端末側ではアドレス変換やプロトコル変換などを意識することなく、拠点間を接続できます。

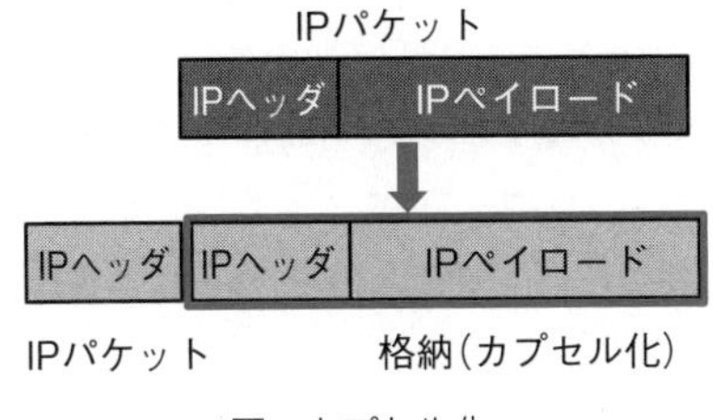

図 カプセル化

IP in IPは、通信の認証や暗号化を行いません。そこで、IPsecを使って暗号化をしよう！ と問題文のシナリオは進んでいきます。

IPsecには、トランスポートモードとトンネルモードの2つの通信モードがあります。

表 IPsecの通信モードと特徴

通信モード	暗号化区間	特徴
トランスポートモード	エンドtoエンド	元のIPヘッダをそのまま使う
トンネルモード	ルータtoルータ	元のパケットをすべて暗号化し、新たなIPヘッダがつく（IPパケットをIPパケットでくるむ、カプセル化を行う）。そのため、プライベートIPアドレスを使っている端末でも、利用できる（新たなIPヘッダに、グローバルIPアドレスを付与すればよい）。

この設問は難易度を低めに設定したいようなので、これらが問題文中で簡単に説明されていますが、この区分を受験する方であれば説明がなくても理解しておくべき事項といえます。

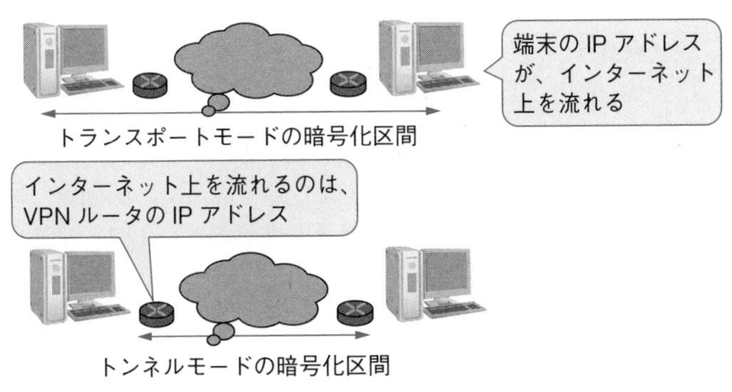

図 IPsecの通信経路

「今回の構成ではトランスポートモードを選択している」、「選択した根拠をIPアドレスに着目して30字以内で述べよ」とあります。IPアドレスに注目して問題文を探すと、この構成の特徴として、「L社クラウドサービスのVPNルータとK社NWのVPNルータでは、互いのグローバルIPアドレスを利用して」という記述があることに気付きます。

トンネルモードはオーバヘッドが大きいですが、それでも敢えて選ぶ場合があるのはプライベートIPアドレスを隠蔽する目的があるからです。この問題の場合、カプセル化によってプライベートIPアドレスを隠蔽する役割はIP in IPが果たしてくれていますから、IPsecでこれを担う必要はありません。単にグローバルIPアドレスを持つルータ同士を接続すればよいので、トランスポートモードを適用します。

(2)

IP in IPとは、(1)でも検討したように、IPパケットをさらに別のIPパケットのペイロードに格納してカプセル化することで、トンネリングを行う技術です。

(1)の図を見ても分かるように、カプセル化を行った場合、元のIPパケットよりも新しいIPパケットの方がサイズが大きくなります。IP in IPで作成されたトンネルインタフェースのMTUを1500にすると、元のパケットサイズが1500となり、それをカプセル化した新しいIPパケットのサイズは1500を超え、VPNルータでパケットの分割と再構成の処理が発生することになります。

■設問3の解説

(1)

下線③は、「BGPを用いた動的経路制御を選択」とあり、BGPについて問うている印象を持たせていますが、この設問の解答にBGPの知識は必要ありません。一般論として、静的経路制御と動的経路制御の各々の利点と欠点が分かっていればOKです。

表 経路制御方式の長所と短所

経路制御方式	長所	短所
静的経路制御	安定している。	設定が面倒、故障時にルートの再構成が自動ではできない。
動的経路制御	一度稼働してしまえば楽ちん、故障時にルートの再構成が自動でできる。	動作が複雑で管理の一手間がある。

両者を比較した場合に最も大きな差異と言えるのは、ネットワーク構成の変更や故障が発生した場合に、ルーティングテーブルを自動で書き換えるか否かです。動的経路制御を選択すれば、こうした障害に対してより強靭なネットワークを作れるので、これを解答します。

(2)

パッシブインタフェースとは、OSPFルータにおいて、OSPFパケットによる経路情報の交換を行わないインタフェースのことです。OSPFルータは、隣接ルータとOSPFパケットを送受信し、ルーティングテーブルの交換を行いますが、これには非常に大きな処理負荷がかかります。経路情報の交換を行う必要がない(たとえば、隣接ルータが存在しない)場合にはパッシブインタフェースとすることで、処理負荷の低減を行うことが可能です。

(3)

VPNa1がアクティブ、VPNb1がスタンバイですから、平常状態ではVPNa1を使いたいわけです。したがって、L3SWがパケットの転送先をVPNa1であると認識できるように設定することが重要です。

OSPFは、コストの小さい経路を選択します。コストの数値をVPNa1＜VPNb1になるようにすれば、これを実現できます。

(4)

eBGPがOSPFに再配布した経路情報(たとえば、VPNa1→VPNa2)が、もう一度eBGPにアドバタイズされるとVPNa2→VPNa1→VPNa2のようになり、ルーティングループが発生します。これを回避するためには、eBGPがアドバタイズした経路が再びeBGP側に戻らないようにルータを構成します。

■設問4の解説

(e)はVPNa2に割り当てられたプライベートIPアドレス、(f)はVPNb2に割り当てられたプライベートIPアドレスです。VPNa2とVPNb2はそれぞれ別々のVPNトンネルを構成し、VPNa2側をアクティブ、VPNb2側をスタンバイとする冗長構成になっています。

この2点を監視するということは、2つのVPNトンネルが正常に動作しているかどうかを確認しています。仮にアクティブ回線のみ監視した場合は、スタンバイ回線の停止を検出できず、冗長構成を失ったことに気付けません。

●解答●

■理解度チェックの解答

① IPsecが持つ通信モードの種類です。トランスポートモードは端末から端末までを暗号化区間とし、トンネルモードはルータ（VPN装置）からルータまでを暗号化区間とします。トランスポートモードの場合、IPヘッダは暗号化されません。一方で、トンネルモードはIPヘッダを暗号化し（そのままでは通信ができないので）新たにIPヘッダを付与します。基本的にはトランスポートモードの適用を考えますが、プライベートIPアドレスを使っている場合にはアドレス変換等を行う必要があるため、トンネルモードを使います。

② EGPは、自律システム（AS）間の経路情報を制御するためのプロトコルで、IGPは自律システム内の経路制御を制御するためのプロトコルです。EGPの代表例はBGP、IGPの代表例はRIPとOSPFです。自律システムとは問題文中でも示されているように、あるルーティングポリシで運用されているグループのことです。自律システム＝一つの企業であることもありますし、自律システム＝ISPとそこに接続している複数の企業といったケースもあります。

■設問の解答

● 設問1

【ア】NAPT　　【イ】事前共有鍵　　【ウ】AS
【エ】TCP　　【オ】ICMP　　【カ】echo reply

● 設問2

(1) グローバルIPアドレスを持つ機器同士でVPNを組めばよいから（30文字）
(2) 送信時にパケットを分割する処理と、受信時に再構成する処理（28文字）

● 設問3

(1) ネットワークの再構成や故障などが発生した場合に、経路変更が自動的に行われる（37文字）
(2) OSPFパケットの送受信を行わない（17文字）
(3) 大きく
(4) eBGPが再配布した経路情報が、eBGP側に戻ることがないように経路制御を行う（39文字）

● 設問4

ネットワーク接続の冗長構成が失われたことを検出するため（27文字）

6 SaaSの導入

問題の概要

「SaaSの導入に関する問題」とはなっていますが、特にSaaSだからどうこうという出題ではなく、拠点と事業所を遠隔で結ぶときの方法や注意点、モバイルをどう扱うか、システムの移行のときの変更点は何かといったオーソドックスな知識と技術が問われています。プロキシやHTTPのメソッド、SDN、移行前と移行後の経路比較、ログを取得すべきノードなど、ネットワークのシナリオ問題のお手本のような出題です。基礎力をしっかりつければ、必ず得点できます。

キーワード

CONNECTメソッド
SDN
フォワードプロキシ
リバースプロキシ

SaaSの導入に関する次の記述を読んで、設問1～3に答えよ。

F社は、本社と四つの営業所を拠点として事業を展開している中堅商社である。本社を中心としたハブアンドスポーク構成のIPsec VPNを使って、本社と営業所を接続している。営業所からインターネットへの通信は、全て本社を経由させている。

現在F社で利用しているグループウェア機能は、電子メール、スケジューラ、ファイル共有などである。このうち電子メールは社外との連絡にも利用している。

このたびF社では、グループウェアサーバの老朽化に伴い、グループウェアサーバを廃止し、グループウェア機能をもつG社SaaSを導入することにした。また、G社SaaSの導入に合わせたセキュリティ対策を講じることにした。

〔F社の現行ネットワーク構成とG社SaaS導入に合わせたセキュリティ対策〕

F社の現行ネットワーク構成を、図1に示す。

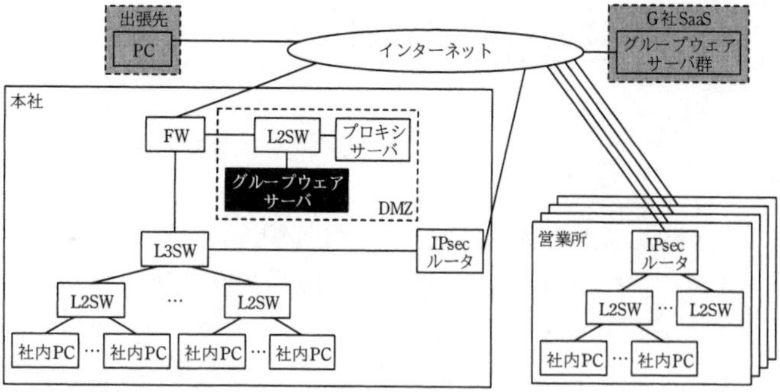

出張先
PC
インターネット
G社SaaS
グループウェア
サーバ群
本社
FW
L2SW
プロキシ
サーバ
グループウェア
サーバ
DMZ
L3SW
IPsec
ルータ
L2SW … L2SW
社内PC … 社内PC 社内PC … 社内PC
営業所
IPsec
ルータ
L2SW … L2SW
社内PC … 社内PC

FW：ファイアウォール　L2SW：レイヤ2スイッチ　L3SW：レイヤ3スイッチ
注記1 ［網掛け破線枠］は，G社SaaS導入に伴って追加予定の構成を示す。
注記2 ［黒塗り枠］は，G社SaaS導入後，廃止予定の機器を示す。

図1　F社の現行ネットワーク構成（抜粋）

- プロキシサーバ及びグループウェアサーバは、本社DMZに設置されている。
- L3SWでは、次のように静的経路設定を行っている。
  - デフォルトルートのネクストホップをFWに設定している。
  - 各営業所への経路のネクストホップを本社のIPsecルータに設定している。
- 社内PCからインターネットへは、Webアクセスだけが許可されており、プロキシサーバを経由して通信を行っている。

> ヒント　こういう条件は、解答を絞り込むための手掛かりにするために置かれています。すべてが解答に絡むわけではありませんが、必ず意識しておきます。

一般に、プロキシには、［ア］プロキシと［イ］プロキシがある。F社のプロキシのように［ア］プロキシは、社内に対して、アクセス先URLのログ取得や、外部サーバのコンテンツをキャッシュして使用帯域を削減する目的で用いられる。一方、［イ］プロキシは、外部から公開サーバのオリジナルコンテンツに直接アクセスさせないことによる改ざん防止、キャッシュによる応答速度の向上、及び複数のサーバでの負荷分散を行う目的で用いられる。

G社SaaSの導入に合わせて、インターネットへのWebアクセスについてのセキュリティ対策を検討した。検討結果を次に示す。

- G社SaaSとの通信は、HTTPSによって暗号化する。
- 出張先のPCから直接G社SaaSを利用できるようにするために、G社SaaSでは送信元IPアドレスの制限を行わない。

> ヒント　経路やフィルタリングの例外です。設問に関わってくる確率が極めて高いので、特に注意します。LAN内の社内PCとどう違うでしょうか？

・G社SaaS導入に合わせてセキュリティ強化を行うために、プロキシサーバで次のログを取得する。
  - アクセス先URLと利用者ID
  - G社SaaSのファイルアップロード／ダウンロードのログと利用者ID
・社内PCからインターネットへのWebアクセスでは①プロキシサーバにおいて認証を行う。

〔G社SaaSの試用〕

F社は、G社SaaSの本格導入に先立つて、本社と一つの営業所を対象に少数ライセンスでG社SaaSを試用し、システムの利便性と性能を確認することにした。試用に先立ち、G社SaaS以外のアクセス先について、プロキシサーバでHTTPSのアクセスログを確認したところ、②アクセス先のホスト名は記録されていたが、URLは記録されていなかった。そこで、アクセス先のURLを把握するために、プロキシサーバで暗号化通信を一旦復号し、必要な処理を行った上で再度暗号化した。しかし、社内PCでエラーメッセージ"証明書が信頼できない"が表示されたので、社内PCに［ ウ ］をインストールして解決した。

G社SaaSを試用した結果、次の事実が判明した。

・G社SaaSにアクセスした際にプロキシサーバを通過するセッション数を実測したところ、スケジューラにアクセスする1人当たりのセッション数が大幅に増加した。
・複数人が同時に大容量のファイルをG社SaaSに転送している間、本社のFWを経由するインターネット接続回線のスループットが低下した。

このまま全社でG社SaaSの利用を開始すると、プロキシサーバの処理可能セッション数の超過、インターネット接続回線の帯域不足が予想された。

〔SD-WANルータの導入〕

F社は、G社SaaSの試用で判明した問題を解決するために、IPsecルータの代わりにSD-WAN (Software-Defined WAN) ルータを使用することにした。

SD-WANルータを使用したネットワーク構成案を、図2に示す。

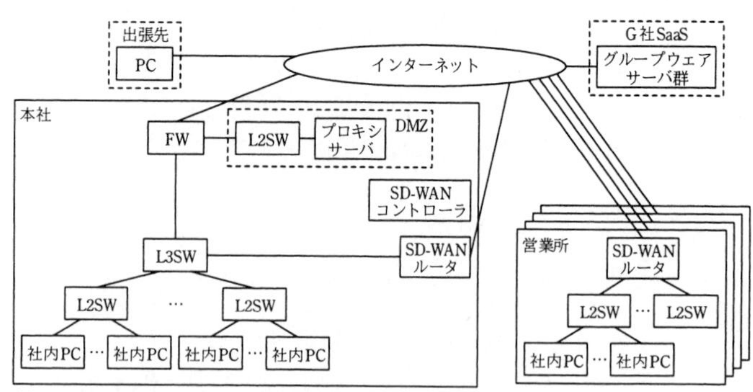

注記 SD-WAN コントローラの接続構成は省略する。

図2 SD-WAN ルータを使用したネットワーク構成案（抜粋）

(1) SD-WANルータの概要

今回使用する予定のSD-WANルータは、SDN (Software-Defined Network) によって制御されるIPsecルータである。SDNは、利用者の通信トラフィックを転送するデータプレーンと、通信装置を集中制御する［ エ ］プレーンから構成されており、［ エ ］プレーンのソフトウェアでデータ転送を制御する方式である。

F社が導入するSD-WANルータの仕様を次に示す。

- SD-WANルータの設定は、SD-WANコントローラによって集中制御される。
- SD-WANルータのWAN側には、インターネットに接続するインタフェースだけでなく、ほかのSD-WANルータに接続するIPsec VPNの論理インタフェースがある。

(2) SD-WANルータを用いたときの通信

図2の説明を次に示す。

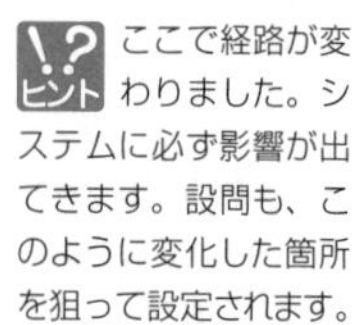

ここで経路が変わりました。システムに必ず影響が出てきます。設問も、このように変化した箇所を狙って設定されます。

- 社内PCからG社SaaSへのWebアクセスは、プロキシサーバを経由せず各SD-WANルータを経由する。
- 社内PCからG社SaaS以外のインターネットへのWebアクセスは、プロキシサーバを経由する。
- L3SWにプロキシサーバへの静的経路情報を追加する。
- 営業所と本社間の通信は、SD-WANルータ間でIPsecによって暗号化する。
- 本社の社内PCからG社SaaSへの通信について、③G社SaaSのIPアドレスが変更された場合でもその都度L3SWを設定しなくても済むように、L3SWの静的経路情報を設定変更する。

(3) SD-WANルータの運用

G社はSaaSに必要なサーバを随時追加している。G社SaaS

が利用しているIPアドレスブロックの更新があるたびに、F社はSD-WANルータの設定を変更する必要がある。F社は、G社SaaSのIPアドレスブロックの更新を、RSS（Really Simple Syndication）を利用して知ることができる。

F社は、RSS配信されたIPアドレスブロックを検知するツールを作成して、自動的にツールから［ オ ］に指示を行い、全社のSD-WANルータの設定を変更することにした。さらに、社内PCから参照する④プロキシ自動設定ファイルを作成することにした。

(4) G社SaaSアクセスログの取得

G社SaaSへのアクセスログは、⑤プロキシサーバからではなく、G社SaaSのAPIにアクセスして取得することにした。

F社は、G社SaaSの本格導入に向けてSD-WANルータを利用したネットワークの構築プロジェクトを立ち上げた。

設問1

〔F社の現行ネットワーク構成とG社SaaS導入に合わせたセキュリティ対策〕について、(1)、(2)に答えよ。

(1) 本文中の［ ア ］、［ イ ］に入れる適切な字句を答えよ。

(2) 本文中の下線①について、プロキシサーバで認証を行うことによってアクセスログに付加できる情報を答えよ。

設問2

〔G社SaaSの試用〕について、(1)、(2)に答えよ。

(1) 本文中の下線②について、HTTPSでアクセスするためのHTTPプロトコルのメソッド名を答えよ。また、このメソッドを用いる場合、社内に侵入したマルウェアによる通信（ただし、HTTPS以外の通信）を遮断するためのプロキシサーバでの対策を、30字以内で述べよ。

(2) 本文中の［ ウ ］に入れる適切な字句を、20字以内で答えよ。

設問3

〔SD-WANルータの導入〕について、(1)～(5)に答えよ。

(1) 本文中の［　エ　］に入れる適切な字句を答えよ。
(2) 本文中の下線③について、設定変更後の静的経路情報を、35字以内で答えよ。
(3) 本文中の［　オ　］に入れる適切な字句を、図2中の機器名で答えよ。
(4) 本文中の下線④について、このファイルを作成することによってプロキシから除外する通信を、20字以内で答えよ。
(5) 本文中の下線⑤について、G社SaaSのAPI経由で取得する理由を二つ挙げ、それぞれ40字以内で述べよ。

解答のポイント

移行が少しでも取り上げられる場合は、移行前、移行後の構成要素の違い、ネットワーク経路の違いを必ず意識しましょう。フィルタリングや経路の振り分けをする機器が含まれているときには、どの通信をどの条件でフィルタリング・振り分けするのか、問題文中の記述を見逃さないようにします。暗号化通信を中継する場合は、中継点に特に注意です。中継点で変わる情報はなにか、そもそもその通信は中継できるのかを意識しましょう。

理解度チェック　解答➡P509

① httpのメソッドで、トンネリングを行うときに指定するのは何ですか？
② SDNとは何ですか？　何と何からできていますか？

■設問1の解説

(1)

プロキシサーバの構成は下位試験や、ネットワークスペシャリストの午前対策で頭に入っていると思います。

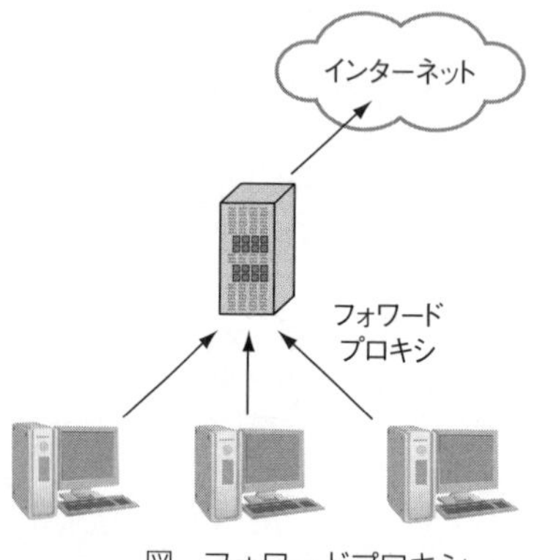

図　フォワードプロキシ

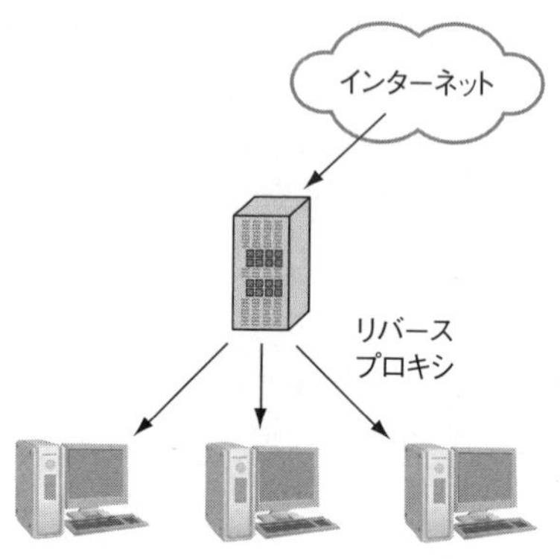

図　リバースプロキシ

いわゆるプロキシ（フォワードプロキシ）は、LANに存在するクライアント側の通信を集約して、インターネット上のサーバ側に送出します。そうすることによって、Webサーバなどから返信されたコンテンツをキャッシュして通信量を減らし、レスポンスを高速化することが可能です。プロキシで通信をフィルタリングし、ログを残すこともできます。

リバースプロキシはこれを反転させた形式で、インターネットからの通信がLAN上の複数のサーバに対して行われるときも、まずリバースプロキシが受信することで、インターネットからLAN内の構造を隠蔽することができます。プロキシにログインすることで個々のサーバへのログインを（見かけ上）省略するSSOや、リバースプロキシをロードバランサとして使ってサーバへの負荷を分散する使い方などがあります。

(2)

認証を行うことによって付加できる情報ですから、利用者IDとパスワードが候補になります。パスワードは暗号化されていますし、ログに残すべきでもないので、利用者IDを解答することになります。

■設問2の解説

(1)

【メソッド名】

CONNECTは頻出です。プロキシサーバの仕事は通信の中継です。httpのプロキシであれば、クライアントから渡されたhttpを解釈して、サーバに転送します。しかし、httpsの場合はこの動作ができません。通信内容が暗号化されているので、解釈してサーバへの通信へと再構成することができないからです。FQDNは読めても、その後に続く文字列は暗号化されています。

そのため、httpsを中継する場合は、トンネルを作って、単に送られてきたパケットをそのまま流すだけになります。トンネルを作るためのメソッドがCONNECTです。

【対策】

「このメソッドを用いる場合、社内に侵入したマルウェアによる通信（ただし、HTTPS以外の通信）を遮断」したいのです。このメソッドを悪用されるのを止めたいわけですから、CONNECTメソッドを拒否すればいいことになります。

ただし、すべてのCONNECTメソッドを止めてしまうと正規のhttps通信ができませんし、問題文にも親切なことに（HTTPS以外の通信）と条件を明示してくれています。したがって、HTTPSが使うポート以外のところでCONNECTメソッドを拒否すると導けます。

(2)

「プロキシサーバで暗号化通信を一旦復号し、必要な処理を行った上で再度暗号化」

しています。このときプロキシサーバが作成した証明書が、(ルート証明書で確認できないために) 安全だと確認できずエラーになっているわけです。したがって、社内PCにルート証明書をインストールすることで解決します。

■設問3の解説

(1)

SD-WANは、Software Defined Network (SDN) をWANに適用したものです。SDNはNetworkを仮想化、抽象化したものと言えます。ケーブルを抜き差ししたり、ルータやスイッチごとに設定を施したりしなくても、ネットワーク構成の変更や管理をソフトウェアレベルで一元管理することができます。

SDNは、ネットワークをコントロールするコントロールプレーン(コントローラ)と、データ伝送をするデータプレーン (ルータやスイッチ) によって成り立っています。

空欄エはこのうち、制御する方を解答させていますから、コントロールプレーンが正答です。

(2)

図2から分かるように、インターネットを使う経路 (プロキシサーバを使う経路) はL3SWに静的経路情報として設定されています。それ以外の通信はすべてSD-WANルータ側へ流すはずですから、デフォルトルートをそちらへ変更してしまえばOKです。

問題文によれば、デフォルトルートのネクストホップはFWになっていて、例外としてネクストホップをIPsecルータにしていましたが、これを逆にしてデフォルトルートのネクストホップをSD-WANルータにするわけです。これならば、G社SaaSのIPアドレスに変更があっても、設定を変えるのはSD-WANルータだけで済みます。

(3)

SD-WANルータの設定を自動的に変更するために、空欄オに指示を行うと読み取れます。SDNのコントロールを行うのはコントローラです。設問文の指定により、図2中の機器名で答えなければならないので、SD-WANコントローラとなることに注意しましょう。

(4)

「プロキシから除外する通信」なので、今まで行っていたけれども、今回の変更によってなくなる通信を探すことになります。ここまででずっと述べられてきたように、G社SaaSへのHTTPS通信がプロキシサーバを経由してきましたが、SD-WANルータを経由することになったので、除外することになります。

(5)

F社～G社SaaS間のアクセスログ取得先を、プロキシサーバからG社SaaSのAPIへ変更する理由ですが、(4) でも解説したようにこの通信はプロキシサーバを経由しなくなるので、プロキシサーバでは取得できません。

それだけであれば、新しい経路であるSD-WANルータで取得することも考えられますが、出張先PCからのアクセスはSD-WANルータを経由しないため記録されません。この点からも、G社SaaSのAPIを使ったほうがよいと結論できます。

● 解答 ●

■理解度チェックの解答

① CONNECT

② SDNはSoftware Defined Networkのことで、ネットワークを抽象化して、ソフトウェアレベルで柔軟に運用するものです。SD-LANやSD-WANがあります。コントロールプレーンとデータプレーンで構成されています。

■設問の解答

● 設問1

(1) 【ア】フォワード　【イ】リバース

(2) 利用者ID

● 設問2

(1) 【メソッド名】CONNECTメソッド

【対策】HTTPSポート以外のCONNECTメソッドを拒否する（27文字）

(2) 【ウ】プロキシサーバのルート証明書（14文字）

● 設問3

(1) 【エ】コントロール

(2) デフォルトルートのネクストホップをSD-WANルータに設定する（31文字）

(3) 【オ】SD-WANコントローラ

(4) G社SaaSに対するHTTPS通信（17文字）

(5) ・プロキシサーバが、社内PCからG社SaaSへのアクセス経路から外れるから（36文字）

・ルータを経由しない出張先PCからG社SaaSへのアクセスも記録できるから（36文字）

7 コンテンツ配信ネットワーク

問題の概要

「コンテンツ配信ネットワークに関する」問題と銘打たれているのですが、実際にCDNに関する知識がいるかと言えばその辺は適切な説明が問題文中に付されており、オーソドックスなネットワーク運用の知識・技術を問う設問に仕上がっています。IGPの出題が減少し、EGPが取り上げられることが多くなっていますので、基本的なBGPの動作機序を確認しておきましょう。

キーワード
IGP
EGP
BGP
DDoS攻撃
ロードバランサ

コンテンツ配信ネットワークに関する次の記述を読んで、設問に答えよ。

D社は、ゲームソフトウェア開発会社で三つのゲーム(ゲームα、ゲームβ、ゲームγ)をダウンロード販売している。D社のゲームはいずれも利用者の操作するゲーム端末上で動作し、ゲームの進捗データやスコアはゲーム端末内に暗号化して保存される。D社のゲームは世界中に利用者がおり、ゲーム本体及びゲームのシナリオデータ(以下、両方をゲームファイルという)はインターネット経由で配信されている。

〔現状の配信方式〕

D社は、ゲームファイルの配信のためのデータセンターを所有している。D社データセンターの構成を図1に示す。

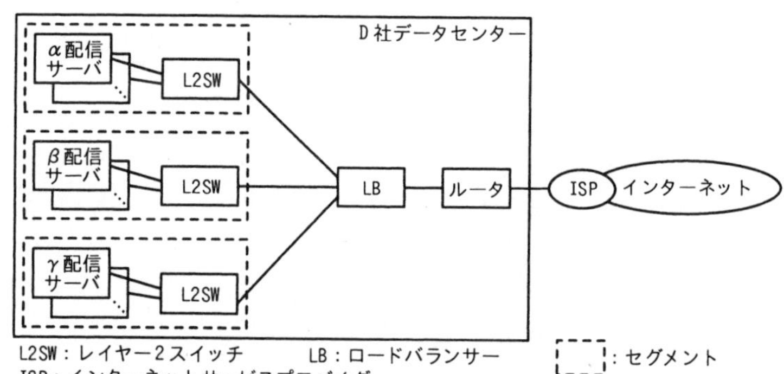

注記　α配信サーバは，ゲームαのゲームファイルを配信するサーバである（β，γも同様）。

図1　D社データセンターの構成（抜粋）

設問1はHTTPが重要なポイントを占めています。図1をよく見て、HTTP通信がどのように流れるか、イメージしましょう。

ゲーム端末は、インターネット経由でゲームごとにそれぞれ異なるURLにHTTPSでアクセスする。LBは、プライベートIPアドレスが設定されたHTTPの配信サーバにアクセスを振り分ける。また、①LBは配信サーバにHTTPアクセスによって死活確認を行い、動作が停止している配信サーバに対してはゲーム端末からのアクセスを振り分けない。

ゲームファイルの配信に利用するIPアドレスとポート番号を、表1に示す。

表1　ゲームファイルの配信に利用するIPアドレスとポート番号

内容	URL	LB		配信サーバ	
		IPアドレス	ポート	所属セグメント	ポート
ゲームα	https://alpha.example.net/	203.x.11.21	443	172.21.1.0/24	80
ゲームβ	https://beta.example.net/	203.x.11.21	443	172.22.1.0/24	80
ゲームγ	https://gamma.example.net/	203.x.11.21	443	172.23.1.0/24	80

注記　203.x.11.21はグローバルIPアドレス

D社が導入しているLBのサーバ振分けアルゴリズムには、ラウンドロビン方式及び最少接続数方式がある。ラウンドロビン方式は、ゲーム端末からの接続を接続ごとに配信サーバに順次振り分ける方式である。最少接続数方式は、ゲーム端末からの接続をその時点での接続数が最も少ない配信サーバに振り分ける方式である。

D社のゲームファイル配信では、振り分ける先の配信サーバの性能は同じだが、接続ごとに配信するゲームファイルのサイズに大きなばらつきがあり、配信に掛かる時間が変動する。各配信サーバへの同時接続数をなるべく均等にするために、LBの振分けアルゴリズムとして［ ア ］方式を採用している。

ゲームβの配信性能向上が必要になる場合には、表1中の所属セグメント［ イ ］にサーバを増設する。

〔配信方式の見直し〕

D社は、ゲームファイルの大容量化と利用者のグローバル化に伴い、ゲームファイルの配信をコンテンツ配信ネットワーク（以下、CDNという）事業者のE社のサービスで行うことにした。

E社CDNは、多数のキャッシュサーバを設置する配信拠点（以下、POPという）を複数もち、その中から、ゲーム端末のインターネット上の所在地に対して最適なPOPを配信元としてコンテンツを配信する。

あるPOPが端末からアクセスを受けると、POP内でLBがキャッシュサーバにアクセスを振り分ける。E社CDNのキャッシュサーバにコンテンツが存在しない場合は、D社データセンターの配信サーバからE社CDNのキャッシュサーバにコンテンツが同期される。

配信方式の見直しプロジェクトはXさんが担当することになった。Xさんは、E社が提供しているBGP anycast方式のPOP選択方法を調査した。XさんがE社からヒアリングした内容は次のとおりである。

E社BGP anycast方式では、同じアドレスブロックを同じAS番号を用いてシンガポールPOP及び東京POPの両方からBGPで経路広告する。シンガポールPOPと東京POPの間は直接接続されていない。ゲーム端末が接続するISPでは、E社ASの経路情報を複数の隣接したASから受信する。どの経路情報を採用するかはBGPの経路選択アルゴリズムで決定される。ゲーム端末からのHTTPSリクエストのパケットは、決定された経路で隣接のASに転送される。

BGP anycast方式によるE社の経路広告イメージを図2に示す。

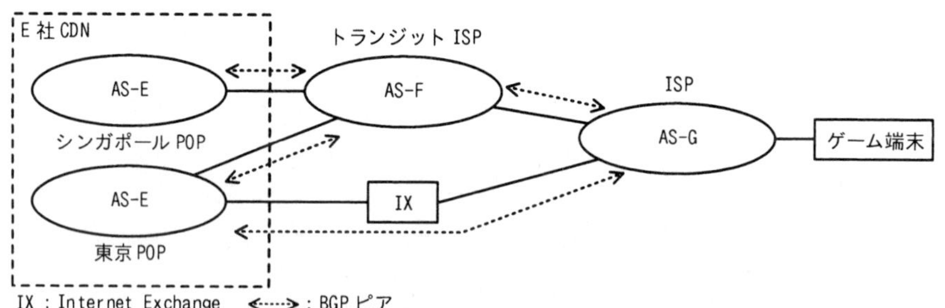

図2　BGP anycast方式によるE社の経路広告イメージ

図2でIXは、レイヤー2ネットワーク相互接続点であり、接続された隣接のAS同士がBGPで直接接続することができる。

BGPでの経路選択では、LP（LOCAL_PREF）属性については値が［　ウ　］経路を優先し、MED（MULTI_EXIT_DISC）属性については値が［　エ　］経路を優先する。E社では、LP属性とMED属性が経路選択に影響を及ぼさないように設定している。これによって、②E社のあるPOPからゲーム端末へのトラフィックの経路は、そのPOPのBGPルータが受け取るAS Path長によって選択される。

Xさんは、BGPのセキュリティ対策として何を行っているか、E社の担当者に確認した。E社BGPルータは、③隣接ASのBGPルータとMD5認証のための共通のパスワードを設定していると説明を受けた。また、④アドレスブロックやAS番号を偽った不正な経路情報を受け取らないための経路フィルタリングを行っていると説明があった。

ヒント 経路情報とは高速道路でいえば道路標識のようなものです。ここに嘘が混じるとどんなことが起こるか、想像してみてください。

〔配信拠点の保護〕

D社ではDDoS攻撃を受けることが何度かあった。そこでXさんは、コンテンツ配信サーバへのDDoS攻撃対策について、どのような対策を行っているかE社の担当者に確認したところ、E社ではRFC 5635の中で定義されたDestination Address RTBH (Remote Triggered Black Hole) Filtering (以下、RTBH方式という) のDDoS遮断システムを導入しているとの回答があった。E社POPの概要を図3に示す。

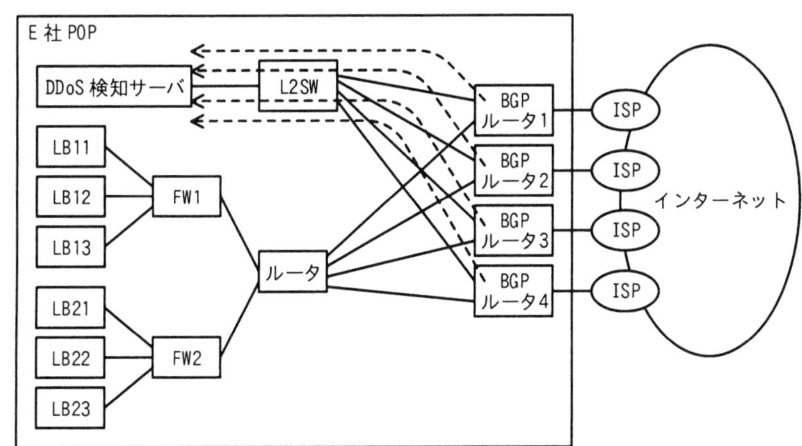

図3　E社POPの概要（抜粋）

E社のDDoS遮断システムは、RFC 3954で定義されるNetFlowで得た情報を基にDDoS攻撃の宛先IPアドレスを割り出し、該当IPアドレスへの攻撃パケットを廃棄することで、ほかのIPアドレスへの通信に影響を与えないようにする。DDoS検知サーバは、

E社POP内の各BGPルータとiBGPピアリングを行っている。

E社のBGPルータは、インターネット側インタフェースから流入するパケットの送信元と宛先のIPアドレス、ポート番号などを含むNetFlowパケットを生成する。生成されたNetFlowパケットはDDoS検知サーバに送信される。DDoS検知サーバは、送られてきたNetFlowパケットを基に独自アルゴリズムでDDoS攻撃の有無を判断し、攻撃を検知した場合はDDoS攻撃の宛先IPアドレスを取得する。

DDoS検知サーバは、検知したDDoS攻撃の宛先IPアドレスへのホスト経路を生成しRTBH方式の対象であることを示すBGPコミュニティ属性を付与して各BGPルータに経路広告する。RTBH方式の対象であることを示すBGPコミュニティ属性が付いたホスト経路を受け取った各BGPルータは、そのホスト経路のネクストホップを廃棄用インタフェース宛てに設定することで、DDoS攻撃の宛先IPアドレス宛ての通信を廃棄する。

ヒント 図3でBGPルータとFWの位置をよく見比べてみてください。

DDoS遮断システムの今後の開発予定をE社技術担当者に確認したところ、RFC 8955で定義されるBGP Flowspecを用いる対策（以下、BGP Flowspec方式）をE社が提供する予定であることが分かった。

BGP Flowspec方式では、DDoS検知サーバからのiBGPピアリングで、DDoS攻撃の宛先IPアドレスだけではなく、DDoS攻撃の送信元IPアドレス、宛先ポート番号などを組み合わせてBGPルータに広告して該当の通信をフィルタリングすることができる。

Xさんは、⑤BGP Flowspec方式の方が有用であると考え、E社技術担当者に早期提供をするよう依頼した。

Xさんは、E社CDNとDDoS遮断システムを導入する計画を立て、計画はD社内で承認された。

設問1

〔現状の配信方式〕について答えよ。

(1) 本文中の下線①について、HTTPではなくICMP Echoで死活確認を行った場合どのような問題があるか。50字以内で答えよ。

(2) 本文中の［ ア ］に入れる適切な字句を、本文中から選んで答えよ。また、本文中の［ イ ］に入れる適切なセグメントを、表1中から選んで答えよ。

(3) HTTPSに必要なサーバ証明書はどの装置にインストールされているか。必ず入っていなければならない装置を一つだけ選び、図1中の字句で答えよ。

設問2

〔配信方式の見直し〕について答えよ。

(1) 本文中の[ウ]、[エ]に入れる適切な字句を、“大きい”、“小さい”のいずれかから選んで答えよ。

(2) 本文中の下線②について、図2でAS-E東京POPにAS-GからのHTTPSリクエストのパケットが届く場合、E社トラフィックはどちらの経路から配信されるか。途中通過する場所を、図2中の字句で答えよ。ここで、AS Path長以外は経路選択に影響せず、途中に無効な経路や経路フィルタリングはないものとする。

(3) 本文中の下線③の設定をすることで何を防いでいるか。“BGP”という字句を用いて10字以内で答えよ。

(4) 本文中の下線④について、フィルタリングせずに不正な経路を受け取った場合に、コンテンツ配信に与える悪影響を“不正な経路”という字句を用いて40字以内で答えよ。

設問3

〔配信拠点の保護〕について答えよ。

(1) 図3において、インターネットからBGPルータ1を経由してLB11にHTTPS Flood攻撃があったとき、FW1でフィルタリングする方式と比較したRTBH方式の長所は何か。30字以内で答えよ。

(2) 本文中の下線⑤について、RTBH方式と比較したBGP Flowspec方式の長所は何か。30字以内で答えよ。

解答のポイント

まずは問題文をよく読みましょう。ネットワークは先端技術の宝庫であるため、新しいキーワードを盛り込んで問題文を作らないといけないのですが、それだけだと難易度が高すぎる問題に仕上がってしまいます。そこで、キーワードを説明する文章が問題文中に盛り込まれるわけですが、そこをよく読むとかんたんに解答を作成できてしまう設問があります。

✓理解度チェック

解答➡P519

① BGPはIGPですか？ EGPですか？
② トランジットASとは何ですか？

■設問1の解説

(1)

死活監視、ハートビート通信など色々な呼び方がありますが、文脈からも明らかなとおり、あるノードが稼働しているか停止しているかを見分けるための通信です。類推は可能だと思いますので、暗記しているのと違う呼び方が出てきても、諦めずに取り組みたい設問です。

HTTPとICMP Echoでの死活確認を比較した場合、最も大きな違いはそれぞれの機能が動作するレイヤです。ICMP Echoで応答がなければ物理層〜ネットワーク層のどこかにトラブルがあると絞り込むことができます。一方で、トランスポート層やアプリケーション層にトラブルがあってHTTPのプロセスが停止しているようなケースを検出できません。

(2)

【空欄ア】

ロードバランサによってどのサーバに仕事を受け渡せばよいかは、ネットワーク運用でよく取り上げられる悩み事です。代表例としてラウンドロビン方式と最小接続数方式があるのは記述のとおりで、親切にも(このパターンは多いですが)用語の説明までしてくれています。

ラウンドロビンはシンプルで実装しやすい方式ですが、D社の場合はうまくいきません。サーバにかける負荷が、1つ1つの通信ごとに大きく異なるからです。そこで、最小接続数方式を選びます。この設問も問題文にほぼ答えが書いてあります。よく読んで解答しましょう。

【空欄イ】

空欄イも表からデータを拾ってくるだけの設問ですから、取りこぼしがないようにしたいところです。

ゲームβの配信はβ配信サーバのあるセグメントで行われていますから、サーバを増設するならこのセグメントにしないといけません。

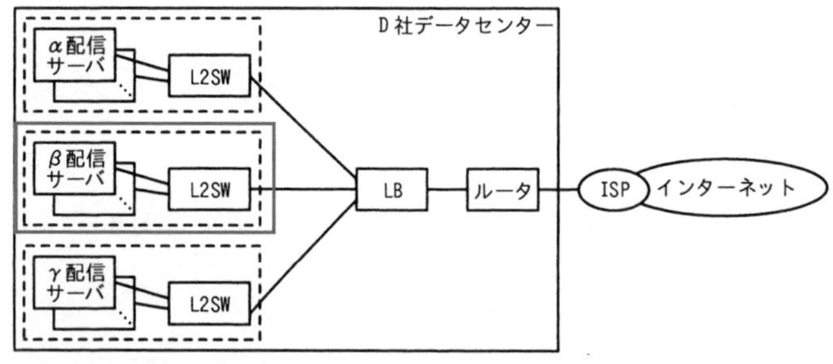

では、このセグメントのアドレスはと言えば、表1に書いてあります。

表1　ゲームファイルの配信に利用するIPアドレスとポート番号

内容	URL	LB		配信サーバ	
		IPアドレス	ポート	所属セグメント	ポート
ゲームα	https://alpha.example.net/	203.x.11.21	443	172.21.1.0/24	80
ゲームβ	https://beta.example.net/	203.x.11.21	443	172.22.1.0/24	80
ゲームγ	https://gamma.example.net/	203.x.11.21	443	172.23.1.0/24	80

注記　203.x.11.21 はグローバルIPアドレス

解答すべきはLBではなく、配信サーバの所属するセグメントなので、間違えずに値を書き写しましょう。

(3)

インターネット側から見た場合に、最初に相手をしてくれるHTTPに対応した通信機器はLBです。ルータはネットワーク層で稼働する通信機器なので、HTTP通信には関係がありません。また、LBにはレイヤ3で稼働するもの、レイヤ4、レイヤ7で稼働するものなどがありますが、ここでは問題文中にHTTPを解釈することが明記されています。

したがって、インターネット側から見てLBが信用できないと通信を続行できないことになります(というか、LBがHTTP配信サーバに見える)。LBにはサーバ証明書が必要です。

■設問2の解説

(1)

【空欄ウ】

LOCAL_PREFとは、ローカル・プリファレンスのことで、ローカル(AS内)から外に出ていく通信をローカルのどのルータに転送するかを決める値です。大きいほど優先度が高くなります。自AS内には複数のルータがあるため、大きなLOCAL_PREF値を持つルータへパケットが伝送され、そこから外部へと出ていくわけです。

【空欄エ】

MULTI_EXIT_DISCは外部からローカルへと入ってくる通信を制御する値です。この値が最も小さなルータへと、外部からパケットが送られてきます。MULTI_EXIT_DISCの値を外部ASへアドバタイズするわけですが、外部ASがこの値を書き換えてしまうことは可能なため、意図しないルータへパケットが送られてくることもあります。

(2)

AS Pathは、経路情報が通過してきたAS番号のリストです。AS-Gから発信された経路情報であれば、次のような道筋をたどります。

AS-G → AS-F → AS-E（上ルート）

AS-G → AS-E（下ルート）

下ルートはIXを経由しますが、これはレイヤ2ネットワークの相互接続点であり、ホップするASとしてカウントしないのは問題文に書いてあるとおりです。したがって、AS Path長の短い下ルートが選択されます。途中で経由する場所はIXです。

(3)

BGPルータによる経路情報のアドバタイズは、インターネット上でEGPを構成するために不可欠です。しかし、だからこそ犯罪者が不正な経路情報をアドバタイズすることで通信を乗っ取ったり、混乱させたりするリスクが生じます。下線③で言及されているMD5認証は、これを防ぐためのものです。

(4)

あるアドレスブロックについての不正な経路を受け入れてしまうと、そのアドレスブロックに対しての配信は不正な経路を使って行われる（＝配信すべき宛先ノードに届かない）ことになります。

その他にも、不正な経路上にあるネットワークに負荷をかけるなどの悪影響が考えられますが、「コンテンツ配信に与える悪影響」という縛りの中で解答する必要があるので、そこまで答えると書きすぎになります。

■設問3の解説

(1)

一見、RFC 5635（RTBH）を知らないとつらそうに見える設問ですが、実はRFC 5635の挙動はほとんど問題文に書いてあるので心配いらないタイプの問いです。ネットワークスペシャリストではよくある形式です。

要はDDoS攻撃だと判定されたパケットはBGPルータ1で廃棄されるのですが、これをFW1でのフィルタリングと比較すると、FW1の場合はBGPルータ1 → ルータ → FW1と転送してきてから廃棄を行うので、LAN内に余計な負荷をかけていることがわかります。

(2)

BGP Flowspecについての出題です。BGP Flowspecについても問題文に説明が書かれており、この知識をもって解答することができます。「DDoS攻撃の宛先IPアドレスだけではなく、DDoS攻撃の送信元IPアドレス、宛先ポート番号などを組み合わせてBGPルータに広告して該当の通信をフィルタリングすることができる」のです。

●解答●

■理解度チェックの解答

① BGPはEGPに分類される経路制御プロトコルです。AS間の経路情報を交換します。

② 自組織以外のアドレスをアドバタイズするASのことです。非トランジットASは総経路情報（トランジット）をトランジットASから取得します。

■設問の解答

● **設問1**

(1) ICMP Echoには応答するが、HTTPのプロセスが停止していて応答できない状態を検出できない。(49文字)

(2) 【ア】最少接続数　　　【イ】172.22.1.0/24

(3) LB

● **設問2**

(1) 【ウ】大きい　　　【エ】小さい

(2) IX

(3) 不正なBGP通信 (8文字)

(4) 不正な経路を設定されたアドレスブロックへコンテンツ配信ができなくなる悪影響 (37文字)

● **設問3**

(1) 社内LANに余計な負荷をかけずに攻撃パケットを廃棄できる。(29文字)

(2) 詳細な条件を用いてフィルタリングすることができる。(25文字)

8 通信品質の確保

問題の概要

VoIPについての出題です。電話回線をIPネットワークに統合するときにどのような技術が使われるか、どんな問題が起こりがちかをおさえておきましょう。この問題には登場しませんが、SIPも出題ポイントです。音声通話は基本的に優先度の高い通信ですが、IPネットワークに統合すると思わぬところで遅延などが生じます。そうした問題をいかに抽出して、解決するかのシナリオを頭に入れておきましょう。この問題でも問われているように、通信の優先制御機能を利用するのが常套手段です。

キーワード

CS-ACELP
ToS
PoE
IEEE 802.1Q
COS

通信品質の確保に関する次の記述を読んで、設問1～4に答えよ。

Y社は、機械製品の輸入及び国内販売を行う社員数500名の商社であり、本社のほかに5か所の営業所（以下、本社及び営業所を拠点という）をもっている。このたび、Y社では、老朽化した電話設備を廃棄して、Z社の音声クラウドサービス（以下、電話サービスという）を利用することで、電話設備の維持管理コストの削減を図ることにした。情報システム部のX主任が、電話サービス導入作業を担当することになった。

〔現状の調査〕

X主任は、既設の電話設備の内容について総務部の担当者から説明を受け、現在の全社のネットワーク構成をまとめた。Y社のネットワーク構成を、図1に示す。

Y社のネットワークの使用方法を次に示す。

- ・社員は、本社のDMZのプロキシサーバ経由でインターネットにアクセスするとともに、本社のサーバ室の複数のサーバを利用している。
- ・拠点間の内線通話は、IP-GWを介して広域イーサ網経由で行っている。

ヒント 基本的には公衆電話網を使っているんですよね。でも、IP-GWがあるので、IP電話も使っているな、とあたりをつけましょう。

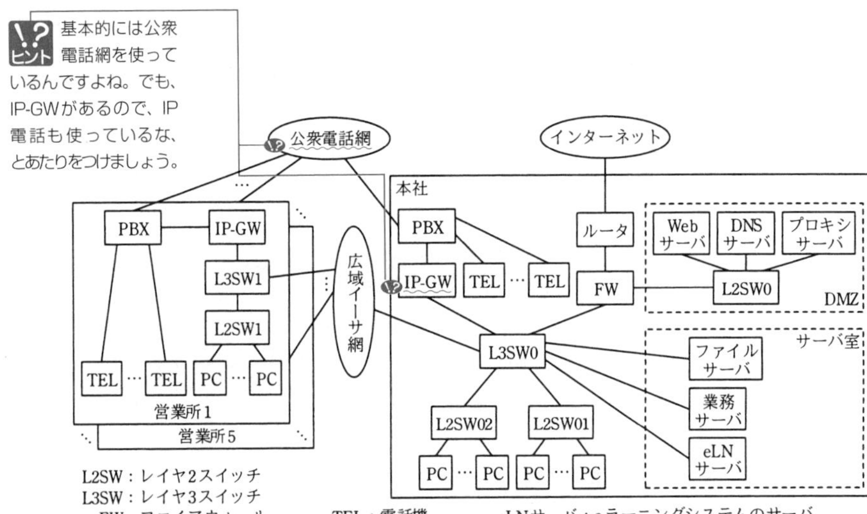

L2SW：レイヤ2スイッチ
L3SW：レイヤ3スイッチ
FW：ファイアウォール　　TEL：電話機　　eLNサーバ：eラーニングシステムのサーバ
IP-GW：音声信号とIPパケットの変換装置　　広域イーサ網：広域イーサネットサービス網

注記1　本社のPBXには80回線の外線が収容され，各営業所のPBXには，それぞれ10回線の外線が収容されている。

注記2　本社のPBXから本社のIP-GWには100回線が接続され，各営業所のPBXから当該営業所のIP-GWには，それぞれ20回線が接続され，拠点間の内線通話に使用されている。

図1　Y社のネットワーク構成

ヒント 注記に重要な情報が含まれていることが多いので、小さい文字でも読み飛ばさないようにしましょう。

〔電話サービス導入後のネットワーク構成〕

次に、X主任は、電話サービスの仕様を基に、図2に示す、電話サービス導入後のネットワーク構成を設計した。

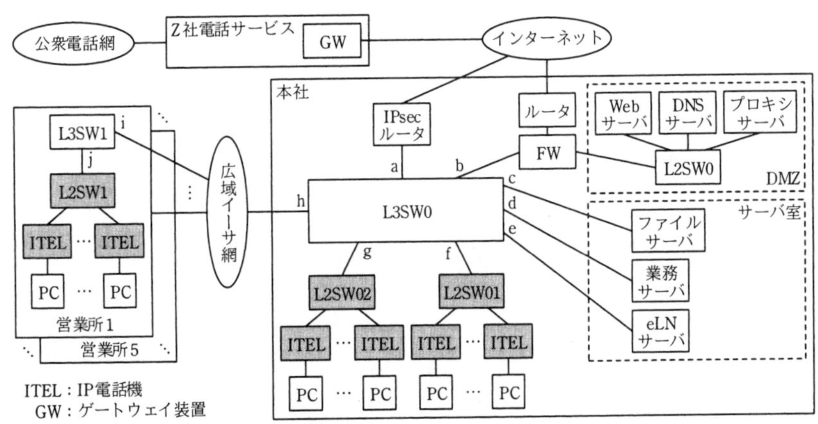

注記1　網掛け部分は，PoE対応製品である。
注記2　L3SW0及びL3SW1のa～jは，ポートを示す。

図2　電話サービス導入後のネットワーク構成

図2中のaにはVLAN10、bにはVLAN15、c、d、eにはVLAN20、fにはVLAN100、gにはVLAN150、hにはVLAN25、iにはVLAN200、jにはVLAN210というVLANがそれぞれ設定されている。

ITELは、PoEの受電機能をもつ製品を導入してITEL用の電源タップを不要にする。PCは、ITELのPC接続用のポートに接続する。①営業所のL2SW及び本社のL2SW01とL2SW02は、PoEの給電機能をもつ製品に交換する。

電話サービス導入後は、音声を全てIPパケット化し、データパケットと一緒にLAN上に流す。Y社が利用するVoIP（Voice over Internet Protocol）では、音声の符号化にG.729として標準化されたCS-ACELPが使用される。CS-ACELPのビットレートは、［ a ］kビット／秒であり、音声をIPパケット化してLAN上に流すと、イーサネットフレームヘッダのほかに、IP、［ b ］及びRTPヘッダが付加されるので、1回線当たり34.4kビット／秒の帯域が必要となる。しかし、全社員が同時に通話した場合でも、本社のLANの帯域には余裕があると考えた。

!? ヒント 高速性を求められる通信で使われるプロトコルといえば……？

電話サービスには、本社のIPsecルータ経由で接続する。電話サービスは、Y社から送信された外線通話の音声パケットをGWで受信し、セッション管理を行う。

X主任は、図2の構成への変更作業完了後、電話サービスの運用テストを実施し、問題なく終了したので、電話サービスに切り替えた。

〔電話サービスで発生した問題と対策〕

電話サービスへの切替後のあるとき、eLNサーバで提供する動画コンテンツの情報セキュリティ基礎コース（以下、S基礎コースという）を、3日間で全社員に受講させることが決まった。受講日は部署ごとに割り当てられた。

受講開始日の昼過ぎ、本社や営業所の電話利用者から、通話が途切れるというクレームが発生した。X主任は、S基礎コースの受講を停止させて原因を調査した。調査の結果、eLNサーバからS基礎コースの動画パケットが大量に送信されたことが分かった。大量の動画パケットがL3SW0に入力されたことによって、L3SW0で音声パケットの遅延又は［ c ］が発生したことが原因であると推定できた。

そこで、X主任は、本社のITEL、L3SW0、L2SW01及びL2SW02と、全営業所のITEL、L3SW及びL2SWに、音声パケットの転送を優先させる設定を行うことにした。例として、本社と営業所1に設定した優先制御の内容を次に示す。

（レイヤ2マーキングによる優先制御）

!? ヒント CoS値を使うためには、CoSフィールドがあるプロトコルでないとダメですよね。

- ITEL、L2SW01、L2SW02及びL2SW1に、CoS（Class of Service）値を基にしたPQ（Priority Queuing）による優先制御を設定する。
- ITELにはVLAN機能があるので、音声フレームとPCが送受信するデータフレームを異なるVLANに所属させ、②ITELのアップリンクポートにタグVLANを設定する。
- L2SW01に接続するITELには、VLAN100とVLAN105を、L2SW02に接続するITELには、VLAN150とVLAN155を、L2SW1に接続するITELには、VLAN210とVLAN215を設定する。
- ITELは、音声フレームとデータフレームに異なるCoS値を、フレーム内のTCI（Tag Control Information）の上位3ビットにマーキングして出力する。
- ITELとL3SWに接続する、L2SW01、L2SW02及びL2SW1のポートには、それぞれキュー1とキュー2の二つの出力キューを作成し、キュー1を最優先キューとする。最優先の設定によって、キュー1のフレーム出力が優先され、キュー1にフレームがなくなるまでキュー2からフレームは出力されない。
- L2SW01、L2SW02及びL2SW1ではCoS値を基に、③音声フレームをキュー1、データフレームをキュー2に入れる。

（レイヤ3マーキングによる優先制御）

- L3SWに、Diffserv（Differentiated Services）による優先制御を設定する。
- 優先制御は、PQとWRR（Weighted Round Robin）を併用する。
- L3SWのf～jには、キュー1～キュー3の3種類の出力キューを作成し、キュー1はPQの最優先キューとし、キュー2とキュー3より優先させる。キュー2には重み比率75％、キュー3には重み比率25％のWRRを設定する。a～eの出力キューでは、優先制御は行わない。
- [ア]から受信したフレームにはCoS値がマーキングされているので、CoS値に対応したDSCP（Diffserv Code Point）値を、

IPヘッダの［ d ］フィールドをDSCPとして再定義した6ビットにマーキングする。

・［ イ ］から受信したパケットは、音声パケット、eLNサーバのパケット(以下、eLNパケットという)、その他のデータパケット（以下、Dパケットという）の3種類に分類し、対応するDSCP値をマーキングする。

・L3SWの内部のルータは、受信したパケットの出力ポートを経路表から決定し、DSCP値を基に、音声パケットをキュー1、④eLNパケットをキュー2、Dパケットをキュー3に入れる。

!? ヒント なんで3種類にしたんでしょう。eLNパケットの特徴といえば……？

上記の設定を行った後にS基礎コースの受講を再開したが、本社及び営業所の電話利用者からのクレームは発生しなかった。X主任は、優先制御の設定によって問題が解決できたと判断し、システムの運用を継続させた。

設問1

本文中の［ a ］〜［ d ］に入れる適切な字句又は数値を答えよ。

設問2

〔現状の調査〕について、(1)、(2)に答えよ。

(1) 図1において、音声信号がIPパケット化される通話はどのような通話か。本文中の字句を用いて答えよ。

(2) 図1中のIP-GWは、音声パケットのジッタを吸収するためのバッファをもっている。しかし、バッファを大きくし過ぎるとスムーズな会話ができなくなる。その理由を、パケットという字句を用いて、20字以内で述べよ。

設問3

〔電話サービス導入後のネットワーク構成〕について、(1)、(2)に答えよ。

(1) 図1中に示した現在の回線数を維持する場合、図2中のL3SW0のポートaから出力される音声パケットの通信量の最大値を、kビット／秒で答えよ。

(2) 本文中の下線①のL2SWに、PoE未対応の機器を誤って接続した場合の状態について、PoEの機能に着目し、20字以内で述べよ。

設問4

〔電話サービスで発生した問題と対策〕について、(1)～(5)に答えよ。

(1) 本文中の下線②について、レイヤ2のCoS値を基にした優先制御にはタグVLANが必要になる。その理由を、30字以内で述べよ。

(2) 優先制御の設定後、L3SW0の内部のルータに新たに作成されるVLANインタフェースの数を答えよ。

(3) 本文中の下線③の処理が行われたとき、キュー1に音声フレームが残っていなくても、キュー1に入った音声フレームの出力が待たされることがある。音声フレームの出力が待たされるのはどのような場合か。20字以内で答えよ。このとき、L2SWの内部処理時間は無視できるものとする。

(4) 本文中の[ア]、[イ]に入れるポートを、図2中のa～jの中から全て答えよ。

(5) 本文中の下線④について、eLNパケットをDパケットと異なるキュー2に入れる目的を、35字以内で述べよ。

解答のポイント

午後Ⅰ問題ですから単純暗記のような問題も含まれています。たとえば、CS-ACELPなどがそうですが、ここで勉強に労力を使うよりはネットワーク全体に目を配り、分析や最適化を導く力を養ったほうが全体の得点力や実務遂行力は向上すると思われます。なるべく大局を見る学習に時間を費やしましょう。初見の用語はかなりの確率で問題文中に説明が存在しますから、知らない用語が出てきても怯まないようにしてください。ネットワーク図と問題文を比較考慮することで対象システムへの理解を深めることが重要です。試験中は迷ったらネットワーク図を見返すようにしましょう。

理解度チェック

解答➡P528

① IEEE 802.1Qとは何ですか？
② PoEとは？

■設問1の解説

【空欄a】

かなりマニアックな設問です。CS-ACELP (G.729) は携帯電話や設問にあるVoIPで未だ利用されていますが、制定は1990年代なのでだいぶ古い技術です。正解は8kビット／秒なので覚えやすい数値ではあるのですが、これをがりがりと暗記するよりは、音声を聞き取る水準であればこのくらいのレートで十分と理解しておくほうが他の問題にも応用が利きます。5Gなどでは音楽鑑賞にも耐えられる音声符号化方式が採用されています。

【空欄b】

VoIPはIPの下位プロトコルとしてUDPを用います。そこまで覚えていなくても、遅延の少ないプロトコルが必要なはず、と類推できれば正答を導けます。

【空欄c】

現象としては、IPネットワークを利用した通話の切断、動画パケットの大量送信が起こっているので、輻輳(ふくそう)によるパケットの遅延及び廃棄が生じていると推定できます。このうち、遅延については問題文に書かれているので、「廃棄」を解答します。

【空欄d】

空欄dがあるパラグラフが「レイヤ3マーキングによる優先制御」であること、ここに至るまでにCoS(イーサネットフレームの優先制御機能)が用いられていることから、レイヤ3でもIPの優先制御機能を使うのだと考えられます。IPヘッダ内の情報ではToS (Type of Service) を使って優先制御を行うので、これを解答します。

■解説

(1)

図1は、電話サービス導入前の状態です。Y社から直接公衆電話網へ接続していることからも分かるように、基本的には電話回線を使う設計になっています。しかし、〔現状の調査〕に「拠点間の内線通話は、IP-GWを介して広域イーサ網経由で行っている」とあることから、拠点間の内線通話はIP化されていることが特定できます。

(2)

ジッタとはゆらぎのことで、ここでは音声パケットの到着間隔のゆらぎを指します。送信側は等間隔でパケットを送信しますが、ネットワークを介して到着する受信側では受信間隔が等間隔になりません。

このため、そのまま再生すると音声品質が下がります。そこで、ある程度パケットをバッファに受信してからまとめて再生します。この対策により、音声品質の向上を図るわけです。

バッファサイズは大きいほどジッタを吸収する能力が高まりますが、たくさんのパケットを溜め込むので遅延も大きくなります。

■設問1の解説

(1)

L3SW0のポートaはIPsecルータを介してインターネットに接続されています。したがって、ここで問われているのはY社の外線数です。

図1によればY社が保有している外線数は本社が80回線、各営業所が10回線です。営業所は全部で5か所ありますから、130回線の外線が存在します。

〔電話サービス導入後のネットワーク構成〕によれば、音声をIPパケット化するためには1回線あたり34.4kビット／秒の帯域が必要です。したがって、次のように計算できます。

34.4kビット／秒 × 130回線 ＝ 4,472kビット／秒

(2)

PoEはPower over Ethernetのことで、IEEE 802.3af、IEEE 802.3btなどで標準化されています。名前のとおり、イーサネットケーブルを給電にも用いる規格です。通信機器は狭隘な場所に設置されることも多いので、メンテナンス性や美観維持のために重宝されています。

PoEを行うためには、給電側と受電側、及びケーブルが規格に対応している必要があります。設問にあるように給電側機器（L2SW）がPoE未対応だった場合、受電側にその能力があっても給電は行われません。

■設問3の解説

(1)

CoSは通常のイーサネットフレームのヘッダにはない情報です。タグVLANとして知られるIEEE 802.1Qで仕様が定められています。IEEE 802.1Qでは通常のイーサネットフレームヘッダの送信元MACアドレスとLEN/TYPEの間に32ビットのタグが追加されます。そのうちPCP（Priority Code Point）と呼ばれる3ビットの情報がイーサネットフレームの優先度を表します。つまり、タグVLANでなければCoS値を設定するフィールドがないわけです。

TPID（16ビット）	TCI（16ビット）		
	PCP（3ビット）	CFI（1ビット）	VID（12ビット）

※VLANタグの詳細については、P139を参照のこと

(2)

動画データの送信で輻輳が起こってしまったことへの対策として、音声フレームとPCが送受信するデータフレームを異なるVLANに所属させることが述べられています。L2レベルの話ですので、L3SW0から見てポートgとポートfに設定を行う必要があります。また、設問とは関係がありませんが、L3SW1のポートjも対象になります。

問題文によれば、L3SW0につながっているL2SW01はVLAN100とVLAN105を、L2SW02にはVLAN150とVLAN155を設定します。このうちVLAN100とVLAN150はもとからあったので、新たに作成するVLANインタフェースはVLAN105とVLAN155の2つです。

(3)

各L2SWには音声フレームを入れるキュー1と、データフレームを入れるキュー2が用意されています。キュー2のデータフレームが出力中である場合は、キュー1の音声フレームの出力が待たされるケースが考えられます。

(4)

空欄アはCoS値があるフレームが対象ですので、タグVLANを設定したポートが当てはまります。L3SW0はfとgですが、L3SW1のjを忘れないようにしましょう。

空欄イはCoS値を使わないそれ以外のフレームが対象になります。音声パケット、eLNサーバのパケット、その他のデータパケットの3つに分類してDSCP値をマーキングしています。L3同士が対等な関係で結ばれているポートh、iにはこの処理は必要ないので、a、b、c、d、eを解答しましょう。

(5)

音声通話を最優先するにしても、動画視聴を伴うeLNも優先度の高いデータであることには変わりありません。あまりパケットが遅延すると、教育コンテンツが見にくくなってしまいます。そのため、通常のDパケットと区別して、ある程度の優先度を設定すると考えられます。

●解答●

■理解度チェックの解答

① タグVLANの仕様を定めた規格です。通常のイーサネットフレームにタグを挿入することで、VLAN IDを記述できるようになっています。タグには優先度を記述するフィールドもあります。

② イーサネットケーブルを給電にも利用する規格です。IEEE 802.3afから始まりましたが、IEEE 802.3at、IEEE 802.3btと、給電能力を向上させた規格が現れています。

■設問の解答

● 設問1

【a】8　【b】UDP　【c】廃棄　【d】ToS

● 設問2

(1) 拠点間の内線通話

(2) パケットを音声化する遅延が大きくなるから(20文字)

● 設問3

(1) 4472　kビット／秒

(2) L2SWは給電を行わない(12文字)

● 設問4

(1) フレーム中のタグ情報内の優先ビットを使用するから(24文字)

(2) 2

(3) キュー2のデータフレームが出力中の場合(19文字)

(4) 【ア】f、g、j　【イ】a、b、c、d、e

(5) Dパケットの送信がeLNパケットに与える影響を最小化するため(30文字)

9 ネットワーク設計と運用

問題の概要

問題文の字面からは、ネットワーク設計に関する問題に読めるのですが、実際には設計・設置が済んだ後で、どのくらい簡便に運用できるかを問う設問がかなりのウェイトを占めます。IPAは運用フェーズの重要性を20年以上も前から指摘してきましたから、そうした問題意識が背景にあるのだと思われます。

そこにネットワーク構築でよく使われる機器やプロトコルの名称、機器交換時の作業手順などを織り交ぜて、総合的な問題に仕上げています。実際にネットワークの再構築を手がけた受験者に有利な問題で、机上の対策が主だった受験者は他の問題に逃げるのも一つの手です。

キーワード

VPN
作業の移管とマニュアル化
SNMPとログ
UTM
RJ-45

ネットワークの再構築に関する次の記述を読んで、設問1～3に答えよ。

S社は、全国に100店舗以上のインターネットカフェをフランチャイズ方式で展開している企業である。本部は、商標権、営業権などの権利をもち、加盟店（以下、FCという）に営業ノウハウ、顧客管理システム、販売管理システムなどを提供している。

〔現在のネットワーク構成〕

店舗の利用者は、会員登録をしなければならないが、ある店舗で登録すれば、全国の全ての店舗でサービスを受けられるようになる。会員が利用するPC（以下、会員用PCという）は、インターネットに接続されている。会員が利用するネットワーク（以下、会員用NWという）の構成及びセキュリティ対策については、本部からのガイドラインはあるが、各FCに任されている部分が大きいので、FCごとに異なっており、本部では把握できていない。

図1は、S社のネットワーク構成の抜粋である。図1中の店舗のネットワーク構成は一例であり、S社が運用を委託しているT社のデータセンタ（以下、DCという）に設置されている業務サーバ（以下、業務SVという）を使用する業務用ネットワーク（以下、業務用NWという）だけが、全ての店舗に共通している。

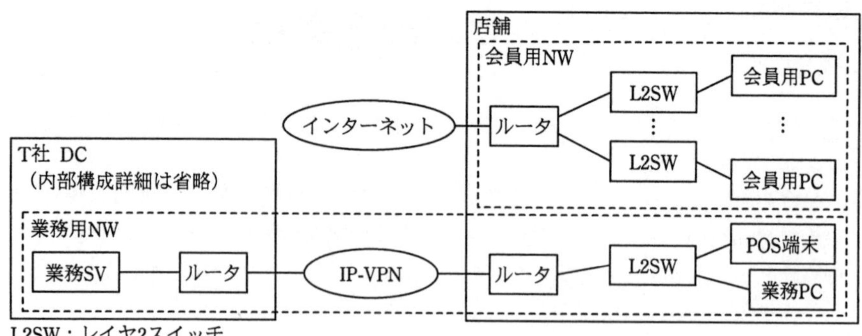

図1　S社のネットワーク構成（抜粋）

DCでは、T社の運用担当者が業務用NWの稼働状態を監視しており、障害を検知すると、S社の担当者にメールで通知する。一方、会員用NWに障害が発生した場合、DCで検知して状況を把握することができないので、店舗の担当者だけで対応している。その結果、解決までに時間が掛かってしまうことが多く、会員からのクレームも増加しており、何らかの対策が急務となっている。

S社では、情報システム部が対策を検討した結果、会員用NWの監視をアウトソーシングすることにした。詳細な検討については、ネットワーク管理者のD君が担当することとなった。

〔ネットワーク監視サービスの検討〕

D君が調査したところ、FCに任されているセキュリティ対策も不十分であることが分かった。また、FCからは、“スキルをもった人材を確保することが困難なので、会員用NWを本部で一元管理し、店舗側での対応を必要最小限に抑えてほしい”という要望もあった。

D君は、これらの問題を解決できるネットワーク監視サービスを調査した。幾つかの会社から提案してもらい、費用とサービス内容を比較した結果、C社のサービスに絞った。C社提案の新ネットワーク構成を図2に示す。

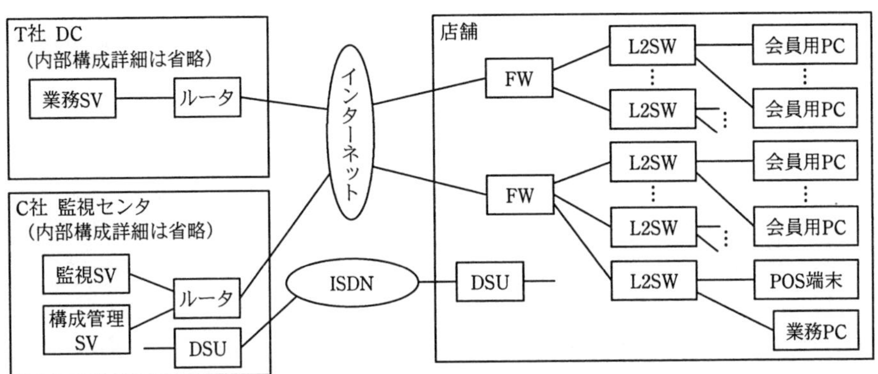

図2　C社提案の新ネットワーク構成

ヒント　ぱっと見の印象は、「なんだかL2SWと会員用PCが多いなあ」という感じ。そういう「感じ」、あるいは「違和感」は解答のきっかけになることが多いので、記憶にとどめておく。図2を作った人は、明らかにヒントとしてこの違和感を演出している。

C社の提案には、ネットワーク監視サービスの提供だけでなく、業務用NWを含めたネットワーク構成の見直しも含まれていた。C社によると、“構成の見直しと業務用NWの監視サービスをT社から乗り換えることで、ランニング費用を現状と同等にできる”とのことであった。さらに、セキュリティ対策と運用上の作業負荷を極力抑えられるように、新たな機器の導入と保守サービスの提案も含まれていた。次は、C社提案の要約である。

ヒント　こうした条件は、後々の設問で利用することになるので、要チェック。この問題の場合は、設問2(1)で必要。出題者によっては難易度を上げるために、「木は森の中に隠せ」で使わない条件をいっぱい盛り込むことも。必要な条件を素早く脳内検索できるようになると合格が近い。

(1) 新ネットワーク構成

- DC、店舗、監視センタの接続には、インターネットVPNを利用する。
- DC及び監視センタのルータには、VPN機能をもたせる。
- 店舗側のFWは2台構成とし、配下にL2SWを接続する。
- FWには、VPN、Webフィルタリング、ウイルスチェックなどの機能ももたせる(このような複数のセキュリティ機能をもつ装置のことを［ア］という)。
- 店舗内セグメントでは、L2SWの機能によって、会員用PC間の通信を遮断する。
- 会員用PCが勝手に設定変更されたり、ウイルスに感染したりした場合でも、PCを［イ］すれば、元の状態に戻せるようなツールを導入する。

(2) 運用上の考慮点

保守費用を抑えるために、なるべく店舗の担当者が対応できるように、次のような仕組みと作業マニュアルを用意する。

- FW又はアクセス回線に障害が発生した場合は、店舗の担当者が、利用可能なもう1台のFWにL2SWを付け替える。
- L2SWが故障した場合は、店舗の担当者が、あらかじめ用意してある予備機と交換する。
- 店舗側のL2SWの設定情報は、構成管理SVに保存しておき、簡易型ファイル転送用プロトコルである［ ウ ］を用いてデータを転送する。その作業は、店舗の担当者がL2SWにログインし、構成管理SVの［ エ ］とファイル名を指定したコマンドを投入して行う。
- FWの設定や各種セキュリティ対策用ファイルの更新は、C社からリモートで実施する。通常はインターネット経由で行うが、障害時に備え、ISDN回線も利用できるようにする。DSUとFWの接続には、一般的に［ オ ］と呼ばれるモジュラジャックが付いているケーブルを用いる。

!? ヒント 空欄がボコボコ空いているので、そちらに意識が奪われるが、これは「木は森の中に隠せ」方式の出題者のテクニック。他の解答のヒントが同じ文章の中に含まれているので、空欄を解答し終わったところでこの文章が目から弾かれてしまう現象に注意。

(3) C社の監視サービス

- ネットワークと機器の状態は、監視センタに設置された監視SVで監視する。
- 監視対象となる機器は、SNMP v1/v2c対応の機器を導入する。監視の対象範囲に［ カ ］名を付け、監視SVがこれを指定して、対象機器に問い合わせる。
- 監視SVは、対象機器に一定間隔で問合せを行い、対象機器の異常を検知した場合、監視用のコンソールに状況を表示するとともに、S社の担当者にメールで通知する。

〔ネットワークの再構築〕

S社は、C社の提案を採用し、ネットワークを再構築することを決定した。D君は、運用フェーズに備えて、店舗の担当者が実施する作業マニュアルの整備を進めていくことにした。作業マニュアルにおけるL2SWの交換作業手順を表1に示す。

表1　L2SWの交換作業手順

項番	作業内容
①	故障したL2SWに接続されている全てのケーブルを抜く
②	予備のL2SWにログインして，IPアドレスを設定する
③	L2SWをFWに接続する
④	（設問の関係で省略）
⑤	L2SWに設定情報を保存し，それをリブートする
⑥	（設問の関係で省略）
⑦	会員用PCが利用できることを確認することを確認する

ヒント 情報処理技術者試験では、この種の表の中身が脈絡なく出現することはない。必ず問題文のどこかとリンクしているので、まずその場所を見つけて、相違点を探す。

S社と各FCは、新たな契約内容で合意し、移行計画に基づいてネットワークの再構築を進めていくことになった。

設問1

本文中の［ア］～［カ］に入れる適切な字句を答えよ。

設問2

新ネットワーク構成について、(1)～(3)に答えよ。

(1) VPNトンネルの設定区間を三つ答えよ。

(2) FWにL2SWを付け替える場合に、作業ミスを防止するため、FWに対して事前に準備しておくべき事項を二つ挙げ、それぞれ20字以内で述べよ。

(3) 店舗内のL2SWに設定するVLANで実現させる通信条件を二つ挙げ、それぞれ30字以内で述べよ。

設問3

運用フェーズにおける考慮事項について、(1)～(3)に答えよ。

(1) 店舗側のFWが故障した場合、メールによる障害通知運用に支障を来すことがある。その内容を40字以内で述べよ。

(2) 上記(1)の状況の回避方法を、30字以内で述べよ。

(3) 表1中の④及び⑥の作業内容を、それぞれ25字以内で述べよ。

解答のポイント

午後問題は国語の問題が混ぜられる、とはよくいわれることですが、この問題もそんなタイプの設問を含んでいます。業務現場でも、仕様書と現実の機器配置を見比べることがあるので、問題文の前提部分と機器仕様などの記述を比較させ、間違いを指摘する出題があるのは一応、理にかなっています。「どこがネットワークの試験なんだ」と腐らずに、問題文を目で検索する作業に集中しましょう。

理解度チェック

解答➡P540

① FWとか、ウイルスチェックの機能を盛り込んだ統合機器があります。サーバルームのラックでよく見かけますが、なんという名前でしょうか？

② 機器の状態をチェックする情報としてログは欠かせません。あなたがログ検査担当者になったとして、恐れるべき事態は何？

■設問1の解説

【空欄ア】

［ア］の直前にある記述から、［ア］はFWとしての機能の他に、VPN、Webフィルタリング、ウイルスチェックなどの盛りだくさんな機能を持っています。こうした機器のことを、これ1台でセキュリティ対策がまかなえることから、**UTM**（Unified Threat Management）機と呼びます。

UTMにするメリットは、低コスト、省スペース、設定・運用の簡素化などです。特にセキュリティ機器に限ったことではなく、一般的に複数の機器をまとめて1台に集約したときにいえることだと考えてください。

こうした機器の欠点は主に、拡張性と性能です。1台での運用を前提としているため、他に必要な機能が生じたときに、それを追加したり、別の機器を接続したりする柔軟性に欠けています。また、単機能製品と比べると、個々の性能が劣っていることも多いです。

【空欄イ】

公共の場所でPCを共有して使う場合、設定を維持するのがたいへんです。最適な設定を施しても、誰かがそれを変更してしまうケースがあるからです。

対策としてまず考えられるのは、設定を変えられないようにすることですが、公共の場所では誰がどんなふうにPCを使うか予想できません。各種のツールやウイルスの混入により、予想しない方法で設定が変えられてしまう可能性があります。そこで次善の策として、仮に設定を変更されても、それを元の状態に戻してしまう方法が出てきます。具体的には、管理者が構築した最適なイメージを保存しておき、適宜PCの状態をそのイメージに戻します。この「戻し作業」にはそれなりの時間がかかりますし、戻したとしても、同じ利用者が継続してそのPCを使うのであれば、再変更されてしまうかもしれません。したがって、「戻す」タイミングは再起動したときとし、利用者が変わるごとに再起動するような運用方法をとります。実際、PCを使っている最中にイメージを使って元の状態に戻そうとしても、開いているファイルは戻せないなどの障害に直面するので、再起動時に元に戻すのが現実的です。

この方法であれば、PCを設定完了時のピカピカの状態に戻せるので、設定変更だけでなく、ウイルス感染が生じたときにも、再起動によって感染前の状態に戻すことができます。

【空欄ウ】

ファイル転送プロトコルは情報処理試験では頻出ですから、FTPというキーワードは是非連想してください。［ ウ ］の前をよく読むと、「簡易型」と明記されていることが分かるので、**TFTP** (Trivial File Transfer Protocol) と解答すれば得点が得られます。TFTPは高速性を重視したプロトコルで、認証をしない、下位プロトコルとしてUDPを使うといった特徴があります。ポート番号は69番です。

他にFTPをベースにしたプロトコルとしては、**SFTP**を覚えておきたいところです。**SSH**を使うことで、ファイル転送を認証と暗号化で保護するプロトコルです。

【空欄エ】

［ エ ］の直前で構成管理SVがはじめて議論の俎上にのぼるので、ここに空欄を空けられても分からないよ！　と思いがちですが、ここでなぜ構成管理SVが出てきたのかを考えてください。［ ウ ］の前後に書かれているように、構成管理SVに接続して、そこに保存されているL2SWの設定情報を転送してほしいからです。

そのためには、構成管理SVを特定する情報と、設定情報を特定する情報が必要です。後者は「ファイル名」として［ エ ］の後に書かれていますから、構成管理SVを特定する情報を記入すれば得点が得られます。

図2で示されているように、S社のネットワークはインターネット技術を基本としているので、ノードを特定する情報としてはIPアドレスとFQDNが考えられます。どちらでも正答になりそうなのですが、FQDNについては使えると確定できる記述が問題文にありませんので、IPアドレスと書いておくのが無難です。

【空欄オ】

ヒントは[　オ　]の前後に示されています。

・ISDN回線で用いる
・DSUとFWの接続に使う
・複数あるモジュラジャックの一種

モジュラジャックとは、ケーブルと通信機器をつなぐ端子で、いろいろな形状があります。イーサネットやISDNで使うモジュラジャックがRJ-45と呼ばれる形状・仕様であることは10年前であれば常識のたぐいでしたが、最近あまり出題されていなかったこと、ISDNが衰退していることを考慮すると難問に分類できるかもしれません。

RJ-45はいわゆる8極8芯のジャックで、8個の接続点（ピン）とそこにつながる8本の線とで構成されます（他の規格では、接続点はあっても、すべてには線がつながっていないものなどがあります。8極2芯などと表現します）。過去には、どのピンにどの線がつながるかなどの出題がありました。

【空欄カ】

SNMPでは監視の対象範囲に**コミュニティ名**を付け、これを**マネージャ**、**エージェント**がやり取りすることで情報を取得します。コミュニティ名を共有できているかどうかで、情報へのアクセスの可否が決まるので、事実上のパスワードです。したがって、コミュニティ名は秘匿する必要があります。SNMPで取得できる情報には、そのシステムへ不正侵入するために利用できるものがあるからです。

■設問2の解説

(1)

〔ネットワーク監視サービスの検討〕にC社からの提案が掲載されています。そこに、(1) 新ネットワーク構成として、

・DC、店舗、監視センタの接続には、インターネットVPNを利用する

とありますので、解答がほぼ提示されている状態です。午後試験では、こうした国語の試験的な、一種のサービス問題があるので、取りこぼさないようにしましょう。こ

の場合は、DC～監視センタなどとうっかり記入してしまうと痛い目を見ます。設問文で、「VPNトンネルの設定区間」と明示されていますので、VPNのコネクションが張れる機器を解答する必要があります。同じく、(1) 新ネットワーク構成に、

・ DC及び監視センタのルータには、VPN機能をもたせる
・ FWには、VPN、Webフィルタリング、ウイルスチェックなどの機能ももたせる

とありますから、

・ DCのルータ～監視センタのルータ
・ DCのルータ～店舗のFW
・ 監視センタのルータ～店舗のFW

以上の3つの区間で、VPNトンネルを構築すればよいことが導けます。

実際には、他の機器でもVPNトンネルを構築できる可能性がありますが、情報処理試験では問題文で明示されている手がかりを使った解答を作成すると、得点に結びつきやすくなります。

(2)

まず、FWに対して物理的にL2SWが接続できなければ話になりません。図2や問題文で確認しても、「利用可能なもう1台のFW」に空きポートがあるかどうかは分からないので、これを解答にすることができます。20文字にまとめなければならないので、L2SWの接続用ポートを確保する旨をコンパクトにまとめましょう。

また、〔ネットワーク監視サービスの検討〕の (2) 運用上の考慮点に、「FWの設定や各種セキュリティ対策用ファイルの更新は、C社からリモートで実施する」と書かれています。一般論として、緊急時に時間に追われながら、しかもリモートで設定を行うことは、作業ミスの大きなリスクを伴います。構成を変更した後の設定を事前に作って保存しておき、それをもとに作業を行えばこうしたミスの可能性を減らすことができます。

(3)

(1) 新ネットワーク構成、の要件を見てください。

・ 店舗内セグメントでは、L2SWの機能によって、会員用PC間の通信を遮断する。

と書かれています。わざわざ、「L2SWの機能によって」と条件をつけてくれているので、圧倒的な正答候補です。また、接続しているノード同士の通信を許可したり、拒否したりすることはVLANの主要な機能ですから、解答しやすい設問といえます。

一方、S社はインターネットカフェを展開しているわけですから、会員用PCはインターネットに接続できることが必須要件です。このことは、〔現在のネットワーク構成〕

にも記述があります。

つまり、会員用PCをインターネットに接続しつつ、会員用PC間の通信は遮断する必要があるわけで、設問要件である2つの通信条件が素直に出てきてくれます。したがって、VLANの機能を使って以下の状態を作ることを記述すれば、正答となります。

・ FW ～会員用PC間は通信可能
・ 会員用PC ～会員用PC間は通信不能

■設問3の解説

(1)

「店舗側FWの故障」、「メールによる障害通知」がキーワードのようです。この2つの条件で問題文を検索してみてください。〔ネットワーク監視サービスの検討〕の(3) C社の監視サービスで、次の記述を見つけることができます。

・ 監視SVは、対象機器に一定間隔で問合せを行い、対象機器の異常を検知した場合、監視用のコンソールに状況を表示するとともに、S社の担当者にメールで通知する。

ここで、「図2　C社提案の新ネットワーク構成」の店舗側FWの部分を参照します。

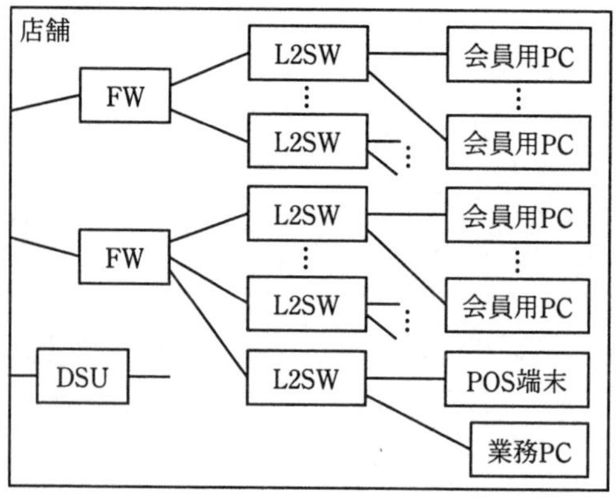

FWの配下には大量のL2SWと会員用PC、POS端末、業務PCが接続されています。FWが故障した場合、大量にあるこれらの機器の正常動作が確認できなくなり、監視SVが多数の通知メールを担当者に送ることが予想されます。

午後問題で頻出のパターンに、「大量のログに埋もれてしまって、本当に必要なアラートを見過ごしてしまう」があります。業務の現場でも実際に起こっているからこそ、繰り返し出題されているわけですが、この設問はそのバリエーションの一種です。

ログというキーワードこそ出てきていませんが(異常検知メールに置き換えられている)、それで見過ごしてしまうことのないように、注意して本試験に臨みましょう。

(2)

ログ爆発の回避方法はいくつか考えられます。

①アラートをあげるイベントを見直して、頻発するにもかかわらずリスクに直結しないものはアラートから外す
②個々が結びついているアラートは一つにまとめることで、見かけ上の量を減らす
③アラートがあがった後の初動処理を自動化して、担当者がログを見過ごしてもリスクが顕在化しないようにする

この設問の場合は同じイベントを引き金に異常検知メールが送られているので、②のパターンが使えます。つまり、異常がたくさんあるように見えても、原因が同じであるので、一つの異常としてまとめて、一通のメールで報告すればよいわけです。これで、大量のメールが寄せられる事態を回避できます。

他の方法がダメなわけではありませんが、①と③は特にそれを示唆する記述が問題文にないため、危険度が高い解答といえます。

もっとも、②についても表現には工夫が必要です。「原因が同じ異常は1つにまとめる」、「一定時間内に生じた異常は1つにまとめる」などが解答候補として考えられますが、穴を探そうと思えば、原因が同じであると特定する手がかりが問題文できちんと与えられていない、一定時間内をどう定義するのかで別々のアラートが一つにまとめられてしまう、といった問題点を指摘することができます。

特に本試験の会場では、緊張からくる見落としなどが起こりますから、無難な解答を目指すのもよい選択肢です。「連続した異常検知は、1つにまとめて報告する」といったやや抽象的な、ボカした解答で得点が得られることが、過去の傾向から分かっています。

(3)

ここでいう、「L2SWの交換作業」とは、L2SWが故障したときに、店舗の担当者が予備機と交換する作業を指しています。図2と照らし合わせると、FW、会員用PCとの接続作業などが必要であることが予想されます。

また、論理的な作業として何が必要かは、(2) 運用上の考慮点に記載があります。

・店舗側のL2SWの設定情報は、構成管理SVに保存しておき、簡易型ファイル転送用プロトコルである［ウ］を用いてデータを転送する。その作業は、店舗の担当者がL2SWにログインし、構成管理SVの［エ］とファイル名を指定したコマンドを投入して行う。

これらの記述と、表1の作業を比較すると、欠けている④と⑥の作業を特定することができます。まず、構成管理SVに保存した設定情報をL2SWへ転送する作業が抜けていますし、③でL2SWとFWを接続しているのに、L2SWと会員用PCとの接続は行っていないのも不自然な点です。

したがって、この2点を作業④、⑥として解答すれば得点が得られます。ただし、作業の順序には注意してください。③に「L2SWをFWに接続する」とあるので、なんとなく流れでL2SWと会員用PCもつなぎたくなってしまうところですが、⑤で設定情報の保存作業を行っているので、それ以前、すなわち④で設定情報の転送が行われている必要があります。

●解答●

■理解度チェックの解答

① UTMです。UTMのUは、UnifiedのUで、統一を表しています。いろんなセキュリティ機能が統一、統合されている機器だということです。アプライアンスと誤答する例が意外と多いのですが、アプライアンスは逆に、特定機能に特化した機器です。

② いくつも考えられますが、情報処理技術者試験でいちばん伝統があるのが、「ログに押しつぶされる」。つまり、ログがたくさんありすぎて読みきれず、重要な警告／アラートを見過ごしてしまうことです。

■設問の解答

●設問1

【ア】UTM　【イ】再起動　【ウ】TFTP
【エ】IPアドレス　【オ】RJ-45　【カ】コミュニティ

●設問2

(1) ・DCのルータ～監視センタのルータ
・DCのルータ～店舗のFW
・監視センタのルータ～店舗のFW

(2) ・L2SWを接続するためのポートを確保する (20文字)
・構成変更後の設定情報を事前に保存しておく (20文字)

(3) ・FW接続ポートと会員用PC接続ポート間は通信を許可する (27文字)
・会員用PC接続ポート同士の通信は拒否する (20文字)

●設問3

(1) 一斉に異常検知メールがS社担当者のもとに送られ、重要な情報が埋もれてしまう (37文字)

(2) 異常検知が連続した場合は、1通のメールにまとめて報告する (28文字)

(3) ④ L2SWの設定情報を構成管理SVから転送する (22文字)
⑥ L2SWと会員用PCを接続する (15文字)

10 LANのセキュリティ対策

問題の概要

DHCPで味付けがされていますが、基本的にはネットワーク構成図を読み取り、そこでどの機器がどのように働いているか、ある要件を達成するためにはどこをどういじればいいかを考える、王道の出題です。ただ、けっこうDHCPについて突っ込んだ設問が飛んできます。DHCPなんてド定番すぎて、むしろ油断している項目かもしれませんが、基本をしっかり押さえていれば慌てることなく解答できます。

キーワード

DHCPリレーエージェント
検疫LAN
ARPスプーフィング
DHCPスヌーピング
DHCPスプーフィング

ヒント 点線の囲みでセグメントが分かれています。どんな問題でも、注目すべきポイントです。

LANのセキュリティ対策に関する次の記述を読んで、設問1～4に答えよ。

E社は、小売業を営む中堅企業である。E社のネットワーク構成を、図1に示す。

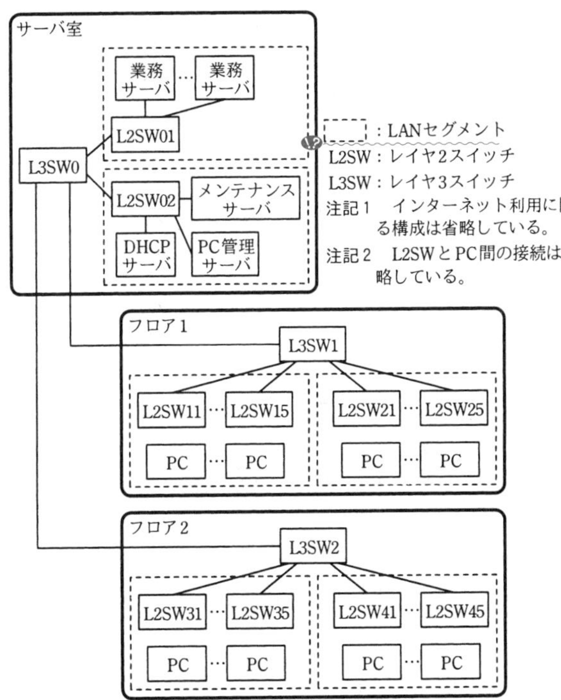

図1 E社のネットワーク構成（抜粋）

図1の概要、及びPCのセキュリティ対策について、次に示す。

- PCを接続するLANは、各フロア二つ、計四つのセグメントに分かれている。
- ルーティング情報は、全てスタティックに定義してある。
- L3SW1、L3SW2で設定されているVLANは、全てポートVLANである。
- ①PCのIPアドレスは、DHCPサーバによって割り当てられる。
- PCはメンテナンスサーバを利用して、OSやアプリケーションプログラムのアップデート、ウイルス定義ファイルのアップデートなどを行う。
- PCには、E社のセキュリティルールに従っているかどうかを検査するソフト（以下、Sエージェントという）がインストールされている。
- Sエージェントは、検査結果をPC管理サーバに登録する。

!? ヒント 地味ですが、重要な情報です。本試験で読み飛ばさないようにしたいです。

E社では、情報システム部（以下、情シス部という）が、定期的にPC管理サーバを参照して、検査結果が不合格であるPCの利用者に、対処を指示している。しかし、対処をしないままPCを使用し続ける利用者が、少なからず存在する。また、無断で個人所有のPCをLANに接続することが、度々起きていた。そこでE社は、セキュリティルールに反したPCに対し、LANの利用を制限することにした。

〔LAN通信制限方法の検討〕

情シス部は、LAN通信制限の要件を次のとおり整理した。

- 通信を許可するかしないかは、PC管理サーバ上の情報によって決定する。
- PC管理サーバ上の情報に応じて、PCを次の三つに区分する。
  正常PC　：Sエージェントの検査結果が合格のPC
  不正PC　：Sエージェントの検査結果が不合格のPC
  未登録PC：PC管理サーバに登録がないPC（無断持込みのPCは、これに該当）
- 正常PCは、通信を許可し、不正PCと未登録PC（以下、排除対象PCという）は、通信を許可しない。

情シス部は、LAN通信制限の実現策として、次の2案を検討した。

案1：DHCPサーバとL2SWによる通信制限

- 正常PCだけにIPアドレスを付与するよう、DHCPサーバに機能追加する。

・②DHCPサーバからIPアドレスを取得したPCだけが通信可能となるように、各フロアのL2SWでDHCPスヌーピングを有効にする。

案2：専用機器による通信制限

・ARPスプーフィングの手法を使って、LAN上の通信を制限する機能をもつ機器（以下、通信制限装置という）を新たに導入し、排除対象PCによる通信を禁止する。

!? ヒント 空欄a～dはこの文章を表に置き換えただけと言えます。よくあるパターンの出題ですので、順を追って解釈していきます。

案2の通信制限装置は、セグメント内のARPパケットを監視し、排除対象PCが送信したARP要求を検出すると、排除対象PCのパケット送信先が通信制限装置となるように偽装したARP応答を送信する。同時に、排除対象PC宛てパケットの送信先が通信制限装置となるように偽装したARP要求を送信する。これら各ARPパケットのデータ部を、表1に示す。

表1 各ARPパケットのデータ部

フィールド名	排除対象PCが送信したARP要求	通信制限装置が送信するARP応答	通信制限装置が送信するARP要求
送信元ハードウェアアドレス	排除対象PCのMACアドレス	a	c
送信元プロトコルアドレス	排除対象PCのIPアドレス	b	d
送信先ハードウェアアドレス	00-00-00-00-00-00	排除対象PCのMACアドレス	00-00-00-00-00-00
送信先プロトコルアドレス	アドレス解決対象のIPアドレス	排除対象PCのIPアドレス	アドレス解決対象のIPアドレス

なお、通信制限装置が送信するARP応答は10秒間隔で繰り返し送信され、あらかじめ設定された時間、又はオペレータによる所定の操作があるまで、継続する。

案1、案2ともに、同等のLAN通信制限ができるが、案2の通信制限装置には、PC管理サーバとの連携を容易にする機能が存在する。そこで、情シス部は案2を採用することにした。

〔通信制限装置の導入〕

!? ヒント 対応可能なんですけど、使うとは言っていないんですよ。

通信制限装置のLANポート数は4であり、各LANポートの接続先は、全て異なるセグメントでなければならない。また、タグVLANに対応可能である。

通信制限装置の価格、セグメント数やタグVLAN対応に応じたライセンス料、フロア間配線の工事費用、既存機器の設定変更の工数などを勘案し、情シス部は、③タグVLANを使用せず、フロア間の配線も追加しない構成を選択した。また、④通信制限装置を接続するスイッチは、既設のL3SWとした。

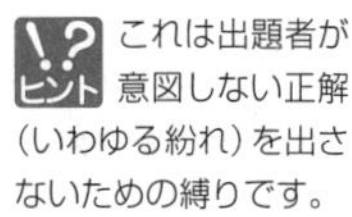

これは出題者が意図しない正解（いわゆる紛れ）を出さないための縛りです。

〔運用の整備〕

新規に調達されたPCは、PC管理サーバに検査結果が登録されていないので、通信制限装置の排除対象になってしまう。そこで、新規のPCは、情シス部がPC管理サーバに正常PCとして登録した後に、利用者に配布する運用にした。

また、不正PCを正常PCに復帰させる対処を行うために、不正PCを接続するセグメント（以下、対処用セグメントという）を、フロア1とフロア2に追加することにした。⑤対処用セグメントから他セグメントの機器への通信は、L3SW1及びL3SW2のパケットフィルタリングによって必要最小限に制限する。

情シス部が作成した計画に基づいて、E社はLANのセキュリティ対策を導入し、運用を開始した。

設問1

本文中の下線①について、DHCPサーバとPCのセグメントが異なっている場合に必要となる、スイッチの機能名を答えよ。また、その機能が有効になっているスイッチを、図1中の機器名で、全て答えよ。ただし、その機能が有効になっているスイッチは、台数が最少となるように選択すること。

設問2

〔LAN通信制限方法の検討〕について、(1)～(3)に答えよ。

(1) 案1において、本文中の下線②を実施しない場合に生じる問題を、35字以内で述べよ。

(2) 図1中のフロア1、フロア2のL2SWで、DHCPスヌーピングを有効にする際に、L3SWと接続するポートにだけ必要な設定を、25字以内で述べよ。

(3) 表1中の［ a ］～［ d ］に入れる適切な字句を解答群の中から選び、記号で答えよ。

解答群

ア　アドレス解決対象のIPアドレス
イ　アドレス解決対象のMACアドレス
ウ　通信制限装置のIPアドレス
エ　通信制限装置のMACアドレス
オ　排除対象PCのIPアドレス
カ　排除対象PCのMACアドレス

設問3

〔通信制限装置の導入〕について、(1)、(2)に答えよ。

(1) 本文中の下線③の構成において、必要となる通信制限装置の最少台数を答えよ。ただし、サーバ室での不正PCや未登録PCの利用対策は、考慮しなくてよいものとする。

(2) 本文中の下線④について、導入する通信制限装置のうちの1台を対象として、そのLANポート1～4の接続先を、図1中の機器名でそれぞれ答えよ。ただし、LANポート1～4は番号の小さい順に使用し、使用しないポートには“空き”と記入すること。

設問4

〔運用の整備〕について、(1)、(2)に答えよ。

(1) 本文中の下線⑤について、対処用セグメントのPCの通信先として許可される他セグメントの機器を二つ挙げ、それぞれ図1中の機器名で答えよ。

(2) 対処用セグメントを追加する際に、L3SW1、L3SW2以外に設定変更が必要な機器を二つ挙げ、それぞれ図1中の機器名で答えよ。また、それぞれの機器の変更内容を、30字以内で述べよ。

解答のポイント

DHCPリレーエージェントあたりはネットワーク構成の基本ですが、基本すぎて盲点になっているかもしれません。ひねった出題が多いのでド定番はなかなか来ないだろうと油断せずに、たまには見直してみるのも大事です。スプーフィングのように普段は悪い意味で使っているのに、管理技術として出題される要素にも気をつけましょう。知らず知らずのうちに題意を誤読してしまう可能性があります。

理解度チェック

解答➡P549

① DHCPリレーエージェントとは何ですか？
② スプーフィングとは？

■設問１の解説

DHCPはクライアントにIPアドレスや付帯情報を設定するための機能です。クライアントはIPアドレスが割り振られるまでの間、IPアドレスがない状態でサーバと通信しなければなりません。したがって、DHCPDISCOVER→DHCPOFFER→DHCPREQUEST→DHCPACKの一連のやり取りはブロードキャストによって行われます。

つまり、IPアドレスを要求するDHCPクライアントと、IPアドレスを付与するDHCPサーバは同じブロードキャストドメインに所属している必要があります。図1を参照すると、E社にはDHCPサーバが1台しかありませんが、3台のL3スイッチによってブロードキャストドメインが3つに分割されているので、ブロードキャストドメインをまたいでDHCPメッセージをリレーする機能が必要です。それが、**DHCPリレーエージェント**です。

L3SW0は同一ブロードキャストドメイン内にDHCPサーバが存在するのでリレーエージェント機能を有効にする必要はありません。L3SW1とL3SW2で有効にしておけば、E社全体でDHCP機能が利用できます。

■設問２の解説

(1)

DHCPスヌーピングとは、スイッチに実装されるDHCPのセキュリティ機能です。スイッチのポートをトラステッドポート(DHCPサーバを接続する)と、アントラステッドポート(DHCPクライアントを接続する)に分けることで、不正なDHCPサーバがネットワークに混入することを抑止します。

また、スイッチはDHCPメッセージをチェックして、クライアント情報のリストを作成します。その情報と異なるクライアントの通信(たとえば、DHCPから配布されたものではないIPアドレスを使っての通信)を遮断することも可能です。他にも、大量のDHCPDISCOVERを要求してDHCPサーバの資源を枯渇させる攻撃なども防止できます。

(2)

フロア1、2にはDHCPサーバがありませんので、DHCPリレーエージェント機能を使って、サーバ室のDHCPサーバと通信をする必要があります。このとき、L3SW1やL3SW2を介してDHCPサーバと通信することになります。

したがって、L3SWと接続するポートはトラステッドポートに設定しておかないと、DHCPサーバからのメッセージを破棄してしまうことになります。

(3)

【空欄a】【空欄b】

排除対象PCからARP要求が行われた場合、通信制限装置は「排除対象PCのパケット送信先が通信制限装置となるように偽装したARP応答を送信する」とあります。ということは、「排除対象PCは指定したノードと通信しているつもりで、実は通信制限装置と通信している」という状態を作り出さなければなりません。そこで、空欄bをアに、空欄aをエにします。

こうすると、「アドレス解決対象のIPアドレス」に投げたパケットは、「通信制限装置のMACアドレス」に解決されるので、実際には通信制限装置に到着することになります。

【空欄c】【空欄d】

また同時に、「排除対象PC宛てパケットの送信先が通信制限装置となるように偽装したARP要求を送信」しなければなりません。そのためには、空欄cをエに、空欄dをオにします。

他のノードは、排除対象PCのIPアドレスにパケットを送ったつもりでも、それは通信制限装置のMACアドレスに紐付いているので、パケットは通信制限装置に着信します。

■設問3の解説

(1)

設問文で「サーバ室での不正PCや未登録PCの利用対策は、考慮しなくてもよい」と書かれています。したがって、フロア1、2だけを考えればOKです。通信制限装置を既設のL3SWに接続すること、フロア間の配線を追加しないことなど、しつこく丁寧に記述してありますので、2台の通信制限装置が必要であると導けます。

(2)

ここも、懇切丁寧な記述があるので、問題文をよく読み込みましょう。

- 各LANポートの接続先は、全て異なるセグメントでなければならない
- タグVLANは使わない
- L3SW1、L3SW2で設定されているVLANはすべてポートVLANである

・PCを接続するLANは、各フロア二つ、計四つのセグメントに分かれている

このことから、通信制限装置をL3SWにつなぐときは、2つのポートを使って接続しなければならないことが分かります。対象はL3SW1かL3SW2になるので、どちらかを選んで記述しましょう。

このとき、「ただし、LANポート1～4は番号の小さい順に使用し、使用しないポートには“空き”と記入すること」という条件もお忘れなく。これが最後のひっかけです。

■設問4の解説

(1)

対処用セグメントは不正PC（Sエージェントの検査に不合格となったPC）を接続するセグメントです。ですから、基本的には隔離する必要があって、どこともつないではいけません。それを敢えて許可する通信は、「不正PCを正常PCに復帰させる対処」に関連するものに限られるはず、と導きましょう。

このことを念頭に問題文を探ると、

・PCはメンテナンスサーバを利用して、OSやアプリケーションプログラムのアップデート、ウイルス定義ファイルのアップデートなどを行う。

が発見できます。メンテナンスサーバでメンテナンスしてもらうことで、Sエージェントの検査に合格できるようにするわけです。

また、

・Sエージェントは、検査結果をPC管理サーバに登録する。

とあります。いくらメンテナンスを施しても、その結果を管理サーバに登録しなければ正常PCに昇格できませんから、復帰作業のためにはメンテナンスサーバとPC管理サーバに接続をする必要があることが分かります。

(2)

① 対処用セグメントはフロア1、2に設置しますので、L3SW1、L3SW2のもとに配置することになります。(1)で検討したように、不正PCはメンテナンスサーバやPC管理サーバと通信する必要がありますから、L3SW0からルーティングができないといけません。

しかし、「ルーティング情報は、全てスタティックに定義してある」と書かれているので、L3SW0のルーティングテーブルにこれを追記すべきである、と導けます。

② 対処用セグメントにつなぐ不正PCにもIPアドレスが必要です。E社のPCのIPアドレスはすべてDHCPサーバが割り当てます。セグメントを追加するわけですから、新しいアドレスプールを作らないと現状の運用に支障が生じる可能性があります。

そこで、アドレスプールの追加を解答しましょう。

不正PCは、メンテナンスサーバとPC管理サーバとしか通信できないのでは？と思った方もおられるかもしれませんが、DHCPではブロードキャスト通信を使い、DHCPリレーエージェントが中継するので、問題ありません。

●解答●

■理解度チェックの解答

① DHCPはブロードキャストを使います。言葉を換えれば、ブロードキャストの届かない箇所ではサービスが受けられません。そこで、ルータやL3スイッチにDHCPリレーエージェントを実装し、ブロードキャストを中継します。

② spoofからきている言葉で、なりすましを意味します。したがって、IPスプーフィングのように一般的には攻撃手法を表します。しかし、この問題では管理者が使う正規の運用技術として登場するので、注意が必要です。

■設問の解答

● 設問1

【機能名】DHCPリレーエージェント

【スイッチ】L3SW1、L3SW2

● 設問2

(1) 矛盾しないIPアドレスを静的に設定して、正常PC以外が通信する（31文字）

(2) L3SWと接続するポートをトラステッドポートにする（25文字）

(3) 【a】エ　【b】ア　【c】エ　【d】オ

● 設問3

(1) 2

(2) 【LANポート1】L3SW1　【LANポート2】L3SW1

【LANポート3】空き　【LANポート4】空き

または

【LANポート1】L3SW2　【LANポート2】L3SW2

【LANポート3】空き　【LANポート4】空き

● 設問4

(1) PC管理サーバ、メンテナンスサーバ

(2) ①【機器】L3SW0

【変更内容】対処用セグメントへのルーティング情報を追加する（23文字）

②【機器】DHCPサーバ

【変更内容】対処用セグメントのアドレスプールを追加する（21文字）

11 セキュアゲートウェイサービスの導入

問題の概要

仮想サーバや仮想ルータは近年流行のテーマです。実務でも触れる機会が多くなっていますし、ネットワーク構成が複雑になるので問題を作りやすい事情もあります。ここで取り上げられているのはVRFを使ったネットワークの設計です。問題文から得られる情報をしっかり咀嚼できれば、VRFそのものの知識が薄くても解答できます。

キーワード

IPsec
NAPT
VRF
ESP

セキュアゲートウェイサービスの導入に関する次の記述を読んで、設問1～3に答えよ。

N社は、国内に本社及び一つの営業所をもつ、中堅の機械部品メーカである。従業員は、N社が配布するPCを本社又は営業所のLANに接続して、本社のサーバ、及びSaaSとして提供されるP社の営業支援サービスを利用して業務を行っている。

N社は、クラウドサービスの利用を進め、従業員のテレワーク環境を整備することにした。N社の情報システム部は、本社のオンプレミスのサーバからQ社のPaaSへの移行と、Q社のセキュアゲートウェイサービス（以下、SGWサービスという）の導入を検討することになった。SGWサービスは、PCがインターネット上のサイトに接続する際に、送受信するパケットを本サービス経由とすることによって、ファイアウォール機能などの情報セキュリティ機能を提供する。

〔現行のネットワーク構成〕

N社の現行のネットワーク構成を図1に示す。

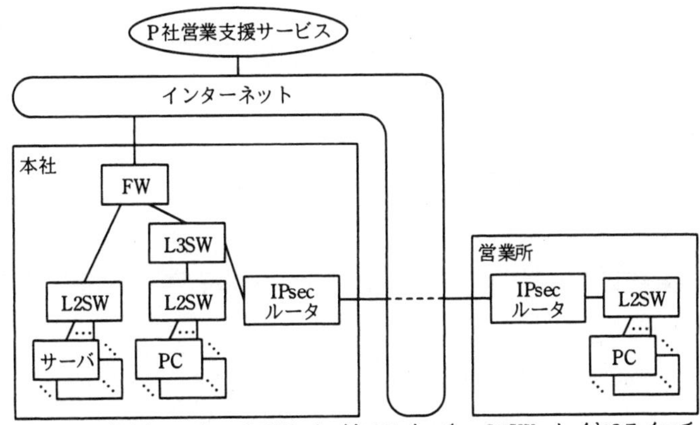

図1　N社の現行のネットワーク構成（抜粋）

N社の現行システムの概要を次に示す。

- 本社及び営業所のLANは、IPsecルータを利用したIPsec VPNで接続している。
- 本社及び営業所のIPsecルータは、IPsec VPNを確立したときに有効化される仮想インタフェース（以下、トンネルIFという）を利用して相互に接続する。
- 営業所のPCからP社営業支援サービス宛てのパケットは、営業所のIPsecルータ、本社のIPsecルータ、L3SW、FW及びインターネットを経由してP社営業支援サービスに送信される。
- FWは、パケットフィルタリングによるアクセス制御と、NAPTによるIPアドレスの変換を行う。
- P社営業支援サービスでは、①特定のIPアドレスから送信されたパケットだけを許可するアクセス制御を設定して、本社のFWを経由しない経路からの接続を制限している。

ヒント：制限をかける記述には気をつけましょう。今はこの制限が守られていますが、システム移行時に気をつけないと……。

本社及び営業所のIPsecルータは、LAN及びインターネットのそれぞれでデフォルトルートを使用するために、VRF（Virtual Routing and Forwarding）を利用して二つの［　a　］テーブルを保持し、経路情報をVRFの識別子（以下、VRF識別子という）によって識別する。ネットワーク機器のVRFとインタフェース情報を表1に、ネットワーク機器に設定しているVRFと経路情報を表2に示す。

表1　ネットワーク機器の VRF とインタフェース情報（抜粋）

拠点	機器名	VRF 識別子	インタフェース	IP アドレス	サブネットマスク	接続先
本社	FW	−	INT-IF [1]	a.b.c.d [3]	（省略）	ISP のルータ
			LAN-IF [2]	172.16.0.1	255.255.255.0	L3SW
	IPsec ルータ	65000:1	INT-IF [1]	s.t.u.v [3]	（省略）	ISP のルータ
		65000:2	LAN-IF [2]	172.17.0.1	255.255.255.0	L3SW
			トンネル IF	（省略）	（省略）	営業所の IPsec ルータ
営業所	IPsec ルータ	65000:1	INT-IF [1]	w.x.y.z [4]	（省略）	ISP のルータ
		65000:2	LAN-IF [2]	172.17.1.1	255.255.255.0	L2SW
			トンネル IF	（省略）	（省略）	本社の IPsec ルータ

注 [1]　INT-IF は，インターネットに接続するインタフェースである。
注 [2]　LAN-IF は，本社又は営業所の LAN に接続するインタフェースである。
注 [3]　a.b.c.d 及び s.t.u.v は，固定のグローバル IP アドレスである。
注 [4]　w.x.y.z は，ISP から割り当てられた動的なグローバル IP アドレスである。

表2　ネットワーク機器に設定している VRF と経路情報（抜粋）

拠点	機器名	VRF 識別子	宛先ネットワーク	ネクストホップとなる装置又はインタフェース	経路制御方式
本社	FW	−	0.0.0.0/0	ISP のルータ	静的経路制御
			172.17.1.0/24（営業所の LAN）	本社の L3SW	動的経路制御
	IPsec ルータ	65000:1	0.0.0.0/0	ISP のルータ	静的経路制御
		65000:2	0.0.0.0/0	b	動的経路制御
			172.17.1.0/24（営業所の LAN）	トンネル IF	c
営業所	IPsec ルータ	65000:1	0.0.0.0/0	ISP のルータ	静的経路制御
		65000:2	0.0.0.0/0	トンネル IF	d

N社のネットワーク機器に設定している経路制御を、次に示す。

- 本社のFW、L3SW及びIPsecルータには、OSPFによる経路制御を稼働させるための設定を行っている。
- 本社のFWには、OSPFにデフォルトルートを配布する設定を行っている。
- ②本社のIPsecルータには、営業所のIPsecルータとIPsec VPNを確立するために、静的なデフォルトルートを設定している。
- 本社及び営業所のIPsecルータには、営業所のPCが通信するパケットをIPsec VPNを介して転送するために、トンネルIFをネクストホップとした静的経路を設定している。
- 本社のIPsecルータには、OSPFに③静的経路を再配布する設定を行っている。

ヒント　午後試験ではパケットがどの経路を通過していくか把握することが極めて重要です。こうした記述には要注意！

〔新規ネットワークの検討〕

Q社のPaaS及びSGWサービスの導入は、N社の情報システム部のR主任が担当することになった。R主任が考えた新規ネットワーク構成と通信の流れを図2に示す。

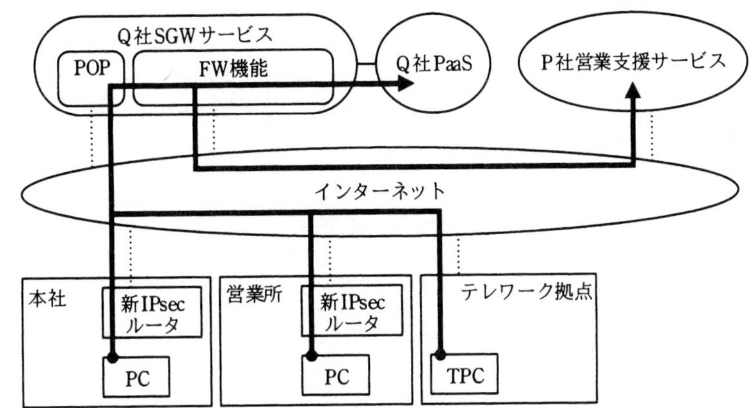

図2　R主任が考えた新規ネットワーク構成と通信の流れ（抜粋）

R主任が考えた新規ネットワーク構成の概要を次に示す。

- 本社のサーバ上で稼働するシステムを、Q社PaaSへ移行する。
- Q社SGWサービスを利用するために、本社及び営業所に導入する新IPsecルータ、並びにTPCは、Q社SGWサービスのPOPという接続点にトンネルモードのIPsec VPNを用いて接続する。
- PC及びTPCからP社営業支援サービス宛てのパケットは、Q社SGWサービスのPOPとFW機能及びインターネットを経由してP社営業支援サービスに送信される。
- Q社SGWサービスのFW機能は、パケットフィルタリングによるアクセス制御と、NAPTによるIPアドレスの変換を行う。

R主任は、POPとの接続に利用するIPsec VPNについて、検討した。

IPsec VPNには、IKEバージョン2と、ESPのプロトコルを用いる。新IPsecルータ及びTPCとPOPは、IKE SAを確立するために必要な、暗号化アルゴリズム、疑似ランダム関数、完全性アルゴリズム及びDiffie-Hellmanグループ番号を、ネゴシエーションして決定し、IKE SAを確立する。次に、新IPsecルータ及びTPCとPOPは、認証及びChild SAを確立するために必要な情報を、IKE SAを介してネゴシエーションして決定し、Child SAを確立する。

新IPsecルータ及びTPCは、IPsec VPNを介して転送する必要があるパケットを、長さを調整するESPトレーラを付加して[e]化する。次に、新しい[f]ヘッダと、[g]SAを識別するためのESPヘッダ及びESP認証データを付加して、POP宛てに送信する。

R主任は、IPsec VPNの構成に用いるパラメータについて、現行の設計と比較検討した。検討したパラメータのうち、鍵の生成に用いるアルゴリズムと[h]を定めているDiffie-Hellmanグループ番号には、現行では1を用いているが、POPとの接続では1よりも[h]の長い14を用いた方が良いと考えた。

〔接続テスト〕

Q社のPaaS及びSGWサービスの導入を検討するに当たって、Q社からテスト環境を提供してもらい、本社、営業所及びテレワーク拠点から、Q社PaaS及びP社営業支援サービスを利用する接続テストを行うことになった。

R主任は、接続テストを行う準備として、P社営業支援サービスに設定しているアクセス制御を変更する必要があると考えた。P社営業支援サービスへの接続を許可するIPアドレスには、Q社SGWサービスのFW機能でのNAPTのために、Q社SGWサービスから割当てを受けた固定のグローバルIPアドレスを設定する。R主任は、Q社SGWサービスがN社以外にも提供されていると考えて、④NAPTのためにQ社SGWサービスから割当てを受けたグローバルIPアドレスのサービス仕様を、Q社に確認した。

テスト環境を構築したR主任は、Q社PaaS及び⑤P社営業支援サービスの応答時間の測定を確認項目の一つとして、接続テストを実施した。

!? ヒント 移行前(図1)と、移行後(図2)の比較をしましょう。経路が変わっていますよね。

R主任は、N社の幹部に接続テストの結果に問題がなかったことを報告し、Q社のPaaS及びSGWサービスの導入が承認された。

設問1

〔現行のネットワーク構成〕について、(1)～(6)に答えよ。

(1) 本文中の下線①のIPアドレスを、表1中のIPアドレスで答えよ。

(2) 本文中の[a]に入れる適切な字句を答えよ。

(3) 表2中の[b]～[d]に入れる適切な字句を、表2中の字句を用いて答えよ。

(4) "本社のIPsecルータ"が、営業所のPCからP社営業支援サービス宛てのパケットを転送するときに選択する経路は、表2中のどれか。VRF識別子及び宛先ネットワークを答えよ。

(5) 本文中の下線②について、デフォルトルート(宛先ネットワーク0.0.0.0/0の経路)が必要になる理由を、40字以内で述べよ。

(6) 本文中の下線③の宛先ネットワークを、表2中の字句を用いて答えよ。

設問2

〔新規ネットワークの検討〕について、(1)、(2)に答えよ。

(1) 本文中の[e]～[h]に入れる適切な字句を答えよ。

(2) POPとのIPsec VPNを確立できない場合に、失敗しているネゴシエーションを特定するためには、何の状態を確認するべきか。本文中の字句を用いて二つ答えよ。

設問3

〔接続テスト〕について、(1)、(2)に答えよ。

(1) 本文中の下線④について、情報セキュリティの観点でR主任が確認した内容を、20字以内で答えよ。

(2) 本文中の下線⑤について、P社営業支援サービスの応答時間が、現行よりも長くなると考えられる要因を30字以内で答えよ。

解答のポイント

VRFやOSPFなどの用語が散りばめられていますが、これらに特有な知識はあまり必要ではなく、基礎技術と問題文を丁寧に照らし合わせてネットワークを理解したり、齟齬を発見するタイプの出題です。表面的な用語に惑わされず、しっかり問題文を読み込みましょう。

理解度チェック

解答➡P558

① IKE SAとは何ですか？
② Child SAとは何ですか？

■設問1の解説

(1)

「本社のFWを経由しない経路からの接続を制限」したいわけです。言葉を変えれば、本社のFWしかつなぎたくないわけです。したがって、本社のFWのインターネット側のIPアドレスを答えればOKです。

もちろんFWの背後には多くのクライアントがあるわけですが、NATを使っているため、送信元アドレスとして示されるのはFWのインターネット側のアドレスのみになります。

(2)

【空欄a】

空欄aの前後から、経路情報を保存するテーブルであることが明らかなので、ルーティングテーブルであると導くことができます。

(3)

【空欄b】

宛先ネットワークが0.0.0.0/0ということでデフォルトルートです。宛先が営業所のLANである経路情報は別にありますから、本社FWを通ってインターネットへ出て行くルートだと確定できます。このルートでは、次に中継する通信機器はL3SWです。

【空欄c、d】

静的経路制御か動的経路制御かを答えさせる問いですが、問題文に「本社及び営業所のIPsecルータには、営業所のPCが通信するパケットをIPsec VPNを介して転送するために、トンネルIFをネクストホップとした静的経路を設定している」とありますので、両方とも静的経路制御だと確定します。

(4)

「"本社のIPsecルータ"が、営業所のPCからP社営業支援サービス宛てのパケットを転送するときに選択する経路」ですから、トンネリングしているほうです。本社IPsecルータかつトンネリングしているVRF識別子は65000:2です。このうち、営業所のPCからインターネットへ出て行く方向ですから、宛先ネットワークは0.0.0.0/0になります。

(5)

営業所のIPsecルータのIPアドレスは表1によれば、w.x.y.zです。したがって、デフォルトルートにせず、アドレスw.x.y.zを決め打ちにしたルーティングテーブルを作ってもよさそうです。しかし、表1の注4に「w.x.y.zは、ISPから割り当てられた動的なグローバルIPアドレスである」と記されているので、これが変更される可能性があることがわかります。したがって、デフォルトルートを設定しておく必要があるわけです。

(6)

営業所の各ノードは、営業所のIPsecルータと同一ネットワークに属しているので問題ありませんが、本社の各ノードは本社のIPsecルータに対してFWやL3SWでネットワークが区切られています。このとき、FWやL3SWには営業所に至るための経路情報がわからないので、IPsecルータからOSPFを使って教えてあげるわけです。したがって、宛先ネットワークは営業所のLAN(172.17.1.0/24)になります。

■設問2の解説

(1)

【空欄e】

ESPトレーラをつけるので、認証と暗号化が行われます。

【空欄f】

空欄eによって宛先IPアドレスと送信元IPアドレスを含めて暗号化が行われました。したがって、暗号化されていない新しいIPヘッダが必要です。

【空欄g】

IKEv2において、SAにはネゴシエーションをするためのIKE SAと、実際に暗号化通信を行うためのChild SAがありました。このうち、空欄gは識別するためにESPヘッダを使っているので、Child SAのほうです。

【空欄h】

Diffie-Hellman(DH)ですから、どんな暗号を使うかアルゴリズムと鍵長をネゴシエーションし、暗号鍵を交換するためのプロトコルです。アルゴリズムは問題文に書かれていますし、空欄の前後の文章からも鍵長であると確定できます。

(2)

IPsec VPNが構築できずに困っているので、IPsec VPNを構築するためのプロセスを考えれば正答を導けます。IPsec VPNを構築するのに使っている要素は、IKE SAとChild SAです。

■設問3の解説

(1)

［現行のネットワーク構成］で示されているように、N社は本社のFWを経由しない経路からの接続を制限しています。しかし、Q社SGWサービスから割り当てられたグローバルIPアドレスが、もし他社と共有する形式だと、この仕様に反してしまいます。したがって、N社専用にIPアドレスを割り当ててくれているかどうかを確認します。

(2)

現行のネットワーク構成である図1と、移行後のネットワーク構成である図2を見比べると、現状ではN社とP社はインターネットを介して直接つながっていました。しかし、移行後のネットワークでは、N社とP社の間にはQ社SGWサービスが挟まります。要素が増えればそれだけ遅くなりますし、N社、P社だけでなくQ社の混雑に巻き込まれる確率も高まります。

●解答●

■理解度チェックの解答

① IKE SAは通信相手の認証と、鍵を生成するためのパラメータの交換を行うための保護された通信路です。

② Child SAはIKEフェーズで生成された共通鍵を使ってデータ通信を行うための保護された通信路です。

■設問の解答

●設問1

(1) a.b.c.d

(2) 【a】ルーティング

(3) 【b】本社のL3SW　【c】静的経路制御　【d】静的経路制御

(4) 【VRF識別子】65000:2
【宛先ネットワーク】0.0.0.0/0

(5) ISPが割り当てる営業所のIPsecルータのIPアドレスが動的だから（34文字）

(6) 172.17.1.0/24 又は 営業所のLAN

●設問2

(1) 【e】暗号　【f】IP　【g】Child　【h】鍵長

(2) ・IKE SA
・Child SA

●設問3

(1) N社専用のIPアドレスであること（16文字）

(2) Q社SGWサービスの経由によって発生する遅延（22文字）

Q&A
午後Ⅱ問題の対策

午後Ⅱは、問題文が非常に長いのが特徴です。午前、午後Ⅰと解いて疲れてきた頭には辛い負担になります。しかし、その長さ故､問題文はヒントの宝庫になっています。設問を先に読んで、長大な文章のうち、どの情報が必要なのか取捨選択しながら解いていきましょう。

解答のポイントとしては､採点者はキーワードを確認しますので、複数の解答が考えられる場合にはできるだけ問題文の言い回しを引用するとよいでしょう。午後Ⅱ問題では、細かい知識よりも問題として挙げられたシステムの全体像をつかむ力が要求されます。

本書のサポートページより、解答用紙PDFをダウンロードいただけます。問題演習にご活用ください。

https://gihyo.jp/book/2024/978-4-297-14339-8/support

1 仮想化技術の導入

問題の概要

近年の定番テーマである仮想化技術です。午後Ⅰでも出題があるので、準備に時間を割きましょう。サーバとコンテナの違いや、VRRPについて問われていますが、すでに出題例が積み重なっているので、過去問演習を何ターンか繰り返して目を慣らしておきましょう。

キーワード

サーバ仮想化技術
ハイパーバイザ
VRRP
コンテナ仮想化技術
リバースプロキシ
監視

仮想化技術の導入に関する次の記述を読んで、設問1～5に答えよ。

U社は社員3,000人の総合商社である。U社では多くの商材を取り扱っており、商材ごとに様々なアプリケーションシステム(以下、APという)を構築している。APは個別の物理サーバ(以下、APサーバという)上で動作している。U社の事業拡大に伴ってAPの数が増えており、主管部署であるシステム開発部はサーバ

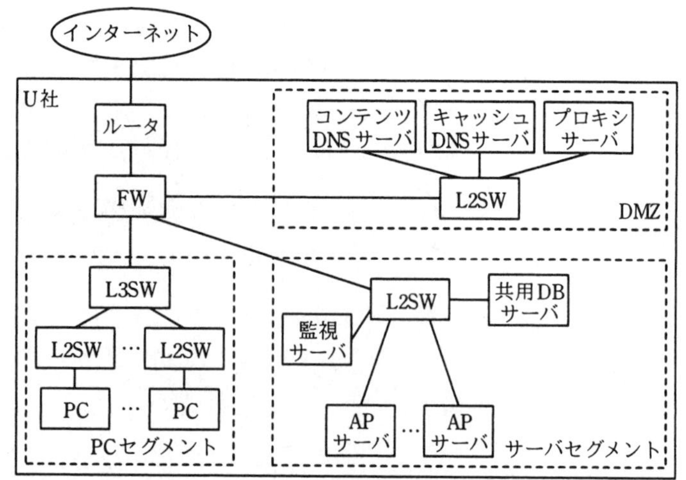

FW：ファイアウォール　L2SW：レイヤ2スイッチ　L3SW：レイヤ3スイッチ
DB：データベース

注記　ルータ，FW，L2SW，L3SW，コンテンツDNSサーバ，キャッシュDNSサーバ，プロキシサーバ，共用 DB サーバ，監視サーバは冗長構成であるが，図では省略している。

図1　現在のU社ネットワーク構成（抜粋）

の台数を減らすなど運用改善をしたいと考えていた。そこで、システム開発部では、仮想化技術を用いてサーバの台数を減らすことにし、Rさんを担当者として任命した。

現在のU社ネットワーク構成を図1に、概要を次に示す。

- DMZ、サーバセグメント、PCセグメントにはプライベートIPアドレスを付与している。
- キャッシュDNSサーバは、社員が利用するPCやサーバからの問合せを受け、ほかのDNSサーバへ問い合わせた結果、得られた情報を応答する。
- コンテンツDNSサーバは、PCやサーバのホスト名などを管理し、PCやサーバなどに関する情報を応答する。
- プロキシサーバは、PCからインターネット向けのHTTP通信及びHTTPS（HTTP over TLS）通信をそれぞれ中継する。
- APは、共用DBサーバにデータを保管している。共用DBサーバは、事業拡大に必要な容量と性能を確保している。
- APごとに2台のAPサーバで冗長構成としている。
- APサーバ上で動作する多くのAPは、HTTP通信を利用してPCからアクセスされるAP（以下、WebAPという）であるが、TCP/IPを使った独自のプロトコルを利用してPCからアクセスされるAP（以下、専用APという）もある。
- 監視サーバは、DMZやサーバセグメントにあるサーバの監視を行っている。

〔サーバ仮想化技術を利用したAPの構成〕

Rさんは、WebAPと専用APの2種類のAPについて、サーバ仮想化技術の利用を検討した。サーバ仮想化技術では、物理サーバ上で複数の仮想的なサーバを動作させることができる。

Rさんが考えたサーバ仮想化技術を利用したAPの構成を図2に示す。

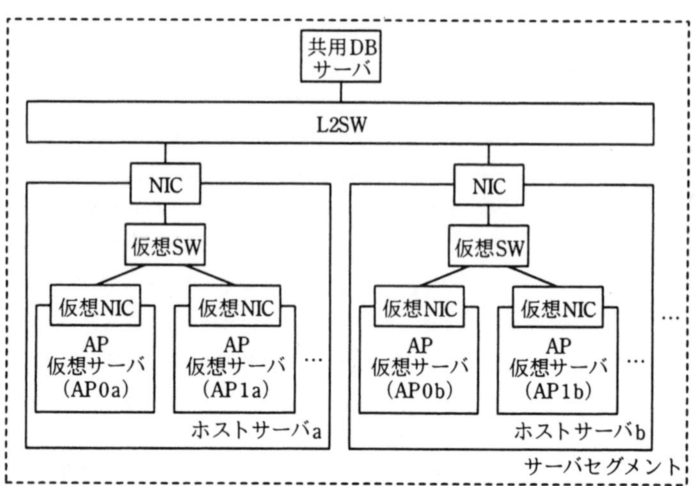

AP仮想サーバ：APが動作する，仮想化技術を利用したサーバ
ホストサーバ：複数のAP仮想サーバを収容する物理サーバ
仮想SW：仮想L2SW　　　　NIC：ネットワークインタフェースカード
注記　（ ）内はAP仮想サーバ名を示し，AP名とそのAP仮想サーバが動作するホストサーバの識別子で構成する。一例として，AP0aは，AP名がAP0のAPが動作する，ホストサーバa上のAP仮想サーバ名である。

図2　サーバ仮想化技術を利用したAPの構成

ホストサーバでは、サーバ仮想化を実現するためのソフトウェアである［　ア　］が動作する。ホストサーバは仮想SWをもち、NICを経由してL2SWと接続する。

AP仮想サーバは、ホストサーバ上で動作する仮想サーバとして構成する。AP仮想サーバの仮想NICは仮想SWと接続する。

一つのAPは2台のAP仮想サーバで構成する。2台のAP仮想サーバでは、冗長構成をとるためにVRRPバージョン3を動作させる。サーバセグメントでは複数のAPが動作するので、VRRPの識別子としてAPごとに異なる［　イ　］を割り当てる。<u>①可用性を確保するために、VRRPを構成する2台のAP仮想サーバは、異なるホストサーバに収容するように設計する</u>。

VRRPの規格では、最大[ウ]組の仮想ルータを構成することができる。また、②マスタとして動作しているAP仮想サーバが停止すると、バックアップとして動作しているAP仮想サーバがマスタに切り替わる。

一例として、AP仮想サーバ(AP0a)とAP仮想サーバ(APOb)とで構成される、AP名がAP0のIPアドレス割当表を表1に示す。

表1　AP0のIPアドレス割当表

割当対象	IPアドレス
AP0aとAP0bのVRRP仮想ルータ	192.168.0.16/22
AP0aの仮想NIC	192.168.0.17/22
AP0bの仮想NIC	192.168.0.18/22

APごとに、AP仮想サーバの仮想NICで利用する二つのIPアドレスとVRRP仮想ルータで利用する仮想IPアドレスの計三つのIPアドレスの割当てと、一つのFQDNの割当てを行う。APごとに、コンテンツDNSサーバにリソースレコードの一つである[エ]レコードとしてVRRPで利用する仮想IPアドレスを登録し、FQDNとIPアドレスの紐(ひも)付けを定義する。PCにインストールされているWebブラウザ及び専用クライアントソフトウェアは、DNSの[エ]レコードを参照して接続するAPのIPアドレスを決定する。

〔コンテナ仮想化技術を利用したWebAPの構成〕

次に、Rさんはコンテナ仮想化技術の利用を検討した。WebAPと専用APに分け、まずはWebAPについて利用を検討した。コンテナ仮想化技術では、あるOS上で仮想的に分離された複数のアプリケーションプログラム実行環境を用意し、複数のAPを動作させることができる。

Rさんが考えた、コンテナ仮想化技術を利用したWebAP(以下、WebAPコンテナという)の構成を図3に示す。

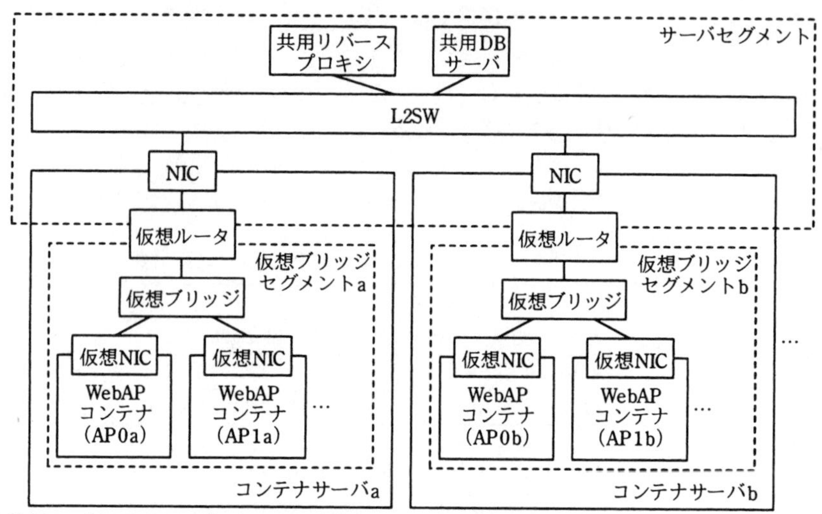

注記1　共用リバースプロキシは冗長構成であるが，図では省略している。
注記2　（ ）内はWebAPコンテナ名を示し，AP名とそのWebAPコンテナが動作するコンテナサーバの識別子で構成する。一例として，AP0aは，AP名がAP0のAPが動作する，コンテナサーバa上のWebAPコンテナ名である。

図3　WebAPコンテナの構成

コンテナサーバでは、コンテナ仮想化技術を実現するためのソフトウェアが動作する。コンテナサーバは仮想ブリッジ、仮想ルータをもち、NICを経由してL2SWと接続する。WebAPコンテナの仮想NICは仮想ブリッジと接続する。

WebAPコンテナは、仮想ルータの上で動作するNAPT機能とTCPやUDPのポートフォワード機能を利用して、PCや共用DBサーバなどといった外部のホストと通信する。コンテナサーバ内の仮想ブリッジセグメントには、新たにIPアドレスを付与する必要があるので、プライベートIPアドレスの未使用空間から割り当てる。また、③複数ある全ての仮想ブリッジセグメントには、同じIPアドレスを割り当てる。

ヒント　これ、ある設問の答えになっています。午後Ⅱの問題文は長いですが、国語の問題（問われた内容を、本文中から抜き出す）も多いですから、気後れせずにいきましょう。

WebAPコンテナには、APごとに一つのFQDNを割り当て、コンテンツDNSサーバに登録する。

WebAPコンテナでは、APの可用性を確保するために、共用リバースプロキシを新たに構築して利用する。共用リバースプロキシは負荷分散機能をもつHTTPリバースプロキシとして動作し、クライアントからのHTTPリクエストを受け、④ヘッダフィールド情報からWebAPを識別し、WebAPが動作するWebAPコンテ

!? ヒント ちょっと視線を下にずらすと、表4に振り分けルールが書いてあります。どんな情報を使って振り分けていますか？

ナへ !? HTTPリクエストを振り分ける。振り分け先であるWebAPコンテナは複数指定することができる。振り分け先を増やすことによって、WebAPの処理能力を向上させることができ、また、個々のWebAPコンテナの処理量を減らして負荷を軽減できる。

共用リバースプロキシ、コンテナサーバには、サーバセグメントの未使用のプライベートIPアドレスを割り当てる。共用リバースプロキシ、コンテナサーバのIPアドレス割当表を表2に、コンテナサーバaで動作する仮想ブリッジセグメントaのIPアドレス割当表を表3に示す。

表2　共用リバースプロキシ，コンテナサーバのIPアドレス割当表（抜粋）

割当対象	IPアドレス
共用リバースプロキシ	192.168.0.98/22
コンテナサーバa	192.168.0.112/22
コンテナサーバb	192.168.0.113/22

表3　仮想ブリッジセグメントaのIPアドレス割当表（抜粋）

割当対象	IPアドレス
仮想ルータ	172.16.0.1/24
WebAPコンテナ（AP0a）	172.16.0.16/24
WebAPコンテナ（AP1a）	172.16.0.17/24

共用リバースプロキシは、振り分け先であるWebAPコンテナが正常に稼働しているかどうかを確認するためにヘルスチェックを行う。ヘルスチェックの結果、正常なWebAPコンテナは振り分け先として利用され、異常があるWebAPコンテナは振り分け先から外される。振り分けルールの例を表4に示す。

表4　振り分けルールの例（抜粋）

AP名	（設問のため省略）	WebAPコンテナ名	振り分け先
AP0	ap0.u-sha.com	AP0a	192.168.0.112:8000
		AP0b	192.168.0.113:8000
AP1	ap1.u-sha.com	AP1a	192.168.0.112:8001
		AP1b	192.168.0.113:8001

PCが、表4中のAP0と行う通信の例を次に示す。

(1) PCのWebブラウザは、http://ap0.u-sha.com/へのアクセス

を開始する。

(2) PCはDNSを参照して、ap0.u-sha.comの接続先IPアドレスとして［ オ ］を取得する。

(3) PCは宛先IPアドレスが［ オ ］、宛先ポート番号が80番宛てへ通信を開始する。

(4) PCからのリクエストを受けた共用リバースプロキシは振り分けルールに従って振り分け先を決定する。

(5) 共用リバースプロキシは宛先IPアドレスが192.168.0.112、宛先ポート番号が［ カ ］番宛てへ通信を開始する。

(6) 仮想ルータは宛先IPアドレスが192.168.0.112、宛先ポート番号が［ カ ］番宛てへの通信について、<u>⑤ポートフォワードの処理によって宛先IPアドレスと宛先ポート番号を変換する</u>。

(7) WebAPコンテナAP0aはコンテンツ要求を受け付け、対応するコンテンツを応答する。

(8) 共用リバースプロキシはコンテンツ応答を受け、PCに対応するコンテンツを応答する。

(9) PCはコンテンツ応答を受ける。

WebAPコンテナであるAP0aとAP1aに対するPCからのHTTP接続要求パケットの例を図4に示す。

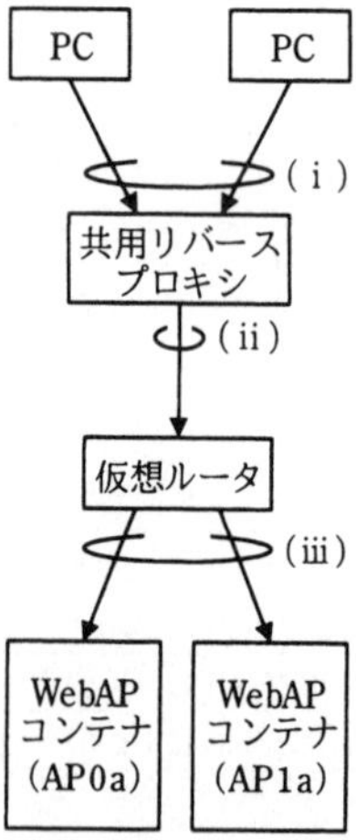

PC　PC
(i)
共用リバースプロキシ
(ii)
仮想ルータ
(iii)
WebAPコンテナ(AP0a)　WebAPコンテナ(AP1a)

（i）の箇所で通信が確認できるHTTP接続要求パケット

送信元IPアドレス	送信元ポート番号	宛先IPアドレス	宛先ポート番号
192.168.145.68	30472	192.168.0.98	80
192.168.145.154	31293	192.168.0.98	80

（ii）の箇所で通信が確認できるHTTP接続要求パケット

送信元IPアドレス	送信元ポート番号	宛先IPアドレス	宛先ポート番号
192.168.0.98	54382	192.168.0.112	8000
192.168.0.98	34953	192.168.0.112	8001

（iii）の箇所で通信が確認できるHTTP接続要求パケット

送信元IPアドレス	送信元ポート番号	宛先IPアドレス	宛先ポート番号
192.168.0.98	54382	172.16.0.16	80
192.168.0.98	34953	172.16.0.17	80

注記 ──→ は，通信の方向を示す。

図4 AP0aとAP1aに対するPCからのHTTP接続要求パケットの例

〔コンテナ仮想化技術を利用した専用APの構成〕

Rさんは、専用APはTCP/IPを使った独自のプロトコルを利用するので、HTTP通信を利用するWebAPと比較して、通信の仕方に不明な点が多いと感じた。そこで、コンテナ仮想化技術を導入した際の懸念点について上司のO課長に相談した。次は、コンテナ仮想化技術を利用した専用AP（以下、専用APコンテナという）に関する、RさんとO課長の会話である。

Rさん：専用APですが、APサーバ上で動作する専用APと同じように、専用APコンテナとして動作させせることができたとしても、⑥PCや共用DBサーバなどといった外部のホストとの通信の際に、仮想ルータのネットワーク機能を使用しても専用APが正常に動作することを確認する必要があると考えています。

O課長：そうですね。専用APはAPごとに通信の仕方が違う可能性があります。APサーバと専用APコンテナの構成の違いによる影響を受けないことを確認する必要がありますね。それと、⑦同じポート番号を使用する専用APが幾つかあるので、これらの専用APに対応できる負荷分散機能をもつ製品が必要になります。

Rさん：分かりました。

Rさんは専用APで利用可能な負荷分散機能をもつ製品の調査をし、WebAPと併せて検討結果を取りまとめ、O課長に報告した。

Rさんが、サーバの台数を減らすなど運用改善のために検討したまとめを次に示す。

- 第一に、リソースの無駄が少ないことやアプリケーションプログラムの起動に要する時間を短くできる特長を生かすために、コンテナ仮想化技術の利用を進め、順次移行する。
- 第二に、コンテナ仮想化技術の利用が適さないAPについては、サーバ仮想化技術の利用を進め、順次移行する。
- 第三に、移行が完了したらAPサーバは廃止する。

〔監視の検討〕

次に、Rさんが考えた、監視サーバによる図3中の機器の監視方法を表5に示す。

表5　図3中の機器の監視方法（抜粋）

項番	監視種別	監視対象	設定値
1	ping監視	共用リバースプロキシ	192.168.0.98
2		コンテナサーバa	192.168.0.112
3		コンテナサーバb	192.168.0.113
4	TCP接続監視	WebAPコンテナ（AP0a）	192.168.0.112:8000
5		WebAPコンテナ（AP0b）	192.168.0.113:8000
6	URL接続監視	共用リバースプロキシ	http://ap0.u-sha.com:80/index.html
7		WebAPコンテナ（AP0a）	http://192.168.0.112:8000/index.html
8		WebAPコンテナ（AP0b）	http://192.168.0.113:8000/index.html

ヒント　項番2、4、7の障害が検出されています。各項目に共通するのは……？

監視サーバは3種類の監視を行うことができる。ping監視は、監視サーバが監視対象の機器に対してICMPのエコー要求を送信し、一定時間以内に［　キ　］を受信するかどうかで、IPパケットの到達性があるかどうかを確認する。TCP接続監視では、監視サーバが監視対象の機器に対してSYNパケットを送信し、一定時間以内に［　ク　］パケットを受信するかどうかで、TCPで通信ができるかどうかを確認する。URL接続監視では、監視サーバが監視対象の機器に対してHTTP［　ケ　］メソッドでリソースを要求し、一定時間以内にリソースを取得できるかどうかでHTTPサーバが正常稼働しているかどうかを確認する。ping監視でWebAPコンテナの稼働状態を監視することはできない。⑧表5のように複数の監視を組み合わせることによって、監視サーバによる障害検知時に、監視対象の状態を推測することができる。

〔移行手順の検討〕

Rさんは、コンテナ仮想化技術を利用したWebAPの移行手順を検討した。

2台のAPサーバで構成するAP0を、WebAPコンテナ（AP0a）とWebAPコンテナ（AP0b）へ移行することを例として、WebAPの移行途中の構成を図5に、WebAPの移行手順を表6に示す。

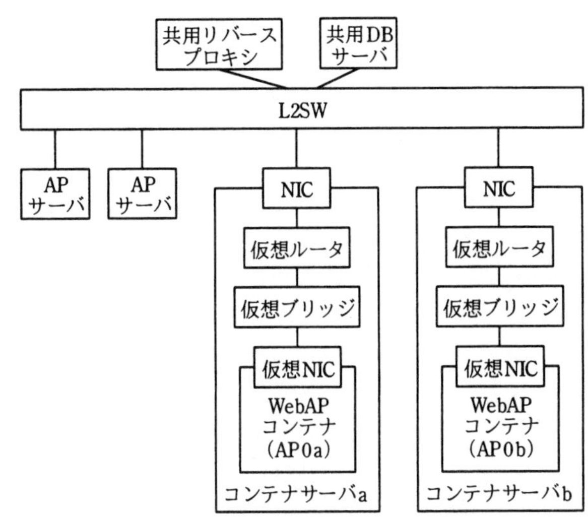

図5　WebAPの移行途中の構成（抜粋）

表6　WebAPの移行手順

項番	概要	内容
1	WebAPコンテナの構築	コンテナサーバ上にWebAPコンテナを構築する。
2	共用リバースプロキシの設定	WebAPコンテナに合わせて振り分けルールの設定を行う。
3	WebAPコンテナ監視登録	監視サーバにWebAPコンテナの監視を登録する。
4	動作確認	⑨テスト用のPCを用いて動作確認を行う。
5	DNS切替え	DNSレコードを書き換え，APサーバからWebAPコンテナへ切り替える。
6	APサーバ監視削除	監視サーバからAPサーバの監視を削除する。
7	APサーバの停止	⑩停止して問題ないことを確認した後にAPサーバを停止する。

ヒント **項番4、5**：動作確認を行うのですが、作業の順番に注意してください。ここは、DNS切替えの前ですよね。だから、完全に本番と同じとはいかないはずです。
項番7：こう書いてある以上は停止すると問題が起こる可能性があるわけです。DNSのレコードって、どこかに蓄積されますよね。

Rさんは表6のWebAPの移行手順をO課長に報告した。次は、WebAPの移行手順に関する、O課長とRさんの会話である。

O課長：今回の移行はAPサーバとWebAPコンテナを並行稼働させてDNSレコードの書換えによって切り替えるのだね。

Rさん：そうです。同じ動作をするので、DNSレコードの書換えが反映されるまでの並行稼働期間中、APサーバとWebAPコンテナ、どちらにアクセスが行われても問題ありません。

O課長：分かりました。並行稼働期間を短くするためにDNS切替えの事前準備は何があるかな。

Rさん：はい。⑪あらかじめ、DNSのTTLを短くしておく方が良いですね。

O課長：そうですね。移行手順に記載をお願いします。

Rさん：分かりました。

O課長：動作確認はどのようなことを行うか詳しく教えてください。

Rさん：はい。WebAPコンテナ2台で構成する場合は、⑫次の3パターンそれぞれでAPの動作確認を行います。一つ目は、全てのWebAPコンテナが正常に動作している場合、二つ目は、2台のうち1台目だけWebAPコンテナが停止している場合、最後は、2台目だけWebAPコンテナが停止している場合です。また、障害検知の結果から、正しく監視登録されたことの確認も行います。

O課長：分かりました。良さそうですね。

APを、仮想化技術を利用したコンテナサーバやホストサーバに移行することによって期待どおりにサーバの台数を減らせる目途が立ち、システム開発部では仮想化技術の導入プロジェクトを開始した。

設問1

〔サーバ仮想化技術を利用したAPの構成〕について、(1)～(3)に答えよ。

(1) 本文中の［ ア ］～［ エ ］に入れる適切な字句又は数値を答えよ。

(2) 本文中の下線①について、2台のAP仮想サーバを同じホストサーバに収容した場合に起きる問題を可用性確保の観点から40字以内で述べよ。

(3) 本文中の下線②について、マスタが停止したとバックアップが判定する条件を50字以内で述べよ。

設問2

〔コンテナ仮想化技術を利用したWebAPの構成〕について、(1)～(4)に答えよ。

(1) 本文中の下線③について、複数ある全ての仮想ブリッジセグメントで同じIPアドレスを利用して問題ない理由を40字以内で述べよ。

(2) 本文中の下線④について、共用リバースプロキシはどのヘッダフィールド情報からWebAPを識別するか。15字以内で答えよ。

(3) 本文中の［ オ ］に入れる適切なIPアドレス、及び［ カ ］に入れる適切なポート番号を答えよ。

(4) 本文中の下線⑤について、変換後の宛先IPアドレスと宛先ポート番号を答えよ。

設問3

〔コンテナ仮想化技術を利用した専用APの構成〕について、(1)、(2)に答えよ。

(1) 本文中の下線⑥について、専用APごとに確認が必要な仮想ルータのネットワーク機能を二つ答えよ。

(2) 本文中の下線⑦について、どのような仕組みが必要か。40字以内で答えよ。

設問4

〔監視の検討〕について、(1)～(3)に答えよ。

(1) 本文中の キ ～ ケ に入れる適切な字句を答えよ。

(2) 本文中の下線⑧について、表5中の項番2、項番4、項番7で障害検知し、それ以外は正常の場合、どこに障害が発生していると考えられるか。表5中の字句を用いて障害箇所を答えよ。

(3) 本文中の下線⑧について、表5中の項番4、項番7で障害検知し、それ以外は正常の場合、どこに障害が発生していると考えられるか。表5中の字句を用いて障害箇所を答えよ。

設問5

〔移行手順の検討〕について、(1)～(4)に答えよ。

(1) 表6中の下線⑨について、WebAPコンテナで動作するAPの動作確認を行うために必要になる、テスト用のPCの設定内容を、DNS切替えに着目して40字以内で述べよ。

(2) 表6中の下線⑩について、APサーバ停止前に確認する内容を40字以内で述べよ。

(3) 本文中の下線⑪について、TTLを短くすることによって何がどのように変化するか。40字以内で述べよ。

(4) 本文中の下線⑫について、3パターンそれぞれでAPの動作確認を行う目的を二つ挙げ、それぞれ35字以内で述べよ。

解答のポイント

VRRPなどの用語に緊張した後で移行手順などが問われると、つい箸休めのように受け止めてしまいますが、実は細心の注意が必要です。漠然と業務で行っている移行手順を解答してはいけません。いかようにも答えようがあるので、問題文を読み込んで「そこで問われている移行手順」をあぶり出しましょう。

理解度チェック

解答➡P576

①VRRPとは何ですか？
②hostsファイルとは何ですか？

■設問1の解説

(1)

【空欄ア】

サーバ仮想化において、ゲストOSを動かすためのプラットフォームをハイパーバイザといいます。ただし、仮想化マシンの実現方法はいくつかあるので注意してください。ホストOSにハイパーバイザを載せてゲストOSをそこにインストールするようなタイプは手軽なので、利用経験のある方も多いと思います。ここで問われているように、ハードウェアにハイパーバイザを直接導入するものは、ネイティブハイパーバイザと呼んで区別することがあります。

【空欄イ】

VRRPというのはVirtual Router Redundancy Protocolの略で、複数のルータをグループ化して仮想的な1台のルータとして扱うことができ、ルータを冗長構成を簡便にするものです。

VRRPのグループはVRIDという番号によって管理されます。

【空欄ウ】

マニアックな知識です。ここは解答できなくてよいと思います(これを覚えるくらいなら、別の知識に時間を割きたい)。VRIDは8ビットで、0番は使わずに1～255の値をとるので、255組になります。

【空欄エ】

VRRPといわれると何か特殊なことをしていそうな気分になりますが、こうした仮想化技術は「既存リソースから見ると、ふつうに見える(特に配慮を要さない)」ことがキモなので、ふつうにAレコードで登録します。

(2)

可用性と書かれているときは、「止めたくないんだな」と連想しましょう。せっかく物理ホストが2台あるのですから、2台のAP仮想サーバはそれぞれ（ホストサーバaとホストサーバb）に分けて収容したいです。仮にAP仮想サーバを両方ともホストサーバaに収容してホストサーバaが止まると、ホストサーバbが健全に動いていてもAP仮想サーバが全滅してしまいます。

(3)

VRRPではマスタルータは自身の生存を告知するために、アドバタイズパケットを送信します（ハートビートとか、死活監視などと呼ばれることもあります）。これが受信できなくなると、他のルータはマスタにトラブルが生じたと知ることができます。

■設問2の解説

(1)

コンテナサーバ内は外部から隔離されたセグメントになっています。外側からの通信はNICのアドレスに対して行われるため、内側にどんな番号がついていても大丈夫です。内側からしても、外の世界に出て行くときは必ず仮想ルータを経由しますし、仮想ルータではNAPTとポートフォワードが使われているため、他のセグメントに重複IPアドレスが存在してもトラブルが生じません。

(2)

表4に振り分けルールが書いてあり、AP0と通信するときはap0.u-sha.com、AP1と通信するときはap1.u-sha.comが使われていることがわかります。すなわち、ホストヘッダフィールド情報によって、WebAPを識別しています。

(3)

【空欄オ】

「WebAPコンテナでは、APの可用性を確保するために、共用リバースプロキシを新たに構築して利用する」とあります。エンドユーザのPCから見ると、APは共用リバースプロキシ越しに使うことになりますので、DNSに解決させるIPアドレスは共用リバースプロキシのもの（192.168.0.98）にしておけばOKです。

【空欄カ】

表4の振り分けルールに正解が書いてあります。AP0との通信では8000番ポートが使われています。

(4)

問題文で示されているように、この通信はAP0aを宛先としています。仮想ルータがポートフォワードする宛先IPアドレスは表3から172.16.0.16であるとわかります。ここだけだとポート番号がわかりませんが、図4（iii）により80番ポートを利用していることが確定できます。

■設問3の解説

(1)

〔コンテナ仮想化技術を利用したWebAPの構成〕に、「WebAPコンテナは、仮想ルータの上で動作するNAPT機能とTCPやUDPのポートフォワード機能を利用して、PCは共用DBサーバなどといった外部のホストと通信する」と、そのものずばりの記述がありますので、ここからNAPT機能とポートフォワード機能を抜き出せば正解となります。

(2)

仮想ルータはIPアドレスとポート番号によって、宛先の振り分けを行います。このうちポート番号が同一というのが設問の条件ですから、あとはIPアドレスを使って振り分けをするしかありません。したがって、専用APごとに異なるIPアドレスを付与して振り分けを行うしくみが必要です。

■設問4の解説

(1)

【空欄キ】

ICMPのエコー要求に対する応答ですので、エコー応答であることが明らかです。

【空欄ク】

TCPにおけるSYNに対する応答ですので、SYN/ACKであることがわかります。SYN→SYN/ACK→ACKと進んでいきますので、うっかりACKと書かないように注意してください。

【空欄ケ】

HTTPにおいてリソースを要求するメソッドはGETです。

(2)

障害検知しているのは以下の3つです。

・項番2：コンテナサーバaへのpingが通りません
・項番4：AP0aへのTCP接続ができません
・項番7：AP0aへのHTTP接続ができません

それ以外の要素である、共用リバースプロキシ、コンテナサーバb、AP0bへは疎通できるので、コンテナサーバaに問題があると考えられます。

(3)

こんどは、障害検知しているのは以下の2つです。

・項番4：AP0aへのTCP接続ができません
・項番7：AP0aへのHTTP接続ができません

(2)とは違い、コンテナサーバaとは疎通できています。コンテナサーバa内にあるAP1aとも通信できていますので、AP0aで障害が発生していると確定します。

■設問5の解説

(1)

「DNS切替えに着目して」が大きなヒントになっています。DNSを切替えないといけないのですが、表6を見ると下線⑨はDNS切替え作業の前になっています。したがって、FQDNを使ってWebAPコンテナにアクセスしようとしても、まだ接続できません。

ではIPアドレスを使ってアクセスすればよいかといえば、それもうまくいきません。設問2で検討したように、共用リバースプロキシはホストヘッダを見て通信を振り分けるのでFQDNを使う必要があります。

したがって、DNSに頼らずに名前解決をする必要があり、そのためにはローカルホストのhostsファイルを使えばよいと発想します。

(2)

(3)もヒントになっていますが、単独でも解答可能です。表6を見るとすでにAPサーバからの切替えは終了していることがわかります。それでも、停止して問題が生じるとしたら、イレギュラーな接続が残存しているからです。(1)と(3)がDNSを主題にした出題ですので、それをベースに考えるとDNSにキャッシュが残っており、それを参照したPCがアクセスを継続していると推定できます。これらのアクセスが終了したことを確認できればサーバを停止して問題ありません。

(3)

TTLはTime To Liveの略で、データが破棄されるまでの時間です。DNSのTTLを短くすれば、DNSレコードがキャッシュDNSサーバに残存する時間を短縮できます。

(4)

表6を見ると、WebAPコンテナの構築、共用リバースプロキシの設定、WebAPコンテナ監視登録とあり、その後に動作確認を行っています。問題文の構成は下線⑫の動作確認を行って、かつ監視登録の確認も行っているので、WebAPコンテナの構築と共用リバースプロキシの設定を確認すればよいのだと導けます。ただし、WebAPコンテナが1台だけ止まるパターンも含めてテストしていますから、コンテナが2台あることに注意して解答を作りましょう。

●解答●

■理解度チェックの解答

① VRRPはVirtual Router Redundancy Protocolの略で、ルータを仮想化するためのプロトコルです。名称にもあるように複数ルータを束ねて1台に見せかけ、冗長化をすることが主眼です。

② hostsファイルはローカルホスト上に置かれる名前解決ファイルです。テキストファイルにホスト名とIPアドレスを記述して関連付けます。DNSによる名前解決に優先します。

■設問の解答

●設問1

(1) 【ア】ハイパーバイザ　【イ】VRID　【ウ】255　【エ】A

(2) ホストサーバが停止した場合、AP仮想サーバが2台とも停止する。(31文字)

(3) バックアップが、VRRPアドバタイズメントを決められた時間内に受信しなくなる。(36文字)

●設問2

(1) 外部ではコンテナサーバに付与したIPアドレスが利用されることはないから(35文字)

(2) ホストヘッダフィールド(11文字)

(3) 【オ】192.168.0.98　【カ】8000

(4) 【宛先IPアドレス】172.16.0.16　【宛先ポート番号】80

●設問3

(1) ・NAPT機能　・ポートフォワード機能

(2) 複数のIPアドレスを設定し、IPアドレスごとに専用APを識別する仕組み(35文字)

●設問4

(1) 【キ】エコー応答　【ク】SYN/ACK　【ケ】GET

(2) コンテナサーバa

(3) WebAPコンテナ(AP0a)

●設問5

(1) APのFQDNとIPアドレスをPCのhostsファイルに記載する。(33文字)

(2) APサーバに対するPCからのアクセスがなくなっていることを確認する。(34文字)

(3) キャッシュDNSサーバのDNSキャッシュを保持する時間が短くなる。(33文字)

(4) ・WebAPコンテナ2台が正しく構築されたことを確認するため(29文字)
・共用リバースプロキシの設定が正しく行われたことを確認するため(30文字)

2 サービス基盤の構築

問題の概要

ネットワーク構成を把握して、パケットの流れを追えるか、負荷分散やフィルタリング、フロー制御があるのなら、どの条件に引っかかって、どちらの経路へ分岐するのか(あるいは破棄されるのか)といったことを丁寧に考える力量を問う問題です。ネットワークスペシャリストの問題としてとてもまっとうな良問です。いつも同じ問い方だと、容易に受験者に対策されてしまうので、毎回なにかひねりを加えてきますが、この問題ではそれがOpenFlowだということです。ただし、出題者はOpenFlowそのものについて問いたいわけではなく(問題文中に十分な説明があります)、上に挙げた基礎力が試したいのだと考えてください。

キーワード

チーミング
リンクアグリゲーション
VLAN
OFS
OFC
フロー制御

サービス基盤の構築に関する次の記述を読んで、設問1～5に答えよ。

Y社は、データセンタ(以下、DCという)を運営し、ホスティングサービスを提供している。ホスティングサービスのシステムは、顧客ごとに独立したネットワークとサーバから構成されている。Y社が運営しているホスティングサービスのシステム構成を図1に示す。

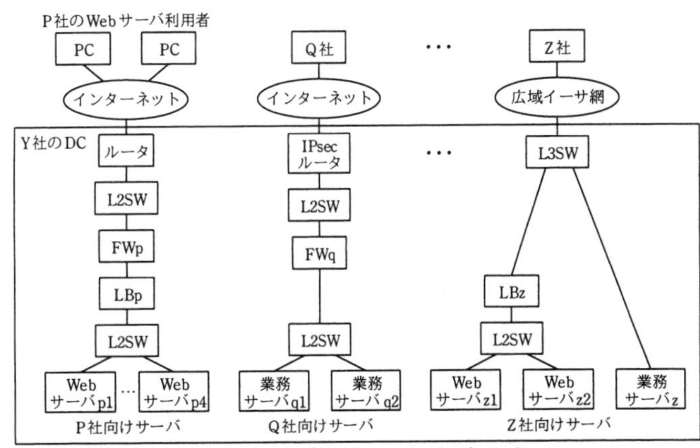

広域イーサ網：広域イーサネットサービス網　FW：ファイアウォール
L2SW：レイヤ2スイッチ　L3SW：レイヤ3スイッチ　LB：サーバ負荷分散装置
注記　P社，Q社，Z社は，Y社の顧客である。

図1　Y社が運営しているホスティングサービスのシステム構成（抜粋）

このたび、Y社では、新規顧客へのサービスの提供やサーバの増設を迅速に行えるようにするとともに、導入コストや運用コストを削減してサービスの収益性を高める目的で、サービス基盤の構築を決定した。このサービス基盤では、ネットワークと物理サーバを顧客間で共用し、論理的に独立した複数の顧客システムを稼働させる、マルチテナント方式のIaaS (Infrastructure as a Service) を提供する。

ヒント 後続の文章を読めば自明ではあるのですが、こういう記述は大事です。

サービス基盤構築プロジェクトリーダに指名された、基盤開発部のM課長は、部下でネットワーク構築担当のN主任に、次の3点の要件を提示し、サービス基盤の構成を検討するよう指示した。

(1) サーバの仮想化によって、サーバ増設要求に迅速に対応可能とすること
(2) サービス基盤で稼働する顧客システムは、顧客ごとに論理的に独立させること
(3) サービス基盤は冗長構成とし、サービス停止を極力抑えられるようにすること

N主任は、SDN (Software-Defined Networking) 技術を用いず、従来の技術を用いた方式 (以下、従来方式という) とSDN技術を用いた方式 (以下、SDN方式という) の二つの方式に関して、サービス基盤を構築する場合や顧客が増減した場合の作業内容などを比較して、構築方式を決めることにした。この方針を基に、N主任は、部下のJさんに、サービス基盤の構成について検討するよう指示した。

〔従来方式でのサービス基盤の構成案〕

Jさんは、まず、従来方式で構築する場合のサービス基盤の構成を検討した。Jさんが設計した、従来方式によるサービス基盤の構成案を図2に示す。

サービス基盤は、VLANによって顧客間のネットワークを論理的に独立させる。

図2中の既設のL2SW及びL3SWのサービス基盤への接続ポートには、それぞれリンクアグリゲーションを設定する。既設のL2SW又はL3SWに接続するL2SWaとL2SWbのポートには、接続先の顧客ごとにリンクアグリゲーションとVLANを設定する。L2SWaとL2SWbの間及びL2SWcとL2SWdの間は、[ア]接続して、それぞれ、一つのL2SWとして動作できるようにする。

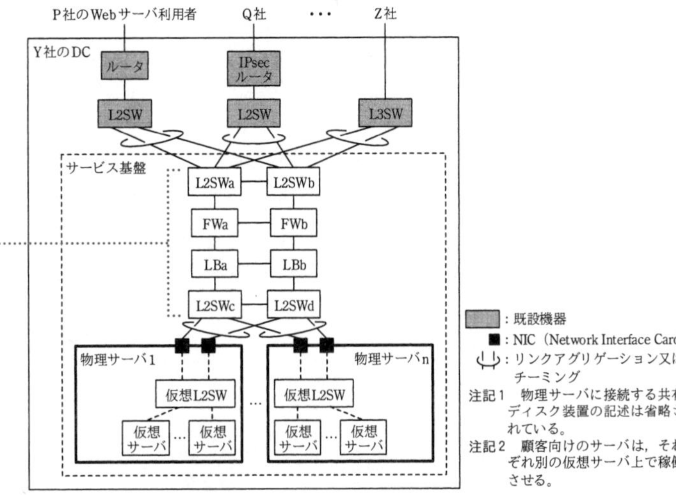

図2　従来方式によるサービス基盤の構成案

ヒント この構成は、SDNを使う場合も変わらないですよね。

FWは、①装置の中に複数の仮想FWを稼働させることができ、②装置の冗長化ができる製品を選定する。冗長構成では、アクティブの仮想FWが保持しているセッション情報が、装置間を直結するケーブルを使って、スタンバイの仮想FWに転送される。セッション情報を継承することで、仮想FWの［ イ ］フェールオーバを実現している。

LBは、負荷分散対象のサーバ群を一つのグループ（以下、クラスタグループという）としてまとめ、クラスタグループを複数設定できる製品を選定する。クラスタグループごとに仮想IPアドレスと［ ウ ］アルゴリズムが設定できるので、複数の顧客の処理を1台で行える。LBも冗長化が可能であり、FWと同様の方法で冗長構成を実現している。

図2の構成案では、FWとLBは、FWaとLBaをアクティブに設定する。スタンバイの装置がアクティブに切り替わる条件は、同装置とも同様であり、両装置は連動して切り替わる。

物理サーバには2枚のNICを実装し、［ エ ］機能を利用してアクティブ／アクティブの状態にする。L2SWcとL2SWdには、リンクアグリゲーションのほかに、③仮想サーバの物理サーバ間移動に必要となるVLANを設定する。

〔SDN方式でのサービス基盤の構成案〕

次に、Jさんは、SDN製品のベンダの協力を得て、SDN方式で構築する場合のサービス基盤の構成を検討した。

SDNを実現する技術の中に、OpenFlow（以下、OFという）がある。今回の検討では、標準化が進んでいるOFを利用することにした。

ヒント　OpenFlowを詳細に説明しろと言われたら、困る人も多いと思いますが、ここで諦める必要はありません。たいてい詳細な説明が続いて、個別技術を知らなくても解答できる情報が与えられます。

OFは、データ転送を行うスイッチ（以下、OFSという）と、OFSの動作を制御するコントローラ（以下、OFCという）から構成される。OFSによるデータ転送は、OFCによって設定されたフローテーブル（以下、Fテーブルという）に基づいて行われる。

Jさんが設計した、OFによるサービス基盤の構成案を図3に示す。

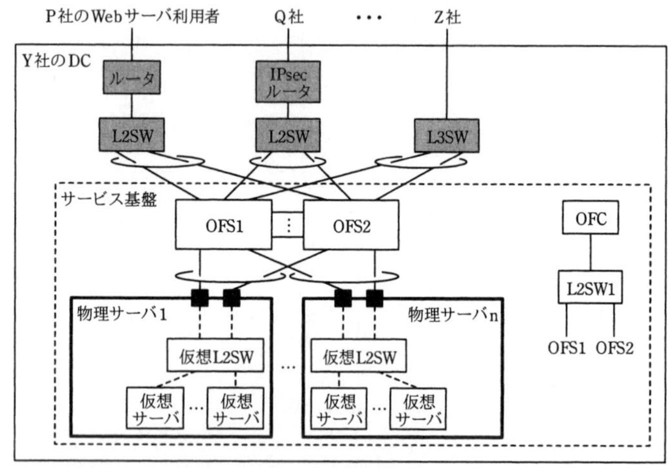

注記1　物理サーバに接続する共有ディスク装置の記述は省略されている。
注記2　OFCはL2SW1を介して，OFS1とOFS2の管理用ポートに接続される。
注記3　顧客向けのサーバ，FW及びLBは，それぞれ別の仮想サーバ上で稼働させる。

図3　OFによるサービス基盤の構成案

OFSは2台構成とし、相互に接続する。図3中の既設のL2SW及びL3SWのサービス基盤への接続ポートには、リンクアグリゲーションを設定し、OFS1とOFS2に接続する。物理サーバには、図2と同様に2枚のNICを実装して各NICをアクティブ／アクティブの状態にする。FWとLBには、仮想サーバ上で稼働する仮想アプライアンス製品を利用する。OFCは、OFS1とOFS2の管理用ポートに接続する。

これらのOFSは、起動するとOFCとの間でTCPコネクションを確立する。その後は、OFCとの間の通信路となるOFチャネルが開設され、それを経由してOFCからFテーブルの作成や更新が行われる。したがって、OFSの導入時には、④OFCとのTCPコネクションの確立に必要な最小限の情報を設定すればよく、導入作業は容易である。

Jさんは、二つの方式で設計したサービス基盤の構成をN主任に説明したところ、二つの方式を比較し、Y社に適した方式を提案するよう指示を受けた。

〔二つの方式の比較〕

Jさんは、図2と図3のサービス基盤を構築する場合について、二つの方式で実施することになる作業内容などを基に、比較表を作成した。Jさんが作成した二つの方式の比較を表1に示す。

表1 Jさんが作成した二つの方式の比較

項番	比較項目	従来方式	SDN方式（図3の方式）
1	導入機器の数	多い	少ない
2	構築時の設定作業	（設問のため省略）	（設問のため省略）
3	顧客追加時の設定作業	（設問のため省略）	（設問のため省略）
4	サービス基盤の増設時の作業	（省略）	（省略）
5	必要技術の習得	習得済み	未習得

以上の比較検討を基に、Jさんは、OFを用いると技術習得などに時間を要することになるが、今後のサービス拡大に柔軟に対応できるようになると判断し、OFによるサービス基盤の構築を、N主任に提案した。N主任は、Jさんの提案がY社にとって有益であると考え、Jさんの提案を基にサービス基盤の構築案をまとめ、M課長に報告したところ、テストシステムを構築して、OFの導入効果を確認するようにとの指示を受けた。

〔技術習得を目的とした制御方式の設計〕

テストシステムの構築に当たって、N主任とJさんの2人は最初に、OFの技術習得を目的として、MACアドレスの学習によるパケットの転送制御方式を考えることにした。

テストシステムは、図1中のP社、Q社及びZ社の3顧客向けのシステムを収容した構成である。テストシステムの構成を図4に、テストシステム中の機器と仮想サーバのMACアドレスを表2に示す。

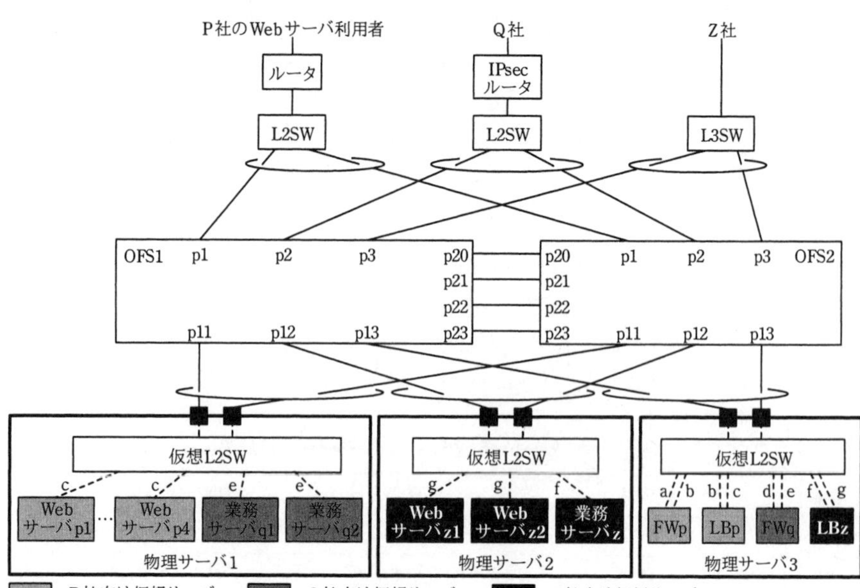

図4　テストシステムの構成

表2　テストシステム中の機器と仮想サーバのMACアドレス

機器名又は仮想サーバ名	MACアドレス
P社のWebサーバp1～p4	mWSp1～mWSp4
Q社の業務サーバq1，q2	mGSq1，mGSq2
Z社のWebサーバz1，z2	mWSz1，mWSz2
Z社の業務サーバz	mGSz

機器名又は仮想サーバ名	内部側[1]のMACアドレス	WAN側[2]のMACアドレス
ルータ	mRT	（省略）
IPsecルータ	mIPSRT	（省略）
L3SW	mL3SW	（省略）
LBp	mLBp	mLBpw
LBz	mLBz	mLBzw
FWp	mFWp	mFWpw
FWq	mFWq	mFWqw

注記　MACアドレスの重複はないものとする。
注[1]　内部側は，図1中の各機器の下側のポートを指す。
[2]　WAN側は，図1中の各機器又はサーバの上側のポートを指す。

図4に示したように、P社にはVLAN IDに100、110、120、Q社にはVLAN IDに200、210、Z社にはVLAN IDに300、310を、それぞれ割り当てる。各顧客のWebサーバと業務サーバ間の通信は発生しない。

「確認しやすくするために」とわざわざ書いてくれているのですから、心にとめておきましょう。処理される順番が重要です。

2人は、Fテーブルの構成について検討した。Fテーブルは、OFSのデータ転送動作を確認しやすくするために、最初に処理されるFテーブル0と、パケットの入力ポートに対応して処理されるFテーブル1～4の五つの構成とした。2人がまとめた、五つのFテーブルの役割を表3に示す。

表3 五つのFテーブルの役割

項番	Fテーブル名	役割
1	Fテーブル0	パケットの入力ポートを基にした，処理の振分け
2	Fテーブル1	顧客のネットワークから，p1～p3経由でOFSに入力したパケットの処理
3	Fテーブル2	物理サーバ1から，p11経由でOFSに入力したパケットの処理
4	Fテーブル3	物理サーバ2から，p12経由でOFSに入力したパケットの処理
5	Fテーブル4	物理サーバ3から，p13経由でOFSに入力したパケットの処理

Fテーブルは、複数のフローエントリ(以下、Fエントリという)からなる。

Fエントリは、OFSに入力されたパケットがどのFエントリに一致するかを判定するためのマッチング条件、条件に一致したパケットに対する操作を定義するアクション、パケットが複数のFエントリに一致した場合の優先度などで構成される。入力されたパケットが、Fテーブル内の複数のFエントリのマッチング条件に一致した場合は、優先度が最も高いFエントリのアクションが実行される。また、どのマッチング条件にも一致しないパケットは廃棄される。一つのFエントリには、複数のアクションを定義できる。

OFCとOFSの間では、メッセージの交換が行われる。このメッセージの中には、OFSに対してFエントリを設定するFlow-Modメッセージ、OFSが受信したパケットをOFCに送信するPacket-Inメッセージ、OFCがOFSに対して指定したパケットの転送を指示するPacket-Outメッセージなどがある。

次に、2人は、3顧客で全てのサーバとの通信が正常に行われたとき(以下、正常通信完了時という)に、OFCによってOFSに生成されるFエントリを、机上で作成した。正常通信完了時のFテーブル0～4を、それぞれ表4～8に示す。

表4 正常通信完了時の0FS1と0FS2のFテーブル0

項番	マッチング条件	アクション	優先度
1	入力ポート＝p1	VLAN IDが100のタグをセット，Fテーブル1で定義された処理を行う。	中
2	入力ポート＝p2	VLAN IDが200のタグをセット，Fテーブル1で定義された処理を行う。	中
3	入力ポート＝p3	VLAN IDが300のタグをセット，Fテーブル1で定義された処理を行う。	中
4	入力ポート＝p11	Fテーブル2で定義された処理を行う。	中
5	入力ポート＝P12	Fテーブル3で定義された処理を行う。	中
6	入力ポート＝p13	Fテーブル4で定義された処理を行う。	中

!? ヒント VLAN IDを確定させようとすると、図4、表2、表4の情報を横断して見る必要があり、意外に面倒くさいのですが、詳細に立ち入って確定させなくても、正答を作ることはできます。限られた解答時間のなかでは、真実に深入りしすぎないことも大事です。

表5 正常通信完了時の0FS1と0FS2のFテーブル1

項番	マッチング条件	アクション	優先度
1	eTYPE[1] ＝ARP	OFCにPacket-Inメッセージを送信	低
2	mDES[2] ＝mFWpw	p13から出力	中
3	mDES[2] ＝mFWqw	p13から出力	中
4	mDES[2] ＝mLBzw	p13から出力	中
5	mDES[2] ＝mGSz	p12から出力	中

注[1] eTYPEは，イーサタイプを示す。
[2] mDESは，宛先MACアドレスを示す。

表6 正常通信完了時の0FS1と0FS2のFテーブル2

項番	マッチング条件	アクション	優先度
1	eTYPE＝ARP	OFCにPacket-Inメッセージを送信	低
2	eTYPE＝ARP，VLAN ID＝120，mDES＝FF-FF-FF-FF-FF-FF	p13から出力	高
3	eTYPE＝ARP，VLAN ID＝210，mDES＝FF-FF-FF-FF-FF-FF	p13から出力	高
4	mDES＝mLBp，mSRC[1] ＝mWSp1	p13から出力	中
5	eTYPE＝RARP	OFCにPacket-Inメッセージを送信	高
以下，省略			

注記 項番5は，仮想サーバが物理サーバ1に移動してきたことをOFCに知らせるためのFエントリである。

注[1] mSRCは，送信元MACアドレスを示す。

表7 正常通信完了時のOFS1とOFS2のFテーブル3

項番	マッチング条件	アクション	優先度
1	eTYPE＝ARP	OFCにPacket-Inメッセージを送信	低
2	eTYPE＝ARP，VLAN ID＝310，mDES＝FF-FF-FF-FF-FF-FF	p13から出力	高
3	mDES＝mLBz，mSRC＝mWSz1	p13から出力	中
4	mDES＝mL3SW，mSRC＝mGSz	VLANタグを削除，p3から出力	中
5	eTYPE＝RARP	OFCにPacket-Inメッセージを送信	高
以下，省略			

注記 項番5は，仮想サーバが物理サーバ2に移動してきたことをOFCに知らせるためのFエントリである。

表8 正常通信完了時のOFS1とOFS2のFテーブル4

項番	マッチング条件	アクション	優先度
1	eTYPE＝ARP	OFCにPacket-Inメッセージを送信	低
2	eTYPE＝ARP，VLAN ID＝100，mDES＝FF-FF-FF-FF-FF-FF	VLANタグを削除，p1から出力	高
3	eTYPE＝ARP，VLAN ID＝120，mDES＝FF-FF-FF-FF-FF-FF	p11から出力	高
4	eTYPE＝ARP，VLAN ID＝300，mDES＝FF-FF-FF-FF-FF-FF	VLANタグを削除，p3から出力	高
5	eTYPE＝ARP，VLAN ID＝310，mDES＝FF-FF-FF-FF-FF-FF	p12から出力	高
6	mDES＝mWSp1，mSRC＝mLBp	p11から出力	中
7	mDES＝mWSp4，mSRC＝mLBp	p11から出力	中
8	mDES＝mWSz1，mSRC＝mLBz	p12から出力	中
9	mDES＝mRT，mSRC＝mFWpw	VLANタグを削除，p1から出力	中
10	mDES＝mIPSRT，mSRC＝mFWqw	VLANタグを削除，p2から出力	中
11	mDES＝mL3SW，mSRC＝mLBzw	VLANタグを削除，p3から出力	中
12	eTYPE＝RARP	OFCにPacket-Inメッセージを送信	高
以下，省略			

注記 項番12は，仮想サーバが物理サーバ3に移動してきたことをOFCに知らせるためのFエントリである。

表8中の項番2は、イーサタイプがARP、VLAN IDが100及び宛先MACアドレスがFF-FF-FF-FF-FF-FFのパケットを、VLANタグを削除してp1から出力することを示している。

OFSにパケットが入力されると、OFSは表4のFテーブル0の処理を最初に実行する。例えば、図4中のQ社のIPsecルータからOFS1のp2にARPリクエストパケットが入力された場合、そのパケットは、表4中の項番2に一致するので、パケットにVLAN IDが200のVLANタグをセットし、次に表5のFテーブル1で定義された処理を行う。表5のFテーブル1では、項番1に一致するので、当該パケットはPacket-Inメッセージに収納されて、OFCに送信される。OFCは受信したパケットの内容を基に、Flow-ModメッセージでFエントリを生成したり、Packet-OutメッセージなどをOFSに送信したりする。

N主任とJさんは、作成したFテーブルの論理チェックを行い、五つのFテーブルによってテストシステムを稼働させることができると判断した。

パケット転送制御方式の机上作成を通してOFの動作イメージが学習できたので、次に、2人は、実際にテストシステムを構築して、動作検証と性能評価を行うことにした。

設問1

本文中の ア ～ エ に入れる適切な字句を答えよ。

設問2

〔従来方式でのサービス基盤の構成案〕について、(1)～(3)に答えよ。

(1) 本文中の下線①の要件が必要になる理由を、30字以内で述べよ。

(2) 本文中の下線②の機能について、アクティブのFWをFWaからFWbに切り替えるのに、FWa又はFWbが監視する内容を三つ挙げ、図2中の機器名を用いて、それぞれ25字以内で答えよ。

(3) 本文中の下線③について、VLANを設定するポート及び設定するVLANの内容を、50字以内で具体的に述べよ。

設問3

本文中の下線④の情報を、15字以内で答えよ。

設問4

〔二つの方式の比較〕について、(1)、(2)に答えよ。

(1) 表1中の項番2について、従来方式の場合、FWでは複数の仮想FWを設定することになる。仮想FWの設定に伴って、各仮想FWに対して設定が必要なネットワーク情報を三つ挙げ、それぞれ15字以内で答えよ。

(2) 表1中の項番3について、従来方式の場合、追加する顧客に対応したVLAN設定がサービス基盤の全ての機器及びサーバで必要になる。その中で、ポートVLANを設定する箇所を、図2中の名称を用いて、40字以内で答えよ。

設問5

〔技術習得を目的とした制御方式の設計〕について、(1)～(4)に答えよ。

(1) 本番システムにおいて、図4の形態で3顧客の仮想サーバを配置した場合に発生する可能性がある問題を、40字以内で述べよ。また、その問題を発生させないための仮想サーバの配置を、40字以内で述べよ。

(2) 表8のFテーブル4中には、FWpの内部側のポートからLBpの仮想IPアドレスをもつポートに、パケットを転送させるためのFエントリが生成されない。当該Fエントリがなくても FWpとLBp間の通信が行われる理由を、70字以内で述べよ。

(3) P社のWebサーバ利用者から送信された、Webサーバ宛てのユニキャストパケットがWebサーバp1に転送されるとき、パケットの転送は、次の【パケット転送処理手順】となる。

【パケット転送処理手順】
ルータ→L2SW→Fテーブル0、項番1→［ オ ］→FWp→LBp→［ カ ］→［ キ ］→Webサーバp1

【パケット転送処理手順】中の［ オ ］～［ キ ］に入れる適切なFテーブル名と項番を答えよ。Fテーブル名は、Fテーブル0～4から選べ。また、項番は表4～8中の項番で答えよ。ここで、パケット転送制御を行うOFSは特定しないものとする。

(4) P社のWebサーバp4が物理サーバ2に移動し、表7のOFS1のFテーブル3中の項番5によって、OFCにPacket-Inメッセージが送信されると、OFCは表8のFテーブル4中の二つの項番を変更する。Fテーブル4が変更されるOFS名を全て答えよ。また、項番3のほかに変更される項番及び変更後のアクションを答えよ。

解答のポイント

本試験でも仮想サーバや仮想スイッチなどが取り上げられることが増えました。実務で増えているから、それに即した実践的な設問を…… という意図もありますが、それ以上に物理環境と仮想環境が切り離され、それらをうまくマッチングすることが難しい(めんどくさい)ので、出題者にとって問題を作りやすいという事情もあります。問題が従来方式とSDNを対比させる形になっているので(それ自体がヒントになっています)、混乱しないように適宜、図を書き込んだりしながら解答してください。問題文中の図や表は、つい流し読みしてしまいがちですが、正答のヒントとなる宝の山ですので、時間を割いて熟読したいところです。図3、図4ではFWやLBのパケットの流れが分かりにくいので、図2の構造を覚えておきましょう。

理解度チェック

解答➡P593

① OpenFlowとは何ですか？
② ステートフルとは何ですか？
③ ポートVLANとは何ですか？

■設問1の解説

【空欄ア】

複数のスイッチを接続して、一つのスイッチとして動作させる(設定やルーティングテーブルも一緒になる)のはスタック接続です。

スイッチを接続する方法としてはカスケード接続もありますが、設定やルーティングテーブルが異なります。キーワードは「1つのスイッチとして扱う」で、問題文にはまさに「一つのL2SWとして動作できるようにする」との記述があります。

【空欄イ】

やや難問です。というのも、この設問の解答は「ステートフル」なのですが、あまりステートフルフェールオーバという言い方はしないからです。すくなくとも一般的ではありません。ステートフルは、たとえばステートフルインスペクションのように使って、基礎情報だけでなく拡張された情報も利用して検査をすることを指すなどします。

ルータであれば、第3層の情報だけでなく、第4層、第7層の情報を利用して、単に通信の方向や通信相手だけではなく、通信そのものの文脈を見て検査するイメージです。

では、この設問に答えようがないかというと、空欄イの直前に「セッション情報を継承することで」と限定がかかっているので、一般的なフェールオーバではなくセッション情報も用いたフェールオーバなのだと理解することができます。ここから「ステートフル」という語を導けるか、が題意です。

【空欄ウ】

クラスタグループについての話題です。クラスタグループを作る理由はいくつかありますが、空欄ウの前段を読むと、「負荷分散対象のサーバ群を一つのグループとしてまとめ」と限定がかかっているので、負荷分散のためのクラスタなのだと特定できます。それに対して適用する技術として、仮想IPアドレスと空欄ウが示されており、空欄ウはアルゴリズムなのですから、負荷分散アルゴリズムであると特定できます。

【空欄エ】

文章の構造からNICに関連した話題であることが分かります。2枚のNICをアクティブ／アクティブの状態で使うわけですから、両方の経路を束ねるチーミングが使われていると導けます。チーミングをすることにより、スループットを向上させることができ、また片方のNICに障害が発生したときでも正常なNICで通信を継続できるフォールトトレランス機能も持たせられます。もちろん、空欄ウで取り扱った負荷分散を行うことも可能です。

■設問2の解説

(1)

下線①には、「装置の中に複数の仮想FWを稼働させることができ」と記されています。Y社はデータセンタを擁し、ホスティングサービスを提供している企業です。つまり、たくさんの企業のネットワークとサーバを預かっているわけです。これは、図1からも読み取ることができます。

さらに、「(2) サービス基盤で稼働する顧客システムは、顧客ごとに論理的に独立させること」と縛りがかけられていますから、顧客ごとに異なるFWの設定が必要なのだろうと読み解けます。

そのまま解答しても正当になりそうですが、設定の内容を具体的にほどいておいたほうがよいでしょう。候補はいくつかありますが、FWの設定項目ですから、フィルタリングを解答しておくのが確実です。

(2)

FWがFWaとFWbの2台によって冗長構成になっていることは、図2や問題文で示されています。ここでは稼働系のFWに障害が発生して待機系に切り替えるときに、何を根拠にするのかが問われています。

FWaとFWbは結ばれていますから、ハートビート等により互いに監視していることは容易に推定できます。したがって、FWaがFWbを監視している内容、FWbがFWaを監視している内容はすぐに思いつくでしょう。

問題は監視する内容を3つ挙げねばならないところです。現状では2つなので、何かひねり出さなければなりません。図1を見ると、FWaはL2SWaとLBaに、FWbはL2SWbとLBbに接続されていますから、このリンクが生きているかを監視することでFWの稼働を確認することができます。図2の結線をよく見て、組み合わせを間違えないように解答しましょう。細かいことですが、設問の条件通りに図2中の機器名を正確に引用することも重要です。

(3)

下線③には、「仮想サーバの物理サーバ間移動に必要となるVLANを設定する」と記されています。仮想サーバをスケーラブルに、あるいは耐障害性を確保して運用するために、仮想サーバが収納されている物理サーバを移動したり、またがったりする可能性があるということです。

問題文にもあるとおり、仮想サーバを含む顧客ネットワークはVLANによって論理的に独立しています。L2SWcとL2SWdはリンクアグリゲーションとチーミングを行っていますから、どちらのスイッチにも顧客のVLAN IDが設定されている必要があります。

設問条件から、設定を行うポートも解答する必要があることに注意してください。L2SWc、L2SWdと物理サーバを結んでいるポートに設定します。

■設問3の解説

ごちゃごちゃ書かれていますが、OSFを導入するときの設定について問われていますから、軸をぶらさないように気をつけてください。

下線④にあるように、OFCとのコネクション(もちろん、OFC～OFS間のコネクションです)の確立に必要な最小限の情報を抽出すればOKです。OFC～OFS間は、単にL2SWで結ばれているだけですから、OFCとOFSのIPアドレスがあればコネクションを張ることが可能です。

■設問4の解説

(1)

仮想FWといっても、基本構造は物理的なファイアウォールと同じですから、一般的にFWに設定するであろう項目を抽出していきます。

- フィルタリングルール
- IPアドレス
- サブネットマスク
- ルーティング情報

このあたりは鉄板です。ルーティング情報は、デフォルトゲートウェイとすると正答にならない可能性が高いので注意しましょう。解答は3つでいいので、思い出しやすいであろうこれらを記述するだけで正答できます。

ほかに仮想マシンならではの設定項目もあり、仮想MACアドレス(仮想であることに注意してください)、VLAN IDを解答することもできます。しかし、一般的なFWに設定する項目ではなく思いつきにくいため、わざわざこちらで解答を作る必要はありません。

(2)

ポートVLANにするということは、そのポートには1つのVLANしか接続しないことを意味します。Y社のサービス基盤内においては、設問2でも議論したように、あるポートが異なるVLANのフレームを転送する構成です。

したがって、ポートVLANを設定できるのは、顧客の物理スイッチと接続するL2SWaとL2SWbだと推定できます。

■設問５の解説

(1)

図4を見て、どこがまずいのかを答えさせるのは、なかなか難度の高い問題だと思います。技術的に難しいという意味ではなく、漠然としていていくつも解答候補を思いついてしまうのがその理由です。

高度試験の問いかけはこのパターンが多いので、過去問にできるだけ多く触れて「出題者の意図」を読み取る練習が効果的です。本問も、現場経験が長い人ほど、あれもこれもと書きたくなるかもしれませんが、一つ確実に言えるのは問題設定の枠内で答えを作らねばならないことです。「やっぱりOFはやめよう」とか、前提条件を覆す解答は作らないでください。

図4を見ると、わざわざ色分けをしてくれているので(情報処理技術者試験午後の問題文は、とても親切です)、この辺にヒントがありそうだと考えてください。

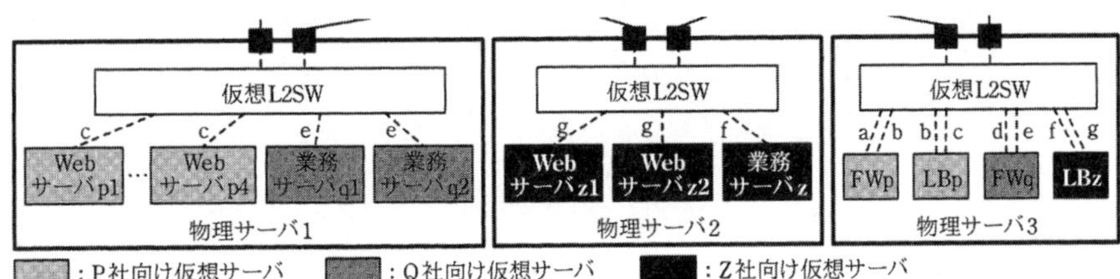

▲**図**　問題文の図４より、該当箇所を抜粋

物理サーバ3に着目すると、P社、Q社、Z社の仮想サーバがここに集中していることが分かります。つまり、物理サーバ3のダウンによって、P、Q、Zの3社のシステムは同時にダウンすることになります。これは、リスクの大きな、対応しなくてはならない状況です。

テストシステムには物理サーバ1、物理サーバ2もあるので、各顧客の仮想サーバを再配置することが可能です。すべての機能を冗長化するパターン、物理サーバ1をP社、物理サーバ2をQ社…… のように配置するパターン、どちらも正答の可能性がありますが、前者を達成可能なら最初からそうしているでしょうから、後者が現実的と考えます。

(2)

FWpの内部側のポート～LBpの仮想IPアドレスをもつポート間の通信であることに着目してください。

LBの仮想IPアドレスはクラスタグループをまとめるために使うことが、問題文により分かっています。このポートと、FWpの内部ポート間の通信ということは、他の機器を介在する必要はなく、直接通信すればよいことが導けます。

図4でいうと、経路としてはFWp～仮想L2SW～LBpです。FWpとLBpは

VLAN ID=110によってセグメントを共有しています。つまり物理サーバ3内で完結しており、OFSの機能を使ってフロー制御する必要がありません。

(3)

【空欄オ】

最初にFテーブル0、項番1の処理が行われています。表4によれば、この処理が行われるとVLAN ID 100がセットされ、Fテーブル1で定義された処理が行われます。したがって、空欄オの処理はFテーブル1で行われます。

OFSからFWpへ転送するパケットなので、宛先MACアドレスはFWpのVLAN ID=100をもつWAN側MACアドレス、すなわちmFWpwです。これに該当するエントリは項番2です。

【空欄カ】

LBpから送信され、Webサーバp1へ至るパケットになります。一連の通信の途上にあるパケットですが、一度OFSから出ていて、改めてp13に入力されることになるので、まずFテーブル0を参照することになります。

入力ポートはp13ですから、適用されるエントリは項番6です。

【空欄キ】

前段でFテーブル0による振り分けが行われ、Fテーブル4で処理が行われることが確定します。宛先MACアドレスはWebサーバp1なので、表2によりmWSp1であることが分かります。送信元MACアドレスはmLBpです。

Fテーブル4でこれに該当するエントリは項番6となります。

(4)

P社のWebサーバp4は、現在物理サーバ1にありますが、(1) での検討を受けて物理サーバ2に移設することにしたようです。

OFS、OFCはそれを検知してテーブルを更新しますが、Y社のDCの場合、図3に示されているように、OFCの下に単純にOFS1、OFS2がぶら下がり、OFS1とOFS2は互いに冗長な構成になっています。そのため、どちらのOFSも更新する必要があります。

更新の対象ですが、項番3は設問文によって示されているので、別の項番を探します。移設されたWebサーバp4に対するものになりますので、宛先MACアドレスがmWSp4になっている項番7を発見できると思います。

いままでp11 (物理サーバ1向け) から出力することになっていたアクションを、移設先の物理サーバ2とつながっているp12に置き換えましょう。

●解答●

■理解度チェックの解答

① SDNを標準化する技術として期待されているプロトコルです。制御系と伝送系が分離されているのが特徴です。

② ステートフルインスペクションのように使われ、パケットのヘッダ情報だけではなく、前後の通信との辻褄なども考慮して検査することを指します。

③ 1つのポートに1つのVLANを設定するもので、シンプルで分かりやすい特徴があります。いっぽうで異なるVLANがポートを共有できないので、そういう使い方をする場合はタグVLANを用います。

■設問の解答

● 設問1

【ア】スタック　【イ】ステートフル　【ウ】負荷分散　【エ】チーミング

● 設問2

(1) ・顧客ごとに別々のフィルタリング設定を施す必要があるから（27文字）
　・顧客ごとに別々のルーティング設定を施す必要があるから（26文字）

(2) ・FWbによるFWa稼働状態（13文字）
　・FWaによるL2SWa接続ポートのリンク状態（22文字）
　・FWaによるLBa接続ポートのリンク状態（20文字）
　・FWaによるFWb稼働状態（13文字）
　・FWbによるL2SWb接続ポートのリンク状態（22文字）
　・FWbによるLBb接続ポートのリンク状態（20文字）
　（いずれか3つを解答）

(3) 物理サーバへ接続しているポートに、顧客の仮想サーバに付与されたVLAN IDのすべてを設定する（47文字）

● 設問3

OFSとOFCのIPアドレス（15文字）

● 設問4

(1) ・仮想FWのフィルタリングルール（15文字）
　・仮想FWのIPアドレス（11文字）
　・仮想FWのサブネットマスク（13文字）
　・仮想FWのルーティング情報（13文字）
　・仮想FWの仮想MACアドレス（14文字）
　・仮想FWのVLAN ID（12文字）
　（いずれか3つを解答）

(2) 顧客のL2SWもしくはL3SWと接続する、L2SWaとL2SWbのポート(36文字)

● **設問5**

(1) 【発生する可能性がある問題】物理サーバ3がダウンすると、P、Q、Z社のシステムが同時に障害となる(34文字)
【仮想サーバの配置】P社、Q社、Z社の仮想サーバを、それぞれに異なった物理サーバに配置しなおす(37文字)

(2) FWpの内部側のポートとLBpの仮想IPアドレスをもつポートは、同じVLANIDをもつ同一セグメント上にあり、物理サーバ3内で処理されるから(70文字)

(3) 【オ】Fテーブル名：Fテーブル1　項番：2
【カ】Fテーブル名：Fテーブル0　項番：6
【キ】Fテーブル名：Fテーブル4　項番：6

(4) 【OFS名】OFS1、OFS2
【項番】7
【変更後のアクション】p12から出力

3 社内システムの更改

問題の概要

システム移行についての問題です。旧ネットワークが存在し、新ネットワークをそこに追加、並行運用期間を置きつつ、最終的には新ネットワークへ移行します。大規模システムはただでさえルータやスイッチが込み入って把握がめんどうなのに、旧システムと新システムが混ざるので余計に頭がこんがらかります。特にこの問題は現行L3SW、新L3SWなどほとんど同じ用語が飛び交うので、読み間違えないようにすることが極めて重要です。

キーワード

STP
RSTP
VRRP
スタック
リンクアグリゲーション

社内システムの更改に関する次の記述を読んで、設問1～6に答えよ。

G社は、都内に本社を構える従業員600名の建設会社である。G社の従業員は、情報システム部が管理する社内システムを業務に利用している。情報システム部は、残り1年でリース期間の満了を迎える、サーバ、ネットワーク機器及びPCの更改を検討している。

〔社内システムの概要〕

G社の社内システムの構成を図1（次ページ）に示す。

G社の社内システムの概要は、次のとおりである。

- 外部DNSサーバは、DMZのドメインに関するゾーンファイルを管理する権威サーバであり、インターネットから受信する名前解決要求に応答する。
- 内部DNSサーバは、社内システムのドメインに関するゾーンファイルを管理する権威サーバであり、PC及びサーバから送信された名前解決要求に応答する。
- 内部DNSサーバは、DNS［ a ］であり、PC及びサーバから送信された社外のドメインに関する名前解決要求を、ISPが提供するフルサービスリゾルバに転送する。
- 全てのサーバに二つのNICを実装し、アクティブ／スタンバイのチーミングを設定している。
- L3SW1及びL3SW2でVRRPを構成し、L3SW1の［ b ］を

!? ヒント 冗長構成にしたとき、「どっちの機器でもできるけど、どっちかに決めなきゃ」という状況に直面します。これを解決するのが【空欄b】です。【空欄b】の大小まで出題されると苦しいですが、この出題者はそこは補完してくれています。

大きく設定して、マスタルータにしている。

- L3SW1とL3SW2間のポートを、VLAN10、VLAN11及びVLAN101～VLAN103を通すトランクポートにしている。
- L2SW3～L2SW20とL3SW間のポートをVLAN101～VLAN103を通すトランクポートにしている。
- 内部NWのスイッチは、IEEE 802.1Dで規定されているSTP(Spanning Tree Protocol)を用いて、経路を冗長化している。
- 内部DNSサーバはDHCPサーバ機能をもち、PCに割り当てるIPアドレス、サブネットマスク、デフォルトゲートウェイのIPアドレス、及び①名前解決要求先のIPアドレスの情報を、PCに通知している。
- FW1及びFW2は、アクティブ／スタンバイのクラスタ構成である。

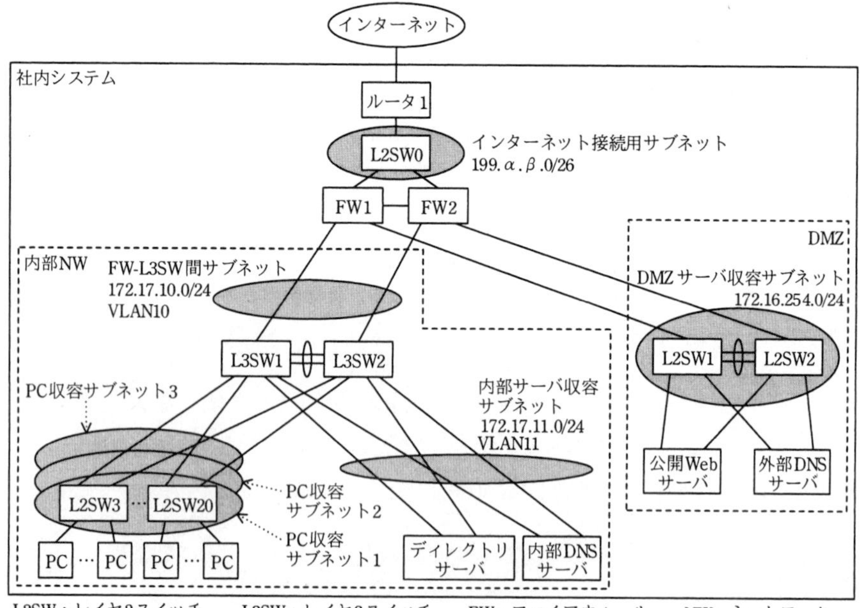

L2SW：レイヤ2スイッチ　L3SW：レイヤ3スイッチ　FW：ファイアウォール　NW：ネットワーク

：リンクアグリゲーションを用いて接続している回線

注記1　199.α.β.0/26は，グローバルIPアドレスを示す。
注記2　PC収容サブネット1のIPアドレスブロックは172.17.101.0/24，VLAN IDは101である。
注記3　PC収容サブネット2のIPアドレスブロックは172.17.102.0/24，VLAN IDは102である。
注記4　PC収容サブネット3のIPアドレスブロックは172.17.103.0/24，VLAN IDは103である。
注記5　L2SW3～L2SW20は，PC収容サブネット1～PC収容サブネット3を構成している。

図1　G社の社内システムの構成（抜粋）

・FW1及びFW2に静的NATを設定し、インターネットから受信したパケットの宛先IPアドレスを、公開Webサーバ及び外部DNSサーバのプライベートIPアドレスに変換している。
・FW1及びFW2にNAPTを設定し、サーバ及びPCからインターネット向けに送信されるパケットの送信元IPアドレス及び送信元ポート番号を、それぞれ変換している。

G社のサーバ及びPCの設定を表1に、G社のネットワーク機器に設定する静的経路情報を表2に、それぞれ示す。

表1　G社のサーバ及びPCの設定（抜粋）

機器名	IPアドレスの割当範囲	デフォルトゲートウェイ		所属VLAN
		機器名	IPアドレス	
公開Webサーバ 外部DNSサーバ	172.16.254.10～172.16.254.100	FW1，FW2	172.16.254.1[1]	なし
ディレクトリサーバ 内部DNSサーバ	172.17.11.10～172.17.11.100	L3SW1，L3SW2	172.17.11.1[2]	11
PC	172.17.101.10～172.17.101.254	L3SW1，L3SW2	172.17.101.1[2]	101
	172.17.102.10～172.17.102.254	L3SW1，L3SW2	172.17.102.1[2]	102
	172.17.103.10～172.17.103.254	L3SW1，L3SW2	172.17.103.1[2]	103

注[1]　FW1とFW2が共有する仮想IPアドレスである。
[2]　L3SW1とL3SW2が共有する仮想IPアドレスである。

表2　G社のネットワーク機器に設定する静的経路情報（抜粋）

機器名	宛先ネットワークアドレス	サブネットマスク	ネクストホップ	
			機器名	IPアドレス
FW1，FW2	172.17.11.0	255.255.255.0	L3SW1，L3SW2	172.17.10.4[1]
	172.17.101.0	255.255.255.0	L3SW1，L3SW2	172.17.10.4[1]
	172.17.102.0	255.255.255.0	L3SW1，L3SW2	172.17.10.4[1]
	172.17.103.0	255.255.255.0	L3SW1，L3SW2	172.17.10.4[1]
	0.0.0.0	0.0.0.0	ルータ1	199.α.β.1
L3SW1，L3SW2	0.0.0.0	0.0.0.0	FW1，FW2	172.17.10.1[2]

注[1]　L3SW1とL3SW2が共有する仮想IPアドレスである。
[2]　FW1とFW2が共有する仮想IPアドレスである。

情報システム部のJ主任が社内システムの更改と移行を担当することになった。更改と移行に当たって、上司であるM課長から指示された内容は、次のとおりである。

(1) 内部NWを見直して、障害発生時の業務への影響の更なる低減を図ること
(2) 業務への影響を極力少なくした移行計画を立案すること

〔現行の内部NW調査〕

J主任は、まず、現行の内部NWの設計について再確認した。内部NWのスイッチは、一つのツリー型トポロジをSTPによって構成し、全てのVLANのループを防止している。②L3SW1に最も小さいブリッジプライオリティ値を、L3SW2に2番目に小さいブリッジプライオリティ値を設定し、L3SW1をルートブリッジにしている。

ルートブリッジに選出されたL3SW1は、STPによって構成されるツリー型トポロジの最上位のスイッチである。L3SW1はパスコストを0に設定したBPDU (Bridge Protocol Data Unit) を、接続先機器に送信する。BPDUを受信したL3SW2及びL2SW3～L2SW20（以下、L3SW2及びL2SW3～L2SW20を非ルートブリッジという）は、設定されたパスコストを加算したBPDUを、受信したポート以外のポートから送信する。非ルートブリッジのL3SW及びL2SWの全てのポートのパスコストに、同じ値を設定している。

STPを設定したスイッチは、各ポートに、ルートポート、指定ポート及び非指定ポートのいずれかの役割を決定する。ルートブリッジであるL3SW1では、全てのポートが［ c ］ポートとなる。非ルートブリッジでは、パスコストやブリッジプライオリティ値に基づきポートの役割を決定する。例えば、L2SW3において、L3SW2に接続するポートは、［ d ］ポートである。

STPのネットワークでトポロジの変更が必要になると、スイッチはポートの状態遷移を開始し、［ e ］テーブルをクリアする。

ポートをフォワーディングの状態にするときの、スイッチが行うポートの状態遷移は、次のとおりである。
(1) リスニングの状態に遷移させる。
(2) 転送遅延に設定した待ち時間が経過したら、ラーニングの状態に遷移させる。
(3) 転送遅延に設定した待ち時間が経過したら、フォワーディングの状態に遷移させる。

J主任は、内部NWのSTPを用いているネットワークに障害が発生したときの復旧を早くするために、IEEE 802.1D-2004で規

定されているRSTP (Rapid Spanning Tree Protocol) を用いる方式と、スイッチのスタック機能を用いる方式を検討することにした。

〔RSTPを用いる方式〕

J主任は、トポロジの再構成に掛かる時間を短縮したプロトコルであるRSTPについて調査した。RSTPでは、STPの非指定ポートの代わりに、代替ポートとバックアップポートの二つの役割が追加されている。RSTPで追加されたポートの役割を、表3に示す。

表3 RSTPで追加されたポートの役割

役割	説明
代替ポート	通常，ディスカーディングの状態であり，ルートポートのダウンを検知したら，すぐにルートポートになり，フォワーディングの状態になるポート
バックアップポート	通常，ディスカーディングの状態であり，指定ポートのダウンを検知したら，すぐに指定ポートになり，フォワーディングの状態になるポート

注記　ディスカーディングの状態は，MACアドレスを学習せず，フレームを破棄する。

RSTPでは、プロポーザルフラグをセットしたBPDU (以下、プロポーザルという) 及びアグリーメントフラグをセットしたBPDU (以下、アグリーメントという) を使って、ポートの役割決定と状態遷移を行う。

調査のために、J主任が作成したRSTPのネットワーク図を図2に示す。

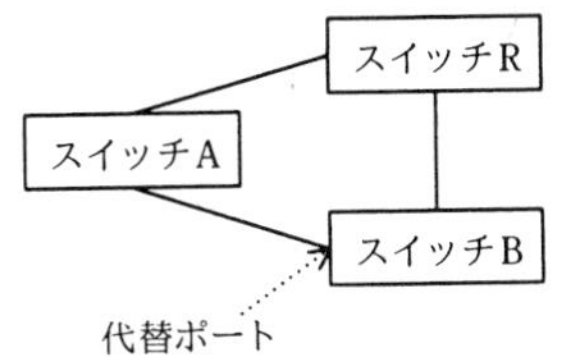

注記1　全てのスイッチにRSTPを用いる。
注記2　スイッチRがルートブリッジである。

図2 J主任が作成したRSTPのネットワーク図

スイッチAにおいて、スイッチRに接続するポートのダウンを検知したときに、スイッチAとスイッチBが行うポートの状態遷移は、次のとおりである。

(1) スイッチAは、トポロジチェンジフラグをセットしたBPDUをスイッチBに送信する。
(2) スイッチBは、スイッチAにプロポーザルを送信する。
(3) スイッチAは、受信したプロポーザル内のブリッジプライオリティ値やパスコストと、自身がもつブリッジプライオリティ値やパスコストを比較する。比較結果から、スイッチAは、スイッチBがRSTPによって構成されるトポロジにおいて[f]であると判定し、スイッチBにアグリーメントを送信し、指定ポートをルートポートにする。

(4) アグリーメントを受信したスイッチBは、代替ポートを指定ポートとして、フォワーディングの状態に遷移させる。

J主任は、調査結果から、STPをRSTPに変更することで、③内部NWに障害が発生したときの、トポロジの再構成に掛かる時間を短縮できることを確認した。

〔スイッチのスタック機能を用いる方式〕

次に、J主任は、ベンダから紹介された、新たな機器が実装するスタック機能を用いる方式を検討した。新たな機器を用いた社内システム（以下、新社内システムという）の内部NWに関して、J主任が検討した内容は次のとおりである。

- 新L3SW1と新L3SW2をスタック用ケーブルで接続し、1台の論理スイッチ（以下、スタックL3SWという）として動作させる。
- スタックL3SWと新L2SW3～新L2SW20の間を、リンクアグリゲーションを用いて接続する。
- 新ディレクトリサーバ及び新内部DNSサーバに実装される二つのNICに、アクティブ／アクティブのチーミングを設定し、スタックL3SWに接続する。

ヒント　スタック接続は2台を1組にしたときの動作がVRRPなどとはちょっと違いましたよね。それを想起すると下線④が読みやすくなります。

検討の内容を基に、J主任は、スタック機能を用いることで、障害発生時の復旧を早く行えるだけでなく、④スイッチの情報収集や構成管理などの維持管理に係る運用負荷の軽減や、⑤回線帯域の有効利用を期待できると考えた。

〔新社内システムの構成設計〕

J主任は、スイッチのスタック機能を用いる方式を採用し、STP及びRSTPを用いない構成にすることにした。J主任が設計した新社内システムの構成を、図3に示す。

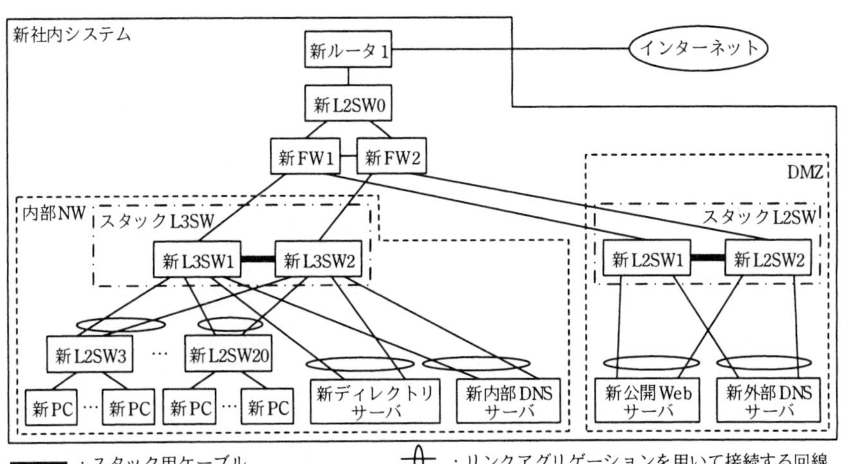

図3　新社内システムの構成（抜粋）

〔新社内システムへの移行の検討〕

J主任は、現行の社内システムから新社内システムへの移行に当たって、五つの作業ステップを設けることにした。移行における作業ステップを表4に、ステップ1完了時のネットワーク構成を図4に示す。ステップ1では、現行の社内システムと新社内システムの共存環境を構築する。

表4　移行における作業ステップ（抜粋）

作業ステップ	作業期間	説明
ステップ1	1か月	・図4中の新社内システムを構築し，現行の社内システムと接続する。
ステップ2	1か月	・⑥現行のディレクトリサーバから新ディレクトリサーバへデータを移行する。 ・⑦現行の社内システムに接続されたPCから，新公開Webサーバの動作確認を行う。
ステップ3	1日	・現行の社内システムから，新社内システムに切り替える。（表8参照）
ステップ4	1か月	・新社内システムの安定稼働を確認し，新サーバに不具合が見つかった場合には，速やかに現行のサーバに切り戻す。
ステップ5	1日	・現行の社内システムを切り離す。

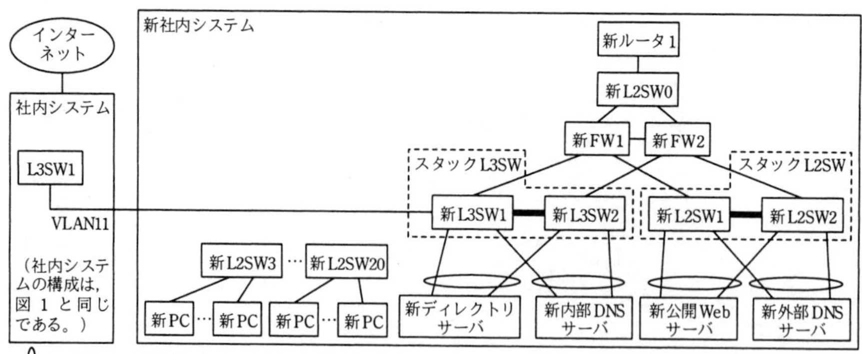

注記 1　新 L2SW3～新 L2SW20 と新 L3SW1，新 L3SW2 間は接続されていない。
注記 2　スタック L3SW には，VLAN101～VLAN103 に関する設定を行わない。

図 4　ステップ 1 完了時のネットワーク構成（抜粋）

ステップ1完了時のネットワーク構成の概要は、次のとおりである。

- 新ディレクトリサーバ及び新内部DNSサーバに、172.17.11.0/24のIPアドレスブロックから未使用のIPアドレスを割り当てる。
- ⑧ 新公開Webサーバ及び新外部DNSサーバには、172.16.254.0/24のIPアドレスブロックから未使用のIPアドレスを割り当てる。
- 現行のL3SW1と新L3SW1間を接続し、接続ポートをVLAN11のアクセスポートにする。
- スタックL3SWのVLAN11のVLANインタフェースに、未使用のIPアドレスである172.17.11.101を、一時的に割り当てる。
- 全ての新サーバについて、デフォルトゲートウェイのIPアドレスは、現行のサーバと同じIPアドレスにする。
- 新社内システムのインターネット接続用サブネットには、現行の社内システムと同じグローバルIPアドレスを使うので、新外部DNSサーバのゾーンファイルに、現行の外部DNSサーバと同じゾーン情報を登録する。
- 現行の内部DNSサーバ及び新内部DNSサーバのゾーンファイルに新サーバに関するゾーン情報を登録する。
- 新FW1及び新FW2は、アクティブ／スタンバイのクラスタ構成にする。
- 新FW1及び新FW2には、インターネットから受信したパケットの宛先IPアドレスを、新公開Webサーバ及び新外部DNSサーバのプライベートIPアドレスに変換する静的NATを設定する。

・新FW1及び新FW2にNAPTを設定する。
・新サーバの設定を表5に、新FW及びスタックL3SWに設定する静的経路情報を表6に、FW及びL3SWに追加する静的経路情報を表7に示す。

表5　新サーバの設定（抜粋）

機器名	IPアドレスの割当範囲	デフォルトゲートウェイ		所属VLAN
		機器名	IPアドレス	
新公開Webサーバ 新外部DNSサーバ	（設問のため省略）	新FW1，新FW2	172.16.254.1[1]	なし
新ディレクトリサーバ 新内部DNSサーバ	（省略）	L3SW1，L3SW2	172.17.11.1[2]	11

注[1]　新FW1と新FW2が共有する仮想IPアドレスである。
[2]　L3SW1とL3SW2が共有する仮想IPアドレスである。

表6　新FW及びスタックL3SWに設定する静的経路情報（抜粋）

機器名	宛先ネットワークアドレス	サブネットマスク	ネクストホップ	
			機器名	IPアドレス
新FW1，新FW2	172.17.11.0	255.255.255.0	スタックL3SW	172.17.10.4
	172.17.101.0	255.255.255.0	スタックL3SW	172.17.10.4
	172.17.102.0	255.255.255.0	スタックL3SW	172.17.10.4
	172.17.103.0	255.255.255.0	スタックL3SW	172.17.10.4
	0.0.0.0	0.0.0.0	スタックL3SW	172.17.10.4
スタックL3SW	172.16.254.128	255.255.255.128	新FW1，新FW2	172.17.10.1[1]
	0.0.0.0	0.0.0.0	L3SW1，L3SW2	172.17.11.1[2]

注[1]　新FW1と新FW2が共有する仮想IPアドレスである。
[2]　L3SW1とL3SW2が共有する仮想IPアドレスである。

表7　FW及びL3SWに追加する静的経路情報（抜粋）

機器名	宛先ネットワークアドレス	サブネットマスク	ネクストホップ	
			機器名	IPアドレス
FW1，FW2	172.16.254.128	255.255.255.128	L3SW1，L3SW2	172.17.10.4[1]
L3SW1，L3SW2	172.16.254.128	255.255.255.128	スタックL3SW	172.17.11.101

注[1]　L3SW1とL3SW2が共有する仮想IPアドレスである。

次に、J主任は、ステップ3の現行の社内システムから新社内システムへの切替作業について検討した。J主任が作成したステップ3の作業手順を、表8に示す。

表8 ステップ3の作業手順（抜粋）

作業名	手順
インターネット接続回線の切替作業	・現行のルータ1に接続されているインターネット接続回線を，新ルータ1に接続する。
DMZのネットワーク構成変更作業	・新FW1及び新FW2に設定されているデフォルトルートのネクストホップを，新ルータ1のIPアドレスに変更する。 ・⑨現行のFW1とL2SW1間，及び現行のFW2とL2SW2間を接続しているLANケーブルを抜く。 ・⑩ステップ4で，新サーバに不具合が見つかったときの切戻しに掛かる作業量を減らすために，現行のL2SW1と新L2SW1間を接続する。 ・⑪インターネットから新公開Webサーバに接続できることを確認する。
内部NWのネットワーク構成変更作業	・現行のL3SW1及びL3SW2のVLANインタフェースに設定されている全てのIPアドレス，並びに静的経路情報を削除する。 ・スタックL3SWのVLAN11のVLANインタフェースに設定されているIPアドレスを，[g]に変更する。 ・スタックL3SWに設定されているデフォルトルートのネクストホップを新FW1と新FW2が共有する仮想IPアドレスに変更する。 ・スタックL3SWに設定されている宛先ネットワークアドレスが172.16.254.128/25の静的経路情報を削除する。
ディレクトリサーバの切替作業	・新ディレクトリサーバをマスタとして稼働させる。
DHCPサーバの切替作業	・現行の内部DNSサーバのDHCPサーバ機能を停止する。 ・新内部DNSサーバのDHCPサーバ機能を開始する。 ・⑫スタックL3SWにDHCPリレーエージェントを設定する。
新PCの接続作業	・スタックL3SWに，VLAN101～VLAN103のVLANインタフェースを作成し，IPアドレスを設定する。 ・新L2SW3～新L2SW20と新L3SW1，新L3SW2に，VLAN101～VLAN103を通すトランクポートを設定し，接続する。 ・新PCから新ディレクトリサーバに接続できることを確認する。

!? ヒント リレーエージェントはネットワークを越えてDHCPを運用できるようにします。DHCPサーバは、IPアドレス未割当てのマシンがどのネットワークにいるのか、何を見て識別するのでしたっけ？

J主任が作成した移行計画はM課長に承認され、J主任は更改の準備に着手した。

設問1

〔社内システムの概要〕について、(1)、(2) に答えよ。

(1) 本文中の［ a ］、［ b ］に入れる適切な字句を答えよ。

(2) 本文中の下線①の名前解決要求先を、図1中の機器名で答えよ。

設問2

〔現行の内部NW調査〕について、(1)、(2) に答えよ。

(1) 本文中の下線②の設定を行わず、内部NWのL2SW及びL3SWに同じブリッジプライオリティ値を設定した場合に、L2SW及びL3SWはブリッジIDの何を比較してルートブリッジを決定するか。適切な字句を答えよ。また、L2SW3がルートブリッジに選出された場合に、L3SW1とL3SW2がVRRPの情報を交換できなくなるサブネットを、図1中のサブネット名を用いて全て答えよ。

(2) 本文中の［ c ］～［ e ］に入れる適切な字句を答えよ。

設問3

〔RSTPを用いる方式〕について、(1)、(2) に答えよ。

(1) 本文中の［ f ］に入れる適切な字句を答えよ。

(2) 本文中の下線③について、トポロジの再構成に掛かる時間を短縮できる理由を二つ挙げ、それぞれ30字以内で述べよ。

設問4

〔スイッチのスタック機能を用いる方式〕について、(1)、(2) に答えよ。

(1) 本文中の下線④について、運用負荷を軽減できる理由を、30字以内で述べよ。

(2) 本文中の下線⑤について、内部NWで、スタックL3SW ～新L2SW以外に回線帯域を有効利用できるようになる区間が二つある。二つの区間のうち一つの区間を、図3中の字句を用いて答えよ。

設問5

図3の構成について、STP及びRSTPを不要にしている技術を二つ答えよ。また、STP及びRSTPが不要になる理由を、15字以内で述べよ。

設問6

〔新社内システムへの移行の検討〕について、(1)～(8)に答えよ。

(1) 表4中の下線⑥によって発生する現行のディレクトリサーバから新ディレクトリサーバ宛ての通信について、現行のL3SW1とスタックL3SW間を流れるイーサネットフレームをキャプチャしたときに確認できる送信元MACアドレス及び宛先MACアドレスをもつ機器をそれぞれ答えよ。

(2) 表4中の下線⑦によって発生する現行のPCから新公開Webサーバ宛ての通信について、現行のL3SW1とスタックL3SW間を流れるイーサネットフレームをキャプチャしたときに確認できる送信元MACアドレス及び宛先MACアドレスをもつ機器をそれぞれ答えよ。

(3) 本文中の下線⑧について、新公開Webサーバに割り当てることができるIPアドレスの範囲を、表1及び表5～7の設定内容を踏まえて答えよ。

(4) 表8中の下線⑨を行わないときに発生する問題を、30字以内で述べよ。

(5) 表8中の下線⑩の作業後に、新公開Webサーバに不具合が見つかり、現行の公開Webサーバに切り替えるときには、新FW1及び新FW2の設定を変更する。変更内容を、70字以内で述べよ。また、インターネットから現行の公開Webサーバに接続するときに経由する機器名を、【転送経路】の表記法に従い、経由する順に全て列挙せよ。

【転送経路】

インターネット → 経由する順に全て列挙 → 公開Webサーバ

(6) 表8中の下線⑪によって発生する通信について、新FWの通信ログで確認できる通信を二つ答えよ。ここで、新公開Webサーバに接続するためのIPアドレスは、接続元が利用するフルサービスリゾルバのキャッシュに記録されていないものとする。

(7) 表8中の g に入れる適切なIPアドレスを答えよ。

(8) 表8中の下線⑫について、スタックL3SWは、PCから受信したDHCPDISCOVERメッセージのgiaddrフィールドに、受信したインタフェースのIPアドレスを設定して、新内部DNSサーバに転送する。DHCPサーバ機能を提供している新内部DNSサーバは、giaddrフィールドの値を何のために使用するか。60字以内で述べよ。

解答のポイント

設問6(3)は難易度が高いように思います。事実上ネットワークを分割しているのですが、オーソドックスなサブネット分割ではありません。私は解答を考えているときに、ここで最も時間を使いました。よく考えれば解けるとは思いますが、本試験でこの問題に出くわして時間を消費するのは、ちょっともったいないと思います。低難易度の問題を優先して解答し、時間に余剰が出れば取り組みましょう。

理解度チェック

解答➡P613

① STPは何のためのプロトコルですか？
② DHCPリレーエージェントとは何ですか？

■設問1の解説

(1)

【空欄a】

空欄aは前後の文脈から、内部DNSサーバについての説明であることがわかります。内部DNSサーバは社内システムのドメインの権威サーバです。当然のことながら、社外の資源の名前解決はできませんので、その要求があった場合はインターネット側にあるDNS（ここではISPのフルサービスリゾルバ（キャッシュDNSサーバ））に要求を転送することになります。この働きをするサーバをDNSフォワーダと呼びます。

空欄aをキャッシュDNSサーバと迷った方もおられると思いますが、キャッシュDNSサーバは転送はせず、自分が反復問い合わせをして名前解決をし、その結果をPCに返答します。

【空欄b】

VRRPはルータ冗長化プロトコルです。マスタルータとバックアップルータで構成しますが、システム側からはそれが1台の仮想ルータとして認識されます。マスタルータが壊れてもバックアップルータに切り替わることで、同じ仮想ルータが正常稼働し続けているように見えるわけです。

各ルータには優先度（プライオリティ値）が設定されており、値が大きいものがマスタルータになります。

(2)

ここではDHCPサーバ（内部DNSサーバ）が配付する情報について問われています。この情報が割り当てられるのは社内のPCで、これらのPCはまず内部DNSサーバに対して名前解決要求を行います。したがって、設定すべき名前解決要求先は内部DNSサーバです。「図1中の機器名」という縛りに注意しましょう。

■設問2の解説

(1)

【比較対象】

STPではブリッジIDの小さいものがルートブリッジに選ばれます。ブリッジIDはプライオリティ値＋MACアドレスで作られるので、プライオリティ値が同じ場合はMACアドレスが比較の対象になります。

【サブネット】

L2SW3がルートブリッジに選ばれると、L3SW1及びL3SW2のルートブリッジに至るポートが指定ポート（代表ポート）になり、L3SW1、L3SW2間のリンクはどちらかがブロッキングポートになります。

すると、L3SW1とL3SW2はL2SW3を介してしか情報交換できなくなるので、VLAN10（FW-L3SW間サブネット）とVLAN11（内部サーバ収容サブネット）間でのVRRP情報のやり取りは不能になります。

(2)

【空欄c】

ルートブリッジのポートはすべて指定ポート（代表ポート）です。問題文中に出た言葉で答えるのが原則ですから、指定ポートと記述しましょう。

【空欄d】

L2SW3において、ルートブリッジ（L3SW1）につながるポートはルートポート、L3SW2につながるポートはブロッキングポートです。問題文中に出た言葉で答えるのが原則ですから、非指定ポートと記述しましょう。

【空欄e】

STPでトポロジが変更されるということは、ポートとMACアドレスの対応関係が変わるということなので、MACアドレステーブルをクリアしなければなりません。

■設問3の解説

(1)

【空欄f】

スイッチRのダウンを検出したので、スイッチBに設定されている代替ポートがルートポートに昇格します。すると、スパニングツリーのツリー構造においてスイッチBが上位、スイッチAが下位となりますから、スイッチBの状態を示す空欄fには上位スイッチが適切です。

(2)

RSTP（高速スパニングツリー）はSTPを発展させたもので、経路の切り替え動作が素早く行われるようになっています。具体的には非指定ポートを廃し、代替ポートとバックアップポートを追加しています。ルートポートに障害が発生すると代替ポートが、指定ポートに障害が発生するとバックアップポートがその処理を引き継ぎます。

STPのように障害が起こってから経路を再計算するのではなく、またネットワーク状態を確認するために規定時間だけ待つといった手順もないので、引き継ぎが高速になります。

■設問４の解説

(1)

スタック接続は複数のスイッチを1台であるかのように見せる技術です。専用ポートを使ってスイッチとスイッチを結ぶことで構成します。スイッチの高性能化や冗長化を目的として行われます。スタック接続の特徴は、他の技術のように物理アドレスと仮想アドレスの対応などを考慮しなくても、（管理者視線で見ても）1台のスイッチであるかのように取り扱えることです。

(2)

L3SW1とL3SW2をスタック接続（仮想的に一台として扱う接続方法。問題文中での表記はスタックL3SW）し、リンクアグリゲーションとチーミングを行ったことで、以下の区間が高速化されました。

・ スタックL3SW ～ 新L2SW3 ～新L2SW20
・ スタックL3SW ～ 新ディレクトリサーバ
・ スタックL3SW ～ 新内部DNSサーバ

このうち、スタックL3SW ～ 新L2SW間の可能性は設問条件で潰されているので、残りの2つのうちどちらかを解答すればOKです。

■設問５の解説

設問4からの流れで解答していきます。すでに議論したように、スタック機能とリンクアグリゲーションを実装することで高速化と冗長化を達成しました。そこから派生した効果として、経路上にループがなくなっていることに注目してください。L3SW1とL3SW2が1台にまとまったので、ループする箇所がなくなったのです。STPはループを解消するためのプロトコルですから、あえて使う必要はなくなりました。

■設問6の解説

(1)

現行のディレクトリサーバは図4によれば、従来通り社内システムに設置されています。

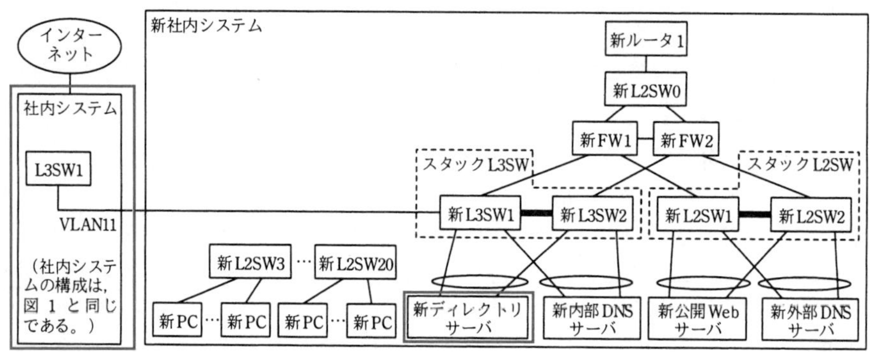

「社内システムの構成は、図1と同じである」とあるので、現行のディレクトリサーバの情報を確認すると、表1より所属VLANがVLAN11であること、そして図1よりVLAN11は172.17.11.0/24のサブネットにあることがわかります。

これに対して新ディレクトリサーバの情報は、本文中に書かれています。

> ・新ディレクトリサーバ及び新内部DNSサーバに、172.17.11.0/24のIPアドレスブロックから未使用のIPアドレスを割り当てる。

図4を見ると離れている印象を受けますが、両者は同じサブネット内にいます。ということは、ルータを経由することによるMACアドレスの付け替えなどは行われませんから、送信元MACアドレスは現行のディレクトリサーバ、送信先MACアドレスは新ディレクトリサーバです。

(2)

L3SW1とスタックL3SWの間はVLAN11 (172.17.11.0/24) で結ばれていて、新公開Webサーバは172.16.254.0/24のサブネットに所属しています。つまり、現行のPC～L3SW1～スタックL3SW～新公開Webサーバでネットワークをまたいだ通信を行っているので、L3SW1とスタックL3SWでそれぞれMACアドレスの付け替えが発生します。キャプチャしているのが、L3SW1～スタックL3SW間であることに注意しましょう。

なお、IPAの公式解答でも「現行のL3SW1」としていますが、図4の表記に倣えば「L3SW1」と解答するのもアリだと思います（本来はなるべく本文や図中の用語で答えたい）。

(3)

現行システムの172.16.254.0/24のネットワークでは、172.16.254.10 ～ 172.16.254.100がサーバのアドレス割当て範囲として使われており、またFWを指し示すデフォルトゲートウェイが172.16.254.1で設定されています。

したがって、これらと予約アドレスを抜いたアドレス群は利用可能と導けます。しかし、表6、表7を読むとこのような記載があり矛盾します。

表6　新FW及びスタックL3SWに設定する静的経路情報（抜粋）

機器名	宛先ネットワークアドレス	サブネットマスク	ネクストホップ	
			機器名	IPアドレス
新FW1，新FW2	172.17.11.0	255.255.255.0	スタックL3SW	172.17.10.4
	172.17.101.0	255.255.255.0	スタックL3SW	172.17.10.4
	172.17.102.0	255.255.255.0	スタックL3SW	172.17.10.4
	172.17.103.0	255.255.255.0	スタックL3SW	172.17.10.4
	0.0.0.0	0.0.0.0	スタックL3SW	172.17.10.4
スタックL3SW	172.16.254.128	255.255.255.128	新FW1，新FW2	172.17.10.1[1)]
	0.0.0.0	0.0.0.0	L3SW1，L3SW2	172.17.11.1[2)]

注 1)　新FW1と新FW2が共有する仮想IPアドレスである。
　 2)　L3SW1とL3SW2が共有する仮想IPアドレスである。

表7　FW及びL3SWに追加する静的経路情報（抜粋）

機器名	宛先ネットワークアドレス	サブネットマスク	ネクストホップ	
			機器名	IPアドレス
FW1，FW2	172.16.254.128	255.255.255.128	L3SW1，L3SW2	172.17.10.4[1)]
L3SW1，L3SW2	172.16.254.128	255.255.255.128	スタックL3SW	172.17.11.101

注 1)　L3SW1とL3SW2が共有する仮想IPアドレスである。

つまり、現行ネットワークをさらに下記の2つに分けて運用していると考えられます。

172.16.254.0　 ～ 172.16.254.127
172.16.254.128 ～ 172.16.254.255

であればネットワークアドレスとブロードキャストアドレスを抜いた172.16.254.129 ～ 172.16.254.254が正答になりそうなのですが、本文中に「すべての新サーバについて、デフォルトゲートウェイのIPアドレスは、現行のサーバと同じIPアドレスにする」とあるので、いわゆるサブネット分割はやっていないはずです。

となると、ネットワーク構成上は現行システムと新システムを同一ネットワークに配置しつつ、実質的にはアドレスを2グループに分割していることになります。ルーティングがおかしくなりそうですが、それをL3SWとFWの静的経路制御で解決しているのです。

したがって、172.16.254.128もサーバのアドレスとして使えることになります。つまり、使えるアドレス範囲は172.16.254.128 ～ 172.16.254.254です。

(4)

現行のFW1とFW2のIPアドレスは172.16.254.1　、新FW1と新FW2のIPアドレスも172.16.254.1で重複しています。現状ではそれで構わないのですが、移行作業の過程(下線⑩)で「現行のL2SW1と新L2SW1間を接続」します。同一ネットワーク上に重複アドレスが発生してしまいますから、あらかじめLANケーブルを抜いて現行のFWを隔離します。

(5)

【変更内容】

変更する内容については、問題文にそのものずばりの記述があります。

・新FW1及び新FW2には、インターネットから受信したパケットの宛先IPアドレスを、新公開Webサーバ及び新外部DNSサーバのプライベートIPアドレスに変換する静的NATを設定する。

静的NATで宛先IPアドレスを新サーバに振り分けているわけですから、トラブルが出て現行サーバに切り戻しをしたい場合は、NATの宛先を現行サーバにすればOKです。

【経由する機器】

経路については素直に検討して大丈夫です。新ルータ1からパケットが入ってきますので、

新ルータ1 → 新L2SW0 → 新FW1 → 新L2SW1 → L2SW1

です。

(6)

設問文にわざわざ、「新公開Webサーバに接続するためのIPアドレスは、接続元が利用するフルサービスリゾルバのキャッシュに記録されていないものとする」と書いてありますので、DNSへの名前解決通信があることは確定です。

インターネット側PCからのDNS通信は、新FWを経由して新外部DNSサーバへ転送されます。そして、その解決情報をもとにして、インターネット側PCは新公開Webサーバに HTTP通信を試みます。もちろんこの通信も新FWを経由するので、この2本の通信を記述すればOKです。

(7)

話題が現行L3SW1、現行L3SW2の切り離しフェーズに入りました。これらの機能をスタックL3SWが引き継ぐわけですが、VLAN11をどうしようというのが空欄gの出題です。

VLAN11に割り当てられているネットワークアドレスは172.17.11.0/24で、他のネットワークへ中継してもらうためのゲートウェイはL3SW1とL3SW2の172.17.11.1ですから、スタックL3SWが現時点でもつ172.17.11.101をこのIPアドレスで上書きしないといけません。

(8)

DHCPリレーエージェントはサブネットを越えて、DHCPDISCOVERを転送する機能です。これがあることで、サブネットごとにDHCPサーバを立てなくてすむわけです。しかし、DHCPDISCOVERを送信しているノードはIPアドレスが未割り当てであるため、そのままだとどのサブネットのIPアドレスをリースすればいいのか、DHCPサーバにはわかりません。

そこで使われるのがDHCPDISCOVERメッセージ内のgiaddrフィールドです。ここにDHCPリレーエージェントが、DHCPDISCOVERメッセージを受信したNICのIPアドレスを書き込むので、未知のノードの所属サブネットがわかります。

●解答●

■理解度チェックの解答

① レイヤ2で通信経路がループするのを防止するのが役目です。通信機器の故障などが生じた場合は、ループ防止のためにブロックしていたポートを開放して、通信の復旧を試みます。

② DHCPメッセージをサブネットを越えて中継する機能で、ルータやL3SWが担います。

■設問の解答

● 設問1

(1) 【a】フォワーダ　【b】プライオリティ値

(2) 内部DNSサーバ

● 設問2

(1) 【比較対象】MACアドレス

【サブネット】FW-L3SW間サブネット、内部サーバ収容サブネット

(2) 【c】指定ポート　【d】非指定ポート　【e】MACアドレス

● **設問3**

(1) 【f】上位スイッチ

(2) ① 障害時にどの代替ポートを使うかが予め設定されているから (27文字)

② 代替ポートが決まっていることで、遅延なく切り替えを行うから (29文字)

● **設問4**

(1) L3SW1とL3SW2を1台のスイッチのように扱えるから (28文字)

(2) スタックL3SW ～ 新ディレクトリサーバ　または

スタックL3SW ～ 新内部DNSサーバ

● **設問5**

【技術】① スタック機能

② リンクアグリゲーション

【理由】経路上にループがなくなったから (15文字)

● **設問6**

(1) 【送信元MACアドレスをもつ機器】現行のディレクトリサーバ

【宛先MACアドレスをもつ機器】新ディレクトリサーバ

(2) 【送信元MACアドレスをもつ機器】現行のL3SW1

【宛先MACアドレスをもつ機器】スタックL3SW

(3) 172.16.254.128 ～ 172.16.254.254

(4) 現行FWと新FWのIPアドレスが同一ネット上で重複してしまう (30文字)

(5) 【変更内容】静的NATによって変換する宛先IPアドレスを新公開Webサーバのアドレスから、現行の公開WebサーバのIPアドレスに切り替える (65文字)

【経由する機器】

新ルータ1 → 新L2SW0 → 新FW1 → 新L2SW1 → L2SW1

(6) ① 新外部DNSサーバ宛てのDNS通信

② 新公開Webサーバ宛てのHTTP通信

(7) 【g】172.17.11.1

(8) プールしているリース対象IPアドレスの中から、どのサブネットのIPアドレスをリースすればよいかを判別する。(53文字)

4 ECサーバの増強

問題の概要

既存システムにサーバ増強を施し、それによってどのようにネットワーク構成が変化するか、DNSの登録内容に変更はあるか、負荷分散を導入するとしてセッション維持はどのようにすればいいかをバランス良く問う問題です。基礎的な知識からの出題で、午後Ⅱは難しいとの先入観にとらわれずに取り組むきっかけにしてください。

キーワード

DNSサーバ
ゾーン情報
リソースレコード
LB（負荷分散装置）
ソースNAT
セッション維持
SAML
SSO

ECサーバの増強に関する次の記述を読んで、設問に答えよ。

Y社は、従業員300名の事務用品の販売会社であり、会員企業向けにインターネットを利用して通信販売を行っている。ECサイトは、Z社のデータセンター（以下、z-DCという）に構築されており、Y社の運用PCを使用して運用管理を行っている。

ECサイトに関連するシステムの構成を図1に示し、DNSサーバに設定されているゾーン情報を図2に示す。

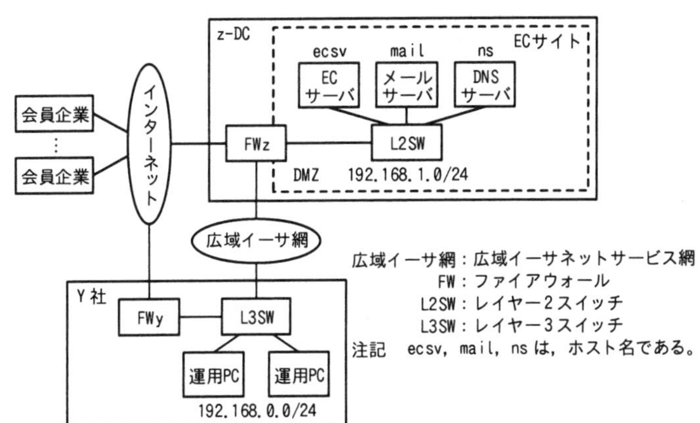

図1　ECサイトに関連するシステムの構成（抜粋）

項番	ゾーン情報				
1	@	IN	SOA	ns.example.jp. hostmaster.example.jp.（省略）	
2		IN	a		ns.example.jp.
3		IN	b	10	mail.example.jp.
4	ns	IN	A		c
5	ecsv	IN	A		（省略）
6	mail	IN	A		d
7	@	IN	SOA	ns.y-sha.example.lan. hostmaster.y-sha.example.lan.（省略）	
8		IN	a		ns.y-sha.example.lan.
9		IN	b	10	mail.y-sha.example.lan.
10	ns	IN	A		e
11	ecsv	IN	A		（省略）
12	mail	IN	A		f

図2 DNSサーバに設定されているゾーン情報（抜粋）

〔ECサイトに関連するシステムの構成、運用及びセッション管理方法〕

- 会員企業の事務用品購入の担当者(以下、購買担当者という)は、Webブラウザでhttps://ecsv.example.jp/を指定してECサーバにアクセスする。
- 運用担当者は、運用PCのWebブラウザでhttps://ecsv.y-sha.example.lan/を指定して、広域イーサ網経由でECサーバにアクセスする。
- ECサーバに登録されているサーバ証明書は一つであり、マルチドメインに対応していない。
- ECサーバは、アクセス元のIPアドレスなどをログとして管理している。
- DMZのDNSサーバは、ECサイトのインターネット向けドメインexample.jpと、社内向けドメインy-sha.example.lanの二つのドメインのゾーン情報を管理する。
- L3SWには、DMZへの経路とデフォルトルートが設定されている。
- 運用PCは、DMZのDNSサーバで名前解決を行う。
- FWzには、表1に示す静的NATが設定されている。

ヒント こういう制限をかける記述は要注意です。たぶんドメインを2つ使うような要望が後から出てきます。

表1 FWzに設定されている静的NATの内容(抜粋)

変換前IPアドレス	変換後IPアドレス	プロトコル／宛先ポート番号
100.α.β.1	192.168.1.1	TCP/53, UDP/53
100.α.β.2	192.168.1.2	TCP/443
100.α.β.3	192.168.1.3	TCP/25

注記 100.α.β.1～100.α.β.3は，グローバルIPアドレスを示す。

ECサーバは、次の方法でセッション管理を行っている。

- Webブラウザから最初にアクセスを受けたときに、ランダムな値のセッションIDを生成する。
- Webブラウザへの応答時に、CookieにセッションIDを書き込んで送信する。
- WebブラウザによるECサーバへのアクセスの開始から終了までの一連の通信を、セッションIDを基に、同一のセッションとして管理する。

〔ECサイトの応答速度の低下〕

最近、購買担当者から、ECサイト利用時の応答が遅くなったというクレームが入るようになった。そこで、Y社の情報システム部(以下、情シスという)のネットワークチームのX主任は、運用PCを使用して次の手順で原因究明を行った。

(1) 購買担当者と同じURLでアクセスし、応答が遅いことを確認した。
(2) ecsv.example.jp及びecsv.y-sha.example.lan宛てに、それぞれpingコマンドを発行して応答時間を測定したところ、両者の測定結果に大きな違いはなかった。
(3) FWzのログからはサイバー攻撃の兆候は検出されなかった。
(4) sshコマンドで①ecsv.y-sha.example.lanにアクセスしてCPU使用率を調べたところ、設計値を大きく超えていた。

この結果から、X主任は、ECサーバが処理能力不足になったと判断した。

〔ECサーバの増強構成の設計〕

X主任は、ECサーバの増強が必要になったことを上司のW課長に報告し、W課長からECサーバの増強構成の設計指示を受けた。

ECサーバの増強策としてスケール[g]方式とスケール[h]方式を比較検討し、ECサイトを停止せずにECサーバの

!? ヒント 止めずに増強したいのですから、今あるサーバの交換は無理ですよね。交換中は止まってしまいます。となると……。

増強を行える、スケール［ h ］方式を採用することを考えた。

X主任は、②ECサーバを2台にすればECサイトは十分な処理能力をもつことになるが、2台増設して3台にし、負荷分散装置(以下、LBという)によって処理を振り分ける構成を設計した。ECサーバの増強構成を図3に示し、DNSサーバに追加する社内向けドメインのリソースレコードを図4に示す。

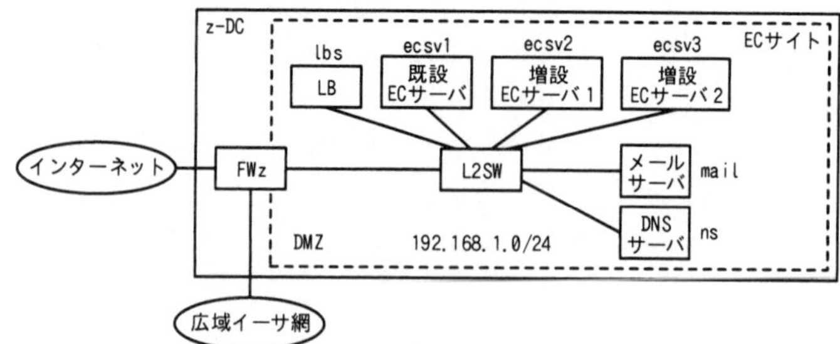

注記　lbsはLBのホスト名であり，ecsv1〜ecsv3は増強後のECサーバのホスト名である。

図3　ECサーバの増強構成（抜粋）

lbs	IN	A	192.168.1.4	; LBの物理IPアドレス
ecsv1	IN	A	192.168.1.5	; 既設ECサーバのIPアドレス
ecsv2	IN	A	192.168.1.6	; 増設ECサーバ1のIPアドレス
ecsv3	IN	A	192.168.1.7	; 増設ECサーバ2のIPアドレス

図4　DNSサーバに追加する社内向けドメインのリソースレコード

ECサーバ増強後、購買担当者がWebブラウザでhttps://ecsv.example.jp/を指定してECサーバにアクセスし、アクセス先が既設ECサーバに振り分けられたときのパケットの転送経路を図5に示す。

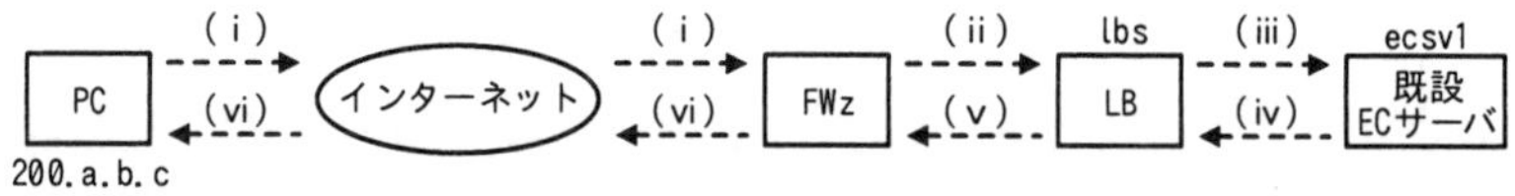

- - - -▶：パケットの転送方向

注記　200.a.b.cは，グローバルIPアドレスを示す。

図5　既設ECサーバに振り分けられたときのパケットの転送経路

導入するLBには、負荷分散用のIPアドレスである仮想IPアドレスで受信したパケットをECサーバに振り分けるとき、送信元IPアドレスを変換する方式(以下、ソースNATという)と変換しない方式の二つがある。図5中の(i)～(vi)でのIPヘッダーの

IPアドレスの内容を表2に示す。

表2 図5中の(ⅰ)～(ⅵ)でのIPヘッダーのIPアドレスの内容

図5中の番号	LBでソースNATを行わない場合		LBでソースNATを行う場合	
	送信元IPアドレス	宛先IPアドレス	送信元IPアドレス	宛先IPアドレス
(ⅰ)	200.a.b.c	i	200.a.b.c	i
(ⅱ)	200.a.b.c	j	200.a.b.c	j
(ⅲ)	200.a.b.c	192.168.1.5	k	192.168.1.5
(ⅳ)	192.168.1.5	200.a.b.c	192.168.1.5	k
(ⅴ)	j	200.a.b.c	j	200.a.b.c
(ⅵ)	i	200.a.b.c	i	200.a.b.c

〔ECサーバの増強構成とLBの設定〕

X主任が設計した内容をW課長に説明したときの、2人の会話を次に示す。

X主任：LBを利用してECサーバを増強する構成を考えました。購買担当者がECサーバにアクセスするときのURLの変更は不要です。

W課長：DNSサーバに対しては、図4のレコードを追加するだけで良いのでしょうか。

X主任：そうです。ECサーバの増強後も、図2で示したゾーン情報の変更は不要ですが、③図2中の項番5と項番11のリソースレコードは、図3の構成では図1とは違う機器の特別なIPアドレスを示すことになります。また、④図4のリソースレコードの追加に対応して、既設ECサーバに設定されている二つの情報を変更します。

W課長：分かりました。LBではソースNATを行うのでしょうか。

X主任：現在のECサーバの運用を変更しないために、ソースNATは行わない予定です。この場合、パケットの転送を図5の経路にするために、⑤既設ECサーバでは、デフォルトゲートウェイのIPアドレスを変更します。

W課長：次に、ECサーバのメンテナンス方法を説明してください。

X主任：はい。まず、メンテナンスを行うECサーバを負荷分散の対象から外し、その後に、運用PCから当該ECサーバにアクセスして、メンテナンス作業を行います。

ヒント 負荷分散をしたので、経由する機器が変わりました。どの機器を経由するようになったんでしたっけ？

W課長：X主任が考えている設定では、運用PCからECサーバとは通信できないと思いますが、どうでしょうか。

X主任：うっかりしていました。導入予定のLBはルータとしては動作しませんから、ご指摘の問題が発生してしまいます。対策方法として、ECサーバに設定するデフォルトゲートウェイを図1の構成時のままとし、LBではソースNATを行うとともに、⑥ECサーバ宛てに送信するHTTPヘッダーにX-Forwarded-Forフィールドを追加するようにします。

W課長：それで良いでしょう。ところで、図3の構成では、増設ECサーバにもサーバ証明書をインストールすることになるのでしょうか。

X主任：いいえ。増設ECサーバにはインストールせずに⑦既設ECサーバ内のサーバ証明書の流用で対応できます。

W課長：分かりました。負荷分散やセッション維持などの方法は設計済みでしょうか。

X主任：構成が決まりましたので、これからLBの制御方式について検討します。

〔LBの制御方式の検討〕

X主任は、導入予定のLBがもつ負荷分散機能、セッション維持機能、ヘルスチェック機能の三つについて調査し、次の方式を利用することにした。

・ 負荷分散機能

アクセス元であるクライアントからのリクエストを、負荷分散対象のサーバに振り分ける機能である。Y社のECサーバは、リクエストの内容によってサーバに掛かる負荷が大きく異なるので、ECサーバにエージェントを導入し、エージェントが取得した情報を基に、ECサーバに掛かる負荷の偏りを小さくすることが可能な動的振分け方式を利用する。

・ セッション維持機能

同一のアクセス元からのリクエストを、同一セッションの間は同じサーバに転送する機能である。アクセス元の識別は、IPアドレス、IPアドレスとポート番号との組合せ、及びCookieに記録された情報によって行う、三つの方式がある。IPアドレスでアクセス元を識別する場合、インターネットアクセス時に送信元IP

アドレスが同じアドレスになる会員企業では、複数の購買担当者がアクセスするECサーバが同一になってしまう問題が発生する。⑧IPアドレスとポート番号との組合せでアクセス元を識別する場合は、TCPコネクションが切断されると再接続時にセッション維持ができなくなる問題が発生する。そこで、⑨Cookie中のセッションIDと振分け先のサーバから構成されるセッション管理テーブルをLBが作成し、このテーブルを使用してセッションを維持する方式を利用する。

・ヘルスチェック機能

振分け先のサーバの稼働状態を定期的に監視し、障害が発生したサーバを負荷分散の対象から外す機能である。⑩ヘルスチェックは、レイヤー3、4及び7の各レイヤーで稼働状態を監視する方式があり、ここではレイヤー7方式を利用する。

ヒント ここが決定的なヒントです。監視対象は「サーバの稼働状態」ですから、プロトコルの階層でいうとすごく上位のほうに位置するはずですよね?

X主任が、LBの制御方式の検討結果をW課長に説明した後、W課長から新たな検討事項の指示を受けた。そのときの、2人の会話を次に示す。

W課長：運用チームから、ECサイトのアカウント情報の管理負荷が大きくなってきたので、管理負荷の軽減策の検討要望が挙がっています。会員企業からは、自社で管理しているアカウント情報を使ってECサーバにログインできるようにして欲しいとの要望があります。これらの要望に応えるために、ECサーバのSAML2.0（Security Assertion Markup Language 2.0）への対応について検討してください。

X主任：分かりました。検討してみます。

〔SAML2.0の調査とECサーバへの対応の検討〕

X主任がSAML2.0について調査して理解した内容を次に示す。

・SAMLは、認証・認可の要求／応答のプロトコルとその情報を表現するための標準規格であり、一度の認証で複数のサービスが利用できるシングルサインオン（以下、SSOという）を実現することができる。
・SAMLでは、利用者にサービスを提供するSP（Service Provider）と、利用者の認証・認可の情報をSPに提供するIdP（Identity Provider）との間で、情報の交換を行う。

・IdPは、SAMLアサーションと呼ばれるXMLドキュメントを作成し、利用者を介してSPに送信する。SAMLアサーションには、次の三つの種類がある。
　(a) 利用者がIdPにログインした時刻、場所、使用した認証の種類などの情報が記述される。
　(b) 利用者の名前、生年月日など利用者を識別する情報が記述される。
　(c) 利用者がもつサービスを利用する権限などの情報が記述される。
・SPは、IdPから提供されたSAMLアサーションを基に、利用者にサービスを提供する。
・IdP、SP及び利用者間の情報の交換方法は、SAMLプロトコルとしてまとめられており、メッセージの送受信にはHTTPなどが使われる。
・z-DCで稼働するY社のECサーバがSAMLのSPに対応すれば、購買担当者は、自社内のディレクトリサーバ(以下、DSという)などで管理するアカウント情報を使って、ECサーバに安全にSSOでアクセスできる。

X主任は、ケルベロス認証を利用して社内のサーバにSSOでアクセスしている会員企業e社を例として取り上げ、e社内のPCがSAMLを利用してY社のECサーバにもSSOでアクセスする場合のシステム構成及び通信手順について考えた。

会員企業e社のシステム構成を図6に示す。

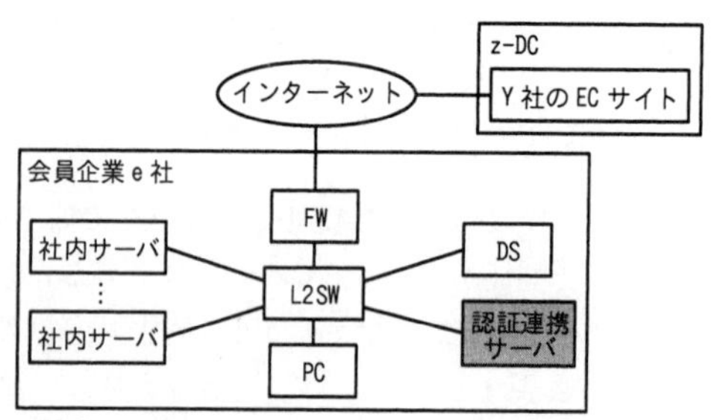

注記　網掛けの認証連携サーバは，SAMLを利用するために新たに導入する。

図6　会員企業e社のシステム構成（抜粋）

図6で示した会員企業e社のシステムの概要を次に示す。
・e社ではケルベロス認証を利用し、社内サーバにSSOでアクセスしている。

・ e社内のDSは、従業員のアカウント情報を管理している。
・ PC及び社内サーバは、それぞれ自身の共通鍵を保有している。
・ DSは、PC及び社内サーバそれぞれの共通鍵の管理を行うとともに、チケットの発行を行う鍵配布センター(以下、KDCという)機能をもっている。
・ KDCが発行するチケットには、PCの利用者の身分証明書に相当するチケット(以下、TGTという)とPCの利用者がアクセスするサーバで認証を受けるためのチケット(以下、STという)の2種類がある。
・ 認証連携サーバはIdPとして働き、ケルベロス認証とSAMLとの間で認証連携を行う。

X主任は、e社内のPCからY社のECサーバにSAMLを利用してSSOでアクセスするときの通信手順と処理の概要を、次のようにまとめた。

e社内のPCからECサーバにSSOでアクセスするときの通信手順を図7に示す。

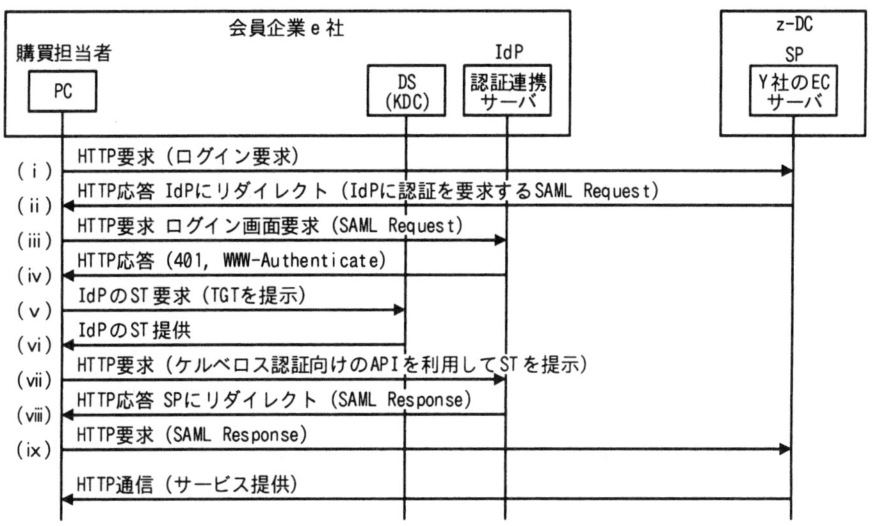

注記1 本図では，購買担当者はPCにログインしてTGTを取得しているが，IdP向けのSTを所有していない状態での通信手順を示している。
注記2 LBの記述は，図中から省略している。

図7 e社内のPCからECサーバにSSOでアクセスするときの通信手順（抜粋）

図7中の、(ⅰ)～(ⅸ)の処理の概要を次に示す。

(ⅰ) 購買担当者がPCを使用してECサーバにログイン要求を行う。

(ⅱ) SPであるECサーバは、⑪SAML認証要求(SAML Request)を作成しIdPである認証連携サーバにリダイレクトを要求する応答を行う。
ここで、ECサーバには、⑫IdPが作成するデジタル署名の検証に必要な情報などが設定され、IdPとの間で信頼関係が構築されている。

(ⅲ) PCはSAML RequestをIdPに転送する。

(ⅳ) IdPはPCに認証を求める。

(ⅴ) PCは、KDCにTGTを提示してIdPへのアクセスに必要なSTの発行を要求する。

(ⅵ) KDCは、TGTを基に、購買担当者の身元情報やセッション鍵が含まれたSTを発行し、IdPの鍵でSTを暗号化する。さらに、KDCは、暗号化したSTにセッション鍵などを付加し、全体をPCの鍵で暗号化した情報をPCに払い出す。

(ⅶ) PCは、⑬受信した情報の中からSTを取り出し、ケルベロス認証向けのAPIを利用して、STをIdPに提示する。

(ⅷ) IdPは、STの内容を基に購買担当者を認証し、デジタル署名付きのSAMLアサーションを含むSAML応答(SAML Response)を作成して、SPにリダイレクトを要求する応答を行う。

(ⅸ) PCは、SAML ResponseをSPに転送する。SPは、SAML Responseに含まれる⑭デジタル署名を検証し、検証結果に問題がない場合、SAMLアサーションを基に、購買担当者が正当な利用者であることの確認、及び購買担当者に対して提供するサービス範囲を定めた利用権限の付与の、二つの処理を行う。

X主任は、ECサーバのSAML2.0対応の検討結果を基に、SAML2.0に対応する場合のECサーバプログラムの改修作業の概要をW課長に説明した。

W課長は、X主任の設計したECサーバの増強案、及びSAML2.0対応のためのECサーバの改修などについて、経営会議で提案して承認を得ることができた。

設問1

図2中の［ a ］、［ b ］に入れる適切なリソースレコード名を、［ c ］～［ f ］に入れる適切なIPアドレスを、それぞれ答えよ。

設問2

〔ECサイトの応答速度の低下〕について答えよ。

(1) URLをhttps://ecsv.y-sha.example.lan/に設定してECサーバにアクセスすると、TLSのハンドシェイク中にエラーメッセージがWebブラウザに表示される。その理由を、サーバ証明書のコモン名に着目して、25字以内で答えよ。

(2) 本文中の下線①でアクセスしたとき、運用PCが送信したパケットがECサーバに届くまでに経由する機器を、図1中の機器名で全て答えよ。

設問3

〔ECサーバの増強構成の設計〕について答えよ。

(1) 本文中の［ g ］、［ h ］に入れる適切な字句を答えよ。

(2) 本文中の下線②について、2台ではなく3台構成にする目的を、35字以内で答えよ。ここで、将来のアクセス増加については考慮しないものとする。

(3) 表2中の［ i ］～［ k ］に入れる適切なIPアドレスを答えよ。

設問4

〔ECサーバの増強構成とLBの設定〕について答えよ。

(1) 本文中の下線③について、どの機器を示すことになるかを、図3中の機器名で答えよ。また、下線③の特別なIPアドレスは何と呼ばれるかを、本文中の字句で答えよ。

(2) 本文中の下線④について、ホスト名のほかに変更する情報を答えよ。

(3) 本文中の下線⑤について、どの機器からどの機器のIPアドレスに変更するのかを、図3中の機器名で答えよ。

(4) 本文中の下線⑥について、X-Forwarded-Forフィールドを追加する目的を、35字以内で答えよ。

(5) 本文中の下線⑦について、対応するための作業内容を、50字以内で答えよ。

設問5

〔LBの制御方式の検討〕について答えよ。

(1) 本文中の下線⑧について、セッション維持ができなくなる理由を、50字以内で答えよ。

(2) 本文中の下線⑨について、LBがセッション管理テーブルに新たなレコードを登録するのは、どのような場合か。60字以内で答えよ。

(3) 本文中の下線⑩について、レイヤー3及びレイヤー4方式では適切な監視が行われない。その理由を25字以内で答えよ。

設問6

〔SAML2.0の調査とECサーバへの対応の検討〕について答えよ。

(1) 本文中の下線⑪について、ログイン要求を受信したECサーバがリダイレクト応答を行うために必要とする情報を、購買担当者の認証・認可の情報を提供するIdPが会員企業によって異なることに着目して、30字以内で答えよ。

(2) 本文中の下線⑫について、図7の手順の処理を行うために、ECサーバに登録すべき情報を、15字以内で答えよ。

(3) 本文中の下線⑬について、取り出したSTをPCは改ざんすることができない。その理由を20字以内で答えよ。

(4) 本文中の下線⑭について、受信したSAMLアサーションに対して検証できる内容を二つ挙げ、それぞれ25字以内で答えよ。

ヒント　わざわざ着眼点を教えてくれているので、これを十分に踏まえて解答しましょう。意外と設問文を読み飛ばす人っているんですよ。

解答のポイント

試験でも業務でも同じですが、「やり方を変える」「ネットワーク構成に変更を加える」などのイベントはトラブルが生じるポイントです。この問題でも、ECサーバの増強をテーマに設定してはいますが、問われていることは「増強をするために色々変更点があるけど、どこで障害が出そう？ 対応策は？」です。変更の前後を意識しながら、問題文から情報収集しましょう。

理解度チェック

解答➡P630

①ソースNATとは何ですか？
②SAMLとは何ですか？

■設問1の解説

【空欄a】

図1からホスト名nsが与えられているノードは、DNSサーバであることがわかります。したがって、リソースレコードはNSです。

【空欄b】

同様にホスト名mailが与えられているノードは、メールサーバだと明記されています。リソースレコードはMXです。

【空欄c、d】

空欄c、dは外部向けのゾーン情報が記されているセクションです。したがって、表1から変換前のグローバルIPアドレスを選ばなければなりません。

空欄cはネームサーバの情報ですから、53番ポートを使っている100. α . β .1だと確定できます。

空欄dはメールサーバの情報ですから、TCP/25番ポートを使っている100. α . β .3だとわかります。

【空欄e、f】

空欄e、fは内部向けのゾーン情報が記されているセクションです。したがって、表1から変換後のプライベートIPアドレスを選びます。空欄c、dと同様に使っているポート番号からサーバの種類を特定して、どのIPアドレスを選択するかを導きます。

■設問2の解説

(1)

TLSのハンドシェイク中のエラー、かつサーバ証明書のコモン名とヒントが示されていますから、認証のトラブルであろうとあたりをつけます。すると、「・ECサーバに登録されているサーバ証明書は一つであり、マルチドメインに対応していない」の記載を発見できます。

これを踏まえると、サーバ証明書にはecsv.example.jpが記載されていて、ecsv.y-sha.example.lanとしてアクセスすると齟齬が生じてしまうことが導けます。

(2)

運用PCはY社の社内LANにあるノードですが、「広域イーサ網経由でECサーバにアクセスする」とありますので、L3SW→広域イーサ網→FWz→L2SW→ECサーバ、の経路を取ることがわかります。

ここで問われているのは「経由する機器」ですから、「広域イーサ網」と宛先である「ECサーバ」を抜いて解答します。

■設問3の解説

(1)

【空欄g、h】

サーバの増強ですから、今あるサーバをもっと強力なものに交換するスケールアップと、今あるサーバに2台目、3台目を追加するスケールアウトが考えられます。ここで、空欄hのほうが「ECサイトを停止せずにECサーバの増強を行える」策ですので、空欄hがスケールアウトだと確定できます。

(2)

下線②には「ECサーバを2台にすればECサイトは十分な処理能力を持つことになるが、2台増設して3台にし」とあり、かつ問題文で「将来のアクセス増加については考慮しない」と明言されているので、冗長性をもたせたいのだと理解できます。

ただし、このパラグラフの主題は〔ECサーバの増強構成の設計〕で、下線②の前後も増強や負荷分散の話をしていますから、単に「故障してもバックアップ機がある」と書くのではなく、「1台故障しても必要な処理能力を維持できる」とすべきです。問題文で示されているように、健全なサーバが2台あれば「十分な処理能力」を発揮できるのです。

(3)

【空欄i】

まず表2（ⅰ）の地点を考えてみましょう。いま解いている箇所からだいぶ離れてしまいましたが、FWzによるNATのテーブルは表1に書かれているのでこれを参照します。各PCはhttpsを使って既設ECサーバのグローバルIPアドレスである100.α.β.2にアクセスしてきます。これで空欄iは確定します。

【空欄j】

次は（ⅱ）の部分です。FWzによってNATが行われたので、これも表1の記述から192.168.1.2に変換されることが確定します。

【空欄k】

表2の（ⅲ）部分にある空欄kを見ましょう。ソースNAT（送信元IPアドレスのNAT）が行われたので、送信元IPアドレスである空欄kは変換されているはずです。何に変換されたかといえば、ソースNATを行ったLBのアドレス（192.168.1.4）です。

■設問4の解説

(1)

図2中の項番5と11はECサーバについてのエントリですから、ここに変更が生じるのは自然な流れです。今まで既存のECサーバを指していたものをLBが代替してここにいったん集約し、LBが3台のECサーバに振り分けるので、機器はLBです。

特別なIPアドレスは本文中の字句で答える必要があります。〔ECサーバの増強構成の設計〕に「負荷分散用のIPアドレスである仮想IPアドレス」とあるので、「仮想IPアドレス」を抜き出して解答します。

(2)

既設ECサーバは「ecsv, 192.168.1.2」としてAレコードが登録されています。これが増設にともなって、「ecsv1, 192.168.1.5」に変更になるわけです。ホスト名のほうは設問文で除外されていますから、IPアドレスを解答します。

(3)

既設ECサーバは、NATを行っていたFWzをデフォルトゲートウェイとしていましたが、負荷分散の導入によりLBを経由する形式に変わったので、LBに変更しなければなりません。

(4)

現代のネットワークはプロキシや負荷分散装置などが複雑に入り組んで、パケットの送信元アドレスが頻繁に入れ替わります。そこで、送信元のIPアドレスを記録しておく用途で使われるのが**X-Forwarded-Forフィールド**です。オリジナルの送信元IPアドレスから始まり、中継装置を通過するごとにその機器のIPアドレスがどんどん追記されていきます。

(5)

負荷分散装置を設置して、ここから各ECサーバに通信を振り分けることになったので、今後は各PCとTLSのセッションを張るのはLBになります。したがって、既存ECサーバにインストールされているサーバ証明書と秘密鍵をLBに移動して、セッションを構築できるようにします。

■設問5の解説

(1)

セッション中にTCPのコネクションが切断される事態は想定しておかねばなりません。もう一度コネクションを張り直したときに同一セッションを維持する必要がありますが、送信元のTCPポート番号は動的割り当てによってコネクション発生時に毎回変更されることが予想されるので、セッションを維持できなくなります。

(2)

サーバはWebブラウザから最初にアクセスを受けたときに、ランダムなセッションIDを生成します。CookieにセッションIDを書き込むのは、Webブラウザに応答するタイミングです。

LBはセッションIDと振分け先サーバから、セッション管理テーブルを作成します。

サーバが新たなセッションIDを生成して返してきた時点では管理テーブルにそのセッションIDは存在しないので、新たにレコードを登録することになります。

(3)

レイヤー3(ネットワーク層)、4(トランスポート層)、7(アプリケーション層)での監視機能がありますので、目的にあったレイヤーで監視を行うことが重要です。

ここではECサーバが提供しているサービスの稼働確認をすることが目的ですから、レイヤー7を監視しなければそれを達成できません。

■解説

(1)

設問文で強調しているように、「購買担当者の認証・認可の情報を提供するIdPが会員企業によって異なる」ので、IdPにリダイレクトするためにはアクセスを要求している会員企業の情報が必要です。

(2)

デジタル署名の検証に必要な情報は、そのデジタル署名の発行者が公開しているデジタル証明書(公開鍵証明書)です。単に公開鍵と解答するとなりすまし等のリスクに対応できないことから、証明書であることを解答に含めましょう。

(3)

処理(vi)の説明にあるように、KDCはSTを発行し、IdPの鍵で暗号化します。PCはIdPの鍵をもっていませんから、STを取り出しても改ざんすることはできません。

(4)

デジタル署名によって検証できる内容は、秘密鍵をもっている主体が作成したこと、その内容が改竄・欠損していないことです。本問の場合は、SAMLアサーションをどのIdPが作成したか(信頼しているIdPか)、作成されて以降に改竄されていないかを解答すればOKです。

●解答●

■理解度チェックの解答

① NATには宛先を書き換えるディスティネーションNATと、送信元を書き換えるソースNATがあります。家庭用ルータなどで使われるのはソースNATですが、本試験ではどちらも出題の可能性があるので、文脈から読み取りましょう。この問題はソースNATと明記してくれています。

② ドメインをまたがった認証を行うための規約です。XML形式で識別・認証・認可の情報を記し(SAMLアサーション)、これをHTTPやSOAPを使ってやり取りします。

■設問の解答

● 設問1

【a】NS　【b】MX　【c】100. α . β .1
【d】100. α . β .3　【e】192.168.1.1　【f】192.168.1.3

● 設問2

(1) コモン名とURLのドメインとが異なるから (20文字)
(2) L3SW、FWz、L2SW

● 設問3

(1) 【g】アップ　【h】アウト
(2) 1台故障時にも、ECサイトの応答速度の低下を発生させないため (30文字)
(3) 【i】100. α . β .2　【j】192.168.1.2　【k】192.168.1.4

● 設問4

(1) 【どの機器】LB　【IPアドレスの呼称】仮想IPアドレス
(2) (自身の) IPアドレス
(3) FWzからLBに変更
(4) ECサーバに、アクセス元PCのIPアドレスを通知するため (28文字)
(5) 既設ECサーバにインストールされているサーバ証明書と秘密鍵のペアを、LBに移す。(40文字)

● 設問5

(1) TCPコネクションが再設定されるたびに、ポート番号が変わる可能性があるから (37文字)
(2) サーバからの応答に含まれるCookie中のセッションIDが、セッション管理テーブルに存在しない場合 (49文字)
(3) サービスが稼働しているかどうか検査しないから (22文字)

● 設問6

(1) アクセス元の購買担当者が所属している会員企業の情報 (25文字)
(2) IdPの公開鍵証明書 (10文字)
(3) IdPの鍵を所有していないから (15文字)
(4) ・信頼関係のあるIdPが生成したものであること (22文字)
　・SAMLアサーションが改ざんされていないこと (22文字)

5 無線LAN

問題の概要

無線LANは、オフィスのフリーアドレス化やモバイル機器の浸透などに呼応して、着実に設置個数を伸ばしています。情報処理技術者試験は「使える資格」を目指していますから、ある技術が世の中に受け入れられれば、その技術を取り上げた出題が目立つようになります。

特に無線LANはその無指向性などから、セキュリティに絡んだ問題などを作りやすく、「困ったら無線LANでも出題しておこうか」という出題者心理を誘発しやすい側面があります。最低限の知識は培っておきましょう。この設問は、ローミングとVRRPを組み合わせることで独自性を演出しています。ローミングについては準備のできていない方が多かったと思いますが、多くの受験者が苦労するような設問には、注釈がついたり、問題文中に巧みにヒントを混ぜることで正答率が調整されています。

キーワード
VRRP
IEEE 802.1X
IEEE 802.11i
ローミング
STP

無線LANの導入に関する次の記述を読んで、設問1～5に答えよ。

E社は、コンピュータ関連製品の販売会社である。本社の他に複数の営業所があり、販売代理店経由で製品を販売している。本社では、販売、購買、会計などの基幹システムと、販売業務を支援する各種業務システムを運用している。これらのシステムは、複数台の物理サーバ上の仮想サーバで稼働させている。本社のネットワークシステム構成を、図1に示す。

ここ数年、E社の売上は低迷している。そこで、E社では競争力を強化するために、急速に発展したスマートフォンやタブレット端末などのモバイル端末（以下、MNという）を活用して、顧客の要望に即応できるような体制づくりに着手することを決めた。第1段階として、本社にMNの活用環境を構築・整備することになり、情報システム部のR課長は、部下のS主任に無線LAN導入案の検討を指示した。

S主任は、無線LAN導入案の検討に先立ち、ネットワーク構成の解析訓練を兼ねて、後輩のJ君に本社のネットワーク構成、ネットワークの運用状況などの調査を指示した。

VLANが設定されているポートと
VLAN設定内容

ポートID	VLAN ID
P1	10
P2	20
P3	120
P4，P23	100，110
P5，P6	10，20，100，110，120
P21，P22	100，110

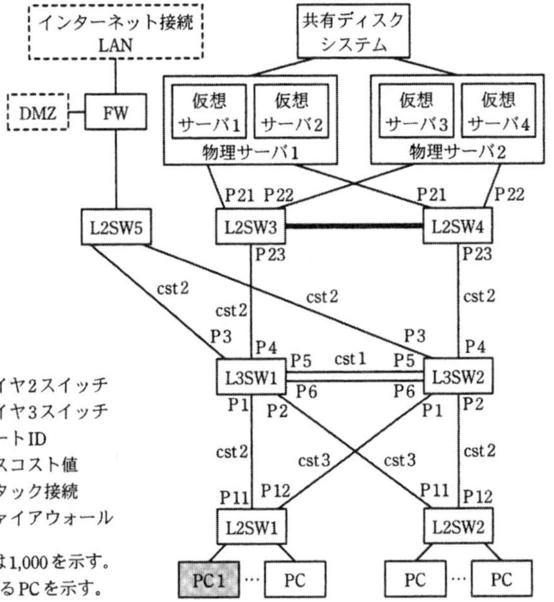

L2SW1～L2SW5：レイヤ2スイッチ
L3SW1，L3SW2：レイヤ3スイッチ
P1～P6，P11，P12，P21～P23：ポートID
cst1～cst3：パスコスト値
━━━：スタック接続
FW：ファイアウォール

注記1 cst1は10，cst2は100，cst3は1,000を示す。
注記2 網掛け部分は，設問で使用されるPCを示す。

図1 本社のネットワークシステム項（抜粋）

> **ヒント** ずいぶん複雑なネットワークだが、問題はコスト。仮想サーバ3からPC1へパスコスト値はいくつになるだろう？ 経路さえわかれば、特定は容易だが……。

〔現状調査〕

S主任の指示を受けたJ君は、本社のネットワークシステムの現状調査を行った。調査結果は、次のとおりである。

・現在、本社の機器には固定IPアドレスが設定されている。利用できる基幹システムと業務システムは、部署ごとに決められている。利用制限は、二つの方法によって行われている。一つは、アプリケーションプログラムに組み込まれた認証処理によるアクセス制御である。もう一つは、図1中の、PCからサーバへの経路上の機器である［ ア ］に設定された、パケットフィルタリング条件の適用である。パケットフィルタリング条件は、接続を許可するPCとサーバのIPアドレスの組合せで記述されている。

・物理サーバ又は仮想サーバに障害が発生したときには、他の物理サーバで新たに仮想サーバを起動して、基幹システム、業務システムを再稼働させる。

> **ヒント** 言うは易く行うは難しの典型。さらっと高度な要求をしている。これを満たすためには、通信装置にどのような仕込みが必要？

・図1中の、L3SW1及びL3SW2のP5、P6には、リンクアグリゲーションが設定されている。

・物理サーバの、L2SW3とL2SW4への接続ポートには、アクティブ／アクティブ構成のチーミング機能が設定されている。

・L2SWとL3SWでは、STP（Spanning Tree Protocol）が動作している。L3SW1をルートブリッジとするために、L3SW1のブリッジIDは［ イ ］の値となっている。各リンクのパスコスト値とVLAN IDは、図1中に記載された内容である。

・L3SW1とL3SW2には、VRRPで仮想ルータが設定されている。L3SW1とL3SW2の仮想ルータの設定内容は、表1のとおりである。

ヒント 仮想ルータとは何でしょうか？端末から見ると、どこへつないでいるように見える？

表1 L3SW1とL3SW2の仮想ルータの設定内容

項目＼スイッチ	L3SW1					L3SW2				
	VR1	VR2	VR3	VR4	VR5	VR1	VR2	VR3	VR4	VR5
VRRPグループID	1	2	10	11	12	1	2	10	11	12
仮想IPアドレス	VIP1	VIP2	VIP3	VIP4	VIP5	VIP1	VIP2	VIP3	VIP4	VIP5
Priority値	200	100	200	100	200	100	200	100	200	100
所属VLAN ID	10	20	100	110	120	10	20	100	110	120

注記 VR1～VR5は，仮想ルータ名を示す。

・L2SW1に接続されたPCのデフォルトゲートウェイにはVIP1が、L2SW2に接続されたPCのデフォルトゲートウェイにはVIP2が設定されている。また、仮想サーバ1と仮想サーバ2のデフォルトゲートウェイにはVIP3が、仮想サーバ3と仮想サーバ4のデフォルトゲートウェイにはVIP4が設定されている。これらの設定によって、仮想ルータの負荷分散が行われている。

J君は、調査結果を整理し、S主任に報告した。現状のネットワーク構成の解析ができたので、S主任は、MNでネットワークシステムを利用するための、無線LANの導入方法を検討することにした。さらに、無線LANの導入では、社内の電波状態を調査するサイトサーベイも必要と考え、サイトサーベイで実施すべき内容についても併せて検討するよう、J君に指示した。

〔無線LANの調査と導入検討〕

J君は、まず、無線LANの特徴とセキュリティ上の問題点を調査した。

無線LANの最初の標準規格IEEE［ ウ ］は、物理レイヤとMACレイヤの規格で構成され、その規格中には、次に示す認証と暗号化方式が標準化されている。

(1) 認証

①オープンシステム認証

本認証は、アクセスポイント（以下、APという）での端末認証が、実質的には行われない。

②共有鍵認証

本認証は、MNが、APと共有するWEPキーを使用して、APから受信した乱数を［ エ ］して返送する、チャレンジレスポンス方式で行われる。ただし、WEPキーが、電波を不正に傍受している装置に見破られると、(あ) 不正アクセス以外にも重大なセキュリティリスクが発生するので、この認証方式は、一般に利用されない。

(2) 暗号化方式

方式としてWEPが規定されている。WEPは、［ オ ］と呼ばれる暗号アルゴリズムを基にした共通鍵暗号を採用している。暗号化には、WEPキーと呼ばれる共通鍵が使用される。MNとAPには、同じWEPキーを設定する必要があり、動的に鍵の変更が行われないことから、解読される危険性が高い。

以上の、IEEE［ ウ ］のセキュリティ上の問題点を解決するために、IEEE 802.11iが規格化された。IEEE 802.11iを基に策定されたWPA2（Wi-Fi Protected Access 2）では、セキュリティ面の改善の他に、(い) 事前認証及び認証キーの保持（Pairwise Master Key キャッシュ）を行う方法が規定されているので、接続先のAPを切り替える時間を短縮することが可能になった。

無線LANにおいて、MNが異なるAP間を渡り歩けるような機能のことを、ローミングという。ローミングのためには、ローミングの対象となる全てのAPについて、ネットワークの識別子である［ カ ］が同じである必要がある。MNが接続先のAPを切り替えるときには、新たな接続先となるAPとの間で、論理的接続であるアソシエーション、認証処理などが行われる。

IEEE 802.1X認証を行った場合の、無線LANへの接続手順を、図2に示す。

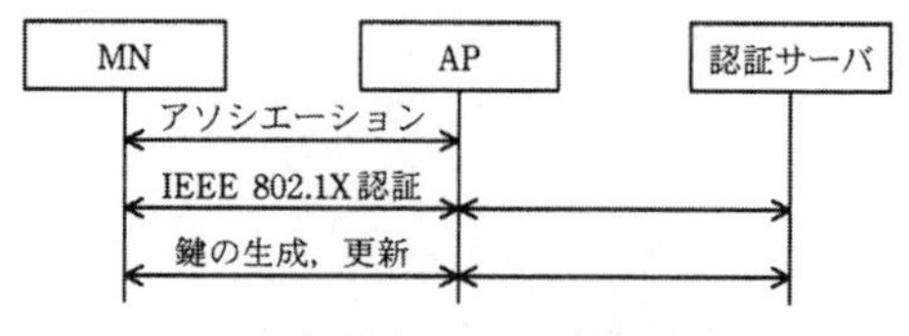

図2 無線LANへの接続手順

調査結果を基に、J君は、導入する無線LANにはWPA2を利用し、認証には、IEEE 802.1Xで利用可能な方式のうち、運用が容易なPEAPを採用することにした。

次に、J君は、図1のネットワークシステムに、無線LANを導入する構成を検討した。J君がまとめた、APの導入構成案を、図3に示す。

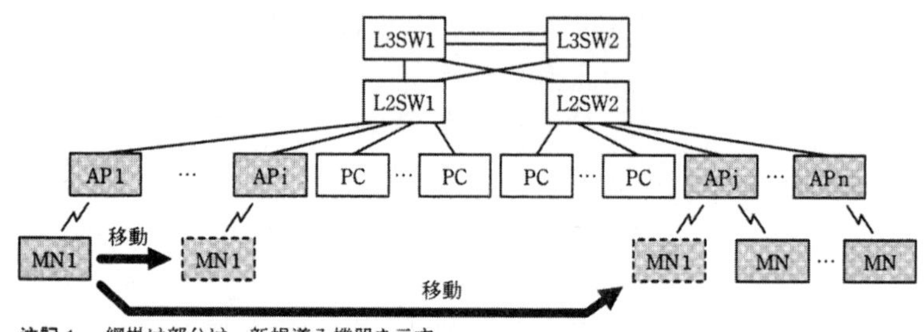

注記1　網掛け部分は，新規導入機器を示す。
注記2　本図では，図1中のL3SW1とL3SW2から下側を示した。

図3 APの導入構成案（抜粋）

新規に導入するMNでも、現状と同等のセキュリティ対策が行われるように、MNには、部署ごとに割り当てられた固定IPアドレスを設定したい。しかし、その場合、E社の構成では次のような問題が発生する。図3において、AP1と接続していたMN1が移動して、図2の手順でAPiに接続したとき、MN1は通信を継続できるが、APjに接続すると、(う) サーバやインターネットとの通信ができなくなってしまう。

> ヒント　APiへ移動したときはうまくつながるのに、APjに移動したときは何故だめなのだろう。何か違うところがあるはず。

J君は、この問題の対応策についてS主任に相談した。S主任は、APを集中管理・集中制御する無線LANコントローラ（以下、WLCという）を導入すれば、問題を解決できるのではないかと考え、WLCの調査を指示した。

〔サブネット間のローミングの調査と設計〕

指示を受けたJ君は、WLCについて調査した。調査結果は、次のとおりである。

WLCは、APと連携して認証、暗号化、電波出力調整、ローミングなどの機能を実現する。WLCの実装は、ベンダによって異なっている。ベンダY社のWLCを導入すると、サブネット間のローミングが可能になることが分かった。Y社のWLCは、RFC 2002で基本動作の仕組みが定義されているモバイルIP技術を基にして、これにY社独自の工夫を加えて、無線LANにおけるローミングを可能にしている。そこで、J君は、基になっているRFC 2002のモバイルIPについて調査した。調査結果は、次のとおりである。

・モバイルIPは、MNが異なるサブネットに移動しても、MNとの通信を試みるホスト（以下、送信ノードという）がMNと通信できるようにする技術である。
・モバイルIPv4では、MNと送信ノード間の通信を仲介する、home agent（以下、HAという）とforeign agent（以下、FAという）が存在する。
・MNが本来稼働すべきネットワークを、ホームネットワークという。MNには、ホームネットワークでホームアドレスと呼ばれるIPアドレスが付与されている。
・HAは、MNのホームネットワークに設置されている。それに対してFAは、MNの移動先である訪問先ネットワークに設置されている。
・移動先のMNにパケットを渡すための転送先IPアドレスは、気付アドレスと呼ばれる。気付アドレスは、訪問先ネットワークに設置されたFAのIPアドレスでもある。
・HAとFAを経由したMNの位置登録の通信手順及び送信ノードとMN間の通信手順は、図4のとおりである。

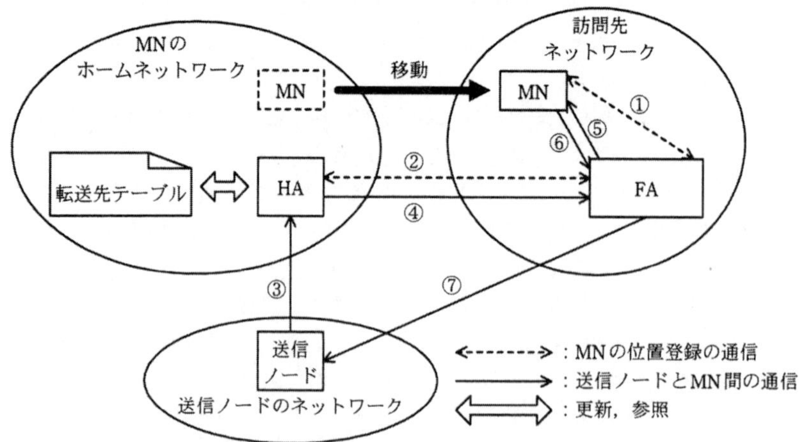

【MNの位置登録の通信手順】

① MNは，FAから送出されるAdvertisementメッセージを受信し，ホームネットワークにいるのか，訪問先ネットワークにいるのかを判別する。訪問先ネットワークへの移動を検出すると，Advertisementメッセージの中から気付アドレスを取得し，MN自体のホームアドレスと気付アドレスを対応付けて，位置登録の要求を行う。

② FAは，MNから受信した位置登録情報を，MNのホームネットワークのHA宛てに送信する。HAは，MNの気付アドレスとホームアドレスを対にして，転送先テーブルに登録する。登録後，登録完了メッセージをFA宛てに送信する。

【送信ノードとMN間の通信手順】

③ 送信ノードから送信されたMN宛てのパケットが，MNのホームネットワークに到達すると，(え) HAによって代理受信される。

④ HAは，転送先テーブルを参照して移動中のMNの気付アドレスを取得し，受信したパケットをカプセル化して，気付アドレス宛てに転送する。

⑤ FAは，受信したパケットのカプセル化を解除して，MNに送信する。

⑥ MNのデフォルトゲートウェイにFAが設定されている場合は，MNが送信ノード宛ての返送パケットを，デフォルトゲートウェイであるFA宛てに送信する。

⑦ FAは，受信したパケットを送信ノードに中継する。

図4 HAとFAを経由したMNの位置登録の通信手順及び送信ノードとMN間の通信手順

図4に示されているように、RFC 2002のMNにはモバイルIP機能の実装が必要である。

E社が想定するMNにはモバイルIP機能がない。しかし、Y社のWLCには、モバイルIP機能が実装されていないMNでも、サブネット間のローミングができるような工夫が施されている。

Y社の資料を参考に、J君は、WLCとAPを導入するときの構成を、図5のように設計した。また、モバイルIPに関連してWLCとAPがもつ機能の名称と機能の概要を整理し、表2を作成した。

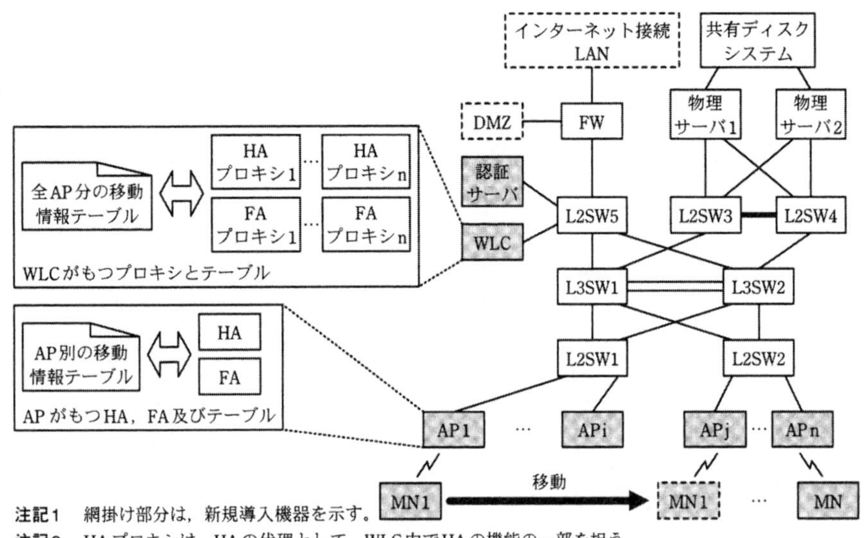

注記1　網掛け部分は，新規導入機器を示す。
注記2　HAプロキシは，HAの代理として，WLC内でHAの機能の一部を担う。
注記3　FAプロキシは，FAの代理として，WLC内でFAの機能の一部を担う。

図5　WLCとAPを導入するときの構成（抜粋）

表2　モバイルIPに関連してWLCとAPがもつ機能の名称と機能の概要

機器名	機能の名称	機能の概要
AP	HA	MNのホームネットワークに送信されたMN宛てのパケットを受信し，AP別の移動情報テーブルで調べ，そのMNが移動中のときは，受信したパケットをカプセル化してWLCのFAプロキシに送信する。
	FA	①　無線LAN側で受信したパケットの送信元IPアドレスが，当該FAが稼働するAPのサブネットと異なるサブネットのもののときは，保持する経路情報に基づいて，受信したパケットを中継処理する。 ②　WLCから送信されたパケットを受信したときは，受信したパケットのカプセル化を解除して，MNに送信する。
WLC	（各APの）HAプロキシ	MNの認証時に，MNとMNのホームネットワークの情報，又はMNの訪問先ネットワークに関連する情報を，WLCが保持する全AP分の移動情報テーブルに登録するとともに，登録情報を該当するAPのHAに送信する。
	（各APの）FAプロキシ	HAから送信された移動中のMN宛てのパケットを受信し，カプセル化を解除して，移動情報テーブルから移動先のAPを判別した後，再度カプセル化してパケットを移動先のAPのFAに送信する。

!? ヒント　ややこしい記述だけれども、大ヒント。誰がどこに何を送信するのかを、整理しておくと吉！

図5に示したように、Y社のAPはHAとFAをもち、WLCはHAプロキシとFAプロキシをもつ。

MNがAPと接続するときに行われるIEEE 802.1Xの認証では、WLCがオーセンティケータとして働く。MNの認証時に、WLCで稼働するHAプロキシがMNの移動状態を把握して、移動情報テーブルに位置情報を登録する。この処理で、モバイルIP機能をもたないMNでも、移動状態が管理され、サブネット間のローミングを可能にしている。

図5において、MN1がAP1と接続するときには、MN1とWLC間で認証処理が行われる。このとき、表2に示したように、HAプロキシが、認証時のパケットの情報を基に、全AP分の移動情報テーブル中にMN1に関する位置情報を登録する。登録された情報は、MN1のホームネットワークのAP1のHAに送信される。

図5中のAP1に接続していたMN1が、インターネットを経由して社外と通信中にAPjに移動したときのMN1に関連する通信の内容は、図6のようになる。

(i)　MN1は，移動後にAPjへの接続処理を行う。そのとき，MN1とWLC間で認証処理が行われる。
(ii)　WLCの［　a　］は，移動情報テーブルのMN1に関する位置情報を更新し，更新内容をMN1のホームネットワークのAP1のHAに送信する。
(iii)　MN1はAPjと接続した後，インターネット経由の社外宛てパケットをAPjに送信する。
(iv)　APjの［　b　］は，受信したパケットの送信元IPアドレスと宛先IPアドレスが，APjのサブネットとは異なるサブネットのものなので，受信したパケットをL3SWに送信する。
(v)　社外から，インターネット経由でMN1宛てに送信された応答パケットが，MN1のホームネットワークに到達し，AP1が受信する。
(vi)　AP1の［　c　］は，宛先のMN1が移動中であることを，移動情報テーブルを参照して知り，受信したパケットをカプセル化してWLCに送信する。
(vii)　WLCの［　d　］は，受信したパケットのカプセル化を解除し，宛先IPアドレスからMN1宛てであることを知る。このとき，移動情報テーブルを参照すると，MN1はAPjのサブネットに移動中なので，再度パケットをカプセル化してAPjに送信する。
(viii)　APjの［　e　］は，受信したパケットのカプセル化を解除して，MN1にパケットを送信する。
(以下，省略)

図6　MN1がAPjに移動したときのMN1に関連する通信の内容

J君は、無線LANの導入方法の検討が完了したので、次に、サイトサーベイの検討を行った。

〔サイトサーベイの検討〕

J君は、無線LAN導入に当たって留意すべき事項を調査し、その結果、サイトサーベイの実施について、次のように進めた。

本社は、テナントビルに入居し、隣接した複数のフロアを使用している。各フロアのオフィスは、壁やパーティションなどで分割されている。本社のオフィスに複数のAPを導入するとき、サイトサーベイを実施しないと、(お) (a) 導入後に通信できないエリアが発生する、(b) 他社の無線LANの影響を受ける、(c) 期待どおりの通信速度が得られない、などの問題が発生する可能性が高い。この問題を防ぐためには、専用機材を用いて、APから送出される電波の伝搬状態及び電波干渉の発生源を十分に把握しておくことが重要である。

APから送出される電波の伝搬状態を把握していないと、APの最適な場所への設置、適切な電波強度の設定ができない。電波状態の調査には専門的なノウハウが必要であることから、J君は、サイトサーベイは、専門業者に委託するのがよいと判断し、調査・検討の結果を、S主任に報告した。

S主任とJ君は、これまでの検討を基に設計した無線LAN導入構成及びサイトサーベイの実施方法を、R課長に報告した。説明を受けたR課長は、設計内容及びサイトサーベイの実施方法に問題がないことを確認できたので、無線LANの導入を進めることにした。

設問1

本文中の［ア］～［カ］に入れる適切な字句を答えよ。

設問2

〔現状調査〕について、(1)～(5)に答えよ。

(1) 図1において、L3SW1のP5とL3SW1のP6の組、及びL3SW2のP5とL3SW2のP6の組以外に、リンクアグリゲーションが2組設定されている。その組を、それぞれ図1中の機器名、ポートIDで答えよ。

(2) 表1中の仮想ルータVR1がマスタルータとなるスイッチ名を、図1中の機器名で答えよ。

(3) L2SW2とL3SW1間の経路において、L2SW2のP11がブロッキングポートになる。その理由を、STPの経路計算アルゴリズムを基に、図1を参照して、40字以内で述べよ。

(4) L3SW1、L3SW2、L2SW3及びL2SW4の間を接続する経路のブロッキングポートを、図1中の機器名とポートIDで答えよ。

(5) 図1中のPC1と仮想サーバ3間のフレーム転送経路を、次の【転送経路】に示す。(A)、(B)に入れる適切な機器名を、【転送経路】の表記方法に従い、経由する順に列挙せよ。

【転送経路】

PC1→［(A)］→L2SW3及びL2SW4→仮想サーバ3

仮想サーバ3→L2SW3及びL2SW4→［(B)］→PC1

設問3

〔無線LANの調査と導入検討〕について、(1)～(3)に答えよ。

(1) 本文中の下線(あ)のセキュリティリスクの内容を、25字以内で述べよ。

(2) 本文中の下線(い)によって、ローミング時間が短縮される。その理由を、図2の手順を参考にして、25字以内で述べよ。

(3) 本文中の下線(う)が発生する理由を、MN1に設定されているネットワーク情報が変更されないことに着目して、35字以内で述べよ。

設問4

〔サブネット間のローミングの調査と設計〕について、(1)～(4)に答えよ。

(1) 図4中の①で、FAから送信されるAdvertisementメッセージには、IPヘッダが付加される。このIPヘッダの宛先IPアドレスの種類を答えよ。

(2) 図4中の②で、転送先テーブルを更新した後、HAは、サブネット内のホスト宛てに、ある通信を行う。その通信プロトコルの名称を答え、その目的を、40字以内で述べよ。

(3) 図4中の下線(え)のために、MN宛てのARP要求に対してHAが行う処理の内容を、20字以内で述べよ。

(4) 図6中の［ a ］～［ e ］に入れる適切な字句を、表2中の機能の名称で答えよ。

設問5

〔サイトサーベイの検討〕について、(1)～(3)に答えよ。

(1) 本文中の下線(お)の問題が発生するのを避けるために、サイトサーベイで調査すべき電波の状態を二つ挙げ、それぞれ25字以内で答えよ。

(2) サイトサーベイの調査結果を基に、導入作業前に確定すべき設計項目を二つ挙げ、それぞれ15字以内で答えよ。

(3) 無線LANを設置した後、pingコマンドによる接続確認テストの他に、MNを使用して実施すべきテストを二つ挙げ、それぞれ25字以内で答えよ。

解答のポイント

VRRPはけっこう地味な技術だと思うのですが、なぜか歴代の出題者はこれが好きで、ちょこちょこ出題されています。VRRPに思い入れがあったり、最重要技術だとの確信があったりするわけではなく、どちらかと言えば「企業では重要だけれども、家庭でパソコンをいじっている分にはほとんど見かけない」という技術を、盲点として出題したがっているように見受けられます。

その意味では、VRRPに限らず、冗長化構成技術などは、慣れない技術をポンと提示して受験者を驚かせてやりたい出題者のサディズムをくすぐってやみません。ある技術を習得するとき、「出題者にとって魅力的かな」という視点を持つようにすると、得点力が向上します。

また、ネットワークの経路計算やコスト計算は頻出になっています。これらの問いかけには、必ず問題文中に解答に至る鍵が示されていますから、自分が書こうとしている解答に論拠があるかを落ち着いて確認しましょう。

✓理解度チェック

解答➡P655

① VRRPとは何ですか？
② GARPとは何ですか？

■設問1の解説

【空欄ア】

空欄アの前後を読んでみましょう。

> 利用制限は、二つの方法によって行われている。一つは、アプリケーションプログラムに組み込まれた認証処理によるアクセス制御である。もう一つは、図1中の、PCからサーバへの経路上の機器である［ア］に設定された、パケットフィルタリング条件の適用である。パケットフィルタリング条件は、接続を許可するPCとサーバのIPアドレスの組合せで記述されている。

この文章から分かるように、「利用制限」は以下の2つの方法をとっています。

・アプリケーションプログラムによるアクセス制御
・ネットワーク上にある機器を使ったパケットフィルタリング　←　空欄アはこちらに属している

これらから導けるように、空欄アに記入すべきなのは、ネットワーク上に配置された機器で、パケットフィルタリングができるものです。「図1中の」、「PCからサーバへの経路上」と限定がかかっていますので、必ず図1を確認しましょう。

図1中に示されているネットワーク機器としては、L2SW、L3SW、FWがあります。このうち、FWはパケットフィルタリングを実行する能力を有しているものの、PCからサーバへの経路上にはないので、この時点で除外可能です。

残ったL2SWとL3SWは、どちらも何らかのフィルタリングを行うことができ、かつPCからサーバへの経路上に位置する通信機器です。もう少しヒントが欲しいところですが、空欄アの後続にこんな一文を見つけることができます。

パケットフィルタリング条件は、接続を許可するPCとサーバのIPアドレスの組合せで記述されている。

L2SWはレイヤ2に属する通信機器ですから、IPをもとにした通信制御を行うことはできません。したがって、上記の記述により除外することができ、残ったL3SWを解答すれば得点を得ることができます。

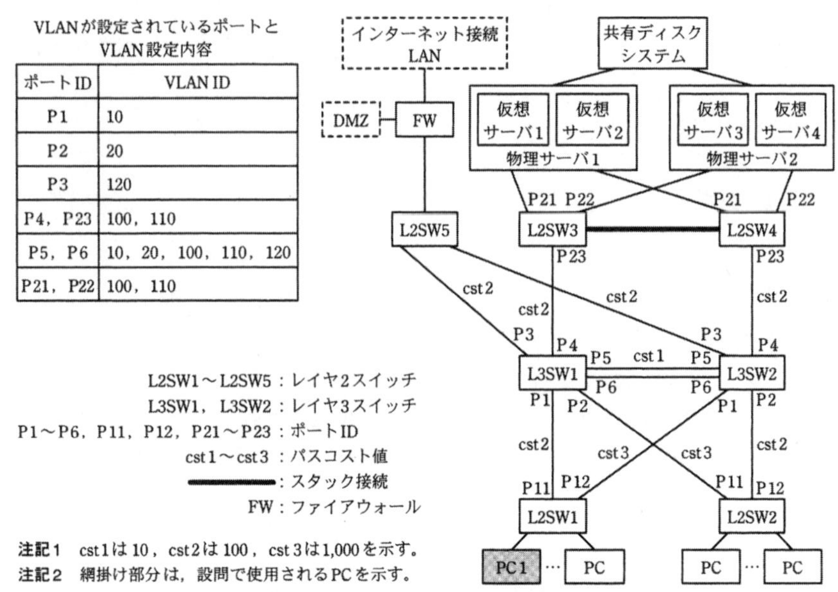

VLANが設定されているポートと
VLAN設定内容

ポートID	VLAN ID
P1	10
P2	20
P3	120
P4，P23	100，110
P5，P6	10，20，100，110，120
P21，P22	100，110

図1　本社のネットワークシステム構成（抜粋）

【空欄イ】

STPでは、ブリッジやポートに固有の役割が与えられ、それぞれが協調して動作することにより、冗長性があり、かつループしないネットワークを構成します。STPにおけるブリッジやポートの役割には次のようなものがあります。

ルートブリッジ	起点となるブリッジ ブリッジに与えられるブリッジIDが一番小さいもの
ルートポート	各ブリッジから、最小コストでルートブリッジに到達できるポート
指定ポート **（代表ポート）**	各セグメントが、ルートブリッジに到達するために使うポート
ブロッキングポート **（非指定ポート）**	ルートポートでも指定ポートでもないポート 冗長性を確保する 通常時は、ループを防ぐためにブロックしておく

では、これを踏まえた上で、空欄イの前後を確認しましょう。

> L2SWとL3SWでは、STP (Spanning Tree Protocol) が動作している。L3SW1をルートブリッジとするために、L3SW1のブリッジIDは［ イ ］の値となっている。

空欄イ前後の記述から、L3SW1をルートブリッジにしたがっていることがわかります。ここで言及されているブリッジIDとは、プライオリティ値（優先値）とMACアドレスから作られる値で、各ブリッジの識別に使われます。プライオリティ値が同一のブリッジがある場合、MACアドレスが小さい方がルートブリッジになるのは（→参照P125）、ルートブリッジの選定にこのブリッジIDが使われるためです。

ブリッジIDが最小のブリッジがルートブリッジになるわけですから、L3SW1をルートブリッジにしたければ、ブリッジIDが最小になるように設定すればよいことがわかります。

【空欄ウ】

無線LANの標準規格といえばIEEE 802.11シリーズですが、最初の規格はIEEE 802.11で、2Mbpsの通信速度を有していました。その後、この規格をベースとして、11a、11b、11g、11n、11acなどの派生規格が作られていきます。

【空欄エ】

空欄エの前後を確認しましょう。

> 本認証は、MNが、APと共有するWEPキーを使用して、APから受信した乱数を［ エ ］して返送する、チャレンジレスポンス方式で行われる。

これだけだと、MNやAPが何のことだかわからないので、必ず問題文の他の部分を参照して、MNやAPが何を指しているのか確認しておきましょう。あやふやなまま解答に臨んでいる方も多いですが、他の言葉に置き換えておけば防げたはずのミスで撃沈することもあります。

前文などの記述から、

MN = モバイル端末
AP = アクセスポイント

であることがわかります。つまり、この設問はモバイル端末とアクセスポイント間の共有鍵認証について問うているわけです。

共有鍵暗号方式では、常に鍵の管理と配送が悩みの種になります。チャレンジレスポンスは、共有鍵をネットワーク上でやり取りしないですむように工夫された認証方法で、直接送受信されるのは乱数と、乱数によって暗号化された認証情報だけになっています。

ここでは、乱数をどうするかが問われているので、「暗号化」を解答すれば得点を得ることができます。

【空欄オ】

WEPで使われている暗号化アルゴリズムはRC4です。RC4はすでに安全な暗号化アルゴリズムとは考えられておらず、各種のプロトコル（たとえば、TLS）で利用が停止されています。

【空欄カ】

IEEE 802.11シリーズで使われるネットワーク識別子は、SSIDもしくはESSIDと呼ばれます。

■設問2の解説

（1）

パラグラフ〔現状調査〕から、次の記述を発見することができます。

> 物理サーバ又は仮想サーバに障害が発生したときには、他の物理サーバで新たに仮想サーバを起動して、基幹システム、業務システムを再稼働させる

前文に書かれている内容から、基幹システムと業務システムは複数台の物理サーバ上の仮想サーバで稼働していることがわかっています。図1を見てみましょう。

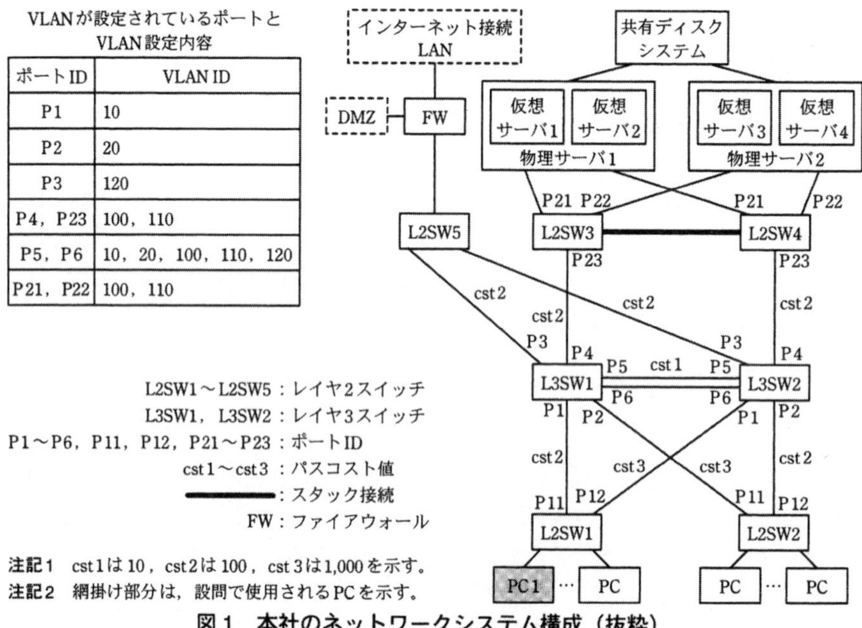

VLANが設定されているポートと
VLAN設定内容

ポートID	VLAN ID
P1	10
P2	20
P3	120
P4，P23	100，110
P5，P6	10，20，100，110，120
P21，P22	100，110

図1　本社のネットワークシステム構成（抜粋）

ここで論じられているのは、物理サーバ又は仮想サーバで発生した障害への対応ですから、たとえば物理サーバ1との接続を物理サーバ2への接続へ切り替えるような処理ができなければなりません。

すなわち、L2SW3／L2SW4の層と、物理サーバ1／物理サーバ2の層を冗長化する必要があるわけで、設問文の書き方に倣えば、L2SW3のP21とL2SW4のP21の組、L2SW3のP22とL2SW4のP22の組がリンクアグリゲーションされているはずです。

(2)

表1中の仮想ルータVR1とは何でしょうか。〔現状調査〕に記述がありますので、表1とあわせて確認しましょう。

L3SW1とL3SW2には、VRRPで仮想ルータが設定されている。L3SW1とL3SW2の仮想ルータの設定内容は、表1の通りである。

表1　L3SW1とL3SW2の仮想ルータの設定内容

項目＼スイッチ	L3SW1					L3SW2				
	VR1	VR2	VR3	VR4	VR5	VR1	VR2	VR3	VR4	VR5
VRRPグループID	1	2	10	11	12	1	2	10	11	12
仮想IPアドレス	VIP1	VIP2	VIP3	VIP4	VIP5	VIP1	VIP2	VIP3	VIP4	VIP5
Priority値	200	100	200	100	200	100	200	100	200	100
所属VLAN ID	10	20	100	110	120	10	20	100	110	120

注記　VR1～VR5は，仮想ルータ名を示す。

VRRPとは、複数台の物理ルータ（ここではL3SW1とL3SW2）をまとめて、仮想ルータ（ここではVR1～VR5）を構成する技術で、端末側から見ると、L3SW1やL3SW2に接続するのではなく、VR1やVR2に接続しているように見えるわけです。

こうしておけば、たとえL3SW1が壊れても、L3SW2で処理を引き継ぐことができます。冗長性を確保し、可用性を高めたシステムになるのです。

マスタルータとは、仮想ルータ（この設問の条件ではVR1）を構成する要素として割り当てられた物理ルータ（L3SW1とL3SW2）のうち、実際に処理を担当しているルータを指す用語です。もう片方はバックアップルータと呼びます。

物理ルータの中でどれがマスタルータになるかは、Priority値によって決まります。注意点としては、VRRPでは先ほどのSTPと違って、Priority値が大きいルータがマスタルータに選出される決まりになっているので、STPで思い出した学習内容をこの設問に引きずらないことが重要です。

表1のVR1の項目を見てみると、L3SW1は200、L3SW2は100のPriority値が与えられています。したがって、値の大きいL3SW1がマスタルータになると導けます。

(3)

L3SW1とL2SW2間のルートとして、以下の2つが想定されます。

L3SW1　P2　～cst3　～　L2SW2　P11

L3SW1　P6　～cst1　～　L3SW2　～　cst2　～　L2SW2　P12

問題文の条件により、L3SW1がルートブリッジで、こちらがブロッキングポートになることはありません。

cst1＝10、cst2＝100、cst3＝1000　ですから、上ルートのコストは1000、下ルートのコストは110です。コストが小さいルートが選択されますから、L2SW2のP12が指定ポート、P11がブロッキングポートとなります。

(4)

L3SW1がルートブリッジですから、ここはすべて指定ポートになります。

L3SW2とL2SW3については、L3SW1へ接続されるポートがルートポート、L2SW4へ接続されるポートが指定ポートです。

問題はL2SW4で、どちらかがブロッキングポートになるはずですが、L2SW3とはスタック接続で結ばれていますから、P23がブロッキングポートとして選出されます。

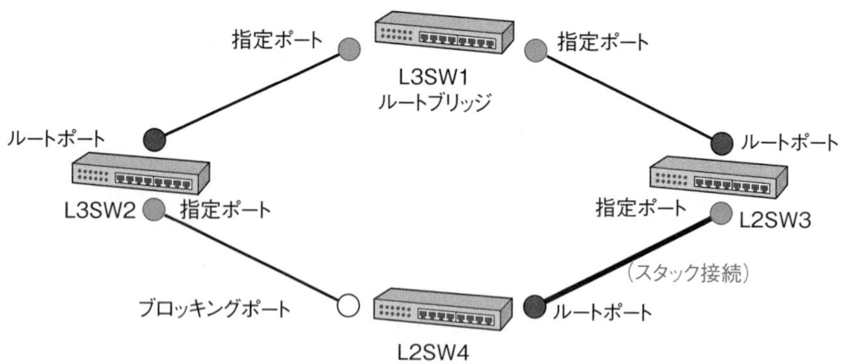

(5)

PC1からの送出ですので、まずはL2SW1を経由します。次のL3SW1とL3SW2は仮想ルータを構成しています。PC1のデフォルトゲートウェイであるVIP1はL3SW1がマスタルータですから、L3SW1へのルートが選ばれます。

問題は帰りです。仮想サーバ3のデフォルトゲートウェイはVIP4です。VIP4のマスタルータはL3SW2ですから、ここを経由しなければなりません。いま、L2SW4→L3SW2はブロックされていますから、L2SW3及びL2SW4からのパスコストはL3SW1への方が小さいので、L3SW1→L3SW2と転送されます。L3SW2からPC1へのルートは、L3SW1→L2SW1を経由するものが最もパスコストが小さくなるので、結局L3SW1→L3SW2→L3SW1→L2SW1と転送されることになります。

■設問3の解説

(1)

WEPはRC4によって通信を暗号化します。WEPキーが見破られるということは、暗号文を復号する手段が第三者の手に落ちるということですから、盗聴されたパケットが解読され機密情報が流出するリスクが発生します。

(2)

WPA2においては、新たなAPに接続する度にIEEE 802.1X認証が行われ、鍵の生成と更新が行われます。この手順は仮に覚えていなくても、図2にも示されていて、ヒントになっています。

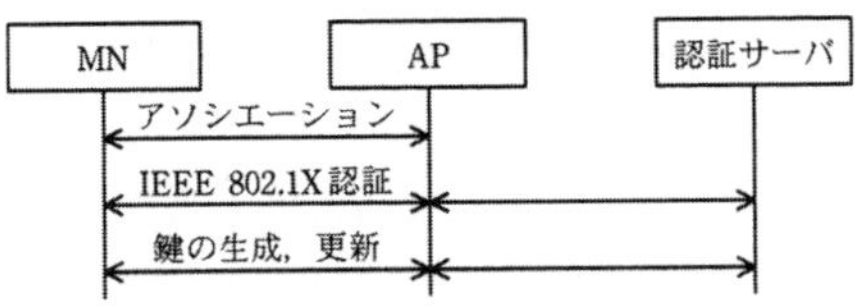

図2　無線LANへの接続手順

実運用時には、ここに時間がかかることに悩まされるわけですが、下線(い)で示されている事前認証と認証キーの保持を行うと、この手順を再実行する時間が省けるため、ローミングの時間を短縮することが可能になります。

(3)

モバイル端末の利用時には避けて通れない、アクセスポイントを移動したときの処理が問われています。基本的な条件は、〔無線LANの調査と導入検討〕にまとめられていますが、MN1 (モバイル端末その1) が最初にAP1 (アクセスポイントその1) に接続し、移動してAPi (アクセスポイントそのi) に接続し直すわけです。この処理はうまく行っています。

しかし、その後さらに移動して、APj (アクセスポイントそのj) に接続し直すと、今度は通信ができなくなってしまいます。

なぜこうなってしまうのか、APiとAPjの違いを図3(次ページ)から抽出しましょう。

APiに接続したときと、APjに接続したときでは、最初に到達するL2SWが違っている点に着目してください。〔現状調査〕にある記述から、L2SW1とL2SW2では、設定されるデフォルトゲートウェイが異なることがわかります。

> L2SW1に接続されたPCのデフォルトゲートウェイにはVIP1が、L2SW2に接続されたPCのデフォルトゲートウェイにはVIP2が設定されている。

さらに、設問文の「MN1に設定されているネットワーク情報が変更されない」を勘案すると、ネットワークアドレスの異なるネットワークに接続してしまったことでIPアドレスが無効になり、デフォルトゲートウェイに到達できないことが導けます。

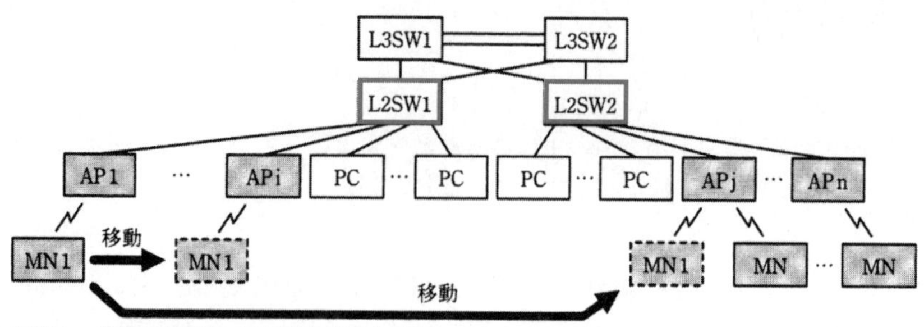

注記1　網掛け部分は，新規導入機器を示す。
注記2　本図では，図1中のL3SW1とL3SW2から下側を示した。

図3　APの導入構成案（抜粋）

■設問4の解説

(1)

この通信には、ブロードキャストまたはマルチキャストが使われます。モバイルIPのプロトコルを理解していることが望ましい問題構成になっていますが、仮にモバイルIPの知識がなくても、MNにとっては訪問先ネットワーク(エージェントネットワーク)でアドレスが付与されていない状況での通信になりますので、ユニキャスト通信が使えないことは容易に導けます。そこから、ブロードキャストアドレスまたはマルチキャストアドレスを導出するとよいでしょう。

設問文自体が、

> このIPヘッダの宛先IPアドレスの種類を答えよ。

とあり、「IPアドレスの種類」という大きなヒントを提示していますので、難易度は高くありません。

(2)

設問文中にある「サブネット内のホスト」が、正答を導くための重要情報です。

図4中にある以下の記述により、

> ②FAは、MNから受信した位置登録情報を、MNのホームネットワークのHA宛てに送信する。

HAはMNがFAのネットワークにいることを教えてもらっていることがわかります。

しかし、HAが属しているホームネットワークの他のホストにはこれが伝わっていません。したがって、他のホストが持っているARPテーブルの情報を更新しなければなりません。

そうしないと、図4の③で指定されている、

③送信ノードから送信されたMN宛てのパケットが、MNのホームネットワークに到達すると、(え) HAによって代理受信される。

この要件を達成することができません。

ARPテーブルの更新には、GARPが使えます。GARPはもともとDHCPなどで、重複するIPアドレスがないかチェックするために使われるプロトコルで、送信元IPアドレスと宛先IPアドレスに同じ値がセットされている特殊なARPです。

GARPを受信すると、各ホストはARPテーブルを更新するので、この特性を利用すればMNのIPアドレスに送信すべきパケットをHAのMACアドレスに紐付けることができます。

(3)

(2) でもすでに議論しましたが、MNは同一サブネット内に存在しないため、HAが代わりにパケットを受信したいわけです。したがって、ARPによってMNのIPアドレスに対応するMACアドレスを要求しているホストに対して、HA自身のMACアドレスを返答することで代理受信が成立します。

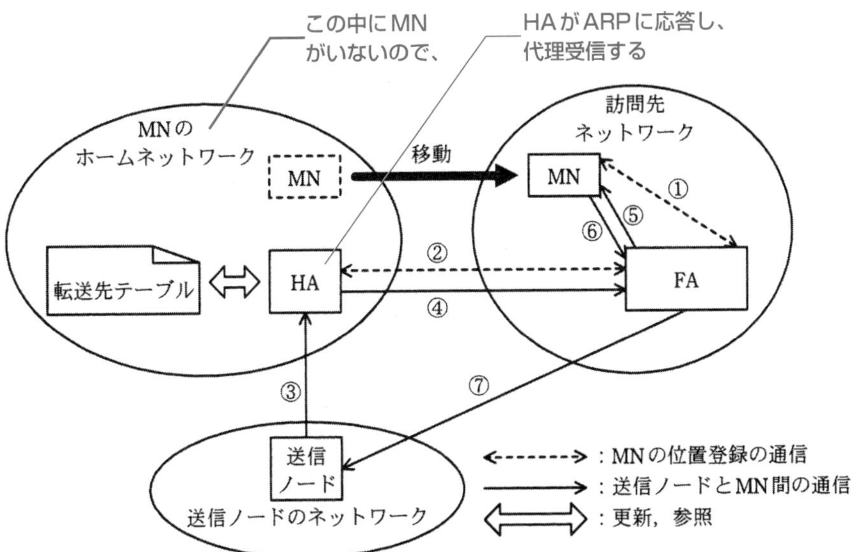

この機能を表す用語としては、プロキシARPがあります。もしこの事実に思い至ったら、できるだけ「プロキシARP」を解答内に挿入しておいた方が得点に結びつきやすいでしょう。

(4)

【空欄a】

空欄aの前後を確認しましょう。

> (i) MN1は、移動後にAPjへの接続処理を行う。そのとき、MN1とWLC間で認証処理が行われる。
> (ii) WLCの[a]は、移動情報テーブルのMN1に関する位置情報を更新し、更新内容をMN1のホームネットワークのAP1のHAに送信する。

これらの記述から、MNの認証時にWLCがどんな挙動をするかが問われていることがわかります。MN認証時のWLCの動作については、表2 WLCの「(各APの) HAプロキシ」に説明があります。

> MNの認証時に、MNとMNのホームネットワークの情報、又はMNの訪問先ネットワークに関連する情報を、WLCが保持する全AP分の移動情報テーブルに登録するとともに、登録情報を該当するAPのHAに送信する。

この記述を根拠として、MNの認証時にはまずWLCのHAプロキシにおいて、移動情報テーブルを書き換える必要があると判断することができます。

【空欄b】

空欄bの前後を確認しましょう。

> (iii) MN1はAPjと接続した後、インターネット経由の社外宛てパケットをAPjに送信する。
> (iv) APjの[b]は、受信したパケットの送信元IPアドレスと宛先IPアドレスが、APjのサブネットとは異なるサブネットのものなので、受信したパケットをL3SWに送信する。

APjのエージェントが行う処理が記述されています。APjは、MN1にとって訪問先ネットワークになりますから、FAがこの処理を実行します。具体的な処理は、表2 APのFA①に説明があり、解答根拠の補強になっています。

無線LAN側で受信したパケットの送信元IPアドレスが、当該FAが稼働するAPのサブネットと異なるサブネットのもののときは、保持する経路情報に基づいて、受信したパケットを中継処理する

【空欄c】

空欄cの前後を確認しましょう。

(v) 社外から、インターネット経由でMN1宛てに送信された応答パケットが、MN1のホームネットワークに到達し、AP1が受信する。
(vi) AP1の[c]は、宛先のMN1が移動中であることを、移動情報テーブルを参照して知り、受信したパケットをカプセル化してWLCに送信する。

AP1はMN1が所属しているネットワークですから、HAが処理を担います。これは、ここまで問題を解き、この設問への理解を深めてきたみなさんであれば、容易に到達できる解答です。

怖いのは、それが逆効果として働く場合です。シナリオ問題は一度正しい流れに乗れば、簡単にどんどん正答にたどり着くことができますが、最初を間違えてしまうと、それに乗じて解答していく後続の設問をすべてミスしてしまうことがあり得ます。特に午後Ⅱの問題においては、最初の方の設問(往々にして難易度が低く、つい手拍子で解答してしまいそうな設問)を間違えないように、細心の注意を払ってください。

HAが行う具体的な処理は、表2　APのHAに説明があります。

MNのホームネットワークに送信されたMN宛てのパケットを受信し、AP別の移動情報テーブルで調べ、そのMNが移動中のときは、受信したパケットをカプセル化してWLCのFAプロキシに送信する。

MN1が別のサブネットに移動しているため、HAが代理受信してMN1に転送するわけです。

【空欄d】

空欄cからの流れでパケットをMN1に転送する処理が問われています。空欄dの前後を確認しましょう。

(vii) WLCの[d]は、受信したパケットのカプセル化を解除し、宛先IPアドレスからMN1宛てであることを知る。このとき、移動情報テーブルを参照すると、MN1はAPjのサブネットに移動中なので、再度パケットをカプセル化してAPjに送信する。

基本的にはFAを経由すればすむ話なのですが、E社の構成の場合、MNにモバイルIP機能がないのでWLCのFAを経てAPのFAに転送しなければなりません。

しかし、問題文中に「WLCの～」と大ヒントがありますので、これを手がかりに解くと迷わずにすむでしょう。

具体的な処理は、表2 WLCの「(各APの) FAプロキシ」に説明があり、他の設問同様、解答根拠の補強になっています。この(4)の空欄a～eの設問構造は同一で、ヒントを探すべき箇所も同じ範囲内にあるので、最初のアプローチを間違えなければ、正解の連鎖を構成することができ、大きな得点源になるでしょう。

> HAから送信された移動中のMN1宛てのパケットを受信し、カプセル化を解除して、移動情報テーブルから移動先のAPを判別した後、再度カプセル化してパケットを移動先のAPのFAに送信する。

【空欄e】

空欄eの前後を確認します。

> (viii) APjの[e]は、受信したパケットのカプセル化を解除して、MN1にパケットを送信する。

APjで稼働するエージェントの種類が問われています。空欄d解答時に、すでに表2WLCの「(各APの) FAプロキシ」がヒントになることを見つけていますから、それを受けた設問である本問では、それをそのまま解答根拠として利用することができます。

MN1はAPjにとって訪問先ネットワークですから、FAがこの処理を担うわけです。

■設問5の解説

(1)

下線(お)を確認しましょう。どうやら、トラブル回避についての設問のようです。

> (お) (a) 導入後に通信できないエリアが発生する、(b) 他社の無線LANの影響を受ける、(c) 期待どおりの通信速度が得られない

トラブルの事例として、わざわざ(a)～(c)を挙げてくれていますので、これに対応する項目を考えていけば、そのまま正答にたどり着けます。

(a) 導入後に通信できないトラブルは、電波強度が最も大きな要因になります。単純な電波到達状況に加えて、問題文で指摘している壁やパーティションの透過状況のチェックを解答しても得点が得られると考えられます。

(b) 他社の無線LANの影響は、社屋の外部から送られてくる電波の状況をチェックします。

(c) 期待どおりの通信速度が得られないトラブルは、使用帯域の重複などをチェックすることで抑止することができます。解答欄には2つの項目を書けばいいので、無難にまとめるなら (a)、(b) について解答するのがよいでしょう。

(2)

まずはAPが出力する電波強度を、受信に支障のない水準で決定します。隣接するAP間ではチャンネルの重複についても注意が必要で、こちらを解答しても得点が得られます。また、社屋外からの電波対策として設置場所や、使用するチャンネルについて考慮し、決定します。

(3)

ローミングができるようにこのネットワークを組んだわけですから、ローミングがきちんとできるか否かのテストが必要です。問題はもう一つのテストで、いくつかの可能性が考えられますが、〔サイトサーベイの検討〕でわざわざ「期待どおりの通信速度が得られない」という表現でヒントを与えてくれているので、実効通信速度を計測するテストを解答させるのが出題者の題意と考えられます。

●解答●

■理解度チェックの解答

① ルータを冗長化するためのプロトコルです。複数台のルータでグループを作り、一つの仮想ルータとして振る舞うようにします。グループ内では、マスタルータとバックアップルータに役割分担が行われ、通常はマスタルータが処理を行います。マスタルータに障害が発生すると、バックアップルータが処理を引き継ぎます。

② GARPは、Gratuitous ARPの略で、一般的にはIPアドレス採番時の重複確認に使われるプロトコルです。GARPで重複確認をすることで、同じIPアドレスを複数のノードに割り当ててしまうトラブルを防止できます。ここで出題されているのは、GARPのもう一つの使い方で、同一サブネット内のノードのARPテーブルを強制的に更新させるものです。

■設問の解答

● 設問1

【ア】L3SW　【イ】最小　【ウ】802.11

【エ】暗号化　【オ】RC4　【カ】ESSID

● 設問2

(1) ・L2SW3のP21とL2SW4のP21の組
　・L2SW3のP22とL2SW4のP22の組

(2) L3SW1

(3) L3SW1へ到達するためのパスコストがP12よりP11の経路の方で大きくなるため（40文字）

(4) 【機器名】L2SW4　【ポートID】P23

(5) 【A】L2SW1→L3SW1
　【B】L3SW1→L3SW2→L3SW1→L2SW1

● 設問3

(1) 暗号文が盗聴され、通信内容を解読されてしまう（22文字）

(2) AP切替時に再度認証と鍵生成をしなくてすむから（23文字）

(3) IPアドレスが変更されないため、デフォルトゲートウェイに到達できない（34文字）

● 設問4

(1) ブロードキャストアドレス（マルチキャストアドレス）

(2) 【名称】GARP
　【目的】同じサブネット内にあるホストのARPテーブルを書き換え、MNの代理受信を実現する（40文字）

(3) HA自身のMACアドレスを応答する

(4) 【a】HAプロキシ　【b】FA　【c】HA
　【d】FAプロキシ　【e】FA

● 設問5

(1) ・自社のAPからの電波到達状況（14文字）
　・社屋外にあるAPからの電波到達状況（17文字）

(2) ・APが出力する電波の強度（12文字）
　・各APが使用するチャンネル（13文字）

(3) ・MNがあるAPから別のAPへとローミングできるか（24文字）
　・MNがどの程度の実効通信速度を発揮できるか（21文字）

6 標的型メール攻撃

問題の概要

情報処理技術者試験の発信能力は、IT業界限定ですが、かなり高いです。IPAもこれを十分に把握していて、対策を進めたい攻撃手法やインシデントを積極的に出題して話題にし、世間に周知させます。したがって、直近で社会を賑わせている攻撃手法は、なんらかの形で出題に結びつくことが多くなります。ヘッドラインだけでいいので、IT系のニュースなどを眺める習慣をつけるといいでしょう。

標的型メール攻撃も、明らかに社会の要請に基づいて出題されたタイプの問題です。標的型メール自体は、各分野で問われているのでおなじみになった印象がありますが、たとえ初出の問題に出くわしても、動揺しないでください。初回の出題には親切な注釈が打たれるのが常になっています。

キーワード

標的型メール攻撃
ソーシャル エンジニアリング
SPF
connect要求
SSL

標的型メール攻撃の対策に関する次の記述を読んで、設問1～5に答えよ。

Y社は、産業機械の製造会社であり、本社の他に、工場と3か所の営業所がある。Y社の先進的な技術によって製造された製品は、顧客から高い評価を受けている。この優位性を維持するために、Y社ではこれまで、知財情報、個人情報などの安全な管理に注力してきた。

Y社では、製品の設計、開発及び外注先・顧客との情報交換に、電子メール（以下、メールという）を活用している。Y社のネットワークシステム構成を、図1に示す。

全社（本社、工場及び営業所）のネットワーク、サーバ及びPCのメンテナンスは、管理セグメントの管理PCを使用して行われている。各営業所には、当該営業所の営業所員が使用するPCとファイルサーバが設置されている。管理PCを含む全社で使用されているPC（以下、全社のPCという）からインターネット上のWebサーバ、FTPサーバへのアクセスは、プロキシサーバを介してだけ可能である。本社と工場にはメールサーバが設置され、本社社員と営業所員は本社メールサーバで、工場社員は工場メールサーバで、メールの送受信を行っている。

メールの転送経路を、表1に示す。

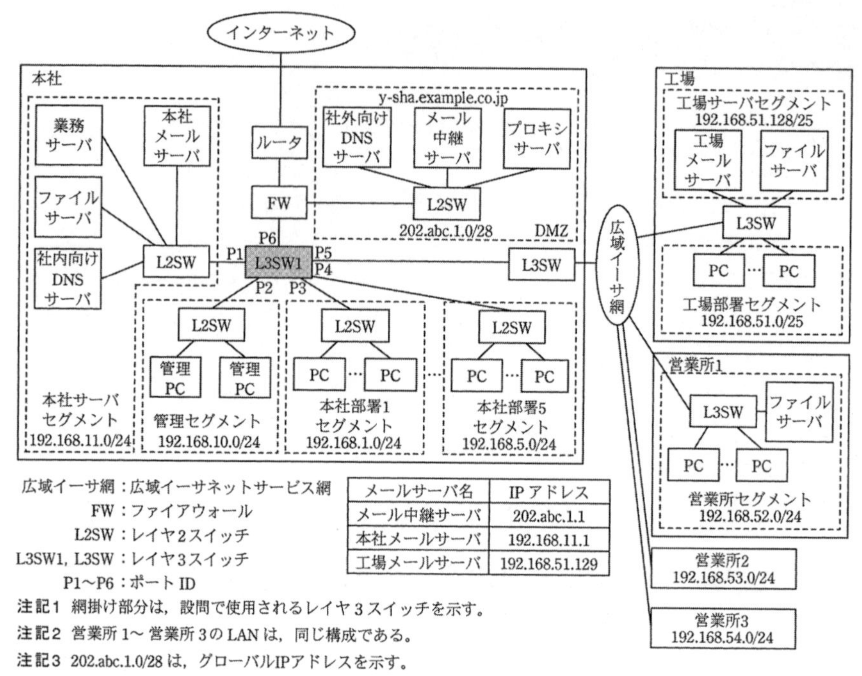

メールサーバ名	IPアドレス
メール中継サーバ	202.abc.1.1
本社メールサーバ	192.168.11.1
工場メールサーバ	192.168.51.129

図1 Y社のネットワークシステム構成

表1 メールの転送経路

送信元	宛先	転送経路
本社，営業所	本社，営業所	PC → 本社メールサーバ
	工場	PC → 本社メールサーバ → 工場メールサーバ
	社外	PC → 本社メールサーバ → メール中継サーバ → 社外
工場	本社，営業所	PC → 工場メールサーバ → 本社メールサーバ
	工場	PC → 工場メールサーバ
	社外	PC → 工場メールサーバ → 本社メールサーバ → メール中継サーバ → 社外
社外	本社，営業所	社外 → メール中継サーバ → 本社メールサーバ
	工場	社外 → メール中継サーバ → 本社メールサーバ → 工場メールサーバ

ヒント 社外とやり取りするメールが、必ず経由する装置がありそうです。

最近、特定の企業、官公庁などを標的にして、その組織が保有する知財情報、個人情報などの重要な情報を窃取又は破壊する、標的型メール攻撃が増加してきた。この状況に対応するために、Y社では、標的型メール攻撃の対策を行うことにした。そこで、情報システム部のM部長は、セキュリティ担当のS主任とネットワーク担当のN主任に、対策案の検討を指示した。

S主任とN主任は、対策案の検討に先立ち、今後の進め方について打合せを行った。そのときの会話の一部を、次に示す。

S主任：標的型メール攻撃に対しては、マルウェアの侵入を防ぐ入口対策だけではなく、社内のLANに侵入したマルウェアの活動を抑えたり、活動を発見しやすくしたりする対策（以下、出口対策という）も必要になっているようだ。N主任には、ネットワークでの入口対策と出口対策を検討してもらって、私は、サーバとPCに必要なマルウェア対策と運用規程を見直すことにする。

N主任：了解した。検討後に対策案を持ち寄って、実施する対策について話し合おう。

N主任は、S主任との打合せの後、部下のJ君に、標的型メール攻撃の手法の調査と対策案の検討を指示した。

〔標的型メール攻撃の手法と対策案〕

J君は、標的型メール攻撃の手法の調査と対策案の検討を行った。

標的型メール攻撃の多くは、ソーシャルエンジニアリング手法で収集した攻撃対象者の情報を基に、(ア) 攻撃対象者と関係がありそうな組織、機関及び実在の人物を装ったメールを送り付けてくる手法をとる。送り付けられたメールには、悪意のあるコード、マルウェアが埋め込まれたファイルが添付されていたり、マルウェアが仕込まれたWebサイトへのリンク先を示す［ a ］が本文に記載されていたりする。

社内に侵入したマルウェアは、インターネット上の攻撃者のサーバとの通信路となるバックドアを開設して、攻撃基盤を構築することが多い。HTMLで作成されたコンテンツの送受信用プロトコルである［ b ］によってバックドアの通信が行われた場合、業務での通信との区別が困難である。マルウェアは、攻撃基盤を構築した後、システム内部への侵入を行い、拡散、重要情報の窃取、破壊などを行う。

SMTPでは、送信者が、自分自身のメールアドレスを容易に詐称することができる。しかし、送信元のMTA又はMUAが稼働するサーバ又はPCに設定されている［ c ］を書き換えることは困難である。そこで、(イ) ドメインを比較するだけでも、送信者のメールアドレスが詐称されているかどうかが、ある程度判別できる。

標的型メール攻撃の入口対策の一つとして、送信者のなりすましを検知する目的で開発された、送信ドメイン認証がある。送信ドメイン認証には、幾つかの手法があり、その中で、SPF (Sender Policy Framework) は、既存のネットワークシステムにも導入しやすい点が評価され、普及が進んでいる。

SPFでは、受信者が送信者のなりすましを検証するために、送信者のDNSの資源レコードにSPFレコードが追加されている必要がある。Y社でSPFを導入するときは、DMZの社外向けDNSサーバに、(ウ) メール中継サーバのIPアドレスを記述したSPFレコードを追加することになる。

SPFによる認証処理の概要を、図2に示す。

エンベロープの情報
MAIL FROM<soshin@example.com>
RCPT TO<jushin@example.co.jp>

メールサーバ1
①SMTP 転送
メールサーバ2
メール送信
PC
② SPF レコードの問合せ
④SPF レコードの検査
③SPF レコードの回答
DNSサーバ
SPF レコードの公開
example.co.jpドメイン
example.comドメイン

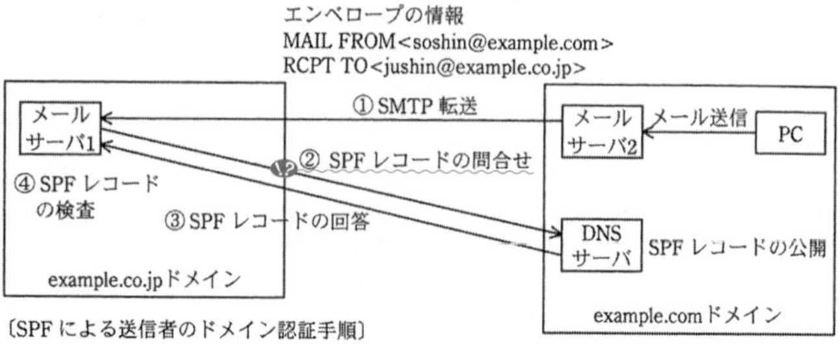

〔SPF による送信者のドメイン認証手順〕

① メールが，メールサーバ2からメールサーバ1に転送される。

② メールサーバ1は，エンベロープ中のメールアドレスを基に，DNS サーバにSPF レコードを問い合わせる。

③ DNSサーバから，SPF レコードが回答される。

④ メールサーバ1は，SPF レコードに登録されたメールサーバの IP アドレスを基に，受信したメールの正当性を検査する。不正なメールと判断したときには，受信したメールを廃棄又は隔離することができる。

図2 SPF による認証処理の概要

ヒント SPFを実行するサーバは、社外からのメールを直接受け取れる必要がありそう……。

J君は、標的型メール攻撃の入口対策として、SPFを導入することを考えた。

SPFを導入しても、マルウェアの社内への侵入を完全に阻止することはできない。そこで、攻撃基盤の構築を困難にしたり、バックドアの通信を発見しやすくしたりする出口対策が重要になる。

J君は、ネットワークにおける出口対策には、プロキシサーバでの対策と社内のLANでの対策が有効と考えた。プロキシサーバでの対策として、既設のプロキシサーバを、認証機能と、HTTPSで暗号化されたデータを復号する機能とをもつ機種に交換する。認証機能によって、マルウェアによるプロキシサーバ経由の通信を困難にさせるだけでなく、取得できるログの情報が増える。復号機能によって、SSL/TLS (以下、SSLという) 通信でも、受信したデータ中に不適切な言葉や文字列などが含まれていたとき、その通信を遮断する［ d ］や、Webサーバからダウンロードされるファイルに対するウイルスチェックなどの、セキュリティ対策が行えるようになる。

社内のLANでの対策としては、図1中のL3SW1にパケットフィルタリングを設定して、業務に不要な通信を遮断する。

J君は、これらの検討結果をN主任に報告した。そのときのN主任とJ君の会話の一部を、次に示す。

N主任：SPFは入口対策として、容易に導入できそうだな。
J君　：はい。機器の交換とか、新たな機器の導入は必要ありません。
N主任：出口対策も効果がありそうだ。しかし、プロキシサーバがSSLを終端できると中間者攻撃が可能になってしまうので、復号機能の実現方法を調べてくれないか。パケットフィルタリングについては、具体的に検討してみなさい。
J君　：分かりました。早速、調査・検討してみます。

〔プロキシサーバの復号機Q能の実現方法〕

まず、J君は、プロキシサーバの復号機能の実現方法について調査した。

PCは、Webサーバとの間でSSL通信を行うときには、プロキシサーバ宛てにconnect要求を送信する。復号機能をもたない既設のプロキシサーバの場合、受信したconnect要求に含まれる接続先サーバとの間で、指定された宛先ポート番号に対してTCPコネクションを確立する。その後、プロキシサーバはPCにconnect応答を送信して、それ以降に受信したTCPデータをそのまま接続先に転送する、［　e　］処理の準備が整ったことを知らせる。

復号機能をもつプロキシサーバの場合、PCからのconnect要求を受信した後の動作は、次のようになる。

復号機能をもつプロキシサーバの動作手順の概要を、図3に示す。

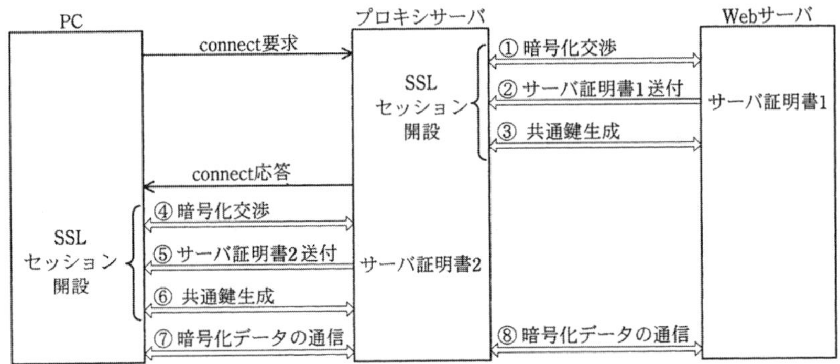

図3　復号機能をもつプロキシサーバの動作手順の概要

図3に示したように、PCからのconnect要求を受信したプロキシサーバは、まず、①〜③の手順でWebサーバとの間でSSLセッションを開設し、更にPCとの間でも、④〜⑥の手順でSSLセッションを開設する。このとき、⑤で、プロキシサーバは、サブジェクト(Subject)に含まれるコモン名(CN：Common Name)に、サーバ証明書1と同じ情報をもたせたサーバ証明書2を生成して、PC宛てに送信する。PCはサーバ証明書2を検証し、認証できたときに⑥が行われ、SSLセッションが開設される。ここで、PCがサーバ証明書2を正当なものと判断してプロキシサーバを認証するためには、PCに、(エ)サーバ証明書2を検証するのに必要な情報を保有させる必要がある。

なお、仮に、図3中の⑤で、プロキシサーバがWebサーバから取得したサーバ証明書1をPCに送信した場合、PCによるプロキシサーバの認証は成功する。しかし、(オ)⑥において、プリマスタシークレット(Premaster Secret)の共有に失敗するので、このような方法でSSLセッションを開設することはできない。

!? ヒント なぜ失敗するのだろう。プリマスタシークレットを復号できる鍵を持っているのは……。

調査の結果、J君は、プロキシサーバの復号機能の実現方法を確認できたので、次のステップとして、社内のLANにおけるセグメント間のパケットフィルタリングについて検討した。

〔パケットフィルタリングの検討〕

パケットフィルタリングの検討に当たって、J君は、業務における各サーバの利用状況を調査し、用途とアクセス元を表2、3にまとめた。表2は、DMZで稼働しているサーバの用途とアクセス元を、表3は、DMZ以外で稼働しているサーバの用途とアクセス元をまとめたものである。

表2 DMZで稼働しているサーバの用途とアクセス元

サーバ名	用途	アクセス元
社外向けDNSサーバ	y-sha.example.co.jpドメインのゾーン情報の管理	社外 社内向けDNSサーバ
メール中継サーバ	社外からY社宛てに送信されるメールの中継 Y社から社外宛てに送信されるメールの中継	社外 本社メールサーバ
プロキシサーバ	全社のPCによる社外のWebサイトへのアクセスの代理処理	全社のPC

表3　DMZ以外で稼働しているサーバの用途とアクセス元

設置場所	サーバ名	用途	アクセス元
本社サーバセグメント	本社メールサーバ	本社社員と営業所員のメールボックスの保持	本社と営業所のPC[1] メール中継サーバ 工場メールサーバ
	業務サーバ	全社員向けの各種業務処理サービスの提供	全社のPC
	ファイルサーバ	本社社員と営業所員向けのファイルサービスの提供	本社と営業所のPC[1]
	社内向けDNSサーバ	全社のPC及びメールサーバからの名前解決要求への応答	全社のPC メール中継サーバ 本社メールサーバ 工場メールサーバ
工場サーバセグメント	工場メールサーバ	工場社員のメールボックスの保持	工場のPC 本社メールサーバ
	ファイルサーバ	工場社員向けのファイルサービスの提供	工場のPC
各営業所	ファイルサーバ	営業所員向けのファイルサービスの提供	当該営業所のPC

注[1]　本社と営業所のPCは，管理PCを含んでいる。

次に、表2、3の情報を基に、マルウェアの拡散を阻止するためのパケットフィルタリングポリシを、図4にまとめた。

> ①PCからサーバへの業務用通信及びサーバ間の業務用通信を，表2，3どおり許可する。
> ②上記①に加え，業務用通信区間における疎通テストのための通信を許可する。
> ③管理PCについては，上記①，②の他に，他のセグメントのPC及びサーバへのリモート接続と疎通テストのための通信を許可する。
> ④上記①～③以外の通信を禁止する。

図4　パケットフィルタリングポリシ

その後､図4を基に､パケットフィルタリングルールを検討した。J君が検討してまとめた、ポートA、Bに設定するパケットフィルタリングルールを、案4、5に示す。ここで、ポートA、Bは、L3SW1のP1～P6のいずれかのポートであるが、設問の関係でどのポートかは明記しない。

表4　ポートAに設定するパケットフィルタリングルール

項番	動作	送信元IPアドレス	宛先IPアドレス	プロトコル	送信元ポート番号	宛先ポート番号	TCP制御ビット
1	許可	192.168.1.0/24	192.168.11.0/24	TCP	any	any	any
2	許可	192.168.1.0/24	192.168.11.0/24	ICMP	any	any	any
3	禁止	192.168.1.0/24	192.168.10.0/24	TCP	any	any	SYN=1 ACK=0
4	許可	192.168.1.0/24	192.168.10.0/24	TCP	any	any	any
5	許可	192.168.1.0/24	192.168.10.0/24	ICMP	any	any	any
6	許可	192.168.1.0/24	202.abc.1.0/28	TCP	any	any	any
7	許可	192.168.1.0/24	202.abc.1.0/28	ICMP	any	any	any
8	禁止	any	any	any	any	any	any

注記1　anyは，パケットフィルタリングにおいてチェックしないことを示す。
注記2　パケットフィルタリングルールは，項番の小さい順に参照され，最初に該当したルールが適用され

ICMPを使った通信の目的といえば……。

表5　ポートBに設定するパケットフィルタリングルール

項番	動作	送信元 IPアドレス	宛先 IPアドレス	プロトコル	送信元 ポート番号	宛先 ポート番号	TCP 制御ビット
1	許可	192.168.10.0/24	192.168.48.0/21	TCP	any	any	any
2	許可	192.168.10.0/24	192.168.48.0/21	ICMP	any	any	any
3	許可	192.168.11.0/24	192.168.51.128/25	TCP	any	any	any
4	許可	192.168.11.0/24	192.168.51.128/25	UDP	53	any	any
（省略）							
10	禁止	202.abc.1.0/28	192.168.51.128/25	any	any	any	any
11	禁止	202.abc.1.0/28	192.168.48.0/21	TCP	any	any	SYN=1 ACK=0
12	許可	202.abc.1.0/28	192.168.48.0/21	TCP	any	any	any
13	許可	202.abc.1.0/28	192.168.48.0/21	ICMP	any	any	any
14	禁止	any	any	any	any	any	any

注記 1　any は，パケットフィルタリングにおいてチェックしないことを示す。
注記 2　パケットフィルタリングルールは，項番の小さい順に参照され，最初に該当したルールが適用される。

J君は、全ての調査・検討が終了した後、プロキシサーバの復号機能の実現方法と、パケットフィルタリングルールの内容をN主任に説明した。説明を聞いたN主任は、プロキシサーバの復号機能については中間者攻撃に対して安全であることを了解した。しかし、パケットフィルタリングルールの内容については、(カ)表4にルールの漏れが一つあるので、項番1、2の間に追加するよう指示した。

〔入口対策と出口対策の実施項目〕

N主任は、J君の報告を基に対策案をまとめ、実施に移す対策(以下、実施策という)についてS主任と打合せを行った。そのときのN主任とS主任の会話を、次に示す。

N主任：ネットワークでの入口対策と出口対策の案をまとめた。入口対策としては、SPFを導入する。出口対策としては、既設のプロキシサーバを認証機能と復号機能をもつ機種に交換し、L3SW1にパケットフィルタリングを設定する。

S主任：分かった。私の方では、サーバ、PC及びFWでのマルウェア対策の実施状況について調査したところ、ウイルス対策ソフトの運用とセキュリティパッチの適用は、運用規程どおり実施されていた。また、FWでは、社内のLANからインターネットへの不必要な通信の遮断設定が適切に行われていた。しかし、不審なメールへの対応と、社内に侵入したマルウェアの活動を発見するためのログの検査が、適切には行われていなかった。今後、不審なメールへの対応に関する規程を定め、ログの検査方法・検査内容を見直すことにする。

N主任：プロキシサーバの交換で、マルウェアの活動を発見しやすくなるな。

S主任：そうだな。プロキシサーバで利用者認証を行えば、マルウェアによるバックドアの通信路の開設を困難にできるだけでなく、バックドアの通信が発見しやすくなる。セキュリティチームで、認証効果を高めるための全社のPCへの対策と、プロキシサーバのログの定期的な検査を行うことにする。

N主任：それでは、2人の検討結果をまとめて、M部長に提案しよう。

N主任とS主任は、検討結果を基に、次の6項目から成る標的型メール攻撃に対する実施策をまとめ、M部長に提出した。

- 図1のネットワークシステムにSPFを導入する。
- プロキシサーバを交換し、プロキシサーバで利用者認証を行うとともに、復号機能を利用してSSL通信に対してもセキュリティ対策を行う。
- L3SW1で、セグメント間のパケットフィルタリングを行う。
- プロキシサーバの認証効果を高めるために、PCのWebブラウザの設定を変更する。
- (キ) 利用者が不審メールを発見したときの対応に関する規程を定め、運用規程に組み入れる。
- プロキシサーバのログの検査方法・検査内容を見直し、(ク) ログの検査間隔を可能な限り短縮して、定期的に検査を行う。

!? ヒント ログの検査といえば、おまわりさんの見回りのようなもの。見回りを頻繁に行うことで得られる効果とは？

実施策が承認され、N主任とS主任は、ネットワークシステムの変更及び運用の見直しを進めることにした。

設問1

本文中の [a] ～ [e] に入れる適切な字句を答えよ。

設問2

〔標的型メール攻撃の手法と対策案〕について、(1)～(4)に答えよ。

(1) 本文中の下線(ア)のメールによって、メール送信者が誘導しようとする受信者の行動を、40字以内で述べよ。

(2) 本文中の下線（イ）で、比較する二つのドメインを、50字以内で述べよ。
(3) 本文中の下線（ウ）について、Y社には3台のメールサーバがあるが、その中でメール中継サーバのIPアドレスを記述する理由を、30字以内で述べよ。
(4) Y社でSPFを導入するとき、社外向けDNSサーバへのSPFレコードの追加とともに、SPFによる認証処理を実施することになる。その認証処理を実施させるサーバ名を、図1中の名称で答えよ。また、認証処理を正しく行うには、そのサーバでなければならない理由を、30字以内で述べよ。

設問3

〔プロキシサーバの復号機能の実現方法〕について、(1)～(3) に答えよ。
(1) 既設のプロキシサーバの場合、SSLセッションはどの機器間で開設されるかを、図3中の名称で答えよ。
(2) 本文中の下線（エ）の情報を、20字以内で答えよ。
(3) 本文中の下線（オ）について、失敗する理由を、40字以内で述べよ。

設問4

〔パケットフィルタリングの検討〕について、(1)～(4) に答えよ。
(1) 表4、5のパケットフィルタリングルールを適用するポートA、Bを、図1中のポートIDで答えよ。また、通信の方向を、IN又はOUTで答えよ。
(2) 表4中の項番2のパケットフィルタリングルールの目的を、25字以内で述べよ。
(3) 本文中の下線（カ）で、N主任が表4への追加を指示したパケットフィルタリングルールを、表4の記述方法で答えよ。
(4) 表4中の項番3、4の二つのパケットフィルタリングルールによって制御される通信の内容を、70字以内で述べよ。

設問5

〔入口対策と出口対策の実施項目〕について、(1)～(3) に答えよ。
(1) プロキシサーバの交換によって、新たにログとして取得できる情報について、60字以内で述べよ。
(2) 本文中の下線（キ）で定めるべき規程の内容を三つ挙げ、それぞれ30字以内で述べよ。
(3) 本文中の下線（ク）によって期待される効果を、30字以内で述べよ。

解答のポイント

情報処理技術者試験は、基本的に良問揃いです。シラバスに切られている内容、特にその基本事項の理解を問う問題がブレずに出題されます。出題者を信用していいタイプの試験ですので、努力が(方向性さえ間違っていなければ)無駄になることが少ないです。

この問題も、標的型メールという、ややトリッキーな出題に見えて、実はSMTPやHTTP、TCP、UDP、IPなどのオーソドックスなプロトコル、ネットワークの構成をきちんと理解できていれば、その応用でごそっと得点を奪うことができる設問になっています。

推理小説と同じで、出題者はアンフェアな出題はできないことになっています。問題文には必ず解答の根拠が埋まっていますから、国語の問題くらいの認識で何度も問題文を読み返してみてください。

理解度チェック 解答➡P679

① 社外に送信されるメールは、どのサーバから送り出されますか？
② DNSは下位プロトコルとして、何を使うでしょうか？　また、その下位プロトコルにおけるDNSのWell-knownポート番号は何番でしょうか？

■設問1の解説

【空欄a】

空欄問題では、必ず空欄の前後を確認し、文脈をみるようにしましょう。単に知識一発で解答できるような問題もありますが、あまりなめてかかると、捻った問題でころっとやられてしまいます。しかも、午後Ⅱ問題は設問1～設問xまでが一連のシナリオ問題になっていることも多く、最初でこけると後々まで祟って、その期の本試験を不合格に導くのです。簡単な設問こそ、解答には万全を期しましょう。

> **〔標的型メール攻撃の手法と対策案〕**
> 送りつけられたメールには、悪意のあるコード、マルウェアが埋め込まれたファイルが添付されていたり、マルウェアが仕込まれたWebサイトへのリンク先を示す[a]が本文に記載されていたりする。

標的型メール攻撃の手法について書かれた文章です。したがって、ここで示されている「送りつけられたメール」とは、攻撃メールのことになります。文章の構造は次のとおりです。

攻撃メール

・ 悪意のあるソフトが添付されている
・ 悪意のあるWebサイトへのリンクがある

悪意のあるソフトそのもの、悪意のあるWebサイトへのリンク、どちらも典型的な攻撃手段ですね。そして、空欄aはこのように配置されています。

Webサイトへのリンク先を示す［ a ］が本文に記載

したがって、空欄aとは、次のような条件を満たす何かです。

- 攻撃メールを構成する要素である
- Webサイトへのリンク先を示すことができる
- メールの本文に記載可能である

これらの要素を統合すると、空欄aはURL（URI）であることが導けます。URIはURLとURNの上位概念で、近年ではURIと書くケースが増えていますが、本試験でもまだURLという表記を使用しているので、どちらでも正答になると考えられます。

標的型攻撃を狙うクラッカは、不正なWebサイトへのリンクを埋め込んだメールを送ってきて、利用者を不正なサイトへと誘導するわけです。

【空欄b】

空欄bの前後の文章を読みましょう。どんなに簡単な空欄だと思っても、このステップは必ず実行してください。後続の問題を解く上での貴重な前提知識が得られることも多いです。午後問題では、問題文が示す世界観に馴染み、理解することが重要です。

ファンタジーだなと思えばファンタジー頭に、ラブコメだなと思えばラブコメ頭に、ハーレムものだと思えばハーレム頭にならないと、その作品世界についていくことはなかなか困難です。情報処理技術者試験の問題もS主任だのJ君だのが跳梁跋扈する世界を愛し、その世界線の中でS主任やJ君と一蓮托生の関係を結ぶことで、Y社への理解が深まり、得点力が大幅にアップします。

社内に侵入したマルウェアは、インターネット上の攻撃者のサーバとの通信路となるバックドアを開設して、攻撃基板を構築することが多い。HTMLで作成されたコンテンツの送受信用プロトコルである［ b ］によってバックドアの通信が行われた場合、業務での通信との区別が困難である。マルウェアは、攻撃基板を構築した後、システム内部への侵入を行い、拡散、重要情報の窃取、破壊などを行う。

バックドアとは、一度攻撃に成功したマルウェアやクラッカが、二度目以降の攻撃を容易にするために標的システムに設置する迂回進入路です。バックドアが設置されると、マルウェアやクラッカは、ウイルス対策ソフトやファイアウォールなどのセキュリティシステムを無効化して、侵入を繰り返すことができます。

［ b ］によってバックドアの通信が行われた場合、

とありますので、空欄bには通信で使われるプロトコルが入りそうだと推測することができます。また、その後続の文章で、

> 業務での通信との区別が困難である。

と続きますから、日常的に業務で使われているプロトコルであることも、高い蓋然性をもって指摘することができます。なるべく一般的な通信手段を用いるのは、マルウェアやクラッカの常套手段で、他の通信に埋もれれば埋もれるほど、悪意のある通信を発見することが困難になるしかけです。

また、空欄bの前にはこのような記述もあります。

> HTMLで作成されたコンテンツの送受信用プロトコルである[b]

- 通信プロトコルである
- 一般的な業務にも多用される
- HTMLコンテンツの送受信用

これだけの根拠がそろえば、空欄bに記述すべき内容はHTTPであると判断することができます。自分が記述しようとしている解答に、どれだけの根拠があるかは、常に意識して試験問題を解いてください。

【空欄c】

空欄cの前後の文章を確認します。

> SMTPでは、送信者が、自分自身のメールアドレスを容易に詐称することができる。しかし、送信元のMTA、又はMUAが稼働するサーバ又はPCに設定されている[c]を書き換えることは困難である。そこで、ドメインを比較するだけでも、送信者のメールアドレスが詐称されているかどうかが、ある程度判別できる。

まず、文章の前半で、SMTPにおいてメールアドレスの詐称がどれほど容易かが語られています。ここで、注意してください。

しかし

そう。この文章は、SMTPではメアドの詐称しほうだい「しかし」、[c]を書き換えることは困難、という構造を持っているのです。したがって、空欄cは次の条件を満たすはずです。

- メールアドレスと対置される関係にある → つまり、何かのアドレス
- 詐称しにくい何かである

さらにヒントとして、空欄cの前段に、

> 送信元のMTA、又はMUAが稼働するサーバ又はPCに設定されている［　c　］を

と書かれていることから、MTAやMUA、さらにはPCといった末端マシンに気軽に設定されるアドレスであることも導けます。しかも、問題文中で明記されてはいないものの、メールの送受信時に使われることは明らかです。

これらの根拠を統合すると、空欄cはIPアドレスであることがわかります。

IPアドレスも詐称してできないことはありませんが、メールアドレスに比べれば詐称のハードルは高く、相対的に詐称しにくいと考えてよいでしょう。この事実が、空欄cの後の文章につながります。

> そこで、ドメインを比較するだけでも、送信者のメールアドレスが詐称されているかどうかが、ある程度判別できる。

SMTPには送信者認証のしくみがなく、簡単にメールアドレスを詐称してメール送信をすることが可能です。しかし、上で示したように、送信元のIPアドレスを詐称することは相対的に困難です。

そのため、ドメイン名→詐称、IPアドレス→真正という関係が成り立ちます。これを見比べることでメールアドレスの詐称を見つける具体的な技術が、さらに後の文章にあるSPFというわけです。

空欄cには、このままIPアドレスを解答すればOKで、それが最も紛れのない正答になるでしょう。ただし、後続の下線(イ)に「ドメインの比較」という記述があるので、IPアドレスと対応するFQDNも別解として成立すると思われます。

【空欄d】

空欄dの前後の文章を確認しましょう。

> J君は、ネットワークにおける出口対策には、プロキシサーバでの対策と社内のLANでの対策が有効と考えた。プロキシサーバでの対策として、既設のプロキシサーバを、認証機能と、HTTPSで暗号化されたデータを復号する機能とをもつ機種に交換する。認証機能によって、マルウェアによるプロキシサーバ経由の通信を困難にさせるだけでなく、取得できるログの情報が増える。復号機能によって、SSL/TLS（以下、SSLという）通信でも、受信したデータ中に不適切な言葉や文字列などが含まれていたとき、その通信を遮断する［　d　］や、Webサーバからダウンロードされるファイルに対するウイルスチェックなどの、セキュリティ対策が行えるようになる。

社内のLANでの対策としては、図1中のL3SW1にパケットフィルタリングを設定して、業務に不要な通信を遮断する。

文章の構造は、次のようになります。

・ ネットワークにおける出口対策には、2つ有効な方法がある
　→　プロキシサーバでの対策　←←空欄d
　→　社内のLANでの対策

さらに、プロキシサーバでの対策は、2つに分けることができます。

1. 認証機能
2. 復号機能

空欄dが含まれているのは、2. の文章の方です。したがって、空欄dには復号機能にまつわる内容が入るはずです。では、復号機能そのものが正答になるのでしょうか？どうもそうではないようです。

復号機能によって、SSL/TLS（以下、SSLという）通信でも、受信したデータ中に不適切な言葉や文字列などが含まれていたとき、その通信を遮断する［ d ］や、

復号機能がある

↓

SSL/TLS通信でも不適切な文字列を発見できる

↓

だから、それを遮断する［ d ］ができる

という流れです。

不適切な言葉や文字列を検出し、通信をふるいにかける技術はコンテンツフィルタリングと呼ばれます。機密情報の流出などを防ぐ出口対策として、有力な技術です。しかし、一般的にコンテンツフィルタリングは、通信が暗号化されていると行うことができません。「SSL/TLSだから、コンテンツフィルタリングできない」と解答を諦めさせるのが、出題者の意図の一つです。しかし、上述した文章の流れから、SSL/TLS通信でも復号することで、不適切な文字列を発見・遮断するコンテンツフィルタリングが実行可能と解釈できます。

【空欄e】

空欄eの前後を確認しましょう。

〔プロキシサーバの復号機能の実現方法〕

まず、J君は、プロキシサーバの復号機能の実現方法について調査した。

PCは、Webサーバとの間でSSL通信を行うときには、プロキシサーバ宛てにconnect要求を送信する。復号機能をもたない既設のプロキシサーバの場合、受信したconnect要求に含まれる接続先サーバとの間で、指定された宛先ポート番号に対してTCPコネクションを確立する。その後、プロキシサーバはPCにconnect応答を送信して、それ以降に受信したTCPデータをそのまま接続先に転送する、[e]処理の準備が整ったことを知らせる。

空欄dからの流れを受けた設問です。パラグラフのタイトルにもあるように、プロキシサーバがどのような処理を行っているかが問われています。この設問では、図3が理解を深める手がかりになります。

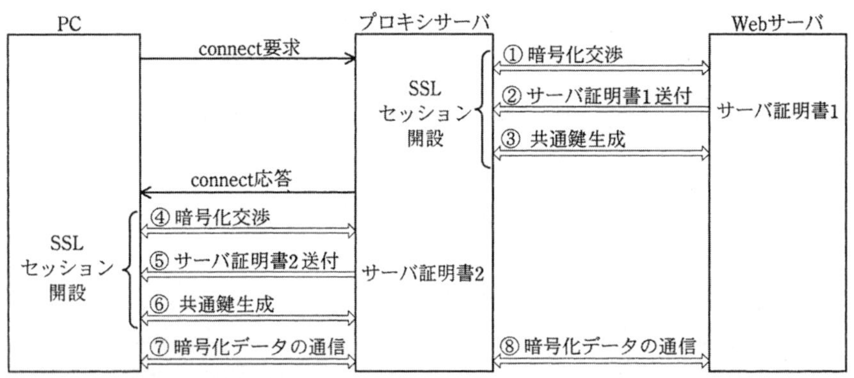

図3　復号機能をもつプロキシサーバの動作手順の概要

図3は、「復号機能をもつプロキシサーバ」の動作手順です。

で、ここがポイントですが、空欄eで問われているのは、「復号機能をもたないプロキシサーバ」の動作手順で、図3の手順ではありませんから、注意が必要です。中には図で示された流れをそのまま文字に起こすだけで正答になるような設問もあるので、過去問演習でそのような問題に慣れている場合、早とちりをしてしまうことがあります。

では、肝心の「復号機能をもたないプロキシサーバ」は、どのように通信を行うのでしょうか？　これは文章に示されているとおりで、単にPCとWebサーバの間でやり取りされるconnect要求とconnect応答を**そのまま転送するだけ**です。その場合、PCとWebサーバ間で仮想的な通信路（トンネル）が成立しているように見え、PCもWebサーバも、間にプロキシが挟まっていることを意識しません（トンネリング）。空欄eは、その動作を何とよぶかを問うているわけですから、トンネリングを解答すれば得点が得られます。

■設問2の解説

(1)

下線(ア)は、次のような内容です。

> 標的型メール攻撃の多くは、ソーシャルエンジニアリング手法で収集した攻撃対象者の情報を基に、(ア)攻撃対象者と関係がありそうな組織、機関及び実在の人物を装ったメールを送りつけてくる手法をとる。送りつけられたメールには、悪意のあるコード、マルウェアが埋め込まれたファイルが添付されていたり、

受信者にしてみれば、関係組織、関係する人物からのメールに見えるわけです。信用しているでしょうし、自分に対する命令権を持っている相手かもしれません。したがって、メールの指示に従う、URLをクリックする、添付ファイルを開くなどの行動をとることが予想されます。ふだん気をつけている、こうした行為を行うための心理的なハードルが下がるわけです。

(2)

頻出の問題で、メールのエンベロープとヘッダが正しく理解できているかが問われています。エンベロープは実際にメールサーバが送信に使う情報、ヘッダはメールソフトが人間向けの表示に使う情報です。両者が異なっていても、メールは届きます。したがって、詐称を行う場合、ヘッダに不正な情報を記述することで、受信者の目をごまかすことがあります。

(3)

表1を見てみましょう。

表1 メールの転送経路

送信元	宛先	転送経路
本社,営業所	本社,営業所	PC → 本社メールサーバ
	工場	PC → 本社メールサーバ → 工場メールサーバ
	社外	PC → 本社メールサーバ → メール中継サーバ → 社外
工場	本社,営業所	PC → 工場メールサーバ → 本社メールサーバ
	工場	PC → 工場メールサーバ
	社外	PC → 工場メールサーバ → 本社メールサーバ → メール中継サーバ → 社外
社外	本社,営業所	社外 → メール中継サーバ → 本社メールサーバ
	工場	社外 → メール中継サーバ → 本社メールサーバ → 工場メールサーバ

社外に出て行くメール(入ってくるメールもそうですが)は、すべてメール中継サーバを経由して送信されることがわかります。したがって、社外のメールサーバが送信ドメイン認証の対象にするのは、メール中継サーバです。

また、図1を見ると、

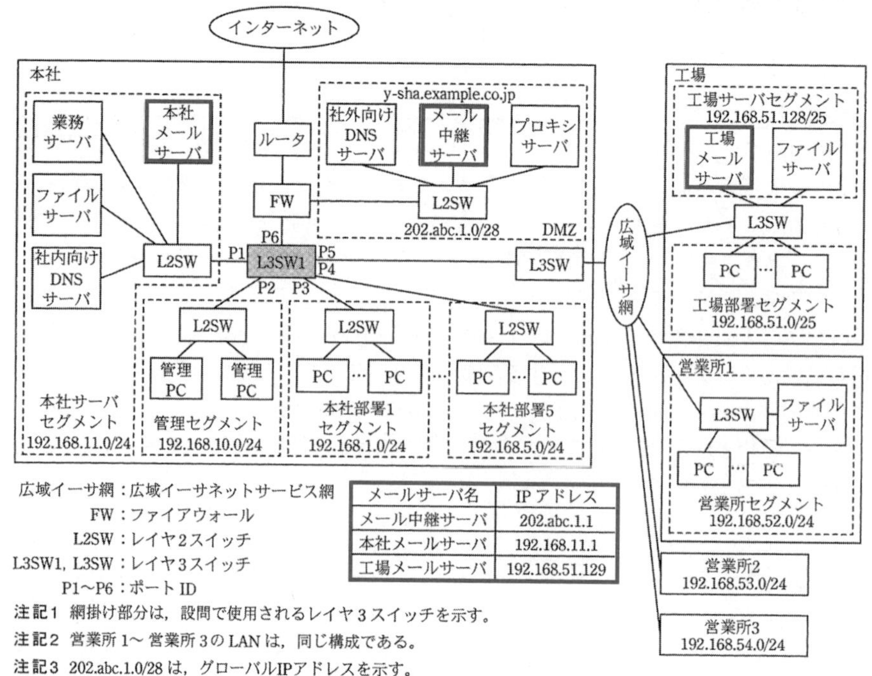

メールサーバ名	IPアドレス
メール中継サーバ	202.abc.1.1
本社メールサーバ	192.168.11.1
工場メールサーバ	192.168.51.129

図1 Y社のネットワークシステム構成

3台のメールサーバのうち、グローバルIPアドレスをもっているのがメール中継サーバだけであることがわかります。この点からも外部に対して公開するのはメール中継サーバであり、SPFレコードの対象になることがわかります。

(4)

この設問で着目すべきは図2です。

ここにSPFの動作手順が書かれています。

①で、メールを受信したメールサーバは、

②で、そのメールを送信してきたメールサーバのドメインにあるDNSサーバに問い合わせを行います。

したがって、この役割を担うメールサーバは、社外からのメールを直接受け取るサーバでなくてはなりません。

(3)ですでに検討しましたが、Y社において社外との送受信を行っているサーバは、メール中継サーバのみです。

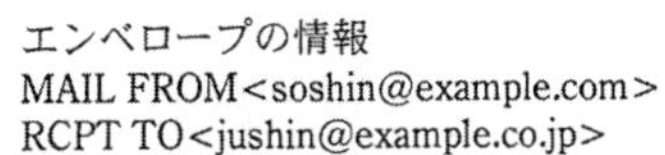

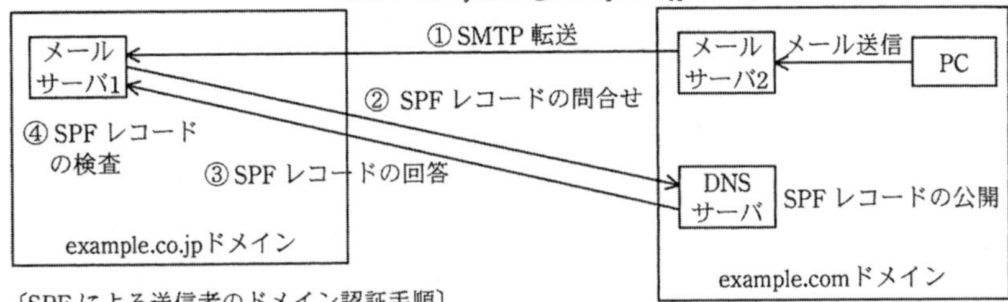

〔SPF による送信者のドメイン認証手順〕

① メールが，メールサーバ2からメールサーバ1に転送される。

② メールサーバ1は，エンベロープ中のメールアドレスを基に，DNS サーバにSPF レコードを問い合わせる。

③ DNSサーバから，SPF レコードが回答される。

④ メールサーバ1は，SPF レコードに登録されたメールサーバの IP アドレスを基に，受信したメールの正当性を検査する。不正なメールと判断したときには，受信したメールを廃棄又は隔離することができる。

図2　SPF による認証処理の概要

■設問3の解説

(1)

既設のプロキシサーバは、SSLの復号機能をもっていないことが、問題文によって示されています。

> 復号機能をもたない既設のプロキシサーバの場合、受信したconnect要求に含まれる接続先サーバとの間で、指定された宛先ポート番号に対してTCPコネクションを確立する。

この場合、設問1空欄dで解答したように、既設サーバはconnectメソッドによってSSL通信をそのまま転送しますから、SSLセッションはPCとWebサーバの間で開設されることがわかります。

(2)

下線(エ)を確認しましょう。

> (エ) サーバ証明書2を検証するのに必要な情報

検証したいのはサーバ証明書2で、これはプロキシサーバが発行した証明書です。したがって、この証明書の正当性を検証するためには、プロキシサーバ自身のルート証明書が必要です。

(3)

SSLにおける共通鍵は、クライアントから送られてくる乱数とプリマスタシークレットから作られます。サーバ証明書1を送付した場合、プロキシサーバはWebサーバにかわって、プリマスタシークレットを取りだし、共通鍵を生成しなければなりません。しかし、プリマスタシークレットは暗号化されて送られてきます。これを復号するための秘密鍵は、Webサーバしか持っていません。したがって、セッションを開設することができないわけです。

■設問4の解説

(1)

まず、表4から検討しましょう。

表4　ポートAに設定するパケットフィルタリングルール

項番	動作	送信元 IPアドレス	宛先 IPアドレス	プロトコル	送信元 ポート番号	宛先 ポート番号	TCP 制御ビット
1	許可	192.168.1.0/24	192.168.11.0/24	TCP	any	any	any
2	許可	192.168.1.0/24	192.168.11.0/24	ICMP	any	any	any
3	禁止	192.168.1.0/24	192.168.10.0/24	TCP	any	any	SYN=1 ACK=0
4	許可	192.168.1.0/24	192.168.10.0/24	TCP	any	any	any
5	許可	192.168.1.0/24	192.168.10.0/24	ICMP	any	any	any
6	許可	192.168.1.0/24	202.abc.1.0/28	TCP	any	any	any
7	許可	192.168.1.0/24	202.abc.1.0/28	ICMP	any	any	any
8	禁止	any	any	any	any	any	any

注記1　anyは，パケットフィルタリングにおいてチェックしないことを示す。
注記2　パケットフィルタリングルールは，項番の小さい順に参照され，最初に該当したルールが適用される。

ここで示されているポートAは送信元IPアドレスから、本社部署1セグメントに接続されているP3だと判断することができます(図1を参照)。また、通信の方向は、送信元が本社部署1セグメントであることから、INであることが明らかです。

次に表5の検討です。

表5　ポートBに設定するパケットフィルタリングルール

項番	動作	送信元 IPアドレス	宛先 IPアドレス	プロトコル	送信元 ポート番号	宛先 ポート番号	TCP 制御ビット
1	許可	192.168.10.0/24	192.168.48.0/21	TCP	any	any	any
2	許可	192.168.10.0/24	192.168.48.0/21	ICMP	any	any	any
3	許可	192.168.11.0/24	192.168.51.128/25	TCP	any	any	any
4	許可	192.168.11.0/24	192.168.51.128/25	UDP	53	any	any
(省略)							
10	禁止	202.abc.1.0/28	192.168.51.128/25	any	any	any	any
11	禁止	202.abc.1.0/28	192.168.48.0/21	TCP	any	any	SYN=1 ACK=0
12	許可	202.abc.1.0/28	192.168.48.0/21	TCP	any	any	any
13	許可	202.abc.1.0/28	192.168.48.0/21	ICMP	any	any	any
14	禁止	any	any	any	any	any	any

注記1　anyは，パケットフィルタリングにおいてチェックしないことを示す。
注記2　パケットフィルタリングルールは，項番の小さい順に参照され，最初に該当したルールが適用される。

表5で示されているポートBは宛先IPアドレスに192.168.51.128/25の工場サーバセグメントを含んでいることから、広域イーサ網を通してここへアクセスするP5だとわかります。宛先が広域イーサ網側であるので、通信の方向はOUTです。

(2)

IPアドレスによって、本社部署1セグメント(192.168.1.0/24)から本社サーバセグメント(192.168.11.0/24)へのICMP通信であることがわかります(図1もあわせて参照してください)。

ICMPを使った通信ですから、その利用は疎通確認が主たる目的になります。本社サーバセグメントには多数のサーバがあり、図4によってPCからサーバへの疎通テストが許可されていますから、これを実装するためのルールであると特定できます。

(3)

表3に着目しましょう。

表3 DMZ以外で稼働しているサーバの用途とアクセス元

設置場所	サーバ名	用途	アクセス元
本社サーバセグメント	本社メールサーバ	本社社員と営業所員のメールボックスの保持	本社と営業所のPC[1] メール中継サーバ 工場メールサーバ
	業務サーバ	全社員向けの各種業務処理サービスの提供	全社のPC
	ファイルサーバ	本社社員と営業所員向けのファイルサービスの提供	本社と営業所のPC[1]
	社内向けDNSサーバ	全社のPC及びメールサーバからの名前解決要求への応答	全社のPC メール中継サーバ 本社メールサーバ 工場メールサーバ
工場サーバセグメント	工場メールサーバ	工場社員のメールボックスの保持	工場のPC 本社メールサーバ
	ファイルサーバ	工場社員向けのファイルサービスの提供	工場のPC
各営業所	ファイルサーバ	営業所員向けのファイルサービスの提供	当該営業所のPC

注[1] 本社と営業所のPCは,管理PCを含んでいる。

ここから、社内向けDNSサーバが全社のPCの名前解決要求を受け付けていることがわかります。社内向けDNSサーバは本社サーバセグメントにありますから、各部署セグメントからのDNS通信がフィルタを通過する必要があります。

表4にはDNSを載せるUDP通信を本社サーバセグメントに向けて送り出すのを許可するルールがありません。単独だと気づくのがやや時間を取られるかもしれませんが、表5に同様のルールがありますので、表5との比較を行えば発見が容易になります。DNSのWell-knownポート番号は53番です。

(4)

IPアドレスにより、本社部署1セグメント(192.168.1.0/24)から本社管理セグメント(192.168.10.0/24)へのTCP通信であることがわかります。この2つのセグメント間で通信が行われるケースは1つしかありません。図4に記載があるリモート接続と疎通テストです。

①PC からサーバへの業務用通信及びサーバ間の業務用通信を，表 2，3 どおり許可する。
②上記①に加え，業務用通信区間における疎通テストのための通信を許可する。
③管理 PC については，上記①，②の他に，他のセグメントの PC 及びサーバへのリモート接続と疎通テストのための通信を許可する。
④上記①～③以外の通信を禁止する。

図 4　パケットフィルタリングポリシ

設問になっているのはTCPですから、リモート接続に関する通信だと判断できます。

この通信は基本的には許可されていますが、TCP制御ビットがSYN=1、ACK=0のとき、すなわち本社部署1セグメント側から発信したときは通信が禁止されます。これは、管理PCからはリモート接続が許可される（一般PCからはNG）という図4の記述と符合します。

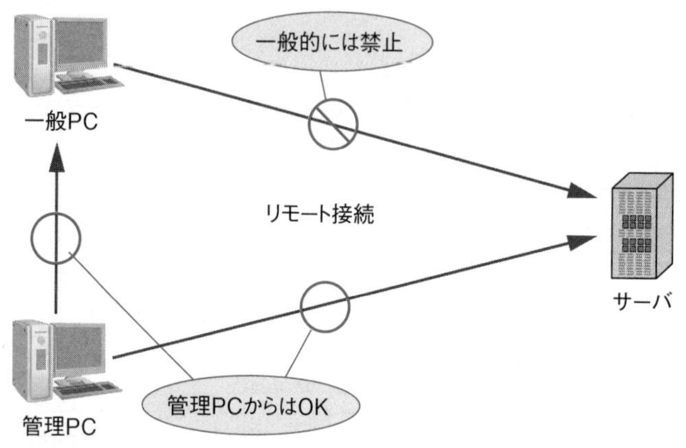

■設問５の解説

(1)

プロキシサーバの交換によって、SSLセッションをプロキシサーバが仲介するようになります。

〔入口対策と出口対策の実施項目〕
出口対策としては、既設のプロキシサーバを認証機能と復号機能をもつ機種に交換し、L3SW1にパケットフィルタリングを設定する。

PCの認証をプロキシサーバが行うことになるため、まず認証の成功と失敗の情報を収集することができるようになります。また、SSL通信の内容がプロキシサーバで復号されることになるため、送信データもログに残すことが可能です。どの通信データか、という情報は問題文中にはないため、「従来、SSLによって暗号化されていた通信内容」くらいの作文をすることになります。

(2)

設問2(1)でも議論したように、不審なメールはその中に記述されているURLをクリックしたり、添付ファイルを開くなどの行動によって、クラッカの資源を活性化します。したがって、これを禁止すればよいと考えられます。他には、一般論として、セキュリティ担当者への報告、なりすましが疑われる送信者への電話など別経路を使った確認が解答となります。このうち、3つを解答すればよいでしょう。メールへの対応でひとくくりにできるURLと添付ファイルを一つにまとめても構いません。

(3)

〔入口対策と出口対策の実施項目〕では、ログの検査によってマルウェアやバックドアの発見を期待していることがわかります。下線(ク)を検討すると、

(ク) ログの検査間隔を可能な限り短縮して、定期的に検査を行う

ログの検査間隔を短縮すると言っているので、マルウェアやバックドアをより早期に発見したり、不正行為が行われている場合でも、その被害を受けている期間を短くすることが可能になります。

● 解答 ●

■理解度チェックの解答

① Y社には、本社メールサーバ、工場メールサーバ、メール中継サーバの3台のメールサーバがありますが、表1の記述から、社外への送信にはメール中継サーバが使われていることがわかります。

② DNSは下位プロトコルとして、UDPを要求します。近年、TCPを使うアプリケーションプロトコルが増えている中で、貴重なUDPユーザといえます。DNSのWell-knownポート番号は53番です。

■設問の解答

● 設問1

【a】URL (URI)　【b】HTTP　【c】IPアドレス (FQDN)

【d】コンテンツフィルタリング　【e】トンネリング

● **設問2**

(1) メール送信者を信用して、URLへのリンクをクリックしたり、添付ファイルを開く（38文字）

(2) エンベロープのFROMフィールドのドメインと、ヘッダのFROMフィールドのドメインを比較する（46文字）

(3) 社外に送信されるメールの送信元となるサーバであるため（26文字）

(4) 【サーバ名】メール中継サーバ
【理由】社外からのメールは、メール中継サーバに送られてくるから（27文字）

● **設問3**

(1) PCとWebサーバの間

(2) ルート証明書（6文字）

(3) プロキシサーバは、プリマスタシークレットを復号する秘密鍵をもっていないから（37文字）

● **設問4**

(1) 【表4：ポートAのポートID】P3　【通信の方向】IN
【表5：ポートBのポートID】P5　【通信の方向】OUT

(2) 業務用通信区間における疎通テストのため（19文字）

(3) 【動作】許可
【送信元IPアドレス】192.168.1.0/24
【宛先IPアドレス】192.168.11.0/24
【プロトコル】UDP
【送信元ポート番号】any
【宛先ポート番号】53
【TCP制御ビット】any

(4) 本社管理セグメントにある管理PCからの本社部署1セグメントのPCへのリモート接続を許可する。本社部署1セグメントからのリモート接続はできない（70文字）

● **設問5**

(1) 認証機能をもつため、認証の成功と失敗のログを取得できる。SSLによって暗号化された通信内容も取得が可能になる（54文字）

(2) 1：メールに含まれるURLや添付ファイルを開かない（23文字）
2：セキュリティ担当者に報告する（14文字）
3：なりすましが疑われる送信者に別経路で確認連絡する（24文字）

(3) マルウェアやバックドアを早期発見し、被害を小さくする（26文字）

7 IP電話のクラウドサービス移行

問題の概要

IP電話を軸に据えた、クラウドサービスへの移行をシナリオにした問題です。IP電話、クラウドともに重たいテーマなので、それが組み合わされると難しく感じるかもしれませんが、1つ1つは基本的な事項の組み合わせです。SIPはセッションの確立に特徴があり、シーケンス図もよく問われます。シーケンス図を丸暗記する必要はありませんが、シーケンス図の読み方は練習しておきましょう。

キーワード

NAPT
SIP
IP-PBX
RTP
プロキシサーバ

クラウドサービスへの移行に関する次の記述を読んで、設問1～4に答えよ。

D社は、本社及び複数の支店をもつ中堅の運送事業者である。ファイアウォール、Webサーバ、プロキシサーバ、IP-PBX、PBXなどから構成されているD社システムを使って、社内外の通信と運送管理業務を行っている。

D社の情報システム部は、D社システムの老朽化に伴い、システムの更改を検討中である。

ヒント 午後Ⅱ問題の場合は、時系列が大事になります。ここは、現行の構成ですよね。

〔現行のD社システム〕

現行のD社システムの構成を図1に示す。

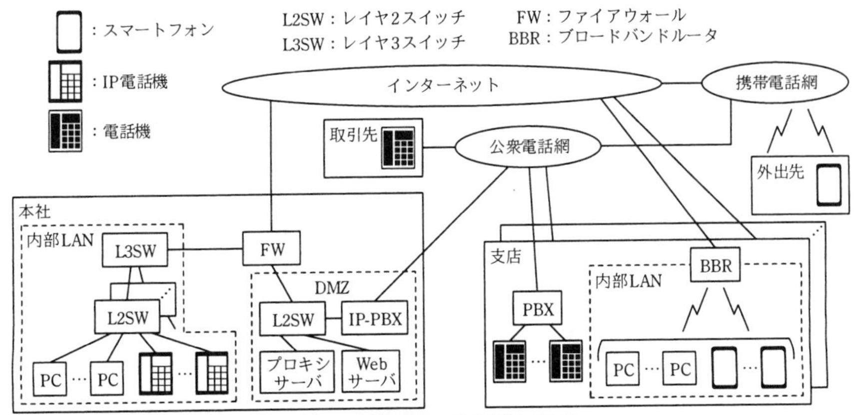

図1　現行のD社システムの構成（抜粋）

図1の概要を次に示す。

(1) 全社のPCから、本社のWebサーバ及びインターネットにアクセスする。

(2) 本社のPCからインターネットへのアクセスは、プロキシサーバを経由する。

(3) 支店のPCから本社のWebサーバへのアクセスは、インターネットを経由する。

(4) 本社のDMZ及び全社の内部LANはプライベートIPアドレスで運用されており、FWとBBRではNAT機能及びNAPT機能が動作している。例えば、上記(2)中のインターネットへのアクセスでは、FWのNAPT機能によって、IPパケット中のプロキシサーバのIPアドレスが変換される。同様に、上記(3)中のインターネット経由のWebサーバへのアクセスでは、BBRのNAPT機能によってIPパケット中の［ ア ］のIPアドレスが変換される。さらに、［ イ ］のNAT機能によって、IPパケット中のWebサーバのIPアドレスが変換される。

> ヒント 同じ機能が2つの機器で動いていますから、どの機器がどっちのNATを使うんだろう？ という視点で眺めてください。

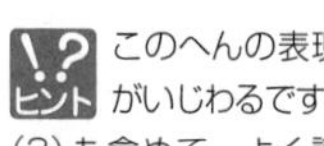

> ヒント このへんの表現がいじわるです。(3)も含めて、よく読みましょう。

(5) IP-PBXはSIPサーバの機能をもつ。また、IP電話機、及び電話用ソフトウェア(以下、SIP-APという)を搭載したスマートフォン(以下、スマホという)はSIPユーザエージェント(以下、SIP UAという)として機能する。IP電話機及びSIP-APの間では、SIPプロトコルによる接続制御によって通話セッションが確立し、RTPプロトコルによる通話が行われる。

(6) SIP UAがIP-PBXに位置情報登録を依頼する際、SIP UAはSIPメソッド［ ウ ］を使ってリクエストを行う。その際、［ エ ］を認証するために"HTTPダイジェスト認証方式"が用いられる。認証情報がないリクエストを受け取ったIP-PBXはチャレンジ値を含むレスポンス"401 Unauthorized"を返す。SIP UAはチャレンジ値から生成した正しいレスポンス値を送り、IP-PBXはレスポンス"［ オ ］"を返す。

(7) 一部の支店ではスマホを社員に貸与し、次のように利用させている。
- 支店では、BBR、インターネット及びFWを経由して、スマホのWebブラウザから本社のWebサーバへアクセスする。また、①同様にFWを経由して、スマホのSIP-APと本社のIP電話機間で通話を行う。

> ヒント SIPって特徴のある通信方式を採用していました。2つのプロトコルを使いますよね。

・外出先では、携帯電話網、インターネット及びFWを経由して、スマホのWebブラウザから本社のWebサーバへアクセスする。また、スマホのSIP-APから取引先への電話については、本社の公衆電話網の電話番号からの発信となるように、携帯電話網、インターネット、FW及び［ カ ］を経由させる。

Bさんは情報システム部のネットワーク担当である。情報システム部長から指示があり、D社システム更改のネットワークに関する検討を行っている。

Bさんに伝えられたD社システム更改の方針を次に示す。

(1) 運用負荷の軽減
- ・IaaSを利用し、本社のFW、Webサーバ及びプロキシサーバを撤去する。
- ・クラウドPBXサービスを利用し、本社のIP-PBX及び支店のPBXを撤去する。
- ・無線LAN及びPoE（Power over Ethernet）を利用し、構内配線を減らす。

(2) スマホの活用
- ・全社員にスマホを貸与し、全社及び外出先で、電話機及びPCを補完する機器として利用させる。

(3) 新システムへの段階的移行
- ・現行システムから新システムへの切替えは、拠点単位に段階的に行う。

〔クラウドサービスの利用〕

D社システムの更改では、X社が提供するIaaSと、Y社が提供するクラウドPBXサービスを利用する。利用するクラウドサービスの概要を表1に、Bさんが考えた新D社システムの構成を図2に、それぞれ示す。

表1 利用するクラウドサービスの概要

サービス名	説明
IaaS	X社のデータセンタ（以下，X-DCという）内に，D社の仮想LAN（以下，X-VNWという）と仮想サーバを構成する。 次のオプションサービスを利用する。 ・インターネット接続：X-VNW内にFWを構成し，X-VNWとインターネットを接続する。 ・専用線接続：イーサネット専用線を使って，本社とX-VNWを接続する。
クラウドPBXサービス	Y社のデータセンタ（以下，Y-DCという）内に，D社の仮想LAN（以下，Y-VNWという），IP-PBX及びFWを構成する。IP-PBXは，インターネット，携帯電話網，公衆電話網及びY社の閉域網（以下，Y-VPNという）と接続する。 次のオプションサービスを利用する。 ・専用線接続：イーサネット専用線を使って，本社とY-VPNを接続する。 ・PPPoE（Point-to-Point Protocol over Ethernet）接続：Y社のブロードバンドルータ（以下，Y-BBRという）を支店に設置し，PPPoEを用いて，支店をY-VPN及びインターネットに接続する。 ・ゲートウェイ接続：Y社のゲートウェイ（以下，Y-GWという）を一部の支店に設置し，支店を公衆電話網に接続する。 ・SIP-APの利用：スマホにY社のクラウドPBXサービス用のSIP-APを搭載し，電話機と同じような操作を可能にする。

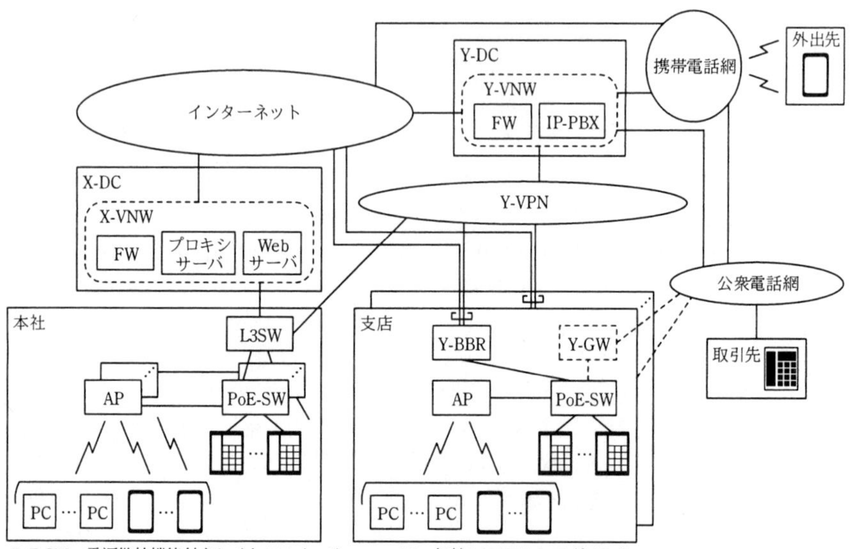

図2 Bさんが考えた新D社システムの構成（抜粋）

図2中のネットワークについてBさんが整理した内容を次に示す。

(1) Y-BBRは、二つのPPPoEセッションを提供する。一つはインターネット接続に、もう一つはクラウドPBXサービス利用に用いられる。
(2) Y-VPNは、Y社のクラウドPBXサービスを利用する顧客が共用するIP-VPNである。RFC 3031で標準化されている[キ]の技術が用いられている。
(3) D社の異なる拠点間の通話が他の拠点を経由しないように、Y-VPNの網内は[ク]構成となっている。
(4) 新たに構成する、X-VNW、Y-VNW及び全社の内部LANのIPアドレスは、現行のプライベートIPアドレスとは重ならないアドレス空間を利用する。
(5) 全社の内部LANでは静的ルーティングを用いる。全社のAPはブリッジモードで動作させ、PCとスマホを収容する。収容端末のIPアドレス及びデフォルトゲートウェイのIPアドレスは、APのDHCP機能を使って配布する。本社の収容端末のデフォルトゲートウェイはL3SW、支店の収容端末のデフォルトゲートウェイは[ケ]である。
(6) 電話に関する図2中の通信経路を表2に示す。

ヒント ちょっと懐かしいやつをぶっ込まれてしまいました。知識問題はすぐに思い出せなかったら、あまりこだわらずに頭を切り替えましょう。

表2　電話に関する図2中の通信経路（抜粋）

項番	発信	着信	通信経路
1-1	本社のIP電話機	本社のIP電話機	シグナリング：本社～Y-VPN～Y-VNW～Y-VPN～本社 通話：本社
1-2		支店のIP電話機	シグナリング：本社～Y-VPN～Y-VNW～Y-VPN～支店 通話：本社～Y-VPN～支店
1-3		取引先の電話機	シグナリング・通話共：本社～Y-VPN～Y-VNW～公衆電話網～取引先
2-1	支店のIP電話機	取引先の電話機	シグナリング・通話共：支店～Y-VPN～Y-VNW～公衆電話網～取引先
2-2			シグナリング：支店～Y-VPN～Y-VNW～Y-VPN～支店～公衆電話網～取引先 通話：支店～公衆電話網～取引先
3-1	本社のスマホ	本社のIP電話機	シグナリング：本社～Y-VPN～Y-VNW～Y-VPN～本社 通話：本社
3-2	支店のスマホ		シグナリング：支店～Y-VPN～Y-VNW～Y-VPN～本社 通話：[a]

〔スマホの活用〕

スマホのSIP-APを使うと、電話機と同等の操作ができる。その一例が、通話中の電話を別の電話機に転送する操作（以下、保留転送という）である。Bさんは、保留転送の通信仕様をY社に問い合わせた。Y社からの回答を次に示す。

(1) 開始されているダイアログ内で送信されるINVITEリクエストを、re-INVITEリクエストという。保留転送を行うスマホは、IP-PBXに次の四つのSIPリクエストを送信する。
- re-INVITEリクエストを送信し、相手の電話機を保留状態にする。
- INVITEリクエストを送信し、転送先の電話機を呼び出す。
- re-INVITEリクエストを送信し、転送先の電話機を保留状態にする。
- REFERリクエストを送信し、セッションを切り替える。

(2) 保留転送に関する通信シーケンス例を図3に示す。

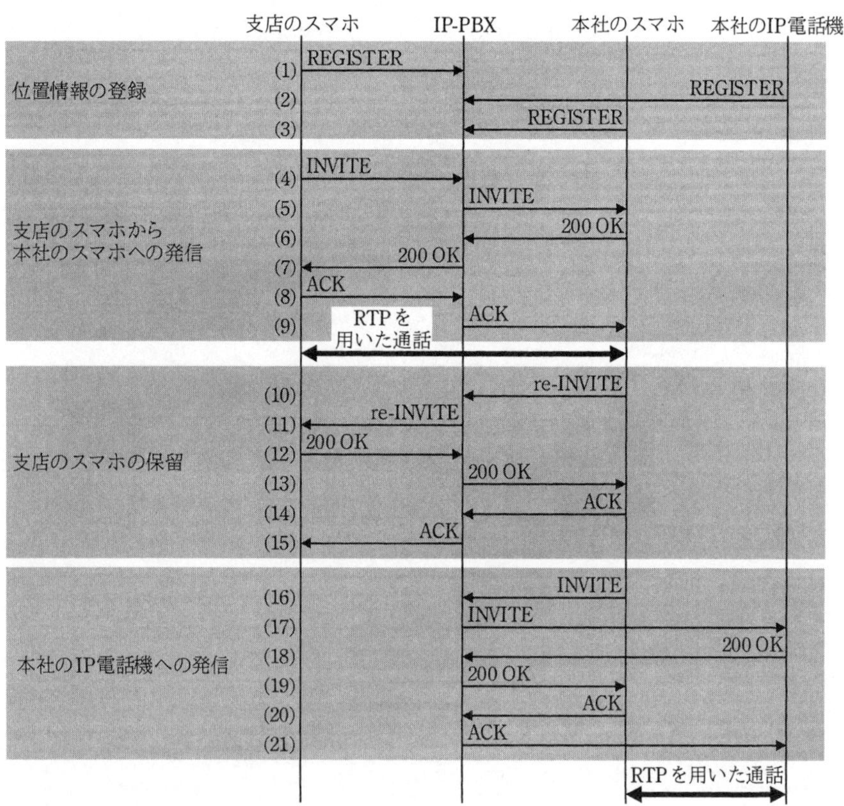

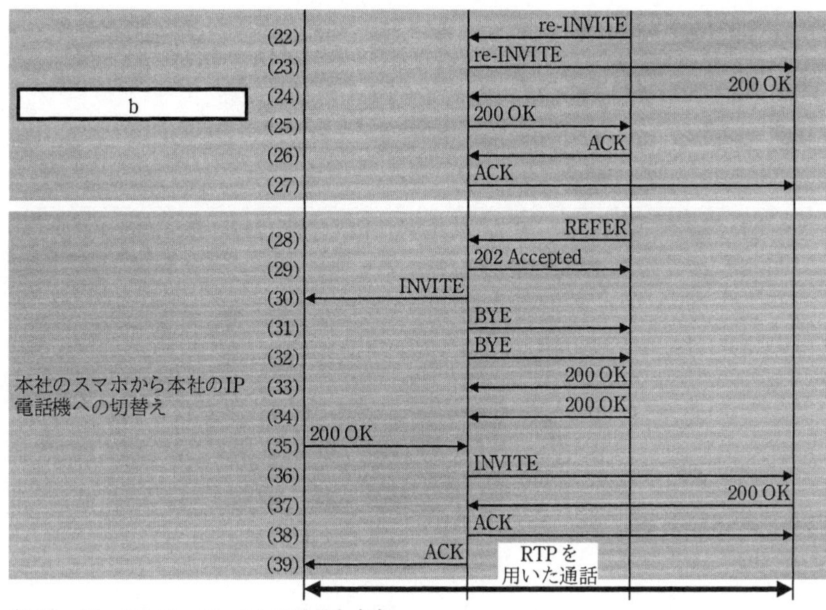

注記1　(1)〜(39)は，シーケンス番号を表す。
注記2　Tryingなど，一部のシーケンスを省略している。

図3　保留転送に関する通信シーケンス例

!? ヒント シーケンス図が出てきたらラッキーだと思ってください。だいたいの答えはここに書いてあります。

(3) 図3の通信シーケンスは、利用者が[コ]を操作して保留転送を行う例を示している。

(4) re-INVITEリクエストでは、SDP（Session Description Protocol）情報を用いて、通話に関するSIP UAの動作を指定する。Y社が指定するIP電話機以外の製品を使う場合、このような動作について事前に確認する必要がある。例えば、図3中の（11）を受信したSIP-APは、（11）中のSDPの情報に従って保留音を出す。②図3中の本社のIP電話機についても同様の動作が行われる。

Bさんは、導入するIP電話機を調べて問題がないことを確認した。

〔新システムへの段階的移行〕

Bさんは移行計画を検討した。Bさんが作成した拠点別の移行作業を表3及び図4に示す。

表3 Bさんが作成した拠点別の移行作業（抜粋）

拠点名	作業名	作業の内容
本社	a1 ネットワークの準備	・本社の PoE-SW 及び AP を設置する。
	a2 プロキシサーバの切替え	・X-DC のプロキシサーバを立ち上げ，本社のプロキシサーバと並行稼働させる。
	a3 IP-PBX の切替え	・本社の IP-PBX を停止する。 ・本社の公衆電話網の電話番号を Y-DC へ移行する。 ・Y-DC の IP-PBX を稼働させる。
	a4 Web サーバの切替え	・本社の Web サーバを停止する。 ・本社の Web サーバから X-DC の Web サーバへデータを移行する。 ・X-DC の Web サーバを稼働させる。
	a5 IP 電話機の切替え	・本社の IP 電話機の接続を，L2SW から PoE-SW へ変更する。
	a6 PC の切替え	・本社の PC の接続を，L2SW から AP へ変更する。
	a7 スマホの導入	・新規導入するスマホを配布する。
支店	b1 ネットワークの準備	・Y-BBR，Y-GW，PoE-SW 及び AP を設置する。
	b2 PBX の停止	・支店の PBX を停止する。 ・公衆電話網との接続を，PBX から Y-GW へ変更する（Y-GW 設置の支店だけ）。
	b3 IP 電話機の導入	・新規導入する IP 電話機を，PoE-SW へ接続する。 ・電話機の利用をやめ，IP 電話機の利用を開始する。
	b4 PC の切替え	・支店の PC の接続を，BBR から AP へ変更する。
	b5 スマホの導入	・新規導入するスマホを配布する。
	b6 既存のスマホの切替え	・支店のスマホの SIP-AP を，Y 社クラウド PBX サービス用のものに変更する。

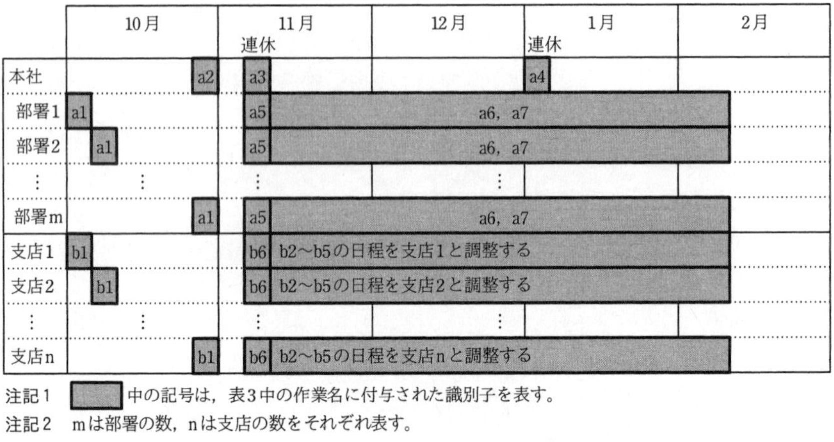

	10月	11月 連休	12月	1月 連休	2月
本社	a2	a3		a4	
部署1	a1	a5　a6，a7	a6，a7	a6，a7	
部署2	a1	a5　a6，a7	a6，a7	a6，a7	
⋮	⋮	⋮	⋮		
部署m	a1	a5　a6，a7	a6，a7	a6，a7	
支店1	b1	b6　b2～b5の日程を支店1と調整する			
支店2	b1	b6　b2～b5の日程を支店2と調整する			
⋮	⋮	⋮	⋮		
支店n	b1	b6　b2～b5の日程を支店nと調整する			

注記1 ［網掛け］中の記号は，表3中の作業名に付与された識別子を表す。

注記2 mは部署の数，nは支店の数をそれぞれ表す。

図4 Bさんが作成した拠点別の移行作業（抜粋）

次にBさんは、表3を基に切替期間中のネットワーク環境を検討した。Bさんが作成した切替期間中の本社のネットワーク構成を図5に示す。

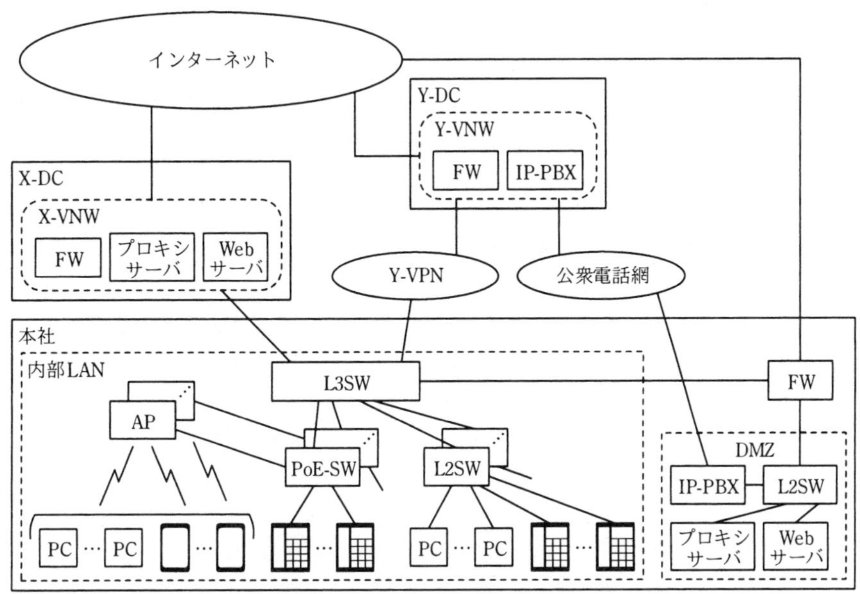

注記 ネットワーク及び機器の接続について，中継要素の一部を省略している。

図5 Bさんが作成した切替期間中の本社のネットワーク構成（抜粋）

Bさんは、表3、図4、5を持参し、移行計画について情報システム部長に相談した。その時のBさんと部長の会話を次に示す。

Bさん：図4をご覧ください。10月末までにネットワークの準備を終え、プロキシサーバを並行稼働させておきます。11月の連休を利用してIP-PBXを切り替え、1月の連休を利用してWebサーバを切り替えます。

部長： 図4を見ると、本社では2か月以上掛けてPCを切り替えるようだね。

Bさん：台数が多く利用者への配慮も必要なので、長めの切替期間を設けています。

部長： なるほど。

Bさん：また、③切替期間中の本社の内部LANでは、現行環境と新環境を分離します。

ヒント 新環境と旧環境を束ねている機器は何ですか？

部長：　その方が安全だ。ところで、本社のIP電話機は一斉に切り替えるのだね。PCと同様に段階的に切り替えた方が良いと思うが。

Bさん：Y社に相談しましたが、Y-DCのIP-PBXと本社のIP-PBXとの連携は複雑なので断念しました。二つのIP-PBXを同時に稼働させることは可能ですが、その場合には、それぞれに収容されたIP電話機間の内線通話ができません。また、［ c ］とIP電話機の切替えの順序関係によって、一部のIP電話機では、一時的に［ d ］ができなくなります。

部長：　了解した。次に、表3中の作業a2にあるプロキシサーバの並行稼働について説明してくれないか。

Bさん：プロキシサーバには、プロキシ機能とDNS機能をもたせています。並行稼働中は、それぞれの機能について、本社のプロキシサーバとX-DCのプロキシサーバの両方を稼働させます。さらに、X-DCのプロキシサーバのDNS機能をスレーブDNSサーバとし、本社のプロキシサーバのDNS機能からゾーン転送を行います。

部長：　プロキシ機能はどのように切り替えるのかな。

Bさん：現在、本社のPCからは本社のプロキシサーバを使っています。表3中の作業a6でPCを切り替えるときに、PCの設定情報を変更し、X-DCのプロキシサーバを使うようにします。

部長：　Webサーバは、1月の連休を利用して切り替えるのだね。

Bさん：はい。④切替えは、プロキシサーバの設定変更によって行います。

!? ヒント　いろいろなやり方がありそうですが、ここでプロキシサーバを使えと限定がかかっています。

部長：　本社の切替えは大体良さそうだ。次に、支店の切替えを確認しよう。図4を見ると、本社と同様に長めの切替期間を設けるのだね。

Bさん：支店ごとに日程を調整することになります。3か月程度必要です。

部長：　支店ごとに作業b2～b5を実施するわけだが、日程調整の際、何か制約はあるのかな。

Bさん：一つの支店について、作業［ サ ］と作業［ シ ］は一斉に行う必要があります。それ以外の作業は切替期間内であればいつでも実施できます。

部長： 了解した。支店と早めに切替日程を調整して、それぞれの支店について、PBXがいつから撤去可能になるのかを図4に追記してほしい。⑤本社についても、FW、Webサーバ、プロキシサーバ及びIP-PBXがいつから撤去可能になるのか、図4に追記してくれないか。

Bさん：はい。分かりました。

ヒント これらはDMZで使っていた機器です。

その後、Bさんは、見直した移行計画を含む検討結果を情報システム部長に報告した。Bさんの検討結果に基づき、D社システムの更改が開始された。

設問1

〔現行のD社システム〕について、(1)～(3)に答えよ。

(1) 本文中の[ア]、[イ]及び[カ]に入れる適切な機器を、図1中の機器名で答えよ。

(2) 本文中の[ウ]～[オ]に入れる適切な字句を答えよ。

(3) 本文中の下線①のために、FWにおいて許可している通信を二つ挙げ、それぞれ30字以内で答えよ。

設問2

〔クラウドサービスの利用〕について、(1)～(3)に答えよ。

(1) 本文中の[キ]～[ケ]に入れる適切な字句を答えよ。

(2) 表2中の[a]に入れる適切な字句を、表2中の字句を用いて答えよ。

(3) 表2中の支店のIP電話機から取引先の電話機への通信経路が、項番2-1と項番2-2の2通りになる理由を、30字以内で具体的に述べよ。

設問3

〔スマホの活用〕について、(1)～(4)に答えよ。

(1) 本文中の[コ]に入れる適切な字句を、図3中の字句を用いて答えよ。

(2) 図3中の[b]に入れる適切な字句を答えよ。

(3) 図3中のシーケンス番号(31)、(32)の二つのBYEリクエストについて、BYEリクエストと同じCall-IDをもつINVITEリクエストのシーケンス番号を、一つずつ答えよ。

(4) 本文中の下線②について、同様の動作を、シーケンス番号を用いて35字以内で述べよ。

設問4

〔新システムへの段階的移行〕について、(1)～(5)に答えよ。

(1) 本文中の下線③に必要となる機器の設定を、図5中の字句を用いて60字以内で述べよ。

(2) 本文中の［ c ］、［ d ］に入れる適切な字句を、それぞれ20字以内で答えよ。

(3) 本文中の下線④の設定変更を行うプロキシサーバの設置場所を答えよ。また、変更内容を50字以内で述べよ。

(4) 本文中の［ サ ］、［ シ ］に入れる適切な字句を答えよ。

(5) 本文中の下線⑤中の全ての機器は、どの時点で撤去可能になるか。20字以内で答えよ。また、その時点まで撤去できない機器を、全て答えよ。

解答のポイント

サービスの更新や移行に関する問題（頻出です）は、面倒がらずに旧環境図と新環境図を照らし合わせていくと、それだけで正解が浮かび上がる設問もあります。シーケンス図も含めて、丹念に図中要素を追っていきましょう。

ポイントは旧環境の要素と新環境の要素をごっちゃにしないことです。ここで複雑さを演出して難易度が高いように見せるのが作問者のテクニックなので、気後れしないようにしましょう。

理解度チェック

解答➡P700

① NATとNAPTの違いは？
② SIPが張るコネクションはいくつ？

■設問1の解説

(1)

【空欄ア】

内部ネットワークはプライベートアドレスを使っているので、インターネットと通信するときにはNATが行われているよ、という話です。基本的な事項ですが、NATとNAPTの違いはおさえておきましょう。NAPTはアドレス変換にポート番号を併用することで、1つのグローバルアドレスを複数の端末に割り当てることが可能です。

プロキシサーバもプライベートアドレスを使っていますから、

プロキシサーバ ➡ L2SW ➡ FW ➡ インターネット

の経路では、FW上でプロキシサーバのアドレス変換が行われます。これを踏まえたうえで、空欄アでは支店PCのWebサーバへのアクセスが問われています。経路とし

ては、

PC ➡ BBR ➡ インターネット

ですから、NATが行われるのはBBRでしょう。実際に問題文にもそう書いてあります。では、何のアドレスを変換しているのか？ が問われているわけです。もちろん、出所であるPCのプライベートアドレスを変換しています。

【空欄イ】

今度はWebサーバのアドレス変換が問われています。ここでいう「Webサーバ」はインターネットのどこかにある接続先ではなく、D社のWebサーバのことですから勘違いしないようにしましょう。Webサーバがインターネットと通信する経路は、

Webサーバ ➡ L2SW ➡ FW ➡ インターネット

です。アドレス変換をしているとしたらL2SWかFWですが、L2SWはネットワーク層のプロトコルを解釈しませんから、FWが正答になります。

【空欄カ】

外出時に、スマホのSIP-APから取引先へ電話をかけるわけですが、直接かけてよいわけではなく、「本社の公衆電話網の電話番号からの発信となるように」という条件があります。そのため、一度本社を経由する手順が必要です。公衆電話網は使いませんから、インターネットが経由ラインになります。

問題文の図1を見ると、外出先から本社へアクセスし、さらに取引先へ至るルートは、

外出先 ➡ 携帯電話網 ➡ インターネット ➡ FW ➡ L2SW ➡ IP-PBX
➡ 公衆電話網 ➡ 取引先

となります。解答候補としてはL2SWかIP-PBXですが、公衆電話網の話をしているのでIP-PBXを答えるのが適切です。

(2)

SIPの通信フローを大まかに理解しているかが問われています。すべてを丸暗記する必要はありませんが、通常接続時のリクエストの順番が思い浮かべられるだけでも得点力が増します。P301の図（SIPによる接続の流れ）を参考にしてください。

【空欄ウ】

ここでは、IP電話機とスマホがSIPユーザエージェント、IP-PBXがSIPサーバです。SIPサーバへのロケーション情報の登録ですから、SIPのREGISTERリクエストを使用します。

【空欄エ】

SIPサーバがSIPユーザエージェントを認証します。SIPの通信フローを覚えていなくても、文脈から類推可能なので諦めずに問題に取り組んでください。ここでは、問題文の表記に合わせて「SIP UA」を解答します。

【空欄オ】

SIPのレスポンスは、HTTP等と同様に100番台がインフォメーション、200番台が成功通知というふうにざっくり決まっています。ここは成功通知ですから、「200 OK」を解答すればよいことになります。

(3)

支店のスマホについて検討されています。「スマホ ➡ FW ➡ IP電話機」と通話(SIP通信)するために、FWはどんな通信を許可しなければならないのでしょうか？

経路としては、

スマホ ➡ BBR ➡ インターネット ➡ FW ➡ L3SW ➡ L2SW ➡ IP電話機

です。このとき、L3SWとL2SWはほぼ無視してよいので、

インターネット ➡ FW ➡ IP電話機

の流れで何を認めるか、という話に単純化してしまいましょう。SIPによる通話は主に2つのプロトコルを使って実装されます。通話制御のSIPと、音声データ伝送のRTPです。RTPはスマホとIP電話機間を結べばよいので、FWの視点で見ると「インターネットとIP電話機間で、RTP通信を許可」すればOKです。

いっぽうのSIPは、スマホとIP電話機に加えて、SIPサーバ(IP-PBX)も通信に参加してきます。したがって、スマホとIP-PBX、IP電話機とIP-PBXの通信を許可しないといけません。FW視点では、「インターネットとIP-PBX」、「IP電話機とIP-PBX」の通信を許可するという表現になります。

■設問2の解説

(1)

【空欄キ】

古典的かつ基本的な出題ですが、それゆえに盲点になっていた人もいるかもしれません。RFC 3031を知っていれば一発ですが、これはMPLS (Multi-Protocol Label Switching)の説明です。IPヘッダではなく、ラベルと呼ばれる短い情報を使うことで高速ルーティングを行う技術です。

もちろん、みんながみんな高速ルーティングできるのであれば、誰もがIPヘッダではなくラベルで(MPLSで)通信するはずですから、制約があります。閉域網の中でしか使えません。この場合、

- Y-VPNで使うので、閉域網の中という条件は満たしている
- Y-VPNはサービスを利用する顧客が共用するので、何かスイッチング的なことが行われるのだろう

と類推できるので、RFC 3031＝MPLSが思い浮かばなくても解答できる可能性があります。ただ、本試験では、無理だと判断したらここに時間を投じずに次の設問に移るほうが、合格の可能性を上げられるかもしれません。

【空欄ク】

ここも暗記一発のような設問です。午後Ⅰではありがちですが、午後Ⅱではやや珍しいタイプの出題です。ネットワークに参加するすべてのノードが互いに接続されているトポロジは**フルメッシュ**です。メッシュでも部分点をもらえる可能性がありますので、「メッシュ」だけでもいいので書いておきましょう。

仮想的にフルメッシュのように振る舞う**バーチャルメッシュ**は、空欄クの要件を満たしませんので(他の拠点を経由する可能性がある)、間違いになります。

【空欄ケ】

支店からのIP通信は、Y-BBRを通ってインターネットへ出て行きます。したがって、支店の収容端末のデフォルトゲートウェイはY-BBRです。APやPoE-SWは同一ネットワーク内のレイヤ2機器ですので(APはブリッジモードで動いている)、デフォルトゲートウェイにはなり得ません。

(2)

【空欄a】

空欄aは支店のスマホの通信経路を問われています。シグナリングと通話に分かれていることに注意してください。シグナリングはSIP通信、通話はRTP通信です。SIPだとSIP UAとSIPサーバ間の通信になりますが、RTPはSIP UA同士の通信です。支店のスマホと本社のIP電話機を直接結ぶ経路を解答すればOKです。

表2の他の部分を参照すると、端末ではなくて、単に通過していくネットワークを答えればいいことが分かります。したがって、「支店→Y-VPN→本社」が正答になります。SIPサーバ(IP-PBX)を経由する必要はないので、Y-VNWは通りません。

クラウドPBXサービスを利用しているので、通話にはY-VPNを使うことが前提になります。インターネットは通りません。同じ表2にあるIP電話機の経路を参考にしてもよいでしょう。

(3)

(1)と同じ考え方で進められます。SIP通信はSIPサーバ(IP-PBX)を使うため、Y-VNWを経由する必要がありますが、セッションが確立してしまえば、RTP通信はSIP UA(支店IP電話機と取引先電話機)同士の最短経路で実行できます。

支店IP電話機から取引先までの最短経路は、

支店IP電話機 ➡ PoE-SW ➡ Y-GW ➡ 公衆電話網 ➡ 取引先

です。しかし、図2の注記1に「Y-GWを設置しない支店がある」と書かれているため、この経路が使えない支店もあることが分かります。その場合は、表2にもあるようにY-VPNとY-VNWを介して公衆電話網にアクセスするわけです。

■設問3の解説

(1)

【空欄コ】

図3の流れを追っていくと、支店のスマホから本社のスマホにかけた通話であることが分かります((1)～(9))。その後、本社のスマホが起点となり、支店のスマホを保留にし((10)～(15))、本社のスマホから本社のIP電話機を呼び出しています((16)～(21))。

このことから、本社のスマホの操作による保留転送であることが明らかです。

(2)

【空欄b】

(21)までで本社のスマホと本社のIP電話機との接続が確立されました。あとは、本社のIP電話機を保留にし、すでに保留にしてある支店のスマホと本社のIP電話機を直接接続すれば保留転送が完了します。

(22)～(27)の一連のシークエンスは、一度確立した本社スマホと本社IP電話機の通信の保留を行うものです。表2の別部分の表記にしたがって、「本社のIP電話機の保留」と記入するのがよいでしょう。

(3)

(31)、(32)は転送を完了するために、中継役であった本社のスマホの接続を切断するためのプロセスです。

- 支店のスマホ　－　本社のスマホ
- 本社のIP電話機　－　本社のスマホ

接続状況はこのようになっていますから、支店のスマホと本社のスマホがつながったINVITEと、本社IP電話機と本社のスマホがつながったINVITEを解答すればOKです。

このとき、(4)と(5)、(16)と(17)で迷うと思われます。ここで、対になっている(31)(32)のBYEはIP-PBXと本社のスマホ間の通信であることに注意してください。本社のスマホがIP-PBXとやり取りしているINVITEは、(5)と(16)です。

(4)

(11)で支店のスマホはre-INVITEをもらったので、re-INVITE中のSDP情報を使って保留音を出したわけですが、本社IP電話機も同じことをしているから、シーケンス番号も含めて同じように表現せよ、と出題されています。

まず、本社のIP電話機がre-INVITEを受信したのは(23)です。ここは確実に見つけましょう。同じことをしていると明言されているので、解答も同じフォーマットを使うと良いと思います。

> ※問題文中の表現
>
> (11)を受信したSIP-APは、(11)中のSDPの情報に従って保留音を出す。
>
> ↓ 設問にあわせて置き換える
>
> (23)を受信した本社のIP電話機は、(23)中のSDPの情報に従って保留音を出す。
>
> ↓ 字数制限にあわせて重複箇所を削る
>
> 本社のIP電話機は、(23)中のSDPの情報に従って保留音を出す。

■設問4の解説

(1)

図1(旧環境)から、図2(新環境)の構成へ切り替えたいわけですが、一斉に切り替えると手ひどいトラブルが起こりがちなので、旧環境と新環境の並行稼働をしつつ、徐々に切替作業を進めていきます。移行作業あるあるのシナリオです。

図1、2、5を見比べないといけないので面倒ですが、ここは手間をかけましょう。きっちり環境の切り分けを行うのが重要です。

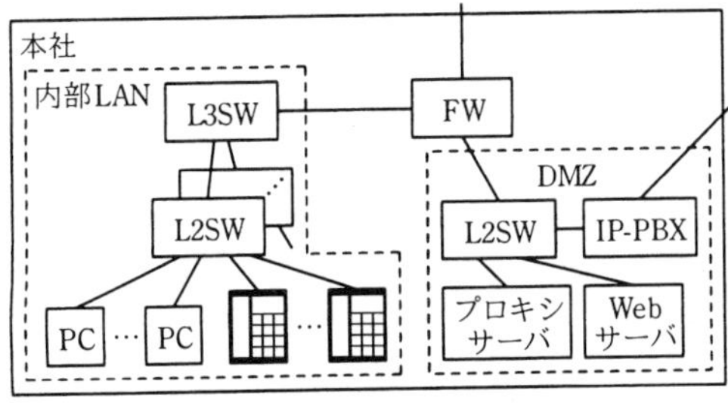

▲図 旧環境(問題文の図1)

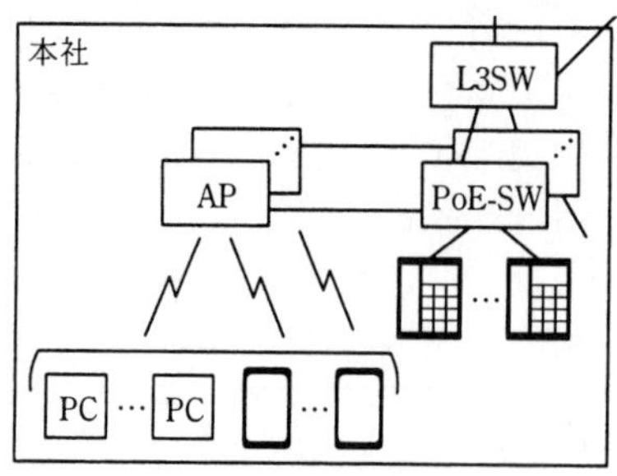

▲図 新環境（問題文の図2）

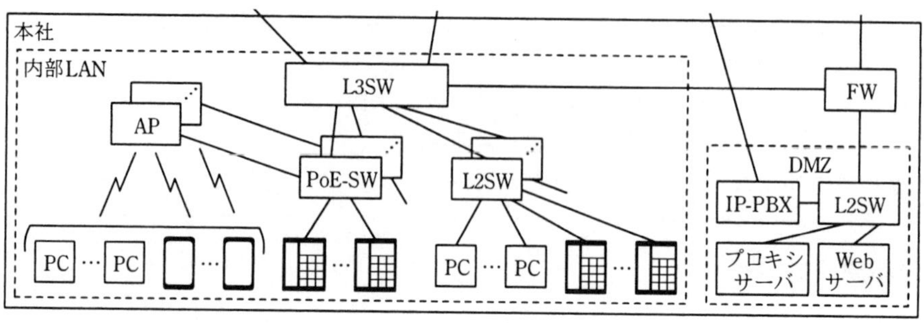

▲図 切替期間中の環境（問題文の図5）

L2SWでまとめられているPC、IP電話機と、同じくL2SWでまとめられているサーバ群（DMZ）が旧環境です。PoE-SWでまとめられている一部無線化されたネットワークは新環境です。このうち、DMZは内部LANではありませんから、下線③には直接関係してきません。

下線③で謳っているのは、新環境と旧環境を分離せよ、ということです。たしかに両者が同じサブネットワークに混在していると、思わぬインシデントが起こることがあります。

そこで、内部LANにおいて新環境と旧環境を束ねているL3SWに注目します。このスイッチの機能を使って、新環境と旧環境を別のサブネットワークに分けてあげれば問題の要件を満たすことができます。

(2)

【空欄c】【空欄d】

空欄dから考えた方が分かりやすいかもしれません。空欄dはIP電話機でできなくなることです。IP電話機は通話機能のみを提供する機器ですから、できなくなるのは通話であることは間違いありません。では、どこと通話不能になるのでしょうか？

IP電話にまつわる作業としては、次の2つがあります。

- a3　IP-PBXの切替え
- a5　IP電話機の切替え

図4を見ると、このa3とa5を11月の同じ連休に行うことが分かります。であれば、作業の順序によっては、IP電話機の通話に支障が生じると導けます。支店にもb3の作業がありますが、これは作業日が異なるので問題になりません。

具体的なトラブルの中身ですが、a3の作業項目に「本社の公衆電話網の電話番号をY-DCへ移行する」とあります。ここから、本社と、公衆電話網を使って通話する相手である社外の電話との通話に問題が出るであろうことがわかります。

(3)

Webサーバを本社から、X-DCへ移行したいわけです。並行稼働していますから、本来本社のWebサーバへ向いていた通信を、X-DCのWebサーバへ誘導してあげれば、比較的簡単に移行できそうです。

下線④にプロキシサーバを使えとあります。しかもこのプロキシサーバはDNSを兼ねていることが書かれているので、DNSの機能が使えそうです。DNSに登録されているWebサーバのAレコードのIPアドレスを、X-DCの新しいWebサーバのIPアドレスで上書きすれば、各PCからのトラフィックはX-DCのWebサーバに向かってくれます。もちろん、設定変更を施すプロキシサーバは、本社の各PCが使っている本社のプロキシサーバです。

(4)

支店で行う作業b2～b5のうち、セットで行わないとまずいのは、b2のPBXの停止と、b3のIP電話機の導入です。通話機能を提供するためにペアで動く機器ですから、ここは抱き合わせで作業します。

(5)

FW、Webサーバ、プロキシサーバ及びIP-PBXとありますから、言い換えると「本社のDMZ（X-DCに移行する機材）をいつ撤去できるか」という話です。本社で行う移行作業を表3で確認してみましょう。後ろからの確認がおすすめです。

一番最後のa7はスマホの導入で、旧環境にはなかった要素ですから、DMZは関係なさそうです。その手前のa6はPCの切替えです。ここまでは本社PCは旧環境、すなわちプロキシサーバとFWを使ってインターネットへアクセスしています。したがって、a6の作業が終了するまでは、これらを撤去できません。

このうち、a6の時点まで必要なのはプロキシサーバとFWです。プロキシサーバとFWは複数あるので、念のため「本社の」と入れておきましょう。

●解答●

■理解度チェックの解答

① どちらもアドレス変換機能。NATはグローバルアドレスとプライベートアドレスが1対1で対応する。NAPTはポート番号を組み合わせることで、1つのグローバルアドレスに複数のプライベートアドレスを対応させることができ、グローバルアドレスを効率的に使える。

② 2つ。セッション管理のためのSIPと、実際に音声パケットを伝送するRTP。

■設問の解答

●設問1

(1)【ア】PC　【イ】FW　【カ】IP-PBX

(2)【ウ】REGISTER　【エ】SIP UA　【オ】200 OK

(3)・インターネットとIP電話機間のRTP通信(20文字)
・インターネット及びIP電話機と、IP-PBX間のSIP通信(29文字)

●設問2

(1)【キ】MPLS　【ク】フルメッシュ　【ケ】Y-BBR

(2)【a】支店～Y-VPN～本社

(3) 支店によるY-GWの有無によって、使われる経路が異なるから(29文字)

●設問3

(1)【コ】本社のスマホ

(2)【b】本社のIP電話機の保留

(3) (5)、(16)

(4) 本社のIP電話機は、(23)中のSDPの情報に従って保留音を出す(32文字)

●設問4

(1) L3SWのPoE-SWがあるポートを新しいサブネットワークにして、L2SWのサブネットワークとのルーティングを遮断する(59文字)

(2)【c】公衆電話網の電話番号のY-DCへの移行(19文字)
【d】本社の電話と社外の電話との間の通話(17文字)

(3)【設置場所】本社
【変更内容】DNSに登録されているWebサーバのAレコードを、X-DCのWebサーバのIPアドレスに変更する(48文字)

(4)【サ】b2　【シ】b3

(5)【時点】本社のPC切替え作業が完了した時点(17文字)
【機器】本社のプロキシサーバとFW

索 引

E

F

G

H

I

● O

● P

● Q

● R

● S

読者特典のご案内

午前問題演習Webアプリ「DEKIDAS-WEB」について

本書の購入特典として、午前問題演習Webアプリ「DEKIDAS-WEB」をご利用いただけます。DEKIDAS-WEBは、スマホやPCからアクセスできる問題演習用のWebアプリで、平成21年以降の高度試験共通の午前Ⅰ問題と、ネットワークスペシャリストの午前Ⅱ問題を収録しています。年度やジャンルで問題を選んだり、自動採点による分析など、午前対策に役立ちます。

●利用方法

スマートフォンやタブレットからご利用になる場合は、以下のQRコードを読み取り、エントリーページへアクセスしてください。

PCなど、QRコードを読み取れない場合は、以下のURLからエントリーページへアクセスして登録してください。

- URL………… https://entry.dekidas.com/
- 認証コード… nw07ApPizMaf8ga8

なお、ログインの際にメールアドレスが必要になります。

●有効期限

本書の読者特典のDEKIDAS-WEBは、2026年9月1日までご利用いただけます。

第Ⅱ部用の解答用紙PDFについて

本書サポートページより、第Ⅱ部（長文問題演習）の解答用紙をダウンロードいただけます。PDFファイルですので、各自でプリントアウトしてご利用ください。

- URL…https://gihyo.jp/book/2024/978-4-297-14339-8/support

著者紹介

岡嶋 裕史（おかじま ゆうし）

中央大学大学院総合政策研究科博士後期課程修了。博士（総合政策）。富士総合研究所、関東学院大学准教授、情報科学センター所長を経て、中央大学国際情報学部教授／政策文化総合研究所所長。基本情報技術者試験（FE）午前試験免除制度免除対象講座管理責任者、情報処理安全確保支援士試験免除制度 学科等責任者。総務省電波政策懇談会構成員。

著書：『IT パスポート合格教本』『情報セキュリティマネジメント合格教本』『情報処理安全確保支援士合格教本』『やさしくわかる岡島裕史の情報Ⅰ教室』（技術評論社）、『ChatGPT の全貌』『Web3 とは何か』（光文社新書）、『思考からの逃走』『プログラミング / システム』（日本経済新聞出版）、『サイバー戦争 終末のシナリオ』（早川書房／監訳）ほか多数。

◇カバーデザイン　小島 トシノブ（NONdesign）
◇本文レイアウト　藤田 順（有限会社 フジタ）

令和07年
ネットワークスペシャリスト合格教本

2005年 5月 1日　初　版　第1刷発行
2024年 9月24日　第20版　第1刷発行

著　者　岡嶋 裕史
発行者　片岡 巌
発行所　株式会社技術評論社
　　　　東京都新宿区市谷左内町 21-13
　　　　電話 03-3513-6150 販売促進部
　　　　　　 03-3513-6166 書籍編集部
印刷／製本　昭和情報プロセス株式会社

定価はカバーに表示してあります。

ISBN978-4-297-14339-8 C3055
Printed in Japan

問い合わせについて

本書に関するご質問は、FAX か書面でお願いいたします。電話での直接のお問い合わせにはお答えできませんので、あらかじめご了承ください。また、下記の Web サイトでも質問用フォームを用意しておりますので、ご利用ください。

ご質問の際には、書籍名と質問される該当ページ、返信先を明記してください。e-mail をお使いになられる方は、メールアドレスの併記をお願いいたします。

お送りいただいたご質問には、できる限り迅速にお答えするよう努力しておりますが、場合によってはお時間をいただくこともございます。なお、ご質問は、本書に記載されている内容に関するもののみとさせていただきます。

なお、ご質問の際に記載いただいた個人情報は質問の返答以外の目的には使用いたしません。また、質問の返答後は速やかに削除させていただきます。

◆問い合わせ先
〒 162-0846
東京都新宿区市谷左内町 21-13
株式会社技術評論社　書籍編集部
「令和 07 年
ネットワークスペシャリスト合格教本」係
FAX：03-3513-6183
Web：https://gihyo.jp/book/